復刻版

海の外

第2巻

『海の外』第二八号～第五三号
（一九二四年八月～一九二六年一〇月）

森　武麿　編集

不二出版

復刻にあたって

一、『復刻版　海の外』全7巻・別巻1は、信濃海外協会海の外社発行の『海の外』第一号（一九二二年四月）より第二五三号（一九四三年六月）まで、及び後継誌の長野県開拓協会発行の『信濃開拓時報』創刊号（一九四四年七月）より第一一号（一九四五年五月）までを全7巻として復刻・刊行するものである。

一、刊行は第1回配本（第1―2巻）、第2回配本（第3―4巻）第3回配本（第5―7巻）の全3回配本からなる。第2回配本時に、森武麿による論考「満洲移民とブラジル移民―信濃海外協会『海の外』を対象として」と、本復刻版の総目次・索引を収録した別巻を附す。

一、復刻にあたっては、原本は適宜縮小し、白黒、四面付方式にて収録した。

一、頁の破損、印刷不鮮明の箇所については、可能な限り副本にあたったが、補えない箇所についてはそのまま収録した。また未発見のため収録することができなかった巻については、「全巻収録内容」に欠号として示した。

一、表紙のうち特徴的なものに関しては、第1巻に口絵として収録した。

一、資料の中には、人権の視点から見て不適切な語句・表現・論もあるが、歴史的資料の復刻という性質上、そのまま収録した。

※使用した底本の所蔵館については、「全巻収録内容」に記載しております。ご提供いただいた各機関のご協力に感謝申し上げます。

（不二出版編集部）

復刻版　海の外　第2巻

収録内容

『海の外』

全巻収録内容

配本	収録巻	号数	発行日	備考	使用原本
第1回配本	第1巻			海の外	
		第一号	一九二二年 四月二〇日		長野県立歴史館
		第二号	五月一日		長野県立歴史館
		第三号	六月一日		長野県立歴史館
		第四号	七月一日		長野県立歴史館
		第五号	八月一日		長野県立歴史館
		第六号	九月一日		長野県立歴史館
		第七号	一〇月一日		長野県立歴史館
		第八号	一一月一日		長野県立歴史館
		第九号	一二月一日		長野県立歴史館
		第一〇号	一九二三年 一月一日		長野県立歴史館
		第一一号	二月一日		長野県立歴史館
		第一二号	三月一日		長野県立歴史館
		第一三号	四月八日		長野県立歴史館
		第一四号	五月一日		長野県立歴史館
		伯剌西爾移住地建設号	六月一日		長野県立歴史館
		第一五号	七月一日		長野県立歴史館
		第一七号	八月三〇日		長野県立歴史館
		第一八号	十月一日		長野県立歴史館
		第一九号	一一月二五日		長野県立歴史館
		第二〇号	一二月二五日		長野県立歴史館
		第二一号	一九二四年 一月二九日		長野県立歴史館
		第二二号	二月二〇日		長野県立歴史館
		第二三号	三月三〇日		長野県立歴史館
		第二四号	四月三〇日		長野県立歴史館
		第二五号	五月三一日		長野県立歴史館
		第二六号	六月三〇日		長野県立歴史館
		第二七号	七月三一日		長野県立歴史館
	第2巻	第二八号	八月二五日		長野県立歴史館
		第二九号	九月三〇日		長野県立歴史館
		第三〇号	一〇月三〇日		長野県立歴史館
		第三一号	一一月三〇日		長野県立歴史館
		第三二号	一二月三一日		長野県立歴史館
		第三三号	一九二五年 二月二一日	南米ブラジル「ありあんさ」移住地建設号	長野県立歴史館

配本	収録巻	号数	発行日	備考	使用原本
第1回配本	第2巻	第三四号	三月三一日		長野県立歴史館
		第三五号	四月二五日		長野県立歴史館
		第三六号	五月二六日		長野県立歴史館
		第三七号	六月二六日		長野県立歴史館
		第三八号	七月二六日		長野県立歴史館
		第三九号	八月二六日		長野県立歴史館
		第四〇号	九月二六日		長野県立歴史館
		第四一号	一〇月二六日		長野県立歴史館
		第四二号	一一月二六日		長野県立歴史館
		第四三号	一二月二五日		長野県立歴史館
		第四四号	一九二六年 一月二五日	南米ブラジルありあんさ移住地一覧	長野県立歴史館
		第四五号	二月二五日		長野県立歴史館
		第四六号	三月二五日		長野県立歴史館
			第四七号 欠		
			第四八号 欠		
		第四九号	六月二五日		長野県立歴史館
			第五〇号 欠		
			第五一号 欠		
		第五二号	九月二五日		長野県立歴史館
		第五三号	一〇月二五日		長野県立歴史館
			第五四号 欠		
		第五五号	一二月二五日		長野県立歴史館
第2回配本	第3巻	第五六号	一九二七年 一月二五日		日本力行会
			第五七号 欠		
		第五八号	三月三一日		日本力行会
			第五九号 欠		
		第六〇号	五月二五日		長野県立歴史館
		第六一号	六月二五日		日本力行会
		第六二号	七月二五日		日本力行会
		第六三号	八月三一日	南米ブラジルありあんさ移住地建設紀念号	日本力行会
		第六四号	九月二五日		日本力行会
		第六五号	十月二五日		北海道大学附属図書館
		第六六号	一一月二五日		日本力行会
		第六七号	一二月二五日		長野県立歴史館
		第六八号	一九二八年 一月二五日		日本力行会

配本	収録巻	号数	発行日	備考	使用原本
第2回配本	第3巻	第六九号	二月二五日		日本力行会
		第七〇号	四月一日		長野県立歴史館
		第七一号	五月一日		長野県立歴史館
		第七二号	六月一日		長野県立歴史館
		第七三号	七月一日		長野県立歴史館
		第七四号	八月一日		長野県立歴史館
		第七五号	九月三〇日		長野県立歴史館
		第七六号	一〇月一〇日		長野県立歴史館
		第七七号	一一月一日		長野県立歴史館
		第七八号	一二月一日		長野県立歴史館
	第4巻	第七九号	一九二九年 一月一日		長野県立歴史館
		第八〇号	二月一日		長野県立歴史館
		第八一号	三月一日		長野県立歴史館
		第八二号	四月一日		日本力行会
		第八三号	五月一日		日本力行会
		第八四号	六月一日		長野県立歴史館
		第八五号	七月一日		日本力行会
		第八六号	八月一日		日本力行会
		第八七号	九月一日		日本力行会
		第八八号	一〇月一日		日本力行会
		第八九号	一一月一日		日本力行会
		第九〇号	一二月一日		日本力行会
		第九一号	一九三〇年 一月一日		日本力行会
		第九二号	二月一日		日本力行会
		第九三号	三月一日		日本力行会
		第九四号	四月一日		日本力行会
		第九五号	五月一日		日本力行会
		第九六号	六月一日		日本力行会
		第九七号	七月一日		日本力行会
		第九八号	八月一日		長野県立歴史館
		第九九号	九月一日		日本力行会
		第一〇〇号	一〇月一日		日本力行会
		第一〇一号	一一月一日		日本力行会
		第一〇二号	一二月一日		日本力行会
第3回配本	第5巻	第一〇三号	一九三一年 一月一日		日本力行会
		第一〇四号	二月一日		日本力行会
		第一〇五号	三月一日		日本力行会
		第一〇六号	四月一日		日本力行会
		第一〇七号	五月一日		日本力行会
		第一〇八号	六月一日		日本力行会
		第一〇九号	七月一日		日本力行会
		第一一〇号	八月一日		日本力行会
		第一一一号	九月一日		日本力行会
		第一一二号	一〇月一日		日本力行会
		第一一三号	一一月一日		日本力行会
		第一一四号	一二月一日		日本力行会
		第一一五号	一九三二年 一月一日		日本力行会
		第一一六号	二月一日		日本力行会
		第一一七号	三月一日		日本力行会
		第一一八号	四月一日		日本力行会
		第一一九号	五月一日		日本力行会
		第一二〇号	六月一日		日本力行会
		第一二一号	七月一日		日本力行会
		第一二二号	八月一日		日本力行会
		第一二三号	九月一日		日本力行会
		第一二四号	一〇月一日		日本力行会
		第一二五号	一一月一日		日本力行会
		第一二六号	一二月一日		日本力行会
	第6巻	第一二七号	一九三三年 一月一日		日本力行会
		第一二八号	二月一日		日本力行会
		第一二九号	三月一日		日本力行会
		第一三〇号	四月一日		日本力行会
		第一三一号	五月一日		日本力行会
		第一三二号	六月一日		日本力行会
		第一三三号	七月一日		日本力行会
		第一三四号	七月一五日	内地版第一輯	日本力行会
		第一三五号	八月一日		日本力行会
		第一三六号	九月一日		日本力行会
		第一三七号	一〇月一日		日本力行会
		第一三八号	一一月一日		日本力行会
		第一三九号	一二月一日		日本力行会
		第一四〇号	一九三四年 一月一日		日本力行会
		第一四一号	一月一〇日	内地版第二輯	長野県立図書館
		第一四二号	二月一日		日本力行会
		第一四三号	三月一日		日本力行会
		第一四四号	四月一日	内地版第三輯	日本力行会

配本	収録巻	号数	発行日	備考	使用原本
第3回配本	第6巻	第一四五号	五月一日		日本力行会
		第一四六号	六月一日		日本力行会
		第一四七号	七月一日	内地版第四輯	日本力行会
		第一四八号	八月一日		日本力行会
		第一四九号	九月一日		日本力行会
		第一五〇号	一〇月一日	内地版第五輯	日本力行会
		第一五一号	一一月一日		日本力行会
		第一五二号	一二月一日		日本力行会
	第7巻	第一五三号	一九三五年 一月一日	内地版第六輯	長野県立図書館
		第一五四号	二月一日		長野県立図書館
		第一五五号	三月一日		長野県立図書館
		第一五六号	四月一日	内地版第七輯	長野県立図書館
			一五七―一七九号 欠		
		第一八〇号	一九三七年 四月一日		長野県立歴史館
		第一八一号	五月一日		長野県立歴史館
		第一八二号	六月一日		長野県立歴史館
		第一八三号	七月一日		長野県立歴史館
		第一八四号	八月一日		長野県立歴史館
		第一八五号	九月三〇日		長野県立歴史館
		第一八六号	一〇月一日		長野県立歴史館
		第一八七号	一一月一日		長野県立歴史館
		第一八八号	一二月一日		長野県立歴史館
		第一八九号	一九三八年 一月一日		長野県立歴史館
		第一九〇号	二月一日		長野県立歴史館
		第一九一号	三月一日		長野県立歴史館
			一九二―一九六号 欠		
		第一九七号	九月一日		佐久穂町図書館
			一九八―二〇三号 欠		
		第二〇四号	一九三九年 四月一日		長野県立歴史館
		第二〇五号	五月一日		長野県立歴史館
		第二〇六号	六月一日		長野県立歴史館
		第二〇七号	七月一日		長野県立歴史館
		第二〇八号	八月一日		長野県立歴史館
		第二〇九号	九月一日		長野県立歴史館
		第二一〇号	一〇月一日		長野県立歴史館
		第二一一号	一一月一日		長野県立歴史館
		第二一二号	一二月一日		長野県立歴史館
第3回配本	第7巻	第二一三号	一九四〇年 一月一日		長野県立歴史館
		第二一四号	二月一日		長野県立歴史館
		第二一五号	三月一日		長野県立歴史館
			二一六―二三一号 欠		
		第二三二号	一九四一年 八月一日		長野県立図書館
		第二三三号	九月一日		長野県立図書館
		第二三四号	一〇月一日		長野県立図書館
		第二三五号	一〇月一日		長野県立図書館
			二三六―二四二号 欠		
		第二四三号	一九四二年 七月一日		飯田市歴史研究所
		第二四四号	八月一日		下伊那教育会館
		第二四五号	九月一日		飯田市歴史研究所
		第二四六号	一〇月一日		飯田市歴史研究所
			二四七―二五〇号 欠		
		第二五二号	一九四三年 四月一日		飯田市歴史研究所
		第二五三号	五月一日		飯田市歴史研究所
		第二五四号	六月一日		飯田市歴史研究所
			二五五―二六六号 欠		
		信濃開拓時報			
		創刊号	一九四四年 七月二〇日		下伊那教育会館
		第二号	八月一五日		下伊那教育会館
		第三号	九月一五日		下伊那教育会館
		第四号	一〇月一五日		下伊那教育会館
		第五号	一二月一五日		下伊那教育会館
		第六号	一二月一五日		下伊那教育会館
		第七号	一九四五年 一月一五日		下伊那教育会館
		第八号	三月一五日		下伊那教育会館
		第九号	五月五日		下伊那教育会館
		第一〇号	五月一〇日		下伊那教育会館
		第一一号	五月一五日		下伊那教育会館

一九二四（大正一三）年　海の外　第二八号～第三二号

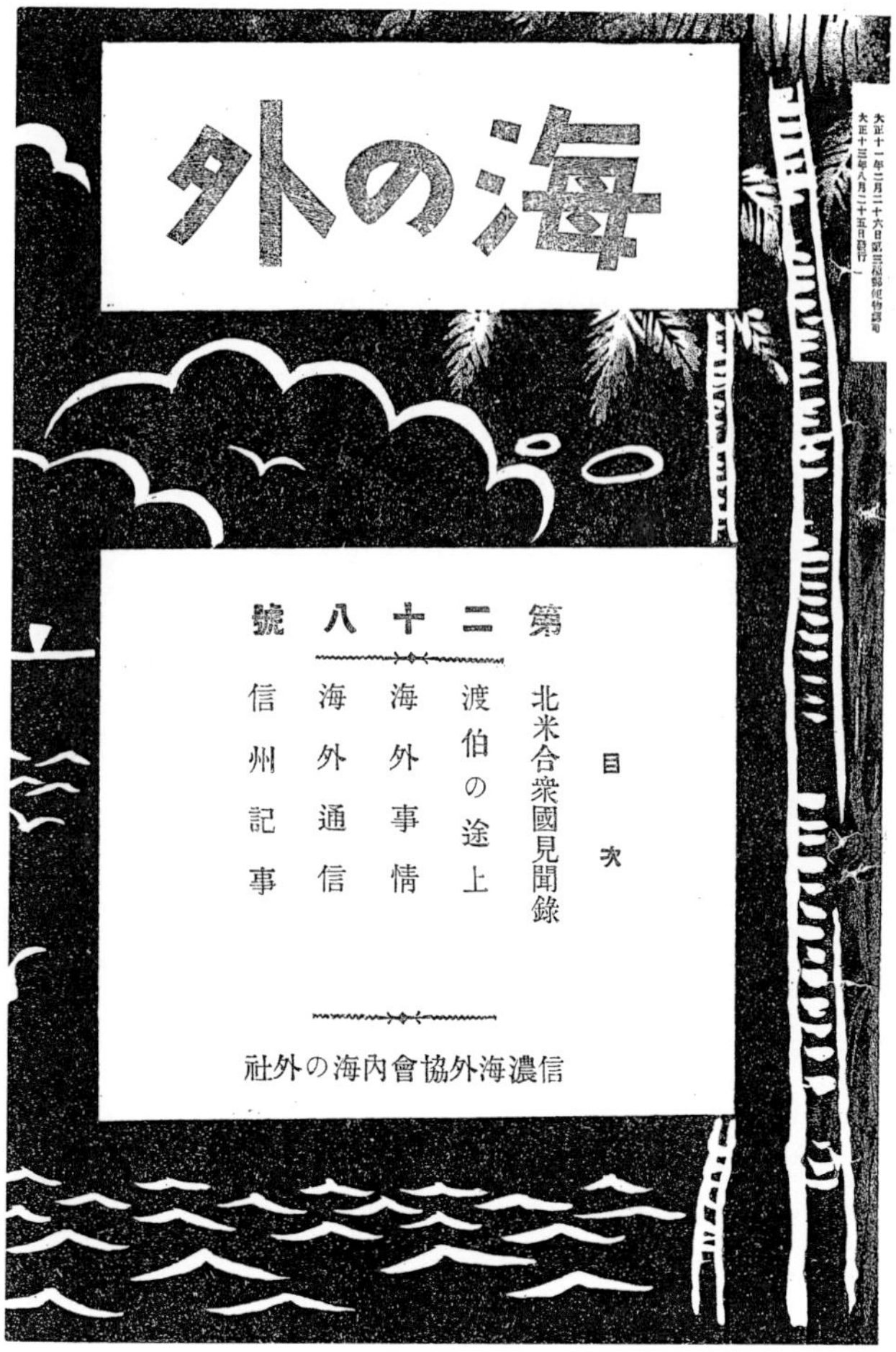

目次

北米合衆國見聞錄（其二）

坂井辰三郎

二

富國貧民窟

國富み而して民彌々貧しきは、現代文明の一大病弊であり、且つ「アダム、スミス」氏によつて提唱された經濟學當然の歸結である。我國は世界の强國と其の富に於て未だ比肩し得ざるに先んじ、既に現代經濟の趨勢に伴れ、貧民階級は年に月に其の多きを加ふ。就中最も堅實なるべき農村に於て、最近此の傾向の著しきを認む。之れ蓋し現代資本主義經濟組織の下にありて、農業生產は不合理不利益なる境遇に置かるゝのが其の主因の一つである。こは何れ別の機會に於て述ぶることがあると思ふから暫く玆に筆を擱く。

兎に角一國總額の富が如何に增加しても、其の富が或少數者の手に獨占され、國民の大部分が貧民階級であるが如き社會狀態では決して健實なる國家たるを得ない。何時かは自滅するか或時期には改造されなくてはならないものと思ふ。玆に先進國の轍に鑑み、天は且に陰雨の徵がある。須く牖戶綢膠の對應策を施すべきである。危險思想の取締りも必要であらうが、一面又斯る惡思想に共鳴せぬ健全な社會的体軀を有する國家的統政を忘れてはならぬ。

富國貧民窟の著例は、蓋し英國と米國であらう。殊に最近北米合衆國の國富の增進、資本の集積は極めて多大なもので、今や世界金融の中心點は英國を去つて米國に推移したのである。

斯る富國の內容を解剖すれば、うこに極めて危險な病菌が潜伏してゐる。即ち米國「ウイスコンシン」州の調べによると、全州の富の五分二厘と云ふ極めて少額なものだけが、全人口の六割五分と云ふ大多數の人々によつて所有さるゝのみで、殘余の九割四分八厘と云ふ巨額の富は僅か三割五分のものによつて所有されてゐる。而も其の九割四分余の中五割七分と云ふものは僅々二分の最富者の手に獨占されてゐる。又昨年紐育タイムス紙が發表した。世界の富豪番附によつて見ても之れを知ることか出來る。即ち之れによると貳億以上の世界十二富豪の筆頭は、例の自動車王「ヘンリー、フォード」氏で、彼の總資產は十四億圓である。而して彼の事業收益は年々貳億四千萬圓であるさうであるから、此の勢で進んだならば、氏の資產は幾ら膨脹するか殆んど想像に余りある。之れに次ぐは同じく石油王と云はれてゐる米國の「ロックフエラ」氏で、彼の資財は十億と算せられてゐる。其他に四名の世界的富者があつて、都合十二名の內の六名即ち半數は米國で占めてゐる次第である。

而して又昨千九百二十三年七月一日米國政府が發表せる、米國民の住宅所有率に見るも亦之れを證するに足る。合衆國政府の數字によると、千九百二十年には家屋所有率は四割九厘で住宅十戶の內約四戶だけが、その居住する人々によつて所有されるのみである。而して前記四割九厘の內、一割六分貳厘は負債抵當の爲めに他人の所有に屬してゐる。從て殘りの貳割四分七厘丈が負債抵當など關係なしに所有されてゐる。

又貸家の最も多い市は紐育市で、居住者の家屋所有率は僅か一割貳分七厘である。尙ほ人口三十万以上を有する他の都市の家屋百戶に對する貸家率を示すと

市名	貸家率	市名	貸家率
シカゴ	七割三分	ロスアンゼルス	六割五分三厘
ヒラデルヒア	六割五分	ピッツバーク	七割一分七厘
デトロイト	六割一分七厘	サンフランシスコ	七割二分六厘
クリブランド	六割四分九厘	バッファロー	六割一分四厘
セントルイス	七割六分二厘	ミルウオーキー	六割四分五厘
ボストン	八割一分五厘	ワシントン	六割九分七厘

ネワーク	七割九分八厘	カンサス	六割五分三厘
シンシナテイ	七割〇三厘	バルテイモーア	五割三分七厘
ニユーオルレアンス	七割六分九厘	シャトル	五割三分七厘
ミナポリス	五割九分一厘	インデアポリス	六割五分五厘

即ち右の貸家率の殘りの率が、居住者の所有率なのである。而も居住者所有家屋の約半分以上は、負債の爲め夫れ々々抵當に掛つてゐる。而して舊都にして且大都市たる程貸家率を增し、所有率減少の傾向あるは大いに注意すべき事柄である。

斯る住宅所有率であるから、都會には家族一團となつて間借り生活や、下宿住居をしてゐるものが多い。又田舍に入つても貸家などの揭示のある家を多く見受ける。概して建築の進んだ米國に於て、日本の關東地方震災後に出來た、京濱に見るバラック以下の實に見すぼらしい居宅に起臥してゐるものも田舍などには可成り多くある。且又稀には年中天幕生活によつて其の日を過ごして居るものをも見受くる。如何に貧乏國でも未だ日本の田舍などでは、到底見るを得ざる社會的疾患である。

從て之れが病患を匡救すべく幾多の社會政策は施され、且つ又大いに讚賞すべき社會的美風制度も釀成されてゐる。以下項を追ふて見聞の二、三を述ぶる。

三

家屋建設組合　Home Building Association

茲に述ぶる家屋建設組合なるものは、最近「ノースダコタ」州に起つた農民党即ち「ノンパーチザン、リーグ」なるものの州營產業企劃中の一事業である。其の目的とするところは、州內に人口の吸引と其の住民の安定を圖り、且つ最近益々顯著ならんとする富の分配の不平均を防止せんとするものである。其の概要を擧ぐれば、家屋購求の爲めの預金を取扱ひ、殊に小兒、青年、借家人及び勞働者等をして、此の種預金を爲さしむるのである、州民は何人たりとも本組合に出頭するか、又は郵便或は家屋買入組合（特に斯る組合を設く）其他家屋建設組合が認めたる俱樂部等を通じて、家屋購求預金口座を開始することを得るものにして、毎月一定額の預金を爲し、年六分の利子を受け、若し中途に於て之れが拂戾しを受けんとする場合には、六ケ月前の豫告を以て元利共に引き出し得るものである、本組合は其の所有する州債、投資の目的にて預けられたる個人の預金及び組合を通じて購入せる家屋に對する拂込金等を流通資金として運用し、申込人の希望する家屋を買ひ與へ、且つ一定區域の住宅區域を設定して、之れに必要なる水道、電氣、瓦斯等の供給及び道路公園等の設定をもなすものである。

一地方に於ける組合の預金者十名以上團結して組合の承認を經れば。之れを家屋買入組合と稱へ、農民党員は組合に對し、連帶責任を有すべき條件の下に、格段なる特權を附與せらるゝものである。即ち農民党に屬するものが組合に預け入れたる家屋購求預金の額が、自己の購入し又は建築せんとする家屋の實價の貳割に達せる時は、組合は本人の希望により、本人に代りて之れを購入又は建築して其の本人に與へ。而して其の差額即ち殘額の八割に對しては、組合と本人との間に於て該家屋を抵當として貸借の形式をなし、元利金は月賦償却とし、其の期限は十年以上二十年以內の限度に於て、本人の希望に從ひ取極める。尙ほ本人に於て一定月賦額以上に元金の減却を希望する時には、賦拂時に二十五弗又は其の倍數額を支拂得るものとなつてゐる。尙ほ又若し何等かの災厄に遭ひ或は農產物不作等の爲めに年收額半減以上に及ぶ時は、組合の見込を以て一年間の時々の支拂を隨時差し繰りを許すのである。而して設立以來二ケ年の實際支出額を見るに左の如くである。

家屋購入立替金	一八、二四七弗六五仙	地區代	二、〇〇〇、〇〇
家屋建築費	二七八、一五二、二三	材料（手許有高）	一九、七三八、五九
設備費	二、三二〇、一〇		
家具	三、六六九、七九	計	三七五、七八七、〇六

四

各州で異る人間の相場——傷害賠償法

工場內で勞働者が就業中に怪我をした時には、夫々手當を受取る傷害賠償法が制定されてゐるが、此の法律は州によつて査定の仕方が異つたり、賠償額の定め方が同じくない。從て米國では州によつて人間の相場が異つて來ることになる。昨年「ナショナル」產業協會で調査發表したところによると、怪我で拇指を失つた場合「ワイオミング」州では其の價を二百二十五弗と見積つて居るけれども、「オレゴン」州では其の價を六百弗、紐育州と「アラバマ」州は六十週間の給料相當額を賠償する樣に法律で制定してゐる。

又「ワイオミング」州では、人の手の相場を一千弗としてゐる。「ワシントン」州に行くと之れが千六百弗となり、「オレゴン」州では千九百弗に騰つて居るが、紐育州では貳百四十四週間分——即ち四ケ年分——の給料に均しい賠償が取れる。畢竟「ワイオミング」の樣な農業地では怪我の相場が安く、工業地や都會では値段が高くなる譯である。更に紐育州の如きは、勞働者が顏に怪我をして、其の美を損ふた場合は、他人の前で屈辱を感じるから

▲醜面慰藉料——を請求することが出來、紐育、「ミシガン」兩州では馬に耳を嚙まれても金が取れる。現に馬に鼻の頭を嚙り取られた一勞働者は貳千五百弗を受取つた實例もあつた。耳の相場は「オクラハマ」で兩耳參千弗片耳千五百弗であるが「ワシントン」州では、兩耳千九百弗片耳が五百弗に下ることになつて居る。

五

勞働傷害保險

此の勞働傷害保險を州法によりて定めたるものは、全米國中其數甚だ多く、其の規定なきものは僅に「ノースカロライナ」「サウスカロライナ」「フロリダ」「カルカンサ」及び「ミスシッピー」の數州に過ぎない。而して此の種州法を有する州の內にても、州としての保險基金を有するものは約半數である。其の他の內容も、各

州各様であるにより今茲には「ノースダコタ」のものに就いて、其概要を述ぶるに止む。

千九百十九年所定の法律によれば、「ノースタコタ」は州として保險基金を所有し、州財務長官の管理により勞働傷害保險局を設け、五名より成る該局委員之れを司るものにして、當該委員は州の農業勞働局長、保健局長及び雇主、雇人、一般公衆中より各一名宛、州知事が指名して其の任に當らしむるのである、

該法の目的は。勞働者が傷害の爲め働き得ざる期間、其の所得金の一定率を給與して、當人並に家族の扶助を爲すものにして、素より勞働者の保護を目的とするものであるが、一面又雇主側をも保護せるものである。同法中にも本法基金中に一定保險料を支拂ひ居る雇主は、其の使用人の死歿又は負傷より生ずる一切の責務を免るゝものと明記してある。但し本法は所謂傷害賠償法なるものとは大いに其の趣を異にしてゐる。則ち賠償法なるものは、過失怠慢の原理に基くものにして、雇主の過失怠慢の事實明かならざる限り、雇人の負傷などに對しても、雇主は何等の責めを負はざるものである、從て勞働者の保護せらるゝこと薄く、而かのみならず過失及び怠慢の有無の調査其他に尠からず時日を費し、且つ辯護士或は裁判所などの經費も多く、決局勞働者の受くる利得は少なからざるを得ない。然るに本法に於ては過失怠慢の如何を問はず、勞働者が自ら好んで負傷したるにあらざる限り、雇主の過怠如何に拘はらず、所定の保險金の給與を受くるものである、從て本法によれば勞働者の保護せらるゝこと甚だ厚いのである。雇主に於て本法に基く保險料を納附せざる場合には、一定の罰金を科せらるゝにより、雇主は强制的に加入を余儀なくせらるゝ譯である。

保險基金は一に保險料の納付に待つものにして、保險料は勞働保險局が各織業別によりて區別せる一定の率によつて、雇主より納むるものにして、毎年の年初に雇主より提出せる使用人名簿賃金表により算出し之れを前納せしめ、年末實際の賃銀支拂高により、更に精確なる數字を求め、最初に納付せる保險料の過不足に付拂戻し若くは追徵をなすのである。

今此に或種職業につき明示せる保險料率を示し、並せて州營にあらざる私立保險會社を州が指圖して之に當らしめてある「ミネソダ」州のものと對照して表示すれば

職業別	ノースダコタ	ミネソダ
アイスクリーム製造	一八、五%	二一、四%
菓子製造	一一、〇	一二、七
クリーム製造	一五、五	一九、五
洗濯業	一〇、〇	一五、一
鑄型業	二五、〇	三三、〇
機械業	一八、〇	二一、一
建築用コンクリート	一七、〇	二四、二
新聞業	三、五	九、〇
石工	四七、〇	五四、一
大工業	二五、〇	一三、九

職業別	ノースダコタ	ミネソダ
建築請負	四一、五	五四、一
電氣鐵道	二四、五	三〇、一
電燈電力	四六、五	六四、九
デパートメントストーア	三、六	四、七
金物業	、四、五	八、七
家具製造	九、五	九、八
自動車庫	一四、〇	一四、七
ホテル業	六、〇	九、二
料理店	六、〇	六、九

〔備考〕州營と私營とにより保險率に大差あるは注意すべき點である

ノースダコタ州勞働傷害保險法によれば、負傷の程度が休業七日間以内の場合は保險金を支拂はない、若し其れ以上の休業を要する場合に於ては、負傷當時に遡つて醫藥代及び入院料を支拂ひ且つ保險金をも支拂ふ。保險金は負傷當時の賃金を基準として、其の六割六分三分の二に相當する金額を、再び就業し得るまで引續き支拂ふのである。但し一週間に最高貳十弗を超え、最低六弗を下ることを得ないのである。若し負傷の結果一生涯勞働に堪えざるに至りたる時は、本人の死亡するまで保險金の支拂ひを續け、又身体の一部分不具となりたるものに對しては、其の程度に應じ委員の査定により一定額を生涯を通じて支拂ふことになつてゐる。

又本人死亡の場合に於ては、寡婦に對し亡夫の死亡當時の賃銀の三割五分に相當する金額を、寡婦の死亡又は再婚するまで支給する。但し再婚者に對しては、特に再婚時に一時金として百五十六週間分を支給する規定である。

尚ほ本人死亡後寡婦の他に遺子ある時は、子供一人に就いて本人死亡當時の賃銀の一割を各兒に與ふ。但し

寡婦の分をも合せて六割六分三分の二を超ゆることを得ない。而して此の遺子に對する支給は、該遺子の結婚する迄か若くは滿十八才に達し自活し得るに到るまで引續き給與する。尙遺子が孤兒なる場合は、第一子に貳割五分、其の他のものには一人に付一割の金高を、其れ等のものが、結婚又は滿十八才に至るまで支給する。

渡伯の途上（其の一）

永田稠

一寸の行廻はりで、此の通信が、前號に掲載されなかつた事を、甚だ遺憾に思ひます（編者）

拝啓

昨六月十七日の夜、桑港ポスト街一六八四番、酒井喜太市氏方へ、左記長野縣出身の當地方に於ける有力者集會せり

長野縣諏訪郡富士見村　小川榮一君
同　下伊那郡松尾村　田中常助君
同　北安雲郡會染村　片瀬太門君
同　小縣郡東塩田村　龍野庄太郎君
同　上田市百間堀　古畑八郎君
同　下伊那郡松尾村　木下藏三君
同　北佐久郡北大井村　内山正雄君
同　東筑摩郡麻績村　臼井省三君
同　同　片丘村　酒井喜多市君
同　南安曇郡有明村　三澤澤路姉
同　小縣郡東内村　青木實次君
同　諏訪郡　兩角傳君

支那料理の夕食を終りたる後、小生は長野縣下の現狀及び信濃海外協會の組織、其事業特に二十万圓の移住地計畫、信濃土地組合、海外協會中央會の事業を述べ、且南米事情の一般を演述せり

來會者は、桑港及びオークランドに事業をなしつゝある有力者なるが、小生來桑の機會に於て、信濃海外

協會北加州支部を設立するの案を提出され、其規約案を通過し、本部と聯絡して、漸次活動することを約されたり

何れ事務を分担して、努力せらるる筈なれば、會費雜誌代等も集金して送附せらるる樣相成るべく、それより雜誌は一括して支部に送らるる樣になることならん

當地在留の縣人は、市街地に於ける事業家なるが故に、余りに排日法の害を蒙らざるも、地方の農園に在留する縣人中には、かなりの打擊を受くるものあり、これ等の人々中には、南米方面に進出を希望する所もかなりある樣子なり

○

十六日の夜は當地各海外協會支部、及び各府縣人會聯合懇談會あり、小生は招待せられて出席仕り候、約三十名集合し、小生は信濃海外協會支部に於けると同樣の演述をなし、猶諸氏が

一、此種の懇談會を年二回宛開催すること

二、海外發展研究會に加入し、百尺竿頭一歩を進めて加州以外に發展の方法を研究すること

等の議を決したり

○

十五日の夜は力行會支部の歡迎會あり會後海外發展研究會の組織をなしたり

渡伯の途上（其の二）

拝啓、七月十日加州ローサンゼルス市を出發仕り候。

同日迄に南米土地組合に加入申込者約四百口に有之候、先便にて申上げ候通り之等の人々は、八月下旬以後に非ざれば、申込金の支拂をなし能はざる事情有之候爲め、正式申込は其の後に相成可申と存じ候。ブラジル研究會の役員六名にて万事世話をして呉れる筈に有之候。其の内には諏訪出身の小口清一君、上田出身

の森田三樹君も有之候。何れ小生の皈途に於て相當の結果を豫期致し居候。

七月十一日にはソートレーキに達し申し候。當地は七十年以前は一大砂漠に有之候處、モルモン教徒が其の指導ビリガム、ヤングに導かれて當地に着して以來着々開墾せられて今日に於ては、理想的一州と相成居り候次第にて、小生の如く民族移住の爲めに努力致し居る者に取りては極めてよき實例に有之候、其の植民の跡を見歴史的研究資料等も一二冊購入仕り候。

七月十三日にはコロラド州デンバア市に參り候。山東日本人會を二三回訪問致し候處、幹事不在の爲め會長宮本孝内氏を訪門して聯絡に關する打合せをなし置き候、何れ同會より何んとか申し送らるゝ筈に有之候故、其の節は然る可く御願ひ申し上げ候。

何か印刷物等を作製し時々之を各地の聯絡團体に發送致し候に非ざれば、會の聯絡は困難にて存在を知られざる場合多き樣に存ぜられ候故、此の點御考慮願ひ上候。

七月十七日には華府に參り候。當地に於てラテン、アメリカ研究の資料は誠に豐富に有之候得共、時局と金とが充分に之を取集むるを許さざるは殘念に有之候。ベストを盡して、パンアメリカユニオン。政府の印刷局。地學協會等に於て出來る丈けの方法を講じ、猶ほ書物等は紐育に於て取集めを要するものも有之候何れにせよ、ラテン、アメリカ研究の主要なる資料は、ワシトン府に集まり居り、四ケ年以前には訪ふ人も罕なりし、パンアメリカユニオンの如き、今回來て見れば訪問者織るが如く、如何に北米が南進にインテレストを持ち居るかを知るに足る樣存ぜられ候。

當地に於て探知したるメキシコよりの情報に依れば、墨國政府は米國政府ト默契をなし、日本移民の入國に對し一法令を發布したるものの如くに存ぜられ候。即ち六月メキシコに着したる銀洋丸の東洋人（日本人二四、支那人六〇、印度人若干）は上陸を拒絶せられ、日本人は公使館の抗議に依り上陸、支印兩國人はパナマ迄行きペルシャ丸にて引返し、支那人は移民官に對し一人二百ペソの賄賂にて上陸したるも、印度人は送還されたりとの事に有之候、日本人は一船九名

以上の移民を上陸禁止することが同法の骨子の樣子に有之、米國大使ワーレン氏とメキシコ政府の默契と傳へられ居り候。

以上の次第故メキシコに對しては至急相當の方法を講ずる事必要と存ぜられ候。殊に注意すべきは在米日本人を歐州人と平等待遇をなす爲めに、メキシコに着手する事を日本政府が遠慮するが如き事有之候へば、夫れこに由々しき大事に有之候。ドウセ今日にては加州の日本人農業者は、途をメキシコに求むるの外無之候へば、メキシコへの途をフサギ候事最大の禁物に有之候。此の邊の事に充分外務當局に了解せしめ置く事必要と存じ候。

ワシントンは埴原大使去り大火事の跡の樣に有之候米國市民の日本に對する同情等は一つも當にならず、日本はアク迄も對抗の覺悟を要するものと存じ候。米國の軍國主義は實に驚く可きものにて到る所に、私立のミリタリー、アカデミーの建立を見、全國民の動員演習さへ計畫され居る有樣にて、女子の男裝者を到る所に見受けられ、又少年の軍裝をなして野外演習をなすもの到る所に有之候、日本も一日も忽には出來不申候。

七月十八日夜紐育に着し候、當地日本人會との聯絡、當地南米協會との相談等は、來る廿二日の歡迎會に相談する事に致し候。小生は本七月廿六日當地出帆のランボルト汽船會社のバルティヤ號にて、ブラジルに向ふ筈にて、準備中に有之候。

紐育には信州人約四十名有之、信濃海外協會との聯絡に就いても相談する筈に有之候。

八月八日にはブラジルに達し得る豫定に有之候故、此の手紙の着する前後には種々電報にて打合せを願ふ樣相成可申と存じ候、心身益々强健に有之多大の感慨に充たされ居り候間御安心被下度折角御自愛祈り上げ候。旅程誠に早忙にて私信を差し上げ兼ね候有樣何分共御海容願上候　敬具

海外情事

○伯國産棉花生産の將來

（大正十三年二月六日附在リヴァプール帝國領事報告）

本問題に對する、英國當業者の意見左の如し

綿棉花耕作の緊切なる機會の、到來せるを自覺せる伯國政府は、約二年前同國棉花耕地の實地研究調査を遂ぐべく、國際綿業聯合會幹事長、アー・ノエス・ピアス氏を招聘せり、氏は右招聘により、伯國に赴けるも、一方英國綿業聯合會幹事の任務を帶べること勿論にして、其任務はランカシア貿易に適せる、棉花の種類に關し、必要なる說明助言をなすにありたり。

棉花飢饉が、一般生活に由々敷不便を招來すべきは、何人も否定せざるべく、殊に近世衣服の大部分を構成するの事實を考量せば、棉花の供給爾く拂底を告げざる中に、之を未然に防ぐべく、全力を傾倒する事、極めて必要にして、亦何人も之を認むる處なり。

綿絲布現在直段の法外なる、一に供給需要の相伴はざるに因る、國際市場に於て、世界の需要する、所謂ポテンシアル・デマンドは、年約二千五百萬乃至、三千萬梱なるが、事實上入手可能と稱せらるゝは、僅に約千九百五十萬梱にして、中約千萬梱は米國より供給を仰ぐ、されば前述の不健全なる經濟狀態の、現下綿業界に存在する所以を知るべし、需要は供給を生むとは極めて平易の原則なるが、棉花の場合は、需要極めて切なるものあるも、其供給頗る限定せられ居るの狀態にあり

本世紀の初葉迄は、南米諸州の棉若生産多量にして、事實世界市場に供給するに充分なりしのみならず、比較的安値なりき、されば是等諸國は、米國と競爭するの必要否價値を認めざりし狀態にて、當時同地方棉花作付耕地は廣大にして、之を市場に出すの設備好く整頓し、絕えず英國に供給し來れるも、極めて安價なりしを以て、何人も競て棉花耕作に從事するの必要を認むるに至らざりしは、恰もランカシアに於て、生産せらるゝ綿絲布が、長期間極めて安價なりしを以て、綿業上競爭の必要を認めざりしと相同じ、然れども今や事態一變し、自國工場供給の棉花を生産する米國は、之によりて利し、嘗て英に依りて生産せられつゝありたる大物は、今や東洋諸國之を奪ふに至れり。

今より約二十五年前迄は、耕地增加は從て供給增加を意味せしも、其後彼の恐るべき害蟲たる、ホール・ウイヴル米國棉花耕地に發生し、爾來該蟲は非常の勢を以て增加し、之が慘害より免るゝ爲、所有驅除方法講せられたるも、一噎當り生産率は、漸次減退を示せり實際に於て作付耕地は、爾來三割方の上昇を示して、

總耕地三千八百二十五萬噎と註せらるゝも、過去に於て噎當り産額、百五十封度と稱せられたるもの、今や百三十封度に下降せり、而して當時約三分の一の相場にて、入手可能なりしものと同一質の棉花を獲得するさへ疑はしく、質亦漸次下降の狀態にあり、一方耕地を增し、他方生産漸減す、其相場の昂騰蓋し必然なり、歐洲大戰が幾多不利の影響を及ぼせること否むべからざるも、綿業界現下の事情は、何等戰爭によりて、招來せられたるものにあらず、亦一時的のものにもあらず、此狀態を變化すべき、何等かの方策を眞面目に講せずんば、漸次惡化すべきこと明なり、

此困難なる事情は、歐洲戰爭開始前既に存在せり、要は當然到達すべき處に到達せりと云ふに過ぎず、戰爭は單に其時期を早めたるのみ、兎に角世界市場は、其原棉供給の三分の二は、米國に倚賴し居れり、されば之に代はる供給地を、適當の時機に發見せざれば、世界衣服材料製造業者は、益々困難の地位に陷るの、由々敷結果に到達するに至るべし、

上述せる處を概說すれば、世界は過去長期に亘り、原棉の供給を米國に仰ぎ、今尙依然米國に倚賴すとせば、其當然の結果として、原棉の一大缺乏、即ち原棉飢饉の到來は避け難かるべし、何となれば、生産漸次減退し、質亦漸次低下しつゝあり、加之幾多困難の事情存し、就中最重要なるは、ボール・ウィヴルの猖獗にして、之が爲年々生産の四分の一、乃至三分の一を消失するの狀態にあり、此恐るべき害蟲は、米國以外には斯の如き程度に存在せず、而して伯國に於ては全然なし、ボール・ウィヴルの被害は、斯し如く米國の棉花耕作に對する一大脅威なれども、右は米國棉業の前途に横はる唯一障碍にあらず、他に幾多困難の存するあり右に關し少しく左に考察を試みん

米國は各種産業の著しく發展せる大國なれども、其人口割合に少く、人口の自然增殖率亦尠し、此狀態より生ぜる因難は、移民の入國許可によりて、緩和せられ居りたるも、之が爲歐洲其他の諸國より、一年約百萬乃至五百十萬人の移民流入を見、非米國産人種の驚くべき增殖に對し、漸次恐れを抱くに至り、其結果何人も知るが如く、移民制限となり、各産業共絕えず勞力不足を訴ふるに至れり、

勞銀の高き所勞力の集るは、恰も利益ある所資本の集注すると一般なり、最近に至る迄、南部諸州は農業を主とせるも、移民の減少に因る勞力不足は、南部諸

州の勞働者をして、工業地に移住せしむるの結果を生じ、地方は漸次空虚となり、爲に生活費漸騰し、棉花生産費亦自然上昇し、十片乃至十一片以上は勿論場合に依りては、一志を告ぐるの結果とあり、事情斯の如し、世界人類大部分の衣服として、而も安價なりし綿布が、高値の爲に、漸次人を惹き付けざるに至るべきこと明なり、而して又世界人類の約三分の二を占むる、亞細亞諸國は、從來世界綿業の一大得意を形成し來れるも、斯の如き事情の下に生産せらるゝ棉花ば、到底彼等の所要を滿すこと不可能なるべし

然らば米國以外の棉花耕作可能如何を考察するに、米國以外唯一主要棉花耕作國は、印度竝埃及とす、印度の耕地面積は、雨水又は灌漑の如何によりて差あるも、大體に於て二千乃至二千五百萬噎とす、米國生産率は漸次下降を告げ居るも、印度は未だ嘗て上昇を示せる事なく、噎當り七十五封度乃至九十封度とす、換言すれば印度に於ける生産率は、國際市場に知られたる限り最少率とす、加之印度棉花は、短ステープルにして、且極めて清潔を缺く、一八六七年の大不作以來、其改善上幾多奬勵試みられたるも、印度耕作者をして、ロング•ステープル棉花を耕作せしめ、又は適當の俵裝をなさしめ、適當の繰綿方法をなさしむる樣誘導するは、殆ど不可能とせられたり、

阿弗利加に於ける、棉花耕作可能如何の問題を適當に論ぜんとせば、尠くも長文を割くて要あるを以て、玆には、ゼ•ブリティッシュ•コットン•グロウイング•アッソシェイションの、該地方に於ける過去及現在の活動努力を示すを以て足れりとせん、然れども努力の不足、又は其他幾多の困難の存在せるあり、爲に同會が過去二十五箇年に亘る努力も最初熱心なる關係者又は賛助者が期待せる程度の成績を擧げ得ざるの憾なきにあらず、右は同會を責むべきにあらざるは勿論とす、何となれば協會は營利會社にあらず、其性質上活動資金は利害關係方面よりの寄附、又は寄贈によるものなり、從て當然の結果として、其活動の範圍は多少の制限を免れざればなり、

埃及以外の阿弗利加に、多大の期待をなすことは、目下の處不可能とす、されば殘る問題は埃及なり、埃及はナイル河兩沿岸、僅半哩の地帶が肥沃にして、細長き(棉耕作の關する限り)國土なり、唯雨水に乏しきを以て、其肥沃は全然ナイルの灌漑に倚る、從て棉花耕作亦自然に制限せらるゝを知るべし、其結果は埃及

棉の供給には變化否増加なしと見るのみならず、却て寧ろ減少に傾けり、生産率、埃及の夫れは、約一噎二百封度—は、凡て灌漑地帶にては一般に高きを通則とす、されば埃及は、之を米國に比し甚だ高率なるも、過去二十五箇年に亘る生産率は、漸減を示し來れり、更に考量すべきは、埃及に於ては、棉花耕作を大に増加せんとせば、他作物を犧牲として之をなさゞるべからざることなり、換言せば棉花生産を増加し、世界市場により、大なる供給をなし得べきも、他方食料其他原料品の供給に關しては、全然外國に倚賴せざるべからず

されば殘る問題は、獨り南米のみなりとす、南米に於て棉花耕作に適せるは伯剌西爾のみあり、伯剌西爾の面積は、之を北米合衆國に比し、遙に大にして、其位置熱帶に位し、地味は肥沃、大體に於て他大陸と異れり、セアラ州のみは例外とするも全然何れも灌漑の必要を見ず、唯明なる事實は、鐵道又は其他運輸の便開始せられざる限り、原棉供給の源泉たるべく斯待すること不可能なり。目下の處棉花耕作は、大西洋沿岸地帶に限られ、而も諸港運輸の便に近接し居る處のみなり、勞銀は米國に比し遙に低し、棉花は大體に於て俵裝惡しく、繰棉方法不良且清潔ならず、然れども最愼重に耕作し居る地方の生産率は、之を米國に比すれば二倍なるのみならず、却て良質の棉花を、比較的低廉の生産費を以て、産出する事を得べしと云ふ、次に比較問題として、現在の原棉供給國に就て考察を遂げ而して既に說明せるが如く、伯剌西爾に於て、入手可能棉花は、之を米國に比し、遙に大なる所以を示し、之と同時に當面の困難なる勞働問題、竝運輸問題に關し考究を試むべし

世界綿業の前途に横はる棉花飢饉を、未然に防がんとせば、其供給根元の開發に、益々助力すべきこと、最必要なる所以を、前段既に之を說けり、世界原棉の需要は、二千百萬梱と見らるゝに、前季竝來季産額は之を樂觀的計算によるも、二千萬梱以下なる事も述べ、更に又本世紀に入りて、米國棉花作付面積は、約三割三分の増加を示したるも、過去二十五箇年に於ける生産率は、漸次下降を示し居るの事實をも指摘せり、世界人口の増加と共に、綿布需要は益々増加すべき事、亦見易きとなり、ボール•ウィヴルの猖獗は、由々敷問題なるも、唯一の障碍にあらず、他に幾多の困難あり、之が爲に米國棉花生産費は漸次昂騰、益々増加の形勢に

あり、一方埃及の棉花は、其質に於ては、正に優良なるものに相違なきも、世界市場に對する供給問題を考量せば、其生産額は殆ど問題にならずと云ふも、過言にあらざるべく、印度に關しては、過去五十年間之が改良に幾多奬勵を試みたるも、耕作地は尙米國に比し、其六割に過ぎず、生産は國際市場に知らるゝ限り、最低率なり、其當然の結論として、棉花需要者は、今や袖手傍觀して、印度が耕地を增し、質を改良し、荷造繰棉其他に大に改良すべきを、豫期する事困難なりと云ふにあり、理に於て斯界の先覺者竝專門家に、米國に代りて玆數年の中に、巨額の生産を可能とするは、唯伯剌西爾のみなりとの見に一致せり、

然れども是亦相應の難關横はれるは否むべからず、然らずとせば、伯剌西爾耕作者は既に原棉相場の昂騰せる今日、早くも之に着手せしならん、然り此困難は之を突破すべく平易には非ず、然れども之を棉花生産可能と目せらるゝ諸地方の夫れに比すれば、殆ど問題ならず、右は長期間を要せずして解決し得べきものとす、玆に記さゞるべからざるは、原棉飢饉を防遏せんとせば、一刻も忽にすべからざる事極めて重要なり、現在棉花の生産は、熱帶竝半熱帶の各地に於て、漸次增加を示し居れるが、一方僅少なる增加を示し居るに他方に於て世界重要生産地たる米國は、數千百梱の減少を示しつゝあり

伯剌西爾は現在の處、棉花生産國と謂はんよりは、生産可能國と稱するを適當とすべし、既に說けるが如く、世界市場の需要は年二千萬梱とす、英國のみにても五百萬梱を所要す、前季伯剌西爾生産は、南北を通じ七十五萬梱とす、斯の如き小額の生産は、世界供給に何等大なる貢獻をなすに足らず、然り同國が此狀態を繼續せんには、當面問題解決に何等の益なきは勿論とす、然れども伯剌西剌を以て、極めて有望なりとするは、多くの專門家が一致する意見なるのみならず右は幾多の事實事情を考量しての結果ならずんばあらず昨年度即ち七月に終る季に於ける生産額は、七十五萬梱にして、本年度は八十萬梱の產出を見るべしと期待せらる、

ピアス氏は親しく伯剌西爾を視察硏究せる結果、若し英國當業者が、財的關係は別とし、藉すに好意ある助力を以てするに於ては、今後二箇年内に、百五十萬乃至二百萬梱の生産を見るべしとの意見なるも、右は何等疑問を挾む理由なきに似たり、尙氏の意見に依れば、同國の人口交通機關の現況を以てしては、全産額を三百萬梱以上に引き上げ得るや疑問なりと、右は餘りに失望的なるも、氏は甚だ責任のある地位を占むる人なれば、自然消極的內輪的見積をなす亦宜なり、

專門家が伯國を目して、極めて有望なりとなすは、要するに氣候地味、竝同國最近の經濟的發展なりとす、米國棉花地帶には限定あり、如何に之を擴大するも、三千八百萬噎以上に出でず、然るに伯國は運輸の便と人口の增殖とにより、現在米國の耕地の、約四倍に發展せしむることを得べし、大體に於て北部伯剌西爾は、基金部を擧げて棉花地帶となすことを得べし、目下同國人口は、三千百萬にして、運輸狀態は之を米國南部棉花地帶に比し、同日の論にあらず、之に反し有利に目すべきは、土地遙に肥沃にして、氣候狀態優れるのみならず、尠くも米棉と同質の棉花を得べきこと、勞銀低率其他の狀態又良好なり、されば生産費は、之を米國に比すれば牛以下とす、運輸の便利開發と共に、廣漠の土地棉花地帶として、開發せらるゝに於ては、現在の如き法外なる値段は愚か、僅に此三分の一の値段を以て、棉花穫得可能なるに至るべし

○伯國に於ける英國投資狀況

（大正十三年三月二十七日附在リオロンプレト帝國總領事館報告）

伯國政府は、同國の財政的復興竝。經濟的發展に關する、一般的計畫遂行上、最近英國より財政委員を招致し、伯國の實狀を視察調査せしめたるが、今後益々英資の輸入せらるべきを以て、左に記述す可し、伯國に於ける外投資國中、英國は首位にあり、一九二二年(大正十一年)の調査に依れば、同國の投資額は、約二億五千五百萬磅(二十五億五千萬圓)にして、內譯左の如し(單位千磅)

公債	一四一、〇〇〇
鐵道業	四五、五〇三
電氣業	五一、七二三
鑛業	九五三
港灣及都市改良事業	九、七四〇
農工商業	六、一一六
總計	二五五、〇三五

尙伯國投資と直接の關係を有せざるも、英國の銀行會社にして、各國に營業を行ひ、且伯國にも支店を有す

るもの二五あり、中銀行五（拂込資本及積立金總額二千百九十四萬磅）、汽船會社七（同千八百四十二萬磅）、電信及無電會社二（同六百七十三萬磅）、及保險會社一一とす

○聖州工業發達状況

（大正十三年四月二十九日附在サンパウロ帝國總領事報告）

伯國の製造工業は、歐戰及伯貨暴落の影響を受け、最近十年間に著しき發達を遂げたり、大戰中輸入貿易は極度に減退せし爲、內國製品の價格は、一九一五年より、一九一八年の間に於て、戰前に比し二倍以上に增加せり、而して大戰後の一九一九年より、一九二〇年の大景氣時代には、輸入品非常の勢を以て殺到したるに拘らず、內國製造工業は依然進歩を續け、殊に昨年以來、伯貨益々慘落するに及び、內國製品の需要激增し、愈々繁榮の域に進みたり、而して現今各種製造工業が、實際如何に利益を擧げつゝあるかは、各社の決算報告を檢すれば足れり

今サンパウロ市及附近工業家により、公表せられたる、一九二三年度の計算報告の、四十を取て見るに、平均純益は拂込資本の三割三分に相當し、內十四は資本金に對し、五割以上の利益を收め、最多きは十六割少きも八分に達せり、而して同時に是等諸會社の大半は、利益の大部分を積立金に振向け、事業の基礎を鞏固にし、配當を平均一割五分以下に止め居れり、サンパウロ州製造工業の生產價額は左の如く。一九一二年より、一九二二年間に亘り、進歩の跡歷然たり（單位「ミルレース」）

年次	生產價額
一九一二	二五三、七四九、二六五
一九一三	二三二、二〇一、一七三
一九一四	二一二、二三一、七三〇
一九一五	二七四、一四七、四二二
一九一六	三五八、九一一、　六八
一九一七	五六二、三八一、六五一
一九一八	五五六、八〇一、一〇〇
一九一九	七一二、六六二、三二七
一九二〇	七九五、九一五、二〇〇
一九二一	八〇四、三七八、〇〇七
一九二二	一、〇三七、六六二、三九〇

一九二三年度統計は「未だ發表せられざるも、各種原料殊に棉花の騰貴甚しきを以て、同年の生產價額は、

十三億萬「ミルレース」を下らざるべし、過去五箇年間の、生產價額の增加せしは、單に生產額が增加したるに依るのみならず、價格の經續的騰貴に因由するは明なる事實にして、其價格の騰貴が、軈て消費の制限を促すべき程度に達し、生產過剩を意味するに至るべし

爲替相場の下落は、漸次外國製品を驅除したるを以て、內國製造業者等は、其生產品の價格を釣上たるもの少からず、之に伴ふて、生活費の騰貴を釀せり、實に高率なる保護關稅は、內國製造業者を、幾ど外來の競爭より自由ならしめ、如何なる事業を企つるも、之を有利なる地位に措き、製造家が其生產品の價格を引上ぐるに、適せしめたるを以て、過去十年間に生活費は三倍以上に騰貴したり、而して此種の問題に關し、其措置常に迂緩を免れざる當局も、最近數箇月間の生活費急速なる暴騰に一驚し、生活必需品に對しては、大に減稅を試むるなるべしと思料せらる、先に引用したる計數より見るに、內國製造業者が、今日獲得しつゝある利潤は、爲替の回復に伴れ、必然遭遇すべき外國品との競爭上其價格を低下するも、尙且充分の餘裕を有するを以て、恁く價格を低下するも、尙相當なる利益を擧げ得べし、

一九二二年の統計に依れば、織物製產價額は、全生產價額の三分の一以上に達し、木綿織物第一位に在り、二一七、二六三、七五〇「メートル」價額三五〇、九八四、六四四「ミルレース」を算せり、又近年人造絹絲及其製造工業著しき進歩を呈し、同年の產出高は、匹物二六六、二八八「メートル」、價額一五、七五五、〇〇〇「ミルレース」、リボン三一、七五六、〇〇〇「メートル」、價額二、七八二、四八〇「ミルレース」、靴下八四八、一九八八足、價額五、九三七、三八六「ミルレース」に上り、右の生產を爲すが爲、生絲九九、三九三、〇〇〇「メートル」、價額一二、五四三、八五二「ミルレース」、及人造絹絲二一、一〇六、〇〇〇「メートル」、價額一、二五五、〇〇〇「ミルレース」を輸入せり、即ち原料一三、七〇〇、〇〇〇「ミルレース」を費やし、二四、四九四、〇〇〇「ミルレース」の絹製品を產出せり、織物工業に次ぐは、靴製造工業にして、八、三一四、五七一足、價額一一、三三五、五三六「ミルレース」を產出せり、其他の工業は次の如し（單位「ミルレース」）

飲料水	六一、一〇六、七二一
帽子（二、六四八、一三七個）	二五、八三九、四九〇

煙草	二三、四五一、七二六
香油類	八、三九二、二三六
燐寸	六、三八七、六二四

生產品の輸出、又生產と其歩を一にし、聯邦中附近諸州に於て需要せらるゝ綿織物、又は他の製品の大部分は、當州之を供給しつゝあり、一九一四年以後の推移左の如し（單位「コント」）

一九一四年	五九、二一八
一九一五年	九四、六七九
一九一六年	一二六、八一三
一九一七年	二五六、二〇八
一九一八年	一九五、九五一
一九一九年	一五六、六三〇
一九二〇年	一七〇、四五一
一九二一年	一七二、四二六
一九二二年	二〇七、六九六

○比島に於ける外國人の法律上の地位

（大正十三年六月十四日附在マニラ帝國總領事報告）

漁業　外國人に對する、特別の制限なきを以て、外國人と雖、比嶋市民又は、米國市民と同樣所轄官署の許可を得て、近海漁業（遠洋漁業同じ）に從事することを得、尤も之に使用せらるゝ船舶にして、其航行區域が、一港灣或は河川等に、限られ居らざる免狀、即ち沿岸航海免狀を有するものは、比嶋市民又は米國市民又は比島或は米國市民に依りて組織せられたる法人、若は米國或は比島法律の下に組織せられ、其資本の七割五分以上が、比島市民又は米國市民に依り、所有せらるゝ法人の外、該船舶の所有を許されず（後記船舶所有權參照）、然れども斯る船舶にして、其航行區域が一港灣、又は河川等に限られ居る免狀を有するものは、該船舶が米國又は比島に於て、建造せられたる場合に限り、外國人は比島市民又は米國市民と同樣、之が所有權を認めらる

農業　私有地の賣買、又は讓渡に關しては、外國人に對し、何等制限なきを以て、外國人と雖市島市民又は米國市民同樣、之が所有を許され居れども、公有地に在りては、比島公有地法（法律第二八七四號）、第五章第二十三條、及同法第六章第三十四條に於て、公有地の拂下若は租借の特典を享有し得べき資格者として、比島市民又は米國市民、若は比島又は米國又は其

州法律の下に組織せられ、而して比島內に於て營業することを許可せられたる法人にして、少くとも其資本の六割一分が、比島市民若は米國市民に依り、所有せられ居るものたるべきことを規定しあり、又比島市民に對し、國法に依り自國民に對すると同樣、其土地の所有權、若は租借權を許與する國の國民は、該國法の存續期間內、比島立法議會の協贊を經て、公有地の拂下、又は租借を受くることを得る旨附記しあるを以て、本邦人は資本の六割一分以上が、比島市民又は米國市民に所屬せる、法人の株主たらざる以上、農業を目的とする公有地の拂下、又は租借を受くるを得ざることゝなり居れり

（註）前記有資格者と雖、其拂下又は租借を受け得べき土地の廣さは、拂下の場合に在りては、個人は百「ヘクタール」以下、又法人は千二十四「ヘクタール」迄を限度とし、又租借の場合に在りては、個人法人とも千二十四「ヘクタール」迄を限度とす

林業　外國人に對する、何等特別の規定なきを以て、外國人と雖、比島市民と同樣、比島山林局よりの許可を得て、島內の森林伐採に從事することを得、又製材所或は貯材所設置の目的を以て、農業地にあらざる土地を、十「ヘクタール」を超過せざる範圍內に於て、租借することを得

移民業　一九〇八年十二月八日附、比嶋稅關局回文、第二一八號第十六章中、移民取扱人は、比島市民又は米國市民たらざることを、規定しあるを以て、之が取扱人は、比島市民又は米國市民にして、比嶋稅關局に於て、施行せらるゝ所定の試驗に合格し、同局發給に係る、移民取扱人免許を、所持するものに限定せらる

仲買業　外國人に對し、特に何等の制限なきを以て、外國人は比島市民同樣、當該官署發給に係る、正規の免許を得仲買業に從事することを得

信託業　外國人に對し、何等特別の規定なきを以て、比島市民同樣、外國人も比島內に於て、信託業に從事することを得

銀行會社の株主權　外國人が比島に於て、銀行又は會社等を設立し、又は其株主たることを禁制せる法規なきを以て、外國人と雖、比島市民と同樣、銀行又は會社等を設立し、又は其株主たることを得

船舶所有權　一九〇八年以來、外國人は沿岸航海免狀を有する船舶の所有を禁ぜられ、又是等船舶會社の

株主たることも禁ぜられ居りたるも、一九二二年三月十六日附を以て、比島總督の裁可を經たる、比島法律第三〇八四號に依り、比島行政法（法律第二七一一號）を修正し、同樣第九項比島船舶の所有權を享有する、資格を有するものゝ中、米國又は其州の一、若は比島の法律の下に組織せられ、比島内に於て營業することを正當に許可せられたる法人にして、其資本又は資本中の利益の内、少くとも七割五分が、完全に比島市民又は米國市民、若は其兩者に依りて所有せられ、而して、正當に委任せられたる、同法人の役員、又は船舶の代理人、船長、又は管理人が、比島に居住するものとの一節を、挿入されたるを以て、同日以後は外國人と雖、比島船舶を所有する法人の資本の、二割五分迄を所有することを得ることゝなれり

辯護士　比島民事訴訟法（法律第一九〇號）、第十四條に於て、外國政府の人民に非ざる、比島居住民にして、年齢二十三歳品性正しく、學術及能力に於て、必要なる資格を有するものは、比島辯護士會員たることを許容せられ、而して島内凡ての裁判所に於て、辯護事務に從事することを得と規定し、又同法第十九條、他の裁判管轄區域より、認容せらるゝものゝ項中に於ても、前記第十四條同樣、外國人だらざることを、前提となし居るを以て、外國人は比島内に於て、辯護士たることを得ず

公證人　比島行政法（法律第二七一一號）、第二三三條中、比島市民又は米國市民にして、年齢二十一歳以上に達するものは、公證人として指定せらるゝ資格を有すと、規定しあるを以て、外國人は辯護士に於けると同樣、比島内に於て公證人たることを得ず

醫師（齒科醫獸醫を包含す）藥劑師産婆　比島行政法（法律第二七一一號）、第三十章（藥劑師）、第三十一章（醫師及産婆）、第三十二章（齒科醫）、及第四十六章第四條（獸醫）、竝法律第三一一一號に於て、所定の試驗に合格し、醫師齒科醫獸醫藥劑師、又は産婆の試驗委員會發給に係る、醫師齒科醫獸醫藥劑師、又は産婆登錄證を所持する者に限り、比島内に於て開業することを得と規定し、又其受驗資格者として、比島居住民にして、年齢二十一歳以上、品性正しく所要の試驗科目を修得せし者云々と規定しあるを以て、外國人と雖比島市民又は米國市民と同樣、比島に於ける前記開業試驗を受け、各自其業に從事することを得

建物貸金會社　比島會社法（法律第一四五九號）中、

其第一九〇條に於て、外國人建物貸金會社、又は比島法律の下に組織、又は存立し居らざる、建築貸金會社は、比島内に於て營業することを得ざる旨を規定しあり

海外通信

○鄕里の新聞を見て驚入申候

下伊那郡飯田町出身　在ブラジル　村松圭二君

拜啓益々御隆盛賀上候

陳者小生來る九月より、附近東京植民地に入り、專ら實力涵養仕べく、今年を以て耕地生活を打切り、來農年より借地農として主として棉、米作に從事致すべく候

入伯以來三年半を、當耕地に就働仕り、未だ言語經驗等充分なる能はざるも、米棉作に最適當なる土地にて、附近先輩諸君の實績に鑑み、昨年中より、恰好の土地もがなと、心懸居り候處、一先輩より、リンコーン市長の土地にて、頗る意に適へるを周旋を受け、遂に來年度より、入る事に決定致し申候

抑東京植民地たるや、大正五年中、十五家族の日本人に依りて、創設せられ、年次入植者を加へ、目下五十家族程を算し、約二百アルケールスを所有し、當地の附近に借地農者あり、熊本縣人を最とし、長崎、和歌山、縣人多く、我が長野縣人としては、昨年入れる、瀧澤君と、今年入るべき、小生とのみにて候、交通四通八達し、聖市へは九時間にて達すべく、鐵道貨車の配給宜敷、四十八時間以上を驛に置かざる事とて、生産品の販賣、誠に容易にして、價格又他の鐵道沿線に比して優り、商人買入に、競爭するの狀態に有之候、地味頗る肥沃にして、最初に入れる先輩は、九回の收穫をなせるに、他の鐵道沿線方面のそれの如く、地力遞減を見ず、今尙相當の收穫を得つゝあるの現況に有之候、大地域を有する者無き爲め、從て莫大の利を收め居る者無しと雖ども、何れも健實なる發展をなし、附近外人よりの信用厚く、彼等より進んで、同胞の事業を援助せん傾向にて、其の勤勉を賞讃致し居り候

今年非常の旱魃の爲め、所期の如き收穫を、擧げ得る能はざりしと雖ども、目下生産品の價格頗る昂騰し棉花核付一アロバ（十五基瓦）三十二ミルレース、籾一袋（六十基瓦）四十八ミルレースにて、三人家族（大人

就働者）にて、五アルケールスを蒔付、收穫に人夫を少し雇傭し、優に十五コントスより、二十コントスを擧げ申候、之を日貨に時下相場に、換算する時は、三千九百五十圓より、五千二百六十圓に相當致申候、目下の換算率、日貨一圓に對する、三ミル八百レースにして、斯の如き成績にて、追々順境に向ひつゝある伯貨なれば、今後五十錢換ともならば、二十コントスは日貨一万圓に相當し、之れが伯國水吞百姓としての成績に有之候

伯國にては、土地の賣買等、十アルケールを最小單位にて、賣出し居り候、斯の如きは、每年同じき成績を擧ぐる事、必ず期し得ざるも、同地の諸君は、餘り大なる違作無きが如し、伯國の作物は、一に天候に左右さるゝ事多く、更に虫害等ありて、棉花の如きは、最虫害を恐れ申候、小生等未だ多く經驗を積まず、尙且小資本を持するのみなるを以て、最初より多くを期待する能はざるも、順次地步を固むる事に勉むべく、伯國水吞百姓の、實際經濟を申上べく、精々資料を蒐集致す考にて候

此の頃内地の親戚より、新聞の切拔を、送附し來れるに、其の内、南米の信濃村は、監獄部屋なりと有之候、伯國通信なりと有り候も、愚な見當違の觀察にて伯國事情に通ぜざるの、甚だしきものと存ぜられ候、小生等の如きは伯國を以て、無二の天國樂園と存候に、斯の如き記事を見て、實に驚入申候

小生の考にては、右は或る耕地の、嚴格なる規律に抗し兼ねての、結果ならんと存候、而して規律といふも、監獄の事情を知らざるも、軍隊の如く然らざるは、嘗て軍隊生活を經し身の小生としても、如何に寬容なるや比較すべくもあらず候

人種の展覽會と、思はるゝ程、世界各國人の競爭場裡に、大勇斷を以て、渡來せる者には、之れ位の團体的訓練は、寧今後に處して必要かとも思はれ候、斯の如き記事は、大に海外發展希望者の爲に、脅威たり阻害ともなると存ぜられ候

大に伯國事情を穿知する必要上、協會は大に後援して、縣下各村より一二名の有識者を以て、團体を作り適當の人員を一團として、大に伯國眞情を具さに見る事、宜しきかと存ぜられ候先づ轉住につき、御通知申上候、九月に到着すべきものより以後は、雜誌海の外を、同植民地宛として、御送附方御依賴申上候、尙協會の堅實なる發展を祈り申候匆々敬具

（千九百二十四年六月十九日　グアタパラ耕地にて）

○排日問題と其の將來

南安梓村出身　在桑港　村上有君

排日問題と其の將來を想ふ時、實に大なる危險を感じ、日本民族の今後が、如何なるもので有るかを、考へさせられる、内憂外患に、攻め寄せられつゝ有る日本國民は、如何なる覺悟を以て此の間に處し如何なる方途に向て步むべきで有るか

誠に世界地圖を開きて見よ、米國の幾十分一とも知れぬ小國を排斥し、移民法を決議せしは何故か、日本は每年、此の桑港の町と等しき人口が增加し、更に輸入超過は、年と共に倍加しつゝ有る、土地狹少に天産豊ならざる結果は、其所に落付外は有るまい

地域極めて廣く、物資豊富なる米國が、何を以て貧弱なる我が日本人を排斥せんとするか、コハ單に米國のみと目する事は出來ない

彼等白人は世界の支配權を、自己の手に握らんとの理想を抱いて居る、有色人種中彼等と對抗せんとするは、我が大和民族が唯一のもので有る、是に於て米人を先棒とする白人全部が、我等を疾視して居るので有る

日本人が、中米南米に移住せんとする時、彼等は先廻はりをして邪魔をして居るでは無いか、世界到る處に排日の聲を聞くは敢て怪むに及ばない

今や吾々青年は、大和民族の爲に、縣又島帝國の爲に、奮起すべき秋で有る、米國大統領が、新移民法案に署名すると同時に日本の國論は沸騰した、あの意義を持續けて行かねばならぬ、線香花火の樣に、ボッと出て、ボッと消えたでは、仕樣が無いではないか。

カリフォルヤの地、未だ人影の乏しき頃、日本人は之を開拓した、日本人の此の勞苦は、今や水泡となり何等酬ひらるゝ所なく、アベコベに到る處排斥の聲を聞く、日本人の面目を何處に見出し得るものぞ

危險思想や共産主義の半可通が、ウヨ〱して居り、農村の經濟界は、益ゝ悲境に進みつゝある、祖先傳來の土地は昔ながらの農法に依り、鍬や萬能で、子も孫も狹ひ所を堀つて居る、何で問題が解決出來よう、朝に星を見、夕に月を踏といふなる勞働をしても、尙且生活に苦しみ、借金に惱んで居る、猫額の天地に小競合をして居るのでは、到底農村問題も、小作爭議も片

付かず、地主も小作も共倒の外は長い、

静に世界の形勢を案じよ、彼等白人は、我が同胞をたゝき出して、横へ向ひては舌を出して居る

さりながら、今迄の彼等の態度は寧優しい、將來更により大なる迫害を加へ來るであらふ、來れ〳〵早く來れ、而して吾等に大試煉を與へよ、然る時大和民族の新生面が開け行くであらふ

在米同胞は排斥されても、食糧には困難しない、然し島帝國は却て困る、日本の農家は肥料に苦しむ、米國農家の想ひ及ばざる所で有る、しかく貧弱なる國土に據りて、一等國など何として言へやう、反省せよ、自覺せよ、島帝國の同胞よ

南米へ行け、中米へ行け、歐州各國人、殊に獨逸人は頻りに南米行を企てゝ居る、但し現在は經濟狀態が之れを許さぬ、此所が日本人の附込處で有る、五年十年の後彼等の經濟狀態が回服する時、怒濤の如き勢を以て行くで有らふ

曾吾等の日本に在りし日頃、盛に農村改善の聲高かりしが、今日果して如何程の實を擧げ居るか、有言不實行、大に實行を要する秋で有る、此の排日問題も將來に於ては、吾人が彼の紳士協約の如きものに、累されたるよりも良いので有る、もしより早く此の問題が起りしならばよく多くの同胞が、世界の各方面に發展したらふと思ふ

今や擧國一致協力して、大日本の經營に努力すべきの秋である、努力の如何に依りては、所謂禍を轉じて福となすの結果を招來し得るで有らふ、大和民族の前途は決して悲觀すべきではない、前途は實に光明の輝々たるものが有る、希くは故國の青年よ、勇躍奮進以て世界に横行闊歩せよ

○椰子の葉蔭より

TK生

數多き、海外よりの通信の中に、最近稍趣を異にせるものを手にした、海外文學とも稱すべき、頗趣味深きもので有る。筆者は、小縣郡で名高い、別所溫泉に近き、某村の出身で有る、未だ同君の承諾を得ざるに、掲載する事は聊憚あるが、餘りの面白さに、兎にまれ一般讀者の、御覽に入れる事とし同君に對して、呉々寬容を乞ふ事とする（編輯員）

それはも早や。八年もの昔。自分が故鄕を旅立つ頃の事。私しのお隣に直ちゃんと云ふ。今年尋常五年の小娘がありました』

毎年々々優等生として。尋常三年まで來ましたのに。どうした事か尋常四年の時には。もう少しと云ふ所で優等生の免狀がとれませんでした』

小さい直ちゃんの心では。其の事が果して。どの位悲しかつた事でせう』

尋常五年の新學期が始まりました。

外のお友達は、皆早く休むのに。直ちゃんだけは。毎晩算術の本と鉛筆とを持つて。私しの所へ勉強に參りました。』

『今年は又優等生となつて。おばーちゃんを喜ばして上げるの』

そんな言葉が。小さい直ちゃんの口からやさしく洩れる時。私しはどんなにそれを賴もしく思つた事でせう』

然るに私しは。其の五月四日に。横濱を解纜する安藝丸で。南洋へ來る事となりましたので。四月廿七日。住み慣れた故鄕を立たねばなりませんでした』

廿六日の夜。直ちゃんは悄々と。私しの家を訪れました。』

いつもの夜ならば。必ず持つて來る。算術の本もペンシルも。其の夜は見えませんでした。』

『ばーやんが包んで下さつたのですから。是れをとつて下さい』と云ふて。二十錢包まれたるお餞別を。袂の中から出して。私しの前に置きました。』

『やあ！是れは餞別！。ねえ直ちゃん。私しは南洋へ行くと云ふても。親類の方からも友達からも。一錢の餞別でも戴かぬ事と定めました。又事實一錢も頂戴しては居りません、だから折角ではありますが。是れは持つて歸つて。それで又紙や鉛筆を買つて一心に勉強し。來年の三月には。立派に優等生になつたと云ふ手紙を。南洋までよこして下さい。それが私しにとつては何よりの餞別ですから』

懇々と私しは說きました』

可憐なる直ちゃんは。返す可き言葉を知らなかつたのです』

二人は暫く無言で居りました』

ふと氣が付くと。頰を傳はる直ちゃんの涙は。早や二三滴。机の角にあざやかに。痕を印るして。花の樣に散りました』

返事の出來ぬ直ちゃんの。切なる思は劍の樣に私しの胸を衝きました』

『分りました。有り難う。直ちゃん。直ちゃんのお餞別は。有り難く頂戴致します。どうも有り難う』

直ちゃんの悲しみは。忽ちに變つて喜びとなり。愛らしい微笑が。涙の下に輝きました』

『南洋から歸る時は。澤山に色々のお土產を持つて來て上げますから。喜んで待つて居て下さい』

『どうぞ澤山にねー。南洋には椰子がある？。大蛇が居る？。いつ歸つて來るの？。來年？。明々年？』

無邪氣な愛らしい會話を。八年經つた今もあり〳〵と覺えて居ります』

横濱へ着いた時には。同じ南洋へ行く。十五六人の人々が旅舘に居ました。船待ちの夜の無駄話に。はしなくも餞別の話が出ました』

多い人は百二三十圓。少ない人でも十五圓位は。親類や友達から。餞別を貰つたと云ふ人ばかりの中に。私しはたつた。二十錢ぎり――直ちゃんから戴きしもの――。それは何と淋しいものであつたでせう。然し又どの位嬉しいものであつたかは。中々筆紙につくせるものではありません』

多勢の人々の。九十圓も百圓もの代りに。私しは其二十錢を握りしめて。限りなく喜びました』

月涼しき南洋の夜。椰子の下蔭に靜かに既往を偲ぶ時。忘れられぬ嬉しい事の一つとして。今も記憶に新たであります』

大正十三年六月十日　タロモ拓殖會社にて

信州記事

○經濟界の美事

產業組合中央會長野支會の機關誌、「產業の礎」、に次の如き記事が掲載されて有る、標題は、組合長一万圓を寄附すといふので有る

製絲組合普及社は、規模の大なる事及び、蠶種消毒普及會員を以て組織し、行政官廳の特種な獎勵も無く組合長小岩井宗作氏を中心とし、良好なる成績を收めて居る、昨年製絲組合上水社が、不振に陷いったので、之を合併した爲めに、出資金拾八萬圓に對し、諸設備費四拾參萬圓に上ると云ふ、變調を示して居るが、我國最大の保證責任として有名である、他の生絲組合と同じく、燒失生絲の損害は、四十八捆約四萬數千圓に上れるが、此の損害は翌年度に持越すことは、他日に煩を貽すことゝなるから、全部同年度の供繭者の負担

とした爲めに、例年ならば多額の積立金もなし、諸設備費の銷却も爲すのであるが、本年は遺憾乍ら出來ないと云ふので、小岩井氏は壹萬圓の私財を組合へ寄附し、夫を以て銷却費に充て、組合の基礎を鞏固とし、幹部も皆賞與金を辭退したそうである。

右の記事で思ひ出したのは、去年の丁度今時分、小谷銀行の破產に際し、頭取たりし、松本市の平林莊治氏が、私財數十万圓を提供して、立派に始末を付け、關係者一同に、迷惑を掛けなかつたのは、其の當時世人の賞讃措かざる所で有た、

何方へ向いても、慾の世の中に、かゝる態度は實に見上げたもので有る、世屬うして節即現はるといふが、難局に處して見なければ、人間の眞價は分らぬ

新開地の如きは、變轉極まりなき場所で有るから、立廻はりの巧拙に依りて、莫大の損得が生じて來る、其の間に立ちて、徒に私利私慾に馳せず、公正なる態度を持し得ば、眞に大國民たるに恥ぢざるもので、終局の勝利は畢竟、其所に持ち來されるであらふ

○各宮樣の淺間山御登攀

今年の輕井澤は、各宮樣方の御滯留が甚だ多い、昨年の震災で、湘南地方一帶荒廢の結果で有らふ

御滯留の宮樣方の中、北白川、竹田、朝香の各宮殿下には八月九日午後八時自動車にて落合警察部長御案內、輕井澤を御發足、午後九時小諸町に御到着、官民多數の御出迎へにて、小諸高等女學校に成らせられ、此處にて一切の登山準備を整へられ、やがて午後九時半と言ふに、各宮殿下には馬に召されて、御供の人々まで十一頭の馬を、折柄の月影を踏ませられながら、靜に淺間に向つて發足されたが、又淺間山登山を共にする光榮に浴せんと、各地よりの登山者は、一千數百名の多數に上り、尙前日來山頂の上で、殿下のお出を待つ者夥しく、小諸口は提灯の火影に輝いて、非常の賑はひを呈して居る、宮殿下御一行は、淺間中腹の淺岳ホテルに約十分間御休憩遊ばされ、次いで觀測所に十日午前一時四十分御到着、そこにて約三十分御休憩の後、午前五時半頂上を究められ、噴火口附近にて御來光を仰がれ、約一時間山の景色を御感賞の上、吉村小諸町長等の御說明を聞かせられて、下山の途に就かせられた

○知事のアルプス踏破

梅谷知事は、長官級には珍らしく、頑丈なる体格の持主で有る所から、凡てに剛健なる氣風が、發露され

つゝあるが、新任間も無く、恰も登山季節に際會したので、取敢へず、北アルプス踏破といふ、本縣知事としては、未曾有の壯擧を決行された

八月十二日から、約一週間をかけて、大雪谿を有する、白馬を手始に、燕、鎗、穂高と全部の頂上を極め、山岳開發上詳細なる視察を遂げられた

始終晴天續きでどの峰でも眺望を擅にする事を得たのは一段快心で有たとの事

○松本の飛行機

松本の飛行界は、短日月の間に顯著なる發達をなし各ヶ務原から、本職の飛行機を迎へる樣になつた、八月初旬も、飛行上特種なる研究を目的とする四台が、御嶽、乘鞍の峻嶺を飛越し來り、市の上空に於て各種の妙技を演じ、無事新設の飛行塲に着陸した

信州、殊に松本附近は、一万尺内外の高峰が、數多く散點するから、山嶽飛行の研究には、唯一無二の塲所で有る、一面諏訪湖の結氷は、氷上飛行に、是又無二の研究所たるべく、加ふるに國防上からも、帝國の脊梁たる信州の高原に、航空隊の中樞を設くるのは、最緊切なる事柄で、砲兵工厰などより以上に急施を要するもので有らふ

○郡長の更迭

上伊那郡長堀江氏が、在職中死亡せられたので、之を補充すべく、二三異動が有た

上伊那へは、上高井の杉原氏が轉じ、其の後を、埴科の志賀氏が繼ぎ、埴科へは、社會課長にして、海外協會の幹事たりし、長坂治助氏が榮轉された、何れも皆適才適所と言はれ、赴任せぬ中から好評を轉して居た

○上水内郡金融調

上水内農會の調査に係る、同郡内大正十二年末現在の金融狀態は左表の如くで、差引一戸平均四十五圓餘の、純借入となつて居る、但し同郡戸數は、一九三五九戸としての計算で有る

借入先	金額
信用組合	六六〇、四三九円
農工銀行	七九三、六五〇
普通銀行	一、〇三三、〇八〇
金融會社	五六二、四五七
無盡既取金	一、二五〇、三三三
質屋	一六、七七五
個人其他	九三四、三三八円
計	五、三四〇、〇七一
借用戸數	一一、六〇五戸

一戸借入平均額	四五一、七三〇円
差引純借入金	八六二、八〇三円
産業資金借入額	二、六四一、六七〇
産業資金以外ノ借入額	二、五九八、四〇一
利率一割二分以上ノ借入金	三、〇三一、九六三

貯蓄先	金額
信用組合	七九四、七三六円
郵便局	二九一、二九六
銀行	一、四四八、七九一
金融會社	六三四、九九四
無盡未取金	九三七、八二四
個人其他	二四九、六二八
計	四、三五七、二六九
預入戸數	一二、三〇八戸
一戸預入平均額	三五四、一八〇円

○縣下の旱魃狀況

雨乞、水喧嘩等、旱魃騷ぎが、縣下到る處に勃發して居る、中には餘りの面倒さに、警察でも世話が燒き切れぬなどの所もある、何さま自然を相年の事だから、どうにもやり樣が無い、其の代はり、一晩ザンと來るなら、所謂雲散霧消し悉く流れて終ふが、其の一雨が待てど、暮せど御入來が無い

長野市では、田の灌漑よりも、一層大事な、水道の源泉が危いと騷ぎ出した、戸隱なる貯木池の水面は、平時は四十五万平方尺あるのに、約半分の二十四万平方尺、貯水量五十二万石に減じ、一日の送水量、四万四千石から、湧水量一万七千五百石を差引、二万六千五百石宛減つて行く勘定だから、何月何日には、全然斷水して終ふなど〻心細計算をして居る

上伊那郡農會の調査に依ると、旱魃のため收穫皆無と認むべきもの田が十七町二段歩、農作物被害高一萬五千四百圓、收穫五割以上減收と認むべきもの、田三百十五町歩、此損害高十四萬八百四十圓、桑畑九百八十二町三段歩、此損害高二十四萬五千二百圓、又三割以上減收と認むべきもの、田百五十町歩、此の損害高五萬二千八百圓、畑作三百町歩、此の損害四萬五千圓、桑畑五百六十八町歩、此の損害高九萬五千圓、二割以上減收と見るべきもの、田百九十五町歩、此の損害高三萬一千圓、畑六百十町歩、此の損害高六萬七千百圓、桑園九百九十町歩、此損害高九萬九千圓で、合計四千百二十七町五反歩此の損害高計七十九萬一千四百四十七圓である、

諏訪郡にあつては、

旱魃のために、稻の挿秧不能に陥つた向きは全然ないが田植後の旱魃で、收穫か覺束ないと懸念されてゐる面積は、次のやうに各町村に亘り、三百九町一反歩程である、然して上諏訪税務署へ、免税などの申請をした向きは、未だ一人もないさうである、右につき神崗署長は、今後收穫皆無と云ふことになり、免税の申請をして來れば、大正三年十一日發布の法律第一號災害地々租免除法に據り、免租の處分を行つてやる』と語る

	筆數	反別
川岸	五三	二町一反
平野	一九	七、二
長地	一一	四、〇
上諏訪	四二	一一、四
四賀	三	一、二
豊平	五四	二一、三
玉川	一〇	五、〇
原	三五	二〇、〇
本郷	六二	四五、〇
落合	六〇	三三、〇
富見	二〇	八、〇
金澤	五	二、〇
宮川	一六〇	八〇、〇
湖南	八	五、〇

編輯机上より

永田特使は、愈々伯國に到着し、土地購入の爲に、奔走されて居る、事業の進展と共に、吾々同人の氣込は、更に新なるものが有る、出資者各位に、快報をお傳へするのも、近々の中だらふと思ふ

下水内郡出身、河野保三君の消息が、分つたと言つて最近親戚の方から、喜びの通知に接し、同慶至極に存じます。今一人北佐久郡出身、内堀源太郎君の消息が是非得たいものです

謹告

當海外協會の規約に基き、代議員全部の賛成を得て、新任梅谷知事を總裁に推戴致す事となり、其の旨を申入れて梅谷閣下の御快諾を得ました、閣下が協會の趣意目的に御共鳴下され、且従前海外發展の事に深く興味を抱かるゝは、協會の爲敬すべき極みで有ります

次で細川内務部長、並に落合警察部長には、總裁の推薦にて、相談役になつて戴きました、有力なる援助者を得たるは是又甚だ喜ぶべき事で有ります

海の外

定價

	一部	半ヶ年	一ヶ年
内地	廿錢	一圓十錢	二圓廿錢
外國	廿仙	一弗十仙	二弗廿仙

海外郵税四錢

注意

▲御注文は凡て前金に申受く
▲廣告料は御照會次第詳細通知致します
▲御拂込は振替に依らるゝが最も便利さす

大正十三年八月二十五日

編輯人 永田稠

長野市南縣町
發行兼印刷人 藤森克

印刷所 信濃毎日新聞社

長野市長野縣廳内
發行所 海の外社

振替口座長野二一四〇番 信濃海外協會

大正十三年八月二十五日發行（毎月一回一日發行）
定價金貳拾錢
信濃海外協會
海の外社發行

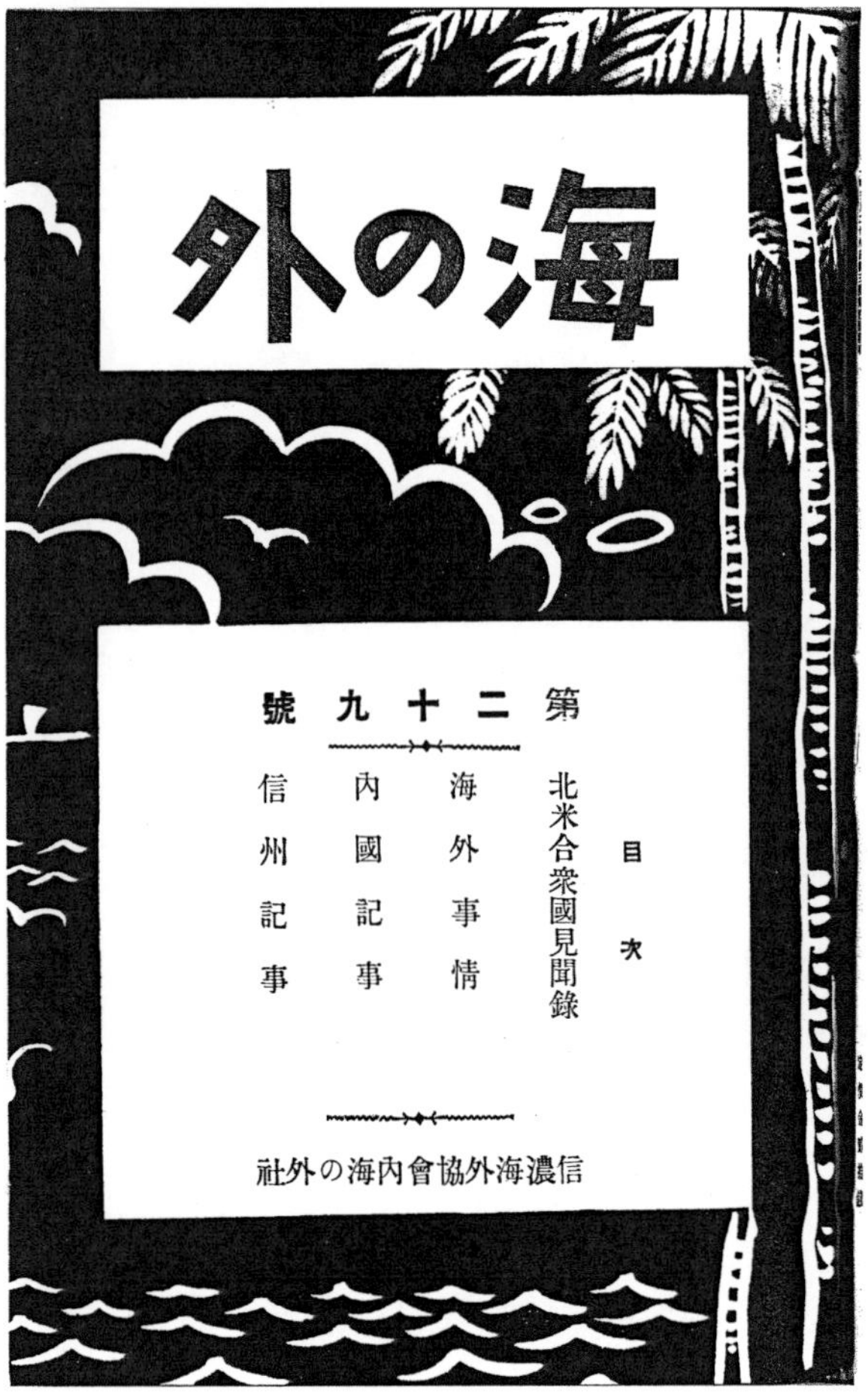

海の外
第二十九號
目次
北米合衆國見聞錄
海外事情
內國記事
信州記事
信濃海外協會內海の外社

目次

北米合衆國見聞錄（其三）

坂井辰三郎

六

農業收穫保險

本年は數十年振りか或は其れ以上、極めて稀れに見る大旱魃の爲めに、農民は夏日の炎天に每日雲霓をあこがれ仰いてゐると同時に、僅かばかりの灌水を我田に引かんとして、それぱかりに熱中し、所々方々で猛烈な水喧嘩が行はれ、其の筋の手を煩し、大きな活字で日々の新聞を飾つてゐる。七月十八日現在の調で農商務省農務局の發表によれば、灌漑水不足の爲め影響を及ぼしたる水田の見込面積は、通約貳十貳万町步にして內地水田總面積三百萬七千町步に比すれば約七分三厘に當る。而して之れ等水田よりの減收高は勿論正確に知ることは困難であるが、之れを推測するに大約五、六十万石位ならんとのことである。併しこの調査は七月中旬までの被害の見込であつて、其れ以後引續いての大旱害の影響は含んでおらぬ。其の後の調査が進んだならば實に驚くべき數量に達すると思ふ。縱令減損數量が全國的に見て巨額ならざるとするも、部分的に灌水の天惠の薄き地方は、田面に龜裂を生じ水稻は恰も火に灼りたるが如く赤く枯れてゐる慘狀は實に見るに忍びない、或は葉樹の伸長は止り葉は黃く萎れ且に頻死の樣を呈する等、諸多の農作物の被れる損害は計り知るを得ない莫大なものである。況して之れに對する農家の心勞や此れが對應策として施した勞費などに就いては寔に察するに余ある次第である。さなきだに當今稍々惡化の傾きにある小作爭議に、新な意味が加つてそろそろ頭を擡げ初めつゝあるは、誠に以て困つた事象である。

△　△　△

由來農業は極めて安全な業務であると思はれてゐるが、併しそは過去のことである。唯日々の露命を繼ぐに止まり自給自足に甘んずるならば、或は安定な職業であるかも知れぬが、當代の如く貨幣本位の經濟界に於て、極めて經濟的彈力に乏しい物資を生產し、而もそれが消費者本位に價格は決定され、日々の生活向上を余議なくせらるゝ場合にあつて、こんな不安不定の營業は、またと他に多くの類例がない。

加之農業は大自然を相手の仕事であり、季節の順不順天候の良否等によつて、其の生產の大体は決定さるゝ業務なるが故に、兎角農家の經濟が不如意に陷り易い。元來大自然相手の仕事なるが爲めに、近代科學的知識が大いに進んだ時に、農業生產の豐凶と範囲とは、結極たゞ天帝の之れを許す限度內に於て行はるゝ外なく、人爲に依て之れを變改し得る所は極めて僅少の部分たるに過ぎない。從て農家は由來勤勉であると云はれてゐるが、如何に勤勉あればとて、其の仕事の成果に至つては、何時も天帝の爲めに加減乘除せられ、平均的には甚だ貧弱な報酬を得て滿足する外はないのである。本年の旱害に際しても、この大自然の大威力に對しては殆んど之れを如何ともなす由がない。學問と知識の世の中だと言はれてゐる今日であるにも拘はらず、農家は雨を乞ふとて、山野に火を放つて天に祈つたり、寺院や消防の警鐘を乱打して見たり、或は地藏に水を掛け又は之れを縛つて河に投じたり、最後は村の氏神に祈願を込め、遠くの神社に御水を頂きに參詣したりする位のことしか爲し得ない、誠に天帝や祭祀に對しては、お耻しい次第で此れ以上の人事は盡し得ない狀況にある。

△　△　△

我が國は氣候溫暖にして且つ水濕に富み、農耕容易にして五穀豐穰、眞に瑞穗の國たる名に背かぬところもあるが、東洋の一局に偏在せる島帝國にして地理關係上、時に風害水害或は旱害又は寒雹害將又病虫害に見舞はれる機會が頗る多い。

斯る脅威の來襲多き中に立つて、我が農民は其の業務を營み其の生を送らねばならぬのだから、決して大いに惠まれた安定なものと云ふことが出來ぬ。併し如何に訴ふればとて、大自然の所爲に對しては、技術的には容易に之れを制御し難きものありとせば、農家はせめて經濟的になりとも、其れ等の自然力を緩和し、爲めに生ずる災禍の幾分を除く方策を講じなくてはならない。言ふまでもなく今日の農業と云ふ營業は、昔日の自給自足經濟を脫して企業經濟となれるものであり、從て技術的方面以外に經濟の方面が頗る重要のものとなつて來て居るから、自然的事情より被る影響に對しても、技術的方面と併せて經濟的方面に於て、之れを緩和する方策を施さなければならぬ。

然らば經濟的に斯る緩和策を立てゝ、農業をして多少なりとも安定せる業務たらしむる道はと云へば、それは決して二三にして盡きないが、就中重要で而も我が國で急施を要するものは、農業收穫保險のそれである。

歐米諸國では、夙に早くより農業に對する保險が行はれ相當成績を擧げてゐるにも拘はらず、我が國では公設私設を問はず一も之れを見るを得ないと云ふことは、何とした後れ方であらう。況してその我が國は既に述べた通り、農業に對する災禍は、他の國々に於けるよりもより多く大なるものあるに於ておやである。

△　△　△

玆に米國農民党の力によりて、ノースダコタ州に實施せられた、農業收穫保險の概況を報道することにする。

云ふまでもなく、農業收穫保險とは、農作物に對する諸種の天災に基く被害に對する保險であつて、米國では從來私立會社の手に依つて取扱はれて來たるものであるが、農民党は之れが州營の方針を立て、千九百十九年の州議會に於て之れが法律を可決したるのである。同法律によれば耕作し得べき土地は、總て本法の適用を受くべく、申込みと同時に一エーカーに就き三仙の保險料を支拂ひ、又收穫の見込によつて保險契約の必要なしと認めたる時は、六月十五日以前ならば其の契約を破棄し、既納の保險料の拂戾しを受くることが出來るのである。

收穫皆無の場合は、保險加入者は一エーカーに付いて七弗の保險金支拂ひを受け、其損害一割以內にあつては保險金の支拂を受け得ざるも、被害一割以上に及べば、被害を受けた日より三日以內に之れを當局に報告し檢査官の查定によつて保險金の支拂ひを受ける。

保險局に於ては、其の年の總損害額を、總被保險耕地面積に割當て、各エーカー數に從て保險契約者より其の額を徴集する。即ち保險契約者の保險に附した、被保險耕地のエーカー數に應じて其の負担額を定める。但し此の負擔は最高額一エーカーに就いて一ヶ年に五十仙を超ゆることが出來ない。

保險局は十月總損害額決定と共に、各被害者には十二月一日附を以て夫れ々々保險金支拂證書を交附し、一方又被保險者に向つては、其の負担額の拂込みを要求する。而して右金額の徵集と共に被害者に支拂ふものにして、實際の支拂期が十二月一日より後れたる時は、其期間は年利五分の割合を以て利息を附して支拂ふことになつてゐる。

千九百二十年更に保險事業を安定なるものたらしめん爲めに、同法を改正して、保險申込み當時拂ひ込まるゝ一エーカー三仙宛の保險料は、千九百二十一年より千九百二十五年まで五ヶ年間は、之れに手を觸るゝことなく其のまゝ積み立て、之れによつて積立金四百万弗以上を得、其の後は之に毎年三仙宛の保險料を差し加へて、之れを以て保險金支拂の用途に充て、現在の如く總損害高を更に課稅徵收するの方法を廢し、且つ翌年秋季に到らざれば支拂ひを實行する能はざるが如き態狀より脫却せんとしたるものである。尙ほ右の外に保險契約廢棄期限は、從來六月十五日限りであつたが、若し六月十四日までに之れが延期を申込みたる時は、七月一日までは契約廢棄の申出でに應ずることに改めた。又一エーカー七弗の保險金支拂も、特に豫め其の增額の申込みある時は、一エーカーに付き十弗までは保險なし得る。但し此の場合に於ては一エーカーに就いて七仙の追保險料を拂込むべきものであつて、且つ該申込みは七月一日前たることを要す譯である。而して此れ等保險の申込み或は三弗增額及び契約破棄期間の延期等總て郡の監督官の手を經べきことに定められてゐる。

千九百二十年末に於ける、本保險の收支は左の如くである。

◎收入の部

保險料	（二七、八四六、九九三エーカー）	八三五、四〇九弗・七九仙
契約者負担額	（二五仙宛 一二、〇五三、七四二、エーカー）	三、〇一三、四三五・六〇
計		三、八四八、八四五・三九

◎支出の部

保險金支拂額	三、四七二、六三〇弗・四二仙
保險料拂戾及經費	二四五、九九一・二三
利子	一三〇、二二三・六四
計	三、八四八、八四五・三九

七

機會均等の自由

故厨川白村博士の印象記に、北米合衆國は一も金二も金三も金の國で、金あるものには極めて自由な國であるが、之れに反して貧者には頗る不自由不滿足な國であると云ふやうな意味のことが書かれてあつたやうに記憶してゐる。斯う云ふ觀察も決して誤つた看方ではない。此の傾向の顯しい事象に就ては、何人も等しく經驗するところであると思ふ。併し貧者にして各方面に幾多機會均等の自由を與へられ、余程デモクラチックである點は、我が國などは遠く及ばないところである。

就中最も余の注意を喚起したところのものは、醫療と教育の二方面であつた。玆に二三の具体的事例を擧げて其の一般を窺ひ知るの資に供さんと思ふ。

△　△　△

●●●●●
醫療の便宜

人一と度不幸にして病魔の冐すところとなり、不時の傷害を被つて病褥に呻吟するの止むなきに至るは、人生最大不幸事である。當今醫學は進み良藥は愈々發見され醫療の新法は益々考案さるゝ世の中に於て、斯る災禍者にして日常の生活に追はれ、其の家に貯なきが爲めに、名醫の診斷を受け良藥を口にし適切な醫療を受くる等の事を爲し得ず、病めるもの又枕邊に待する家族等は、たゞ其の袂を搾るのみ、何等の術策を施すを得ず、其の天命を完うすることが出來ないで、無慘や夭折するの悲運、げに人生悲哀の極であつて、轉々惻隱の情禁する能はざる次第である。

せめても此の病苦以外のの心理的苦痛から、一刻も早く救ひ出し、併せて能ふ限りの人事を盡さしめて、眞の天命を完うせしむるは、人生相互扶助の最大任務であり、社會の改造も斯る手近なところから急施し、其の實効を擧ぐることが緊要であると信ずる。

△　△　△

彼の米國では此の點に關して或程度まで、無告の細民の醫療が可能である。例へば各所に備はつてゐる郡立或は其の他の公立病院では、醫療及び入院費の支拂し得ざるものには、無料で施療もし、或は退院後其の費用の賦拂でも差支がない。勿論負担力あるものからは徵集するのである。然して慈惠院とか施療院と云ふやうな名目は決して表はしては置かぬ。而も入院者の直談によれば、無料患者たると否らざるものとによつて、差別的待遇などは露ほどもなく、實に居心地がよいとのことである。然らば斯る病院には藪醫竹庵揃ひであるかと云ふに、決してそんなことはなく、新進の名國手は勿論、地方に開業せる達人ども、本病院に巡回し來つて或は刀を採り或は脉を見る組織である。

獨りこう云ふ病院ばかりでなく、其の地方の開業醫も亦患者の貧困の程度によつて、診察、手術料の無料又は割引或は治療後の支拂ひの需めに心よく應じてゐる。併し富者に對しては多額の報酬を請求する。然して富者たるものは心持ちよく之に應じてゐる。

彼の勞働者保護の目的によつて、彼等の病傷害などに就ては多く法律によつて制定され、且又私營或は公設の各種の保險制度の發達によつて、直接間接に庇護されてゐる。こは其の一端を前號に述べたるにより畧するが、茲に直接關係はないが、米國に整つておる、養老院は彼の國に於て、社會的に適切な施設として看過し得ざるものであると云ふことを附記しておく。

△　△　△

教育の機會均等

最近我國に於て、高等教育機關は益々資力あるもののみ獨占する傾向にあり、資力乏しき者は蛟龍にして池中に永久蟄居せざるを得ず、生涯志を暢ぶるの機會に接せざる社會狀態の彌々濃厚ならんとするに際し、北米に於ては、資力之れに伴はざるも各固性により天禀の性能を暢達し得る教育の機會を均等に與へられてゐる諸制度、並に一般社會の慣習は時節柄、他山の石として大いに參考とすべきであると思ふ。

△　△　△

波の國では下は小學校より上大學に至るよで、公立諸學校では授業料を徵收せざることが通則である。のみならず小學校では教科書及び參考書の貸附並に多くの補助教科書や一切の學用品に至るまで全部公費で支給してゐるところも多くある。中等諸學校でも教科書及び參考圖書は、全部貸與して就學者の學費負担を輕減してゐる。

斯く教科圖書貸與の便なきところでは、學校に教科書交換所を開き、讀み古したるものを集め、幾分割引して次代のものに引繼がしむる。斯くすること少なくも同一圖書にして三四代のものに使用せらるゝ。こは一般の經費減少と云ふ單なる經濟問題であるばかりでなく、兒童生徒の訓育上副次的効果が多大である。

又殆んで例外なしに附設ある學校圖書館の發達は、就學者の趣味的研究或は又學校作業の一である、クラブ、ウォーク及びプロゼエクト、ウォークなどの課題に對しても、彼等は特に經費の負担なく、自由に此の圖書館に於て其の目的を果し得る。尚且一船公設圖書館の分布完備は之れ亦右の傾向を助成してゐる。之れ等多くの圖書館には、兒童生徒多數のものゝ要求を一時に滿し得べく、同一圖書を數多く備へ、而も特に彼等の爲めに讀書室まで別に與へておく。

△　△　△

彼の義務補習教育强制の如き、其の就學年齡及び一週間の通學時間等は、各州によつて多少其の内容に相違あるが、何れも就學者の經濟上並に學習時間の有無等を無視しての强要ではない。例へば當該年齡のものにし

て雇傭勞働に從事してゐるものに對しては、成規の時間だけ補習學校に通學せしめ、此の就學時間に對して雇主は他の就働時間と同一賃銀を支拂ふことに規定してある。若しも雇主が支拂ひを怠り又は縱令父兄たりとも就學を妨げたるものは、法規によつて所罰せらるゝのである。

又最近米國に行はれて來て、コーブレチーブ、システム Cooperatiue System 即ち協力或は相互組織の意味の職業學校では、豫め生徒を二團に分ち、一團は學校にて學理履修中他國は工場及び會社に於て、其の實習作業に當り、一週或は二週間每に甲乙團交代するのである。從て學校は工場及び會社的の實習設備を省き、會社工場では間斷なく良質の就働者を得るの便がある。斯く協力によつて學校並に會社工場は、相互に便宜を得るのみでなく、實習就働時間に對しては、相當賃金支給をなすを以て、學費乏しきものゝ就學を容易ならしむる効果が偉大である。

從て之れ等經濟的就學易も與つて、合衆國の中等教育就學狀況は、世界第一とされてゐる、今より數年前の千九百十五年に、米國中等教育就學割合は、人口七十三人に付いて一人である。然るに同年英國にありては、人口百人に付いて一人、我が國の如きは最近千九百二十一年に漸く人口百三十五人に付いて一人の割合である。

合衆國教育局市學校課長の報告によれば、米國で小學校に入學したる兒童の內、更に中等學校に進むものゝ割合は、

一九〇〇年に	三分三厘
一九二〇年	一割〇二厘
一九二二年	一割三分〇

であると、而して未だ百九十六万七千三百五十一人は、小學校修了後中等者育に就かないものがある。之れが原因は一は經濟上、又一は教課目がそれ等の子女に不適當であるが爲めである。依て之等原因の撤去を計り就學を督勵せんければならないと絶叫してゐる。

△　△　△

大學にあつては公立私設を問はず、特志家の寄附なる育英奬學資金によつて、交附或は貸與して資力乏しきものゝ就學を助けてゐる。州立オレゴン大學では、一昨年度の貸費總額二万六千余弗で、一學生に對し年額二百五十弗であつて、學習期間は八ヶ月であるから一ヶ月に三十余弗に當る

りれからアメリカの富豪は、好んで自ら進んで斯る育英に資金を投ずることが頗る熾んである、余が滯米中我が國大震火災に遭ひたる際、彼の石油王ロックフェラー氏は、右大災に際し本國より學費の途絶せる留學生には、一時之れを補給すべき旨を通告せるが如き、斯る美擧も米國では珍とするに足らぬ社會的一般の風潮である。

斯く他よりの助勢を受くるに甘んぜず、就學者の多數は自己の心身を勞し、自ら學費の獲得を爲し、學に就かんとする自立自學の氣風が一般に旺盛である。小學校の上級生より大學生に至るまで、夏期及び冬期休業は勿論、每週の土曜日——每週土曜、日曜の兩日は學校が休みである——には、各種の農園、工場或は鐵道或は會社員及び店員として働き、中には通年或家庭に入りてスクール、ボーイを勸めながら通學してゐる。こう云ふ氣風は獨り學費に乏しいもののみが從事してゐると云ふ譯でもない。父兄から充分學費を與へられ得る境遇にありながら、自助の精神發露で爲すものも多數にある。余が在米當時現大統領クーリッヂ氏の息が夏期休暇中、ケンタッキ州烟草耕作地に在つて、每日十時間宛健氣に立ち働き、三弗五十仙の日給を得、又ウィルソン前大統領令孃マーガレット、ウィルソン孃は七月初めからピオウ廣告會社に雇はれて働いてゐると云ふことが、當時の新聞記事に散見したところである。

學校側でも窓拭、除草其の他の作業を學生に與ふる便宜を計る。余が加州のスタンフォード大學に行つた時、一大學生が教授の官舍庭に除草及び灌水を行つてゐた。こは學校から特に與へられた分担勞働で、此の報酬によつて學資の不足を補つてゐるとのことであつた。ボストンのハーバード大學で、余の知人が嘗て食堂の給仕を爲して、りして每回の食事は無料で給され、其の生活費を助けてゐた。學生が右の如き作業をなすに當つて本人も平氣でやれば、同じ學生等も別にさげすむやうな態度は毛頭無い、眞に勞働の神聖さを文字通りに、眼の當り目擊することが出來る。

海外情事

○布哇の現勢

外國在留の日本人が、比較的多數の、集團を爲して居るのは、布哇で有る、總數約十二萬、全島人口の四割强を占め、本來の布哇人の、五倍半にも達する盛況で、社會上には、偉大なる勢力を有するが、米國領で有るだけに、政事上には無勢力で、往々壓迫を加へられて居る、そは兎にまれ、生活には極めて安易なる處より、在留邦人は何れも相當の基礎を造り、餘力を養つて居る、同島最近の狀況は槪畧左の如くである

一、面積人口

布哇島の全面積は、六、四四九方哩で、我が長野縣の全面積より少し廣い、人口は、大正十一年に、二八四、五三八で、長野縣の五分一弱で有る、此の僅かばかりの人口が、世界各國からの寄集りだから面白い、其の內譯をして見ると

日本人	一一七、〇四七
英米獨露人	三二、七六三
比律賓人	三〇、七六三
ホルトガル人	二六、〇九三
支那人	二三、七四五
布哇人	二一、七三八
混血布哇人	一八、八六八
ポルトリコ人	六、三二九
朝鮮人	五、四八六
西班牙人	二、一二〇
其の他	五八六

二、首府

いふ迄も無くホノルル市で、人口八三三二七、全人口の三分一に近きものを、一都市に集めたるも、珍らしい

三、宗敎、敎育

布哇の土人は、殆んど全部基督敎徒で有るが、各國人の集まりだから、各種の宗敎の入て居る事は無論で有る

學校は全島に普く設立せられ、初等敎育は無月謝で、有

る、各學校共英語を用語とする、大正十一年の學校統計は次の如くで有る

	學級數	敎員數	生徒數
公立學校	一七三	一四三一	四四三九三
私立學校	六三	四六三	八〇六八

此の外に、師範學校、矯正院、盲啞學校、國立大學が有る

四、財政

布哇政廳では、財源を、主として、不動産稅、動産稅、所得稅、相續稅、免許稅、土地拂下、貸地、水道稅に置いて居る、大正十年の歲入出は左の如くで有る

歲入	二八、二五〇、四九三円
歲出	一五、八九〇、四四二
次年度繰越	一二、三六〇、〇五〇

五、國防

大正十一年現在の軍人數は

士官	六二人
卒	一二〇三人

米國では、大平洋沿岸防備と、パナマ運河防禦の爲に、眞珠灣、ホノルル、其の他の要地に、莫大なる防禦工事を施して居る

六、産業

布哇島は、土地極めて豊饒で、各種の農作物が好く出來る、大正十年の調査に依れば、耕地の全面積、一、一〇二、五一五町歩、其の內完全に、開墾されたるは一七七、五七八町歩に達して居る、砂糖は、布哇の主産品で、大正十一年には、一億四千萬貫の産額を示して居る

七、商業

大正十一年中の、輸出入總價額は

輸入	一二八、〇八五、四八〇円
輸出	一四五、四九六、四八六

輸出品中の主なるものは、砂糖、果實、珈琲等である

八、船舶

ホノルル灣には改修を施し、其の水深は、十分巨船を碇泊せしむるに足り、ヒロ灣及、カフルイ灣には、防波堤が築造して有る、大正十一年の入港船舶は、九三二隻、六〇、〇九〇、一四五噸で有た

九、鐵道

總延長九六九哩、內六六七哩は、耕作地專用で有る

○何ぞ浦島太郎の多きや

（ダバオ日本人會報所載）

春夏秋冬、極端なる變化に富む自然の、然らしむる處か、どうも日本人は、移り氣が多くて、永遠の計が遂行するには、不適當な性情らしい、國內に於ては、お互様で目立たないが、世界各國人と入り交つて、開拓事業に從事するといふ様な場合には、あり〳〵と此の缺點を、曝露する樣だ

ブラジルでも、南洋でも全然同樣の聲を聞く、ブラジルに於けるものは、前々號に揭載した通で有るが、今又ダバオの日本人會々報にも、次の如き記事が、載せられて有る、依つ、玆に轉載して、海外渡航を企つる人の爲に熟讀を乞はんとする、此の機會にダバオ日本人會に對して 厚く敬意を表する次第である（編者）

桃太郎は、海外發展の成功者で、浦島太郎は失敗者だそうだ

桃太郎が、鬼ケ島で獲た寶物を、所謂錦を故鄕に飾る的に、意氣揚々と、日本へ持つて歸る樣な、しみつたれた事をせずに、鬼ケ島に留り、其富源を、益々開發して、而も其利益を私せず、先住の赤鬼靑鬼、乃至黑鬼共にも、利益を均霑せしめて遣つて、彼等を信服させ、軈て國に殘した、懷しい爺さん婆さんは勿論、過剩に苦しんでゐる日本國民を、ドシ〳〵招來し、鬼ケ島をして、日本人の立派な、永住的海外移住地とした ら、一層成功者であつたらう

比律賓には、支那人の桃太郎は可なり出來て居る、桃太郎の孫や曾孫も居るが、日本人の桃太郎は、殆んど無いと言つても宜敷しい、反對に浦島太郎や、浦島太郎たらんしてゐるものは、近來大分にある、浦島太郎は龍宮で、乙姬の寵を得、夢の樣な生活を送つて歸る時には、玉手箱迄貰つて歸つたから、成功者じやないかと言ふ人もあらう、これも一つの見方で、强ち惡いとは言はぬが、尠くとも健全なる海外發展の成功者とは言へない、偶話氏の觀察によれば、浦島太郎は、龍宮に行く前、毎日魚を釣つて、のらりくらり遊んでゐた樣な怠惰者で、外國にさへ出れば、樂をして金持になれると、夢想してゐたに違いない、亀から龍宮の話を聞き何等の硏究もなく、直に乘り出した程の、無思想輕卒の輩であつた、今の世に、遊んで樂をして、金儲けの出來る所が、何處にあらう、然るに浦島君は、呑氣で氣樂な龍宮の生活にさへ、倦怠を感じて、歸つて行つた程、薄志弱行で、永住の決心など勿論、持ち合さなかつたに違いない、結局僅か許りの玉手箱を持つて、フラ〳〵と歸るには歸つたが、忽にして費消して仕舞つ

たのだ、煙になつたのだ

近頃ダバオ在留日本人中、浦島太郎が、增加する傾向がある、尤も此頃歸るものが、皆所謂浦島太郎でない事は勿論で、中には龍宮の乙姬は、色が黑い滿足出來ないとあつて、はる〴〵故國のなでしこを連れに歸る、末來の桃太郎も相當にあるとの事で、これなどは、將來龍宮の繁榮を成す基であるから、大に勸迎すべきであるが、餘り重くもなさそうな玉手箱を提げて、龍宮を引揚げて行く浦島太郎は、本人の爲めにもどうかと、いらぬ心配もしたくなる、甚しいのは、玉手箱も持たずに、手ぶらで歸るのが、相當にあるうで、これなどは、日本に着いて、玉手箱を開ける手數も入らぬ、從て煙となる心配もないが、變つた日本の狀態を見ただけで、急に年を取た氣になりはせぬか

今日では、日本程生活しにくい所は、世界にないと言はれてゐる、尠くとも日本より比律賓の方が、生活に樂だとは、誰でも首肯する、痲山の勞働が、日本の百姓の仕事に比べて、どれだけ容易であるか、誰でも知つてゐる事で、比較する丈けでも野暮である、況や昔の痲挽とは違い、昨今ではダバオ到る處、動力による痲挽機械が普及し、以前の半分の勞力で、收入は相當にある、痲の相場も決して惡いとは言へぬ、むべなる哉近來耕地方面、何處も懷がホク〳〵して來た、鄕里送金が增へて來た、同時に倦きが來た、浦島太郎が殖へつゝある所以と思ふが、古來玉手箱はど當にならぬものはない、消へて仕舞つたら、又出直すのもよかろうが、それよりも今少し腰を落ち付けて、焦せらず急がず、小成に甘んじない工夫は無いものか、人間到處靑山在り、埋骨の地豈墳墓の地に限らんやと言ふ氣持が出て來ないものか、敢て浦島太郎者流の反省を促す次第である

○蘭領西ボルネオ土人の風俗習慣

土人の種族

ボルネオ島在來の住民は、七種族に分ける事が出來る、ダイヤ族、ハバン族、カヤン族、ケンヤ族、カレマンタン族、モロット族、プナン族で有るが、其の中ダイヤ族といふのが、數に於て過半を占め、且全島に繁殖して居るから、代表的種族といふべきであらふ

彼等の相貌

ダイヤ族に就て見れば、言語は他の種族と同樣、マ

レイ語を使用して居る、骨格逞ましく、相貌は快活で皮膚は、馬來人に比し、淡黄色の黒味を帶び、毛髪は眞直に、感情は至極熱烈で有る、父母年長者に對して、敬意を拂ふ事其他日本人に酷似して居る點が多い

彼等の性情

ダイヤ族の住むボルネオは、瘴烟蠻雨の未開地で、焦熱地獄を聯想せしめ、彼等をば獰猛極まりなき、食人種として、恐るゝ世人多きも、一度彼等の部落を訪問すると、之等の疑は忽ち一掃され、實に親しむべき種族なる事を發見するであらふ

彼等は非常に日本人を好む

然るに何故が、彼等は頭髪の赤き人種を嫌ふ風が有る、其の反對に、日本人に對しては、極度の親しみを持つて居る、これは彼等が常に、日本人を彼等の祖先で有ると、深く思ひ込んで居るに基く樣だ、日本人から言へば、彼等の方が祖先だらふとも考えられゐが、兎に角彼等の骨格、性情、舉動等迄、何處となく、日本人に類似せる點は、學術的にも興味ある研究材料である

彼等の生活

元來彼等には、着物といふが無い、尤其の必要が無いから、生れ落ちるなり、裸で生育し、何處でも彼でも、裸で跳で飛び廻はり、稍長ずるに及んで、初めて男子は木の皮の褌を、女子は同じく腰卷を纒ふのである

住家は至て粗大なもので、幾間にも仕切りて、多數が共同生活を營み、少きは十家族、普通は三十家族位が入り込んで居る、食事は共有の廣間で、其の多人數が一家團欒といふ風で濟ます樣は餘所目にも羨ましい程で有る

彼等は食住衣

文明人の如く、服裝に依りて人間に段を付ける樣な事は、彼等の社會には勿論無い、衣食住共極めて簡易にして、今尙原始時代の俤を彷彿し居るは、一面より見れば、實に幸福の社會といふ事が出來やう、

彼等は先づ第一に食を求める、次に住家を造り衣は第三である、碌な食事も攝れぬに、人前で美衣美裝を誇る、そんじようこらの文化人は、チト彼等に學ぶ所有てよからふ

共産制度の理想鄕

彼等には、住宅に大小が無い、其の生活は平等で有る、家に大小なく、衣服に美醜が無いから、貧富の區別が無い、何れの家族の顏を見るも、所謂生存苦、生活難の表情は見當らない。土地より得る、林産物の利益は平等に分配する、勿論私有財産を認むるも、個人主義で無く、全く家族主義である、

彼等の生業は米作が主で有る、次で藤(トウ)、野生ゴム、アナオと稱する樹より砂糖を。燈火用木油、木の實の酒等がある

奥深き山中、雞の聲を聞く處、粗末なる住家有り、附近に必ず木造の小屋を發見する、小屋は籾を藏する爲で有る

彼等は可成繁殖力が旺盛だが、元來人口の稀薄の地だから、此の儘だつたら、何百年經つても、生存競爭など起らふ筈はなく、永久に平和なる彼等の理想鄕が持續される事であらふ

內國記事

○大正十二年中外國貿易額表（農商務省調單位ハ凡テ千圓）

輸出總額	一、四四七、七四九
輸入總額	一、九八七、〇六三
輸出入合計	三、四三四、八一二
輸入超過	五三九、三一四

輸出入國別

輸出	北米合衆國	六〇五、六一九
輸入	北米合衆國	五一一、九七七
合計	北米合衆國	一、一一七、五九六

（○印ハ輸出ノミ　△印ハ輸入ノミ）

支那	二七二、一九一
英領印度	九九、六一九
關東州	六七、八七〇
香港	五五、三一九
蘭領印度	四〇、五九一
英吉利	四〇、四一〇
濠太剌利	三二、六四九
佛蘭西	二五、六五五
埃及	一八、〇四六
比律賓	一七、五三八
加奈陀	一四、三四九
亞爾然丁	八、八二二
布哇	四、八一三
喜望峰地方	四、七四八
其他諸國	一四一、五〇一

英領印度	三〇五、七一八
英吉利	二三七、一三四
支那	二〇四、六七九
關東州	一四八、八〇七
獨逸	一二〇、二四二
濠太剌利	九六、六二三
蘭領印度	七二、九五六
英領海峽殖民地	二五、三七二
加奈陀	二四、三六〇
佛蘭西	二二、二〇二
埃及	二〇、六三六
白耳義	一八、八五五
露領亞細亞	一六、五五二
瑞西	一五、三四一
其他諸國	一四〇、七七七

支那	四七六、八七〇
英領印度	四〇五、三三七
英吉利	二七七、五四四
關東州	二一六、六七七
△獨逸	一二〇、二四二
濠太剌利	一二九、二七二
○香港	五五、三一九
佛蘭西	四七、八五七
加奈陀	三八、七〇九
埃及	三八、六八二
△英領海峽殊民地	二五、三七二
△白耳義	一八、八五五
○比律賓	一七、五三八
△露領亞細亞	一六、五五二
△瑞西	一五、三四一
○亞爾然丁	六、八三二
○布哇	四、八一三
○喜望峯地方	四、七四八
其他諸國	二八二、二七八

輸出入品別（一千万圓以下省畧）

輸出	
生糸	五六八、三七〇
綿織物	二三四、四九九
絹織物	九二、三六九
綿織絲	七八、六一三
陶磁器	二三、四六五
石炭	二一、五四五
莫大小製品	二一、二〇五
製茶	一六、〇一〇
紙類	一五、二二三
精糖	一四、七四二
木材	一二、三四二
機械類	一〇、九〇四
燐寸	一〇、六四九
屑糸及眞綿	一〇、四六三
硝子類	一〇、一四五
魚類	一〇、〇三〇

輸入	
綿	五一三、〇七三
鐵	一二一、七七一
肥料	一一八、二六〇
機械類	一〇三、九四〇
木材	八九、五二九
羊毛	八一、八九三
毛織絲	七三、八二六
砂糖	五二、六二九
豆類	五〇、三六七
小麥	四七、四八〇
毛織物	四七、〇九八
米	三一、四九四
硫酸アンモニューム	二四、九四七
石炭	二四、三六五
インヂヤラッパー及ガタパーチャ	一九、三二七
麻類	一七、九一一
燈油	一七、七四六
紙類	一七、二〇七
鳥卵	一七、一〇九
搾油原料	一六、四九五

汽船	一五、一二四
自動車	一三、四八〇
建築材料	一〇、九七九
揮發油	一〇、九六二
數	一〇、九五五
鉛	一〇、六六一

輸出入港別

	輸出	輸入	合計
神戸	三五七、一一二	一、〇〇七、九二七	一、三六五、〇三九
横濱	六六八、六一一	五一二、二五九	一、一八〇、八七〇
大阪	二九六、七七〇	一七七、二七五	四七五、〇四五
門司	二二、八八一	六八、六五二	九一、五三三
名古屋	二六、八一五	三九、三五一	六六、一六六
長崎	八、九八六	二九、七七一	三八、七五七
四日市	—	三一、五四一	三一、五四一
若松	九、四九五	二一、四七八	三〇、九七三
清水	一五、〇六二	一二、七五五	二七、八一七
武豐	—	一八、〇七八	一八、〇七八
三池	一〇、〇四一	—	一〇、〇四一
小樽	八、八五五	—	八、八五五
其他ノ諸港	二三、一二二	六三、一四四	八六、二六六

○主なる國の面積、人口、出産、死亡等比較表（一九二四年ウイツカー氏年鑑）

國名	面積（方哩）	人口 總數（人）	人口 一平方哩當（人）	人口千ニ對スル出産、死亡、及増加 出産（人）	死亡（人）	増加（人）
パラグアイ	七五、七〇〇	八〇〇、〇〇〇	一〇	三七、五	一〇、三	二七、二
ルーマニヤ	一二二、三〇〇	一七、〇〇〇、〇〇〇	一三九	四六、二	二二、四	二三、八
キューバ	四四、一七八	三、〇〇〇、〇〇〇	四九	三四、四	一二、二	二二、二
ニューファウンドランド	一六二、七五〇	二七〇、〇〇〇	二	二八、八	一〇、六	一八、二
サルバドール	七、二二五	一、三〇〇、〇〇〇	一六五	四一、五	二三、七	一七、八
コスタリカ	二三、〇〇〇	四八五、〇〇〇	二一	四三、八	二六、一	一七、七
南アフリカ	七九五、三〇〇	八、〇〇〇、〇〇〇	一〇	二八、三	一一、一	一七、二
ウルグウエー	七二、二〇〇	一、四〇〇、〇〇〇	一五	三一、七	一四、五	一七、二
ポーランド	三〇〇、〇〇〇	三〇、〇〇〇、〇〇〇	一〇〇	三〇、一	一三、三	一六、八
エクアドール	二七六、〇〇〇	二、〇〇〇、〇〇〇	七	三七、一	二〇、五	一六、六
オランダ	一三、七六一	七、〇三〇、〇〇〇	五五〇	二七、八	一二、八	一五、〇
アウストラリヤ	三、一五三、〇〇〇	五、五〇〇、〇〇〇	二	二四、九	九、九	一五、〇
パナマ	三一、八九〇	四四〇、〇〇〇	一三	二九、一	一四、二	一四、九
ニュージーランド	一〇五、〇〇〇	一、三五〇、〇〇〇	一一	二三、三	八、七	一四、六
ブルガリヤ	四〇、〇〇〇	五、〇〇〇、〇〇〇	一三九	四〇、四	二六、四	一四、〇
ドイツ	一七二、二七〇	六〇、〇〇〇、〇〇〇	三四八	二九、八	一六、二	一三、六
デンマーク	一五、〇〇〇	三、三〇〇、〇〇〇	二二〇	二五、八	一二、九	一二、九
チエツコスロバキア	五四、九〇〇	一三、六〇〇、〇〇〇	二四四	二八、四	一五、六	一二、八
ノールウエー	一二五、〇〇〇	二、七〇〇、〇〇〇	二一	二五、九	一三、二	一二、七
日本	二三六、〇〇〇	八〇、〇〇〇、〇〇〇	三三九	三四、二	二一、九	一二、三
フインランド	一五〇、〇〇〇	三、四〇〇、〇〇〇	二一	二八、五	一六、二	一二、三
イタリー	一二〇、四五〇	三九、〇〇〇、〇〇〇	三一九	三一、三	一九、二	一二、一
ホルトガル	三五、五〇〇	六、〇〇〇、〇〇〇	一五五	三〇、七	一九、四	一一、三
ヴエネズエラ	三六三、七二八	二、四二〇、〇〇〇	六	三二、八	二二、一	一〇、七
アルゼンチン	一、一三二、〇〇〇	八、七〇〇、〇〇〇	七	三二、一	二一、六	一〇、五
スエーデン	一七三、〇〇〇	六、〇〇〇、〇〇〇	三四	二三、八	一三、八	一〇、〇
ウエールス	七、四六六	二、二〇六、七一三	二九六	二三、七	一三、八	九、九
アウストリア	三一、七六〇	六、一〇〇、〇〇〇	一九二	三一、四	二一、九	九、五
イングランド	五〇、八七四	二五、六七八、三〇〇	七〇一	二三、一	一三、七	九、四
ホンヂユラス	四四、二七五	六七四、〇〇〇	一三	二六、七	一七、六	九、一
カナダ	三、七三〇、〇〇〇	八、八〇〇、〇〇〇	二	三九、四	三〇、四	九、〇
スペイン	一九六、〇〇〇	二一、七五〇、〇〇〇	一一〇	二二、四	一三、五	八、九
ベルギー	一一、四〇〇	七、七〇〇、〇〇〇	六五八	二三、七	一五、二	八、五
スイス	一五、九五〇	四、〇〇〇、〇〇〇	二三六	二二、七	一四、三	八、四
北米合衆國	三、〇二七、〇〇〇	九五、〇〇〇、〇〇〇	三一	二二、三	一四、二	八、一
エストニア	一八、〇〇〇	一、二五〇、〇〇〇	七〇	二六、五	一八、五	八、〇
スコツトランド	三〇、四〇五	四、八八二、二八八	一六〇	二一、七	一四、九	六、八
チリー	二九〇、〇〇〇	三、八〇〇、〇〇〇	一三	三七、二	三一、一	六、一
アイルランド	三二、五八六	四、三九〇、二一九	一三四	二〇、〇	一七、六	二、四
フランス	二一三、〇〇〇	四〇、〇〇〇、〇〇〇	一八七	一八、七	一八、四	〇、三
アビシニア	三五〇、〇〇〇	一一、〇〇〇、〇〇〇	三〇			
アフガニスタン	二四六、〇〇〇	六、〇〇〇、〇〇〇	二一			
アルバニア	二〇、〇〇〇	一、〇〇〇、〇〇〇	五〇			
アルメニア	二〇、六〇〇	一、二五〇、〇〇〇	九七			
ボリビヤ	五七〇、〇〇〇	二、八〇〇、〇〇〇	四			
ブラジル	三、三〇〇、〇〇〇	三〇、六五〇、〇〇〇	九			
支那	四、三〇〇、〇〇〇	四二〇、〇〇〇、〇〇〇	九七			
コロンビヤ	四六二、〇〇〇	六、〇〇〇、〇〇〇	一三			
ギリシヤ	四二、〇〇〇	七、〇〇〇、〇〇〇	一六七			
ハンガリー	三六、一七九	八、〇〇〇、〇〇〇	二〇六			
印度	一、八〇二、〇〇〇	三二〇、〇〇〇、〇〇〇	一五八			
メキシコ	七六九、〇〇〇	一六、〇〇〇、〇〇〇	二一			
ペルシヤ	六三〇、〇〇〇	一〇、〇〇〇、〇〇〇	一六			
ペリユー	五三二、〇〇〇	五、五〇〇、〇〇〇	一三			
ロシヤ	八、〇〇〇、〇〇〇	一三六、〇〇〇、〇〇〇	一七			
シヤム	二〇〇、〇〇〇	九、〇〇〇、〇〇〇	四五			
トルコ	二、一〇〇、〇〇〇	一三〇、〇〇〇、〇〇〇	六一			
ユーゴースラブ	八七、〇〇〇	一二、〇〇〇、〇〇〇	一三七			

チベット	五〇〇,〇〇〇	八,〇〇〇,〇〇〇	一六
ルクセンブルヒ	一,〇〇〇	二七〇,〇〇〇	二七〇

○主なる國の耕地面積割合 (內閣統計局調一九一〇年頃ノモノ)

國外	總面積	耕地面積	總面積中耕地面積割合
白耳義	二六,〇七五方粁	一八,八五六方粁	〇,七二三
佛蘭西	五二九,五五八	三六七,九八七	〇,六九五
丁抹	三八,九六九	二六,八八〇	〇,六八九
和蘭	三二,六〇六	二一,四九二	〇,六五九
獨逸	五四〇,六四八	三五〇,五五四	〇,六四八
英吉利	三一〇,〇〇七	一九九,九一八	〇,六四五
墺太利	三〇〇,〇〇八	一八四,七一九	〇,六一六
瑞西	四一,三二四	二二,四〇一	〇,五四二
西班牙	五〇四,五一七	二一七,〇二九	〇,四三〇
歐露	五,一五七,七九〇	二,二〇四,四七一	〇,四〇八
伊太利	二八六,三八二	一一三,七八八	〇,三九九
日本	三八五,五二一	五二,〇九九	〇,一三五
瑞典	四一一,〇一二	四六,三五二	〇,一一二
諸威	三二二,九〇九	一一,一一九	〇,〇三四

○主なる國の耕地と人口との割合 (內閣統計局調一九一〇年頃ノモノ)

國名	耕地面積	人口	耕地一方粁當人口
日本	五二,〇九九方粁	五〇,五〇四,九〇〇人	九六九,四人
白耳義	一八,八五六	七,四二三,七八四	三九三,七
伊太利	一一三,七八八	三四,六八六,六五三	三〇四,八
和蘭	二一,四九二	五,八五八,一七五	二七二,五
英吉利	一九九,九一八	四五,二一六,六六五	二二六,二
諸威	一一,一一九	二,三五七,七九〇	二一二,〇
獨逸	三五〇,五五四	六四,九二五,九九三	一八五,二
瑞西	二二,四〇一	三,七六五,一二三	一六八,一
墺太利	一八四,七一九	二八,五六七,八九八	一五四,七
瑞典	四六,三五二	五,五二二,四七四	一一九,一
佛蘭西	三六七,九八七	三九,六〇一,五〇九	一〇七,六
丁抹	二六,八八〇	二,七五七,〇七六	一〇二,六
西班牙	二一七,〇二九	一九,五〇三,〇六八	八九,九
歐露	二,二〇四,四七一	一〇二,八四五,一一七	四八,九

○自大正元年至大正十一年移民渡航地別 (外務省通商局調)

渡航地名	渡航者數
北米合衆國本土	五七,四四五
布哇	三八,〇八一
伯剌西爾	二八,九〇三
英領加奈陀	一三,七三八
ペリュー	一二,六九五
比律賓群島	一二,〇六四
露國及其ノ領土	九,四六八
馬來半島	三,四九三
佛領ニューカレドニア	一,八六五
蘭領印度支那	九六八
アルゼンチナ	九一〇
濠太剌利	七二四
蘭領東印度	六八〇
メキシコ	五八三
香港	四四一
英領太洋島	四二三
英領ボルネオ	二〇二
英領印度	一九七
キューバ	一七五
チリー	一六三
佛領タヒチ島	一六二
佛領印度支那	一四一
パナマ共和國	一一〇
ビルマ	一〇四
ニューギニア	七九
英領フイヂー島	五八
シセム	三一
ボリビヤ	二〇
ビスマーク群島	七
英吉利	七
コロンビヤ	五
墺門	四
英領セレベス	四
英領グアム島	三
元獨領ニューブリテン	三
佛領マダカスカル	一
ザンヂバル	一
合計	一八三,九五八

○自大正元年至大正十一年移民渡航許可府縣別 (外務省通商局調)

府縣名	渡航許可數
廣島	三二,三〇六
熊本	二〇,一〇四
沖繩	一八,〇七六
福岡	一五,一四四
山口	一四,二三九
和歌山	一〇,三八一
福島	七,七六八
岡山	七,〇八六
長崎	六,四四〇
滋賀	六,一二五
鹿兒島	五,〇四二
北海道	三,四七七
新潟	二,七二二
静岡	二,五四六
長野	二,三一九
愛知	二,二七一
福井	二,二四九
佐賀	二,二三五
高知	二,二〇七
愛媛	二,一一四
神奈川	一,九五五
三重	一,八五〇
東京	一,六九〇
宮城	一,四八四
山梨	一,三一九
鳥取	一,二六〇
大阪	九七一
香川	九六九
大分	八〇五
富山	七八六
岐阜	六一七
兵庫	五八二
島根	五二二
千葉	四九二
石川	四六三
埼玉	四二二
山形	四〇一
青森	三六七
徳島	三一六
群馬	三一二
岩手	三〇四
茨城	二九〇
京都	二五五
栃木	二二七
奈良	二二四
秋田	一四四
宮崎	八〇
合計	一八三,九五八

信州記事

○伊那電車の大椿事

九年七日、午前九時、伊那電氣鐵道、下りボギー車が、乘客を滿載して、上片桐驛に停車中、折柄續いて下りに向け進行中の、電氣機關車が、驀進し來り、前記ボギー車に衝突し。其の餘勢を以て、ボギー車は、約一哩を進行し、小松川鐵橋手前の、カーブにて脱線顚覆し、一丈餘も下の堤防に放り出され、客車のトラックと車体は、バラ〳〵となり、即死者三名、重輕傷者數十名と云ふ、大椿事が出來した

今回の列車事故は、同線開始以來、始めての大椿事で、沿道は勿論、全縣下を慄然たらしめた、

即死者三名の內、一名は愛知縣の人で、他の二名は何れも、上伊那郡で、片桐小學校長、吉川宗一氏の令孃はる子さんと、同村中森正君とである、重傷者二十餘名も大部分上下伊那兩郡の人々で、他地方の人は、三四人に止まつて居る。

此の大椿事に、上片桐村、片桐村兩村消防組の活動は、實に目ざましいもので、遺憾なく奉仕的精神を發揮した、附近數村は勿論、遠く飯田町からも、多數の醫師出動して、應急手當を施し、午後四時迄大活動を續け、傷者の一部は赤穗村堀口病院に、他は飯田町石井病院に收容した、會社側に於ても、多數の非番從業員を始め、最高幹部に至るも、全部現場に出動して、應急處置やら慰問に最善を盡した

○支部長の更迭

上水內部長、富藤助升氏が、千葉縣の長生郡長に、榮轉せられたるを以て、北佐久郡長、田口泰藏氏が、其の後を襲ひ、北佐久へは、本縣會計課長たりし、市川多萬吉氏が任命された、上水內も北佐久も、共に良郡宰を得たりとて、郡民は非常に喜んで居る

○嗜眠性腦炎

嗜眠性腦炎と稱する、意態の分らぬ病氣が、本縣にも入りこんで、先々月來、彼地此地に患者が出た、諏

訪、上下伊那、北安、上水內、長野、松本の二市八郡に亘り、八十餘名を數へた、死亡率が頗高いといふので、恐れられたが、それ程でも無いらしいが、今の處病原が判然せぬので、豫防も治療も、適法が無く、一時相當衛生上の問題となつたが、流行も餘り烈しくないので、何時しか取沙汰も熄んで終つた

○本縣秋蠶の成績

秋蠶も奇麗に濟んで、養蠶家は、春蠶以來の、收支計算時となつた、春蠶の成績は、前々號所報の通りで有たが、夏秋蠶時期となつては、生絲市場の好況に連れて、繭價暴騰、十二圓內外といふ高値となつたから、農家は漸く一息繼げる樣になつた、旱魃では一しきり騷いだが、實際の被害は小部分で、信州全体としては、豊作を傳へられて居るので、震災以來の不況は、幾分回復する事であらふ

○青年の野球競技

信濃每日新聞社の主催ある、縣下青年の野球競技は近來運動界の大呼物となり、全縣のファン熱狂せしむる事は、寧ろ中等學校以上で有る、昨年は震災の爲に遠慮して、休んだ代はりに、本年は數倍の景氣を以て擧行された

參加チームは、南北信を通じて、五十餘に達し、長野市の如きは、一週間前に豫選會を開ひて、出場チームを決定するなどの盛況で有た、

本競技は、九月十三日から、十五日に亘り、長野市內四ヶ所のグラウンドに於て行はれ、何れも見榮えの有る試合をやつた、最後の優勝戰は、オール下高井と、下諏訪實業野球團とで、下高井郡の勝利となつたが、此の他にも、長野のミスヾクラブ、上諏訪、笹賀、など純青年を以て組織したる、立派のチームの多かつたのは、他府縣にては、到底見得べからざる事で有る。元來青年の野球は各小學校に於て培養されるのであるが、本縣程小學校で、野球を取り入れて居る處は、何處にも無い、これも本縣教育の獨特なる點であらふ

○海外協會事務所の移動

最近迄、御厄介になつた、社會課は、大正十年の十月頃、新設されたそうだ、その時分、我が海外協會の、設立計畫が始まつて、翌年の一月創立總會とあつた、事務所は縣廳の、何處に置てやらふかといふのが、問題になつて、最初は、學務課內に置かれた、一寸不似合の樣だが、本縣の海外發展論といふものが、遠く三十年もの昔、初等敎育者間に起り、當初は專、敎育的見地から唱道したが、大正の世となりて、渡航、移住と具体化されて來た塲合にも、敎育會又は、敎育者の手に、取扱はれて來た關係から、寧ろ頗有意義で有たが、暫時にして新設の社會課へ移つた、其の後間もなく、中央に於ける移民事務も、外務省から、社會局の手に移る事となつて見れば、系統上是又、至當の成行と云ふべきで有た

他府縣の海外協會の事務所は、多く保安課に、置かれる樣だ、外國旅券を、保安課に於て、取扱ふが故に、密接なる關係ありとなすもので、御尤至極であるが、社會事業が發展して來て、從來の如く、感化救濟といふが如き、消極的方面のみに沒頭せず、海外移民を筆頭に、各種積極的事業をも、取扱ふ樣になつて見れば、海外協會の事務所を社會課に置た事は、中央よりも、一歩お先に罷り出でたもので有た、

所が今度、社會課が、廢止される事になつたので、海外協會たるもの、聊去就に、迷はざるを得なかつた、儘よ、どうなれ、店借身分だ、彼方委せの外は無いと、度胸を決めて居ると、農務課所屬といふ御命令だ、農務課と海外協會、其所に何の連絡關係を見出し得るだらふ、

人間生活の基礎が土地であり、土地を活用するのが農業である、全世界の人類に對する、土地の分配をして、均衡を得せしめ度いといふのが、海外協會の目的で有るとすれば、農業とは離るべからざる關係を有する譯だ、即ち農業は、主として質の方面を取扱ひ、海外協會は、量の方面に、憂身を俏すといふものだ。此に於て農務課と、海外協會とは、本質的に、緊密なる連絡關係が有るといふべきで有る

加之、現在の農務課長、蜂須賀理事官は、曾社會課長を兼任せられたる當時より、海外協會の役員で有り、移住地資金募集、土地組合の創立等には、格段に盡力せられたる關係も有り、旁非常に好都合で有る

○信濃海外研究會生る

上高井郡、小布施村出身、中村軍治君は、久しく比律賓群島に在り、數年前歸朝して、今は專菅平の開發に努力して居るが、海外發展の事には、常に熱心で、屢協會へも訪問されたが、最近同志を糾合して、信濃海外研究會なるものを組織し、八月二十四日、須坂町に於て、創立總會を開ひた、會員は、何れも一度、海外に渡航した、經驗の有る者といふのだから、其所に大に意義が有るので、此種の會が、持續發展する事を、切望するもので有る

當日は、前本縣理事官にして、現在は復興局事務官たる、三樹樹三氏が、態々東京より來られて、一塲の講演を試み、聽衆に多大の感動を與へた、

因に、右研究會の會長には、須坂町新井一淸氏就任し副會長は、中村軍治氏と決つた

雜錄

雜誌大南米創刊

南米ペリユー國、リマ市在留、藤田亮三郎氏主幹

記事內容左の知し

卷頭語、大南米の使命
社說、活眼の養成と覺醒の時機
ペリユーの史的研究
古代ペリユーに於ける共產制度
國民思想の善導
アルゼンチナ共和國の研究
ペリユーニ於ける園料植物
リマ市同胞各商店巡遊記
其の他趣味深き記事插畵多數

紙數一百ページ、寫眞十數葉入、リマ市、ピリングスト街三二一、大正商會內大南米社發行、定價特別號は一部金一圓五十仙、送料十四仙、並通半ヶ年分六部前金五ソーレス五十仙、一ヶ年十二部前金十ソーレス

謹告

會員諸君へ＝會費の收受が、思ふ様に參らず、甚だ當惑致して居りますから、早速御出し下さる様に懇願致します。

何かのお序に役場へ御屆被下ば宜しう御座います、役場へは支部から、お願してありますから、快くお取扱被下事と思ひます。

二三の郡へは、集金郵便を差立てゝ見ましたが、御不在やら其の他の御都合で、存外の不寄に驚きました、でなるべく役場へお願する方針ですが、萬一集金郵便が集りましたら、早速御支拂被下様御含置を願ひます。

私共はなるべく、能率を增進し度い希望より會費取集等には、時間も、勞力も、經費も、餘りかけ度有りません、どうぞ此の點に御共鳴下さる様、呉々御願申ます。

編輯机上より

先月上旬、ブラジルに入りたる永田幹事は、バウルー市駐在、多羅間領事援助の下に、輪湖俊午郎、北原地價藏兩君と共力、サンパウロ州內を、隈なく探し廻はり、マトグロッソ州との境に近き、西北鐵道、ルサンビーラ驛附近に、好適なる地域を發見し、電報を以て、數回當方と交涉の結果、之を購入する事に決定しました。

土地は、伯國上院議員ミランダ氏の所有に係り、廣さ約三千町步、價額七万圓內外、地味肥沃、珈琲、甘蔗、棉、其の他各種作物に適する由。

交通は、現在驛より七八里の距離にあるが、自動車道に沿へるを以て驛との間は三四時間にて往復が出來る、近き將來に設置さるべき新鐵道線路とは、極接近して居るそうだから、開拓には便利の樣です

これで愈ゝ大事業の基礎が出來た譯だから、今後一層の努力を以て有利に開拓して行かねばなりません

海の外

定價

	內地	外國
一部	廿錢	廿仙
半ケ年	一圓十錢	一弗十仙
一ケ年	二圓廿錢	二弗廿仙

海外郵稅四錢

注意

▲御注文は凡て前金に申受く
▲廣告料は御照會次第詳細通知致します
▲御拂込は振替に依らるゝが最も便利さす

大正十三年九月三十日

編輯人　永田稠
發行兼印刷人　藤森克
長野市南縣町
印刷所　信濃每日新聞社
長野市長野縣廳內
發行所　海の外社
振替口座長野二一四〇番　信濃海外協會

信濃海外協會
海の外社發行

海の外
第三十號
目次
永田特使伯國通信
北米合衆國見聞錄
海外事情
海外近信
信州記事
信濃海外協會内海の外社・

目次

大正十三年五月十三日南洋ダバオに於ける依田袈裟三郎君（小縣郡鹽尻村出身の）葬式
小池鈎夫君通信参照

黒布に覆はれたるは依田君の棺、位牌を持てるは同君の未亡人さなれる南洋人、他の二人の南洋人は其の兄夫婦墓は斯く熱帯植物の繁茂せる中に設けらる

伯國より

永田稠

待ち憧れた、永田特使の、入伯第一信を得た、着後怱々の通信で、移住地の事は、大体に止まるが、革命騒乱等、伯國と特殊關係を有する當協會員には興味深きもので有る

拜啓、八月九日午後、リオデジヤネイロに着きました、野田領事と、佐藤留學生との、お迎を受け、ホテル、エストアンゼイロスに投じ、其の夜直に、大使館に參りました、田付大使は、大に喜ばれ、晩餐に招かれて居たのを斷はつて、私の爲に、夕飯を御用意下され、夜遲く迄、種々御話致しました、野田領事夫妻も、同席で御座いました、十日は日曜でしたから、各方面へ通信を書いたりして一日休養、夜は大使館の福間書記官と話しました、

十一日には、日本領事館に行つたり、警察に行つて乘車證明を貰ひました、内乱の後で有りますから、此の證明が無いと、汽車に乘れないので有ります、税關に行つて、荷物を受取り、福間氏と中食を共にし、正金銀行支店や、藤崎商會を訪問しました。

此の日陸軍武官の、竹内大尉が、サンパウにから歸つて來て、内乱の大体の事情を話されました、ブラジルには、政党が有りませんから、政府が何時でも、我儘の事をするので、政府反對者には、常に不平が有りますそれが時々、爆發をするのですが、今回もそれと同質のもので、全國的に反乱を起す筈で有たそうですが、リオで一味が捕へられ、大事に至らない中に、發見されたので、サンパウロ方面の分が、騒ぎ出したのです、反軍五千、政府軍一万二千と云ふので、サンパウロの市街を中心として、約一ヶ月間、打ち合ひをしたので、日本人町附近にも、時々彈丸が落ちたのですが、反軍の計畫が甘く行ず、モジヤナ線を北方に、退却し始めたが、此の方面には官軍が居て、逃げられず、ノロエステ線に來て、バウルーの町にも、二三日居たが、此の方面でも支へきれず、ソロカバナ線に、立籠つて居りますが、前後から、政府軍に挾擧される形となつて居ります、所

(1)

が、其政府軍なるものも、日本の青年團に、鐵砲を擔がせたよりも、數等以下のもの故、大急ぎで攻撃などは致しません、其の中に自然消滅と云ふ事になると思ひます。

十二日は、リオの要所を見物し、夜は野田領事の晩餐會に招待され、神奈川丸の高等船員と、遲く迄快談致しました、十三日には、山縣勇三郎氏の令妹、柱木さんや、福井さんと一緒に、汽車に乘つてサンパウロに向ひました、此のセントラル線の沿線に、近頃日本人が、ボツ〳〵仕事を始めました、安田さんや、西原清東さん藤崎商會の農場の如きは、三千町歩も有ると申します、力行會の井原君や、池邊さんなども、此の線に居ります、氣候が良いのと、市場に近いので、此の方面を主張する者も有ります、但し地味は、餘り良く有りませんから、肥料が要りますし、大きな地面を纏めて買ふ事が出來ませんから、信州の計畫などは、一寸出來ません、五六万圓位からの資金や、二十家族以下位の農園を始めるにはよいと思ひます。

リオから十二時間かゝつて、サンパウロには、夕方着きました、諏訪の揮旗農學士夫妻が、お迎に來て與ました、同氏は此の町で、シャボンや消毒藥品の製造をやつて居ります、多くの移住者とは、全然方面の變つた仕事をして居ります、矢張諏訪の、野口喜平次君が「旭」と云ふ旅館を經營して居ります、寢台の數が四十も有るとの事で、仲々盛にやつて居ります、私は野口君の所で、ブラジルのトロロを御馳走になりました。

十四日はサンパウロで、各方面に到着の御挨拶に廻はりました、齋藤總領事、三浦、黒石兩新聞社長、海外興業會社、高岡ドクトル等でした、上伊那出身の伊藤八十二君が、キリスト教會の牧師をして居て、出迎から何から、萬端の世話をして下さいます。

十五日には、同君の御案内を得て、バウルー市に參りました、此所は、ノロエステ線や、アララクアラ線等日本人の殖民者の中心地で、日本の總領事館の有る所で有ります、八時頃輪潮俊午郎君の家に參り、そこに一泊しました。

十六日には、多羅間領事を訪問しました、信濃海外協會からは、以前に信濃村建設に就き、候補地の選定を此の領事館に依賴して來て居るので、何かと心配をして居て下さつたので有ります、賜暇歸朝を許されて日本へ御歸りになる筈で有たのが、內乱と、般室の都合上、十月末迄延期されたので、私の爲には、非常に好都合で有りました。

反軍は當地では、鐵道從業員には、三ヶ月分の給料を、前拂したり、三割の增給をしたり、且人民の同情を得る爲に、公衆に對しては、決して乱暴はしませんでした、左樣な事情の爲、サンパウロでも、當地でも、日本人の損害は、勿論有りません、日本人の自動車運轉手が一名、反軍に連れて行かれた位の所です、ソロカバナ線には、日本人がかなり居りますから、或は多少の損害が、有るかも知れないが、大した事は有りますまい。

ブラジルの農業家は、大變な景氣で有ります、例年ならば、一俵(約十六貫)の籾が十五ミル(四ミルが我が一圓位)內外だのに、今年は八十ミルもする、それが一アルケール(二町五反)から、二百俵も取れるし、棉花も、矢張、一アルケールから二百俵、一俵が七八十ミル、珈琲は一俵、二百ミルと云ふ有樣ですから、日本人で本年度の純益、一万圓以上になる者が、ザラに有ると云ふ有樣で、從て地價が騰貴して居ります、八年前に七十圓の土地が、今日では六百圓以上と云ふ有樣です、四年前私の來た時からでも、三倍から五倍にあつて居ると云ふ有樣です。

信濃海外協會の移住候補地は、半年も前から、多羅間領事指揮の許に、輪潮俊午郎君が、各地を巡歷し、ノロエステ線、ソロカバナ線、パラナ方面等、出來得るだけ、視察研究した結果、左記の處が宜しからふと云ふので、兩三日中に、視察に參ります。大体の要項を申上げますと

一、場所　ノロエステ線上、ルッサンヴイラ驛の東南、八里より十里の間に有り
二、海拔　五百メートル餘より、四百メートル、故に一部は珈琲の栽培に適す
三、面積　何程でも得らるゝが、約三千アルケールス(七千五百町步位)
四、地價　一アルケールに付、二百五十ミル(日本金約六十圓)、即一町步が、日本金二十四五圓、
五、其の他　年賦拂は三ヶ年位

略概は右の通ですが、よく見てから決定致します、六七千町步以上の土地を纏めて一所に得やうとすれば、ノロエステ線には、十里以內には有りません。上塚君の賣り出して居るのが、十里で一アルケール、五百五十ミルです、信州の土地も、買ひ値は二百五十ミル位ですが、小さく分割して賣る場合には、四百ミル位になると思ひます、測量や其の他の費用が、かなりかゝりますし、又現在四百ミルの相場はして居るのです。

バウルーのホテルに居るよりも、家を借りた方が安いし、當分は此處に、本營を置かねばなりませんから、小さい家を一軒借ります、家賃は月額三十圓位で、北原君の夫妻に來て貰ひます、それから、私一人では仕事が仕きれませんので、輪潮君と、北原君に助勢を賴みます、兩君も、奉仕的に盡力して吳れる事と思ひます。

海外協會の仕事は勿論、他の組合の仕事と、混同はしませんが、出來るだけ聯絡して行かねばなりません。信濃土地組合も、少くとも二千口迄は、增加せねばなりますまい、この資金が十万圓になります、南米土地組合は既に、約一千口になりますから、私の歸途北米で、一千口以上を得度いと思ひますが、日本でも少なくとも。二千口位を得度いと、希望して居ります。

先は右要用迄(大正十三年八月十七日)

北米合衆國見聞錄(其四)

坂井辰三郎

八

富の活用

吾人が北米合衆國の都市或は建築交通或は又社會的諸設備乃至敎育方面等、各種の狀況を報ずる際に、いつも聞く人々から聽かせらるゝことは、金があるから夫れ等のことも思ふやうに出來るのであつて、何んの金さへあればそんな事は朝飯前の易々たる事の如くに言ひ終る人々が多數である。如何にも其の通りで決して無理な聽き取り方でもない。米人は金の偉力に任かせて、どの方面にも世界一の標語の下に、世界に冠たるもの他國には絕無なるものを建設せんとする優逸的自惚心が頗る熾であるは事實である。

併しながら之れも彼れも金があるから可能であるとのみ觀ずして、更に深く思ひを潛め依て來る根源を察しなければならないだらう。彼等は如何にして其の金を得、夫れ等の富を如何に活躍せしめてゐるか、玆に大いに學ぶべきところがあると思ふ。

△　△　△

或人の調べによれば、米國人の圖書費は一ヶ年を通じて一人當り僅に金三十仙であると云ふ。彼の圖書出版の旺盛な文明國にして一般に讀書慾の盛な國、殊に婦人の多くが日常圖書に親しむところに於ては、一人當り三十仙と云ふ僅な圖書費は寔に信ぜられない程である。併しこは一般に公設圖書館の發達が普く、富豪の出資或は公費を以て支辨し、而も圖書館の活動が靜的でない。例へば某家で出產があつて其の旨を市役所などに屆け出づれば、直に圖書館から其の家に向て、出產の祝伺に併せ育兒及び哺乳等に關し、此れ々々の參考書があるから、早速借りに來て吳れと云ふ通知を發送すると云ふやうな經營振りである。萬事が此の通りであるから從て借り出しも總てが極めて簡易適切である。而して最寄りの場所には多くの讀書室を分在せしめて書見の便宜を計る。

又前にも述べた如く小學校及中等學校では圖書を貸與するか或は然らざるも古本の交換所を開いて、甲乙の圖書交換の便を計つてゐる。從て各個人的に圖書費の多くを負担し、而も各別に多數の圖書を死藏すると云ふ弊から救はれ、各個人の負担は尠きにも拘はらず却て幾多の書物を涉獵することが出來る譯である。之れ圖書館及び附設の讀書室の完備に巨額の經費を投ずるも、結極は總体的に經濟で、そして讀書は普及し一般公衆の文化を進むるの功果は偉大である。

又彼の恐るべき結核豫防治療の社會的施設もよく行き届いてゐる爲めに、現在合衆國では漸減の傾向にある。

この良傾向を來せる經費の大部分と云ふものは、僅か一枚金一仙の切手樣のものを賣り出し、一般民は之れを買つて進物用の物品或は花卉又は通信書に貼附することが熾んである。これによつて豫防費の大部分を補ふのみならず、結核病豫防宣傳にも役立つ譯で、實に一擧にして兩得の良策である。其の他諸多の社會事業の爲めに一二仙の零細な同情金を集むる方法として、商店や人々の多く集まる所に特定の容器を備え附け、無名者にして而も何人でも容易に行ひ得る方法によつて、大なる社會事業の遂行を計る。

次で博物館の普及發達に多くの資を投ずるが、之れも亦單なる社會文化機關たるに止まらず。各種學校教育機關との提携聯絡は。各校別々に同一樣の標本其他の教具を死藏陳列の弊より脱して、博物館に兒童生徒を引卒して之れが利用を圖る。そして博物館に於ける陳列の仕方も、或ものを無意味に陳列せず、其のものゝ生活及生態的狀況を知るべく、四圍の狀態を整へ電氣を利用し、或は人生との關係等を考慮按配してゐるから、學校の戸棚から其の必要に應じて持ち來る標本による敎授よりは、博物館に於て學習する方が、兒童生活にとつては一層の便宜がある。又學校側で愈に課すところの「プロゼエクト、ウォーク」即ち自由選題の下に學習者が自ら案を立て、之れが調査研究を遂行し、其の結果を取纒めて學校に提出する學習作業の如きに於ても、學校で爲し得ざるところの事も、博物館と圖書館とに於て爲し遂げ得らるゝことも尠くない。吾人各地博物館出入の際、この「プロゼエクト」作業の爲め、そこに熱心從事する生徒に會することが屢々であつた。

△　△　△

社會の爲め公衆の爲めに私財を投ずるは、合衆國富豪の常習であると云ふことは、かねて聞き及んで居た處である。而して其の實狀を知るに從て眞に其の然る事情を確め得たのである。

彼のカーネーギ氏が到るところの圖書館に巨資を寄贈せるとか、スタンフォード氏が西沿岸に第一流として指を屈せらるゝ大學を、桑港より一時間余にして達し得らるゝの地に四千余エーカーの地をトして建設せるとか、石油王ロックフエラー氏の社會事業の如きは今更玆に擧ぐるまでもなく著明な事實である。

斯る世界的富豪が、社會公共の爲めに其の資を提供するは勿論ながら、左程な富を擁する者にあらざるも尙ほ

且つ然りである。紐育の動物園と植物園は、余が見たるものゝ内では、規模宏大で各種の動植物を廣く且つ多數に收め、獅子は獅子類、虎は虎の族、蛇類は蛇と云ふやうに夫れ々々別棟に容れ、そして此れ亦檻の内にのみ園つておかず、動物の種類によつては、各々の特異な生活狀態によつて、或は岩窟内に或は山岳原野湖沼等に放養して、觀者をして其の動物を知ると共に其の習性をも併せ知るの便がある。動物舍及び附屬建物から總ての設備と野趣樹林の配置築庭其他の修飾等實に至れり盡せりである。植物園にある温室及び參考舘なども特に意を留むるに足るものであつた。これが完成には長き年月と巨萬の資を要せしは察するに難くない。余は大体の瞥見であつたが、それでも此處に參日間を費した次第である。我が國では國立でも一寸あれ丈のものは容易に實現不可能と思はれる位なものである。然るにそれが或富豪の一人が完成するを待つて、之れに維持費まで附けて、其の全部をあげて紐育市に寄附せるものであると云ふ。

合衆國で私立の第一流大學の大部分は、其始め壹人乃至數人の私費によつて開始せられたものである。而して今現に之れが維持或は育英資金に將又特殊な講堂、記念高塔、屋外劇塲等に、或は又大學講座に對し年々各種の方面から巨額な寄贈金がある。これは私立のみでなく州立などの公設大學に對しても同樣である。

其の他各地の美術舘などに於ても、此の品は何某此の室は何氏の寄贈であるとか云ふことは極めて普通な事實である。ボストンの美術舘の一室にミレーの名畫が多數に集められてあつた。全く素人の吾人も一驚を喫したのであるが、ふと其の一室の入口にある標札を見たるに、こは某未亡人の寄贈に成る旨の揭示があつた。斯く圖書舘然り、遊覽地、公園並に其れの附屬物然り或は特殊なる學校然りで、名もなき小金持の特志により或はそれ等の遺産によつて、社會的施設の一部を助成するか、或は一機關の全部を支へてゐるなどのことは、實に枚擧に遑あらずである。

斯るが故に米國の金持は衆民の怨惡の的となること尠く、富者も亦兒孫の爲めに美田を買はざるも、社會公衆の爲めに何事かに貢献すべく孜々營々として或程度の富を得べく焦心するものゝ如くに見受けらるゝ點も決して尠くない。

△　△　△

以上其の概要を述べた如く、一方に偏在する富を社會公衆の爲めに分散し、世襲的固定の弊を自發的に或程度まで之れを矯め個々銘々に死藏する舊慣を破つて、之れが活用を期すると云ふやうな世態人情はよく醞釀されてゐて、實に美望措く能はざるところである。

加之冗費の節約、或は無用な人手を省き、或は時間の空費を惜しむなどの點に就ても亦彼に學ぶべきものがある。例へば被服などに就ても、我が國人ならば和服に洋服、靴に下駄草履で、而も春夏秋冬四季に應じて、各種各態のものを要するので、二重三重もの費用を投じなければならぬ慣習のところでは、こればかりでも實に容易なことでない、然るに彼の國人の大部分は、寒暖處を異にする別なく、四季氣温の變あるにも拘はらず、日常は一着の洋服で打ち通して、別に夏服冬服或は春着との差別がない。勿論寒暖によつて肌着に厚薄の別があり、酷寒の際外套を着る位である。帽子なども男子は夏に麥稈帽を用ふるものは寧ろ稀れであつて、通常は冬の羅紗帽で押し通してゐる。

執務時間中の勤務就働振りは、余り焦せらざるも倦まず撓ますナカ々々勤勉である。そして日曜日或は然らざるも就働時間外にはよく遊ぶのである。而してその遊び方が又面白いのである。徒に四疊半裡に蟄居し酒色に耽り、營費の浪費、無爲に時間を空費するが如き、孤獨にして靜的な所謂遊冶郎式な遊び方ではなく、一家の老幼男女を擧げて自動車によるか、又は其の他の便宜によつて、數哩乃至二三十哩の郊外にピクニック picnicに出かける。或は野外若しくは林間谿谷に、或は又海岸に歩を移し、流れに竿を垂るゝもの、野生の花卉珍草を集むるもの、そして擧つて持參の食品を平らげて睦しく清遊を終つて我が家に歸へる。又時には數戸乃至數十戸の人々が團体を爲してピクニックに出かけることもある。此の時は樂器まで持參で例の得意のダンス或はカード遊びに打ち興じ、幼童は又夫れ々々のボール遊びなどに熱中する、そして此亦用意の卓を圍んで舌皷を打ちながら、歡談に時の移るを知らざるのである。

それから又キャンピングCampingと稱して、携帶の天幕で假小舍Campを建て、野に山に或は海邊に野營し、

持參品の手料理で簡素な生活なれども、一家を擧げて團欒的な、そして興味の多い清遊を試むることが彼れ等の遊び方である。

日常家庭生活上に於ても、極めて冗費を省き、勗めて無駄のないやうに幾多の工夫を凝してある。例へば料理用ストーブ――最も簡單なものでも一時に三十五弗以上の備付費は入るが――なども一ケ所にて火を焼けば、上部では一時に三、四ケ所で物を焼いたり温めたりすることが出來、其の中央でパンなどが焼ける。そして最上部には乾燥を計つたり食品の冷めぬやうにしておく所までもある。又一側にあるタンクの水は温まるから之れを洗滌用又は入浴用に供し、且つ冬間は或一部の暖房用ストーブの役までかぬることが出來る。

毎日のやうに主婦がバスケットを提げ、マーケットに自ら出かけて、新鮮にしてよりよき品を、より安く買ひ入れに腐心し、而かも必要量以上の買ひだめを愼み、小錢のある間は之れで支辨し最後に大札を出すと云ふ態度を、在米我が同胞の主婦が居ながらで求め、又は電話注文で商品の配達を受け、時に買入れに自ら出かけらるゝことがあつても、小錢のあるにも拘らず、札ビラを切ると云ふ樣子と比較せば、ここに詳しく述ぶるまでもなく、彼我の心掛けに雲泥の相違あることを知るに足る。

△　△　△

米國の都市生活は各種の方面に極めて利便であるは、敢て言ふを俟たざるところなれども、又看方によつては如何にも反自然的に餘儀なくなされてゐる。空氣は惡しく日光には遠ざかる向きが頗る多いのである。日中の執務就働にも住居にも、或は又學校などでも電燈を用ひなければならぬところが多くある。偶々文明とは自然に反することであるかの如き感を起すこともあつた位である。

從て電燈の利用がナカ々々織んであるが、彼の米國人一般の風習として、之れ等の自然力も無駄に費消せぬ。ホテルに在つても又は間借り生活に在るものも、食事に出るとか其他一寸の用事に外出する際にも必ず電燈を消し少時間たりとも空費を避ける、況して就眠中有明けにしておくと云ふやうな事は決してない。この事は公私自他の別なく日常細心な注意を拂ふ。總てが此の通りで、汽車中の洗面用水でも必要量を最低限度に止め徒

使を慎むと云ふやうな、社會的良心とでも云ふものが大いに發達してゐる。

夫れから人價の高い關係もあるが、可成設備に金を投じ簡便を期して、人手を省畧することに思ひを運らしてゐる樣は、明かに察知し得る。汽車の乘降は勿論電車などでも切符を名々に賣り且つ改鋏をすることは殆んどない、乘客は所定の料金を車掌の面前にある箱内に投すればよい、只乘換へを要する時に切符を請求するだけである。彼のニューヨーク市の地下電車の如きは乘車の際入口の棚の所に在る賃金投入口に白銅貨五仙を入るれば、プラットホームに出づることが出來て、列車の來るを待つて乘り込む、そして降りる時には何等改札等の煩ひなく勝手に出て行ける。從て切符の販賣、出入の際の改札などの人手を省くのみならず、乘客も亦斯る煩累から免るる譯である。

尚冠婚葬祭に關する臨時支出に就ても、一般の慣習が我國の夫れの如く、多數集合して飲食に耽り、數日を空費するやうな時代錯誤な惡習はないのである。追て之れ等の樣式に就ては記述する機會があると思ふ。

海外情事

有望新天地 北ボルネオ事情

サンダカン市 坂本市之助

坂本市之助君は、信州の教育者間に、海外發展論の汪盛だつた、大正四五年頃、其の輿論の代表とも云ふべき渡航者で有た、同志十數人と共に、英領北ボルネオに渡り、拮据經營、苦辛之効空しからず、今や二百二十五町步の椰子園は、見事に結實期に達し、今後は毎年、莫大なる收益を見るべき域に進んだ、同君の體驗に基く所論報告は、海外發展に志す者の、見逃すべからざるもので有る、幸同君の寄稿を得て、以下數號に亘り讀者に供するを喜びとする。

其一 こんな有望發展地が日本のすぐ近い南方にある

神戸で、船賃僅かに五十圓を投じて大阪商船の定期船に便乘すると、途中、基隆、香港、マニラ等に寄港して、僅かに二週間で、英領北ボルネオ第一の都會サンダカン港に上陸する事が出來る、

英領北ボルネオは、今般特に土地法の改正條令の發布をしてまで他國人の移入、土地開發を企てゝ居る、斯う

いふ新天地、富源の豊饒なる樂天地が日本の南方、一葦帶水すぐ近い所に横はつて居るのを、知らずに悲觀する日本朝野の人々は、殆ど燈臺下暗しとも謂ふべきで有らう。

久原鑛業も三菱も此所では大規模に椰子護謨の栽培をして居る、そして其の成績は頗る優秀なるものが有る。吾輩は大正五年長野縣下の青年拾餘名を引率して當地に渡航した、爾來星霜八ヶ年只管椰子の栽培に沒頭して、漸く昨年頃からそろ〳〵結實收入の期に達した。目下吾輩の經營地積五百五十英町步(六十七万三千二百坪)其の租借年限九百九十九ヶ年、一英町步當年額地租税金貳弗五拾錢づゝである。香港布哇で椰子の實一箇貳拾錢、吾が臺灣邊では五六十錢位もするが、サンダカン地方では一箇參錢乃至四錢である、當地の産業生活の狀態は未だ殆ど原始時代の其れと髣髴たるものがある。當地が如何に天然の物資に豊富で、又安價であるか、氣候が如何に適良で吾々大和民族の好發展地であるか、其の他當地の産業風俗人情等以下章を追つて大いに述べて見やう。

其二 日本の山を伐らずにボルネオの山を伐れ

吾輩は先年以來、當地の雜貨貿易と薪炭輸出業の頗る有望なるに着眼して、昨年以來小規模ながら其れ〴〵開始中である。今玆に吾輩の實際經驗しつゝある薪炭業の概況を述べて、ボルネオの富源の實際を御紹介しよう。

薪炭の原料材は、植物學上有名なるマングローヴ樹(mangrove)である。マングローヴ樹の種類は頗る多いが、薪材炭材に適當するものはタンガール、バカオ、バンケタの三種類であつて、此の樹帶は總て沿岸滿潮の時樹幹が海水に浸さるゝ程度の地帶に限られる、到る處の沿岸は實に是のマングローヴ樹が鬱蒼無限の大森林をなして居て滿潮の時は水上の森と化するのである。其れ故伐截した原料材は滿潮を利用して直ちに船に積んで順風に帆を揚げて製炭塲に運搬される。伐木には悉く斧を用ゐる、樹幹の彎曲した處などは截り捨てる、梢などは海の中へ捨てた儘顧みない、製炭塲に運搬された原料材は直ちに樹皮を剝ぎ採つてから竈の中へ積み込まれる。

斯くして一竈から約十日間毎に木炭が六百貫位づゝ製産される、竈は海に面して幾十となく築いて置く、粘土を海水で固めた大きな竈である。

伐木は官林を伐截するのである、伐木者一人一ヶ月僅

かに壹弗(目下日本の一圓廿錢前後に相當す)づゝの伐木税を納付すれば處定の樹帶を毎日思ひの儘に截つて差支へない、實に安價な原料である、タンガールとバカオの樹皮は單寧染料カッチ製造の原料品としてカッチ製造社會に販賣する、(此のカッチの日本に於ける市價は當地製産費の約三四十倍の高價になつて居る)

曩に吾輩が此の木炭見本を大阪工業試驗所に提出して分析した結果は次の如くである。

灰分	四、五八	揮發分	一五、三一
固定炭素	七五、〇六	硫黄	〇、〇九
燐	〇、〇〇三	發熱量	七一〇〇

概評 黄硫及燐稍多量なるも概して優良炭なり、

是れを大阪商船の定期船に積込んで日本へ輸送するとして、十六貫俵(包裝は南京米の空袋を利用す)一俵積込までの總經費に貳弗を要する、船會社ではサンダカン港より大阪又は神戸までの運賃を一圓で應ずる、因つて日本貨の三圓四五十錢でボルネオの十六貫入一等品木炭が大阪神戸の灣頭に浮ぶ譯である。二等級の木炭ならば猶安價で輸送出來る。

薪材も同樣極めて安價である。一本長さ二尺五寸、重量約八百匁ものが一千本汽船に積込を了するまでに十一弗で事足りる、但し此の薪材は兩端は斧で截つてあるが品質極めて優良且つ何れも樹皮を剝いだもので、日本の一等品と比較して優るとも劣らぬ、是れも一ヶ月一弗の伐木税で無盡の大森林を無限に伐木出來る、燃料不足などの泣言は此所の天地では夢にも見る事が出來ぬ。

當地方の小汽船、若くは發電所汽車の汽鑵何れも此の燃料で運轉して居る。

吾輩が今度新築した住宅の柱材は悉く鐵刀木(タガヤサン)である。窓戸に附屬した小車輪は悉く紫檀(シタン)材である。何れも安價で經濟的であるから使用出來るので、自然の恩澤に浴したのである、節約して「安價」を產み出すよりももつと積極的に生産を潤澤豊富にして「物價の低廉」を招來すべきであるがそれは物資の貧弱な日本では種々なる障碍に逢着せざるを得ないと思ふ、だから日本の有識者、事業家は大いにボルネオに着眼して欲しい。日本の人は暫く日本の山の木を伐らずにボルネオの山を伐つたら如何だらうか (未完)

遼東半嶋愛川村近況

彼是七八年前だつたらふ、時の關東廳都督福島大將の意を受け、今井新重君の斡旋で、金州の附近へ十家族程の、本縣農家を移住せしめ、米作を主とする、新植民地を開き愛川村と名づけた事が有たが、其の後杳として、消息が無かつた處が、先月の遼東新報に、同村に關する記事が、二回に亘りて載せられた、滿鐵の矢野國次氏が好意を以て其の新聞を送つて呉れたから、切拔其の儘を掲載する

此の事實に徵しても、移植民事業の困難なる事が、ツク〴〵感得される、併し困難だからと言つて、首鼠逡巡すべきでは無い、寧困難事に向て突進するのが、人生の本懷で有る

南米や南洋へ行くにしても、深く大和民族の永遠に向ての活路たるべきを考へ、確乎たる意志と、信念とを抱いて、行つて貰い度い、薄志弱行の徒が、氣まぐれに出かけるなどは大の禁物で有る。

西山署長が根本調査

(九月九日遼東新報所載)

西山金州民政署長は一兩日前早朝、關東廳技師を、伴ひ、西北四里を遠しとせず、愛川村の實地視察を行つた、嘗て大島大將の都督時代滿洲における模範水田として經營された、この愛川村の水田七十町步は當時耕作人として、九州地方より移住せしめたが、純粹の御百姓でなく、その素質移住農民として不適當であり、關東廳内にはその拋棄論さへ、擡頭するに至つた位悲觀されたものであるが、福島大將の都督時代その鄕里信州より約廿戸の農民を移住せしめて、水田の復活を計つたが萬事意の如くならず、其後移民も逐年その數を減じて、現在六戸の農民が、漸く一部水田を經營して居るに過ぎない、西山署長は、愛川村を活かすべきか否かの根本問題に觸るゝべく、先づ技師をしてボーリングを入れさせ、水田經營に必要なる水量の有無を、調査中であるが、若し所期の水量、存在すること確實とならば、根本的水田經營地として、先づ堤防を築造して、毎年蒙る洪水の被害を免れしめ、次ぎに移民を奬勵して、總坪數八百町步の水田を經營する方針であるが、萬一水量が不充分なる時は、根本計畫を改めて、畑地となし、夫々施設をなす計畫であると、

愛川村の稻作狀況

(九月廿日遼東新報所載)

春期解氷當時は、氣温の昂騰やゝ遲きの感ありしも、乾濕適度なりし故、播種後の發育良好であつた、其後引續き七月上旬迄、旱魃なりしため、灌漑水に不足を生じ、挿秧殆んど不能となりしも、急速に應急策を講せられ前年より約五町步の、作付け減少に過ぎざりし

は(前年の作付けは廿五町歩)實に僥倖であつた、然るに七月下旬以降八月下旬まで、又々旱天連續せるため灌漑水は不足を訴へ、加ふるに浮塵子の被害ありたるは、作付減少と共に、本移民地の大打擊であつた、又八月中旬より葉捲蟲發生したるも、極力捕殺驅除を實行したるため、何等損害を受けざりしも、本年の成績は前年に比し、一般に不良なりとす、殊に本年は、移植地は直播區に比し、一般に稍々劣位にあり、而して收穫を豫想するに、現在作付け反別十九町二反歩にして反當り平均、籾一石八斗、總收量三百四十五石六斗なり、之れを移住戶數八戶に平均すれば、一戶當り籾四十三石二斗である

愛川村の掘拔井戶近く着手せん

同地の救濟策として、西山署長始め其他の關係係員が實地調査をなしたる結果、掘拔井戶を堀、灌漑の用に供すべく決定せるは、既報の如くであるが、近く奉天より福島玉吉氏來金愈々着手する事になつた。

亞國農業事情

アルゼンチン國ミシオーネス地方に於ける、農業經營の一例
(大正十二年農省務省技師間部彰氏視察報告)

ミシオーネスと云ふのは、アルゼンチン國、東北隅の一州で、ブラジルとパラグアイ國とに挾まれた信州の一倍半程の地域である。

地勢は、ブラジルと同樣、高陵起伏、河川甚だ多く、大部分鬱蒼たる、處女林を以て、充たされて居る南緯三十六七度、亞熱帶の狀を呈するも、海拔五百乃至七百メートルの高原なると、雨量の多き結果、氣温は大に緩和され、人畜の保健には、些の遺憾が無いと云ふ熱帶温帶兩種の、凡ゆる農作物を生産するが、其の中主なるものは、米、玉蜀黍、煙草テマ茶、マンデオカ、甘蔗、各種菓物等で有る。

日本では、米作の出來る處は、最良の耕地となつて居るが、此の地方では、低濕なる廢地利用として、米作をやつて居る、極めて粗笨なる耕作で、一町歩當十六七石の收獲が有るが、餘り有利なる耕作とは目されない。

有利な耕作としては、マテ茶を栽培する事だ、稍長い年月を要するも、比較的少額の資本で、取懸る事が出來るから、此の點で日本人に適合すと言へる、左の起業見積書は、極めて妥當なるもので有るそうだ。

一「ミシオーネス」ノ森林地帶ニ於ケル起業見積書

(イ) 起業當初ニ要スル固定資本　(一ペソハ約我ガ八十五錢)

品名	摘要	普通ノ場合	最少限度ニ節約シタ場合
(一) 家屋	普通木造ナレトモ節約スル場合ハ草屋根ノ泥壁トナシ大部分自家勞力ニ依テ建造ス 家屋建築費ハ各人ノ見解ニ依リ多種多樣ナルヘキモ少資本者ノ起業ナレハ最初ヨリ不生産的家屋ノ如キニ多大ノ資金ヲ費スコトハ甚タ不得策ノ事ナルヲ以テ最初ハ出來得ル限リ節約シ數年後相當ノ純益ヲ得タル後ニ適當ノ住宅ヲ建築スルヲ得策トスヘシ依テ此ノ見積ニ於テハ普通ノ場合モ節約ノ場合モ家屋建築費ハ最少限度ニ見積レリ	三〇〇、〇〇ペソ	一〇〇、〇〇
(二) 乘馬	交通不便ノ土地ナルヲ以テ乘馬ハ必要欠ク可ラス　(一頭)	五〇、〇〇	五〇、〇〇
(三) 馬具	乘馬用馬具	五〇、〇〇	五〇、〇〇
(四) 農具	斧、鍬其他小農具	一三〇、〇〇	一三〇、〇〇
(五) 鐵柵	家畜ヲ入レル場所ヲ取リ圍ム爲メ　但シ節約ノ場合ハ木圍ヒトナス	一〇〇、〇〇	
(六) 荷車	農産物運輸ノ爲メ(節約ノ場合ハ他人ニ托ス)	三〇〇、〇〇	
(七) 勞牛	荷車ヲ曳カシムル爲メ(二頭)	一〇〇、〇〇	
(八) 乳牛	自家用ノ牛乳ヲ搾ル爲乳牛、母牛ヲ持ツコトハ農家ニ取ツテ必要ナルト同時ニ大ニ經濟的ナリ	一〇〇、〇〇	一〇〇、〇〇
(九) 其他		五〇、〇〇	
合計		一、一八〇、〇〇	四三〇、〇〇

(ロ) 最少限度ノ固定資本ニ依ル事業豫算

第一年度(拂下ケ土地面積二十五町歩)

第一年度ニ於テハ森林三町歩半ヲ開墾シテ内一町歩煙草、一町歩「マテ」茶、一町歩半玉蜀黍ヲ栽培シ、「マテ」茶ハ間作可能ナルヲ以テ「マンディオカ」、馬齢署其他ノ作物ヲ栽培シ相當ノ收入ヲ得ヘキモ森林地帶ニ於テハ

未タ販賣機關發達セサル爲メ大部分ハ自家用ノ食料ニ充ツルモノト見做シ計算ニ上ケス

收入

(一) 煙　草(千「キロ」乃至千五百「キロ」ノ中間ヲ取リ千二百五十「キロ」)	五〇〇、〇〇ペソ
(二) 玉蜀黍(一町半、一、二五〇「キロ」＝百「キロ」三「ペソ」)	六七、〇〇
合計	五六七、〇〇
第一年度ノ收入決算不足	一〇三、〇〇

支出

(一) 三町歩半ノ開墾費(一町歩四十ペソ)	一四〇、〇〇ペソ
(二) 「マテ」茶ノ苗木一千本	一五、〇〇
(三) 煙草及玉蜀黍種代	一五、〇〇
(四) 家計費(雜費モ含ム)	五〇〇、〇〇
合計	六七〇、〇〇

(註) 森林開墾ハ伐採燒拂ヲ意味シ此ノ勞働ハ不慣レノ農夫ニテハ到底爲シ得ス熟練者ニ請負ハシムルヲ得策トス

第二年度

第二年度ニ於テハ前年度ノ耕作面積三町歩半ノ外新ニ二町歩ヲ開墾シ耕作總面積五町歩半トナシ内煙草一町歩半、玉蜀黍二町歩(新開墾地)及ヒ「マテ」茶ヲ前年度ノ一町歩ノ外更ニ一町歩ヲ植付クルモノトス

收入

(一) 煙草＝一町歩半、一、八〇〇キロ	七二〇、〇〇ペソ
(二) 玉蜀黍＝二町歩　三、〇〇〇キロ	九〇、〇〇
合計	八一〇、〇〇
第二年度ノ不足	五〇、〇〇

(註) 實際ノ場合ハ間作ノ一部ヲ賣ツテ今少シク收入ヲ増シ支出モ家計費乃至臨時費中ヨリ幾分節減シ得ヘキモ安全ナル計算ヲナス爲斯ク見積レリ

支出

(一) 二町歩ノ開墾費	八〇、〇〇ペソ
(二) 苗木及種代	三〇、〇〇
(三) 固定資本銷却(約25%)	一〇〇、〇〇
(四) 土地代＝第一年賦(一町歩十「ペソ」)(五ケ年賦)	五〇、〇〇
(五) 家計費	五〇〇、〇〇
(六) 臨時人夫	五〇、〇〇
(七) 臨時費(病氣或ハ其他ノ不時ノ)	五〇、〇〇
合計	八六〇、〇〇

第三年度

前年度ノ耕作面積五町歩半ノ外新ニ二町歩ヲ開墾シテ總面積七町歩半トナシ、煙草二町歩、玉蜀黍二町歩、「マテ」茶三町歩、雜作半町歩トナス

收入

(一) 煙草＝二町歩＝二、五〇〇キロ	一、〇〇〇、〇〇ペソ
(二) 玉蜀黍＝二町歩＝三、〇〇〇キロ	九〇、〇〇
合計	一、〇九〇、〇〇
「收支決算純益」	二一〇、〇〇

支出

(一) 開墾費＝二町歩	八〇、〇〇ペソ
(二) 土地代＝第二年賦	五〇、〇〇
(三) 固定資本銷却	一〇〇、〇〇
(四) 臨時人夫	七〇、〇〇
(五) 家計費	五〇〇、〇〇
(六) 臨時費	八〇、〇〇
合計	八八〇、〇〇

(註) 苗木種類ハ本年度ヨリ自作ニヨル

以上ノ如ク年々幾分ツツ耕作面積ヲ增加シ最後ハ主要農作物ヲ「マテ」茶五町歩、煙草二町歩、雜作一、二町歩トシ殘餘ノ開墾地ハ勞畜及ヒ自家用乳牛、豚ノ爲メノ放牧地ニ充ツルモノトスレトモ玆ニハ煩ヲ避クル爲メ第四年後第八年度即チ「マテ」茶ノ相當ノ收穫ヲ見ル頃マテ耕地面積ノ擴張行程ノミヲ示シ收支豫算ハ第八年度並ニ「マテ」茶ノ全耕地ヨリ充分ノ收穫ヲ見ル第十三年度ニ於ケルモノ、ミヲ示スヘシ

第四年度

(一) 「マテ」茶(二年生、三年生、四年生、各一町歩及新植付一町歩)	四町歩
(二) 煙草	二町歩
(三) 玉蜀黍(既開墾地一町歩、新開墾地一町歩)	二町歩
合計	八町歩

第五年度

（一）「マテ」茶（新植付一町歩、前年迄ノ分四町歩）	五町歩
（二）煙草	二町歩
（三）玉蜀黍（新開墾地へ）	二町歩
合計	九町歩

第六年度

（一）「マテ」茶＝五町歩	（二）煙草＝二町歩
（三）玉蜀黍＝二町歩（新開墾）	
（四）家畜ノ放牧地＝二町歩	
合計	十一町歩

第七年度

（一）「マテ」茶＝五町歩	（二）煙草＝二町歩
（三）玉蜀黍＝二町歩（新開墾地）	
（四）放牧地＝四町歩	
合計	十三町歩

第八年度

（一）「マテ」茶＝五町歩	（二）煙草　二町歩
（三）玉蜀黍＝二町歩（新開墾地）	
（四）放牧地＝六町歩	
合計	十五町歩

第八年度ニ至ッテ新開墾ヲ終リ、割當總面積二十五町歩ノ内十五町歩ヲ開墾地トシ殘餘ノ十町歩ハ森林トシテ保管ス、尙ホ第九年度以後ハ煙草、玉蜀黍其他ノ雑穀ヲ放牧地ヲ利用シテ輪耕スルモノトス蓋シ同一耕作地面ニ同一作物ヲ逐年繰返スハ不得策ナレハナリ

第八年度ノ收支豫算

茲ニ收支豫算ヲ示スニ先チ「マテ」茶ノ生産行程ニ就テ一應説明ノ要アリ、由來「マテ」茶ハ伯國南部「パラグアイ」及「ミシオーネス」ノ森林地帶ニ生スル高サ七八米突乃至十米突幹ノ直經五六寸乃至一尺ニ達スル自然木ノ葉ヨリ採取セシモノニテ之レヲ組織的ニ耕作シ始メテヨリ日尙ホ淺キヲ以テ其ノ栽培法及葉ノ乾燥法ヲ初メ其ノ生産行程等ニ關シ正確ナル數理的説明ヲ得ル能ハス、從ッテ茲ニ示スハ多數ノ當業者ヨリ聞知セル所ヲ取捨撰擇シテ最モ適當ト認ムルモノヲ掲ク、即チ一町歩ニ對スル「マテ」茶木ノ植付數モ六百本ヨリ一千本ニ達スルモ茲ニハ其中間ヲ取リテ一町歩八百本ト見積リ又「マテ」茶ノ産額モ今日一本ノ木ヨリ幾何ト見積ラレ更ニ其收獲カ木ノ葉ヲ枝ト共ニ切リ取ルモノナル故之レヲ全部切リ取ルトキハ毎年收獲スル能ハサルヲ以テ全部切リ取リテ隔年ニ收獲スル者ト一部ヲ殘シテ（木ノ生育ヲ妨ケサル爲メ）毎年收獲スル者トアリ未タ何レヲ可トスヘキカ定説ナキ程ナルカ茲ニハ其レ等ノ説ヲ綜合シテ第八年度ニ於ケル「マテ」茶ノ産額ヲ示ス

樹齢	一本ノ木ヨリ産スル額	一町歩八百本トシテノ産額
第四年生	½キログラム	四〇〇キログラム
第五年生	一	八〇〇
第六年生	三	二、四〇〇
第七年生	五	四、〇〇〇
第八年度ノ「マテ」茶總産額		七、六〇〇キログラム

本年度ニ於テハ尙ホ第三年生ノモノ一町歩アレトモ未タ收獲スル能ハス

茲ニ示ス産額ノ數字ハ別項ニ示ス製茶行程ニ從ッテ乾燥シ「荒碎キ」ニシタルモノ、數量ナリ、乃チ（Canchada）ト稱スルモノナリ、之レヲ飲料ニ供スルニハ更ニ今一度機械ニ掛ケテ粉碎（Molido）スルモノトス然レトモ、一般農家ニ於テハ Canchada ノ儘袋詰メトシテ賣出セリ

以上ノ計算ニ基ク第八年度ノ收支豫算左ノ如シ

收入

（一）「マテ」茶七、六〇〇キロ（一「キロ」ニ付三十仙）	二、二八〇、〇〇ペソ
（二）煙草　二、五〇〇	一、〇〇〇、〇〇
（三）玉蜀黍　三〇〇	九〇、〇〇
（四）其他ノ雑收入	九〇、〇〇
合計	三、四六〇、〇〇

支出

（一）二町歩開墾費	八〇、〇〇ペソ
（二）固定資本銷却	三〇〇、〇〇
（三）「マテ」茶收獲費	三八〇、〇〇
（四）家計費其他	八四〇、〇〇
合計	一、六〇〇、〇〇

收支決算＝純益一千八百六十「ペソ」也

右ノ内固定資本銷却費ハ第八年度ニ至レハ農具、馬車等モ購入シアル筈ナルヲ以テ其總額ヲ一千五百「ペソ」ト見積リ其二割ヲ計上セリ

第十三年度ノ收支豫算

「マテ」茶ノ收量ハ自然木ニアッテハ一本ヨリ數十「キロ」ヲ産スルモノモアレトモ栽培木ニアッテハ第八年目以後ハ普通一本ヨリ六「キロ」乃至十「キロ」ヲ産スルモノト見積リ得ヘシ、依テ五町歩ノ「マテ」茶カ全部八年生以上ニ達シタル第十三年度ノ收支豫算ヲ示シ其後ノ大體ヲ豫想スルモノトス、但シ今後八年乃至十二三年後ニ於ケル「マテ」茶ノ相場乃至其他ノ産物ノ相場ハ固ヨリ今日ト同一ナラサルヘキモ茲ニハ凡テ今日ノ相場ニ依テ計算ス

收入

（一）「マテ」茶＝三二、〇〇〇キロ	九、六〇〇、〇〇ペソ
（二）煙草	一、〇〇〇、〇〇
（四）其他雑收入	二〇〇、〇〇
合計	一〇、八〇〇、〇〇

支出

（一）固定資本銷却	五〇〇、〇〇ペソ
（二）「マテ」茶收穫費	一、九二〇、〇〇
（三）家計費	八〇〇、〇〇
（四）臨時費	三〇〇、〇〇
合計	三、五二〇、〇〇

收支決算＝純益七千二百八十「ペソ」也

（ハ）「マテ」茶ノ生産費

既ニ述ヘタルカ如ク「マテ」茶ノ生産行程ニ關シテハ正確ナル數字ヲ得ル能ハサレトモ其收穫費トシテ多年同業ニ從事セル人ヨリ聞知シタル所ヲ參考ノ爲メ左ニ掲ク（乾燥葉百「キロ」ヲ製スル爲メノ經費）

Podar（枝切費乃チ「マテ」茶ノ木ヨリ葉ノ附イタ枝ヲ切ル費用	〇、六〇ペソ
Trasportar（運搬費＝畑ヨリ乾燥場マテ）	〇、二〇

Zapecar（枝ノ大ナルモノヲ取リ除ク爲メノ費用）	〇、五〇
Quebrar（小枝ヲ更ニ小サク切碎ク費用）	〇、五〇
Secar（乾燥費＝但シ乾燥ニ用ユル薪木代ハ別）	〇、七〇
Canchar（乾燥シタルモノヲ更ニ荒碎スル費用）	〇、八〇
Embolsar（袋詰費）	〇、五〇
Bolsa（袋代）	一、二〇
Lenas（乾燥ニ要スル薪木代）	二、〇〇
Administracion（監理費）	一、〇〇
合計	八「ペソ」也

以上ノ收獲費ハ大規模ナル會社ノ計算ナルヲ以テ別項ノ見積書中ノ收穫費ハ百「キロ」ニ付六「ペソ」ト計算セリ蓋シ小農家ニ於テハ監理費其他ニ於テ多少ノ經費節減可能ナレハナリ

比嶋マニラ麻事業の現況

先月末、比律賓から歸朝された、上伊那郡七久保村宮下鶴君さ、下伊那郡大島村の香山忠雄君さが、態々當本部を訪れて、交々語る彼の地の現況を摘記するさ

大体に於て、現在は非常に好景氣を呈して居る、三四年前、七八圓迄下落した、麻が、今日では三倍餘の二十五圓にもなり、一方來在の手挽は、殆んど無くなり、石油發動機を仕掛けて挽くから、其所で又三四倍の能率增加が有る、あちこちではビックリする程の儲ださいふ、それからあらぬか、ウントコサ旅費を背負ひ込んで、迎妻の爲に歸朝する者が、非常に殖えた現に兩君の如きもそれで、御自分の妻君は勿論、友人の妻君たるべき婦人を三四名宛同伴して、年内に再渡船をするそうだ。

一方内地送金もメッキリ殖え、領事館で分った分だけでも、八月末迄に六十七萬圓を超へ、年末迄には百萬圓を遙に突破するだらふさいふ、領事館で分らぬ分もかなり多額らしい、在留邦人三千人、内端に見積っても、一人平均四百圓の送金は、動かない處ださ云ふ。

兩君の調べて歸た、麻山仕事の現況を摘錄するさ、大略次の如

くで有る

一、麻の値段

九月初旬には、上中下平均、一ピコ（六十キロ我十六貫目入）に付、貳拾五圓内外

主なる用途、上等品は眞田、中下等品はロップの原料となす、輸出先は米本國、英國、日本等で、日本は主として、眞田用のものを輸入して居る。

昨今の市況は、頗健實で、ヂリ／＼と騰貴しつゝあるが、大なる變動は豫想されない、一頃の樣に、七八十圓などいふ、狂的相場は、寧出現せぬ方が安全だとは、從業者一般の聲で有る。

二、一日の生産額

動力機械を使用すれば、一人一日三十五キロ、乃至四十キロ、手挽なれば十五キロ内外なるが、之れは殆んど行はれなくなつた。

一家族＝假に女一人男二人として、女は炊事を主とし其の他、一般家庭向を擔當する場合は八十キロ、乃至百キロの生産が普通で有る。

三、從業者の收入

自分の山を挽くならば、勿論全部が、自分の收入となるので、一日十四五圓から十六七圓其の中石油並に機械油代、一キロに付一錢五厘、一日に五十二三錢から、六十錢位かゝる、機械代を見積らねばならぬが、これは固定資本と見るべきもので、一台の購入費五百圓、保存期限は未だ分らぬが、少くも十年以上使用に堪へるらしい。

他人の山を挽く場合には。山主と半半だから、一日の收入は石油代を差引、七八圓といふものだ。

山を買つて挽くならば、一人一ヶ年五千株を適度として、一株三十錢宛一千五百圓、機械購入費五百圓（新購入之際だけ）、石油代約百圓、合計貳千百圓

五千株より挽出す麻が百二十ピコ、價格三千圓差引九百圓だが、二年目からは、機械代が無くなるので、一ヶ年の收入は千四五百圓となる。

一ヶ年の就働日數を、極内端の二百日と見た計算だが、熱帶の風土氣候に馴れて、健康が持續されると、二三割の增加は、困難では無い

四、生活費

一人一日の食料は、酒付四十錢あれば充分で三人四人の家族になれば、一人當三十四五錢から、猶減少す

るのは勿論で有る、此の外に小使だが、之は人々に依り異なり一樣には言へぬ、理髮、洗濯、日用品等で一ヶ月二三圓充てゝ置けばよい、毎日何度でも水浴をするから、湯錢はいらぬ、洗濯も自分で間に合ふ場合が多い。

五、麻山經營の方面

土地は、通常會社にて政府より租借したものを、又借するので有る。借地代は、收入の一割を、會社に納れる事になつて居る。

開墾費として、森林なれば一町歩百二十圓原野なれば百圓位見積れば大丈夫

植付費は、種代を含めて、一町歩約二十圓植付後二十ケ月といへば、生産期に達する

地味の良否にて多少はあるが、一町歩より一ケ年二十ピコ乃至三十ピコの産額が有る。

麻山經營の副業として、豚、雞等を飼育して、相當の收益が有る

海外記信

依田袈裟三郎君を偲ぶ

ダバオにて　小池釣夫

A「依田君！　君はバコボと結婚したそうではないか一等國民なる日本人が野蠻人のバコボと結婚をして何うするのだ、いくら女に飢えたからと云ふてあまりつまらぬ眞似をして、日本人の体面を傷けて貰らい度く無いね！」

依田君「女に飢えてバコボと結婚したと云はれては僕も困るよ、實際僕は死んでも日本へ歸るつもりは無いのだ此の南洋を一生の働き場と定めて腕の續く限り働いて見る決心だ、この南洋が、いよ／＼僕の白骨を曝す所だと覺悟がきまれば土人が可愛ゆくてならない金の千兩もためれば直ぐに日本へ／＼と日本へばかり歸りたるが、日本の女とは事實結婚しても困るではないか、此の自分の血を永久に南洋土人の中へ流し込んで置く事も全く無意義の事ではあるまいと思ふよ」

甲「つまらぬ理屈を云ふなよ、長野縣人の面よごし立派な君の嬶のお寫眞を親元まで送り届けてやらうか」

依田君「……………………」

依田君はそれに答へずに静かに宵闇の方へ見入つた。アポの雄峯をかすめて今しも西山に入らんとした、三日月は依田君の顔に、宿れる時ならぬ露に照り添ふた。

此れは今より一年前ある酒の座にあつた事である。此の事ありしより一年ならずして愛す可き我が依田君は燃ゆるが如き雄圖を胸にいだきつゝ、空しく南洋の露と消え果てた。

依田君の志したる所は、タバオ州の日本人が今迄に踏み込んだる土地の中の最も奥である。ジャンガと云ふ所である、あたり一帶は太古のまゝの大自然林が幾十里も／＼續いて居つて全く内地人の想像をゆるさぬ未開の豊沃ある土地である。依田君はそこに住む有力なる土人の愛娘を手に入れたのだ、やがて何百町歩かの土地が依田君の手によりて開かれ、近くの土人數百人が君と仲よく業に勵み、そこに此の世からなる、極樂境が出現せらるゝ事を想像させられた。然るに悲しい哉火の樣な君の意氣も遂に病魔の冒す所となり、あたら雄圖は享年三十有余の屍と共に長しへに此の世のものでは無くなつた、誠に愛惜の情に堪えられぬ、「依田の血を南洋土人の中え流し込んで置くのもまんざら無意義ではあるまい」―

火の樣に熱い君の言葉が、今も尚は僕の耳の底にこびり付いて居り中々消えぬ。

それが君の最后の意氣であつたのだ、つく／＼考へて見れば、我々日本人は正に有色人種の第一線に立つて自由と平等との爲めに白人と戰はねばならぬのだ、それが唯一の我々の使命である、之れを爲すには人種の結合を要し人種の結合には文化の方面より又生活の方面よりいづれも其の了解が必要であるが、更にそれ等を遠く超越して偉大なる力のある事は、けだし血を混じゆる事である。

海外に飛び出す日本人がせめて其の心だけでも依田君のそれの如くであつたならば排日の聲などは自然にどこかへ消えて行つて大きな道が世界至る所に開けて我等日本人を迎えてくれる事と思ふ。

死んでも日本へ歸らぬと誓つた、依田君は其の云ふ通りに自分の白骨を永久にタバオの野に埋めた。

功成つて幾万かの富を作つた有福なる人の住ひは美しい得意氣に自動車を飛ばせる誇らしげある其の樣はあでやかである。而かもそれ等はいづれも、時來らば浮

雲の如くに飛び去つて、タバオ州に跡も止めぬであらう。我が依田君の白骨こそは如何なる事が起らうとも幾万年が經ようとも此の世の末までも此の地に止つて往年の意氣を記念して居るであらう。

「依田君僕も死ぬ海外發展のために此の身をさゝぐる我等の骨を待つ青山は世界至る所にある。君の志をどうして空しくする事が出來よう」依田君の埋葬をすまして歸途に付いた我等の心にはそんな考へがむら／＼と起つた。

旭に輝く日の丸の旗を見ると我等は無闇に日本へ歸り度くなる。異境に荒れ果てゝ行く同胞の墓に詣でた時我等は共に自分の屍を異境に埋め度くなる、國威發揚のシンボルである、日の丸の旗も其の海外發展の眞意義の下にあつては一年中一回も花を手向けらるゝ事も無しに荒れ果てゝ行く叢の中の一無名の墓に及ばざる事は一度海外の地を踏んだ事のある程の人は悉くうなづかるゝ事であら。

大正十三年五月十三日早や夕ぐれ近く埋葬を濟した我々はしほ／＼と歸途に付いた悲しき別れの名殘りに進まぬ足はひし／＼墓に引き付けらるゝのであつた。

墓標の近くに殖ゑたる花よ年と共に茂り茂つて汝の小さき白い花よ我等の心を添へていつまでも依田君を慰むる友となつてくれよ、（完）

ボルネオとはどんな所でせう

蘭領東南ボルネオにて　矢島要

暑さも左程ならず
猛獸毒蛇も居らず
恐るべき病氣も無し

私も故國を飛び出して、遠い異境の地に住む事、七年にもなります、渡南した當時は、隨分大きな理想もあり、抱負も有て、大に海外發展の、實際的方面に貢献する考でしたが、其の當時は未だ、土地の樣子が能く分らぬから、もつと土地の實情を知てよら、故國に通信しやうと思つて居る中に、空しく日は過ぎて段々土地に、親しむに従て、渡南當時の樣に珍らしい事が無くなり、段々故國の人々とは遠くなり、故國よりのたよりは、船の着く度毎に、期待して居ながら、自分よりは、通信を怠つて、顧みないと云ふ樣な有樣で、今更ながら、自分の怠隨が、責められてなりません、「海の外」を、送つて戴く度毎に、今度は何か、通信しやうしやうと思ひながら、何時もまあ此の次にしやうとか、何

とか言つて、ずる／＼に二年も過ぎて終ひました。

しかし、通信しないからと言つて、決して感謝の念無きに非ずで、誰しも海上萬里、異境のしかも寂しい、植民地などに住んだ、經驗の有る者は、故國よりの通信は、どんな詰らない、平凡な一片の葉書でも、心から懐しく、全く故國にのみ住んで居る人々には、味はれぬ嬉しい／＼味です、況して地方色を帶びた「海の外」など云ふ雜誌は、我々寂しい、海外生活者に取りては、大きな力となる樣な、氣が致します。

私の住んで居るボルネオは、一般邦人には、赤道直下の、年中頭の割れる程暑い、熱帶性惡疫の多い、猛獸毒蛇の住む、瘴癘の地と云ふ、惡い先入主が有ります、そこで其の、猛猛毒蛇の住むてふボルネ島に七年間實際に住んだ、住心地を、少しばかり、お知らせし度いと思ひます。

果して、此の惡い先入主の樣な、ボルネオが、眞のボルネオでせうか？、

熱帶地方とも言へば一概に、日本の眞夏の、而も土用頃の暑い時期、あの身躰のだるい、食物の進まぬ、夜も蒸暑くて、充分眠れぬ時が、一年中續いて居る樣に、想像し易いものです、

又今迄の小學校の、地理教授などより、想像すればそうなるのが、極めて普通な考へ方です、處が、實際熱帶地に、生活して見ると、日本の夏とは、全趣を異にして居ます。

氣温計の示す所は、最高平均、華氏八十七八度、最低平均七十二三度、最高温度九十五度と、最低六十六度とか云ふ、極端な氣候は、何年に一度と言つた位のものです、雨量は、一年總計、二五〇〇ミリメートル位、住で居る感じから云ふと、恰も一日の中に、日本の春夏秋冬の四季を味ひつゝ、過ぎて行く樣な氣が致します、朝は雪解の、暖い春より始まり、段々暖になつて、正午頃より、夏を一寸味はつて、夕は秋、夜は冬、全く夜は日本の冬の樣に寒く感じる事が有ります。

年中、白服に單衣位で、夜は毛布の一枚も着て寢ればよいと言つた、極めて簡單な生活です、こんな所に長く住むと、日本の寒い冬が、忘られて終ひます、折々日本の冬＝あの肌を劈く樣な、風の寒い冬を、思ひ出しても見ますが、どうも實感が伴ひません。

赤道直下の月は、日本の月よりも、大きく明るい樣な、感じが致します、信州の、姨捨山の月もよいが、又南洋の月も、清い樣です、虫は年中すだく、螢は每

夜飛ぶ四時花咲き薫り、パインアップル、バナナ、マンゲスといふ樣な、芳醇な果物は實り、鳥は歌ひ、時ならぬ紅葉（常夏の國にも、落葉樹あり）、全く理想郷です、實際南洋に、極樂鳥の住むのは、應はしい氣が致します。

熱帶の惡疫はと言へば、先づマラリヤ熱ですが、どうも此の地方には、台灣や、フイリツピンあたりの樣に、惡性マラリヤは無い樣です、どうも色々あつち、こつちの話を綜合して見ると、赤道直下の地方より、台灣、フイリツピンあたりの惡熱帶地方の方が、却て氣候が惡い樣に、思はれます。

私なども未だ、眞性マラリヤの味を知りません、私ばかりでなく、マラリヤ熱を、知らない人が、澤山に有る樣です、よし又、マラリヤ熱にかゝつた處で、日本に於ける、風邪位にしか、誰も思つては居りません、

次に熱帶赤痢（アメーバ赤痢）、これも名を聞いただけでは、普通の赤痢より、ずつと珍らしい樣に、想像されますが、普通の赤痢の樣に、恐ろしい傳染病では無いのです、生水さへ、飲まなかつたら、絶對にかゝらぬと言つてもよい位です、よしこれにかゝつた處で、少しも恐るゝに足らぬ病氣です、此の爲に生命を取られるといふ事はなし、養生じて、藥さへ呑めば必ず癒る病氣です。

其の他脚氣（ベリベリー）も、殆んど當地に於ては見られません、猶日本にも有る、恐ろしい傳染病、腸チブス、赤痢、コレラと、云ふ樣な病氣も無い事はないが、氣候の變化が、餘り無い爲か、日本の樣に、猖獗では無い樣です、これも、一寸日本の傳染病の、流行する時期より考へると、不思議ですが、熱帶地に於て此の種の流行病の猖獗で無いのも、醫學上からも、證明出來る樣です。

次に猛獸毒蛇ですが、これも絶對に、居ないとは言へないでせうが、開闢以來、斧鉞の入らざる深林中を、一日中歩いても毛虫一つ見出さないのは不思議です、蛇も居るには居るが、仲々其の姿を見せないのです、これが日本ならば、田甫道を少し歩くと、小蛇の一匹や二匹見るのは、珍らしい事では有りませんが、此所ではナカ／＼見當りません、猛獸の方は、人畜に害を與へる樣な、虎とかライオンとか云ふ、所謂猛獸は居ない樣です、唯山豚とか、鹿とかいふ樣な、やさしい弱い獸が、群をなして居ます。

山豚や、鹿の樣な、やさしい弱い動物が、澤山繁殖

する所を見ても、猛獸の居ない、反證で有ると思はれます、ワニ、トカゲなど、少しは居る樣ですが、これも吾々が一寸歩いた位では、めつたに見る事が、出來ません、又人畜に害を與へたといふ事も聞きません、却てそういふものが、日本で想像して居る樣に、澤山居て呉れると、面白いと思ひますが、餘り平凡で珍らしい話の無いのは遺憾です、

兎に角ボルネオは、日本で想像する樣な、馬鹿暑い恐ろしい病氣の流行る、獰猛な獸類の住む、地で無い事は事實です、

丁度私たちは、輕井澤が、木崎湖あたりの、避暑地に年中住で居る樣なものです、嗽石先生だか米洗の音の聞へる所は現實世界だとか言はれたが、此の意味よりすれば、輕井澤も木崎湖も、現實世界だが、私共の住むボルネオは、ユートピアだと、云ふ樣な事になる譯です、

此の度は、ボルネオ島の住み心地だけに止めて置いて、移民地植民地としてのボルネオの事は、此の次に御通信申上げ樣と思ひます、

當地方の邦人は、現在二十六人、中信州人は八人、少し前には信州人がもつと居たが、歸國したり他へ轉住したりして、三四人減じて居ます、

信濃村建設など大業に考なくても、二十六人の邦人中、八人も信州人が居るのだから、信州其のものから見れば、ナカ／＼に優勢であります。

信州記事

○本縣畫家の帝展入選多し

蠶糸業を以て天下に覇をなす長野縣は、徹頭徹尾、養蠶と金儲の話計りかと思はれるが、ナカ／＼そんな譯では無い、文人墨客とか、風流人とか言はれた昔も勿論、藝術至上を叫ばれる現代に於ては猶の事名だゝる藝術家が非常に多い、矛盾と言へば言へぬ事も有るまいが、其所が寧自然であらふ、一個人でも丸裸にして見れば、相反する幾つかの方面を、發見されるので有る。

ろは兎に角として、本年の帝展にも、本縣の畫家が比較的多く入選して居る。殊に日本畫に於ては、入選總數百三十一點の内、七點の多數を占めて居る、其の中に異彩を放つて居るのは、下高井郡平岡村出身の湯本賴雪氏で有る。

湯本氏は、郷里の小學校卒業後、上京して理髪職を學び、一廉の職人となつて神田に店を開き、弟子の十二三人も置く程に繁昌したが、大正三年の春、三十何才かの働き盛に、斷然店を閉ぢて畫道に志し、努力十年今回入選の榮冠を贏ち得たので有るが、氏の如く全くの素人からやり出して、僅かの間に成功された畫家は稀に見る所だといふ。

今一人、之も同じく下高井郡、中野町の出身村田玉景氏は、漸く二十六才の青年で、而も全くの聾で有る由中野小學校尋常一年から、高等二年卒迄八ケ年間聾で居ながら、他の兒童と同樣の敎育を受けたが、此の間深く自分の身を悲觀しつゝも、將來畫を以て立たんと決心し、十六才にして上京し、町田曲江、蔦谷龍岬、矢澤弦月等大家の門を叩き、研鑽怠らず、年少にして能く、入選の榮譽を擔ふたので有るが、聾といふ不自由を忍んでの苦心は、想像も及ばぬ所で有たとは、左も有るべきだ

○縣下篤農家懇談會

本縣農會の主催なる、縣下篤農家懇談會は每年開催して斯道の爲、貢献する所多大で有るが、本年も其の第八回を、十月十日十一日の兩日松本市公會堂に於て會催した。

各郡市からの來會者六百餘名、本縣よりは、富永農事試驗場長を始め、農事關係員の主腦部殘らず臨席し、鳥羽副會長の民風作興に關する詔書奉讀に始まり、梅谷知事の挨拶有りて協議に移り、左記題目に就きて、各自意見を發表した。

本縣農業經營上、改善を要すべき主要點、並に之れが實現を期すべき方法（縣農會提出）

發表された意見の主なるものは、機械力應用、共同作業、副業奬勵、技術改良、産業補助費增加、國としての農村振興策樹立、農村に人物招致、耕地整理の斷行、低利資金の融通等、何れも傾聽に價するもの計で有た、

右の外、各郡市農會よりの提出に係る、主なる協議題は、

本縣に松ける、穀物檢査實施の促進方法如何、（長野市農會提出）

縣勢發展、副利增進を基本とする、敎育方針の確立

（松本市農會提出）

農業政策の確立を、政府に建言すること（東筑摩郡農會提出）

肥料國營實施を、其の筋へ建議する事、（南佐久郡農會提出）

農家救濟の爲、特種銀行設置之件、（小縣郡農會提出）

農家生産專用共同發電所設置を許可せらるゝ樣、其の筋へ建設する事（西筑摩郡農會提出）

等何れも、緊切なる問題で有たが、是等は一括して委員附託となし、夫々處理する事とした、猶右懇談會を機として表彰せられたるは、左の團体並に個人で有た。

農會　南佐久野澤町、西筑摩郡山口村、北佐久郡横鳥村、小縣郡浦里村、下高井郡中野町、南佐久郡田口村、（以上六農會）

農事小組合　南佐久郡平賀村瀬戸第七農事小組合以下十六組合

養蠶組合　上伊那郡伊那富村、北大出養蠶組合以下四組合

農事功勞者　小縣郡神川村農會、產業技術員、山崎百太郎氏以下四人

○縣下青年の体育熱

此の兩三年來、縣下の青年に、体育熱の汪盛になつた事は、目覺ましい現象で有る、野球のチームは、何所の村落へ行つても、二つや三つは必ず出來て居る、一寸した町場になると、十五六も有て、日曜日や祭日には、グラウンドの奪ひ合ひといふ始末だ、

加之、最近はオリンピック競技の各種が加味されて、態々中央から指導者を聘して、コーチを受けるといふ意氣込だ、折も折、新任の梅谷知事は、体育奬勵の熱心家で、十月初めには縣下の模範靑年を集めて、一週間の講習會を開き、其の道の權威者を聘して、指導を受けしめたなど、大に氣勢を擧げて來た

されば、縣下各地に於ても、槍投だ、圓板投だ、長距離のレコードが、どうのこうのと、血道を上げて騷いで居る、最近行はれた、諏訪郡湖南靑年團の秋季運動會のプログラムには、諏訪湖一週といふ七里餘の競走が有て、一着三木實氏一時五十一分四十五秒、二着松澤次郎氏一時五十二分三十秒、三着遠藤英利氏一時五十二分四十七秒など、際どいレコードを作つた、

○信濃教育會臨時總集會

信濃教育會では、兼ての計劃通、十月十七十八の兩日、松本市中學校に於て、臨時總集會を開いた、南信に於ては、久しぶりの開催で有り、季節は良し、休みが丁度甘く續いたので、參會者が非常に多く、千餘名に達した

今回は時節柄、主として師道に就ての研究を發表する事とし、各郡市の代表者が、交はる〳〵起て熱辨を振つた中央よりは、三宅雪嶺、得能文兩博士の來演あり、新總理梅谷知事も臨席、一場の挨拶を述ぶるあり、旁頗有意義なる會合で有た

○平野村の水道計畫

生糸の世界的產地として、日本一の大村と言はれてゐる諏訪の平野村は、稅務の負擔から言つても、富力から言つても、又人口から言つても、立派な大都市として、恥かしからぬ資格を持つてゐるが、道路水道下水など、都市の施設に缺く恨みがあるので、兩三年前から、村當局では大規模の道路網を作り、夫によつて着々、大岡谷市建設への歩みを進めることとなつたが、

今度は更に上水道並に、下水道敷設の大計劃を樹てることゝなり差當り、隣村、湊村花岡に水源を有する水道を、實現すべく、湊平野兩組合を作ることゝなり、夫々村會を召集して決定する筈であるが、現に平野村の一部に設けられてある、小井川水道は其の儘とし、工費四十萬圓乃至五十萬圓を以て、所謂岡谷の工場地帶の大部分に亘る完全なる上水道を敷設する計劃で、着々議を進めて居る、この水道が竣成の曉は飲用水として充分に使用されるのみでなく、五百尺の落差を有するを以て、消火上の威力も絕大なるべく、大建物が櫛比し、五十餘臺のガソリンポンプを備えてさへ、尙は不安に絕えない、工場地帶に役立つことは、頗る大なるものがあるだらうと期待されてゐる、斯くて更に、大岡谷市への數歩を進むるものである。

海外發展小話

其の一

南米のパラグアイ國に、タッタ五名の日本人が在留して居る、其中に、鹿兒島縣人、福田庄太郎君といふのが有る、今より八年前に同國に入り、首府アスンシオン市で、柔道と整骨術の看板を掛けた。

革命騷乱の頻發する、同國の事で有るから、護身攻擊共に必要缺くべ可からずと有て、知名の政事家軍人が、殘らず門下生となる、未だうら若き青年といふので、結婚の申込は數限りが無い、氣立が良くて、美人で、持參金澤山といふ某令孃が、選に預つて、萬人の羨む、福岡夫人たるの榮冠が贏ち得た。

今では、政事上にも大勢力を有し、國内誰一人、同君の名を知らないものは無いと云ふ、他の四人の諸君も、渡航日淺きにも拘らず、永住の覺悟を以て、農牧場を經營し、良好の成績を收めつゝ在りて、同國に於ける日本人の評判は、大したものだろうだ。

其の二

同じパラグアイ國は、廣さが、丁度舊日本と同じ位だが、人口は百万に滿たず、土地は大部分、私有地となつて居るから、大きな地所持が數多有る其の中の、カーロス、カサードと呼ぶ人は、六百万町歩を所有して居るといふ、六百万町歩と言へば、長野縣の總面積の四倍餘、臺灣、や九州の一倍半以上で有る、今の處では此の人が、先づ世界第一の地所持だらふといふ事だ。

其の三

パラグアイや、アルゼンチンでは、近來マテ茶の栽培が流行し出したマテ茶は三坪に一株の割で、植えるそうだが、老木になると、一株から百五十キロの採集が出來る、マテ茶の相場は、最近ヴエノスアイレスに於て、一キロに付五十錢乃至八十錢する、假に八十錢とすれば、一株から百二十圓上る勘定になる、世界で金の生るといふのが此の樹の事だそうだ。

新刊紹介

○邦人の發展地ブラジル

内務省移殖民講演指導囑託大島嘉一氏著

定價　壹圓八拾錢　送料拾錢

東京市外中澁谷六二〇　植民社

振替東京二五三八六植民社發行

○南米の植民地（附錄ブラジル渡航案内）

前ブラジル國サンパウロ總領事藤田敏郎氏著

定價　貳圓送料拾貳錢　東京池袋二三九

振替東京六六一四八　アルバ社發行

編輯机上より

マニラ麻の値假が、二十五圓になつたと言つて、宮下君と香山君とが交はる〳〵喜こんで話されたのは、僅三週間前だつたが、今日では三十五圓に奔騰し、在留邦人は餘り景氣が好過ぎて、キビが惡いと言つて居るそうだ。

政府の、ブラジル移民補助が、實施されたので、渡航希望者が續々現はれたが、中に單獨渡航希望者が非常に多い、無理の無い事では有るが、隱忍して二三年の中に家族を構成して行くに如かずだ、又實際單獨者は殆んど取扱はないと言つてもよい位だ

大阪の高等商業學校で、近く第一回の卒業生を出す譯だが、それ等卒業生の就職希望が、全部大阪市内で、萬止むを得ざれば神戶でもと言つて居るとの事、之を聞いた荒井書記官は、何といふ情無い事かとツク〳〵嘆息して語られた。

海の外

定價	内地	外國
一部	廿錢	廿仙
半ケ年	一圓十錢	一弗十仙
一ケ年	二圓廿錢	二弗廿仙

海外郵稅四錢

注意
▲御注文は凡て前金に申受く
▲廣告料は御照會次第詳細通知致します
▲御拂込は振替に依らるゝを最も便利とす

大正十三年十月三十日

編輯人　永田稠

發行兼印刷人　藤森克

長野市南縣町
印刷所　信濃每日新聞社

長野市長野縣廳内
發行所　海の外社

振替口座長野二一四〇番　信濃海外協會

大正十三年十月三十日發行（毎月一回一日發行）
大正十一年三月廿六日第三種郵便物認可

定價金貳拾錢

信濃海外協會
海の外社發行

第三一号

目次

北米合衆國見聞錄（其五）

坂井辰三郎

九

加州刑務所 State Prison

時は本年三月五日、折しも天氣朗らかにしていと心地よし、永年彼の地に在つて我が同胞の敎化に盡瘁せる柴田牧師の厚意によつて、氏の自動車に同乘して午前十時三十分「カリフォルニア」州「サクラメント」市（小都市なれども同州の首都で州廳は此の市にある）を出かけた。恰もよし萬物初春の惠みに沿し、新綠將に闌ならんとする折、脊丈けの尺余に延びた麥圃は遠く彼方に展開し、紅白入り乱れた杏花の爛漫たる果園、實に橙黃なす美果が一ときは濃綠を呈せる枝葉に懸るオレンヂ畑、交々綴接せる美觀は未だ予が念頭を去らない。之れを筆紙に盡す術を知らざる予は心私かに憾みとするところである。此の宏濶にして異趣に富める田舍路を、或は左に或は右に縫ひ折れて、途すがら彼方此方に點在せる砂金鑿掘の跡を眺めつつ、全く時の移つるを知らなかつた。時餘にして「サクラメント」市を距ること三十哩の「レプレサ」Represa と云ふところに着いた。

「レプレサ」は戸數僅に十數軒の群りである。近く刑務所の爲めに出來た群落で、此の關係の營業者やそれ等に關係ある人々の住宅であつた。こゝから三四町林間の曲折せる途を登つて、加州立の重罪犯人を收容する刑務所の門前に達した。門側に自動車を止め、早速門衛に刺を通じた。柴田牧師は每月一回以上、此處に在る日本の囚人の爲めに、說敎や慰問に訪づれらるゝ方であつたから、唯一片の來意を告げたのみで直ぐさま門內の人となることが出來た。獄舍內撮影嚴禁とあつて持參せる寫眞器は門衛に托してしまつた。第一石門內には典獄初め係の人々の官舍が、庭園花卉に彩られてあり、第二門の小潛りを入れば、囚徒に引見を求むる來訪者の爲めに特殊な面會所がある。庭內步道の右には建物、左方には手入のよく行き屆いた果園菜圃が連なり、三々五々生垣や蔬菜圃の手入に從つてゐた囚徒も見えた。更に右へ右へと折れて第三門內に入る。此の圏內のみが彼等囚徒にとつての自由境である。
こゝ以外は監視なくしては一歩も外出するを許されないのである。獄舍前にあつた監守長に參觀の旨を告げた。いと快活な態度で初對面の予に對しても實に馴れ々々しく而も懇切に接見して呉れた。そして恰度囚徒が晝食中であるから暫く大谷の室で待つてゐて貰ひたいとのことで早速大谷氏の室に案內を受けた
大谷氏と云ふは特に予が假名を以て呼ぶのである。この大谷某は或變愛關係で、白人の婦人を殺害し之れを濱邊の砂の中に埋めておいたとか云ふ疑で囚はれの身となつた日本人である。其の眞疑は他人の關知するを得ないところであるが、兎に角無期懲役を宣告されて服役中である。入獄後素行善良の廉によつて減刑されて九年七ヶ月の有期となり、それも既に期滿で本年中に明るみへ出でらるゝことである。大谷氏の部屋と云ふのは、所定の監房以外に特に與へられた六疊程の研究室一間と、更に廣い寫眞撮影室と附屬用機械置場との三室である。同氏は青年時代から英詩をよくし、美術寫眞の特技に秀でてゐた。氏が恐るべき大罪を犯したと云ふ疑を深からしめたのも、之れ等が余程關係があるらしい。當時同氏は美術寫眞の製作が獄中で唯一の仕事で、他に何等服役の務がない。屢々獄舍內で催される常設活動寫眞の技師を承つてゐる位である。加之美術寫眞の研究費として月額二百弗の支給を受け、此の豫算範圍なれば、米國にない藥品器具は獨逸あたりから取り寄せて呉れるとのことであつた。或は時に豫算超過の際は、特に禀議の手數を要するが此亦許さるゝこともあつ

加州刑務所正門

たと云ふ。此の人に限り撮影の爲めに外出は隨意である。そして外部から受けて來た小鳥の數籠と懸垂の花卉を部屋の隅々に配置されてあつた。此處で對談暫くし且つ同氏の美術寫眞や英詩に接し、氏の手に成る此れ等のもの十數葉を受けた。此れ等の作品を刑務所で取り上げて之れを賣りて經費の一部にすると云ふやうなことは更にない。製作物の處理は一切大谷氏の勝手である。對活中獄舍の一部に在る我が身にして其處に在ると云ふやうな感じも更に覺えず、大谷氏に對しても囚はれの身であると云ふやうな氣持も毛頭起らずに、寔に心持ちよく時の推移を知らずして過した。やゝあつて監守の案內し呉るゝまゝに、こゝを辭して其のあとに從つた。此の際彼の大谷氏にして如何で斯かる大罪を犯したものとして、囚はれの身となつたのであるか、予は彼れが爲したところであるとは、之れを信んぜんと欲するも信ずるを得ないのである。彼れの罪、又かの囚人に對する刑務所の扱ひ、相次いで死刑存廢の可否等交々予が頭を衝くこと久しかつた。

刑務所は小高き丘にあり、背後は湍々たる急流を挾んで岩巘突兀たる山嶽障壁をなし、左右前方に開けた三方は岩壁を以て疊み上げ、要所々々に見張りの高塔ありて銃砲を備ふ。これ逃走せんとするものに對する威赫である。此所に一千三百名の重罪犯人を容れ、內八名は日本人であつた。晝食を終つた囚徒は單列をなして整然と食堂を出て來た。何れも通常服であるが地色は鼠である。其のなかに白と鼠との立て縞の服地のものが混つてゐた。これは再犯以上の念入れの人々であると云ふ。五分刈髮は歐米では囚人の頭髮であると聞いてゐたが、ここの囚人は長髮で櫛の歯が通つてゐた。何れも放し飼ひで二者鎖でつないではなかつた。喫烟も監房と外庭では自由であるから熾んに薰じてゐた。監守も亦通常服であるが全部カーキ色で同色の中折帽そして腰には劍を帶びてゐない。

監房舍は石と鐵で固めた四階建と二階建での大きなものが二棟、其の外に附屬建物として囚人作業場たる工場類似のもの、食堂、割烹所、學校、活動寫眞館、敎會、音樂堂、圖書室、醫務室、歯科醫、斬髮、洗濯の各室は備はり、內庭の廣い所は野球や其の他の運動場で、庭內は樹木及び草花で心地よく造られてある。監房は石疊みで鐵板の嚴かなドアーで閉さる。房は單房若くは三、四名宛を容るゝ。寢台とテーブル及び椅子を與へ

られ各室に便所と手洗所は備はり、差入物によつて繪畫其他を以て銘々に思ひ々々の修飾を施しておく。電燈の設備もあつて房內にて書見などは自由である。且つ冬期寒冷の際は、各房に溫めた空氣を送致する仕掛けになつてゐるから寒さに襲はるゝやうなことは決してないと云ふ。共同便所から共同洗面所に至るまで殘る隅なく拭掃と整頓がよく行き届き、或部分には多少光線の不足する所もあつたが、換氣排濕其他所衛上更に間然するところがない。食堂は千三百名のものを入れ一時に開始する。房內に監禁されてゝこで食事を攝るのではない一食の食費が十八仙であつて而もそれが調理の手間や瓦斯代を除いた、食品だけの實費であるから相當に營養あるものがとれる。

次に彼等囚徒の日常生活は、夕刻から翌朝まで十四時間監房にあるみので、其の他の時間は房外にあり、一日中に六時間何等かの作業に就働する規定である。農園にあるもの、道路其の他の修理に從ふものもあつたが又大部分は授產的意味によつて、手工藝、印刷、洗濯、染織、大工、斬髮、義歯等、各自の能力によつて夫々の作業をやるのである。前に述べた大谷氏の美術寫眞に於ける特典は一つの異例であるが、他にも之れに近い類例が尠くないと云ふ。斯くして縱令囚徒であつても個々の能力に應じて、其のもの〻特徵を發揮せしめ、彼等の惡しきを祈檻するよりは、寧ろ其の善所を暢べしむる爲めに、經費の多くを要すると、施設や手段の面倒臭いことも厭はずしてやつてゐる點は、さすがは亞米利加式であると感服する外はなかつた。而のみならず各種の宗敎團体や公共團体の代表者の慰問に訪づるもの、或は印刷物繪畫及び日用品の寄贈は頗る熾んである。

就働時間は六時間となつてゐても、通常はそれ以下で終り、定まつた曜日には敎會に集まり、或は活動寫眞に打ち興じ、或は學校及び圖書室にて學習にいそしみ、時に音樂堂に會して或は演じ或は名曲に我れを忘るゝの佳境に引き入れらるゝこともある。役務以外の時間には、樂器を奏し庭前で各種の運動競技に從ふも隨意である。殊にこゝの人々だちは野球が強いので、日曜日には外部から試合にやつて來て、刑務所の內庭で其の技を爭ふことも屢々であると云ふ。

入浴は一週間に必ず一回以上をなし、理髪は勿論無料である。そは別に意を留むる程のことでもないが金の

入歯までも無料でやつて呉れてゐるには、聊か驚かざるを得なかつた。

時既に午後の三時を過ぐ、空腹を抱きながら此處を辭し、正門前を寫眞に納めて歸途に就く。こゝに掲げた寫眞は則ちそれである。

△　△　△

一〇　ポートランド市の薔薇祭

「ポートランド」市は、「オレゴン」州の大都にして西沿岸に於ける有數の都會である。千八百四十三年に開拓を始められ、一千八百五十一年に及んで確實に設立さるゝに至つたので、其の發展進步の目覺しさは、一千八百五十年には、只僅に八百人に過ぎなかつた人口が、千九百十年には十万人、其の後十餘年を經た今日では實に三十五万有余を算するに至つたに徵しても知ることが出來る。「オレゴン」州の州廳は此の市にないが我が帝國領事館も存在し、同胞も亦尠なからず居住して相當に活動してゐる。

其の昔ペッチグローブ氏によつて、バラの都「ポートランド」と名づけられた緣故で、當市では年々バラ祭が行はれる。以前は一週間も續いたそうであるが、今では四日間に縮められた。昨年六月十二日から四日間バラ祭は取り行はれた。此の祭典を執行するには市長が祭典委員二十名許りを指名し、別に各種の團体や「ハイスクール」から妙齡な處女を十名推擧し、この十名中から一名クイン（女皇）を、先の祭典委員の投票によつて選ぶ。而して當選したクインは薔薇祭司裁の最高權威者であつて、市長も委員も其の他の祭事關係者も、皆彼の女皇の主裁の下に立つて一切の事に當るのである。此の選に漏れた九名の處女はクインの侍女となつて祭事中彼の膝下にかしづく。クイン當選者は一代の光榮とするのみでなく、市よりの報酬及び各所からの寄贈品で、嫁入り仕度などに余りあるとのこと。從て其の裏面には幾多の競爭があるそうだ。昨年のクインは或中等學校の女學生リー孃（Lucy Lee）であつた。こゝに亦亞米利加の國狀と民情の一端が窺はれ得る。

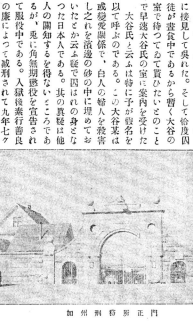

當日は近郷から人出が多く「ホテル」「レストラン」諸種の觀覽場は大入滿員の盛況、街々は隅々まで自動車で埋められて仕舞ひ、何處でもあるやうに各種の興業は此の期逸すべからずとして觀者の吸收に勗め、其の他日本流の打上げ仕掛花火から薔薇の展覽會、晝夜に亘つて大きな「ダンス」の催し等が、隨時各所に行はれてゐるが、當祭事中の呼び物に、學校生徒の行列と各種の團体或は個人から競爭で引き出す花自動車の行列である。又中央政府からは驅逐艦四艘を特派し、ボートランド市の中央を貫通する「ウヰラムメツト」河に浮べ、飛行機隊から數機の飛行機が來て市の中空を飛翔して景氣を添へた。

其の學校生徒の行列に參加せるものは、小學校兒童（四、五學年以上のもの）が主で、之れに中等諸學校の男女生徒及び州立大學の男女生も加つて、其の數六千余名の多くであつた。行列の先驅は「モーターサイクル」に跨つた警察官の隊伍に始まり、祭典委員、次いで例のクインは數多の侍女に擁せられ美事に飾り立てられた花自動車に乘り、無數路傍に居並ぶ觀覽者に愛嬌をあびせかけながら揚々たる容姿で進む。之れに續いて男女生徒が入混つて各校別に、競爭的に思ひ々々隊伍の編成と、身飾りに趣向を凝らし、互に手と手を連なるもの、豊美な裸出せる腕で肩と肩に結び、或は「リボン」或は薄帛で連鎖を爲すものなど各校各態である。其の容姿身振も又各校競ふて優美珍奇ならんことを欲してやつてゐるから、其の樣は美と云ふべきか艶と形容すべきか、

ポートランド市バラ祭兒童の行列

初めて斯る異觀に接したものには、容易に筆に盡し得ない。そして之れ等の隊伍は音樂に合して、或は舞い或は歌い、又は白人特有な微妙な腰つきと歩調で順次行進する。隊列中には各隊各異な服裝と樂器による音樂隊

が幾隊も幾隊も樂を奏しながらに進む。此の行列の始めから終るまで二時間餘の長きを要したが、別段立ち疲れも覺へず。且つ兎角祭事の行列で經驗する卑猥や醜態などの否味の感じは更に起らず、極めて愉快に左程長い間とも感ぜずに過した。

花自動車は日本のそれと多少異にして、色々な自動車を各種の花や珍奇な葉で各自の意匠に従つて見事に飾り立てたもので、同乘者は皆々の花に應しい仕度で妙齢な少女等各車各態なスタイルで、樂を奏するもあり歌ふものもある。

この花自動車の審査委員が審査の上、一、二、三の等級によつて一等には一百弗の賞金を授與する、聞く所によれば一昨年我が同胞農家の組合で日本流の意匠を凝らして花卉や農産品で飾つた花車を出して賞金一百弗を得たそうである。斯るが故に各車思ひ々々の趣向をめぐらし多くの費用も惜しまずや

ポートランド市バラ祭の際一等となつた日本人の花車

るから。それは々々は見映えのあるものである。それが百數十台も打續き、其の間に此の祭に特派された軍艦の乘組水兵及び將校等或は專門學校男女學生と、其の他少年義勇團が加はり、奏樂によつて歩調を整へ、折々號令によつて隊伍の組み替へをなしつゝ進行して行く樣は實に壯美なものである。この花自動車行列中にも亦クインの花車が加つて總べてを統裁してゐる、以上の生徒の行列と、花自動車は各別の日に行はれ、何れも殷賑を極めたことは既に述べた如くである。

予は之れ等二種の行列を參觀した際に特に感入つたことを一つ附け加へておく。それは此れ等行列中に偶々星の米國旗が嚴肅な態度で捧持されて通過する其の通過する度に婦人は拍手し男子は脱帽して、些の繁鎖をも厭ふ氣色なく、路傍に堵列せる人

々は一齊に其の都度敬意を表するので、予も亦自然に脱帽せざるを得なくなつた。寄り合世帶の國柄でありながら國民精神の統一が斯う云ふところに、よく顯はれておるのを見て予は深く感思ひに沈んだ。又祭事關係者や行列中の人々は極めて眞面目で、老若男女中茶化すやうな態度のものは微塵もなかつた。且又觀覽に出かけた人々が斯る雜沓中にありながらよく秩序を保ち則を越えず警察官などの制止を受くるやうなことは殆んどなかつた。此の有樣は是非一度我が國人に見てもらひたいと云ふやうな感じが起つたと共に羨ましくも思つた。

△　△　△

因に

本年一月一日、「ロスアンゼルス」で年越しをした予は、同市を距る數哩の「パサデナ」町で花祭が行はれるとのことで、案内を受くるがまゝに早速自動車を驅つて觀覽に出かけた、之れ亦年中行事の一つとして地方の呼物であるだけに、遉がに人出は多かつた。花自動車の數は「ポートランド」市のものより少なかつたが、冬の眞中であるにも拘はらず、暖いところであるから、全く春の氣分である。從て珍花奇草が豐富であるために、花自動車の修飾設計は遙かに異抜であつた。そして引き廻し前に審査濟とあつて、一、二等のマークを附けて得意氣に練りあるくものもあつた。其の他は既に記した花祭と大同小異であるから略する。

パサデナ花祭の花車
大正十三年一月一日撮

當日人出の多かつたことと、北米全洲中「カリフォルニア」洲が第一位の自動車所有數を示し、人口三人半乃至六人に就いて一台の割合であると云はれてゐるだけあつて、歸路予等の一行は路を此なたに探り或は彼方に自動車を驅つて、四方八方に歸路をかけ巡つては引き返へししたるも、遂に先の自動車に遮ぎられ

路上四列に自動車が居並び、次で後發の自動車によつて後方は塞され、進退全く谷まつて二時間と三十分余、こゝに立往生するの余議なきに至つた。自動車の發達もこゝに至つては實に不自由不都合なものであると云ふやうな愚痴を並べながら、時の來るを待つた次第であつた。

荒井書記官講演の要旨

外務省、公使官書記官、荒井金太氏は、九月の末から十月にかけて、熊本縣海外協會の招聘に應じ、數日に亙る南米事情の講演を終り、其の序を以て、鹿兒島、山口、廣島、岡山の各縣を巡遊し、到る所の講演に多大の興味を喚起し、十月十四日早朝、名古屋より中央線にて當長野市に着、直ちに縣廳を訪問せられ、午前中農事試驗場に於て、縣下の實業學校長全部並に、同所實業教員養成所の生徒六十餘名に對して、二時間に亙る講演をされ、午後は師範學校に於て、生徒全部を講堂に集め、是又二時間の長講を演じられた、

講演の趣旨は。何れも海外發展と教育との關係に有りしが故、聽講者の興味を唆る事頗多きものが有た、

國際教育の必要

我か國には、國際教育と云ふ事が、甚缺けて居る、教育界何れの方面を見ても、それの取入れたる點を見出し得ないので有る、其の結果は、無暗に日本ばかりを禮賛するお國自慢の國民が出來て終ふ、外國人と見れば、頭下し侮蔑する、日本人の口癖になつて居る。毛唐人と呼び、チャンコロといふ言葉は、非常に侮蔑の內容を持て居る、日本人が米國あたりで、ジャップと呼ばれる時に、非常に侮辱された樣に思ふが、之を口にする處の彼等外人には左程侮蔑の意は持つて居らぬ、ジャパニースと云ふ言葉が長過ぎる故に、何時かどうかに約まつて、ジャップとなつたのみで、決して日本人が口にする、毛唐人とか、チャンコロとかいふ內容は持たぬので有る、斯くて明治初年以來の、外人侮蔑の先入主が、今日世界の各地に於ける、排日の原因を爲したと言ふ事が出來る

米國の排日法案實施に際して、非常に我が國論が沸騰したが、一方外國人に對しては、往々穩ならざる仕向をやつて居る、殊に支那人などに對しては一層酷い

嘗九州鐵道の工事中、多數の支那苦力を驅逐した事もあり、最近東京市より支那人を追放した例もある、今では餘り無いかも知らぬが、支那内地に於てさへ、彼等に對して往々横暴を極めた事が有る、支那人の車を傭ふて一日乘り廻はし、碌々賃錢を拂はずに逐ひ返へしたなど、平氣でやつた時代が有た。

自分がロンドンに初めて上陸した時の事であるが、馬車を傭ふて二時間程市中を見物した後、賃金を拂ふ段になつて、英國の錢の勘定が分らない、仕方なしに各種の英國貨幣を一攫出して、其の中から取つて貰ふ事にした、すると馭者は、二シルリングを選り出して謝禮を述べて去つた、後で物馴れた友人に聞いて見たら、それが適當なる賃銀だつたと云ふ、かゝる場合、日本の馭者だつたらどうだらふか、果して外人に好感を與ふる樣な態度に出づるだらふか、甚心許ないものである、

先日九州を巡遊した際の事で有る、某市の有力者の案内で、市内を見物した、公園らしい處に、見馴れない石碑や、武器の陳列されたるが目に着いた、案内者の説明に依ると、日清戰爭、日露戰爭の分取品だと云ふ是等も頗宜しくないと思つた假に日本が戰敗國となつた場合、北京やペトログラードに、これが日本よりの分取品だと麗々しく飾り立てられたとしたら、それを見た時、どんな感想を抱くだらふ

日本の赤穂義士傳は、世界各國語に飜譯されて讀まれて居るが、外國人は決して復讎といふ事には感激を持たぬ、彼等四十七人が、能く約束を守り、或る目的の爲に一致團結してやつたといふ處を讃美するので有る、私は遂一週間程前、某縣に於て、某學校を參觀した際に、赤穂義士傳を教材として取扱つた教授を見たが、全然讎討を奬勵して居るかの如くに見受けられた、同一の事實も解釋の仕樣に依りては、隨分異りたる結果になるものであるが、是れも國民の性情の現はれかと思ふと、情無い樣な氣がする

從來外交は、外交官といふ特種な立場に在る者の手で取扱ふて來たが、今や國民の手に移つて居る、合縱連衡、縣詐百端は昔の外交で、今は國民同士が、互に手を握り合つて、親睦を計る時代となつて居る、五大强國云々と言つて、武力で贏ち得た過去の美名に、陶醉して居るは甚だしき時代錯誤で有る、假に五大强國といふ代はりに、五大文化國と言つたらどうか、果して日本も、其の一つに數へらるゝだらふか、頗覺束ない

ものである

支那問題に就ても、此の程何處かの宣言に、滿洲に於ける利權を犯されざる範圍に於て、絶對不干渉だと言つて居る、絶對不干渉を口にしながら、滿洲の利權云々何と矛盾では有るまいか

又一面には、米國在留の一部の日本人が、終生一介の勞働者を以て甘んじ、少し餘裕が出來ると、直に本國へ送金をなし、送金の多きを以て、お互同士の誇とする、家郷に於ても又、彼等よりの送金を待ち構へて居る狀態で、其の罪尊家郷に有りと言ふべきだらふがこれ又甚だ面白からざる事である、自己を富ますと同時に其の國土の繁榮を計るといふでなければ、何處へ行つても排斥を受けるは當前の事で有る、されば内地送金など全く之を止めアベコベに彼の地在留者に向て資金の融通をなし、其事業の繁榮を助ける工夫が最緊要で有る

要するに、國民全体が、更によく外國の事情を知り外國人と打解けて交際をなし、相共に世界の文化に貢獻するといふ、大國民的襟度を抱く樣にならなくては駄目で有る

女子の教育上注意すべき點

次に女子の教育には、更に一段の注意を喚起し度い日本の婦人はどうも退嬰的で有る、如何にも氣宇が狹小で、大國民たるべき日本男兒の配遇者として、甚物足らぬ感が有る

自分が嘗、アルゼンチンのヴエノスアイレス港に行つた際、僅十二才の英國の子供が、一人で來たといふのを見た、其の子供は小學校の暑中休業を利用して、涼しいアルゼンチン――北半球の夏は南半球の冬になる――に渡り、避暑旁々兼て此の國に出稼して居る兄を尋ねるのだとの事で有た、海上七千哩、二十日間の船中生活をなし今無事に到着し、四五週間南米の風物を觀察して、休業の終る頃又英國に歸るのだとの事、流石世界に橫行濶歩する英國人の子供であるが、自分が深く感じたのは、其の子供の母なり祖母なりが、能くもこんな子供に長い一人旅をさせたものだといふ點で有た

自分の友人に、自分と一緒に外交官試驗に及第した者が有たが、其のお祖母さんといふのが、可愛孫を手離して外國へやる事は、何としても出來ないといふの

で、とう〳〵折角の及第も無效にして終つた例が有る雲泥の違とは實に此の事で有る

英國人が、世界到る處に新天地を求め、永住の決心を持つて開拓に從事し、必ず立派なる成績を擧げつゝ有るのは、其の婦人の力に待つものが多大で有る、婦人を伴はぬ海外渡航は、決して成功するものではない歐羅巴諸國人の、南米へ渡航する處を見ると、男子の數と女子の數とが略同じで有るが、日本人になると女子の方が著しく少い、どうか教育の力を以て、日本の女子にも、一層進取的なる氣風を持たせ度いものである

南米概觀

南米に關して一言し度い、日本の人口の稠密なるは分り切つて居るが、或る人はベルギーやオランダの例を引いて、より以上稠密なりとするが、双方の地勢をよく調べ、耕作可能の地積を基礎として、比較するならば、ベルギーやオランダの密度は遠く日本に及ばない、日本内地を鐵道であるいて見ると能く分かる、何處へ行つても山計りで、山の間の僅かの窪地を鐵道が廻はりくねつて通つて居る、其の山も今やかなりの急斜面迄開墾して、桑か何か植付けてある、これで毎年六七十万人宛も増加する人口を、何處に收容し得るで有らふ

南米のアルゼンチンは、恐らく今後十年乃至二十年の間に世界の一等國となるべき趨勢で有る、無限の沃野が開拓されて行く速度は、實に目覺ましいものである

ブラジルに至りては、更に廣漠たるもので、世界物資の不足を解決すべき使命を有する邦土である、最近世界に於ける綿花に不足を告げる樣になつたが、ブラジルのサンパウロ州で栽培すれば、決して不足する事が無いといふ見極めが付いて、やつと安心したといふ

現今工業の原料は、すべて熱帶産の物のみで有るがブラジルには熱帶の産物が何でも有る、加之地下には凡百の鑛物を、無限に埋藏して居る、ブラジルの面積は我が國の二十二倍で有るが、耕作可能地積は實に五十倍以上で有るから假りに日本の現在の密度にするならば、全世界現住人口の二倍を包容する事が出來る譯で有る、廣大無邊といふ形容詞は、此の國に於て始めて通用する、此の南米の二大國が、今や日本人の來り住むを歡迎して居るのだから、此の機會を失してはな

らない

自分は遠からず南米に渡り、ラテン系アメリカに職を奉ずる都合になるが、彼の地に於て大に日本の文化を宣傳する積りで有る、今回九州より關西方面を遍く歷遊したのも、之れが材料を蒐集する爲で有た、日本國民は決して武力一偏の國民では無い、世界の文化に貢献すべき優秀なる國民で有るといふ事を宣傳するのが、外國人と融和を計る近道だと信ずる

結論

最後に、海外移住といふ事は、單に其の個人の爲のみならず、實に五千万國民の爲で有るといふ事に、注意を喚起し度い、過剩の人口といふものは、比較的少數で有るが、其の少數の爲に國民全体が、脅威を感ずるので有る

それ故に海外移住は、國民の義務として之を決行するといふ事にし度い、單に移住する者が、しかく考へるのみならず、國民全体が又それ等移住者に對する義務を盡さねばならぬ、言ひ換ふれば、國家が移住者に對しては充分なる保護を與へ、彼等をして完全に義務を遂行せしむる樣にせねばならぬ、即軍隊入營者に對する如く、寧それ以上に厚遇せねばならぬ

最近我が政府に於ても、此の點に留意し、移民補助法案を制定して、若干移住をなさしむる筈で有るが、未だ以て、徹底的といふ事は出來ない、尤も政府としては或る程度以上には、やるを憚る場合も有るであらう、玆に於て一面には、民間有志の力に待つものが眞に多大で有る

ドイツ、伊太利、ホルトガル等は、ズツト以前より組織的なる施設をなして居るから、排斥などは勿論受くる事なく、到る處に好成績を擧げて居る、此の點我が國人の大に學ぶべき處で有る(終り)

因に、荒井書記官は、本月十一日横濱出帆米國經由、ラテン亞米利加諸國に向はれた

海外事情

○伊國民亞國移殖論

（伊太利經濟雜誌所論）

最近北米合衆國政府の、移入民制限政策に基き、同國渡航移民に齎らせる、大々的恐慌（米國向伊國移民の、一年間移送割合は四二、〇五七人より、四、一一二人に低減の厄を蒙れり）に鑑み、伊國政府は、本年北米合衆國向け、移送し能はざる現存移出民をして、職業及生活狀態の最有利なる、他の國へ仕向けんと畫策しつゝあり

既にロシヤ及びトルコとも、條約締結せられたるを以て、農業向移出民の一部及、專門技術を有する職人向移出民の一部は、南部ロシヤ及スミルナ地方の復興に、何れも相當雇傭せらるゝに至るべく、其の他南米諸國とも、移出民の大々的仕向に關し、目下商議中なれば、其の締結の曉は、伊國移出民は、或意味に於て北米合衆國に於けるより、更に有利なる實況を、獲保するに至らん、

然れども、勿論南米全土を以て、齊しく伊國移殖民の好適地とは云ひ難く、即ち氣候の關係上、伊國民に絕對適せざる、不健康地帶の多數存在するのみならず植民地としては、地味膏腴にして、最好適なる地方と雖も、斯る地域にありては、伊國移民は、周圍の境遇に脅威を感じ、克く耐忍する能はざる事情あるを以て伊太利移民の利益の爲、特に保障を與ふる必要ありといふべし

而して、現況に處する伊國移出民の、目標とする處は、アルゼンチンを以て第一とすべし、由來伊國移出民の、亞國向移送は、頗隆盛を極め、一九二三年中、伊太利移民の過半數を占めたり、然れども、同國も又既に、移入民制限方法の實施に着手せんとし、移入民の選擇を講じつゝある模樣なるは注意すべき點とす、尤現在は、北米合衆國のそれに比すれば、猶遙に緩慢にして、亞國としては、移入民に對しては、鎖國主義或は其の强行的制限策を好まざるものゝ如し、蓋し同

國は、人口上の貧弱に、最腐心しつゝあるものにして同國の將來は、一に人口增殖の方策に懸り居るの現狀に有り

アルゼンチンが、多量に移入民同化力を有するは、領土廣漠にして人口稀薄なる爲のみならず、同國は常に國家の向上發展を顧慮し、剩へ同國は、無限の自然的資源を保有し居るを以て、絕えず各種事業の創立に努め、例へば築港、鐵道敷設、道路開設等公私の大工事に着手すると共に、其の他諸般の既成事業擴張に熱中しつゝあるを以て、勞働事業到る處に隆盛を極むるの現狀に基因すべし

從て同國向け伊國移出民も、其の數年次增加を來し一九二三年中、亞國に上陸したる全移民は約二十万人にして、其の約半數は、伊國民之を占め、伊國勞働者の同國に於ける勢力は、彼の渺漠たる地域に瀰漫しつゝあるが、本年上三ケ月の統計に徵するも、同國向け全移出民は、昨年のそれに比して、著しき增加を呈し其の間伊太利移民も大々的增加を來し居れり

アルゼンチン政府は既に、殖民問題に關する、凡ゆる研究を了し、殊に同國移入民の勞力を、如何に巧妙有效に使用せんかに付、其の改善策を考究せり、而して其の殖民政策たるや、左の二項より成るものといふべし

第一　植民政策としては、棉花、玉蜀黍、茛、落花生、米及其他の耕作に好適地にして、水陸交通の便を有し、且既成商業地帶に屬する、國有地所の分割讓與にあり、本問題の實施は、頗る簡易敏捷を極め既に或方面に於ては、其の實施を見るに至り、本年度の成績に徵するも、殊に廣漠たる棉花栽培地域に於て頗る良好なる實績を收め、尙又現に陸上測量師の數團は各種農業者に、自由に無償土地割讓を爲さんが爲、新殖民地域の測量に從事し居れりといふ

第二の政策としては、現在の農業接續地域に在る、私有地の殖民地開拓にあるが、本問題は、殖民目的地域が、私有土地なる關係上、其の實施には自然法律の制定（之に對する法律は、既に立案成り、現農務大臣は、挺身以て、本問題に隨伴する總ゆる障碍を打破し、目的の遂行に努め居れりと云ふ）を要する等、其の實現を見る迄は、相當の煩雜は免かれざるべく、農務大臣は本問題を、出來得る限り、土地所有者の自由に一任し、殖民事業の啓發に當らしめんとの意嚮を有する趣なるも、若し土地所有者にして

本問題を等閑に付し、目的の助成を肯せざる時は、國家は直接殖民地たらしむるの權利を保留するに至るべしと云ふ

尤も該目的の達成には、獨り亞國のみならず、殖民地を創立する移民側に在りても、亦尠からざる投資を要ずるは言を俟たざるべく、即ち移民は單に、勞働に必要なる器具の外、更に殖民地開拓事業の遂行に必要なる資本をも、準備せざるべからざる必要に迫らるゝものなり

是に於てか、伊太利も此の點に付、熟慮考究したる結果、此の目的を遂行せしめんとし、伊國移出民に必要なる資金融通を以て其の主務とする、所謂在外伊國殖民救濟銀行の創立を見たる所以なりとす

○北島マニラ麻事業の現況（其の二）

（前號所載南洋歸客談の續き）

在留邦人の數

大正六年私の渡航以來、最多かりし時は、ダバオ附近だけに、約六千五百人程だつたが、大正八九年頃より、同地方一般に不景氣になりたる爲め、歸朝する者漸く多く、漸次減少して現在は三千人位で有らふ

最近は歸朝者は無くて、渡航者のみで有るが、其の渡航者は、呼寄に依る者又は迎妻の者にて、一航海に約十名位づゝ增加して居る、麻の景氣が昨今の樣ならば當分は增加する一方だらふ

邦人職業の種類並に賃銀

主なる職業は勿論麻事業で、八九分迄之に從事して居るが、少し資本の續く人は、椰子栽培をやつて居る、麻山以外は、雜貨店、理髮、洗濯、會社事務員、等各種類に亘つて居る

麻山從業者の收入は、前號所載の通で有る、各種職業になると、一日の賃銀熟練者は參圓內外、未熟者は壹圓五十錢乃至貳圓といふ所である

生活狀態

會社從業の者は、共同生活をなし、自營者は銘々家を持つて居り、家に動力機械を据付けてやつて居る、每日午前七時より、午後五時迄の間に九時間勞働し、日曜日は休業する事になつて居る、だが日本人は氣早のたちだから、餘分に勞働して、往々健康を害する事が有る、

食物は內地と同じく米食で、野菜類を副食物とするなど、內地と餘り變らない

衞生設備

ダバオには、日本醫師、台灣總督府指命醫學士、太田病院などの外、三四名の開業醫が有る、入院料は附添一名共一日約五圓を要す

ヒリッピン政府の設立に係る、慈養病院も有り餘り不便は感じない

教育の施設

本年四月一日より、日本人の設立せる日本人小學校が二校開設され、兒童を收容して專ら日本語を教授し一日一時間宛、スペイン語をも教へて居る

教師は內地に於て、多年教育に經驗有りたる者を招聘して有るから、適切なる教育が行はれて居る筈である、ミンタルには本縣出身の內山君が教鞭を執て居る

渡航費

橫濱よりの船賃約六十圓、取扱會社の手數料三十五圓（再渡航者は十五圓）上陸の際の見せ金七十圓、宿料其の他雜費百圓內外（是れは便船の都合に依り、途中滯在の日數に應じて增減あり）

渡航日數は、普通二十日乃至二十三四日にしてダバオに到着するが、便船の都合及天候の模樣に依りて多少違ふ

氣候

日本內地の七月上旬頃の氣候で、極めて暮し好い、蚊は少しく居るが蚤は居ない、雨量は甚だ少く、一日降る事は一ヶ年中數回あるのみ、夕立がよく有る、一降ザンと來て、スッと晴れて終ふ、晴れると直ぐ乾くから仕事の碍げには少しもならない、夕立の過ぎ去つ

た後の心持の好い事は、到底日本内地では味ひ得ない所で有る

渡船者の注意すべき點

景氣の好し惡しで、考へを換へる事が、最宜しくない、確乎たる永住の決心を以て、地道にやつて居れば必ず成功するから其の積で行くがよい、何處でもそうだが、倦まず撓まず、ヂリ〳〵とやつて居る人が最後の勝利者となる

今度あたりも現に其の實例が澤山有る、去年迄の不景氣をヂッと堪へて來た者は、現在非常に好くなつて居る、自分等の考へでは、寧景氣の惡い時に奮發して出かけるのが安全だと思ふ

海外通信

○日本民族の祖先は南洋土人ならん

比島ダバオにて　小池釣夫

夕陽に淡く照り出だされしアポ山の雄峯を西に仰ぎ、紺碧色深き太平洋を眼下に眺めつゝ靜に思ひを大自然の創造と太古の歴史とに走らす時、椰子樹の酒の甘さにほろ醉はされつゝ自然のまゝの美しき土人の音樂と舞踊とを味ひ、つぶさに其の人情と風俗とを考ふる時、我が大和民族の中には、多量に南洋土人の血が流れて居る事を直感させられる左に數項を擧げて其れを例證して見よう

一

古事記に『マナシカタマ』と云ふものがある事を學んだ、註に曰く竹にて造りし舟なりと、今も南洋土人は木にて造りし舟に竹を編みたるものを加へ、之れに樹脂樣のものをぬりて浸水を防ぎ、勇敢にたくみに太

洋を航行してある。

神武天皇は、丸木舟にて九州より東征の途に上られしを聞いた、丸木舟に至つては誠に土人の御手のものである、其の製造の巧妙なる、裝飾の美しさ、誰が見ても彼等がボロと稱するなた一丁で、之れだけの立派なものを造り上げた事を、信ずる事が出來ぬ程である、殊に其の裝飾模樣等をつぶさに研究する時は、考古學の知識に乏しき吾等にも、尙よく日本古代のそれに酷似して居るものを、數知れず發見するに難くはないだらう。

二

日本古代の上等なる劒は、蛇形であつて丁度手で握つた樣であり、其のうねりの七つあるものを七束、八うねりあるものを八束の劒と云ふ事を聞いた、吾等が幾度か此の地方にて目擊したる、『モロ簇』の鬪劍は、正しく寸分も違はぬそのものにして、今も尙彼等の中に用ゐられて居る。

三

日本の女は歯を染める、上代にありては男子さへも高貴の者は歯を染めた、當地方の土人は男も女も現に悉く然り、眉をそつたり歯を染めたりして、數千年を過ごし來れる、古代其のまゝの土人を見る時誰か日本のそれと異る所を發見し得るものが。

四

日本にては、便所を厠（カハヤ）と云ふ、『川屋』の意か、南洋の土人は便を河の上より、又は河中に入りてなすの風がある、日本では冬の寒さと云ふ事があるのと、人口の密度より、河水を使用する事の多き都合上、厠は川屋にあらずして、他に便所を造るに至りたるも、尙呼ぶに『かわや』を以てせるを見れば、之れ又南洋と同風習の國民であると云ふ假をうなづかしむゝに足ると思ふ。

五

日本の家は、南洋のものを其のまゝ輸入し、少しく支那風を加味し、更にやゝ防寒的にしたものである、決して日本の樣な寒國に創造せられ、そこに發達したる家では無いと云ふ事は、家屋につきて、世界各地の有樣を注意して見る者が、どうしても否定する事の出

來ぬ事と思ふ。

六

日本の女は『さるまた』の代りに『ゆもじ』を用いて居る、南洋の女も腰にゆもじをまいて居る。

七

南洋の土人は、家中に死亡した者があると、直にそれをそこに葬り、その家族はつゞけてそこに住む事をせず、他に好適の地を見出して、新に家を造るの風が今も實行されて居る、日本の上古、天皇が崩御遊ばされし時は、そこに大なる御陵を造營し、都を他に遷されしのと、餘りに良く符節が合つて居る。たゞ日本中古以來、國中の文明と政治の中心たる帝都を、而かくしば〳〵遷す事は、經濟上より又國防上より、不可能なるに至りたるに、南洋の文明は、遂に其の度が其の必要を呼ぶに至らずして、今日に至つたものに過ぎぬ。

八

南洋土人が其の首長を敬ひ、絶對に之れに服從し、首長は世襲にして、何物にも冐されざる權力を有し、上下こぞつて熱き血の所有者で、一度激すれば、前后をわきまえず、頗る殘忍なる事をやり兼ねまじき所など、誠に日本を、やゝ小さく非文明的にしたるものと云はれよう、南洋に起り、日本の太平洋岸を洗ひ、更に東北に進み、遂に北太平洋を一周する、世界最大の暖流に親潮なるものがある、太古南國の一土人舟が、暴風に襲はれ、運よく親潮に乘り込み、流れ流されて、九州の南端に漂着し、國を開いたものが、高まが原朝廷である、熱血的武勇の把持者であつた事は、南洋土人の氣質と變る所がない、更に其の當時、韃靼系支那民族が、對島や壹岐を經て出雲に來り、大黑樣が兎を可愛がつた如くに、住民に善政を布き、田を造り民を憐んで、大なる富を造つた、其の把持せし所は武勇に非らずして支那的理財方面で、大黑樣の富を致したのである。

かくて武勇に長じた高まが原朝廷が、財に長じた出雲朝を制して、早く大和に入り、日本の天下を取つた事は當時としては當然の事である。

觀じ來れば、大和民族は、全く南洋土人と同血にして、太平洋は正しく、我等の湖沼たる可きものに非ず

して何であらう。

紺碧玉をあざむく大海原に、見入りたる時、誰か日本帝國の偉大なる運命が、悉く封せられて、其の中に在る事を疑ふ事が出來よう、

有色人種の先驅者を以て任ずる日本人は、何故に、其の事を自覺するのがかくも遲々たるか、故山の天地にある、幾多の有爲なる青年諸君よ、太平洋は誠に卿等の湖沼である、極樂鳥の歌面白うして、バナヽの黃に實る所、椰子樹の酒の甘くして、平和の波のたゞよふ所、水天彷彿として波と天と接する所、そこに卿等の奇しき運命が、曉の虹の如くにかゝつてあるを見ざるや　（大正十三年八月二十六日）

○バンクーバーより

田中廣

英領カナダなる、クイン、シャロット島の捕鯨會社本年の捕獲高は、ノースハーバー二百一頭、カヨカ百四十一頭、ネーデンハーバー七十三頭、合計四百十五頭といふ成績で有る。

其の捕鯨會社は、毎年四月より十月迄の間、捕鯨に從事するが例となつて居て、此の期間には、五六十名の人員を當バンクーバー市から募集して行く事にして居る。

自分の知人である、兵庫縣人藤岡賢仁君も、其の一人に加はりて、今年四月から遂先月迄、同會社に就働して居られた。

住み馴れたバンクーバーを去つて、異郷の天地に奮鬪しつゝある事を思へば、轉同情に堪へられなかつた何か無聊を慰むる手段は有るまいかと、思案の折柄ふと思ひ付いたのは、彼の「海の外」で有た、確か第十九號と二十三號と思つたが、其の二冊に掲載された、長野市出身倉石鶴治郎君の南洋雜話は、自分にも尠からず面白く感じたので、說明を加へて藤岡君の許へ郵送して置いた。

藤岡君は捕鯨事業を終はり、一同と共に十月九日バンクーバーに歸着した、久しぶりの面會の挨拶と同時に、雜誌「海の外」中に掲載された南洋雜話が、非常に面白かつたと、厚く禮を述べられた、話はそれから續いて、あの雜誌に就ては次の如きエピソートが有ると話された。

あの雜誌が、非常に珍らしかつたから、始めから終り迄悉しく讀んで見ると、「編輯机上より」といふ中に、不思議にも、自分と同じハウスに、朝夕寢起して居る其の人の名前が現はれ、住所不明として、故郷よりの尋ね人となつて居る。自分はハツト思つたが何氣なき態で其の人に雜誌を渡し、精讀する樣に勸めた、勿論其の君も珍らしく讀まれた樣子だつたが、不思議にも「前島義男」といふ自分の名前に直面して、今更ながら驚愕し、早速故郷に音信を送られた、久しく音信不通で居た理由は。別段取り立てゝ言ふ程の事はなく何も通信する事故が無かつたので、遂延び〳〵になつて居つたとの事だそうだ。

お互に外國在住が長くなると、つい思ひながら、故郷への音信を怠るもので有るが、是れは外國在留者の注意すべき事柄で有る。

話は前に溯るが、自分が「海の外」の第十九號を手にした當時、カナダ在住として、前島君の住所を郷里で尋ねて居る事を知つたから、早速カナダ日々新聞の雜報欄に、其の旨を掲載して置いたが、不幸にして其の記事は効を奏せず、それとは無關心に、而も他縣人なる知人の許に同雜誌を送り屆けた其の先で、尋ねる人が知れたとは、何たる奇蹟で有たらふ、兎に角それが動機となつて、故郷に音信を送り、故郷よりも音信が有たとは誠に嬉ばしき次第で有る。

是も一つに「海の外」の如き雜誌が生まれて、世の爲人の爲に貢献せんとする結果に外ならないと、遠い異鄕の空で、深く感謝の意を表して居る。（バンクーバー市メーン街二一八半カナダ日々新聞にて）

信州記事

○攝政宮殿下御通過

北陸大演習を御統監遊ばされたる攝政宮殿下には、御歸途十一月十二日信越線にて本縣下を御通過になつた、沿道各驛は奉送迎の爲官衙員學生等で充滿し、普通人は寄り附けもせぬ盛況で有た。

此の際の事、某驛附近の、某小學校では、尋常六年生以上が停車場構內で奉送迎をするのだといふので、四五年の受持先生は、せめて御召列車なりと、兒童に拜ませ度いとの心盡しから、とある踏切へ連れて出たあたりを警戒して居た親切なる一警官は、兒童を導いて適宜田の中に整列させた、間もなく御召列車が來

た。

英明なる殿下には、目敏くも之を御覽になり、恐多くも特に御起立遊ばされて、御擧手の禮を賜はつた。頑是無き兒童も此の御有樣に感激して、思はず泣聲で萬歲を叫んだ、アリ〳〵と御顏を拜して嬉しかつたとの話を聞いた父兄も、一樣に感涙に噎んだ。

○加藤首相の墓參

加藤首相は、大演習の歸途十一月七日夜松本驛に下車し、同地方の憲政會員及重立者の歡迎を受け自働車にて淺間温泉目の湯に投宿した。

八日には午前九時、自働車にて塩尻村に至り、驛前なる元代議士川上源一氏宅を訪問し、加藤家の墳墓を守る謝禮を述べそれより西福寺に赴き、此所にても多數有力者の出迎を受け、西福寺住職青山英州氏の先導にて本堂に入り、午後十一時より法要を行ひ、それより、明治三年一月四日、此の世を去られたる母堂の墓に詣で、青山師の讀經の後、首相は親しく燒香參拜された。

金佛首相と綽號せらる加藤子爵もかゝる場合の心理は 尋常人と異らぬものと見え、逢ふ人毎に愛想よく應待して、深く來會者を喜ばせた。

墓參を終へたる一行は、自働車にて、長野實行銀行塩尻支店の樓上に於ける、地方有志の歡迎會に臨み十二時四十二分塩尻驛發の列車にて、上諏訪甲府を經て歸京された。

加藤首相の實父は、名古屋藩士服部東一郎氏で、當時伊那縣塩尻局詰雇士を勤務中、其の夫人を失つたのであるといふ。

○初雪來る

信州一圓收獲半ばといふ、十一月十日に、早くも初雪が來た、長野測候所の觀測に依ると、初雪の平均は十一月十八日となつて居るから、之に比べると八日も早く、昨年は十二月一日だつたから、それよりは二十日も早い。

而も平年の初雪といふのは、ほんの雪か飛ぶといふ程度で、地上に積る樣な事は少いが、十日の雪はかなり多かつた、善光寺平は二三寸、諏訪伊那地方は四五寸北安木曾あたりは、七八寸から一尺などいふ所も有た。

今年の天候は、頗變調子で、春から夏にかけては、空前の旱魃を來して見たり、秋になると何時もは晴天が續いて、所謂小春日和となるのだが、今年の秋は陰

鬱な天候ばかりで、人氣を腐らす事夥しく、殊に農家が田畑の仕事に障害を受けた事は、尋常では無かつたこんな樣だと來るべき冬が思ひやられる。

○諏訪の釀造界成績佳良

酒は灘、醤油は野田と、昔から相場が定まつて居た釀造界も、近年大分信州出來が、名聲を博す樣になつて、東京の市場に、信州酒や、諏訪醤油が勢力を占めて來たのは、喜ばしい現象で有る、殊に何事にかけても、日本一と云ふ處迄やり通さなければ氣の濟まない諏訪人の努力は、此の兩三年來釀造方面にも現はれてとう〳〵至る所の品評會や、共進會で、最高名譽の成績を占める樣になつた。

昔から、諏訪の山浦地方の出稼は、下駄の歯入れに淺草海苔の採取販賣、三に酒屋の杜氏商賣と言つて、其の恐るべき、侵畧的勢力を逞ふして來たが、特に近年原料の選擇に注意する結果、其の製品は何れも、本場のものと匹敵する樣になつて來たが、今度も小倉の釀造試驗場に開かれた、全國酒類品評會では、諏訪出品の酒が二點迄、最優等と云ふ榮冠を贏ち得た。

○更級郡の義僕節婦表彰

更級郡の自治會は、國民精神作興御詔書煥發の記念日たる、十一月十日を以て、郡內に於ける顯著なる奉仕的行爲に對して表彰を行つた。

表彰された、小島田村中澤組、北村組兩納稅組合は大正七年一月、篠井町停車塲通西部組合は大正八年十二月、村上村五明組合は大正十年十月、何れも創設し爾來滯納の事なく、引續好成績を擧げて居るので、左の如き表彰狀を贈られた。

表彰狀

何町村　何組合

大正何年何月創設し、爾來組合員の租稅吏に滯納を見ず、洵に他の模範とするに足る、仍て目錄一封を贈り、玆に之を表彰す。

大正十三年十一月十日

長野縣更級郡自治會長

從七位勳七等　石原快三

義僕としての善行者は、大岡村生れで、信里村現任助役風間重義氏方の吉原新作氏（六三歲）で明治二十七年三月、同家先代の時分から、作男として雇はれ、爾來能く仕へ能く働き、農蠶の事は一切自身に引受け主人をして後顧の憂無からしめ、而も儉素にして貯蓄を怠らず、既に餘程の金を所持すといふ。

現代としては、誠に珍らしき老人として評判高く、今回自治會の表彰する所となつた、風間氏も亦特に金二十圓を贈りて慰藉したといふ。

表彰狀

信里村　吉原新作

明治二十七年三月、信里村風間重義方に雇はれ、忠實恪勤能く主家に仕へ、耕耘肥培並に養蠶の飼育、一に自ら之に任じ、又主家一切を經理し、二十有九年渝る事無し、其の善行洵に範とするに足る、仍て目錄一封を贈り玆に之を表彰す。

大正十三年十一月十日

長野縣更級郡自治會長

從七位勳七等　石原快三

節婦須田すじ子（五七歲）は、中津村須田理作に嫁ぎしが、明治四十三年三月、理作は柿の木より落ちたるが原因にて蹇となり、柳行李に入りて赤子の如く世話を受くる慘狀となつた、家元より赤貧なりしかば、一層の困苦に陷りたるも、すじ子は少しも色に表はさず、座繰糸の賃金や、他家への手傳をなして生話費を作り、病夫をいたはる傍子女の養育をなし昨年四月病夫の死亡迄十四ヶ年間、能く貞淑に仕へたもので有る。

表彰狀

中津村　須田すじ

資性温順、極めて貞淑にして、明治四十三年三月より、夫理作の病床に侍して看護に力を盡し、傍ら子女の養育に努め、困憊の極に達せる家政を維持し、大正十三年四月、夫死亡後は、專ら家政の恢復を圖り、十有四年渝る事無し、洵に他の範とするに足る、仍て目錄一封を贈り玆に之を表彰す。

大正十三年十一月十日

長野縣更級郡自治會長

從七位勳七等　石原快三

○自動車運轉手の志願激增

最近縣內では、自動車の數が俄に殖え、可成の田舍にも、エンヂンの爆音を聞く樣になつた、之と同時に農村青年にして、父祖傳來の職業に嫌氣がさし、ハイカラなる運轉手生活に憧る者が頗多くなつた。

大概は上京後、三ヶ月乃至半年間、自動車學校に通ひ、學理を學んだ後、助手として會社や商店に雇はれ

實地の方を研究して受驗するので有るが學費が多くかゝらず、卒業後の報酬が良い爲、志願者は増加の一方で、現に本縣など二三年前迄は、僅か七八名に過ぎなかつたものが、此頃では、毎月十五日の試驗日には百五六十人宛押掛けて來る、縣では其の中術技素行共、優秀なる者のみ四十名内外に、免許狀を授けて居るそうだ。

○縣參事會員改選

先月二十三日四日の臨時縣會で改選々出された縣參事會員は左の諸氏である。

下伊那郡	城下清一氏
東筑摩郡	宮川良治氏
諏訪郡	林七六氏
同	山岡久兵衛氏
上高井郡	田中邦次氏
南佐久郡	淺沼信太郎氏
更級郡	栗田嶺助氏

○熊の出沒多し

急に寒くなつて、深山の熊さん達が冬籠の準備に遑てたと見えて、里近き邊へ出沒して、人を驚かした取沙汰が非常に多い、下高井郡巢鷹山の小林區署だけでも既に十餘頭を銃殺したと云ふ。

先月下旬には晝日中、小縣郡神科村字伊勢山と呼ぶ部落の田圃へ出て來て、稻刈をして居た平林某外數名に、重傷を負はせたので大騷ぎとなり、消防組や青年會が總動員で熊狩をなし、其の日の夕刻遂々銃殺したが重量四十餘貫稀に見る大物で有た。

猶其熊は同日の朝殿城村に於て三名を傷けたものと同一らしいと云ふ、猛獸毒蛇は南洋や南米ばかりに居るものと決められてる樣だがあつちにはそんな話も無くて却て足元にこんな恐ろしい出來事が有た

○縣內金肥消費高

大正十二年中、縣內農家の使用せる金肥に就きて、本縣肥料檢查所の調査に依れば、數量三千五百十四万一千三百十貫、其の價額一千四百七万八千九十一圓である、即同年中農家二十万六千五百五十一戸に平均すれば、數量十七貫二百匁、價額六十八圓十八錢となる而して右肥料の種類別、總量及價額を示すと次の如くである。

種類	總量	價額
海産肥料	二、二六六、六五〇貫	一、七八二、一一九圓
鰊粕	一、六三九、〇一四	一、三四五、六三〇

鰛粕	二一三、九七二	一六三、〇四七
其他	四一三、六六四	二七三、四四二
豆粕肥料	一七、六三五、三二〇	六、四三六、八九二
人造肥料	一二、一五二、九七〇	四、九六七、八四五
硫安	二、四七三、一二九	一、八五九、七九三
知利硝石	五一六、五〇一	三〇〇、〇八七
石灰窒素	八、五〇七	四、九五一
過燐酸	六、八三八、四七六	一、九三八、六五七
硫酸加里	一一四、二三八	六四、二〇二
調合肥料	二、二〇二、一一九	一、二〇〇、一五五
其他肥料	三、〇八六、三七〇	八九一、二三五
骨肉血粉	一五三、三九三	七三、七八二
蠶蛹肥料	六七三、四四六	三二九、三一五
各種油粕	五五一、五三四	二四五、四三三
醸造粕及餡粕	一六二、〇三五	四八、二八六
米糠	六一八、八一七	一〇〇、八六七
木灰	七七五、二九六	六六、六七五
其他	一五一、八四九	二六、八七七

○寒心太前景氣

諏訪特産の寒心太は、も早製造期に入つたので、本場の茅野驛界隈は、頗活氣を呈し來り、原料の動きも俄に烈しくなつたが、此の兩三年來、歐米方面の需要が激增してから、メキ〳〵と市價を高め、昨年などは、開闢以來の高値を呼び、細物の如きは、何時も注文に應じきれぬ狀態で有たが、今年も引續き好況にて未だ製造の始まらぬ前から、既に十万斤近い豫約賣買が行はれしかも昨年以來の高値といふ所より、人氣は數段引き立ち、非常なる意氣込を以て製造に取かゝり人夫の奪ひ合に焦つて居る。

尙外國に於ける需要の趨勢に鑑み、今年は優良品のみの製産に努め、粗製品に對しては、組合に於て相當制裁を加へ、諏訪寒心太の聲價を失墜せざらん事に一致共力して居るのも結構の事で有る。

○大町に冬期運動場新設

北安曇郡大町では、兩三年來冬期の運動、スキーとスケートに就き、特に奬勵方法を講じて來たが、本年は更に一層の完備を期する事とし、收穫の終るを待て、益々準備を急いで居る。

スキーの練習場としては、大町の東方、天狗山と稱する地籍に、今春來同町の某氏が、鑛泉を利用して、入浴塲を造り、既に立派なる二階建二棟の建築も落成し、營業を始めたが、同所に直接せる數千坪の傾斜地は、スキー塲として實に理想的なるより、之を利用すべく障碍物の取拂を急いで居る、猶有志者の寄附金を以て大小のスキー百組を新に購入し、同好者の便宜を

計る事にするそうだ。

スケート塲としては、本年春竈神社の北裏に新設したる、常設競馬場約六千坪を、其儘貯水池となし之を利用するものにして、周圍の堤防は觀覽席となり、是又模範的のスケート塲たるべしとの事で有る。

明年一月は、適當なる講師を招聘して、スキーの講習會を開き、三月上旬にはスキー及スケートの大會を開催すべく今より協議を進めて居る。

○第六回稻作多收共進會成績

本縣農會の、第六回稻作多收共進會は、十一月十七十八の兩日篠井町に於て開會された、審査の結果一等賞は反當り五石四斗八升六合四勺で、以下三等賞の筆頭迄、何れも五石以上といふ、共進會始まりて以來のレコードを作つた、其の三等迄の受賞者は左の如くである。

一等賞（賞金百圓）

幾內二二	（二〇五七四一匁 五四八六四勺）	伊那町	原助十郎

二等賞（賞金五十圓）

無芒愛國	（一九五六〇〇 五二一六〇）	長野市	長田武藏
愛國	（一九〇七七七 五〇三三七）	新村	百瀨貫一

三等賞（賞金貳拾圓）

陸羽愛國	（一八八一四〇 五〇五七五）	中洲村	岩波幸治
陸愛二二	（一八三一二六 四八五七五）	日野村	木田正道
幾內六八	（一八一一六九 四八五七一）	新村	新村正木
同	（一八〇六三〇 四八二九七）	同	關喜一
同	（一七九一九一 四七七七九）	永明村	北原保吉

○大正十四年度長野縣歲出入豫算

本縣來年度提出豫算總額は九百八十一萬九千八百圓で現年度當初提出豫算總額の九百八十六萬三千百圓に比し四萬三千三百萬圓を減じたこの減額に伴ひ戸數割と地租營業所得の各國税附加税とで縣民負擔の輕減を圖つた

歲入

經常部

	本年度豫算高	前年度豫算高	比較 増	比較 減
地租附加税	二、二五四、九一二円	二、三六二、〇九〇円	—円	一〇七、一七八円
營業税	五八八、二六九	三一四、九八八	二七三、二八一	—
雜種税	一、四一八、四四八	一、五五六、三一九	—	一三七、八七一
營業税附加税	六一九、五〇〇	六六〇、〇〇〇	—	四〇、五〇〇
鑛業税附加税	六〇〇	九一五	—	三一五
所得税附加税	一一〇、二〇〇	一一八、〇〇〇	—	七、八〇〇
戸數割	一、七八九、五六九	一、八九九、五二六	—	一〇九、九五七
財産收入	三五、六五八	二八、六四四	七、〇一四	—
國庫下渡金	一九八、一四三	二〇一、七五四	—	三、六一一
雜收入	一、三三四、一四二	八五一、一一六	四八三、〇二六	—
經常部合計	八、三四九、四四一	七、九九三、三五二	三五六、〇八九	—
臨時部				
繰越金	二五〇、二九二	一八〇、五九五	六九、六九七	—
國庫補助金	二三五、一〇二	二四六、九六六	—	一一、八六四
寄附金	六九三、九六五	一、一三七、一〇七	—	四四三、一四二
財産賣拂代	一、〇〇〇	九四、二七六	—	九三、二七六
縣債	二九〇、〇〇〇	一九〇、〇〇〇	一〇〇、〇〇〇	—
△住宅改良費貸付金返納金	—	二〇、八〇四	—	二〇、八〇四
臨時部合計	一、四七〇、三五九	一、八六九、七四八	—	三九九、三八九
歲入總計	九、八一九、八〇〇	九、八六三、一〇〇	—	四三、三〇〇
內				
税收入	六、七八一、四九八	六、九一一、八三八	—	一三〇、三四〇
税外收入	三、〇三八、三〇二	二、九五一、二六二	八七、〇四〇	—

歲出

經常部

	本年度豫算高	前年度豫算高	比較 增	比較 減
警察費	一、一一七、四〇二円	一、一一四、六九〇円	二、七一二円	―円
警察廳舍修繕費	三八、九八〇	三五、五〇九	三、四七一	―
土木費	九八三、九九六	九九〇、〇六四	―	六、〇六八
縣會議諸費	三〇、六三七	三〇、九九一	―	三五四
衛生及病院費	一一〇、六一六	一二〇、二九七	―	九、六八一
教育費	二、〇二四、二四九	一、九二九、四五三	九四、七九六	―
郡廳舍修、繕費	七、〇三〇	七、〇六二	―	三二
郡役所費	三五八、二六二	三七九、七〇九	―	二一、四四七
教育費	二、九〇〇	二、九〇〇	―	―
諸達書及掲示諸費	四五、二二一	五〇、〇一七	―	四九六
勸業費	六八二、六四九	七三〇、六二一	―	四七、九七二
縣稅取扱費	二二五、九二一	二一八、四四三	七、四七八	―
縣廳舍修繕費	二、九二〇	二、九二〇	―	―
選擧費	五六〇	五、六〇四	―	五、〇四四
縣吏員・費	八〇、九八二	八六、七八九	―	五、八〇七
收用審査會費	一二八	一二八	―	―
行政執行費	五〇	五〇	―	―
縣統計費	九、二三〇	六、七七八	二、四五二	―
財產費	一、五一九	一、五一九	―	―
神社費	五、六九四	五、五七〇	一二四	―
感化事業費	二二、一五七	二六、〇四二	―	三、八八五
社會事業費	八、九九五	九、六〇五	―	六一〇
恩給金	三八、〇一二	一八、八〇〇	一九、二一二	―
豫備費	二五、〇〇〇	二五、〇〇〇	―	―
經常部合計	五、七八二、四一〇	五、七五三、五六一	二八、八四九	―

臨時部

	本年度豫算高	前年度豫算高	比較 增	比較 減
警察廳舍建築費	四二、一四六	七二、三五〇	―	三〇、二〇四
消防同盟會補助費	一、〇〇〇	一、〇〇〇	―	―
土木費	六六一、五一七	七〇七、九七三	―	四六、四五六
市町村土木補助費	一三五、〇〇〇	一五〇、〇〇〇	―	一五、〇〇〇
衛生補助費	一三七、二八〇	一一二、一二五	二五、一五五	―
教育費	一五二、一四五	六三、五一四	八八、六三一	―
教育補助費	二九三、六一八	二六八、一五六	二五、四六二	―
特別會計補充金	五八五、八六五	三八〇、八九〇	二〇四、九七五	―
諸料及史蹟名勝天然記念物調査並保存費	四、三五〇	四、五四〇	―	一九〇
神職會補助費	五〇〇	五〇〇	―	―
勸業費	三九〇、四八三	三三三、〇九一	五七、三九二	―
勸業補助費	六八、〇一五	一〇〇、一五五	―	三二、一四〇
砂防工事地方分擔納付金	二〇、〇〇〇	二〇、〇〇〇	―	―
鐵道及軌道敷設費補助費本年度支出額	六四、九二三	一一八、三四六	―	五三、四二三
千曲川改修費分擔金本年度支出額	二二七、〇〇〇	四七七、五〇〇	―	二五〇、五〇〇
土木補助費本年度支出額	七〇、〇〇〇	一一六、六三五	―	四六、六三五
水道補助費本年度支出額	一二三、〇八〇	一三四、五〇〇	―	一一、四二〇
教育費本年度支出額	三三四、九二八	六七二、九七二	―	三三八、〇四四
社會事業費	一〇、七〇〇	七、〇〇〇	三、七〇〇	―
移住補助費	二、八〇〇	四、六五〇	―	一、八五〇
積立金	一二、五〇〇	一二、五〇〇	―	―
縣債費	二一六、五四〇	一六九、三九五	四七、一四五	―
長野縣共濟會補助費	三、〇〇〇	三、〇〇〇	―	―
道路改良費本年度支出額	四八〇、〇〇〇	一〇〇、〇〇〇	三八〇、〇〇〇	―
勸業費本年度支出額	―	四一、二九五	―	四一、二九五
感化事業費	―	九、一三九	―	九、一三九
繰戻金	―	一一、八一三	―	一一、八一三
信濃海外協會補助費	―	三〇〇	―	三〇〇
繰入金	―	一六、二〇〇	―	一六、二〇〇
臨時部合計	四、〇三七、三九〇	四、一〇九、五三九	―	七二、一四九
歲出總計	九、八一九、八〇〇	九、八六三、一〇〇	―	四三、三〇〇

○福澤相談役の外遊

全國町村長會では、大谷仁兵衛氏の好意に依り、毎年五人を選拔して、歐米視察を爲さしむる事とし、其の第一回は、既に人選を終はり、左の五氏は明年早々出發すべく夫々準備を急いで居る。

神奈川縣　茅ヶ崎町長　新田信氏
宮城縣　石卷町長　平塚喜市郎氏
長野縣　赤穗村長　福澤泰江氏
三重縣　常磐村長　中村傳一郎氏
岡山縣　萬壽村長　古屋野橘衛氏

五人の中に福澤村長の加はつたのは、勿論當然の事で有るが、特に本縣の爲、將又當海外協會の爲、實に喜ぶべきで有る。

雜報

米國新大使着任

新駐日大使、バンクロフト氏は、着任の途上十月三十一日午後、桑港商業會議所及商業倶樂部主催の歡迎會に臨み、大要次の如き演說をされた。

「米國獨立以來過去百五十年來の對外關係を回顧するに最初の百年は、全然對歐關係に過ぎなかつたが、爾後對極東利害關係の增進に伴ひ、極東は米國の對外活動に漸次重きを加ふるに至り、今後國際政局、並に、經濟の中心地が太平洋に推移せんとする形勢に鑑み、將又、米國が國際政局、並に、其富强に於て支配的勢力を有する現狀に顧み、米國は、其對極東關係に於て、特に自重節制、以て大國の動もすれば陷り易き暴慢の振舞を愼み、寬宏と友誼とを以て國交の精神となすことを努めなければならない、予は、極東帝國に赴任の途上、極東と最も關係密接にして、且極東交通の門戶たる桑港の人士に告別をなすに方り、一入感深きを覺える」云々

尚、同夜、大使は、在留本邦人の歡迎會に臨み、右と略同樣の演說をされ翌十一月一日令弟及秘書を同伴、桑港發クリーヴランド號上の人となつた。

クリーヴランド號は、十七日朝無事橫濱に入港した。バンクルフト氏は、早朝より甲板上に出で、バラックの橫濱市街や、遠く雪に包まれたる、富士の秀峯を見遣つて居たが、やがて出迎の新聞記者團に、一々握手を交換した後「桑港出帆以來十六日の間、毎日非常に平穩の航海で、實に氣持が好かつた」と百年の知己にもの言ふ如く、言ひ知れぬ親しみを覺えさせながら、「予はシカゴの法曹界に身を置き、今回初めて外交官として、敬愛する憧れの日本に大使として今日誠意あり、美しき國の親しき諸君に迎へられた事を非常に光

榮とするもので有る、予は日本は初めてゞあるが、友人や知己の中に來た樣な感がする、米國の誠意と友情の表示の使命を全ふすべく、全力を盡す考へである、而して日米傳來の親善關係を、永遠に存續せん事を、切望するもので有る」と述べ、移民問題に就きては一言も語らず、十一時棧橋に上陸し直に省線電車で入京した。

大使の差當りの仕事は、去年震災で燒失した、靈南坂の米國大使館、並に橫濱の總領事館を新築する事で、米國政府は之が爲に多額の經費を支出し、日米親善の表象たるべき、大建築を爲すそうで有る。

新刊紹介

㊀南米の大農牧國アルゼンチン（附渡航案内）
大島喜一氏著　永井柳太郎氏序　定價金貳圓　送料十二錢
東京市外中澁谷六二〇植民社發行（振替東京二五三八六）

㊁大南米（月刊雜誌）
前田亮三郎氏主幹　ペリユー國リマ市ビリンダウルスト街三二一大南米社發行

編輯机上より

サンフランシスコ在留諸君の御盡力に依りて、同地に「北加信濃海外協會」が生まれ、當會と聯絡を保ちて、海外發展に關し、相互援助をなす事になつたのは、誠に喜ばしい事で有ります。

縣內會員諸君に御依賴申ます、外では有りません、會費の件です十二年度分の濟まない向も有る程で、尠からず當惑致して居ります、歲末も近づきつゝある際どうか御拂込下さい

海の外

定價
	內地	外國
一部	廿錢	廿仙
半ヶ年	一圓十錢	一弗十仙
一ヶ年	二圓廿錢	二弗廿仙

海外郵稅四錢

注意
▲御注文は凡て前金に申受く
▲廣告料は御照會次第詳細通知致します
▲御拂込は振替に依らるゝな最も便利さす

大正十三年十一月三十日

編輯人　永田稠
發行兼印刷人　藤森克
長野市南縣町
印刷所　信濃毎日新聞社
長野市長野縣廳內
發行所　海の外社
振替口座長野二一四〇番　信濃海外協會

大正十三年十一月三十日發行（毎月一回一日發行）
大正十一年三月廿六日第三種郵便物認可

定價金貳拾錢

信濃海外協會
海の外社發行

目次

北米合衆國見聞錄　其六

坂井辰三郎

一〇　北米國合衆國の農業概況

我が國農業振興を叫ぶものゝ曰く、農家の經營耕地の擴張、曰く大農具の利用による能率の增進、或は曰く耕地對農家の調節、曰く農家の租税負担の輕減、曰く何々等實に枚擧に遑あらずである。而して其の孰れも亦良策たるや何人も否む能はざるところであると思ふ。於此乎此れ等の諸點に關し北米の事情を査察するは一顧も二顧もする價値あるものと信ずる。

△　△　△

其一、耕地

今から六十余年前即ち西暦千八百六十二年、リンカーン大統領の時に、自作農扶殖の目的を以て、其の年の五月二十日大統領の裁可を得て、合衆國先買法United State Preemption Lawとして發布され、其の後千八百九十一年に至つて此の法律を廢し、更に前法を多少修正せる、合衆國家産法United State Homestead Law（宅田法とも云ふ）として公布された。此の法によれば、一家の戸主若くは貳十一歳に達せる米國市民たる者、又は歸化法によつて米國市民たらんことを言明したるものは、法律の規定によつて出願し、許可後六ケ月以内に區劃地に住み込み、そして三ケ年間其處に定住して開墾に從事した場合は、僅に五弗乃至十弗の登錄税を納付するだけて、壹百六十英加（一エーカーは四反二十四步）の土地の所有權を賦與せらるゝのである。或は又僅かな植樹により貳ケ年それを培養すれば、期限前と雖も、一英加につき一弗貳十五仙乃至五十弗を支拂ふて、先買法の規定によつて其の土地の所有權を與へられる。

殆んど無代に近い代價で、一戸當り百六十英加と云ふ大面積の國有地を附與せらるゝので、實に世界に名高い土地處分政策である。該法によつて今から六年程前（一九一八年六月末）までに何れ位な土地が處分されたのかと云ふに實に、一億七千八百万英加即ち我が七千一百万町歩で我が田畑總面積六百万町歩に比すれば、實に其の十二倍弱に比敵する巨大な面積に上つてゐる。其の後も種々國有地處分に關する法律が出て、大家産法 Enlarged Homestead Law では三百貳十英加（百三十町歩余）、牧畜家産法 Stok-raiiring Homestead Law にては六百四十英加（貳百六十町歩余）と云ふ廣大なる國有地を移住者に分與したのである

從て現に合衆國の一個の農場平均が百二十八英加即ち五十六町歩余にして、彼の家産法によつて分割されたる百六十英加即ち六十五町歩余に近い面積である。而して此の國では八町歩から貳百町歩までの農塲數が總數の八割四分の多きを占めてゐる。之れを我が國農家一戸當り平均耕地一町一反歩弱、そして貳町歩未滿の小耕地を耕作する農家數が、其の總數の八割九分（大正十年度統計）を占めてゐるものと比べれば實に雲泥の差で殆んど比較にならない。米國人が我が國の農業を目して Gardening（庭園業）であると評するも無理ならぬところである。

六十馬力のトラクターと攪土機

△　△　△

其二、農　具

或學者が、吾人の手足の延長せるものは道具であつて畜力或は瓦斯電氣其の他の動力によるものは機械であると云はれたやうに記憶してゐる。斯る定義の當否は暫く措き、此の解釋によれば、我が國の農業は全く道具時代であるが、合衆國の農業は機械全盛の時代であると云つてよろしい。――工業界に比せば台衆國でも農業に機械力を應用する程度は、仕事の性質上遜色あるは云ふまでもない。――次に其の二、三の農具の功程に就いて述べる。

「トラクター」Tractor には任意の牽引力を有するものがあるが、大農の使用するものは通常六十馬力（代價約五千乃至六千弗）のものにして、該機は八噸積の附隨車 Trailer に農産物を滿載せるものを四車圃地より引き出す。又此の「トラクター」に五鐺の洋犂を附けて、耕土を、十二乃至十四インチ（一尺余）の深さに、人夫一人乃至貳人で一日十時間就働すれば、通常十英加乃至十二英加（四町歩乃至四町九反歩）を耕起し得る。今之れ等の農具資本の利子及び農具の修繕費と償却金を見積らずして、單に右の耕起に要した、人夫貳人賃金拾弗大農具使用人夫賃は一般農業勞働者より高く、通常十時間五弗位）と之れに要した「ガソリン」四十ガロン代金六弗と、油一ガロン半の代金一弗五十仙で合計十七弗五十仙となる。之れを邦貨に換算すれば一反歩打起しの費用が僅に金七十五錢位に當るのみである。

攪土器（カルヴエーター）(Cultuvator) 代價百五十弗乃至貳百弗であるが、鐺には三種あつて其の目的に應じて任意取換へることが出來る。即ち「ナイフ」狀のものは表土を削りて除草をなし、家鴨の足形 (Duck Feet) のものは淺耕にして除草を兼ねる (Chisel) と稱する「タガネ」形にして先端尖れるものは深耕用である。此の「カルヴエーター」に耕馬二頭をかけて、人夫壹人にて十時間に十二乃至十五英加（四町九反乃至六町歩余）を耕耘し得る。

馬鍬（ハーロー）(Harrow) は耕土の性質或は碎土の目的によつて、各種各樣で此處に列擧するの繁に堪へないが、今其の二、三の功程を述べる。

圓板耕耡（スクハーロー）(Disc Harrow) とは數個の圓板が縱列せるもので、ハフィートの幅を有するものが一台約百五十弗である。此の後方に平板鎭壓器を附けたるものを、十二馬力の「トラクター」（千貳百弗位）で牽けば人夫一人で一日十時間で、六英加（約貳町五反弱）の作業をなし得る。而してこれに要する「ガソリン」が十ガロンで其の代

金が一弗五十仙位である。

彈機耙（スプリングハーロー）(Spring Harrow) には馬鍬の齒が彈性あるものにして、一組の價格が十二弗乃至十五弗である。これを三組連結して耕馬六頭を以て作業せしむれば十時間に貳十英加（八町歩餘）内外の功程である。

其他「スムース、ハーロー」「ツウース、ハーロー」等耕馬二乃至四頭立にて一日に十英加以上の作業をなし得るのである。

播種機……にも條播、撒播、點播等の別あるは勿論、各種作物特定のものがあつて頗る便利である。麥類の條播機は價格一台百五十弗前後であるが、十時間の功程は十英加（四町歩余）である。又大豆及砂糖大根播種機は百弗乃至百貳十弗の買入費を要するが、耕馬二頭人夫一人にて、十時間に十二乃至十三英加の面積に播下することが出來る。

十二馬力のトラクターとディスクハーロー及び鎭壓板

收穫調製機……これ亦作物の種類によつて各態各樣で、其のものに應じて好適のものを選定し得る便宜がある。玆には專ら禾穀用のものに就て例示する。

結束刈取機 (Binder) 普通のものは一台貳百弗前後である、この機は稲麥等を刈り倒すと同時に、機体の一側に適當に束ねて投げ出す裝置である。數頭の馬で十時間に十五乃至十八英加の面積の禾穀を苅り取るのである。

脱穀機 (Thresher) は右の如き苅束より穀粒を打落す裝置にして、通常動力附で一台五千弗位であると云ふ。先に圃上に刈束として放置しあるものを、人夫八人位で取り集め荷車にて持ち來り、此の脱穀機に四、五人就働して、小麥ならば十時間に千五百ブッシエル（一ブッシエルは約貳斗）内外を脱穀し得る而して脱穀請負業者に渡せば、燕麥穀は一ブッシエルに就て五仙、小麥一ブ

ッシエル六仙位で脱穀を爲す。最近は刈取りと脱穀を同時に行ひ得る、刈取兼脱穀機を用ふるものの多きに至つた。

此の刈取兼脱穀機の齒列九フィート位な小形（價格約千八百弗位）なものでも、これに耕馬八頭立か又は二十五馬力の「トラクター」を以て、人夫參人從事すれば、中出來の小麥畑（一英加につき百斤入三十五袋の收穫ある出來ばえ）ならば、十時間に百斤入の小麥四百袋位刈取り、脱穀調製し終ることが出來る。若し一台五千弗位な大きな機械になれば、其の功程は約二倍である。

右の次第で玉蜀黍、馬鈴薯、砂糖大根など各々特定の播種收穫機があり、牧草の播下苅取集蒐等これ亦適切なる機具を以て、大いに勞働能率の増進を計つてゐる狀態は、實に本邦人の夢想だに遠く及ばない勢である。

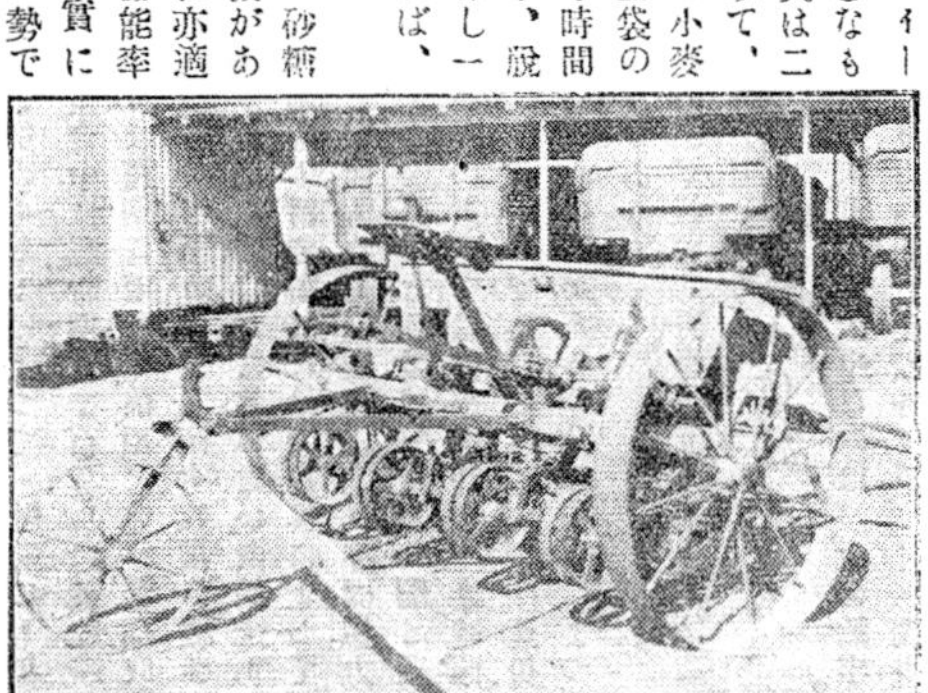
豆扁及び砂糖へ根播種機

△　△　△

其三、普通作の梗概

地方によつて輪栽式を異にするが、大体大小麥、燕麥玉蜀黍或は馬鈴薯の輪栽をなし、禾穀類は圃地を耕起整地後所定の穀粒を播下す。概ね無肥料を原則とすれども稀れに厩肥を施すものもある。麥類は播種後除草耕耡の手入等は全く行はない。唯收穫期に至つて之れを取り入るゝのみである。幾多の輪作後地力消耗して收量を減ずるによれば、「クローバー」類若くは「アルファルファ」の如き荳科の牧草を栽培して地力の回復を圖る。

又加州の米作の如きは、豫定耕地の一部の小高き所に灌漑水を導き之れより全圃に順次灌水する置裝である。此の灌水口を中心として其の四周を耡き起し、細碎せる後種子を播種器で撒播又は點播する。普通に何等の肥料をも施さゞるを常とする。斯く

して播種を終り次第水を堪へる必要上、かねて測量せる目標に從つて、「トラクター」の後方に二枚の板を稍ゝ斜に八の字形に組み合せた器具を附隨せしめて牽き進み、これが進行と共に表土を搔き集めて畦畔を爲さしむる。依て播下せる種子は土と共に搔き集めらるゝによつて、畦畔にも稻は發芽するに至るのである。畦畔出來次第水上より順次灌水に及ぶ。稻の生育中は或時期まで百英加に就て一人位の水番を附けるのみで除草などの手入は一回も爲さぬのである。而して收穫期に至れば前項に述べた刈取機によつて、晝夜兼行の勢で幾台も幾台も一時に出動して、全圃上に向つて畦畔を乘り越えながら收穫に從ふのである。我が集約な米麥作から見れば實に粗放なもので、多少の刈殘りや落穗などは敢て省みない次第である。

以上述べた如く、米麥作に於て、圃地の耕起粉碎には大農具によつて比較的深く、且つ整理なども懇であるが、其の後の管理手入等の勞力を省き、而も收穫調製には之れ亦機械力を應用し、且つ大農地の經營なれば、彼の國では過去五六十年前には、玉蜀黍を貳斗生產するに四時間と三十五分の勞力を要したるものが、最近では僅に四十一分に減縮し、更に小麥にあつては從來貳斗の生產時間が參時間であつたものが、最近は僅々十分間の平均勞力に進んでゐる。これを我が米麥作に於て貳斗の生產勞力時間十五乃至貳十時間の多くを要するものと對比せば、全く魔術でもあるかの觀がある。此の一事によつても彼の勞働能率が如何に增進してゐるかは、實に察するに余りあるところである

△　△　△

其四、土地の公課及び賣價並に小作料

我が國、中小農に於ける公課負担額の荷重の不公平なるは、次の數字によつて知ることが出來る。

一、岐阜縣外七縣にて田畑宅他一町歩以內所有農家各一戸に付き調査せるものによれば

反當り公課負担は、金拾三圓六十三錢四厘

一、右八縣の外、更に三重縣の外五縣を加へて、田畑宅地一町歩以上二町歩以內を所有する農家各一戸に付いての調査によれば

反當り公課負担は、金十圓十一錢九厘

一、福島外四縣にて、二町以上三町歩以內は

反當り公課負担金七圓九十三錢

一、新潟外貳縣にて、五町歩以上七町歩以內は

反當り公課負担金五圓七十一錢三厘

又特に農業者に荷重なることは、福島縣農會調査農工商納稅比較表によれば明瞭であるが、唯玆には收益に對する負担率の比較數字のみを引用しておく。

農業者……一〇〇

商業者……四五

工業者……三一

而して合衆國の土地課稅率と、我が國のものとを比較すれば、歲入一万に對し

日本……四六七　北米合衆國……三

何んと其の差の巨大なるか、實に驚嘆の外なし。

次に予が合衆國「オレゴン」州「ミルウオーキ」の一農家に就いて調査せるものを揭げて參考に供へる。耕地十五英加(六町一反步余)にして、其の內六英加半は自作、殘りの八英加半は小作にして、小作料金四百貳十五弗を支拂ふこの他に宅地二反余ありて玆に大なる溫室二棟と幾多の農舍住宅とを構へてゐる。從業者(卸販賣までもかぬ)家族八人と臨時雇四人を以て、「セルリー」と「チシャ」栽培の專業である。

一ケ年の收得金額は

一、金八百八十弗　溫室苗類賣上代金

一、金一千五百五十弗　チシャの賣上代金

一、金貳万四千三百七十五弗　セルリー賣上代金

計金貳万六千八百〇五弗

右の農家にして一ケ年の總公課額は、僅かに金百十八弗と云ふ少額である。

△　△　△

由來我が國は領土に比し人口の多きこと、殆んど他に其の比を見ざるの密度を有つてゐることは何人も知るところである。之れを我が殖民地を除いた領土(一四七、六五五方哩)と略其面積を等しうする、米國「カリフオルニヤ」(一五八、二九七方哩)一州と比較すれば、彼れは一平方哩の人口一五人三分なるに、我れは三五六人の多數を包容してゐる。從て「カリフオルニア」州は耕地十町步に就て人口六人〇八なるに對し我が國では耕地十町步で九十一人の多くを養はなければならない破目となつてゐる。又千九百二十一年の統計の示すところによれば、我が邦は耕地百ヘクタールに付き人口が七九五人六分。人口一人當りの耕地一反二五なるに比し、合衆國は耕地百ヘクタールに對し、僅に八八人九分、人口一人に對しての耕耙は九反七七の割合である。而も我が國は年々六、七十万の人口を增殖しつゝある。果してマルサスの人口論が適確に當てはまるものとすれば、先づ第一に我が國は此の苦き經驗に遭遇しなければならない。

そこで土地から得た收益を元金に還元して成り立つ土地價格即ち土地の收益價格によつて實際の賣買價格が決定されてゐるかと云ふにこは全く然らずして其の實は收益價格よりは遙に高價に賣買さるゝが常であつて、先に述べたやうな事情の下に需給の關係や因習などによつて。土地は經濟要素の域を脫し殆んど骨董品の取扱ひを受くるに至つてゐる。而も其の趨勢は年と共に著しくある。今勸業銀行が調査した土地の賣買價格に依つて見ても、其の然る所以を了得される。

(年　次)	(田一反當り)	(同上指數)	(畑一反當り)	(同上指數)
大正二年	三〇七圓	一〇〇	一六〇	一〇〇
三　年	二八〇	九一	一四五	八八

四　年	二五七	八四	一三八	八四
五　年	二七二	八九	一五一	九二
六　年	三二八	一〇七	一八九	一一五
七　年	四四一	一四四	二五一	一五二
八　年	七〇六	二三〇	四一八	二五三
九　年	五九四	一九三	三二九	一九九
十　年	五九四	一九三	三四七	二一〇
十一年	六二〇	二〇二	三六四	二二一

即ち十ケ年間に田が十割三分、畑は十二割一分余も騰つてゐる。平均すると二倍以上の價格である。而も平均して田が一反步六百貳十圓、畑が三百六十四圓にして、地方的に收益の多き土地は其の土地に應じて、賣買價格は嵩まるを常則とするが故に、進んで自作農たらんとするも實に容易なことでなく、縱令自作地を需めても土地の利廻りは極めて低く、彌か上にも益ゝ農業をして不利なるものに陷し入るゝ譯である。延いては小作料にまで及ぼして、我が邦の平均小作料は收穫高の五割六分六厘の高きを示してゐる。

次に予が北米各地で取調べた。土地の賣買及び小作料の一部を摘記して參考に供する。但し比較の爲め一エーカーは我が四反步とし、一弗は我が貳圓に換算して示す。

〇「オレゴン」州

	一反步賣買	一反步小作料
「ミルウオーキ」	五〇圓乃至七五圓	二圓五〇錢乃至二五圓

この二十五圓と云ふ小作料は「セルリー」の耕作地にして部分的の特殊耕地である。

「ビーバートン」	五〇圓―七五圓	五圓
「グレツシヤム」	二五〇圓	一二圓五〇錢―一五圓
「クラカマス」	五〇圓―一〇〇圓	六圓十錢余

「コーバリス」(ホップ耕地)、一〇圓―一七圓五〇錢　――

この「ホップ」耕地には「ホップ」の栽植と木杭及鐵條の張りあるもので、一反歩の賣買は百五十圓位である。

○「シカゴ」市附近

市外の耕地　一五〇圓　――

市に遠き耕地　四〇圓　――

○「ニューヨーク」市より四十哩の田舍、「ロングアイランド」　二圓―二五〇圓　一圓―一五圓

○「カリフォルニア」州

「リバーサイド」(オレンヂ耕地)　一五〇圓―貳五〇圓　一五圓―二二圓五〇錢

「コルサ」(米作地)　二五圓―四〇圓　二圓五〇錢―五圓

○「サウスダコタ」州

「マイナット」　一五圓―二五圓　一圓―二圓

此の州と、「カナダ」に近接する「モンタナ」州では、今でも歸化權を有する移住民には、一戸當り百貳十英加の土地を無償で分與して居る。又予が「ミシガン、セントラル」線によつて「ナイヤガラ」に行くべく「デトロイト」市の停車場に行つた際に目についたのは、同驛の一部に地方の農産物を紹介すべく陳列しあつた其の一角に、「ミシガン」州の東北部の産物及び農況を詳しく幻燈寫眞にて紹介し、且つ小冊子を自由に持ち去り得るやうになつてゐた。此の小冊子によれば「ミシガン」の東北部に來り住せんとする者には、五ヶ年間公租を免ずる旨が書いてある。其處に備へられたカードに住所を記し、取付ある箱の内に名刺を入れたものには、該地方の狀況の印刷物を一ヶ年間無料で郵送し呉るる旨の掲示があつたから、試みに在米知人の住所を記載して投函しておいた。然る處其の後數回小冊子を送り越し、知人から更に予の許に轉送を受けた。此れ等の冊子によれば該地方では、四反步僅に拾圓で土地を所有し得る。而して斯る低廉な土地で之れこれの農産品を、これ程の收量を舉げ得る。而も文化機關としては斯る施設があると云ふ意味の記事が多く、專ら該地方に移住農民の吸引策としての宣傳であつた。

○「テキサス」州の米作地方では、一種の分益農法が行はれ、地主は耕地に灌水の設備を整へ、耕作者には住宅、農舍及び種子までも提供する。一方の請負耕作者は專ら勞力を提供するのみにして、收獲物は兩者で折半して分配している。

△　△　△

其五、日米營農方針の相違

上述せる如く、我が邦は耕地至つて狹隘を告げ、耕作者も亦比較的多數なるを以て、一定面積上より、より多くのものを生産せんと傾くは勢の然らしむるところである。從て主力をこゝに効し、多額の金肥を施し、究に至れり盡せりの採算以上の勞力を投ずる爲めに、最少の勞費を以て最多の收獲をあげんとする所謂經濟主義に反し、往々にして骨折損の疲れ儲けを招來せざるを得ぬこともある。啻に一反步當りの粗生産量を增すのみを以て。直に農家個々の純收益を進むべきにあらざるは、敢て贅言を俟つまでもない。此の點は常に企業家の腐心考究怠りなきところである。而も農業は報酬漸減の鐵則に支配せらるゝあり、然るに我が邦農業は四圍の狀況上、或は知らずして或は之れと識りつゝも、斯る反經濟主義の弊に浸りつゝあるは一般の傾向である。

此の面積に對する收量上から見れば、我が國産業は世界各國に比して、決して遜色がない。殊に合衆國のそれと比較すれば、我は遙に彼れの優位にある。彼の國の統計の示すところによれば、一英加收量次にに示すが如くである。

	小麥	籾	大麥
日本	二二、八ブッシエル	六六ブ	五〇ブ
合衆國	一四乃至一五ブッシエル	四〇ブ	二五ブ

又燕麥、馬鈴薯、玉蜀黍其の他我が邦と共通せる作物の生育狀況を見ても、我が作物が彼れに比し秀れた作柄を示してゐる点は、何人も等しく承認し得る事實である。

これ畢竟北米合衆國は有り余る廣大なる土地を控へ、地價も安く、從て大農組織によるを得るの事情の下にあるにもよるならんが、彼等の農業經營の根本方針が我が國に於けるが如く、徒らに面積に對する相對的收量の多寡に基準をおかず彼にありては、人一人に對して幾何量の生産をなし得るかに着眼する。即ち個々人の生産能率如何が彼等の經營方針である。依て耕地面積に對する比較收量は縱令少くとも、一人の人で、より多くの大面積より絕對多量のものを生産し得ればよいのである。從て大農具を介して勞働能率を進むる一方播種より收獲時に至る期間の勞力を省き、且又蔬菜果樹以外のものは、一般に施肥せざるを原則とし、地力衰ふれば或は荳科の牧草を播き、或時には土地を休閑せしめて其の回復を圖り、依て以て努めて勞力及び資本の投下を節し、生産費の低減を期するのである。乃ち昨年の小麥貳斗の生産費が邦貨に換算して、貳圓乃至貳圓五十錢籾が小作者で一石拾貳圓乃至拾五圓である。

△　△　△

其六、

我が邦一部の農村振興論者の唱導するが如く、其の耕地を廣く且つ容易に得られ、農家の公負担を經減し農具の利用を織にんなし、且つ其の生産費を節するが如きことのみによつて、果して農業が有利に成立し得るものとせば、合衆國の農業は頗る有利なるべき筈である。彼の國産上天惠に浴する國であつても、農産物は國産第一位を占め、全國民を養ふて猶多くの余りあるにも拘らず、個々の農家は年一年と經濟的悲境に陷り、最近農家の倒産するもの相次で起り、田舍は社會的惠澤に浴すること少なく、所謂 Social Huwlies(社會的饑餓)に堪えずして、農民の離村向都熱は頗る熾んであり、延いては政府が巨額なる補助金を交附して之れが振興を期しつゝある中等農業教育は不振の狀態にある。爲めに具眼者は農家の匡救農業の振興を叫び或は「土に歸へれ」「田舍に歸へれ」と云ふやうな宣傳に努めてゐる。又當業者は政治に或は社會的に之れが對策に熱狂し、幾多の農民運動として出現してゐる。今や合衆國は田舍の發展、農業の振興に就いて、朝野を舉げての一大國家社會問題を惹き起してゐる。既述の如く有利な條件の下に於ても猶且斯る狀況を呈してゐる。

抑もこれが深因何處に存すべきや、之れを彼れに見、我に考へて其の素因を探り、彼れの唱ふる對策如何を究め、且つ之れを具体化せんとする彼等の農民運動を知るは、最も興味多く而も喫緊の要事なりと信ずるが故に、次號以下に於て更に農家の窮狀を詳述し、併せて彼等の採る對策を紹介し、尙ほ愚見を附け加へんと思ふ。

海外事情

蒙古及西比利事情一端

外務省海外時報所載

本項は、滿州里の某露國商人が、去る九月上旬より約一箇月半の間、商用にて、露領ザバイカル各地、及、蒙古庫倫を旅行した際の見聞談である。同人は、同地に於いて相當の有力者であり、又、ザバイカル方面にも知人を有つて居るから、其觀察も、多少、他と異なる處がある如く見えるので、參考の爲めに採錄した。

庫倫の狀況　外蒙古一般、並、庫倫市の出入とも、八月末の政變以來、再び嚴重となり、旅劵及出入許可證の携帶なきものは入市せしめない。

政變は、昨年十二月の騷擾と連絡を有し、八月下旬、庫倫に於て、開催せる國民黨大會に於て、同會長たる國民軍總司令ダンジンの右黨に屬する一派が、支那商人と結托して私利を圖り、且、反對黨を壓迫せんとした密謀發覺し、大會の決議に基き、八月二十六日同人及其一派を拘引し、首謀者を銃殺し、又、其前、靑年黨が、其幹部及右黨を拘引した由である。右は、表面の理由で、同氏等は、陰に舊王公等と結び、現制度を顚覆せんとせるもので、中央黨及左黨並に靑年黨が、露國人側の指示に依り、之を防止せんとし、政變勃發の前日拘引を敢行したものゝ如くである。

庫倫諸官廳には、露人及ブリヤートが、「顧問」又はミサールとして實權を握り居り、露國軍隊は約二百人あり、露國代表の護身、領事館の護衛として、警察及警備事務に當り、領事館内の舊兵營に駐屯して居る。

蒙古軍の敎官たるカルムイク人は、各地に居るけれども、下士位の役目を爲すに止まり、幹部は悉く露人である。

商業は、各人共に自由で、租税は、唯輸入の際、從價六分を課すのみである。商況亦良好にして、滿州里、チタ等の不況なるに比し、非常の相違である。露國との貿易盛にして、羊毛其他の原料品を輸出し、露國より、穀紛酒精を輸入する。

露國側の大取引に當つて居るのは、**ツエントロサユーズ**、**プネシユトルプ**等の**コオベラチヤ**、及、官營機關で、個人は酒精の輸入を營むもの多い。蒙古**コオベラチヤ**、亦盛に活動し、**トロイツコサフスク**に代理店を置き、自用自動車にて貨物を運搬して居る。昨冬降雪多く家畜の斃死するもの多かつたので、今年は家畜の取引、比較的不振である。

農業も、庫倫の北方百五十露里を距る地點より國境に至る庫倫街道に沿ひ、支那人農民が、**セレンガ**河各支流を利用し灌漑を便にし、**ライ**麥、小麥等の穀物を産出し、之を製粉し、庫倫市場に出だし、頗る有利で、將來益々發達すべき模樣である。

庫倫より露領に至る道路は良好ならざるも、馬車の交通多く、自働車も各大機關の所有に係るものが、貨客の運送に從事して居る。鐵道建設に付ては何等噂が無い。

近來、市内風俗惡化し、飲酒盛に行はれ、料理店の如き到處に有り、孰れも繁昌して居る。一方、官憲の密偵政策殆んど徹底し、恐怖政治が行はれて居る有樣である。

人民の喇嘛敎に對する信仰は毫も衰へず、活佛の死亡に就ては殆んど無關心で、多數者は、外國に新に活佛生れたから、數年中には、再び此地に來るべしと稱して居る。

ザバイカル地方各市の狀況 **チタ**、**ウエルフネウジンスク**、**トロイツコサフスク**、及、恰克圖等の各市を視察したが、一般に商業不振にして、物價、特に、衣類の高價なること驚く許りで、個人の商業は全然不可能である。**ウエルフネウジンスク**、**トロイツコサフスク**、恰克圖等は、蒙古街道に當り、從來仲々富裕であつたが、現今殆んど死滅に近く、**ウエルフネウジンスク**は、街上稀に小兒を見るのみで、相當の服裝をなすもの全く無き有樣、且、街路は危險なしに通行すること能はず、家屋は、公用となれる大家屋數戸は修繕

せるも他は頽廢に委して顧みられない。之と反對に蒙古境内に在る賣買城は、活氣あり、建築中の家屋も多數で、全く異常の光景を呈し、露領の商業を吸收しつゝある。**チタ**は、從來極東露領の首府たりし關係もあり、亦、交通上、滿州と密接の關係ありて、外見上、前記諸市に優ること萬々なるも、服裝の相違なるものは悉く猶太人で、孰れも滿州に往復し、滿州で之を調達し得るものに限られて居る。

人民の生活に關しては、共産黨員は、他に比し、求職上有利の位置に在るけれども、新入の黨員(**レニン**の檄に依るもの)、は未だ差別的待遇を受けて居る。官吏の如きも、俸給過少で、先づ第一に、如何にして今明日の**パン**と衣服とを得るやの配慮に苦しめられ、平然として公務に從事する能はず、從て能率の揚る道理がない、此旅行は、少くとも共産政治の幻滅を味ひたると共に、露國の復興の前途遼遠なるを思ひ、滿州里に於ける生活並に蒙古貿易の遙に優れるを體得した云々。

(註) 庫倫は、舊稱外蒙古の首府である。歐人、は之をUrgaと呼んで居る。舊來の内外蒙古の中、内蒙古は、現今、完全に、中華民國の版圖に入つて、綏遠、察哈爾、熱河の三特別區域に分かれ、行政的には、「省」に準じて取扱はれることになつて居る。

外蒙古は、支那本部と隔絶せる位置に在り、民族は[illegible]族に民し、哲布尊丹呼圖克圖(チエプツンダムバ・ホトクト、即、活佛が)。蒙人歸依の中心となつて、强固なる一團體となつて居たが、一九一一年、支那の第一革命の混亂に乘じ、活佛を君主に推戴し、共戴と改元し獨立を宣言した。

一九一五年、露支蒙三國代表の恰克圖(キヤクタ)會議の結果外蒙古は、完全な自治區域となり、支那とは、只、領土上の一部分たる關係あるに止まることを承認せられ自治政府を樹てた

一九一九年、北京政府は、徐樹錚氏を西北籌邊使に任じ、次で、外蒙古の自治權は取消されたが、一九二〇年の冬、露國反革命の敗將ウンゲル將軍は、庫倫に侵入して支那軍隊を驅逐し、活佛を利用して君主の名義を回復せしめ、將軍は裏面に在つて主權を操縱し恰も外蒙古皇帝たるの觀があつた。

一方、故ウイルソン大統領の民族自決主義に刺戟せられた蒙古民族が獨立を希望する情勢を利用した、露國反過激派のセメヨノフ氏は達烏里地方に於いて、一部の民族代表者を會して蒙古全體の中央政府を組織せしめたが、此政府は間も無く倒れ、同時に、前途の如く、外蒙古自治政府も、亦取消されたが、次で、外蒙古及布里雅特の青年志士は、相結んで一體となり、恰克圖に於いて「國民黨」を組織し蒙古軍隊を募集し、一九二一年春、恰克圖を攻略して、蒙古國民臨時政府を建設し、以て、前記庫倫なるウンゲルの專制政府と相對峙して居たが、一九二一年夏に至り、露國赤衛軍と協力して、庫倫を占領し、遂にウンゲル派を剿滅し、同年、正式に蒙古國民政府を組織し、活佛を君主としたが、權力を極端に縮少し、唯だ、各階級の蒙古人の心情を收攬する方便として虛器を擁するに過ぎなくし、而

して、勞農露國に倣つた委員制の行政制度に由る政府を樹立して今日に及んで居る。

一九二一年十一月五日には、露國との間に「修好取極」を締結し、相互に最惠國の待遇を交換することになり、隨つて、目下は本文に見る如く、庫倫では、露人が、殆んど凡ての官廳の實權を握つて居る程、蒙古に對する露國の影響は深大となつたのである。

哲布尊丹巴は、先頃卒去した。併し、土人が喇嘛敎及其敎主に對する尊敬隨喜は少しも劣へず、そして、活佛の再來を希望して居るのである。

「ザ・バイカル」とは、「後又は背バイカル」湖以東の一地方を歐露から見た名稱である。普通に「トランス、バイカル」と呼ばれて居るのが是である。

「コオペラチヤ」といふのは、露國に於いて、(並に、露國の制度を模倣する蒙古に於いて)官民合同資本の商業機關又は産業組合である。

比律賓の果物

ダバオ　小池釣夫

近頃は日本内地でも、果物の營養上の價値を、重要視する樣になり、從て其の栽培が、有利なる事業となつた樣で有る、自然の恩惠薄き内地では、生産にも貯藏にも多大の努力が必要で、其所に高き値が生まれるだらうが、天惠の豐富なる、此所南洋に於ては、年が年中優良にして新鮮なる、各種の果物が、採るに委せて得られるから價格といふものは殆んど無いと言つてもよい位だ。今手當次第に喰べられるもの數種を擧げて見ると

一、バナナ

比律賓で果物の最も大切なるものはバナ、であつて其の種類が十數種ある。大きなものになると一總が十貫目位もあつて、一家族で一週間位かゝつて中々食ひ盡せぬ位である。始めて殖えてから十ケ月位過ぎると味噌樽位の大きさで高さ一丈位の幹の中から軸がのび出して其の先きに眞紅な雄大な花がぶら下つて咲く、それから六十日位で熟し始めるのだ。熟し始めると其の大きな幹を根本から切り倒して、總だけ家へ持ち歸り釣るして置くと元の方から順々に黄色く熟するのだ。

そのバナ、の味と云ひ薫りと云ひ東京邊の青物屋の店頭で晒らされて黑色を帶びたものなどゝ同日の論に非らざるは勿論である。

一株のバナ、から一ケ年三總四總位とれるからして五十株も殖えて置くと一年中食べて居られる。一總五十錢位である。

二、パパヤス

名だけでも愉快そうなうまそうな果物である。植えてから約六ヶ月で實が生り始めて三年位で倒れる。大きな物は一貫目位もあつて一個十錢で買へる。熟した

ものは水分が多く肉は柔かで甘く一種の風味があつて何んとも云はれぬ甘さである。ことに一日中暑い所で働いて來て食ふバ、ヤスの味は又一入である。熟する一寸前のものを取つて來て味噌汁で煮てもよし又壇で漬けても良い、齒あたりと云ひ風味と云ひ澤庵漬以上である。

三、パインアツプル

日本では「あなゝす」とか松林檎とか云ふて、小笠原島で産し果物中の王であると云はれて居るが比律賓にはいくらでもある。どこにでも植ゑて置けば手入などしなくても一人でずん〳〵大きくなつて實を結ぶ、主として四月より七月頃迄に熟し一ケ二拾錢位である。十坪も作つて置くと一軒で喰べるには充分である。

四、ドリヤン

小供の頭位の大きさで一ケ三十錢位する、其の匂ひの强烈なる事は素晴らしいもので一つ買つて來て台所の隅あたりへ隱して置き後で一人うまい目に遇はふなどゝ思つてもそれは不可能で直ぐに人に嗅ぎ出されてしまう。其の又匂ひが一寸人糞の薫りそつくりと來て居るから始めて嗅がせられた人は逃げて行くと云ふ妙なものだけれど一度眞に其の味を覺えて仕まうと喰い度くて〳〵たまらない。「それッドリヤン賣りだ！」と聞いたらば何を措いてゞも走り出して行き財布が空になるまで買はねば堪能しないと云ふ人も多い。ドリヤンは誠に南洋の珍果である。

植えてから四十年位で生り始め一本の木で四五十圓より百圓位の年收がある。實が熟すると高い木の枝から落ちる。落ちたので無くては味もよくないし又香りも少ない。落ち始めると土人等は木の傍に小屋を造り夜晝不寢の番である。

五、マンゴ

小供の握り拳大のもので一ケ二三錢である、之も殖えてから四十年位で實が生り一本の木で四五十圓位の年收がある。熟した實は松の樣な高い芳香に程良い甘さ酸さで一度其の味を知ると生涯忘れる事は出來ぬものだ。

六、ナンカ

大きなものになると一人では中々持ち歩きの出來ぬ程の大きい丸い實である。普通大のものでも十人や二十人ではとても食ひ盡す事の出來るものでは無い。之れが比律賓で産する最大の果物だらうと思ふ。

香も良いし齒ざはりも良いが一寸大味で他の果物に比して味は一寸劣る樣である。一ヶ五十錢より一圓五十錢位する。

七、オ パ ナ

羊頭大位で一ヶ五錢位である水分が非常に多く甘みは少いが酸味が强い、其の汁を絞つてアイスクリーム等へ入れると其の香りも味も又格別である。

八、ジ ヤ ボ ン

柑橘類に屬するもので小兒の頭位の物が五錢である。日本の夏密柑と同じ樣なものだが其の皮は非常に厚い

九、レ モ ン

やはり柑橘類の一種であつて其の皮部の香りは非常に高い、之れをエキスにしたものが日本でよく菓子製造に用ゐらるレモンである。レモンを絞つた水は酸味が强いからそれに冷水と砂糖とを加へて吞むと甘い。

十、ランシヨニシ

指頭大の實であつて山林中の野生の木になるのだ甘酸さが程よいので良く熟したものは一人で二斗位食ふ事が出來る年に二度位出るが此の實が出始めると土人は其の實を取つて來ては賣る事が毎日の仕事である。一斗三十錢位で半日もかゝれば一斗や二斗は樂に採れる

以上は極めてありふれたもので日本で云ふたらば柿とか梨とか李とか云ふた樣なものである。此の外に自分等の名も知らぬ珍らしいものがいくらでもある。單に果物と云ふ物のみを透して見たゞけでも如何に南洋が天惠に富んだ處であるかと云ふ事が想像出來ると思ふ。

咸鏡北道の大富源

朝鮮京城、麻生音波氏から、表題の如き印刷物が贈られた、內容は石炭石油木材等殆んど無盡藏なる、而も最近開通さるべき、豆滿江炭鑛鐵道に依りて、交通極めて便利なる、咸鏡北道を手始に、引ては露領沿海州、並に北滿一帶の開發を日本人の手に收むべく極論して居る、

手近の所に、有利なる事業を企てんとする者には、好個の參考資料で有る、其の一、二節を摘錄すると

咸 鏡 北 道

咸鏡北道は豆滿江のある所です、アー豆滿江名前からして好いでしよう、まめまんこうと云へば尙ほ面白いでせう、豆滿江を挾んで西比利亞と北滿州に境して居るのです。

咸鏡北道は朝鮮第一の高峰白頭山のある所です、白

頭山は國堺に雄姿を聳てて北滿州、沿海州、日本海を睥睨して居るのです。

咸鏡北道は物產の多い所です、六十億萬噸の石炭と、三億萬尺締の木材と、十萬町步の未墾地と無盡藏の海產物のある所です。

咸鏡北道は廣い所です、而かも自分の面積より幾百千倍の働き場所を有する所です。

咸鏡北道は人間の少い所です、人樣の來て働くを待つて居る所です。來れば歡迎する所です、將來の大なる希望を有する所です。物產の益々多くなる所です。

咸鏡北道は美人の多い所です、山陰北陸の美人地帶と神代の頃より交際したものでせう、是れ亦地理的觀念の床しきことでせう、若い人達が來て働く處です、働き甲斐のある所です、大に儲かる所です、魚の新しい所です、酒の旨い所です。

咸鏡北道は一府十一郡ありますが、此處の一郡は母國の數縣を合せたよりも大きいのがあります、名高い茂山郡がそれです、茂山郡は本道の頭蓋骨となりて、國境に聳へる有名なる白頭山を頂き、千古不伐の大森林を有するのです、此の頂上には一大湖水ありて、太古の時代に大火山であつたことを物語るのです、朝鮮第一の高い山です、此の頂上は滿洲と界をして西と東に水を流して河となり、西するものは鴨綠江となりて黃海に入り、東するものは曲り曲つて豆滿江となりて日本海に注ぎ、共に國境をなしてをるのです、夏の暑き日に此の山に登り、北の方滿州を眺め、東の方日本海を見渡せば、何とも云へない勇壯雄大な好い心持です、高山植物も澤山あります、お花畑も其の中腹に見事に咲いてをるのです、何と好い景色ではありませんか、秋の紅葉は又一入美しいのです。

大平原の大寶庫

人間は少くして土地は廣いのです、江の右岸である慶源（海岸より約六十哩）の大平原は殆ど全部が荒蕪地です、半島の脊髓をしてをる山脈の頭とする、甑山の中腹より江岸に至る迄で、肥えた草原です、甑山より出る慶源川の水を引けば、大面積の水田は立ち所に出來るのです、畑とすれば大豆や甜菜糖が出來るのです、此十里の一大平原は、殆んど陸軍の軍馬育生地となりてあれども馬は何處に居るか見當らぬのです、實に惜いことではありませんか。

皆さんよ、一度此の原頭に立つて、此地圖を披いて御覽なさい、一望千里の大平原は、天與の寶玉が人の

來りて拾ふに任せてあるのです、母國の狹い所で足尾銅山や神戶の造船所で、坑夫職工の油を舐る人達や、自分は働きもせず他人の作つた米を食ふて共產主義を唱ふる人達を、此廣大無邊なる大寶庫の自由の樂土に呼び寄せたいのです、一度此の地に來れば必ず吾人の宗旨になるでせうと思ふのです、ドーです、偉大なるかなでせう、此大富源を開くの利益と愉快は、職工の油を舐るか、爆彈抔を擲げて隱れて步き、我が祖國の精華も知らずに學者ぶるたれかれが苦勞するのも氣の毒です、早く吾人の宗旨に入れて、うんと儲けて、うんと人類の幸福を享るの道を敎へてやりたいのです、私は能く調べて居るのです、我が同胞が毎年六七十萬人づつ殖えるのが、其の行く所は此處が入口です、外にないのです此平原に入つて、うんと米を作りませう、うんと大豆を作りませう、東京の櫻の花や西京の都踊りはなくとも、吾人の行く所には、雄大な樂みがあるのです、寒い所には寒い樂みがあるのです、人間の智惠は天然を征服するの力があるのです、皆さんついておいでなさい、吾人の働き場所は此方面より外に廣い所はないのです、滿洲の男子と握手しませう、西比利亞の美人と結婚しませう。

阿吾地炭坑の價値

阿吾地炭坑は幾億萬噸の大量を埋藏する寶庫です、そして幾億萬圓の金銀を入れたる一大金庫です。阿吾地炭坑は、古乾原炭坑と合はすれば撫順炭坑より大きいのです、何と偉大ではありませんか。阿吾地炭坑より雄尙港までは、僅か二十七哩です、撫順炭坑より大連までは、遠く二百七十哩です、丁度こちらはあちらの一割で運賃は足りるのです。

阿吾地炭坑の採掘費は、母國の石炭採掘費の約二割にて足るのです、何と安いではありませんか。

阿吾地炭礦は豆滿江鐵道で雄尙港に出して、汽船にて世界各地に送るのです、此鐵道の沿線に競爭する同業者はないのです、獨り舞臺です。

阿吾地炭坑の坑木は、接續地に松眞山の大雜木林があり、又豆滿江の兩岸には、無盡藏の坑木があるのです。

阿吾地炭は共進會に出てをります、又淸光園の焚いて居る所を見て下さい。

阿吾地炭は黑烟なくして焔は長し、硫黃なくして火力は强し。

阿吾地の炭は黑烟がないから、市街地の烟突の掃除

せぬでも良いのです、焔が長いから工場のボイラー用にも適します、硫黃がないから臭ひ烟が出來ません、有毒な瓦斯が出來ないから市中の樹を枯しません、人間の健康を害しません、動物の害になりません、トンネルの多い所の汽車にも適します、火持が良いから火力が强いのです。

一、花が咲いたと障子を開けりや、黑い烟が飛んで來る。

一、煤と烟で濁つた町を、淸めたい子や無烟炭。

一、花の都の照る日も曇る、止めてをくれよ黑烟。

一、仇な姿に邪慳な烟、よけて風吹け藤の花。

阿吾地炭坑は周廻十里ある山間の盆地です、一大湖水の形をしてゐるが、此內に警察官駐在所が二ヶ所あります。

阿吾地炭坑は北隅梧鳳洞の山地一帶は奇巖屹立して奇勝を形造り、其の中腹一帶は數里に亘り大輪躑躅の赤紅桃白の花、他日の大公園となるを待つて居るのです、秋は紅葉の名所にして又松茸の產地です、冬は松眞山の虎狩をすれば最も雄壯なる遊山でせう。

南米諸國の對日好感

外務省海外時報所載

伯國日本移民歡迎

伯國リオ・デジヤネイロ市に於て、同國中央農會は十月九日每週定例評議員會開催を機とし、約一時間半に亘り、辯護士ネスル・トアスコリ氏の日本移民贊成意見を聽取したが、氏の演說終るや、會長リラ・スカワロ氏（ペラー州選出代議士で、下院財政委員の一名）は、農會を代表して演說者に謝意を表し、且、其演說の極めて有益であつたこと、及其意見には全然贊成であることを告げた後、尙伯國は廣大な國土開發の爲めに、多數の勞力を要るから、人種の如何を問はず、常に外國人の有效な共同を歡迎するものなるが故に、議會に於て重要な移民關係立法を爲すに當りては、特に此點に留意するを要すと述べ、暗に昨年のレイス移民法案には不贊成であるとの意見を吐露したが、諸新聞は當日の景況と、併て右會長宣言の要領を摘載した。

亞國對日感謝のデモンストレーシヨン

此程我國に飛來した亞爾然丁世界一週飛行機に對す

る我國官民の歡迎感謝のため、十月十六日**ブエノスアイレス**に於て、相當有力なる團體として知られた**アソシエシヨン・ナシヨナル**、及、内務省貯金局員等主催の下に、市民の**デモンストレーシヨン**が行はれた。約二百名の男女は、帝國公使館に到り、諸井公使に花環を呈し、代表者辯護士**ドクガレイ**氏は、科學の進歩は**ザンニ**少佐の世界飛行を爲さしめ、其日本訪問が著しく兩國間の親善を促進したるを喜ぶと云ひ、貯金局一參事官は、人種宗教の如何等に依り、日本人を排斥するが如きは、自由を尊ぶ亞國に於ては絶對に問題と爲らず、之を爲すは最大の罪惡であると說き、又、他は、亞國は世界何處の人たりとも來り移住するを歡迎する、蓋し、亞國は、人類の爲の亞米利加を標榜するからである、失業防止の爲、勞力の分配を行ひ、過剩人口を調節するは吾人の切望する所であると演說する者もあつて、皆日本國民が手を擴げて同胞**ザンニ**氏を歡迎せるを感謝する旨を述べ、日本萬歲を唱へる等、衷心の滿足を披攊して去つた。

人造絹絲業

世界人造絹絲の產額　今から二十年前、即一九〇四年には、世界人造絹絲の生產額は、百十七万貫といふ微々たるもので有たが、爾來急速の進歩をなし、十八年後の一九二二年には、丁度十八倍の二一二万貫といふ驚くべき數に達した、之れを日本蠶絹絲の產額に比べると、同年(大正十一年)全國產額の七倍、同信州系全產額の十一倍で、猶急激なる增加を續けて居る、

右の内各國の生產額を見ると勿論米國が第一で、三割二分七厘を占め、英國は一割九分、獨逸は一割六分次は、ベルギー、フランスといふ順序で有る。

又米國に於ける、人造絹絲の價格は、一ポンド(一二〇匁)貳圓五十錢乃至三圓五十錢で、蠶絹絲は同十二三圓で有るから、此の點で人造絹絲の需要は、日に月に增加しつゝ有る、一面には品質の改良に、非常に苦心して居るから、それが大成する曉には、我國天然絹絲に取りて、一大脅威となるで有らふ。

かゝる時期は蓋遠くはあるまい、現に英國に於ては、綿絲及毛絲との交織頓に勃興し、且莫大小の原料としての需要も增加し、逐年多額の人造絹絲を輸入し、機業界注目の的となつて來た。

露國革命騷乱中銃殺せられたる者の數

米國政府統計委員會の、公表に係る統計として、リガ新聞の轉載する處に依れば、露國に於て、レーニン革命當時より、一九二四年一月一日迄に、反革命防止委員會(チエカ)、即現國家政治廳(G・P・U)の爲めに銃殺せられたる者の總數は、一、七六六、三六八人で、其の職業別は次の如くで有る。

一、	智識階級	八二三、九〇〇
二、	農民	三七〇、九五五
三、	兵卒	二六〇、〇〇〇
四、	勞働者	一九二、三六〇
五、	警察官	五一、〇〇〇
六、	將校	五四、八六〇
七、	地主	一二、〇五〇
八、	僧侶	一、二四三

フランスの養蠶

（在里昂帝國領事館報告）

本年フランスの生繭收穫高は、一、一一一、〇一〇貫にして、前年に比すれば、二割五分五厘五毛の增收だといふ、之を長野縣の收穫に比すれば　約五分一といふものだ、又フランスの養蠶戶數は約七万五千戶だそうだから一戶平均は十五貫弱となる。

海外通信

故國を顧みて

松村榮治

一面には、伯國在留同胞の事情を、故國の關係者に周知せしめ一面には故國の現狀を、在伯同胞に報道すべき使命を帶びて歸朝されたる松村榮治君は　滯留四ヶ月、十分に使命の一半を果して再び渡伯された。

皈伯の當座は、繁忙と革命騷乱に妨げられて、遲れたと言つて最近に至り次の如き通信を寄せられた

海外協會の皆樣方

小生故國滯在中は、種々御厚情を蒙り難有う御座いました、御蔭樣で、短時日の滯在にも拘らず、六年振なる故國の現狀、而も驚異に價する、變化の數々を巨細に觀察する事の出來たのは、誠に好都合で御座いまし

た。

故國に居續けの皆樣には、左程御氣附にもなりますまいが、久し振で歸つて見た私には、其の世相の變化に驚かされざるを得ませんでした。

私の出身地は、大町より二三里も奥の田舍ですが、私共の在鄉當時は、未だ所謂世間の風は吹きませんでした、村人は皆淳朴で、太平の和樂に浴して居りました、何等の不平も不滿も無しに、大御代の難有さを謳歌して居りました。

それが今度歸つて見ますと、スツカリ變はつて居るでは有りませんか、丘も林も、田も畑も、舊態依然には相違無いが、此所に立脚し、之を取扱ふ村人には以前の和樂が有りません、逢ふ人每に不平不滿を並べます、不平不滿を聞いて見れば、成る程無理も無い樣に思はれます、小作は小作で困ると言ふ、地主は地主でやり切れないと言ふ、算盤を彈ひて見せての話ですから、無下に否定は出來ません、村を離れる青年を止める譯にも參りません。

村を離れてどうなるか、何處も同じとは、秋の夕暮ばかりでなく、四時を通じて、西は九州沖繩より、東松前に至る迄、生活難とか失業とかゞ漲り、溢れて居る樣です、農村問題、小作爭議、左傾だ赤化だ何の彼のと、今度歸つて始めて聞いた事ばかり、あきれ返つて物が言へない程でした。

皆樣には、勿論それ程のお感じは、御座いますまいが、此所ブラジルに、六七年も住んだ私共には隔世の觀さやらが、無くんば非ずで御座いました、私の土產話を聞いた、當地の同胞も、一樣に驚異の眼を見張りました。

斯くなり來れる原因は、勿論單一では無いでせう、又强ち日本ばかりでも御座いますまいが、私共の見る處では、人口の過剩が、最も根强い原因だらふと思ひます、過剩の分は僅かでも、脅威は全部が感じます、日本で取れる米だけでは不足だと言つて、政府當局始め、國民全体が、騷ぎますが、扨實際どれだけ不足するだらふと調べて見れば、僅か五六十万石のものでせう、餘ると言ふも、足りないと言ふも、畢竟僅かな處です。

して見れば、小數の海外移住も、一般に及ぼす影響は、誠に莫大なるものが有ります、況や幾分でも、故國へ送金をする事有りとすれば、故國の經濟を緩和するに、非常に有力では有りますまいか。

私共在伯同胞の狀態は、勿論未だ成功と言ふ事は出

來ません、信州よりの渡航者は、早くて漸く六七年ですから、無理も無い事ですが、故國のそれの如く、生活苦とか失業とかは、藥にし度くも有りません、手取り早いお話ですが、斯く申す私です、私は大正六年の春千二百圓の借金を脊負て、渡航した者ですが、在伯六ヶ年の間に、右の借金を皆濟し、二十五町步の土地代五百圓をも償却し、奇麗に出來た開墾地も七八町步、珈琲も若干植付ました、此の春歸朝の旅費小千圓もどうやら整へて參りました。

現在の、土地と家屋と、家畜其の他を見積たらかなりの價格に上りませう、之れが六年間夫婦二人の仕事です、當レヂストロには邦人約五百家族、其の中信州人が百二三十家族居りますが、大槪私と同じ程度に行つて居ります、中には私の二倍位の成績を擧げた者も御座います。

それは其の筈でせう、故國の皆樣は此頃では、生れたばかりの赤兒でも、七八十の老人でも一人頭十五圓某かの、租稅を負擔なさると聞くが、私共には全然それが無いのです、信州の農家は、一戶平均七十圓近くの肥料を、每年お買ひなさるといふが、私共には未だ其の心配が御座いません。

北安曇の田舍でも、金紗お召に博多の帶、一寸の外出にも、銘仙か大島でなくてはならぬと、承はりました、私共には全然それが不必要です、盆暮の贈答、平素の慶弔、お義理の裟婆だと申されますが、私共の社會ではそれをやつては居りません、何と簡易では御座いませんか。

じやと申して、決して原始的生活を致しては居りません、奴隷の境遇でも有りません、より多く文化的の生活です、衣食住共なるべく無駄を廢します、衛生上からも實用からも、能率增進を遺憾なくやつて居ます、意地むさいお話ですが、私共の食卓には、鷄肉、豚肉、鷄卵の絕ゆる時は御座いません、牛乳も、羊乳も誠に豐富で御座います、バナ・やパイナツプルも、山の如くに積まれます。

每日の勞働時間も畧一定して居ります、夜を日に繼いでといふ樣な事は、此方ではやりません、日曜日は眞の安樂日です、其の向々に寄り合つて、一日を樂しく過ごします、本間前總裁が、吾々の爲に御揮毫下さつた額を揭げた青年會館が御座います、野球のグラウンドも、テニスのコートも設けて有ります、婦人會も處女會も、頻繁に開かれますが、着物の競爭は致しま

せん、思想と情誼の交渉です、運動會にも敬老會にも、眞の意義が表はれて居ます。ブラジル人とは無論の事、伊太利人ともフランス人とも、對等な交渉をして居ます、決して彼等に後れを取る積りは御座いません。故國の皆様。私共の事は御安心を願ひます。段々年月の經つに從つて、御通信は怠り勝になりますが、極めて安易な生活をして居ます。送金を致さぬのは、決して困る爲では御座いません。私共の境遇をより以上に改善し、他日に向て、健實なる基礎を築かんが爲です。故國へ送金をする爲に、自己の向上を顧みざるは、北米で受けた排斥を、再び招來するものです。

私共の立場は、今が一番大切な時期です。此處數年の間に、將來の運命が決まります、排斥か歡迎か、ナカ／＼油斷はなりません、故國の皆様、どうか御後援を願ひます。農村救濟の一方面としても、將又日本民族將來の爲としても、海外移住は重要です、移住者の後援は猶更です。

故國の資本家諸彦に願ひます。目前の小利に安んせす、重要にして無窮なる、日本民族永遠の計に向て、御心配下さいませ。

從前の如く、海外渡航者に對して、政府始め世間一般が無関心無頓着では、餘りに情無いと思ひます。前にも申上げた通り、私共の移住は、決して私共個人の爲のみならず、國家社會に對する、大々的奉仕行爲と存じます。

いえ／＼奉仕と思ふのは間違です、寧義務と考へなければならないでせう、世界の一部に、人口過剰といふ現象の生じた時に、過剰の部分を、人口不足の天地に移し、土地の分配に公平を保たしむる事は、人類社會の義務でなくて何でせう、世界に類稀なる、人口増加の高率なる日本に於ては、兵役納税より以上に重要視すべきは、移住の義務だと信じます、理屈は扨置き事實そうでは御座いませんか。

△　△　△

此方へ歸りまして、直にお便りを致すべきでしたが、留守中の整理に取まぎれ、遂延引致して申譯有りません。

當地在留の同胞は、私の歸るのを、非常に待つて居られました、盛大なる歡迎會も開いて呉れました、そして私の土産話を、一言も漏らさじと聞いて呉れました。

故國の現狀は申す迄も無く。信濃海外協會の事、上下

一般が南米移住に、注意し始めた事など、詳細の話を致しました、何れも甚深の興味を持つて聞いて呉れました、殊に海外協會の、移住地建設事業に就ては、非常に共鳴して居ります。

私の歸つて間も無く、永田さんが見えられました、愈々大計畫の實現が近付いたのを、一同驚喜して居ります。

永田さんの歡迎會も開きました、長野縣人の意氣大に揚るといふ處ですが、此所では府縣の區別を濃厚にする事は、なるべく遠慮致して居ります。

永田さんのお出を機會に、故中村國穗さんの、追悼の式を舉行致しました、些少ながら若干金を、遺族の方に差上げる事にして、永田さんに御依頼致しました、長野縣人の海外發展に對する、中村さんの功績は、決して沒すべからざるものだと思ひます。出來る事ならば、中村さんの御遺族の方を、當地に御迎へ申してどんなにもして上げ度いと思ひます。

永田さんが御飯朝になれば此方の事情は、一層悉しくお分りになる事と存じます。

（大正十三年十月一日レヂストロにて）

旅立ちし朝

（大正六年四月廿七日）ダバオ　T　K　生

其の當時の日記の一節を御披露致します、私が九才、姉が十二才、弟が五才の時、私共は兩親に別れました、其の後私共は親類の人や世間の方々の御蔭で大きくなりました。是れを前提として、御覽を願います。

鷄より早く目が醒めた、どうしても眠られない、消さなかつたランプの光は、ぼんやりとあたりを照して、宵よりも細い。

昨日、眞黒になつて、煤掃きを濟ました後なので、何となく座敷の中が廣い。長い間住み慣れた家の煤掃きは、之れが最後と思つて、昨日一昨日と二日がかりで、念に念を入れて掃除をしたのだ。

枕元を見れば、今日旅立ちの用意が、全部收められてある、まだ新しい柳梱が、意味ありげにつくねんとして居る。

「今日はいよ／＼旅立ちの朝かな――」心が躍る。

まだほの白い兩親の御位牌は、机の上に置かれてあるのだが、自分はとてもまともに見る事が出來ぬ程に胸がせまる。

思ひ切つて起きた、チックを付けて、生れて初めて髮を分けて見た、鏡に見入つた目は、次第々々に曇つて行つた、何も見えなくなつた、何故こんなにセンチメンタルになつたのだらう、是れでは駄目だと氣を勵げまして、勝手へ行つた、有り難い事に、姉さんはも

う、一生懸命に、水を吸んだり火を焚いたりして、餅を搗く用意をして居て下さつた。

今日は弟の旅立ちの日だ、弟の一番好きな餅でも搗いて、腹一ぱい喰べさせて、お別れ仕様と云のである。

やがて杵を手にとつて餅を搗いた、力まかせに搗いた、無論姉さんが相どりである、あまり私しが力を入れて搗くので、姉さんが笑つた、此の古い臼と杵とで自分が搗く餅は之れが最後だと思へば、どうして力まかせに搗かずに居られよう、上等な餅を出かして、姉さんに褒められ、二人揃ふて舌づつみで食べようと思へば、尚更らの事だ。

餅が出來た、上等な餅だ、やがて甲斐々々しい姉さんの手で、膳がするられ、二人は向き合ひに座つた。

死んでも、骨は故山に埋めぬ覺悟で、出る旅立ちではあるが、故あつて、親類の人にも、又近所の方々にも一人も見立ての膳に侍べつて頂く事の出來なかつた私しは、誠に淋しい事に思つた。

『腹一ぱい食べて行つて呉れ』

と云つた姉さんの聲は震えて居り、目はうるんで居た。

こらへきれなかつた自分の涙は、遂にハラ／＼と餅の上にまではふり落ちた、食べるなと云はれたとて、腹一ぱい食べずに居られようか……、泣くまいと思つた今日の此の朝、遂に自分は泣いてしまつた、悉く感謝の涙である。

姉弟二人ぎりの見立ての膳は、神々しいまでに淨化せられて、互に幸福を祈る心と心が、糸の樣にもつれ合つた、心殘りの無いまでに、澤山の餅を食べた、支度も濟んだので、先づ兩親の御位牌にお別れ申上げた、何とも云はれない、どうしても聲が出ない、『それでは私しは行きます』漸くの思で、それだけを胸の中で云つた、亡き御兩親樣は、よく／＼私の覺悟を、承知して居て下さる事と私しは信ずる。

次に小さい時から、永らく御世話になつた組合の方々に、深く御禮を申上げ、かた／＼御別れを申可く、一軒々々廻つた、御親切な組合の方々は、やがて一人々々皆私しの門（かど）まで御出で下さつて、見送つて下さつた。

「永い間御世話になりました、それでは……」

漸くの事で、それだけの言葉が出た、姉さんに對しては、何といふ言葉もなく、たゞ續け樣に、三度ばかり頭を下げた、無言の中に、永い間親になり代つて、色々と世話をして下さつた御禮も云へば、惡い弟として、常々姉さんを苦しめた御詫びもした、更にいつまでも、御幸福で居て下さいと云ふ祈願をもこめた、生れてからこのかた、常に惡い事ばかりして、心配をかけた弟に對し

ても姉さんは一寸も怒る事が無いのみか、燃ゆる樣な熱情を以て、私しの將來の幸を祈つてくれた、やはり兄弟はどこまでも兄弟だ、全く同じ血のかたまりである、最后に互に見かはした二人の眼の底には、永久に忘れられぬ、感謝のひらめきのみが殘つた。

「一生惡人では終りません安心して下さい」

強く心に誓つた。

吹くとも無しの春風に、咲き殘つた庭の吉野櫻が、ハラ／＼と地に散つた、名殘惜し氣に春の榮を庭に殘して……此の櫻もおれが殖えたのだがな！

「それでは……皆さん……」勢よいこれだけの言葉を最后にのこして、我が家を後にした、踏み出されたる一歩、又一歩……二十五年の長い年月、吾を慈しみ、吾を育ぐゝんでくれた、故郷の山よ、川よ、さらば今こそ、凡てに別れねばならぬかと思つた時、思はず後をふりかつたけれど……何も見えなかつた、唯目の中が徒らに熱いのを覺えた。（完）

麻價の昂騰と共にダバオは非常な景氣となりました、身体一つの勞働者でも、一ケ月百圓は殘ります、其の中に暇を見て目下の狀況を御知らせ申ます

信州記事

本縣耕地の所有及耕作に關する調

長野縣農會調

其の一

耕地（田畑）所有ノ廣狹（耕作ニ從來セサル地主ナ加フ）ニ依リ區別シタル農家ノ戸數

郡別＼項目	五反未滿	五反以上一町	一町以上三町	三町以上五町	五町以上十町	十町以上五十町	五十町以上	合計
南佐久	三、〇九四	二、〇一七	一、二九八	六〇一	四九	六三	九	七、三三〇
北佐久	五、二三三	二、九二二	一、九五八	五〇九	三〇一	一二八	二	一一、〇三三
小縣	六、七二〇	四、六五六	三、〇七三	五六七	一一九	二七	—	一五、一六二
諏訪	六、三五二	五、〇四六	二、一六一	二五六	七五	二〇	—	一三、九一〇
上伊那	八、三三八	五、〇三三	二、七二三	五九九	二三五	一〇三	四	一七、〇三四
下伊那	九、四〇〇	四、三四一	二、七〇一	五六七	二三四	七七	八	一七、三三八
西筑摩	三、〇三八	一、八九六	一、三〇三	二三七	一六	二一	—	六、五〇一
東筑摩	七、七三七	五、五七九	三、〇七六	六一九	二三五	七八	四	一七、三一八
南安曇	三、六五三	二、三二二	九八六	四一八	二〇八	五七	三	七、六四七
北安曇	二、四八四	二、八一九	二、一三二	四七三	二三一	四五	三	八、一七七
更級	四、七一五	二、四二八	一、六四七	五〇一	一九五	三八	—	九、五二四
埴科	三、四四六	一、五九五	九二一	一五三	八八	六	—	六、二〇九
上高井	二、九一八	一、四五八	一、三七三	二三三	八一	三三	一	六、〇八六
下高井	三、五五六	一、九八八	一、八三〇	三七六	二一六	二〇	三	七、八八九
上水内	五、七三九	三、八七九	三、九七二	一、〇七七	二三四	二九	—	一四、九二〇
下水内	一、七一四	一、一〇一	一、〇三二	一七三	五六	一七	一	四、〇九四
長野	一、一九〇	八一一	三〇七	五三	一五	一三	—	二、三八九
松本	四二九	一三〇	五〇	二五	一〇	六	—	六四〇

上田	一、三七六	四〇五	二三九	三八	一五	二	—	二、〇七五
計	八一、一二三	五〇、四〇六	三二、七八二	七、四七五	二、六八三	七五〇	三八	一七五、二五六
指數	四六、二八	二八、七六	一八、七二	四、二六	一、五三	〇、四四	〇、〇二	一〇〇、〇〇

其の二

耕作スル耕地(田畑)ノ廣狹ニ依リ區別シタル農家戸數

郡別＼項目	五反未滿	五反以上	一町以上	二町以上	三町以上	五町以上	合計
南佐久	二、八五一	三、七六四	二、四一七	五八四	一六七	三五	九、八一八
北佐久	三、八四六	四、六三二	二、六〇六	八六四	一四三	三三	一三、一一三
小縣	六、九七〇	六、七一五	三、四二一	五七九	二三四	三三	一七、九五五
諏訪	四、九六〇	五、八五一	三、三七五	四三九	一三三	四一	一四、七九八
上伊那	六、五四三	七、八一六	四、四一四	七五九	一七三	五	一九、七〇八
下伊那	一二、一八九	七、一〇一	二、八八六	三四〇	四八	三	二二、五六七
西筑摩	二、九九二	一、九七八	一、一五九	二二五	二六	二	六、三八二
東筑摩	八、〇二七	七、九二六	三、九五二	九七九	三一	三一	二一、一三三
南安曇	三、八七七	三、〇三三	一、一一四	四三四	二六八	六七	八、七九二
北安曇	二、一三一	三、一八三	二、七四八	八一四	三三四	二三	九、二一三
更級	四、五六一	四、九七八	一、六〇五	三〇六	一〇一	五	一一、五五六
埴科	三、九五二	二、六六九	七〇八	七一	一五	一	七、四一六
上高井	二、八七七	二、四九九	一、六九五	二二六	二一	三	七、三二一
下高井	三、九三八	二、九四二	一、九四四	四八九	一五九	一〇	九、四八二
上水内	五、七五〇	五、八四四	三、三六五	九七三	四四七	七八	一六、四五七
下水内	一、七〇九	一、九八七	一、二〇五	一〇一	六	—	五、〇〇六
長野市	七四七	一、三四四	四三七	七〇	九	—	二、六〇七
松本市	四六五	二五二	八〇	二〇	三	—	八二〇
上田市	一、二二三	一、〇〇八	一三八	六四	一二	—	二、四四五
計	七八、六二一	七五、五二〇	四〇、二三七	八、三三二	二、五〇九	三四七	二〇五、五六六
指數	三八、二五	三六、七四	一九、五七	四、〇五	一、二三	〇、一七	一〇〇、〇〇

信濃海外研究會追善會

信濃海外研究會では、十二月七日午后二時から、長野市における善寺光本堂に於て、在外同胞追善會を開催した、來會者は遠く、小縣、南北安曇、南佐久其の他から、數十名集つたが、何れも異郷の空に逝去した人々の遺族であつた。追悼會は數十名の僧侶に依つて、極めて嚴肅裡に執行され、朗かな讀經が終るころ、同會長新井一清氏は、左記の如き弔辭を朗讀したのである。之れに次ぎ各遺族並に特に當日の來賓藤谷知事代理、藤森信濃海外協會幹事、及び宮下長野市聯合青年會長等の燒香あり、夫れより記念寫眞を撮影し、引續き大觀進内の紫雲閣に於て、茶話會をひらいたが、頗る盛會であつた。

弔辭

嗚呼、晴天白日、在外同胞の英靈を弔ふは、吾等同志之義務にして、幾星霜の今日特に思出多たし、親愛なる吾友よ互に男々敷、波濤萬里の渡航を企て、一意專心移植民の實を擧げんとして未開の地に至り、就中衛生設備の不完全にして、未だ民族的發展の根底とを体

驗せざる中に、極度の勞力を盡し、風土病或は土民の危害を蒙り、或は幾多の障害に依り、死亡せる者其數多し、眞に悼の極ならずや、現に尊き經濟戰の犧牲者となりたる諸士の英靈は、遠く海外異郷の地下に、全く無緣の佛と化し、迷導に及べる現狀を、眞に目擊したる吾等同志は、無事歸國せりと雖ども、日夜安眠を許さぬ情實に迫り、玆に追善供養の實現を誓ひたるに靈旨善く、吾等同志の經路を知らるゝに至り、愈々今回官民有志諸彦の、深高なる御同情と、尊き誠意の發露とに依り、幾多の御聲援を賜はり、玆に莊嚴なる、追悼會を執行せらるゝ時に當り靈旨と共に、衷心感謝の意を表はす、希くは今後、吾大日本帝國が、世界的移植民の實を擧ぐる爲の、柱石となられたる靈旨に向ひ、益々海外發展上に、特に守護善導あらん事を、切望す、尚吾等内外同胞は、須く協力同心、國威增進、人義道德を守り、人類愛の根本美風を涵養し、眞に理想郷の實現に進まんとす、依つて最安らかに眠らん事を靈前に希ふ

謹んで弔辭に代ふ

大正十三年十二月七日

主催　信濃海外研究會

編輯机上より

大正十三年が去りました、議會の解散東宮殿下の御成婚總選擧など特筆すべき數々でした、殊に米國の新移民法案の實施は、帝國に取つて未曾有の痛恨事でした。

信州としては、大旱魃に脅威されましたが、實際の損害は左程では無かつた樣です、何と言つても生糸が景氣を左右します、春の模樣では、隨分悲觀されましたが、夏以來は立直つて、お陰で相當な年取が出來ました。

我が信濃海外協會としては、移住地事業に着手したのと、信濃土地組合の成立とが、兎に角大事件でした、シヤトル、ロスアンゼルス、サンフランシスコ、レヂストロの四ヶ所に支部の出來たのも、忘るべからざる事柄でした。

謹賀新年

大正十四年元旦

信濃海外協會

海の外

定價

	内地	外國
一部	廿錢	廿仙
半ヶ年	一圓十錢	一弗十仙
一ヶ年	二圓廿錢	二弗廿仙

海外郵税四錢

注意

▲御注文は凡て前金に申受く
▲廣告料は御照會次第詳細通知致します
▲御拂込は振替に依らるゝが最も便利です

大正十三年十二月三十一日

編輯人　永田稠
發行兼印刷人　藤森克
印刷所　長野市南縣町　信濃毎日新聞社
發行所　長野市長野縣廳内　海の外社
振替口座長野二一四〇番　信濃海外協會

大正十三年十二月三十一日發行（毎月一回一日發行）

信濃海外協會
海の外社發行

一九二五（大正一四）年　海の外　第三三号〜第四三号

海の外
第三十三號
南米ブラジル
「ありあんさ」移住地
建設號
信濃海外協會内海の外社

ルッサンビラ驛より三十三キロ米が「ありあんさ」移住地の入口です。これから奥二里半幅一里半五千五百町歩。小さい一郡程の面積があります。

信濃海外協會

南米「ありあんさ」移住地

（上）チエテ河は我が移住地を去る三十三キロの邊を流れて居ります。（下）我が移住地の東境から馬車道がコトベロ驛に通じます。比森林は二三年中に開拓され新市街が出現するでせう。

チエテ河

コトベロ驛

將來の市街地

右の二人は北原君夫妻、左の二人は蓮光寺君夫婦。此移住地への最初の入植者です。

「ありあんさ」移住地

最初の入植者

(上)我が移住地は此驛から自動車道に沿ふて八里の距離にある。(下)[illegible]來共一帶數十萬町歩からの生産品が此驛に集まりませう。下圖は私共の購入した市街地の一部です。

ルサンピラ驛

同驛將來の市街地

ルンサンピラ驛から半里はなれるとマラリヤ病はありません。伯國人は此地に開墾を始めて居る(上)。上院議員ミランダ氏の土地を賣る事務所で林田君は測量技師として此所を支配して居ります。驛より約三里

伯國人の移住者

ミランダ氏の事務所

入植者は森林を伐り倒して適當に乾燥した時に火を放つて燒き拂ひます上圖は其山燒の實況。山が燒けると入植者は假小屋を造ります。下圖は最初の入植者北原・座光寺兩氏の假小屋です。

山燒き

假小屋

プラサツーバ驛からジユピヤ驛へ新鐵道が布設されることになつて居る上圖は其豫定驛ミランダオポリスで日本人が此市街地の大部分を所有して居る。我が移住地から一里半。下圖は多羅間領事永田幹事輪湖北原諸氏移住地選定の一行。

新鐵道の豫定驛

移住地選定の一行

（上）右より伯國上院議員ミランダ氏。永田幹事。輪湖俊午郎氏。我が移住地購入契約の當事者。（下）信濃海外協會レジストロ支部發開式紀念の寫眞。

移住地購入契約

信濃海外協會
レジストロ支部

目次

「ありあんさ」移住地の建設

大正十二年五月信濃海外協會は二十萬圓の資金を募集して南米ブラジル共和國内に移住地を建設するの議を決した。同年七月は調査費を同國バウル市駐在帝國領事多羅間鐵輔氏に托して移住候補地の選定を依頼した。同領事は長野縣出身者で同國に居住して居る輪湖俊午郎、北原地價造の兩氏に囑托して約一ヶ年間に亘り各方面の調査をしてくれた。此間未曾有の震災があつて事業の進行一時中止されたが總裁以下の當局者は極力努力し出資申込拾數萬圓に達したから、永田幹事に移住地の決定、購入、入植準備をなす事を命じてブラジル國に派遣した。同幹事は大正十三年八月ブラジルに達し前記諸氏の外田付大使サンポーロ及びバウル領事館其他の後援を得て、移住地を選定し電報を以て協會と相談した上、土地購入契約をなし、輪湖北原兩氏に依托して移住地建設に關する各般の準備をなし大正十四年二月一日歸朝した。此間有限責任信濃土地購買利用信用組合と南米土地組合が組織されて協會で購入した土地の分譲を受ける事になつて來た。從つて協會の移住地には長野縣下の移住者の外日本各地からの移住者、北米合衆國からの移住者及び既にブラジルに渡航して居る人々も入植することになつて漸次理想的の移住地建設が實現するに迄に進んで來た。

茲に於て我が協會では大正十四年度協會員、出資者、土地組合員、其他から約五十家族の植民者及び小作人を募集して入植させ更に引續き移住地の完成をしたいと思ふて居る。それで大方此方面に志を有する者の參考の爲め此印刷物を作製分配する所以である。

一、移住地建設の理想

今、日本の人口が增加し、生活難が段々に甚だしくなつて來て生れた故鄕で生活することが出來なくなり、移住者が增加したのであるから、誰も餘分に金を取り幸福な生活をしたいことが、移住の第一目的である樣に考へ、一生懸命に金の事計り勘定するのは當然であり、又、いくらかの金が殘れば、日本へ歸るのは無理のないことではあるが、それは眞實の移住者のなすべきことではあ

りません。植民學者ヘンリー•モーリスと云ふ人は『移住は人を善良にする』と云ひ、又、昔アブラハムと云ふ人は『我等が移住するのは世界の人々の幸福の基になる爲めである』と申しましたが、それが本統であります。日本人は三千年間も同じ土地に定住して居たから、生活難の外に種々の善くない風俗や習慣も出來て居りますし、体格なども衰へかけて居るし、精神的には進取の氣象も少なくなつて居ります。移住は、新らしい生活を始め、善良なる風習に移り身体も健康とし、精神も壯健になるのに至極好都合であります。又、他國人の間に移住するにはアブラハムの樣な理想を持たねば、排斥されるのがあたり前であります。私共がブラジルの國に新しく移住地を建設するのは、第一移住者が凡ての點から見て善良になることゝ、第二に我日本民族の移住が、世界人類の幸福の基になる爲であることを一日も忘れてはなりません。これが私共の移住地建設の大精神であり大眼目であります。これが爲には損をすることもあり種々な困苦欠乏と戰はねばならぬことを覺悟せねばなりません。況んや土地は千古斧鉞を知らない大森林で、之れを開拓するには非常に骨が折れるし、移住の當初には堀立小屋に住み、何かにつけ非常に不自由であることを始めから決

心してかゝらねば、却つて中途で挫折する樣になり恥を內外にさらさねばならぬことになります。

二、我等が移住地の特質

ブラジルには既に澤山の日本人が移住し種々の移住地を始めて居ります。ある資本家は、ブラジル國から土地を只貰うて、之れを入植者に賣つて農業をさせ、其所に供給する品物を賣り、其所から生產する品物の加工や販賣をやつて利益を得て、移住者は、只、農業上の利益を得る丈けで、其他の利益は資本家の所得となつて居る所もあり、又、ある所では土地の賣買業者から土地を購ふて、何等の組織も統一もなく漫然と一つの村落になり、經濟的にも文化的にも中心點のない樣な所もあり、又、ある所では極めて少數の日本人が、直接に土地を買ふて入植して居る所もあります。かくの如く移住することは誠に止むを得ない次第でありましたが、私共はそれで滿足することが出來ないので、茲に新式の移住地建設を初めた次第であります。

信濃海外協會から提供せられた資金は、理想的の移住地を創めるのが目的で

ありますから、云ふ所の資本家の資本の樣に、儲けられる丈け儲けねばならぬ性質のものではありません。もちろん損をして仕舞ふてはいけませんが、いくらかの利子がついて五六年の內に浮いてきて、又、他に第二第三の計畫の中心となればよいお金であります。學校や病院や敎會等の資金にもなりませうし製材、精米、製糖、珈琲精選所、輪送機關、倉庫等の資金ともなります。乃ち移住地の文化的事業や經濟的事業の資金となるの便利があると同時に、これ等の活動から得らるゝ利益の大部分は移住地に入植する者にも分配されることになつて、資本家の資本の樣に、入植者から利益を奪ひ去るものではありません。

私共の移住地には、廣く日本各地のみならず、北米合衆國は勿論、ブラジルに先きに移住して居る者が加入して居りますから、私共の移住地には世界各方面からの体驗を集めることが出來ます。

加之、始めから一致團結し一つの理想を以つて居りますから、種々なる點に於て今迄の移住者よりも非常に便宜が得らるゝ次第であるのみならず、今回の第一次の計劃に引きつゞき、第二第三と膨脹するのみならず、又、ブラジル以外の諸地方にも發展し、將來は世界的に聯絡統一の出來る運命を持つて居る次

筈であります。

三、移住地購入の經過

大正十二年五月本間總裁の主張に依り信濃海外協會は金二十萬圓を募金し南米ブラジルに移住地を建設するの議を決し、震災の爲め一頓挫をなしたるも屈せず、大正十三年三月迄に約十數萬圓の出資申込を得ました。

信濃海外協會は移住候補地選定の爲め、經費をバウル領事多羅間鐵輔氏に托送し、輪湖俊午郎、北原地價造の兩氏はこれが爲めに奔走致しました。永田幹事は大正十三年八月上旬ブラジルに到着し、此れ等諸氏の豫選せる候補地を見て、ノロエステ線ルツサンビラ驛附近の土地を選定しました。選定せられたる移住地につき主要なる事項を記せば左の通りであります。

一、位置、サンボーロ市より約八百粁突、ノロエステ線の基點バウル驛より約四百キロにしてルツサンビラ驛に達す、同驛より善良なる自動車道に沿ふて南々東に進む事三十三粁(八里强)にて移住地の入口に達し、それより約二里半、左右約二里。面積五千五百町歩。

二、海拔、四百二十米突乃至五百二十米突。

三、地形、緩漫なる波狀地。

四、地質、淡朱色の壤土大部分にして一部は灰色の壤土でサンポーロ州に於ける肥沃の地質。

五、作物、降霜の憂少きを以て地積の約三分の一以上は珈琲の耕作に好適なるのみならず、米、棉、豆、甘蔗其他一切の農作物の耕作に適す

六、河川、水量は少なきも各所に小流ありて家畜の飲料に供するを得るのみならず、井水は極めて善良である。

七、森林、全面積は斧鉞を知らざる大森林にして各種の有用なる樹木欝蒼たり

八、地主、故シュミット氏之れを所有し上院議員ミランダ氏全權を以つて賣却しつゝあり。我等は地權の確實を欲するが故に一應ミランダ氏の所有に移し、同氏より購入する。

九、購入、地權の確否についてはサンポロー帝國總領事館が各關係の公證人役塲、土地登記所等を調査し確實なること認む。

十、地代、一アルケールニ百五十ミルレースの割合にて購入れたれども此外

に購入測量其他にかなりの費用を要しますから一アルケール四百ミル内外で分譲する筈です。

十一、支拂、契約當時三分の一、其翌年三分の一、其翌年三分の一宛とし、殘金に對し年一割の利子を支拂ふ。

十二、地權、は半額拂込みと同時に移轉す。

十三、風土病、チエテ河の流域にはマレータあり、又、ノロエステ沿線にフエリーダブラボと稱する皮膚病あるも、衞生に注意すれば恐るゝに足らず我等の移住地はチエテ河より三十三粁の距離にありマレータはなき見込

十四、漁獵、森材中には各種の鳥獸あり、チエテ河には各種の魚族あり、漁獵に適す。

十五、新鐵道、アラサツーバ驛よりジユピア驛に達する新鐵道の豫定線あり其の線の豫定驛は、我等の移住地の東南七粁(二里弱)の地點にあり。

十六、新道、新鐵道の豫定驛附近より、我等の移住地の東境に沿ふてコトベロ驛に新道を布設する筈、此の新道はコトベロ驛より我等の移住地迄約二十六粁(六里半)

四、土地賣買契約書

猶五千五百町歩の分の土地賣買契約書翻譯全文寫のは左の通りである

土地賣買契約書(寫)

讓渡人　上院議員　ロドロフオ・ノゲーラ・ダ・ローシヤ・ミランダ

讓受人　永田稠

契約價格　五百五十コントス

契約期日　千九百廿四年十月一日

契約記入帳簿　第百十一卷五十四頁

公證人役塲　サンパウロ市第四公證人役塲

千九百廿四年十月一日サンパウロ市當公證人役塲ニ於テ契約兩者出頭ノ上契約ス、即チ讓渡人サンパロウ市居住上院議員ロドルフオ・ノゲーラ・ダ・ローシヤ・ミランダ、讓受人永田稠並ニコレガ同意者フランシスコ・シミツテ大佐遺產整理人代表者タル嗣子ギレルメ・シミツテ立會ヒノ上、上院議員ロドルフオ・ノゲーラ・ダ・ローシヤ・ミランダガ千九百廿二年一月廿八日故フランシスコ・シミツテ

大佐ト協定セル土地賣却委任契約ニ基キ譲受人永田稠ト左記條件ノ許ニ地權交附ヲ契約セルコト實證也

一、賣却地ハサンパウロ州アラサツーバ郡サン•ジョアキム耕地内ニ存在シフランシスコ•シミツテ大佐ノ相續人ノ所有ニ屬シ賣却地面積二千二百アルケールス（區域ハ添附セル地圖ノ如シ、一アルケールハ二萬四千二百平方米突）ニシテ一アルケールノ賣價金二百五十ミルレース即チ全面積五百五十コントス也

右二千二百アルケールスノ一地區ハ當サン•ジョアキム耕地内第二十六號地區トス

而シテ同第廿六號地區ノ周圍境界ハ左ノ如シ、伯國西北鐵道ノ起點バウル驛ヨリ三百八十六基四百三十八米突ノ地點タル現存ルツサンビラ驛ヨリ始メラル、ルツサンビラアラサツーバ自働車道ニ於ケル三十三キロノ標杭ヲ起點トス。

此起點ハルツサンビラ驛ヨリ東南四度四十分ノ方向ニテ直線距離二十九基二百六十米突ノ地點ニ同ジ。此起點ヨリ東北四十三度四十五分ノ方向ヲ保

チサン•ジョアキム耕地ト境シツヽ千百八十米突ニ至リ第二ノ標杭ニ會ス、ソレヨリコトベロ川ニ沿ヒ下向シヤレモト溪流ト合スル地點ニ於テ標杭第三ニ至リ更ニヤレモト溪流ヲ溯リ同溪流ノ發源地ニ於テ標杭第四ニ會ス。ソレヨリ東南五十四度四十分ノ方角ヲ以テサンジョアキム耕地ト境シツヽ二千七百三十米突進ンデ標杭第五ニ達ス。此ノ標杭ハインテルベンソン溪流ノ發源地ニアリ、ソレヨリ同溪流ヲ下向シコトベロ驛ヨリロドルフオミランダ市街豫定地ニ至ル計畫車道ト合スル他點ニ標杭第六アリ。ソレヨリ西南五十三度二千百七十米突ニテ標杭第七ニ至リ、更ニ西南二十九度二十分、依然サンジョアキム耕地ト境シツヽ六千六百五十米突ヲ走ツテ標杭第八ニ至ル、夫レヨリ西南八十四度二十分、ガブリエル•デ•アゼベト•ジユンケーラ氏ノ土地ト境シツヽ三千五百米突ニシテ標杭第九ニ達ス。此ノ標杭ハルサンビーラ＝アラサツーバ自動車道ニアリ。ソレヨリ此ノ道ニ沿ヒ三十米突ノ上方ニテ標杭第十トナリ更ニ西北八十八度三十分、九百四十米突ニシテヤカジーニヨ溪流發源地ニ至リ標杭第十一ト會ス。ソレヨリ同溪流ヲ下向シトラベツサグランデ川ト合スル地點ニ標杭第十二アリ。而シテトラ

ベツサグランデ川ヲ更ニ下流ニ向ヒ標杭第十三ニ達シ（同川右側ニ此標杭アリ）夫レヨリ東北八十三度五十分サンジョアキム耕地ト境シツヽ三千七百四十米突ニシテ前述自動車道ニ於ケル三十四基米突ノ地點ニ於テ標杭第十四ニ達ス。ソレヨリ同自動車道ニ沿ヒ後戻リシ出發起點タル三十三基米突ニ至リテ止ム。此ノ土地ハ面積五千三百二十四エクタール即チサンパウロ州ノ二千二百アルケールスヲ有ス。

二、前記二千二百アルケールスノ賣却價格ハ五百五十コントスニシテ其内百八十四コントスハ既ニ賣却者ヘ拂込濟ナリ。殘額三百六十六コントスハ百八十三コントス宛二ケ年賦拂トシ更ニ殘額ニ對シテハ年一割ノ利子ヲ附ス事。支拂期日ハ千九百二十五年十月一日及ビ千九百二十六年十月一日トス

但シ此ノ期日以前ニテモ拂込ム事ヲ得、此ノ場合ハ支拂當日迄ノ利子ヲ添附スルモノトス

三、賣却者ハ購入者ヘ第二回ノ地代支拂ト同時ニ地權ヲ交附スルモノトス、

但シ拂込金ノ殘額ニ對シテハ此ノ土地ヲ擔保トナス事。

四、購入者ノ希望ニヨリテハ一旦地權ヲミランダ氏ニ移シ然ル後購入者ニ交

附スルモノトス。此ノ場合登記料ハ購入者ノ負擔トス。

五、二千二百アルケールスノ賣却地ガ測量ノ過失ヨリ或ハ多ク又ハ少ナキ時ハ二ケ年以内ニ賣却者ニ對シ申シ出ヅルコトヲ得。

六、前記二ケ年以内ニ於テ同土地ガ二千二百アルケールスヨリ少ナキ場合ハ其ノ差ヲ一アルケール二百五十ミルノ割リニテ賣却者ハ購入者ヘ、又萬一コレニ過グル時ハ同ジク其差額ヲ購入者ハ賣却者ヘ對シ支拂フモノトス。

七、賣却者ハ現存ルサンビーラ＝アラサツーバ自動車道中驛ヨリ三十三基米突ニ至ル間其使用交通ノ保證ヲ購入者及其繼承者ヘ與ヘ且ツ同地帶賣却ノ場合モ同樣其保證ヲ條件タラシムルコト。

八、三十三基米突ヨリ四十三基米突ニ至ル同自動車道ノ修理保存ハ千九百二十五年四月末日迄賣却者ニ於テ其責ニ任ジ其レ以後ハ購入者ノ負擔トス。

九、賣却者ハ現存前記ルサンビーラ＝アラサツーバ自動車道ノ中、同驛ヨリ三十三基米ノ地點ニ至ル間、土地ノ賣却セラレザル部分ニ對シ其通過區域ノ修理ヲナスモノトス。

十、購入地二千二百アルケールノ中ニ現存セル凡テノ動産例ヘバ三十六基米

突附近ナル道路修理人ノ爲メニ造ラレタル住宅、井戸、畑地農作物其他ハ無條件ニテ購入者ノ所有タルコト。

十一、賣却者及其相續人ハ將來此土地ニ對シ問題ノ惹起セル場合ハ其責ニ任ジ之レニ要スル一切ノ費用ヲ支辨シ購入者ノ權利ヲ飽ク迄保證スルコト。

十二、賣却者及購入者ガ此契約書ニ於ケル條項ヲ履行セザル場合ハ其罰金ヲ五百コントストス定ム。尙ホ賣却者ガ今ヨリ一ケ年以内ニ購入者ヘ地權ヲ交附セザル場合及ビ其他此契約條項中違反ノ箇所アル時ハ右五百コントスノ外ニ第二項ニ記セル既ニ第一回地代トシテ拂込メル百八十四コントステ返金スルモノトス。更ニ購入者ガ購入セル土地ニ動產施設ノ際ハ其ノ金額ヲモ要求スルコトヲ得。

十三、地權交附ニ際シテハ登記ニ要スル諸費ヲ購入者ニ於テ負擔スルモノトス。

十四、購入者ハ此契約ト同時ニ前記二千二百アルケールノ土地ヲ自由ニ使用シ得。

十五、購入者ハ賣却者ノ承諾ナシニ此ノ契約ヲ第三者ニ移轉スルコトヲ得ズ。

十六、此ノ契約ハ其ノ各項ニ至ル迄兩契約者ノミナラズ其ノ繼承者モ又コレガ履行ノ義務ヲ有スルモノトス。

十七、購入者ハ隣地區ノ買入人ニ對シ既成自動車道並ニ車道ノ交通ヲ許スベキモノトス。

十八、賣却者ハ千九百二十五年四月末日迄ニコトベロ驛ヨリ購入地ノ境界ヲ走リアゼベート•ジユンケーラ氏所有ノ土地ニ至ル車道ノ開設竣成ヲナスコト。

十九、賣却者ハフランシスコ•ナポリタノ及ジヨ•アキン•メンデス•プラガ氏ニ依ル一切ノ要求ヨリ何等購入者ニ迷惑ヲカケザル事ヲ保證ス。

二十、賣却者ハ此土地ニ入植スル植民ニ對シルツサンビーラ驛ヨリノ移轉輸送ヲ無代ニテ最初ノ二十ケ族分丈ナスコト。

故フランシスコ•シミツテ大佐ノ遺產整理人タル嗣子ギレルメ•シミツテ氏ハ前記契約ニ同意シ購入者モ又此契約ヲ承諾セル事實證也

千九百二十四年十月一日

ロドルフオ•ノゲーラ•ダ•ローシヤ•ミランダ

永田稠

ギレルメ•シミツテ

證人

ジヨアン•バチスタ•ペレーラ

フランシスコ•ロドリゲス•ゴデイ

公證人

アルフレド•フイルモデ•ペレーラ

五、入植者心得

我等の移住地に入植する者は、第一項に示されたる「移住地建設の理想」を充分に了解し、別に定められたる「入植規定」を遵奉する外大よそ左の心得を要します。

一、健康　移住者は、風土、水、食料、仕事等が故鄕と異るから健康の者でも病氣をしやすいものである。移住地では自由に醫藥を得難い場合もあるし又、無理な勞働をすることもある。故に入植者は常に健康に對し充分に注

意し、少しでも病氣の氣味があれば充分に注意せねばならぬ。特に婦女子は一層の要心をさせねばならぬ。

二、團結　先づ一家族の者が仲をよくせねばならぬ。第二に近隣の者と協力せねばならぬ。第三に移住地全体が堅固に團結せねばならぬ。團結がゆるめは夫れ丈け一同の損害になるものである。

三、資金　ブラジルは勞力丈けでは成功することが仲々困難な國であるし、本移住地は皆相當に資金を要するから入植者は必要な資金を準備せねばならぬ。其の資金もえらい無理な借金などでは成功することが出來ない。

四、勤勉　いくらブラジルの土地が肥沃で氣候がよくても勤勉でなければ成功することは出來ない、世界中に遊んで居て金の殘る所はない。土地が肥えて居れば雜草もよく出來るし、氣候がよければ病菌も發育することを考へねばならぬ。故に勤勉ならざる者は入植してはいけない。

五、攝制　勤勉でなければならないが、同時に攝制を忘れてはいけない、一年の多忙でやむを得ざる時の外は日曜日には朝から休養する。朝起きる時間や食事や休眠の時間を一定する。日曜日以外にはみだりに隣家を訪問して

はいけない。酒を飲んで亂に及ぶ者は所罰され、不攝制なるものは健康を害し、近隣の迷惑となるのである。

六、移住者心得

（イ）家族の構成　ブラジルは勞働に耐へる者が多ければ多い程よい成績を擧げ得る國であるから、家族は出來る丈け多數で殊に勞働に耐へる者が多いことが第一である。と同時に娘達を出來る丈け連れて行くがよい。ブラジルには未婚の男子が澤山あるから、娘を連れて行き結婚すればよい親族が澤山出來ることになる。

（ロ）後に心配のない樣に、家や財産などは出來る丈け整理して金にするがよい失敗したら歸つて來ると云ふ樣な弱い考へのものは行かぬがよいし、老人なども出來る丈け一所に行くがよい。何れの點から見ても故郷に心配があつたり、時々歸らねばならぬ樣ではいけないから、一度出發したら少なくとも十ケ年位は歸らないもの、其間には心配の種子となるもののない樣にして置かねばならぬ。

（ハ）資金準備　ブラジルは徒手空拳では仲々成功の出來にくい所である。且つ私共の移住地へ行くには必ず必要な資金が入用である。今、三人家族の費用の概略を記すと。

一、被服費（三人分）　參〇〇圓
一、旅費（一人分二百五十圓）政府の補助金が得られゝば不要　七五〇圓
一、雜費（一人分百圓）　三〇〇圓
一、土地代（第一年度分）　四五〇圓
一、農具種子小屋掛代　二〇〇圓
一、生計費（三人分）　四八〇圓
合　計　二四八〇圓

但し此の外土地代金は第二第三年度にかなり仕拂はねばならぬがそれは渡航後開拓し生産物を得て仕拂ふことも出來るがとに角約二千六百五十圓を要するのである。

一、要言すれば　土地廿五町歩を購入して入植する家族は旅費約一千圓企業費約一千五百圓。小作人として渡航する者は旅費約一千圓生活費約三

百圓。普通の勞働者として渡航する者は旅費一千圓を要する。

これらの金は止を得ざれば一時借金してもよいが、借金する場合には其支拂ひ期限は三ケ年以上にせねばならぬし、出來ればこれ以上の資金の準備すれば、ブラジルでは一層成功が早いのである。

（ニ）之れ丈け資金の出來ない者、で、海外協會又は土地所有者の土地を小作したい者があれば、協會では出來る丈け盡力をする、協會の直營地で勞働者又は小作人として働らくか、又は其他の人の小作をして土地購入の資金を得る方法もあるが、それにしても一家族三四人が渡航するには約一千二三百圓の準備金がなければならない。

（ホ）全然金のない者　の爲には二つの方法がある。一つは信濃土地組合に移住費を貯蓄して三年なり五年の後に渡航する方法であり、第二は然るべき人から借金して行く方法である。一期に澤山の金が儲からねば滿足の出來ない者は、ブラジルに行かぬがよい。移住者は辛棒强くて、其目的を達する爲めには五年でも十年でも、同一の目的に向つて進むことの出來る意志の强い者でなければ成功は出來ないものである。

（ヘ）旅行券出願　前項の準備が出來た者は、協會から證明を貰ひ旅行券下附の出願をせねばならぬ、又た借地して行く者は地主の保證で旅行券を出願する。戸籍謄本と、寫眞と金拾圓の印紙料を協會事務所に送つて來ると、協會で旅行券下附の手續は代辯してやることになつて居るが、地方の者は警察に行かねばならない。

（ト）出發　旅券は一ケ月位で下附される。ブラジルに行く一番よい時期は三月四月五月の三ケ月である。此の三ケ月中に出發すれば、到着後直ちに移住地で自分の仕事を進めて行くことが出來るから、協會では此の期間中の適當の船を選んで出來る丈け一所に行く樣に取り計ふ筈である。此の期間に後れたる者は、一時他人の所で勞働せねばなりません。

（チ）荷物　農具や家具は出來る丈け持つて行くがよい。荷物は三分する第一ブラジル迄開かずに送るもの、第二途中で時々開ける物、第三毎日必要なるものと區別し荷造りは堅固にし、なる可く荷物の數は少なくし、前以て出發港の指定旅館に送つて置くこと。第三の分は汽車中携行のこと。堅固な荷札を着けること。

(リ)出發港　では身體檢査や、旅劵の査證や種々の馴れない仕事であり、大勢の人が集まつて混雜するから、指揮者の命令をよく守り荷物や自分のまわりのものをよく整頓して置かねばならぬ。みだりに買物をせぬこと。夜遊をせぬこと。衞生を守り暴飮暴食をせぬこと。

(ヌ)船中心得。

一、勉めて運動すること。

一、海や船を恐れぬこと。

一、伯國語を勉强すること。

一、子女の敎育を忘れぬこと。

一、身體を淸潔にすること。

一、風紀を亂さぬこと。

一、暴飮暴食せぬこと。

一、香港、シンガポール、ダーバン、ケープタウン等の植民史などを研究すること。

一、死亡者が出來ても悲觀せぬこと。

一、船員などからブラジルの悲觀說を聞いても心配せぬこと。

神戸を出發した船は臺灣海峽を通過して香港につく、小さい島で支那領の時代には、マレータが非常に流行した所であるが、英國人が植民してから立派な港となり、衞生設備がよく出來た爲めに、今日では流行病などはなくなり、英國の對亞細亞の先進根據地となつて居る。

それからシガポールに着く、之れも英領であつて小さい島で海峽をこせばジヨホール州に行ける、日本人がゴム園を經營して居る。英人ラツフルスの努力に依つて此の地方が英領になつたのである。植民的偉人の偉業を偲ばねばなりません。

シンガポールからマラツカ海峽を通過して彼南に行きます。それから愈印度洋にかゝります。二十餘日の日數を要するし、熱いし、退屈するしゝますから特に精神を振起し、船中で運動を盛んにせねばなりません。

南アフリカの英領はセシルローズと云ふ人の力に依つて英領となつた所であります。英國が世界に覇を稱して居るのは、植民的英雄が澤山にあつたからでありまさ、又、其の國民が常に海外雄飛を心懸けたからだと云ふ事を忘れては

なりません。ダーバンとかケープタウンとか云ふ港を通ります。印度洋で熱かつたのが此邊に來ると少し寒くなりますから、風邪をひかぬ樣に心懸けねばなりません。

船がケープタウンを出て、大西洋を西北に進むと十三四日でブラジル共和國サントス港につきます。玆で、船の衞生檢査があり、移民官の取調べがすむと上陸します。小荷物丈け持つて上ると、大荷物はサンポーロ市の移民收容所迄ブラジル政府が送つてくれます。

サントスは人口十二萬位あり、日本人も五六百名居住して居る。ブラジル國ではリオデジヤネイロ港についでよい港であるブラジルの海岸に沿ふて西南にサントス・ジユキア線と云ふ鐵道があつて、其の延線には日本人がかなり居るし更にレジストロ植民地は其の先の方で日本人が三四百家族居る。

移住者は船からすぐに氣車に乘ります。三十分程海岸の平地を走りそれから二千尺程の急坂を上ります、それからサンポーロ州の高原に出て、サンポーロ市の移民收容所につきます。こゝは三四千人を一度に收容が出來る設備がしてあつて宿泊や食費一切政府で負擔します。

七、移住地に就いて

イ、位置と到着の道順　偖サントスに上陸すると瀛車に乘つてサンポーロの移民收容所に參ります。其間約二時間半で海拔約二千呎の高さに上つて行きます、瀛車の窓外は非常によい景色である。收容所ではブラジルニ到着したことの登錄をしたり大荷物を受領したり奥地に行く樣々の準備を致します。サンポーロ市は同州の首府で、人口百萬中々よい市街で、日本人の在留者約一千人、總領事館、邦字新聞社等あり、日本人のホテルも三四軒ある。

サンポーロからバウルと云ふ所に行くのであるが、これにはパウリスタ線に依るのとソロカバナ線に依るのと二線あるが、後者は時間は餘分にかゝるが乘りかへがないから此方がよいかも知れない。兩線共サンポーロ州の珈琲園や牧場の間を走ります。十時間乃至十二時間でバウル驛につく、此の町は砂の多い小さい町であるが、日本の領事館、邦字新聞社などがある瀛車の都合で此町に一泊することもあるが、多くは直ちにノロエステ線に

乘りかへるのである。此鐵道沿線は日本人の最も多く土地を所有し珈琲園や其他の作物を耕作して居る所であるから到る所に日本人の農場を見る事が出來る。バウルを出發してから九時間でアラサツーバ驛につく、汽車の都合で玆に一泊する。アラサツーバ驛から三時間でルツサンビラ驛につく小さい驛で、停車塲の建物の外には、二三軒の小さい家がある計りである此驛へはお迎の自動車が來て居るから、一度に行く事が出來ない塲合は二組三組に分れある者は二三時間待たねばならなくなる。驛から森林の間を三十三粁(約八里)行くと我等の移住地に入るので玆には極めて粗末であるが移住者の宿泊所が出來て居り、先きについた者が種々世話をして吳れるが餘り人の世話にならず、萬事自分でやつて行く決心がなければならぬ。ルツサンビラ驛附近一二里の間はマレータがあるから人々は鹽酸キニーネを飮んで其豫防をする必要がある。

ロ、移住地の區劃と分讓の順序　移住地は廿五町歩、三十七町五段歩、五十町歩の三種に區劃されて居る。道と川を各地區に入れる必要上地形に依つて、四方形、三角形又は長方形になつて、横に長いのや、縦に十八町もあ

る様なのがある。地質は大体に同一であるが、くわしく云ふと必ずしも同一でないし、道路や距離の關係から、地代は甲乙の二種類になつて居る。移住地は大森林であるから先きに行く者が入口又は事務所に近い方を取らねば、開拓上非常に都合が惡くなる、後から行く者が近い所を選めば、先に行つた者が奥の方へ行かねばならなくなつて仕事が出來なくなるから、分讓の順序は開墾を目的として入植者の到着した順序に據る事になつて居る。二人以上同時に到着した塲合には籤を引く事になつて居る。

ハ、地代金と其支拂方法　土地の代金は移住地附近の土地代を標準として協會が決定するが、附近の土地より安くあるとも決して高くない。それから地代に甲乙の二種ある事は前に記した通りである。土地代は年度に依つて差がありますが大正十四年度は一アルケール(二拾五町歩)四百ミルと四百五十ミル(一圓が三ミル五百の割)で支拂は三年賦でよい。

ニ、道路の布設と保存　移住地では交通機關が常に不便でそれが爲めに多大の損失をするのが常であるから、道路の布設と保存の爲めには、一人なし

が極力盡力する必要がある。それで移住地では道路の布設と保存は土地を所有する者又は其の代理人の責任としてあるのみならず理事が道路の布設を必要と認めた地積は入植者が無償で提供せねばならぬことになつて居る。

ホ、區制　一家の平和團結と同時に近隣の者が協力することの必要は前に記した通りである。一人〳〵が別々に事務所に行くのは不便であり、理事の方も一人〳〵に來られては應接に暇がないことになる、それで區制を設け一地區を代表する者を選定し置き、理事への申出、相談、其他の事は特別に一個人に關係あることの外は區長を經て申出ることに定めてある。

ヘ、移住地の政治　入植者の總てが分讓された土地代の全額を拂ひ、又、信濃海外協會の出資した產業其他の諸機關の見積り代價を全額支拂ひ終る迄移住地の政治は、信濃海外協會から任命された理事が行ふ筈である。勿論之れ等の理事達は必要に應じて區長會の意見を聞く事もあろう。入植者が土地代を全額拂込み、海外協會の出資金額が拂戻されると共に移住地は全然自治の政治になる事と思ふ。

ト、移住地では其必要の程度と資金とに依り、順次、製材、輸送、精米、倉

庫、繰棉、製糖、發電等の諸機關を設備する筈であるがこれ等の諸機關經營の精神はもちろん產業組合の精神によるのであるから、各自が皆協力團結の精神を持たねばならぬ。

チ、學校、教會、病院。既に移住地建設の理想が、更に一層よき文化を創造する所にあるのであるから、移住地では學校、教會、病院の設備を出來る丈け完全にして行かねばならぬ。子供が無くとも學校費を出し、病人がなくても病院費を負擔せねばならぬことは當然であるのみならず、出來る丈けブラジルの宗教を尊重して行かねばならぬ。宗教のない移住地が完全の意味で成功した例はないのである。

リ、青年會、婦人會、研究會。移住地には青年會、婦人會、研究會其他社會的に各階級の人々の向上を計る機開が大切であるから、各これ等の組織や活動の爲めに、皆相當に犧牲を拂ふ覺悟がなくてはならぬ。

ブラジルに於て多年實驗の結果最も適當だと思はるゝ規定を制定した。これは日本に居る者から考へると了解の出來ない様な點があるかもしれないが、現在のブラジルに日本人が新しい村を建設して行くには極めて大切な規定である。

其の全文は左の通りである。

八、「ありあさん」移住地入植規定

第一條　本移住地ニ入植スル者ハ土地ヲ所有スル者ト借地スル者ト勞働スル者トヲ問ハズ此ノ規定ニ服従スルコトヲ要ス

第二條　本移住地ニ自治機關トシテ區制ヲ設ク其細則ハ理事之ヲ定ム

第三條　本移住地ニ於テ分讓スル地區ハ左ノ三種トス

一、十アルケールス

二、十五アルケールス

三、二十アルケールス

但シ出資者ニ提供スル土地ハ此ノ限リニアラズ

第四條　本移住地ノ地區ハ二人以上共同シテ所有スルコトヲ得ルモ區分シテ賣却又ハ讓渡スルコトヲ得ズ

但シ理事ノ承認ヲ得タルモノハ此限ニアラズ

第五條　本移住地ヨリ分讓スル土地ノ價格ヲ甲乙二種トシ其地價ハ毎年度毎ニ理事之ヲ定ム

大正十四年度ニ於ケル一アルケールノ地價ハ甲種四百五十ミルレイス乙種四百ミルレイストス

第六條　本移住地ヨリ土地ノ分讓ヲ受クルモノハ信濃海外協會員有限責任信濃土地購買利用信用組合員又ハ其ノ家族及ビ南米土地組合員ニ限ル

第七條　本移住地ニ於テ提供又ハ分讓スル土地ノ決定ハ本人又ハ代理人ガ開拓ノ準備ヲナシテ到着シタル順序ニ依リ理事之レヲ定ム

但シ理事ニ於テ必要ト認メタル場合ハ此ノ限リニアラズ

第八條　本移住地ニ於テ道路ノ布設及ビ保存ニ要スル經費ハ本移住地ニ土地ヲ所有スル者ノ負擔トシ負擔ノ方法ハ理事之レヲ定ム

第九條　本移住地ニ土地ヲ所有スル者ハ理事ガ必要ト認メテ布設スル道路ノ用地ヲ無償提供スルノ義務ヲ有ス

但シ理事必要ト認ムル時ハ相當ノ代價ヲ支拂フコトヲ得

第十條　入植者ノ家屋ノ位置及ビ建築ニツキテハ豫メ理事ノ承認ヲ經ルヲ要ス

入植者ガ理事ノ承認ヲ經ズシテ家屋ヲ建築シタル場合ハ理事ハ必要ニ應ジ家屋ノ位置及ビ建築ヲ變更セシムルコトヲ得

第十一條　理事ハ入植者ノ衛生ニ付キ命令ヲ發スル事ヲ得

第十二條　入植者ハマレータ、フエリーダブラボ其他ノ風土病又ハ流行性ノ病人ヲ發見シタル時ハ直チニ理事ニ申告スルノ義務ヲ有ス

第十三條　移住地ノ教育衛生敎會青年會婦人會研究會其他社會的事業ノ經營ハ理事之レニ任ズ

其ノ經營ニ要スル經費ハ本移住地ニ住居スル者ノ負擔トス但シ教育及ビ衛生ニ關スル事項ニシテ理事必要ト認メタル場合ハ土地所有者ニ所要ノ金額ヲ賦課スルコトアルベシ

第十四條　本移住地ニ於ケル各種作物ノ耕作面積ニ就キ耕作者ハ豫メ理事ノ承認ヲ經ルヲ要ス

第十五條　本移住地ノ生產物加工ハ本移任地ニ於テ之レヲナス

入植者ハ理事ノ承認ヲ經ルニアラザレバ移住地ノ經營ト同種業ノ加工ヲナスコトヲ得ズ

第十六條　本移住地ニ於ケル生產物販賣ハ一括シテ移住地理事之ニ任ズ

耕作者ハ理事ノ承認ヲ經ズシテ其生產物ヲ賣却スルコトヲ得ズ

第十七條　本移住地ニ居住スル者ノ必要ナル物資ハ本移住地ニ於テ經營スル消費組合ヨリ購入スルヲ要ス

理事ノ承認ヲ經タルモノハ此限リニアラズ

第十八條　入植者ハ本移住地ノ風紀治安ヲ害スル行爲アルベカラズ

第十九條　本移住地ニ土地ヲ有スル者ノ爲メ理事ハ其希望ニ依リ土地ノ利用管理ノ方法ヲ講ズ、其細則ハ理事之ヲ作製ス

第廿條　本移住地ノ規定ヲ遵奉セザル者ニ對シ理事ハ退去罰金損害賠償其他必要ト認ムル所罰ヲナス事ヲ得

第廿一條　本移住地ノ理事ハ信濃海外協會之ヲ任命ス

第廿二第　伐木山燒霜害病虫害驅除豫防其他共同勞作ヲ必要トスル事項ニ對シテハ理事ノ命令ニ從ヒ共同提携シテ行フベシ

第廿三條　本規定ハ信濃海外協會ノ承認ヲ經テ理事之ヲ改廢スルコトヲ得

第廿四條　入植者ハ日曜祭日ヲ休業トシ其ノ他ノ日ハ止ムヲ得ザル事故アル

ニアラザレバ他人ヲ訪問スルコトヲ得ズ

◎入植規定細則

一、第十三條ニ於ケル教育衛生ニ關スル經費ノ賦課ハ大正十四年度分ヲ左ノ通リ決定ス

イ、教育費トシテ

授業料　生徒一人一ケ月三ミルレース宛

戸數割　一家族一ケ月一ミルレース宛

地區割　一アルケールニツキ年額一ミルレース宛

ロ、衛生費トシテ

共濟費　一ケ月一家族參ミルレース宛

單獨者ハ一ケ月一ミルレース宛

ニ、第十九條ノ土地利用管理費ハ甲乙二種トス

甲種ハ土地所有者ヨリ必要ナル經費丈ケヲ送リテ依托スルモノニシテ利用管理費ヲ年額五百ミルレーストス

乙種ハ土地所有者ガ必要ナル經費ト小作人トヲ送ルモノニシテ利用管理費ハ年額三百ミルレーストス

◎區制細則

一、區劃ハ地理的關係其他ノ事項ヲ參酌シ十家族内外ヲ以ツテ理事之ヲ定ム

二、區員ハ隣保相助ケ親睦ヲ旨トシ冠婚葬祭災害ノ救助等ヲ行フモノトス

三、冠婚葬祭其他總テ特殊ノ關係アルモノ、外ハ區内ニ於テ行フモノトス

四、冠婚葬祭ノ程度ヲ左ノ通リ定ム

イ、出產ニ對スル祝儀ハ金一ミルトシ誕生祝ノ經費モ來客一人分金一ミルヲ越エザルコト

ロ、結婚ノ祝儀ハ金一ミルトシ結婚祝ノ經費ハ一人分二ミルヲ越エザルコト

ハ、死亡者ニ對スル香料ハ大人ニハ三ミル小人ニハ一ミルトシ區員ハ穴堀リ其他ノ手傳ヲナスモノトス

ニ、疾病其他ノ災害ニ對シテハ其程度ニ從ヒ區員援助シ其程度甚ダシキ時ハ理事ニ申出テ理事適宜之レヲ處理ス

九、出資者の爲めに

こゝに「出資者」と稱するのは、信濃海外協會のブラジル移住地建設資金中へ出資し、協會より無償にて分讓されれたる土地を有し、自から移住せざるもの、及び土地を購入し自から移住せない者を云ひます。これ等の諸氏は左記の各項を十分心得ていただき度いと思ひます。

イ、分讓される土地は開拓の目的で本人又は代表者が移住地に到着した順序に依りますから、「僕には此邊を呉れ」などと申されても困ります。それでないと移住地の經營が大變に困難になる次第であります。

ロ、出來る丈け適當とお認めになる小作人なり代表者なりを選定して一口も早く移住させて戴きたいと思ひます。御親類方でもお村の青年でも宜しいと思ひます。

ハ、代表者や小作人を御自分で選定することが困難の方は、土地の利用を協會に御一任下されば、協會は出來る丈けの御盡力を致たします。此の塲合には勿論、利用の方法や順序に依り、多少の資金がかゝります。

ニ、ブラジルでは十アルケール以下では、一農家の經營上工合が悪いのですから、それ以下の分讓を受けた各位は、然る可き方で共同經營に願ひます出資者が各自御相談の上で協同されてもよし、協會に御一任下されば、適宜取り計らいます。

ホ、移住地の經營に要する費用の幾分は土地所有者に負擔して頂かねばなりません。これはブラジルに移住して居る者でも、日本に居て土地を所有して居る者でも同樣でありますから、此點も御承知を願ひます。又、開拓に着手せずに置かれても此の費用の負擔は同樣です。

十、開拓者心得

(イ)小屋掛及井戸堀り飲料水、入植者は當分植民收容所若しくは附近先住者の家に宿泊して居て森林伐採燒却後假小屋を建てるのであります。家を造ると云へば非常に面倒で素人には手のつかぬ樣に考へられますが實は何でもない事で一年位の假住居を造るには十二三人もあれば充分であります。即ち二間三間位の堀立小屋で屋根は瓦を用ひ廻りの壁は板なら上等ですが一

時しのぎには割木で結構であります。屋根は板をはける人なら瓦の代りとして至極重寶です。自家の勞力を除くと瓦代釘代や其他で二百ミル内外もあれば足りませう。實際假小屋を建てる場合は先着者達が手傳つてくれますので三四日あれば大低には出來上ります。暫く此小屋で我慢し農作物の播種後漸次相當な住宅を建てるのであります。家と共に大切なものは飲料水であります。各地區共多少の水流を有する事になつて居りますが住宅は保健上高燥の地を選ぶ關係から井戸を掘る必要があります。高所であるが爲多くの場合仲々深く、四五間より甚しきは十間以上にも達します。それで不慣の者が掘るよりも二三百ミルを投じ請負はせるを得策と致します。

(ロ)森林伐木　當移住地は五千五百町歩悉く原始林であります。從つて之れが伐木も不慣な者には容易ではありません、然し原始林だからと云ふて日本の方々が想像される程決して大きな樹木のみが連立して居る譯ではありません。當移住地の森林中最も大きな樹は「ペローバ」及び「フイゲーラ」と稱する木であります。ペローバは幹の直經約二尺より三尺五寸位のものが普通でありまして此樹は比較的群生し、多き所になると一町歩に十本以上もはく

て居て、幹の高さ七八間に達し誠に見事な樹木であります。「フイゲーラ」は根もとが無限に廣がつて稀には五六人して周圍を抱へる程のものもありますが其の癖、根もとから八九尺すると經四尺位であります。質軟く枝の張り方が廣く賑やかです、此木はペローバの樣に群生して居らず多い所で一町歩に一二本位であります。其他の種類では「タンボリー」、「バイチーラ」等に間々直經三四尺のものがありますが至つて稀れであります。森林中の樹種は恐らく數十種以上に達しませうが、事實驚く程の大樹は前述の如く殆んどありません。此等の原始林の伐採は普通當地方では斯うした仕事のみを請負ふてあるく團隊勞働者に請負はせるのでありますが、自分等が伐つても出來ぬことはありません。

伐木期は五、六、七月迄を作づけ上良しとしてあります。森林を伐るには先づ「フオイセ」と稱する長柄の鎌に似た農具で樹木にかゝつた葛や蔦及經三四寸程度の木を伐り拂ひ森林の根もとが明るく見へる樣にして置いて然る後斧を用ひ、大きな木を伐り倒すのであります。木の質は一般に硬く鋸よりも慣れゝば斧の方が危險でもなく且つ仕事が早いのであります。大きな

樹は普通二人乃至四人で二方乃至四方から調子を合して斧を揮ひます。森林にもよりますが不慣れな人で一アルケール(二町五反)の伐採口數は約五十口内外の見當であります。

(ハ)燒拂ひ　伐り倒された樹木は約二ケ月乃至三ケ月の後に燒拂ふを普通とします。あまり早く伐り餘りに永く乾燥して置くと枯葉が皆地に落ち又木の芽が澤山ふき出し燒却に非常に困難を來たします。燒却は八九月が普通で晴天の續いた日の日中に風の方向を考へ、火を各所から放つのでありますが、若し隣人が自分の畑と相接して森林を伐つて居る場合は皆申し合せの上同時にやらないと萬一隣人の伐木森木が充分乾燥して居ないと飛火の爲め半燒けになります。どんな廣い場所、例へば數百町歩の伐木森林でも火を放つてから三四時間の中には悉く燒けて仕舞ひます。それは〱盛んなもので山燒き季節になりますと數十里四方の空が此の白煙に掩はれ、約二三週間も此の地帶は天日ために赤色を呈する程であります。然し此の樣な大火でも左程危險なものではなくして其爲めに人が燒け死んだ話しも聞きませんし又附近の原始林へ類燒する樣な事も極めて稀れであります。最も

久しい間雨が降らず非常に乾燥して居る場合などは之れら山燒の火が原始林の根元にある枯葉に飛火し、火は下を匐ふてそれからそれへと燃へて行き雨の降る迄消へぬこともあります。燒却すべき伐木森林に接し、既に植へ付けられた農作物或は珈琲などのある時は適宜、數間乃至それ以上も奇麗に其の境を伐つてかたつけ防火線と致すのであります。附近に住宅等ある時は、無論注意せぬといけませんが、草屋根でなければ滅多に火が移る樣な事はありません。此の燒却(當地の日本人は之れを山燒きと申します)は非常に大切でありまして其成績如何は其年の播種に多大な影響を來たしますが、さればとて人間の力では如何とも致し方がありません。即ち珈琲の植付けには中位の燒け方を最も良しとし、棉花、米、豆、其他には寧ろ燒け過ぎる位を勞力上得策と致します、萬一、火が下方のみを匐ひ「ナマ燒」になると、殆んど手の下しやうもないので、之れに播種するには時に山伐り同樣の手數を要し、稀には播種期を逸し翌年迄捨て置より外ない場合もあります、伐木森林が最も良く燒けたと云ふ狀態は直經三、四寸程度の木や枝が悉く燒け盡し、太い幹や枝が一茫雪の如く白い灰の中に黒く焦げて殘

るのであります。此の白い灰が雨と共に地に落ち付くを待ち播種に取かゝるのであります。

(ニ)播種。森林を焼いてから、播種に便なると又蒔付面積を多からしむる爲めに、一通り簡單に焼跡を片つけ、八、九月以後の降雨を待つて播種に取りかゝるのであります。玉蜀黍は最も粗放的の農作物ですから別に焼跡の片つけなど致しません、假りに致たしても聊かの勞力で足ります。かくて十二月初旬頃迄に一番豆、珈琲、米、棉花、甘蔗、マンヂオカ及日本に於ける春蒔野菜等を蒔きつけるのであります。其の方法は機器蒔と手蒔きの二種です。即ち

一、「機器蒔」 簡單なる種蒔器を使用し米、豆、玉蜀黍等を蒔くのですが此の中玉蜀黍は手蒔の方却つて良しい樣です。

二、「手蒔」 棉花、マンヂオカ等の如きは「エンシャーダ」(手鍬)を以て所定の距離に小穴を穿ちて蒔付け、珈琲、甘蔗等にありては所定の距離に深さ七、八寸、巾七、八寸長さ一尺内外の長方形の穴を堀り是れに蒔付けるのです、殊に珈琲にありては播種後其上を長さ一尺二三寸の割木を以て三寸の割木を以て日覆ひを必要と致します。

(ホ)手入。主として除草、間引及收獲後の片付つけ、即ち

一 除草は原始林地に於きましては初年には除草の必要殆んどなく、只切株より出づる側芽と蔓草を一、二回除く位に過ぎませんが、後生林や草生地にありては其雜草程度に從ひ年に二、三回乃至數回の除草を致さねばなりません、孰れも『エンシャーダ』を用ひます。尙ほブラジルに於ては特に土寄は行はぬが作物の成育するにつれ除草の都度幾分根元へ土を寄せ乾燥を防ぐは有効な事であります。

二 棉花、珈琲、等は發芽後一、二寸成長せる頃より二、三回間引を行ひ、最後に珈琲は四、五本、棉花は二本位を殘すのです。

三 收穫した後跡は毎年除草と共に藁稈等を片付け焼却又は畦形に細長く集め翌年度蒔付に便ならしむる樣致すのであります。

(ヘ)收穫。當地方の主要農作物は、珈琲、米、棉花、玉蜀黍、豆の順序で其外甘蔗、マンヂオカ、落花生、アルファアルハ(飼料等)其種類は可成多いのであります。氣候は一言にして說明致しますと、日本の四季中秋の末から春の

初迄を引き去つたと同樣であります。斯くの如く氣候が温暖なる所から一般農作物の播種收穫期間も比較的永いのですが、普通農家の收穫は三月から七月迄(作物に依つて勿論差違あり)で、主とする作物に就きかいつまんで記せば左の通りであります、

十一、各種昨物と賣却

一、珈琲。何んと云つても珈琲は當ノロエステ地方の重要作物でありまして現在樹數約七千萬本、(此の内一千萬本は實に我日本人の所有であります)年々新たに植つけられて行く株數は优に千四五百萬本を越ゆる盛況であります。別項にも記載した通り珈琲は實から蒔き滿三ヶ年半にして第一回の收穫を見、それから土地の肥瘠にもよりますが普通四五十年なり續けるのであります。其收穫期は大低五月からで、大耕地になりますと人手の足らぬ關係から其年の十月末迄も採集をやるのですが、珈琲樹の爲めには七月頃迄に完うするを最良と致します。珈琲の實は丁度「グミ」位の大きさで中にさゝげ豆樣のものが二つに割れて這入つて居ます。常には青いが成熟すると眞赤となり、それから段々に皮が黑くしなびて水分が無くなり一寸枝に障つても落ちる樣になります。珈琲樹は生育したもので八九尺から一丈四五尺、三四尺の細き小枝が幹から澤山交叉して擴がりそれに枝もとから一杯に此實が付くので、成熟期には誠に見事なものであります。珈琲採集は先づ珈琲樹株の根もと及び周圍の「ゴミ」を奇麗に畔の中央に掻き集めて小山となし、此仕事が珈琲園全体に亘つて濟んでから初めるのです。摘採は此等の實を手で地上にこき落し(高き枝には股梯子を用ゆ)、然る後篩にて土塊や木葉などを去り袋へ積めるのです。一俵五斗五升入り、約十五六貫内外其賃銀普通二ミルで、豐作の年だと三人家族の一日採集量約十俵内外であります。かくして採集した皮付きの珈琲は更に適當の天日乾燥を行なひ、之を精選機にかけて粗皮を去り、六十基瓦一俵として市場へ出すのですが此珈琲精選機を設置するには約二萬圓内外かゝるので、小規模の珈琲園主(數千本より三四萬本程度)は寧ろ精選を依托、若しくは皮付乾燥のまゝで賣るのであります。

二、米。收獲期は早い處で三月から、遲蒔でも五月の初旬迄位を普通と致し

ます。當ノロエステ地方では近年米作を専門にやる農家は極めて稀で、大部分は四年生以下の新珈琲園内の間作と致します。收獲量は一アルケール(約二町五反にして植付珈琲樹數約二千本)に籾八十俵(一俵十六貫)内外の見當であります。稲は日本と同じく手にて苅り、脱穀機にかけ或は叩くのですが、多くは一時畑の中へ積んで置き(此の季節は雨少し)時を見て收獲します。

三、棉花。これは近年當所に勃興した新らしい農作物で土地氣候が能く適し且つ市價暴騰の爲め、驚くべき勢を以て其栽培面積が擴大致されつゝあります。嘗ては伯國中此作物は主として北部諸州に限られて居りましたが、今日では二十州中當州を以て第一位に推します、棉花の成長は種類に依つて多少違ひますが、三四尺から、五六尺に延び四方へ藪の如く枝を張ります。收穫量は日本の一町歩當り實付棉花三百貫内外を上作の部と致します。これは皆手で摘採するので、收獲期は四月下旬より、遲いので七月迄とします。開いたのから漸次摘むのですが終了迄には三回乃至四回位です、摘採は小供でも大人でも殆んど變りありません。一日十貫乃至十五貫位で四貫目の摘採賃銀は二ミル五百より時に四ミルであります。賣却は十五アローバ(約四貫目)を單位と致します。

四、玉蜀黍。は之を粉にして人間も食ひますが大部分は動物飼料の爲めに栽培致されます。收獲は矢張り三月頃を早いものとし、又既に成熟しても仕事の都合で七月頃迄畑に立つたまゝ收獲せずとも一向差支ありません。これは無論手で一房づゝかくのですが一アルケール約八人乃至十二人見當、産高一アルケールに付き四五萬本、約六千本を一牛車と稱し、地方では皮付きのまゝ賣買致たしますが、更に之を脱穀機にかけ粒とし俵とするを通常とします。

五、豆。これも非常に内地消費が多いので澤山耕作いたされますが(伯國人は米と共に之を常食とし水にて煮、豚脂にてあげ、鹽にて味をつける)、これも専門に作る場合は少なく多くは珈琲樹の間作であります。種類も數種ありますが最も一般的なるはムラチーニヨと稱する褐色を帶びサヽゲ豆に似て稍小形の豆であります。收量は一アルケールの間作に約二十俵(一俵十六貫)内外で、之れは矢張りこいでからたゝくのであります。

六、賣却。非常に交通不便、遠隔の地でない限り、凡ての農産物の販賣には

少しも不便を感じません、收獲季節に至りますれば大小幾多の仲買人は絶えず植民地に出入致します。然し最も有利な賣却方法は何んと云つても植民が一致して販賣組合を組織する事で、之れは買手に取つても其購入費を節約し一と纏めに大きな取り引きが出來るので双方共に使宜此の上なしであります。賣却する場合、農産を入れた袋は賣手持ち(一袋一ミル以上)です又畑渡しでない時は驛迄の運賃は矢張り當方の負擔であります。

農産物の相場に就きまして今日迄の經驗から考へますに伯國に於ては一ケ年の間に比較的著しい價格の上下があります、其の時期の如きも年々殆んど一定して居かの樣であります。又珈琲、米棉花等精選を要するものに至つては其の精選すると否とにより之又非常な價格に相違を發見するのであります。恐らくこれは地方農民が比較的資金に欠乏して居る結果、生産物を收獲次第、或は其れ以前に賣り飛ばさねばならぬ場合も生じ、況んや農産加工等の機關を設備することなども出來ぬ關係が主因ではないかと存じます。それで植民地に於て最も農家に有利な解決方法は云はずと知れた事販賣組合、倉庫、加工機關の開設であります。

十二、植民收支豫算

必らず左の計算通りに行くと云ふのではありません、當地の現狀と經驗から推して參考の爲めに作つた收支目論見であります。

一、資金五コントス二百五十ミル(邦貨千五百圓、一圓三ミル五百の換算)此の資金は當移住地へ入植した時の現在高とす

二、家族勞力　一家族三人勞働とす

三、土地利用　全面積十アルケール(我二十五町歩)の内

(イ)四伯町　二年計畫ニテ珈琲七千本ヲ植付

(ロ)一伯町　牧場(牛馬及養豚)

(ハ)二伯町　棉花米其ノ他雜作地

(ニ)三伯町　原治林ノマヽ保存

四、主作物　珈琲、五年末完成計畫

備考　土地ハ十伯町四コントス、一コント五百ミル、一コント、一コント五百ミルノ三ケ年賦ノ事。利子ハ年一割。本計畫ハ他人ノ勞力ヲ當テ

ニセザル自作農タルヲ以テ豫算中ニ家族ノ勞力ヲ見積リ計上セズ。

第一年度收入ノ部

種目	金額	摘要
資本金	五、二五〇	邦貨約千五百圓、一圓三ミル五百換算
籾百六十袋代	三、二〇〇	一俵ニ十ミルの割(珈琲四千本ノ間作)
玉蜀四十俵代	八〇〇	珈琲一千本ノ間作
豆三十五俵	七〇〇	玉蜀ノ合作二回分ノ合計
計	九、七五〇	

第一年度支出ノ部

種目	金額	摘要
土地代	一、五〇〇	第一回拂
珈琲植付代	一、二〇〇	五千本分コーバ堀等ハ自家勢力
珈琲種子代	一七五	一俵半、一俵七〇ミル
牧塲地伐採	四〇〇	一伯町分
牧草種子	九〇	一伯町分約九十基瓦
假小屋及井戸	五〇〇	小屋ハ堀立瓦屋根約二年住居
家具及食器	三〇六	日本ヨリ携帯スレバ此内ヨリ多少引ケル
農具類	四二一	伯國通常農具一切
籾其他ノ種子	五〇	
乘馬一頭及馬具	六五〇	
三人家族食費	一、三五〇	一ケ年分
雜費	三四〇	衛生費一〇〇 交際費一〇〇其他
臨時使用人賃銀	六〇	十人分食付一日六ミル
計	七、〇三一	
第一年度收支差引	二、七一八殘額	

第二年度收入ノ部

種目	金額	摘要
初年度殘額繰越	二、七一八	
籾二百五十俵代	五、〇〇〇	珈琲六千本ヘノ間作
玉蜀及豆	三〇〇	前年度ニ同ジ
棉花一五〇アロバ	三、〇〇〇	一アルケール栽培
計	一二、〇一八	

第二年度支出ノ部

種目	金額	摘要
珈琲植付二千本代	四〇〇	コーバ堀其他自家勢力
土地代	一、〇〇〇	第二回拂込
土地代利子	二五〇	殘金二、五〇〇ノ利子一割
牧塲費	三〇〇	針金代其他
棉作地伐採	四〇〇	一伯町後ニ牧塲トナス
生計費	一、六九〇	交際費衛生費其他ヲ含ム
袋代其他	七〇〇	袋約三百
計	四、七四〇	
第二年度差引	七、二七八ミル殘額	

第三年度收入ノ部

種目	金額	摘要
第二年度殘金繰越	七、二七八	
珈琲園内間作	四、四一〇	前年度ノ三割減
棉花二五〇アローバ	三、〇〇〇	一アローバ二十ミルノ割
計	一四、六八八	

第三年度支出ノ部

種目	金額	摘要
土地代	一、五〇〇	第三回拂込全部濟
土地代利子	一五〇	一、五〇〇ニ對スル一割
土地登記料	四〇〇	地代ノ約一割
住宅建築	二、五〇〇	三間ニ五間(五室トス)
生計費	一、五〇〇	一家族一年分
袋代其他	五〇〇	
乳牛一頭(兒共)	四〇〇	
其他諸雜費	一、〇〇〇	
計	七、九五〇	
第三年度差引	六、七三八ミル	

第四年度收入ノ部

種目	金額	摘要
前年度繰越金	六、七三八	
珈琲園間作	一、〇〇〇	五千本間ニ僅カノ玉蜀、二千本間ニ米作
珈琲ノ實	三、〇〇〇	百俵(皮付キニシテ千本二十俵ノ割)一俵三十ミル
棉作其他雜	一、五〇〇	
計	一二、二三八	

第四年支出ノ部

種目	金額	摘要
生計費	一、五〇〇	
袋代其他一切	二、〇〇〇	
計	三、五〇〇	
第四年度收支差引	八、七三八ミル	

第五年度收入ノ部

種目	金額	摘要
前年度繰越金	八、七三八	
珈琲二百九十俵代	八、七〇〇	五年目ノ五千本ハ二十本一俵 四年目二千本ハ五十本一俵 一俵三十ミル見當(皮ツキ)
珈琲園外雜收入	二、〇〇〇	
計	一九、四三八	

第五年度支出ノ部

種目	金額	摘要
生計費	二、〇〇〇	
住宅建增其他	二、〇〇〇	
農具袋代等	一、五〇〇	
動物買入	二、〇〇〇	ブーロ、其他
雜費	一、〇〇〇	
計	八、五〇〇	
第五年度收支差引	一〇、九三八	

備考 即ち第五年度の末を以て七千本の珈琲園は完成せられたる譯にして、六年以降は年々三百俵乃至四百俵の皮つき珈琲を得る譯なり。而して年次の差引純益は思はざる凶作若しくは其家族に災害のあらざる限り六、七コントスより十コントス内外ならんか。此耕地の見積價格約三十五コントスは不當ならざるべく、携帯資金五コントス二百五十ミルを差引くも尚ほ現在高五コントス六百八十九ミルの剩餘金ある譯です

十三、珈琲の四年契約をさせる場合

伯國以外に住居なさる御方で當移住地に十アルケールの土地を有し、これに七千本の珈琲園を仕立たいと云ふ場合は左の收支豫算を御含みの上協會へ御申越下されば適宜世話料申受け責任を以てお引受け致します。

何故に七千本と申したかと云へばこれが三人家族の請負ふ最も手頃な木數でこれ以下だと其手入請負を希望するものが少いし又將來珈琲園を他へ賣却する時も餘りに少な過ぎ非常に不利益であるからです。四ヶ年の末迄に入要な資金は約十六コント三百五十ミル、一圓三ミル五百換算に致ますと四千六百圓ばかりであります。

種目	金額	摘要
土地代	四、〇〇〇	
山伐代	一、六〇〇	四アルケル(珈琲七千本分)
蒔附費	一、〇五〇	一株百五十レースノ割
種子代	二九五	珈琲種子三俵半、二四五、外草種子五〇
牧塲費	五六〇	牧塲セルカ代(伐木は請負者ノ負擔)
請負者住宅	二、五〇〇	
井戸	三〇〇	
珈琲育成費	四、二〇〇	一株六〇〇レースノ割四年目ニ渡ス
利用料	二、〇〇〇	一ケ年五百ミル宛四ケ年分
合計	一六、三〇五	

備考 四年目に於て七千本より珈琲百四十俵を產し產額の半分は請負者、半分は地主の收得とす、

かくて七ヶ年末迄の收支左の如し

	收入		支出		差引	摘要
四年目	珈琲七〇俵	二、一〇〇	四年ノ全經費	一四、三四〇	一二、二四〇	一俵(皮ツキ)卅ミルノ割
五年目	珈琲二八〇俵	八、四〇〇	除草費 收獲費 雜費	一、七五〇 五六〇 七〇〇	五、八五〇	投資回收殘額
六年目	珈琲四六二俵	一三、八六〇	除草費 收獲費 雜費	一、七五〇 九二八 一、〇〇〇	四、三三二	投資一四、三四〇回收ノ上剰餘金

七年目　珈琲三五〇俵　一〇、五〇〇　除草費 二、一〇〇　收獲費 七〇〇　雜費 一、〇〇〇　一一、〇三一

七年末の現金一一、〇三二ミルより移住地管理所へ假りに七ケ年の土地利用費三コントスを拂ふとも尚八コント三二、即邦貨約二千五百圓内外殘る譯にして以後年々此耕地から二千圓内外の利益が擧がる譯なり。十アルケールの土地で七千本の立派な珈琲樹がついて居れば現在の相場で三十五コント(一萬圓)位に見積る事が出來ます。この外に二町五反の既成牧場もつて居る計畫です。

十四、四年契約請負者の收支

これは獨立資本を必要とする方々が珈琲樹育成四年契約をやる收支豫算で條件は一、地主は請負者に家、井戸等を作つてやる事、二、四ケ年契約に從ひ園内間作をなし得る事三、四ケ年目に一株に付六〇〇レースを耕主は請負者に支拂ふ事四、尚ほ四年目の結實珈琲は地主と折半の事、山伐りや、珈琲植付の爲めに堀る穴などは凡て耕主の負擔で四年契約者は珈琲の種蒔きから初まる、即ち九月頃より滿四年を意味するのである。

支出の部

項目	一年目	二年目	三年目	四年目	合計
生計費	一、六九〇	八八〇	一、〇〇〇	一、〇〇〇	
家具	三〇六	五〇	三〇〇	五〇	
農具	四一一	五〇	五〇	五〇	
種苗藥劑	一五〇	七〇	七〇	七〇	
家畜	五〇	二〇〇	四〇〇	ー	
雜費	二〇〇	三〇〇	三〇〇	四〇〇	
袋代	四五〇	四六四	三一六	二四六	
勞働賃銀	ー	五〇〇	三〇〇	五〇〇	
合計	三、二五七	二、五一四	二、七三六	二、三一六	一〇、八二三ミル

四年契約收入の部

	一年目	二年目	三年目	四年目	
米	二、〇〇〇 百二十俵收穫 百俵賣却	二、八〇〇 百六十俵收穫 百四十俵賣	二、三〇〇 百三十五俵 百十五俵賣	一、六〇〇 百俵 八十俵	一俵籾二十ミル見當
豆	五〇〇	五〇〇	五〇〇	五〇〇	
玉蜀黍	七五〇 三十俵二回分 二十五俵賣却	七五〇 同	同	同	一俵二十ミル見當
棉花	四、〇〇〇 十臺收穫 五十俵賣却	一、四〇〇 同	一、四〇〇 自家用	一、四〇〇 同	一俵十五ミル見當
	二百アローバ收穫	七〇アローバ收穫	同	同	一アローバ二〇ミル見當
家畜		二〇〇	七〇〇	七〇〇	豚を賣却
珈琲育成費	ー	ー	ー	四、二〇〇	七千本代一本六〇〇レースの割
珈琲賣却代	ー	ー	ー	二、一〇〇	百四十俵收穫地主と折半、一俵三十ミル
合計	七、二五〇	五、六五〇	四、九〇〇	九、一〇〇	

備考　二年目ヨリハ棉作ハ園外地ニ二分一アルケール栽培

各年收支差引過不足

	一年目	二年目	三年目	四年目	合計
差式殘額	三、九九三	三、一三六	二、一六四	六、七八四	一六、〇七七ミル

即ち四年目の末に於て邦貨約五千圓程儲かる譯です

十五、入植者の要する諸經費の概算

項目	經費	備考	
生計費	一、六九〇	食料費	一、三五〇
		衛生費	一〇〇
		雜費(石油マッチヲ含ム)	一四〇
		交際通信費	一〇〇
建築費	三七〇	假小屋 三七〇、內譯屋根 二〇〇、釘其他 五〇、勞銀 一二〇	
	二、三五〇	本建築(十五坪)二、三五〇、內譯屋根六〇〇、板七五〇、建築費一〇〇〇	
家具	三〇六	皿一ダース二四、サジ一ダース一〇、箒三、茶碗一ダース二四、鍋四ケ五〇、鐵瓶一三、机腰掛四〇、鉋丁二ケ八、バケツ二ケ一〇、空カン六ケ八、水桶一ケ一〇、風呂二三、水樽四、空箱二ケ四、洗面器五、大タライ一五、コヒー入一〇、コヒー器三〇、漬物桶二ケ一五	
農具	四一一	種子蒔二ケ六〇、斧三ケ三六、ホイセ三丁二四、粉霧器一五〇、エンシヤーダ三ケ二四、エンシヤードン二ケ一六、篩一ケ六、蓆代用ノ布五反一〇〇、大工道具若干	
井戸	三〇〇		
動物		馬一頭四〇〇、ブルー五〇〇、牛(牛車用)三五〇、牝牛一八〇、子牛五〇、豚生後三ケ月ノモノ二〇、肥育セル豚九〇—一五〇、鷄一番七—八、山羊四〇	
勞働賃銀		男一日八、女一日五—六、馬車一日 二〇—三〇但シ普通耕地ニ於テハ男一日五—六、女一日三—四	

十六、一アルケール當り主要作物の收支概算

作物	種子(分量)	種子(種子代)
米	一・五—二俵	三四・五—四六ミル
玉蜀黍	四〇—六〇リツトル	七—一〇・五ミル
甘・蔗	一二〇斤	約四噸 一〇〇ミル
珈琲	一俵	六〇ミル
棉花	二〇—三〇キログラム	四〇—六〇ミル
豆	一五俵	三〇ミル

播種 日数	播種 賃金	除草 日数	除草 賃金	收穫 日数	收穫 賃金	收穫量 上	收穫量 中	收穫量 下	最近三ヶ年平均相場ニヨル收入額 上	同 中	同 下	合計勞力	同上賃金	收入ノ中位	差引一アルケール當リノ益金
七ー一〇人	五六ー八〇	三〇ー五〇日	二四〇ー四〇〇	四〇	三二〇	一五〇俵	一〇〇	八〇	三、四五〇ミル	二、三〇〇	一、八四〇	七七ー一〇〇人	六五〇・五ー八四六	二、三〇〇ミル	一、五五二
四ー六人	三二ー四八	一〇ー一五	八〇ー一二〇	八ー一二	六四ー九四	一〇台	八臺	七臺	七〇〇	五六〇	四九〇	二二ー三三	二〇三ー二七四・五	五六〇	三二一・三
五〇人	四〇〇	二〇	一六〇	二五	二〇〇	一五〇トン	一一二	七五	ー	ー	ー	ー	ー	ー	ー
三六人	八八	五六年モノヲ標準トシテ	三六〇	九十俵ト見テ	一俵二ミル約一八〇	一八〇俵	九〇	六〇	五、九四〇	二、九七〇	一、九八〇	ー	八八八	二、九七〇	二、〇八〇
六人	四八	一〇ー一五	八〇ー一二〇	一アローバ三ミルトシテ	四五〇	二〇〇アローバ	一五〇	一〇〇	四、〇〇〇	三、〇〇〇	二、〇〇〇	ー	六三四ー六九四	三、〇〇〇	二、三三六
七ー一〇人	五六ー八〇	三〇ー五〇	二四〇ー四〇〇	一七	一三六	六〇	五〇	四〇	一、八〇〇	一、五〇〇	一、二〇〇	五四	四六二	一、五〇〇	九四六

備考　(一)最近三ヶ年各作物の平均相場　籾一俵(六〇キログラム)二十三ミルレース
玉蜀黍牛車一臺凡(四千八百本)七十ミル。珈琲一俵(珈琲皮付百リットル入)三十三ミル。棉花一アローバ(十五キログラム)二十ミル。豆一俵(八十リットル)三十ミルと見る

(二)甘蔗は生莖の賣買殆どをし　生莖一噸を以つて約粗製粉一俵を製し得而して其の製造工場の最も小規模なるもの木製壓搾器煮沸釜三枚其他簡單の附屬品及馬三頭にて凡そ約三コントスを要し三人乃至四人を以て一日一俵乃至一俵半製出し得平均相場七十三ミル宛一アルケール當り凡コントス百七十六ミル内生產費に四コントス乃至四コントス五百ミルを要し三コントス五百乃至四コントス收益を得

(三)借地料　借地は多く棉作者にして一アルケール百ミル内外にして歩合を以てなす場合は收穫量の一割とす

(四)歩合作　是れも殆んど棉作者にのみ限られ其の歩合は地主に於て山伐り種子及害虫驅除劑等を供給し借地者はたゞ簡單なる住宅を造り栽培收穫に從事するものにして其の收穫量を折半して半額を借地者の收入とするを普通とす又場合によりては地主より一年の食料費を貸與する事あり

(五)四年契約　是れはコーヒーのみに行はれ地主は伐木より蒔付迄行ひ

尙請負者の入るべき家屋、井戸、牧場を供給し請負者は四年間珈琲の手入栽培に從事し其の間作として棉(特に初年のみに限る)稻、玉蜀黍、豆、落花生等を作り得其の條件は左の如し

一、四年間の手入取扱費として一株六〇〇レースを支拂ふ

二、四年目の結實(四年目に始めて結實す)珈琲は耕主と折半の事

三、珈琲園內の間作條件

年別	棉	稻	豆	玉蜀黍	落花生
一年目	二	五畦	三畦	二畦	三
二年目		四	三	二	三
三年目		三	二	一	二
四年目		二	二	一	二

此の制限規定は珈琲樹の成育關係に基くもので耕主側はより少きを欲し請負者はより多きを望むが故に一定の規定に從はしむものなり

四、請負者の義務以上は耕主が請負者に提供する條件の概略なるが其の交換條件として請負者は新植珈琲の手入につとめ四年後耕主に引渡す時一株に付高さ一メートルのもの四本以上の成育珈琲たる事を要す

十七、各種作物栽培年中行事

項目 月別	一月	二月	三月	四月	五月	六月	七月	八月	九月	十月
稻	除草	除草	早蒔モノ收穫	收穫	收穫	ー	ー	ー	九月下旬ヨリ早蒔ハ播種ヲ始ム	播種
玉蜀黍	除草	除草早蒔モノハ收穫シ得	收穫	收穫	收穫	收穫	ー	ー	播種	播種
甘蔗	除草	除草	晩生種ノ收穫製造	同	ー	製造準備	同	收穫製造	同 播種	同 同
珈琲	古コーヒー除草新植第一回間引及植穴ノ手入	同	山建テ	山建テ下旬ヨリ收穫始ム	收穫新植コーヒー第二回間引及植穴ノ手入	收穫	山崩シ	山崩シ及新植コーヒーノ第三間引及植穴手入	播種	播種除草
綿花	虫害防除摘心除草	蟲害防除	同	收穫	同	同	ー	ー	播種	播種除草間引
豆	ー	下旬ヨリ二番豆ノ播種	播種	除草	收穫	同	ー	ー	一番豆ノ播種	中旬位迄蒔クヲ得
備考		二月下旬ヨリ三月ニ掛ケテ日本ノ秋蒔野菜例之大根甘藍玉葱葱菜類等	播種	原始林伐木開始	同	同 同 及 山燒	同 同 同	同	八月下旬ヨリ日本ニ於ケル春蒔野菜ヲ蒔ク但シ九月ヲ最モヨシトス	原始林ハ伐木一二ヶ月ニシテ山燒ヲナシ後生林ハ其樹木ノ大サニヨリ二三十日ヲ以テ燒ク事ヲ得

十一月	播種及除草	播種	同	同	同	同	除草
十二月	除草	上旬迄播種スル事ヲ得	除草	除草		上旬迄播種除△	收穫

原始林地ニ播種セル場合稻甘蔗綿豆等ハ年一回ノ芽カキル兼ネテ除草スルノミ玉蜀黍ハ殆ド其ノ必要ナシ後生林。草生地ハ其草ノ程度ニヨリ二三回乃至數回ノ除草ヲ行フ

稻　畦巾株間ハ原始林地及其他ノ肥沃ノ地ニアリテハ凡二尺平方ニ一株位トシ後生林及草生地等肥瘠ノ程度ニヨリ漸次畦巾株間共ニ短縮スベシ播種期ノ最モ適セルハ十月中旬ヨリ十一月末迄トス其方法ハ點播ニナシ一株十五粒乃至二十五粒トシ多ク器機蒔トス

玉蜀黍　畦巾株間約一メートル平方乃至一、五メートルニ一メートル、一株ニ三四粒ヲ蒔ク玉蜀黍栽培ハ最モ粗放ニシテ餘リ除草ヲ行ハザルモ差支ナシ

甘蔗　畦巾株間二メートルニ一メートル收穫ノ適期ハ七月下旬ヨリ九月下旬迄トス早生種ハ植付後十一二ケ月晩生種ハ十七八ケ月ヲ以テ收穫製造シ得且ツ一回植付ケレバ三四年間ハ同株ヨリ收穫スル事ヲ得

珈琲　畦巾株間三メートル半平方位一株ヘ二三十粒ヲ播下シ發芽後二ツ葉ノ時即一月頃第一回間引及植穴ノ掃除手入レヲナシ以後七八葉(五六月)ノ時及十二三葉(八九月)ノ時ノ二回間引手入レヲナシ最後ニ四五本殘シ成育セシム尚播種後割木(一尺四五寸ノモノ)ヲ以テ植穴ノ上部ヲ覆ヒ日光ノ直射ヲ防ギ成育スルト共ニ非形ニ根元ニ積上ゲ根元ノ乾燥ヲ防ギ冬期ハ是レニヨリ霜害ヲモ防グ

綿花　畦巾一メートル平方乃至一、五メートルニ一メートル、一株ニ七八粒乃至十二三粒ヲ蒔キ發芽後三四寸ノ時及一尺内外ノ時ノ二回間引ヲナシ最後二本位殘シ成育セシム尚一月頃花芽ノツク頃ヲ見計ヒ摘心ヲ行フ棉ハ虫害ノオソレ最モ甚シキモノナレバ常ニ注意ヲナシ蟲害ノ防除ニツトムル要アリ害蟲ハ蟻及青虫ラガルタロザーダ(種子ノ心ヲ喰フ蟲)ノ三種トス

豆　畦巾間株二尺平方位ニテ二番豆ハ稍其距離短カキヲヨシトス一株ニ二三粒

マンジオカ　九十月頃二メートルニ一メートル位ニマンジオカノ枝ヲ七八寸

位ニ切リタルモノヲ少シク打起シタル處ニ差シ置キ其後一二回ノ除草ヲナシ植付後十ケ月位ヨリ收穫スル事ヲ得

注意　ブラジルニハ各種植物ノ葉及幼芽ヲ喰ヒ落シ已ノ巣ニ運ビ去ルサウバト稱スル蟻アリ其害甚シケレバ播種前是レガ驅除ヲ行ハザルベカラズ

十八、海外協會の希望

「ありあんさ」移住地には百五六十乃至二百家族を入植させねばならぬ。大正十四年度に日本から三十家族を送りたいと思ふ。それで移住希望者を始め出資者、土地組合員、協會關係の各位に對し左の如き希望を致します。

一、廿萬圓計劃に對する出資者には一千圓につき拾町歩宛の土地を提供致たします。御自分で移住することは出來まいと思ひますから御親戚なり町村の人から小作人を選拔して移住させ開拓を始めて載きたいと思ふ。開拓や小作人の管督は協會で致たします。土地は捨てゝ置いても地代は相當に騰貴しますが移住地の發達上開拓を希望します。小作人が見附からねば協

會で出來る丈けお世話を致します。

一、信濃土地組合南米土地組合の方で土地の分讓を御希望の向きは此際至急御申出で下さい、組合の持分一口に對し約一町歩標準として大凡三千町歩の分讓地があります。分讓を受けた土地は捨てゝ置いても地價は騰貴しますが、協會としては御自分で移住して開拓を始めるか、それとも小作人を送つて開發を始めて載きたいものです、これも小作は出來る丈け組合員の關係者がよいのですが、止むを得ざれば協會で出來る丈けは御世話を致たします。

一、信濃協會では出來るならば會員中から二十家族の「植民」(土地を購入して移住する者)を募集します。三人の勞力を有する家族で金が二千五百圓位ある方で農業勞働に耐ゆる者は理想的であります。協會支部は特に此種の移住者募集に御盡力をお願いします。一支部から一二家族宛でよいのです。

一、金が三人家族で一千圓位出來る者は小作人として移住するがよいと思ふ。出資者や土地組合員で小作人をかなり澤山に要するし、協會の直營地でも小作者が入用ですから希望者は遠慮なく御申出で下さい。又此の方面

の人々の募集に關係各位の御盡力を切望します。場合に依れば渡航費用は御用立てずることの出來る向きもあります。

十九、豫算案

大正十三年度アリアンサ移住地豫算案(十月一日)(一圓ガ伯貨三ミル五百レース內外)

支出

費目	金額	內譯	備考
農業費	四、七〇〇(ミルレイス)		
森林伐木費		一、二〇〇	三アルケール分
農具器具費		三、〇〇〇	測量器其他
實苗費		、五〇〇	
建築費	八、九〇〇		
假小屋		、六〇〇	
移民收容所		八、〇〇〇	
井戸		、三〇〇	
事務所費	五、五〇〇		
備品		四、三〇〇	事務所用家具
消耗品		一、〇〇〇	
通信費		、二〇〇	
衛生費	一、〇〇〇		醫療器及藥品
俸給	三、五〇〇		
管理人		三、〇〇〇	
臨時使用人		、五〇〇	
出張旅費	一、〇〇〇		
雜費	二、〇〇〇		
豫備費	一、〇〇〇		
合計	二七、六〇〇		

大正十四年度アリアンサ移住地豫算案

支出

費目	金額	內譯	備考
土地代	二七五、一八〇(コントス ミルレイス)		
土地代		一八三、三七五	第一回分
利子		三六、六七五	利子
登記料		五五、一三〇	登記料
農業費	一六、九四〇		
農具器具類		一、〇〇〇	
種苗費		、五〇〇	
牧場費		三、一九〇	
家畜費		五、二五〇	
土地測量		七、〇〇〇	
工業費	一一、二〇〇		
瓦製所設置		四、〇〇〇	
製瓦費		七、二〇〇	
商業費	六、〇〇〇		
商店設備費		一、〇〇〇	
商品仕入費		五、〇〇〇	
建築費	二八、九〇〇		
雜貨店家屋		一、〇〇〇	
事務所		二、〇〇〇	
使用人住宅		二、〇〇〇	
病院		一〇、〇〇〇	
小學校		一〇、〇〇〇	
井戸三個		、九〇〇	
事務所費	五、五〇〇		
備品		三、〇〇〇	
通信費		一、〇〇〇	
消耗品		一、五〇〇	
交通運般費	二二、三〇〇		
馬車馬具		二、一〇〇	
道路費		八、四〇〇	
荷物自動車		一一、八〇〇	
教育衛生費	一五、六〇〇		
學校備品		三、〇〇〇	
藥品		五、六〇〇	
醫療器		七、〇〇〇	
俸給	二七、〇〇〇		
管理者二名		一二、〇〇〇	
醫師		八、四〇〇	
小學教員		三、六〇〇	
臨時使用人		三、〇〇〇	
土地利用費	一、五〇〇		
小作人募集費		一、五〇〇	
出張旅費	三、〇〇〇		

費目	金額	內譯
雜費	二、〇〇〇	
豫備費	七、〇〇〇	
合計	四二一、一二〇	

收入

費目	金額	內譯
農業部	三、六〇〇	
農産物		三、六〇〇
工業部	九、〇〇〇	
瓦代		九、〇〇〇
商業部	八、〇〇〇	
雜貨店收入		八、〇〇〇
交通運般部	三、五〇〇	
植民荷物運般		、五〇〇
建築材料運般		三、〇〇〇
教育衛生部	一一、〇八〇	
授業料		、七二〇
戸數割		、三六〇
地區割		二、二〇〇
共濟費		一、〇八〇
藥代		六、七二〇
土地利用部	七、五〇〇	七、五〇〇
合計	四二、六八〇	

二十、信濃海外協會直營珈琲園豫算案

計劃大要 (一)資金百六十三コント、拂込期間五ヶ年(二)百伯町(二百五十町歩)、(三)植付珈琲數、總計十萬本ニシテ初年目二萬、二年度四萬、三年度四萬ノ順序(四)珈琲蒔付及四年間ノ手入育成ハ請負トス。其條件ハ蒔付迄ノ諸費當方持、又移民ノ住宅等ハ當方持、四年目ニ一株ニ付育成六百レース支拂セ同年ノ收穫珈琲ハ折半トス。

支出ノ部

費目	大正十四年	同十五年	同十六年	同十七年	合計	備考
森林伐採	六、〇〇〇(コントス ミル)	一一、二〇〇	一〇、〇〇〇	—	二七、二〇〇	一伯町四百ミル、六十八伯町伐木
珈琲蒔付	三、〇〇〇	六、〇〇〇	六、〇〇〇	—	一五、〇〇〇	
種苗	一、二〇〇	一、六〇〇	一、六〇〇	—	四、四〇〇	珈琲及牧草實子
移民住宅	一二、〇〇〇	二〇、〇〇〇	一六、〇〇〇	—	四八、〇〇〇	一軒四コント、二家族住居
井戸	、三〇〇	一、二〇〇	一、五〇〇	—	三、〇〇〇	一個三〇〇ミル
牧場	一、七五〇	三、六九〇	三、六九〇	二、一九〇	一一、三二〇	移民用養豚馬牧場十一伯町
耕地內道路	一、〇〇〇	一、〇〇〇	一、〇〇〇	—	三、〇〇〇	
倉庫	—	二、〇〇〇	—	五、〇〇〇	七、〇〇〇	
臨時雇人	二、〇〇〇	二、〇〇〇	二、〇〇〇	二、〇〇〇	八、〇〇〇	
移民募集	一、〇〇〇	一、〇〇〇	一、〇〇〇	一、〇〇〇	四、〇〇〇	
珈琲育成	—	—	—	一二、〇〇〇	一二、〇〇〇	一株ニ付六百レース四年後支拂フ
雜費	一、〇〇〇	一、〇〇〇	一、〇〇〇	一、〇〇〇	四、〇〇〇	
予備費	二、〇〇〇	二、〇〇〇	二、〇〇〇	二、〇〇〇	八、〇〇〇	
合計	三一、二五〇	五二、六九〇	四五、七九〇	二五、一九〇	一五四、九二〇	

費目	大正十八年	同十九年	同二十年	合計	備考
珈琲育成	二四、〇〇〇	二四、〇〇〇	—	四八、〇〇〇	一株六百レースノ割
除草手入	六、〇〇〇	一八、〇〇〇	三〇、〇〇〇	五四、〇〇〇	一千株三百ミルノ割
採集	二、六〇〇	七、八〇〇	一、三〇〇	二三、四〇〇	一俵ノ珈琲採集二ミルノ割
管理費	一〇、〇〇〇	一〇、〇〇〇	一〇、〇〇〇	三〇、〇〇〇	五ヶ年以後年々管理(專門)

雜費	一〇、〇〇〇	一〇、〇〇〇	一〇、〇〇〇	三〇、〇〇〇
予備費	一〇、〇〇〇	一〇、〇〇〇	一〇、〇〇〇	三〇、〇〇〇
合計	六二、六〇〇	七九、八〇〇	七三、〇〇〇	二一五、四〇〇

收入ノ部

種目	十七年	十八年	十九年	二十年	合計	備考
珈琲(皮ツキ)	六、〇〇〇ミル	三九、〇〇〇ミル	一一七、〇〇〇ミル	一九五、〇〇〇	三五七、〇〇〇	五ヶ年以後千本ニ六十五俵ノ割十七年度四百收△、一俵三十ミル見當移民ト折半
雜收入		一〇、〇〇〇	一〇、〇〇〇	一〇、〇〇〇	三〇、〇〇〇	雜作收入
合計	六、〇〇〇	四九、〇〇〇	一二七、〇〇〇	二〇五、〇〇〇	三八七、〇〇〇	

各年度收支對比

年度	收入	支出	差引
大正十四年		三一、二五〇	
同十五年		五二、六九〇	
同十六年		四五、七九〇	
同十七年	六、〇〇〇	二五、一九〇	
同十八年	四九、〇〇〇	六二、六〇〇	
同十九年	一二七、〇〇〇	七九、八〇〇	四七、二〇〇
同二十年	二〇五、〇〇〇	七三、〇〇〇	一三二、〇〇〇
合計	三八七、〇〇〇	三七〇、三二〇	一六、六八〇ミル

備考　五年目末迄ニ投資スベキ總額百六十二コント五百二十ミル、即一圓、三ミル五百レースノ換算ニテ約四萬六千四百圓強ナリ、六年目ヨリ差引利益生ヲジ、七年目ヨリ年次約三萬圓内外ノ純益アル見當

海の外

定價

	内地	外國
一部	廿錢	廿仙
半ヶ年	一圓十錢	一弗十仙
一ヶ年	二圓廿錢	二弗廿仙

海外郵税四錢

注意、
▲御注文は凡て前金に申受く
▲廣告料は御照會次第詳細通知致します
▲御拂込は振替に依らるゝを最も便利とす

大正十四年二月二十一日
編輯人　永田稠
發行兼印刷人　藤森克
印刷所　海の外社印刷部
長野市長野縣廳内
發行所　海の外社
振替口座長野二一四〇番
信濃海外協會

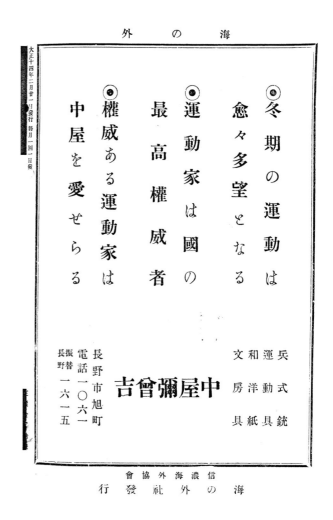

大正十四年二月廿一日發行　毎月一回一日發

信濃海外協會
海の外社發行

目次

新しき信濃村

永田稠

新しき信濃村。面積五千五百町歩。長徑二里半、周圍約八里。附屬地二個所各拾二町五段歩宛、ルツサンビラ、コトペロの兩驛に接し將來の市街である。

現在の戸數三、人口拾名、内男六、女三、兒童一。

一戸宛の耕作面積は平均約二拾五町歩、二百戸人口一千名の一村となるべき豫定である。

消費、農産加工、販賣、運搬諸他の事業は大体産業組合の制度に依り。徳川時代五人組の制度を復活して隣保相助けることになり、猶冠婚葬祭等は一定の規準を定め、小學校、病院等の施設も始めから着手する筈である。

新しき信濃村の建設は既に着手されました!! 信州健兒の移任を待つ て居ります。

旅より歸して

永田稠

排日の　國アメリカ出　歸り來て
旭ににほふ　富士を仰けり

◎

太洋丸が二月一日の黎明東京灣外に着き、私は秀麗なる富嶽に旭光のさして居るのを見こんな腰折れを口でさんで、日東帝國に生れたことが嬉しくてたまらなかつた。

◎

二月の上旬十日間は夢の樣に過ぎ去つた。嬉しいこと、悲しいこと、腹の立つこと見るにつけ聞くにつけ感づるにつけ心は幾分も混亂に陥らんとするのであつたが、只、何物かが非常なる力を以て私を後押しして居てくれる樣な感じがして、ドンナ問題に對しても動ずることはせなくてすんだ。

◎

力行會の歡迎會がすんだ後十二日に海外興業會長の幹部位に招かれて饗食を頂戴しながらブラジルの感想を話した。勿論私のことだから遠慮なしに愚見を開陳した、それが私の爲めにも海外興業の爲めにも、日本國民南米發展の爲めにも最良だと信じたからである、が、しかい大なる感興はなかつた。

◎

これより先き報告の爲め長野に行からと思ふて居ると梅谷總裁が上京すると云ふことを聞いて東京にお目にかかることにした一夜宮下君と共に今城舘に總裁を訪ねてかなり詳細な報告をした。臺灣や南洋方面を實際に見て居らるるので海外發展の話や開

振に同することはよくご了解下さるので報告に骨が折れなかつた。昨年五月横濱を出帆して桑港で新聞を見ると知事が交代して居るので内心不安に感して居たが、一ト晩お話を致して安心した。

◎

二月十三日は縣廳に中等學校長會があつて、約四十分の時間を戴いた。總裁が親切な御紹介を賜はり私は大要の報告をした。十四日の郡視學會には饗食の時間を頂いて四五十分南米移住地の眞情をお話し申上げた。

◎

十九日の午後四時間から三菱海外事情研究會で約二時間お話した。坂本さんを始め熱心な各位約三十名の小じんまりとした。氣持のよい會であつた。比會社の中に比の如く熱心なる人々のあることゝは實に愉快である。仝會では私の講話の骨格をパンフレットに印刷して分配して下さつた。

◎

二十二日には小平權一、加藤寛治の兩氏が御來訪下さつて午肉をつつきなから半日懇談をした。同志と共に相談することは此上もない愉快である。午後四時頃藤森良藏君の日土講習會に行つて約一千五百名の學生に一時間程ブラジルの話しや北米の施行談を試みた。

◎

廿三日の晩は信濃海外協會東京支部の歡迎會に招かれて日本倶樂部に行つた。外に種々の催しがあつたに拘らず約三十名の人々が御集會下され心ゆく計り御報告を申上けることが出來て嬉しかつた。

◎

二十五日には對鶴舘樓上で吾年日本會と社會研究所聯合の南米事情講演會に出席した數は必ずしへ多くはふかつたが、有力者があつた。其翌日〇〇醫學博士ははわざ〳〵中央會へ御來訪下さる程の反響があつた。

◎

二十六日の正午は日本倶樂部で木曜會の各位に「信濃村」の話を申上けた。新聞社や外務省の方面の者が十五六名お集りて、谷

書記官は『こう云ふ話は外務者内でも聞きたい』と申して居られた
『何時でも參上致しませう』
とは申して置いたが、實は小村さんや赤松移民課長、中村次官、永井參興の各位へ御報告に無上する時間の得られない程奔走して居る有樣である。

◎

廿六日の晩には諏訪の有志が小川司法大臣の就任祝賀會が中央亭にあつて、私の歡迎會の意味もつけ加へられた。約二百名の人々かお集り下さいた。坂本中將はセシルローヅの例を引いて私を激勵して下さつた。

◎

三月一日は多羅間領事を御案內して上野驛を出發した。午后長野につき蜂須賀農商課長其他の諸氏に迎へられ犀北舘について諸氏と遲くまで話し込んだ。

◎

三月二日の午前には信濃海外協會の代議員會があつて、大正十二年度の決算と十四年度の豫算を決議した。午后一時から總會かあつて私は南米出張の報先をなし、多羅間領事は熱心にブラジル事情を講演して下さつた。夜は領事の慰勞會と懇親會が催された。

◎

三月三日の午前宮下蜂須賀兩氏は領事を善光寺に御案內下され私は本部に行つて事務を見た。藤森克幹事は昨年十二月辭任して專任幹事が欠員になつて居たのである。中食を城山舘に取り領事を案內して松本に行つた。論湖君や淺野君同領事の御世話になつて居る關係上領事が淺野君が家族をご訪問下さるのであつた。

◎

五日には甲府に行つて本間前總裁を訪ねた不幸にして御出張中でお目にかかれかつた心を込めた一卷の報告書「南米ブラジルあ

りあんさ移住地の建設」と一本の蛇の木の杖を置いて歸京した。

◎

三月八日には諏訪郡郡氷明宮門兩村聯合青年會に於て「開拓の移神」と題して約二時間の講演を試み、更に幾時間かの懇談をした。

◎

三月九日には海外協會諏訪郡支部主催のブラジル事情講演會と上諏訪町役場樓上に開いた來會者約百名、林縣會議員、金井町長等來聽された。

◎

十日には茅野郡書記と共に岡谷に出張した。先般蜂須賀幹事の來訪さた林組、山共組、笠原組を處訪して二十万圓の資金中へご出資方を話し南米の事情を申述へた。午后四時から岡谷倶樂部に於ける岡谷本在軍人分會に於て約三十分間「軍人の海外發展とブラジルの信濃の村」について話した。

◎

十一日には郡役所で各種の重要なる打合せをなした後松本へ行つた。

◎

十二日は午前十一時から午后四時頃迄來る程の人に南米の話を繰りかへした。熱心な移住希望四五名を得た外に小岩井さんも御來會下さつた。夜は支部に招かれて夕食を頂いた。

◎

十三日の朝は南曇氷室の里に多田井氏を訪ね午后は村井に中村氏を訪ひ更に轉して明科に倉科氏を訪問し、夜は淺間で上條さんにお目にかかつた。皆二十万圓の出資者諸君である。これより先き諏訪では宮坂縣會議員と南米開拓の懇談を遂げた。

◎

十四日には芳川村聯合吾年會で一場の講演をなし、清水郡書記と共に朝日村に清澤民を訪問して懇談し、松本に歸つて夕食をす

まし、七時の汽事で上諏訪に向ふた。事中幸にして片倉翁に遭ふた。

◎

十五日には高島小學校で諏訪郡聯合青年會でよい顏をした男女の青年に約五十分間信濃村建設の物語りをして三時の汽車で長野に行つた。驛前のホテルで山崎延吉先生にお目にかかつた。先生は夕食を中止して種々と御懇談下さつた。十六日から廿一日迄の間に上下高井と下水內を巡回し、一と先歸京し、廿五六日頃から上伊那を始とし信州の各郡を一巡する豫定である。南米出張の報告會と共に、更に多くの出資者を求め、移住者を集め信濃村の完成に努力したいのである。

◎

耻を思ひ　金を集めて　暮るる日や

犀川べりの　汽車を待つ室

◎

心向はすッかり回復致しました。此点丈けは御安心下さい。

（大正十四年三月十五日於長野）

海外事情

◎支那孫文王道を旗幟として日本を先達にアジア民族起てよと氣を吐く

何度も死去を報ぜられつゝも生命を保ち居り遂に昨今死の報を各國に明瞭にせし東洋の偉人孫文は左の様な意見を持て居た。

由來世界の文化の源はアヂアであつた、然し近來西洋諸國の隆盛は漸く强く最近のアジアの歷史はすべて敗衂と壓迫の歷史であつた、然し今より卅年ばかり前再びアジア復興の曙光は見えはじめた、これは卽ち卅年前日本が歐州諸國をしてその不平等の條約を撤廢せしめたることに在るので、日本はその條約改正によつて眞の獨立國家となつたが他のアジア諸國は現在自然

歐州植民地の觀を呈してゐる、しかし今よしその狀態を觀察すると內部には力强いアジアの復興アジア諸國の獨立てふ氣運が濃厚に漲つてゐる、自分の見聞したところをいふと日露戰爭當時自分はパリーに居て日本大勝を聞いて其の後スヱズ運河を通つた時土人が自分を日本人なりやと問いて大勝利のことは我々の最も喜ぶところであると說いたがそれは同じアジアでもかくの如き東方の國程その西洋の壓迫を强く感じてゐるのでインドでもペルシアでもアフガニスタンでも日本の獨立に續いて次第に獨立の氣運を强くして來た。エジプトは獨立しアフガニスタンは獨立し印度も亦獨立の機近きにあり、是等の獨立運動思想はアジア國民の大同團結を越しさしめたがたゞ殘念なのは東方にある二國卽ち日本と支那との聯繫が未だとれてゐないのでるそしてこのアジアの覺醒は歐米人に次第に問題化されて來た最近アメリカの書物にはアジアの覺醒をどう見てゐるかといふと彼等は卽ちこの覺醒を以て世界文化に對する謀叛であり違反であるとし、また歐米人は之を讀んで殆ど聖書の如くこれを信じてゐる卽ち歐米人の樂園には黃色人種がないのである彼等は自已の文化を正當なるもの高尙ほものとしてゐる、なる程歐米の文化は最近頗る發達してゐる、がこれ等は何なりといへば卽ち物質的文明で東洋の言葉では覇道の文化である、これに對して我等の文化は主道の文化である彼等も昨今かなり我等の文化の如何に尊ぶべきか如何に深奥なるかを知つて來た卽ち彼等は我等の信する國家道德を認めて來たのである、吾々は武力の偉大さを知るが我々にはこれはたゞ正當防衞の手段に過ぎぬ日本はその歐米の武力を學んで今日の大を致した、トルコは最近完全に獨立して日本と並んでアジアの守備に任じてゐる、吾々はこの二大力を以て先頭として正義人道を中心として大アジア主義により同時に歐米より學んだ武力で歐米の壓迫に備へながら世界にこの主義を示さねばならぬ、歐米人の中にも此の氣運を知り東洋文明を尊敬し硏究せるものも現はれて來た、この第一人者はロシアであつた、歐米諸國は獨りからして自分以外の民族を盛んに覇道を壓迫して居るのみならば彼等はその內部に對しても不平等の壓迫も加へ正義人道に違反した行爲をしてゐる、吾ゝは退いとアジアを覇道より救ふのみならず進んで歐米諸國の內部をも覇道より救はねばならぬアメリカの學者はアジアの覺醒は世界文化の謀叛と叫んだ歐米文化の謀叛であるかも知らぬ、然し王道のための覇道に對する謀叛であ日華が眞に理解し合つてこのアジア主義を標準にアジアの諸國民を糾合して進むならば世界の和平統一は當に近き將來に存するのである、

◎トルコギリシア兩國々交斷絕

トルコ政府は君府にあるギリシャ大司教主を放逐して兩國々交斷絕

◎佛國下院に於てエリオ內閣信任

◎獨國はルーテル氏を首班とする全權內閣成立す

◎露國トロツキー氏後任フルンゼ氏と決定

◎墨國駐日公使レオンサリナス氏と決定

◎チリー國に政憲起る

◎豪洲聯盟平和議定書に對し否認と決定

◎國際聯盟移民小季員會は移民の人種的差別を不可とし正義平等の原則の採用決議となす

海外近信

▽アリアンサ通信△

永田幹事宛　（一三、一一、一九）

北原地價造氏夫人　はるみ

拜啓　拙き筆を以て一筆申上ます、暫らく御無沙汰致し失禮致しました、先生は永らく御病床に御惱みなされ殊に色々御不自由な御旅先の御病氣の事とて一層御心重と御苦痛の御事と御推察致します、早く御見舞を差上げねば濟みませんのにどうも筆を持つ事のきらいの質に遂に失禮致しました、何とぞ御赦し下さいませ

其後御容体は如何で御座いますか御伺ひ致します、先日御出下さつた時は何の御かまいも致さず失禮致しました、是非今一度こちらへ御ゆつくり御出を願ひ色々御教訓を御聞き致したいと思つて居ましたのにたゞ失禮を重ねたのみにて御逢ひする事も出來ず御別れするのは殘念な事で御座います。

先日は結構な品御送下され有雖く頂戴致し謹んで御禮申し上げます。

先生は重大な御任務を負はされ尙此先一層御多忙な御力なるに異境の不自由な御病床にあられ心もいら〳〵致す事と存じますが先生の御体は先生御一人の御体でなく私共皆海外にあるもの一同の爲に大切な御体であります故、御体を御大切になきれ充分御療養なされ一日も早く御全快の上御出發なされん事を神にか希御禮り申して居ります。

降つて私共十五日の朝バウルを立發て本日當地に參り、是か

ら先生方の御指導により一生懸命働きたいと思つて居りますから御安心下さいませ。

到らぬ筆にて謹んで御見舞ひ申上げます

尙氣候や色々變る異原の長旅び御健やかに、御歸國なされん事御禮申上げます。

御歸國なされた節は奥様に宜しく御傳へくださいませ、先は幾重にも御体御大切に一日も早く御全快なされん事を祈上げます。

永田幹事宛

（第一信）　（一三、一一、三〇）

北原地價造

拜啓　暫く御無沙汰致し誠に失禮仕り候、其の容態如何に候や、近着の輪湖さんよりの御通信によれば此度は御腹の具合御惡るき樣承り候が如何に候や幸一方御輕快になりしにかゝわらず餘病の併發ではさぞかし一層御難澁の事と深く御推察仕謹で御見舞申上候、扨て先般小生在聖中は唯失禮のみ致し申しわけ無之候。

其後小生共も去る十五日バウル引上後途中汽車の都合で少し手間取り十八日座光寺夫妻及輕部君の五人にて無事ルツサンビーラに到着、翌十九日山燒きを致し候、幸旬成の成績に燒き申候、續いて二十日は簡單の天幕張りをなし山に引移り其後毎日小生共は假小屋の建設に、女連中はシーリョ其他の蒔付に從事致し假小屋もトタンの着荷遲かりし爲め漸し昨二十九日屋根も出來上り卽日家の周圍に布類を引廻し移轉致し申候、一行婦人達に至る迄元氣よく働き居り候間乍他事御安心下され度く候

御出帆は八日頃の由承り候が其後御病狀と御都合とは如何に候や前途御多忙の御方に候へば健康がなによりの大切なる事に候故充分御加養の上御出帆あらん事幾重にも御禮申上候、殊に昨今暑氣嚴しく相成候折柄一層御攝養の吾々に同胞の爲め御指導あらん事願上候

降而小生共も貴下の御指導により此の大切なる最初の試みの事業に向つてベストを盡し初期の目的に向つて突進致す考へに候間今後は一層忌憚なき御注意と御指導とを願上申候

御面會も御見送りも出來ず此處に遠く重大なる任務をはたしまさに御出帆せんとする貴下に向つて今後氣候風上の變化の多き長途、殊に御病後御衰弱せる御身御恙なく御歸りなされん事されん事神に祈ると共に御別の御挨拶申上候

尙御歸り後海外協會及力行會等の皆々樣及奥樣にも宜敷御傳言下され度く願上候

呉々も御身御大切に、さらば又御目にかゝる機會迄　敬具

永田幹事宛

（第一信）　（一三、一二、三一）

輪湖俊午郎

今日は記念すべき年の十二月卅一日である、「無事着いた」との紐育電報に持したものゝそれでも來た氣かゝりでならぬ、兄

は今頃南加へ向ふ汽車中か若しくは羅府へ着いたばかりだらうと思ふ。全快とは云ふものゝ衰弱に過ぎた其のからだ。切角御自愛を望む。僕は十二月十日のリオ灣頭に兄を送つた其の夜大使の宅で御厄介になり翌日の夜行で聖市へ着き大至急ぎで用事をかたつけて十三日バウルの我家へ久しぶりで歸つた。妻は云はずもがな讓二の喜ぶ事一通りならず。八月の末に蒔いた褒夜の唐玉蜀黍はもう食べられる程に大きくなつて居た。留守中に猫の子が三疋生まれ、一疋はかたつき一疋はまる／＼と肥つて居た。何事も只だ感謝である。

十七日にアリアンサ移住地へ向ひ、去る廿六日の夕方再びバウルへ歸つた。移住地の北原及座光寺兩夫妻至極達者、同封の寫眞にある通りな家も作つて住んで居る。風の日は涼しさ余つて衣類紙片を吹き飛ばし、雨の夜はトタン屋根に樂隊起り、フトンも被つて龜の子の如く恐縮し謹聽す。若し夫れ天日靜ならんか、森林より野蜜蜂や蝶の群れ押し寄せ來りて砂糖をなめ壚をなめ、賑やな事迷惑に近し、もう少し伐り拂へば此らの厄介ものもなくなるが何分入植一ヶ月の移住地生活はこんなものである。アリアンサ移住地のバイオニヤはこの家で大正十四年を迎へるのである。故國の同胞はこれを如何に見るや。

この邊は移住地中心市街地の一部である、十年後の此地を見よ吾等の熱、吾等の血、無意味には果てじ。切り開かれた約十三町歩には玉蜀黍、豆、米、綿花、其他試驗的の數種が蒔かれたがいづれも發育旺盛である。一月早々この附近を漸次伐り拂つた測程を初める考へだ。今は夏の初めで、兄が此の森林を視察された頃と違ひ、青葉、若葉、滴らんばかりの緑りである。

パトリモニオ、ミランダも殆ど賣り盡され、製材所も近々出來上ると云ふ事である。積載五噸の荷物自動車で一切の機械を五十基へ運び込んだ。

十二月に入つてから降雨も至極順調でノロエステ沿線蘇生の思ひである。珈琲も豫想以上であらうし、米、綿花も甚だしく心配するには及ばぬ樣である。只だ憂ふ可きは排日案の將來である。

何を視察するのか日本からの所謂名士は引きもきらずノロエステへやつて來よる。僕は數日中にアラサツーバへ引き移り山へ行つてからの仕事のプログラムを作る豫定である。

皆々に宜しく御傳聲を乞ふ。

永田幹事宛

（第二信）　（一三、一二、三一）　輪湖俊午郎

拜啓　要件二、三左に申上候

一、大正十四年度新移住者の件

（1）日本よりの移住者家數、十家族を目標として、質の優良なるを充分御撰擇相成度く候、十四年度は開拓第一年度なるを以て兎角混雜をまぬがれ難く候へば寧ろ家族數少なき

方兩兩者の便宜と推考仕り候

大正十五年度に於ては百ヶ族一時に着伯するも慌てまじくて存じ候

（ロ）移住者家族の着伯期日、山伐りの關係上當方の希望は六月初旬、遲くとも六月下旬迄に移住者家族サントス着の樣御多忙とは存じ候へ共御取計を願上候

（ハ）應募移住者の資格、比較的教養ある者、着伯後の資金邦貨千五百圓以上の者、家族の勞働能率高き者、以上の三資格を有する者に限られ度候、貴殿充分御存じの通り。若し第一回自の移住者に不良の者有之候はゞ、其移住地は永く其の爲め煩はされ成功は極めて困難と候

故に若し期日迄に約十家族を得られざる時は例へ數家族にても差支なく候へば是非共優良なる者を選擇相成度重々願上候

二、醫者の件

御約束の通り勝田君を第一回移住者と共に御送り下さる樣勝田君へも呉々も御願ひ下され度く候

上以の二件可能の節はバウル領事館宛小生へ諾と一字打電を願上候、打電は出來る丈早く願ひ度くこれに依つて當方は適宜事業を進む可く候

三、會計の件

ヲアリアニナ移住地第一回の會計報告は仕事の都合上しの一月中旬御送付申候、尚ほ會計方針を定むるため何卒宮下氏か若しは適宜他の代表者を第一回移住者と共に御送下さる樣願上候

四、移住地事業の進捗模樣

一、目下北原。座光寺の二家族あり、トタン屋根の家二軒、植付面積三アルケールス。玉蜀黍、米、綿花其他試驗的の數種就れも時期遲れたるに拘らず非常に發育良好地味の肥沃見るからに心地よし、

二、アラキツーバの事務所、郵便局憐りに借る、但し土間にて上等の家にあらず手紙の宛は Caia 55' Aragatuba, L. noroeste' E. deS. daulo. Brazie

三、四月末迄の重なる仕事は、

一、收容所の築建

二、父要家族及カマラーダの入植

三、移住中心市街「シダーデ・トシラ」及全般に亘る測量

永田幹事宛

（第二信）　（一四、一、一）　北原地價造

謹賀新年

其後の機嫌如何に候や先般充分全快なさらずに御出帆なされ候由其後の御起居御案じ申候が御旅行中如何座候ひしや定めし御難澁なされし事と御推察申上候午陰無事御歸朝を祈り居り候

一、家も二家建に便所風呂場も出來上り井戸も七メートル六

十五サンチ位にて水も出（未た充分ならざれども下層の岩石の爲穿掘困難なり右樣に相成申可く）

二、遲く入植せし割合幸運にも第一の山燒きを始めとして其後諸作物の蒔付も天候に順じ二月二十六日迄にシーリョアロスブエジョンアルゴドン等總てを蒔終り候處其後の成育良好に候本年は處々よりこは最初旱天に打たれ後又虫害（裸の青虫）を受け作物も餘り良好ならず米の如きは大分減收の見込にて昨今外米の輸入中に候

二、最近迄適當のカマラーダもなかりしが去る二十七日輪湖サンの御配慮により青年三名事性され中壹名は守屋又七と言ふ力行會員に候漸く援兵を得て一安心仕り候

三、目下諸作物の來入ロッサ收容所建築順備中に候收容所は兩端との距離の關係上三十七キロ五百メートル位の地點に建る豫定にてロッサ開少始後其の大サは四間に十間ロン既に座光寺君に請負しめ目下林料切比し調製中にて三月下旬若しくは四月上旬頃迄に竣工の豫定に候

四、當地はレジストロの如く蚊は余り居らざるも（森林中にも）時により蚊屋の目をコグル樣な程小サキ蚊の居るのに閉口致候も然し今日迄約二ヶ月間板の都合にて風雨浸入自在のパラック生活を數も無漏其事殊に蚊の小き時より推して當地はコレ夕に對して心配の必要無之かと存候余り短時の經驗のみにて一年を經過せられず斷言出來間敷きも病氣に對しては心配なき見込む得申候

五、次に午御迷惑在記書籍有之候はゞ御送附願度候

1 モートル及小蒸氣器關に關する分解說明せる明書ならず一層可に候即ち今後貨物自動車使用の際必要に候小蒸氣關は各種小仕掛け工業に使用の參考に供するものに候

2 兼ねて御願致候測量の本はなるべく早御送附下度其海の外も當方へ御送附願度候

六、植民者に對しては諸準備中最も欠けたるは小供及產前產後に對する手當藥等の奇應丸の加き婦人の產に對す手當等の如きに候

先は御禮を兼ね其後見舞旁御說御一報申上候奥樣及力行會及協會關係の諸賢に宜敷鶴聲を下度候尚愚妻よりも呉々も宜敷候と申居り候御含み下度候　草々　敬具

五十キロの處製板建設中（一外人）最近開業の豫定

△聖州通信△

永田幹事宛

（一四、一、一八）　レジストロ　淺野利實

久しく御無沙汰致しましたが其の後の御病氣は如何ですか御伺ひ申します、貴殿は今頃は大きな觀迎裡に嬉しい故國の地を踏まれ居るにやと望里の至りです、その後當方愚妻事の病氣も

漸く元の力休に相成りましたから御安心下さい又其節は折角久々振りの御來遊に頂上病氣の眞最中にて何の御構ひも出きず誠に殘念でした失禮の段は御諒察の上御許し下さい當地も昨年は今迄になく不景氣でした多羅間樣の寄贈した優勝カップは當地の健兒の鍊腕に依し拜領出來殖民地內は、豊作のため家族が喜び獨身者は婚禮で矢張り笑顏と云ふ樣な譯で景氣つけは妙なものです

そうかと思へば小生の樣に自分がさんざ病むだあげく妻に病まれ次に大花夫婦に病まれこれが下火の頃から妹に病まれ氣節が惡いだか喘見だか未だ解らぬので目下聖市に參つて居る樣な次第でいつも愁眉の絕間が有りません實際人間の窮達消長は那邊にあるか漠として更に解りません

いやどうも病氣中にこんな海息嘈雜の樣な愚痴を發し濟みませんでした故里も久々振の歸國故呉々も御身御大切に御自愛專一に御願申上ます

末筆ながら奥樣にも宜敷御傳言の程を御願申上ます

永田幹事宛

（一四、一、一五）　レジスト　淺野利實氏夫人春枝

絹糸草の樣な雨が幾日も／＼果て無く續いて濡れながら飛で行く螢火の淡く消へ入る如く窓をかすめて過ぎて行く后には又淋しい雨の音又新しい年を迎へました、汗を流して西瓜を割つて御年取り信州の雪國に育つた私共には雪といふものが一番御年取氣分を深刻にするもので御座ゐます、ドッサリ積つた雪を見て家內中炬燵に額を集あて御年取り當所に來てからはどうしても眞實の御年取り氣分に浸る事が出來ません

けれど何時とはなく年を重ねて、最う人生の半で御座ゐます新しい年は段々に過ぎて行きます、けれど自分は段々に退歩して行くのが目にみへる樣な氣が致します、今頃炎前に御手紙を差上る者は誰で御座ゐませう死の國から蘇生した春枝で御座いませう

此處迄書いてゐるとどうしても無味乾燥な病床生活を記させて頂きます忘れられぬ九月十一日の蜜柑の花の咲く盛りでした頭が重いとねつたきりで三十九度から四十度の高熱に攻められて目もよく見へねば耳もよく聞へぬ達聾の樣な者になつて仕舞いました其處へ折角御來遊遊ばした先生にはさぞかし御不快にていらせられし事と殘念でなりませんあの時、何かお話し仕樣と思ひながら五休の自由さへ思ふに任せぬ身には唯心許りが焦立つて行くのでした、そうだ先生のお祈りとして賴つたのが朦朧ながら記憶の中に殘つて居ります、自分が今元の健康に歸つたのも神樣の御惠みと思ふ時大なる感謝で御座ゐます

かうして病魔と戰ひつゝ十月の半とはなりました醫師の進によつてレジストロへ移り當分醫師の家に御危介になつて居りましたが奥樣御一人にてお女中さんもなく御多忙の處から會社の家を拜借して其處を病室に當てました妹等夫婦を賴みで一心看護に務めました、病勢は益々重り行ぐ許りにて高熱の日の續く

に連れて賢臓炎續いて腹膜炎になつて妊娠七ケ月位のお腹になりました、胸は濕濡布御腹は冷濡布、頭は水で冷すと云ふので御座いました新開地の事とし氷等は元より買ふ事が出來ませんで殆ど晝夜一睡もせずに水を取り替る様な有様で御座ゐました毎日二本の注射も半ケ月後には胸は穴許りになつて行きました精米所や、分密工場で鳴らす汽笛も私の耳には一向に聞えぬので御座ゐます、自分ながら死期の近づいた事を自覺する様になりましたと私が死期の有様などをぼんやりした頭の中に描いて物淋しい様な裏悲しい様な日が續きました　そして今日來るか明日くるか知れない死の神との握手を待つので御座ゐました、死の神も私の門を訪れました、けれど私には死の里への御土産物をまだ作られなかつた事によつて當分の間使命を果す迄延ばされたのでした、出替り來入替りる見舞人に對しても唯頭を動すのみで御座ゐました

それでも私の体には非常に疲勞を覺えるので醫師の命によつて面會謝絶をしてひたすら靜養致しました。せめて室内にても步む様になれば樂しんで居る内に遠くを走る貨物自働車の音も耳に響く様になつて段々快方に向ひました、自分の病氣中運ばれて來た病室が何處かと云ふ疑問も解けて行きました、軒場打つ雨の音も聞えれば目も見ゆる様になつてからは少しづゝでも慰められて行くのでした、十一月の半に漸く平熱に返りましたので退院致しました、病室をはなれて漸く明るみのある人間味に歸つて來た様な感事に打たれました、私の二ケ月の病床生活の間に密柑はその使命を果すべく進んでゐた二錢銅貨程になつて居りました、

牧草も馬も牛も此の私の病軀を待つてくれる様に思はれました私があの時に死の所に行つたなら此の様な元輝ある密柑とも此の偉大なる自然と再びまみつる事は出來なかつたのでしよう、二ケ月の病床に何を得たと聞かれたらおそらく人間の醜悪さを見たと申しませふ自分の過去に泣き現狀に泣き誰よりも自分が悪い自分の影の余りに醜きが見えるのです、此ふした病氣も神の試練と思へば有難い是に依つて今迄の醜さを洗い流して是から新生活に入り度いと思ひます只今では漸く元の春枝に返りました、

私は病氣中に先生の御病氣の事を御聞き致しました、それも病氣の悲しさに行く事も文書く事もかないませんでした、そして今頃は御歸國の途に御座ゐませふ私は御見舞下さいました御禮やら御無沙汰の御詫迄、故鄕を同じうする先生の御懷しさ、幼き時は共に踏んだ梨の木の細道も思出の一ツで御座ゐます、時節柄御寒さ折とて御身御大切に遊ばさるゝ様、神様に御祈り致して居ります、

永田幹事へ

（一三、一二、五）　小玉源吉

謹啓　御歸國の御旅行の御安全を祈つて居ります、小生等二

人御蔭様を以て至極頑健コーヒー千五〇八本を請負ひ第二回の手入と間作のまきつけ（豆、米、棉）を殆んど終了致しました今後二日間位にてコーヒーザル以外の約半アルケール（棉作地）の除草を終る豫定です、第一回の除草終了後は主力を語學の方に注く豫定で居ります、當地着後約二日日位に播種しました野菜（時無大根、廿日大根、時無かぶ）は最早食用に供して居ります降雨だにあらば迚も食ひ切れぬ程になるだろうと話して居ります、それから先生が北米から御持參の種子は最近播種しましたから二、三日の後には芽を出すものと樂んで出ります、鷄は最近（五日前）雄一、雌三羽を買ひました、二羽の雌は買ひし翌日から卵を生んで居ります、小生は毎朝午前四時に起床直に食事をなし午前五時より正午迄畑の手入をなし午後一時より三時迄休憩（晝寢）をします、午後三時半乃至四時より六時迄働きます、夕食後野菜畑の手入（水かけ）をなし冷水浴をします、（一週間に一、二回は間崎氏の宅の風呂に入りに行きます）通常午後十時に就寢します、心身共に日々强健の度を加へ時々奮鬪の歌を高唱し衝天の意氣を以て一意專心に目的に向つて勇往邁進して居りますから御休心下さい。

御歸國後は皆々様に宜しく願ひます。敬具

二伸　齋藤君も時々話しに來ます

永田幹事宛

（一三、一二、五）　小玉源吉氏夫人清子

きびしい御暑さになりました、

先生と御別れいたしましてから早や一ケ月餘となりました、雨の日も風の日も先生の御身邊を御案じ申上げながら御病氣の御平癒を御祈りいたしながら私共は暮らして居ります、先生には大へん御快方に向はれ御元氣でいらつしやいますとの齋藤様からの御伺ひ申し御喜び申上げて居ります、本日は又輕部様に御目にかゝり八日の御船で御歸朝の途につかせられますとか承り一層うれしうございます、御平安に御たつしやで御歸朝遊さるやう日夜これから御祈りいたしませう、

先生さぞ〳〵永い事御不自由遊ばされました御事で御座いませう、こんな時に御恩報じをさせて頂かねばならぬのに御市に居りました時は宿屋の床に付いて居りまして御そばに伺つて御看病もいたしもせず、かへつて色々と御世話様にばかりなりその上色々行末の事まで御さとしの御言葉を給はり、とてもこんな亂れ書きで心の中も申上げられません、心から感謝しまして毎日〳〵土に親しんで居ります

もう一度御市に參り御禮も申上げ御出帆も御見送り申したう存じますがそれもかないません、遠き當地から二人で御健康と御無事とを神かけて御祈り申上げます

先生からの御さとしの御言葉は身にしみ〳〵よくわかつて居ります、互に勵げまし合つて居ります、つかれました時は、苦しい時は力行會の奮鬪の唱歌を聲高からかに合唱いたして勇氣を出して居ります

ブラジルの天地の廣々としたのにうれしく氣も心も延々いた

しましましたのも四、五日でした、十日七日と日の過ぎ行きますのにあまりの不自由さに小玉が畑に行き留守になりますといくら頑張つてもボロ〳〵涙がこぼれて淋しくつてなりません、これではいけないと考へまして働けないながらもインシャーダーを持たうと決心して出かけましたら面白くなりもう決して涙は出ません、体も丈夫になつて行く様に思はれうれしくてなりません、色は黑人の様になりました（内地では病身で持藥はなした事は御座いません、只今でも活力素は持參しては居りますが）

近所のコロノの人々は種まき草取りすべてを親切に敎へて下さいますのでうれしうございます、朝は近所で一番の早起で淡暗い内に家を出ましてカフエザルに出かけます、一時間進んで居つたのを知らず五時起床と思つてましたら一時間十五分進んで居りましたから午前四時に床をはなれ前夜炊事した朝食をとり、殘りを持參して九時か十時には大汗流して炎天の下でいたゞきます、勞働後の快感は內地ではとても味はれません、ほんとうに愉快でございます

あしたに星を頂いて出て働き日中は一二時間床に入つて晝寢をし、又起きて働き夕べに月下に菜園の手入れをいたして居ります、先生の御蔭様で御座いました、御世話様になりました事は一生忘れはいたしませず働きます、二人の働いて居ります事を何卒會に御歸り遊ばしてから會の先生方にも御話し遊して下さいませ、また机もなにもなくビール箱二ケ並べました上で生れつきの悪筆で認めましたので御座います亂筆御許し遊ばして下さい、先生それでは呉々も御無事で御歸朝遊ばしませ

信濃海外協會宛

レジストロ　松村榮治

拜復御手紙正に拜見仕候

着伯匆々伯國の事情御報導申上度く候ひしも繁忙に取り紛れ確か拾月頃縣人會の様子御通知申上候　正月になればと思ひしも五月になれば亦何彼と忙しく目下產業組合設立につき運動致し居る様な次第近々縣人會の總會役員の改選之有る可く今後相當海の外に掲載すべく記事を御送り可致候

海の外の不着は事實にて十二月初めに宮下氏からの二十二以後大分着いた由にて會員に配付相成り候が如何なる都合なりしや充分取調べの必要之有候

例の鎌其他の代金は前便にて申上し通り永田氏に二コントス（四ミル換）即ち五百圓差上候

其の內譯は

二百五十九圓六十四錢　力行會藥代

百八十五圓二十二錢五厘　小林重左エ門氏

三十一圓卄錢　本虎之助氏

參拾九圓四十錢　野球器

合計　五百十五圓四十六錢五厘

內　庖下の柄　百本不足　三圓

新多代（日個所支協會へ送ルベク支拂）　拾四圓　十七圓

差引　四百九拾八圓四拾六錢五厘

右之通につき和田氏に御相談下度願上候貴下初の和田氏にも謝禮差上度候も藥品が失敗に終りたる爲め遺憾ながら其の意を得ず誠に申譯なく將來有望のものを見出し取引すべく殊に山本儀之助氏に鐵工場設立につき相談願ひ置き候得は貴下よりも有望なる旨御話しせられ此の際放資せらるゝ様御厄介相願ひ度候

横谷君から其の後本は受取つた返事來しのみにて何の便りなきも正月に入りし事なれば屹度拙宅まで出懸らるゝ事と思はれ候得ばよろしく共の旨御返し申べく候種々御配慮に預り候段玆に謹んで御禮申上候

終りに貴下御一同様の御健康を祈り候

（二信）　林氏に庖丁の柄不足の旨御通知下され度願上候此前話しました御下り集めて雜誌か何か送つて貰い度いので植民地へ來るものかありましたら何卒願ひます

私も父と從弟に呼出狀を出しました來ればよいかと思つて居ります種々願ひます

◎永田幹事宛

（一四、一、一五）　サンパウロ　伊藤八十一

拜復　昨十二月二十二日附紐育の御言第三日一月十五日拜受雖有御禮申上候、船中無事上陸、其後大陸及日本への御航海も御餘程懷しき祖國の人々とに迎へられ如何はかり御幸福に入られ候御様子を想像致し居り候大使命を帶びられ遠來の地にて御發病如何ばかり御難儀なされ候事か御推察申上ぐるにつけても不行蹟を致し居り候事を汗顏の至りに御座候何卒御悔容の程願上申候例年になき旱害やら暑氣やらにて內地一帶は大不作に有之一般農家今後の難儀も思ひやられ候、何にかにつけ後日幸福の多かるべき幾伯御事業を見るにつけ新年の移住者に充分の豫備智識と覺悟とを與へられん事を必要と呉々も思はれ申候

會員一同無事にて何れも希望に滿され居り候、初心者の農業も可成の成績を上げ居るに反し先輩會員は何れも將來を物案し現境を悲觀致し居り候、正月は聖市に送り二月よりノロエステ方面へ傳通致し會員諸君を訪ねて懇談致す積りに御座候

御多忙中殊に病後の御身体殊更御自愛なされ度、今後も何にかと皆々様の御指導や御後援を御願申上候　頓首

キューバ通信

◎永田幹事宛　　　　　　　　　　　　　（一四、一、三一）
玖馬セントラルハゲヤル　芦部安夫

拝啓　暫く御無音に打ち過し申失禮仕り申候先生よりは久しく御通信に相接し申さず又力行世界紙上にも何等御消息見え申さず先生の御動靜如何かと蔭乍ら御案じ申居り候所過日は力行世界雜報欄にて病氣でねて居られた事十二月上旬紐育を經て歸らるる事、心配するな）上の樣な電文を拔見致し皆喫驚致し申候、此の頃はノロェステ線アラサツーバの北原さんよりの來信中にも先生の御病氣に就て書かれてあり申候幸ひにも先生には既に御全快致され十二月中紐育御通過御歸國との事であらせられましたから此の手紙の到着の頃には早や御歸國の事と存じ申候何分にも遠方の事とて御無音仕り御病氣中遂横着致し申何とも申譯御座なく候、最初先生には十一月中パナマへ趣かるゝとの御豫定なりし故實は後れ乍ら先般パナマ領事館留置にて先生宛一通差出し置き申侯而して先生よりの御便りを御待ち受け申居り候次第にて此の度先生の御病氣の報に接したるは誠に意外に之有申候どふか先生には一日も早く元の体に御恢復あらん事を遙かにお祈を申上候

偖此度北原さんよりの御通信に依れば先生を始め皆様の御盡力に依りいよ〳〵購入致されし移住地も北原さんが山につられ本年入植準備の爲め假事務所建築を致され居らるゝ由に御座候

今回は私宛呼寄狀を御送附下され、手續仕度の整ひ次第早く出發する樣に申越され申候、私も早や何時にても出發出來申可く候へ共未だ船の方が判明致さす一生懸命取調中に御座候私も當地よりパナマに出向き同地よりの伯國サントス港進行船に乘込み度きものに候之れは先生がかねて御申越下され候北米大平洋岸諸港發パナマ經由にてリオデジャネイロサントス、ブエノスアイレス方面行き航路にに渡伯の豫定であります、之れ等に就ては既に昨年中よりパナマの知人に照會中に候へ共未だ思はしき確報を得申さず候得共いよ〳〵來る二月五日は當地を出發ハバナ出市の上にて尚詳しく調査旁ゝ出發手續き等も致し度候先生のお導の下に渡伯を決心してよりも早や二年となります永に思ひつめし渡伯實現もいよ〳〵切迫致して參り今更ら萬感交々の情に堪へ申さず候

何卒先生私の渡南の首途に當り御教導御便逹を與られんことをお願ひ致します

先は久々にて右御挨拶迄に申上候

未筆ながら先生健福を切に祈して筆を置きます、早々不一

◎永田幹事宛　　　　　　　　　　　　　（一四、一、三一）
セントラルハグエヤール　芦部猪之吉

拝啓　其後は暫く御無沙汰に打過ぎ多罪の至に御座候大兄の

伯國出張先に於て病床に就れ候趣は先頃到着力行世界によりて承知仕り長途の歸路御經過如何につきても少からず具念致し居り候處最近彼地北原地價造兄の詳報によつて大兄伯國に於ける使命、綫結後十四日病床に苦惱せられ候他を承り更に痛心致居り候が歸航の途御異條なくて御歸京に相成候哉其后御容体如何に候哉一日も早く囘腹の御報告を待ち居り候

小生の去る十日中、大兄の信書（土地購入決定定の節）接手直に一書を大兄宛で（パナマ、領事館留置）認ムルト同時に北原兄に對して渡航の打合せ旁々呼寄狀の要求を申送り候處、右書面所々轉送り後五十有余地にして同氏のルッサンビラ山中に到済したる由にて此程に至り返信に呼寄狀を添へて來申候

當方にてはパナマの船便を知ることが何より必要なりし爲め十一月中より再三、在パナマ知友に照會せしも一向要領を得ず十二月上旬に於て神戸横濱の伯國領事の日本移民旅券査証拒絶事件を『日米』紙上に報ぜられ小なからず痛心させられ直ちに在アブアナ帝國領事館に其方面調査を依賴し伯國領事の意向を知らんとを要求したれどもこれも一向に其要を得ず本年一月に至り突然領事館閉鎖を予定られ聊か困却を感じ申し候、先づ第一着手として旅卷を送り大平氏を介して閉館前に(今月十四日)帝國領事の裏書証明だけは相濟し候が長雖關の御領事館は一向に樣子かわらず帝國領事はパナマへ轉任に相成り申候

就ては今後方法、大平氏を依頼して伯國領事にあたつて見んの外なく此際北原兄よりの正式呼寄狀（領事証明ある）は有力なる林科たるべしと存じ候

『日米』其後の報告によれば既に發行せる旅劵（千五百名）に對して査証をなすましたる由に有之しが昨夕接手の『日米』一月二十二日紙上の所報には二千五百名の証明は共俗にて移民停滯の趣にて聊か心配に有之候、故國より出發する場合とは異り餘り面倒なきことと存じ候拒絶を食はせらるゝ曉は一大頓挫に有之候事二月六日安夫事出市して手續を受くる都合には運命は近々中に判明し候

先は御不音御わび旁々當方近况まで申上度くれぐれも病後の御體御大切になさるゝ樣祈上候　草々　（一四、　、一三）

◎信濃海外協會御中

北加信濃海外協會

別紙人名簿は本會創立當初の事とて全在留本縣人を綱羅せしものにあらずして第一回會員募集を勸誘せし分なれば追次其の人名は御報告申上べく候へ共取不敢永田理事當桑へ寄桑の際會を利用して此段御報告に及候　　敬具

追而海の外の紙面の御都合御繰合せ御計いてつゝ左記の人名御掲載相成度米貨八十九弗〇五仙御渡し併せて希望申述候

創立發起者

桑港

遠藤照治　古畑八郎　片瀬多門

木下莊三　春日源司　三澤澤路
宮島清衛　兩角傳　諸田鼎
野口貫一　大久保政清　小川榮一
小川秀三郎　相馬智　酒井喜多市
龍野鉦次郎　田中常助　臼井省三
内山正雄

王府

青木實次　古田濱三　金澤浮世之助
北村嘉久藏　曲尾久雄　白石勇夫
轟英夫　村松染之助　瀧澤應輔

佐市

岡垣吉太郎

華村

伊藤晴之　松田午三郎

須市

宮坂磐　塚原正美　上田豐

櫻府

町田貞三郎

布市

尾澤寧次　小澤周

ユタ

佐藤榮三郎

傳馬市

藤森重德

アイダホ

二木三一

北加信濃海外協會創立趣意

吾々お互に海外に移住して、其居住國の市民となり得ず、社會的にも生活上にも常に不安を感じつゝある者は、何うしても或る强固な團体が必要だと思はれます。

幸に吾が長野縣に於て先年海外民族發展の目的で信濃海外協會を創立し、當米國に在留する吾々にも屢々その目的に贊同を慫慂して來ました。それに現今の樣に幾多の國際問題は突發して居り、吾等同縣人が常に疎隔勝の狀態に在るのは甚た遺憾に思はれます。それで或は偏狹かも知れませんが、どうかして强固な團体を作りたいと思ひまして、別紙の樣な規定を拵へ北加信濃海外協會と名づけ、お互に協力し合つて親交を溫め、故國の海外協會と聯絡を取り、遠大なる、そして崇高なる民族海外發展の偉業に參加したいと思ひます、

右の樣な趣意でありますから、何卒吾々民族將來の運命を懸念さるゝ皆樣は本會に入會くだされ、益々本協會をして有意義のものとされんことを切に希望しま原す。

左へ記入の上郵送を乞ふ

原籍　長野縣　　　郡　　　村字

姓名

現住所

姓名（英字）……………

State

北加信濃海外協會御中

北加信濃海外協會々則

第一條　本會を北加信濃海外協會と稱し長野縣出身者を以て組織す

第二條　本會事務所を桑港市に置き必要に應じ地方に支部を設置する事を得

第三條　本會は會員相互の親睦福利の增進を計り信濃海外協會と聯絡を保ち主として海外發展に關し相互の援助をなすを以て目的とす

第四條　本會々員は會費として年額參弗を納め信濃海外協會發行機關雜誌「海の外」の配布を受くるものとす

第五條　本會に左の役員を置く

理事　十五名
桑港　五名　王府　二名　佐市　一名
華村　一名　須市　一名　櫻府　一名
布市　一名　山中部三名
幹事　三名
會計　二名

第六條　理事は會員中より選擧し、幹事及會計は理事會に於て理事中より指名す、各任期を滿一ケ年とす
理事は重要事項を協議し幹事は庶務を掌り會計は金錢の出納を掌る

第七條　定期總會、臨時總會、理事會
1　定期總會は毎年一月に開き事務及會計の報告役員の改選其の他必要なる事項を決議す
2　臨時總會は理事會に於て必要と認めたる場合又は會員三分の二以上の要求により開催す
3　理事會は理事五名以上必要と認めたる場合之を開催す

第八條　本會の役員は無給とす、經費は實費を會費中より支辨し殘額は之を信濃海外協會に送附し事業を援助するものとす

第九條　本會々員にして會の名譽を毀損する時は役員會の決議に依り除名し信濃海外協會に報告す可し

以　上

會員名簿

〇野口貫一
諏訪郡金澤村
現住所　175 Bernerd st. San Francisco Calif.

〇西村彥三郎
諏訪郡豐田村字有賀
現住所　R. F. D. ※2 Rocky Ford Colo.

○大久保政清
東筑摩郡島立村字南栗
現住所 1865 Bush st. San Francisco Calif.

○小川榮一
諏訪郡富士見村字栗生
現住所 1739 Buchanan st San Francisco Cal.

○小野郁世
東筑摩郡筑摩地村
P. O. Box16 Florin Cal.

○小川重雄
埴科郡屋代町
現住所 1401 Scatt st San Francisco Cal.

○折井吉高
諏訪郡富士見村字木之間
現住所 R. F. D. ※3 Rocky Ford Colorado.

○太田竹太
諏訪郡上諏訪町大和
現住所 R. E. D. Rocky Eord Colorado.

○岡垣吉太郎
長野市
現住所 546 N. 3 rd st. Sanjose Calif.

○酒井喜多市
東筑摩郡片丘村字北內田
1684 Post st San Francisco Calif

○相馬智
南安曇郡東穗高村字白金
現住所 2624 Sutter st San Francisco Calif

○佐藤榮三郎
北佐久郡輕井澤町
現住所 P. O. Box. 144 Garfield wah.

○曾根宗
小縣郡神科村字野竹二百六十四番地
現住所 2643 Union st Oakland Calif.

○田中常助
下伊那郡松尾村字松尾
現住所 484 Sutter st. San Francisco Calif

○畠山平藏
上伊那郡箕輪村字三日町
現住所 500 Green st. Martines Calif

○土屋市造
小縣郡丸子町
R. F. D ※4 Box. 1241 Saclmento Calif

○塚原正美
埴科郡東條村
現住所 28 W. Washigton st stockton Calif.

○寺澤六之助
下高井郡中野町
現住所 Box 54 Sugar City Idaho.

（以下次號）

母國通信

◎社會の耳目を從動せしめたる水平社事件

一方には數百年來の人間的差別の鐵鎖を破壞して自由の天地に出でんとし、一方には依然たる侮辱の眼を以つて水平社運動なる精神運動を見て居る時に當つて、玆に悲しむ可き差別と侮辱の爭鬪が演じられたそれは群馬縣新田郡に起つた事件である、村民室田忠五郎なるものゝ不用意に發したる些細なる一言に對して其の謝罪を要求する事あまりに急に、又其の制裁を加ふる事あまりに深酷なる爲に永年の確執は遂に爆發して一月十八日夜世良田村の村民八百有餘の水平社同人襲擊事件を惹起し竹鎗農具、日本刀等を持つて水平社同人の家屋を破燒打する事十二負傷者八名を出して流血、慘事を現出した。負傷の少數なるは駐在巡査の氣轉によつて同人の大部分を避難せしめたると、急遽來援せる四百五十名の警官の疾風電雷的に全村を包圍して鎭撫擒擧に努めた爲めで、水平社より全國に發せられた求援の電接は悉く電信局で差押へられ、危く全國的大擾亂とならんとした危機は免かれたのである。

◎横田法相の逝去と新小川法相

現內閣と中堅且精悍無比な策士として知られて居る法相横田千之助氏は二月四日流行性感冒に急性肺炎を併發して逝去したこの法相の後を本縣諏訪郡出身の小川平吉氏が三月十一日に新任法相として親任された。

◎列國藏相會議

に於て山東省鐵道及鑛山に關する日本の主張通る

◎海外移住奬勵に關する質問と政府の答辯

提出者 津崎尙武
贊成者 原田十衞
外三十一名

海外移住ニ關スル再質問主意書

一、海外移殖民奬勵ハ現下我カ國內ニ横ハル社會問題思想問題農村問題商工業問題等各種ノ重要問題ト直接間接ニ關係スル所極メテ多ク是等諸問題ヲ解決スル根本要件ノ一ナリト信ス政府ノ所見如何

二、我カ國民ノ海外移住ハ啻ニ國內ノ諸問題ヲ緩和シ解決スルノミナラス併セテ世界未開ノ土地ヲ拓キ人類ノ幸福ヲ增進シ延テ世界ノ平和ニ貢獻スル所以ナリト思惟ス政府ノ所見如何

三、移殖民政策確立實行ニハ拓殖省ノ設置ヲ必要トセスヤ政府ノ所見如何

四、政府ハ過般移民調査會ヲ設置セリト聞ク果シテ然ラハ同會ハ如何ナル目的ヲ以テ如何ナル調査ヲ行ヒ如何ナル結果ヲ得タルカ

五、政府ハ我カ國ノ海外發展ニ關スル民間ノ適當ナル施設ニ付テ積極的援助ヲ爲スノ意思アリヤ

六、海外投資ノ奬勵拓殖會社ノ設立拓殖金融機關ノ設置ハ海外移住奬勵ニ緊要ノコトナリトス然ルニ是等ノ點ニ關シ施設ノ觀ルヘキモノナシ政府ハ此ノ際相當ノ方策ヲ樹テ其ノ實現ヲ期スルノ意ナキカ

七、海外投資實行方法ノ一トシテ組合活用ノ必要アリト思惟ス政府ハ右ニ關シ移住組合法制定ノ意ナキヤ

八、海外移住奬勵ノ目的ヲ以テ「ブラジル」ニ土地ヲ購入セムトスルニ當リ外務當局者中窃ニ之カ妨害トナルヘキ行爲ヲ敢テシタル事實及是等移住地ニ渡航セムトスル土地所有者ニ對シ之ガ阻止ヲ爲シタル事實ヲ認メサルヤ

九、移民渡航費ヲ補助スルノミニシテ移民ニ對スル諸般ノ施設ヲ缺クニ於テハ海外移住奬勵ノ目的ヲ達スルモノニ非ス而シテ偶渡航費ヲ補助スルニ當リテモ單ニ海外興業株式會社ノ手ヲ經ル「ブラジル」ヘノ家族移民ノミニ之ヲ與フルハ移殖民奬勵費ヲ置ケル目的ニ副フ所以ナリト謂フヘカラス政府ノ所見如何

十、政府ハ「ブラジル」移住者ニ對シ海外興業株式會社ヲ通シテ一人二百圓ノ渡航準備金ヲ交付シ又海外渡航者ニ對スル移民會社ノ手數料ヲ補給シ居レリト謂フ然ラハ右取扱手數料ハ一人ニ對シ幾何ナルカ而シテ海外興業株式會社ハ右手數料ニ相當スル金額ヲ別ニ二百圓ノ渡航準備金中ヨリ汽船會社ノ手ヲ經テ拂戾ヲ受ケタル事實ナキヤ若アリトセハ政府ハ之ヲ默過スルヤ

十一、移民渡航費ノ補助ヲ爲スノ報誇大ニ傳ハルヤ「ブラジル」ニ於テハ「サンパウロ」州政府ノ補助金復活運動中止セラレタルコト及同國ニ於テ日本移民問題カ特ニ論議セラレ排日的氣勢ヲ煽ルノ結果ヲ招來セルコトナキカ

十二、移住國ノ感情補助移民ノ成績ニ自信ナク單ニ船賃ノミヲ補助シテ幾何カノ移住者ヲ海外ニ送リタリトノ口實ヲ得タルノミニシテ却テ我カ國ノ海外移住政策確立ノ障害ヲ爲シタル事實ナキヤ

十三。營利會社ニ多額ノ補助金ヲ與ヘテ海外移住ノ奬勵ヲ爲スコトハ世間ノ誤解ト惡評トヲ招クノ虞ナキヤ寧ロ營利事業ト奬勵事業トハ之ヲ區別シ奬勵事業ヲ發達セシムルカ當今ノ急務ナルニ非スヤ政府ノ所見如何

十四、海外移住政策ノ確立ニハ海外事情ノ普及宣傳ト共ニ移住者ノ教養訓練ヲ必要トス卽チ海外學校移民講習所移住者指導員養成所等ノ設置ヲ必要ト信ス政府ノ所見如何

十五、各府縣ニ於ケル海外渡航手續ニ區區タルモノアリ爲ニ海外移住者ノ迷惑少カラス政府ハ海外渡航ニ關スル手續ヲ簡易ニスルト共ニ共ノ取扱吏員ニ手續ニ關スル智識ヲ授クル必要アリト信ス政府ノ所見如何

衆議院議員津崎尙武君提出海外移住奬勵ニ關スル再質問ニ對スル答辯書

一、政府ハ海外移殖民奬勵ノ諸種ノ社會問題解決ニ資スル所多キヲ認ム

二、我カ國民ノ海外移住ハ其移住地竝移住者ノ選擇宜キヲ得タル場合ハ世界ノ未開地ヲ開拓シ其ノ平和ニ貢獻スル所アルヘシト思惟ス

三、政府ハ經費其ノ他諸般ノ事情ノ許ス範圍ニ於テ移植民ノ奬勵ヲ爲シツヽアリ目下之カ爲ニ拓殖省ヲ設置スルノ必要ヲ認メス

四、政府ハ過般移民委員會ヲ設置シタリ同會ハ各省關係官ヲ以テ組織シ大體移民ヲ送ルヘキ地方竝移民及之ニ關聯スル海外企業ノ保護奬勵方法等ノ事項ヲ審議スルコトヲ目的トシタリ同會ハ屢次會合ヲ重ネタル結果成案ヲ得タルモノアリタレトモ經費ノ關係上政府ニ於テ未タ確定實行スルニ至ラス

五、政府ハ海外發展ニ關スル民間ノ事業ニ對シ現ニ或ル程度ノ援助ヲ與ヘツヽアリ現在以上ニ如何ナル援助ヲ與フヘキヤハ經費ノ關係モアリ豫メ明言シ難シ

六、海外投資、拓殖及金融等ノ機關ハ海外移住奬勵ニ緊要ナルコトハ政府ニ於テモ之ヲ認ム然レトモ其ノ發達ノ爲メ將來政府ニ於テ執ラントスル處置ニ付テハ經費ノ關係モアリ未タ豫斷スルコトヲ得ス

七、政府ハ目下移住組合法制定ノ意思ナシ

八、政府ハ伯剌西爾國ニ於ケル土地ノ購入ヲ外務當局ノ私ニ妨害シタル事實及土地所有者ノ同國渡航ヲ不當ニ阻止シタル事實ヲ認メス

九、移民渡航費ヲ補助スルノミニテ海外移住奬勵ノ目的ヲ十分ニ達成スルコト能ハサルハ政府ニ於テモ之ヲ認ム海外興業株式會社ノ手ヲ經ル伯剌西爾行移民ノミニ渡航準備金ヲ補助スルコトハ移民保護奬勵費設置ノ目的ニ背反スルモノニ非スト認ム

十、政府ハ伯剌西爾行移植民ニ對シ海外興業株式會社ヲ通シ一人二百圓（十二歳未滿七歳以上半額、七歳未滿三歳以上四分ノ一、三歳未滿ナシ）ノ渡航準備金ヲ交付シ又移民取扱人ノ手數料大人一人當リ三十九圓ヲ補給シ居レリ而シテ海外興業株式會社ハ汽船會社ヨリ船客取扱ニ對スル報酬トシテ伯剌西爾行移民一人ニ付三十五圓（十二歳未滿七歳以上半額、七歳未滿三歳以上四分ノ一、三歳未滿ナシ）ヲ受ケツヽアリ右ハ私立會社間ノ取引ニ係リ政府ニ於テ立入リテ干涉スヘキ限リニ在ラサルモ共處置ニ付テハ目下考慮中ナリ

十一、伯剌西爾植行民ニ對シ帝國政府ヨリ補助金ヲ交付スルコトカ「サンパウロ」州政府補助金ノ復活及排日問題ニ惡影響アリタルヲ認メス

十二、政府ハ渡航準備金交付ニ對シテ移住國ノ事情補助移民ノ成績ニ充分考慮ヲ加ヘタリ而シテ之カ爲メ帝國ノ海外移住政

策ニ障害ヲ與ヘタル事實ヲ認メス

十三、政府ハ營利ノ事業ニ對シテ補助ヲ行ヒタルコトナシ海外興業株式會社ニ對シテハ補助ヲ行フモ其ノ使途ニ關シテハ嚴ニ制限ヲ加ヘテ營利ノ目的ニ使用スル能ハサラシムルヲ以テ何等誤解ヲ生ゼシムル虞ナシト信ス

十四、移住者ノ教養訓練等ニ就テハ政府ニ於テモ夙ニ其ノ必要ヲ認メ現ニ神戸横濱及長崎ノ三ケ所ニ移民講習所ヲ設置シ尙ホ移民取扱人ヲシテ各移民船ニ移民監督ヲ乘込マシメ船内ニ於ケル移民ノ教養ニ當ラシメツヽアリ然レドモ海外學校移住者指導員養成所等ノ設置ハ經費ノ關係アルニ付キ俄ニ實行シ難シ

十五、海外渡航手續ニ關シテハ各府縣ノ取扱ニ一任シアルモノ多キヲ以テ多少區々ニ亙ル所アルハ已ムヲ得サル所ナリ然レトモ政府ハ成ルヘク其ノ手續ヲ簡易ニスルト共ニ取扱者ニ之ニ關スル智識ヲ授クル爲メ常ニ必要ノ手段ヲ講シツヽアリ

◎移住組合法制定に關する建議案

移住組合法制定を議案として津崎尙武氏及荒川五郎氏より議會へ提出す

◎普通選擧制を政府より議會へ提出す

◎婦人なしに普選はないと女政客鼻息荒し◎

女子参政權獲得既成同盟會の連中徽章をつけ自動車數臺を連ねてビラ五萬枚を撒布し婦選なくして普選なしと宣傳し、一方婦人參政同盟でも之に負けじと徽章をつけて自動車上から「吾等に結社の自由を與へよ」とか「吾等に國政參與の權を與へよ」とかのビラを撒いてさわいで居る、

◎鹿兒島三重兩縣の海外協會設立

鹿兒嶋縣三重縣の二縣は新たに海外協會が設立されて信濃海外協會に倣つて組合を作つて南米へ發展する計劃

◎復活した日露國交

芳澤公使の堂々たる外交振りに、實に千變万化幾多の紆餘曲折を經來たる大連會議以來六ケ年の日子と七十餘回の會合を費した交渉もカラハン俄然態度を一變し一月廿一日午前二時調印を了して日露協約成る。この條約名稱は日露兩國間の關係を律する基本的法則を包含する條約である、

◎南米へ送る女に外務省が思案投げ首

南米に數千の大和男の子が奥さんを欲しがつて居ると云ふ事から外務省が思案して居る、最中で永田氏の日本力行會や救世軍あたりでそんな御世話は願へないだろうかと云ふて居る

◎南米のへ道再開

折角旺盛になつた南米移植民熱もサンパウロ州政府で旅券の査證禁止を實行して以來一頓座を來し海外興業で募集し二月下旬發航した鎌倉丸の八百名三月四日のパナマ丸の四百名はやむなく中止の憂目にあひ八方ふさがりとなつたので非常に恐慌をきたし外務當局をはじめ百方手をつくして交渉したが今日まで埒があかずとんと行きづまつてしまつたが九日外務省に入つた田付大使からの電報によると近く禁止を解くことに決つたとあり、二ケ月間閉されてゐた移民の道も再び開かれることになつた。

信州記事

◎農村不景氣反映か中學校志望者減少

農村の不景氣の反映と子弟教育に對する一般父兄の考へ方の變つて來たことからのため、今年の中等學校入學志願者は縣下を通じて著るしく減少したと傳へられて居るが、一般農村の不景氣とは何時も沒交渉だと言はれて居る諏訪地方も今年はどうやら此傾向が及ぼし今のところでは中學校、女學校を始め蠶系學校等何れも申込みが非常に少ないと云はれて居る、それに引換へて女子の裁縫を主とする補習學校や專習學校等は反對に志願者が多くなつて居る、女學校が娘の嫁入り道具と考へられた父兄の虛榮心が漸く目覺めて實際的になつて來たことが窺はれるやうになつた。

◎ブラジルバウル領事多羅間鐵輔氏講演

三月二日多羅間領事が信濃海外協會の總會に講師として臨席し一場の講演を行つたが、現在ブラジルに昂まりつゝある排日問題に對しては極めて樂觀の態度で左記の如く語つた、

『日本人の勢力が次第に根強くなるにつれて排日を叫ぶものが一部に表れてくるのは、誠に巳むを得ない現象であるが要は大多數の同國人の心が其處に無ければ問題にするに足らない、移民の旅券をブラジル領事が拒否した事件は昨年來色々な影響を我國民に植え付けてゐるが、之は某移民會社の移民に對してのみ拒否したものであつて決して全部ではない、殊に信濃海外協會の移民に對しては非常に歡迎する筈であるから希望者はドシ／＼入國するがよいと思ふ尙妻子携帶の場合でもなるべく娘づれのものは成功の率が多いとのこと。

◎永田幹事の信州講演及懇談と日定

永田幹事は歸省早々病後の身も顧る能はず東都にて講演會懇談會には依賴ある毎に缺さず出られ、三菱合資會社内の社員にて設立せる南米研究所などは澤山の熱心家を作り其の他木曜會青年會にも同氏の熱誠に動かされ多くの眞面目なる會員を生じ其の他ありとあらゆる會に招かれ日夜奔走して熱誠なる講演をなし感動を與へつゝありかくして休日の暇もなき程なるが三月一日より信州一巡をして講演と相談懇談をする事になつた

二日　長野にて全縣下郡市長に講演の爲永田幹事の他に多羅間バウル領事及宮下幹事も出席し懇談をなす
八日より十一日迄諏訪郡内篤志家と青年會へ
十二、三、四日東筑摩郡内
十五日諏訪聯合青年會
十六七日上高井郡内
十八九日下高井郡内
廿日下水内郡支部總會
廿一日東筑摩郡筑摩地靑年會
廿二日東筑摩郡聯合青年會
廿三日歸京事務所にて事務整理
廿五日諏訪郡内篤志家と懇談
廿六七日上伊那郡内
廿八日下伊那郡内
卅日西筑摩郡内
卅一日南安曇郡内
四月一日北安曇郡内
二日上水内郡内
三日更級郡内
四日埴科郡内
五日北佐久郡内
六日南佐久郡内
七日南佐久郡内

◎松本市と松本村との合併

多年懸案の市と村との合併は内務省から縣廳を經て合併實施の許可をさる

◎信州の小作人と小作權

小作爭議は目下全國的の社會問題になつて居る、政府としては小作調停法を施行して爭議の少からむことに努力してゐるが同法は文字の示す通り調停に止まり、小作爭議を根本的に絶滅することは出來ない。本縣は小作人が少ないのと、大地主が少ないのと大抵農家は養蠶を兼業としてゐる關係上、今日迄小作爭議は殆んど聞かなかつた。たまにあつてもあまりたいした事もなく片付いてゐる、新春匆々須坂の小作物議もその一例である他に二三小作爭議が懸案になつてゐるけれども、これ亦圓滿解決を見るべきものと豫想されてゐる

昨年の旱魃は、縣下全体の耕地に亙つて、少なからぬ災害を

齎したので近來二三の小作爭議は何れも昨年の旱魃に原因してゐる、縣當局でも、小作人の慘狀を見ては打つちやつて置かれず、その狀態の詳細なる調査を行つた。そしてそれを機會に、もつと根本的な問題に立入つて、地主對小作人の關係にまで手を出してゐる、いつたい本縣は大地主も少ない事からだろうか舊い小作慣習とでも云ふ樣な契約で口約束と小作證書を入れるのと二種があるが十數年前までは全く口約束のみに依つて居つたもので、最近小作爭議のある事から鑑みて小作證書を入れるものが漸次增加して來たものの矢張口約束に依る方が多い

小作權を持つてゐる小作人は縣下に唯の一人も居らぬ。文化の普及を誇つてゐる本縣としては變な事と思ふ、何となれば法律思想の普及が足らぬ事を物語つてゐるからである。他縣の小作人には小作權を有してゐるものが多く、地主に對しても強い權利で對抗することが出來るし、小作地を他人に讓渡する場合には、時に多額の權利を得ることさへも出來る。本縣の小作人にはこうゆう權利なるものが實に薄弱極まるのである

一体口約束に依る契約の不備であることは云ふまでもないが小作證書に依る契約でさへ不備の點多く、例へば小作米の品質包裝、小作地の修繕改良費の負擔、小作地の使用方法並ひに制限、小作料の滯納、小作人の債務不履行の場合に於ける制裁等地主のために有利なる條項が隨分具備されて居ながら、小作人の利益となるべき條項は殆んど一つも附加されてゐない。

小作料については、大部分明治八年租税改正の際、政府に依つて定められた收穫米を基準として、地主と小作人との間に於て協定されて居り、大体松本平と善光寺平とに區分して見ることが出來る

松本平は德川氏五公五民の制を用ゐ、慶安四年檢地に當り、方六尺五寸を一坪とし畦畔を除き而して收穫高の內實際に於て官三分の一、民三分の二を得、民はそれを折半して地主と小作人との間に配分したものであつたが、後享保年間に至り、地主はその生產地に對し三分の二を收得し、小作人は三分の一を占め、その割合は地主約六分、小作人は約四分である

善光寺平は一升蒔二升蒔と稱するところがある。二升蒔は上田七十五坪より下田九十坪とし、一升蒔は平年で一石一斗籾見當五斗七升（卽ち三分の一强）を小作料として納入する。卽ち一毛作は五十パーセント二毛作は六十一パーセントを收めて居る

善光寺平は松本平に比して、小作料が稍や不足のやうであるが、全縣下を平均して見ると、最高七十五パーセント最低五十五パーセントに當つて居る、このパーセンテイジは全國でも高率の方であるけれども、最近まで小作爭議の起らなかつたのは、前述の如く小作人が養蠶といふ兼業をして居る爲めであらうがしかし今後は種々の關係から、さう簡單に行かないであらう、殊に數は少ないながらも兎に角少でも小し作側に有利になる解決のついた小作爭議の結果は、迫害されつゝある小作人に何等の刺戟を與へずには置くまい。

因みに須坂町の小作爭議は水田米一俵に付き十圓五十錢其他の條件で協定がついてゐる。

机上漫録

◎海外渡航の旅券出願手續一般

この頃海外に大望を抱く人々が多くなつて手續を什うすればよいか、如何なる形式によるかは一々縣廳へでも行かぬと判らない。で地方にある人々は非常に不便を感ずる。

殊に旅券下附願、之に伴ふ保證書、移民なれば渡航許可願其の他之等に添附すべき書類等は、一つ欠けても駄目である。各府縣で多少異なるが書式並びに注意を要する點の一般を記し。聊かなりとも便したいと玆に紹介します

第一、外國旅券下付願

甲號書式

外國旅券下附願（用紙美濃紙）

一、氏　名（何某）（傍ニ片假名ヲ附シ讀方ヲ表スベシ）
一、本籍地（何々）
一、所在地（何々）（本籍地ト同一ナラバ同前ト記スベシ）
一、身　分（戸主家族ノ別家族ナルトキハ戸主ノ氏名及戸主トノ續柄ヲ記スベシ）
一、年　齢（何年何月生）
一、職　業 雜貨商、米作、農業、機械工等ト細目ニ渉リ記スヲ宜シトス）
一、旅行地名（何國、何州又ハ何市）（他國ヲ經由スルトキ又ハ寄港上陸スルトキハ其他名ヲモ經由地トシテ明記スベシ）
一、旅行目的（修學遊歴何業視察何商業何某ノ呼寄等）
一、出發港（何港）
一、乘船等級（何等）

右ニ依リ外國旅券御下附相成度別紙戸籍謄本及寫眞二葉添附此段相願候也

年　月　日　右　氏　名㊞

府縣知事　殿

乙號書式

外國旅券下附願（用紙美濃紙）

私儀（修學）ノ爲メ（北米合衆國紐育市）へ渡航致候ニ付旅券御下附相成度戸籍謄本及寫眞二葉添附此段及御願候也

年　月　日

本籍地、所在地、身分、職業

氏　名㊞

何年何月何日生

府縣知事　殿

追　申

一、乘船スベキ港名（何港）
一、乘船等級

（備考）

一、旅券下附出願の書式は各府縣によりて多少の相異が、あるが、外國旅券規則第二條の規定に從つて所要の事項を漏れなく記載すれば宜しいのである。卽ち上記の甲號又は乙號何れの書式に依るも差支ない筈である
一、戸主と同行する家族、夫と同行する妻、又は父若は母と同行する子ならば一通の旅券下附願書に連記するも差支ない。
一、寫眞は最近影撮したもので手札形、半身像、台紙に貼り附けてないものを要する、尤も父又は母の旅券に併記する五歳未滿の子ならば寫眞はいらぬ。
一、府縣によりては旅券下附願書に財産證明書、身元證明書、履歴書、保證書等を添附する事を命ずるが、之れは其の地方限りの取扱振にて一般に必要とする書類でないから、夫れぞれ地方廳の指圖を受けて作成しなければならぬ。

第二、渡航許可願出の書式

移民卽ち勞働に從事する目的にて支那以外の外國に渡航する者及其の家族にて之を同行し、又は其の所在地に渡航する者は甲號又は乙號の旅券下附願の外、渡航許可願を提出するを要する、其の書式は左の通りである

丙號書式

外ロ渡航許可願（用紙美濃紙）

私儀（農業從事）ノ爲メ向フ何ケ年間（伯剌西爾國サンパロ州）へ渡航致度候ニ付渡航御許可相成度寫眞二葉添附此段相願候也

年　月　日

本籍地、所在地

身分、職業

移民　氏　名印

何年何月何日

住所、番地

保證人　何　某印

何年何月何日生

住所、番地

保證人　何　某印

何年何月何日生

府縣知事　殿

丁號書式

外ロ渡航許司竝旅券下附願

一、氏　名　何　某（片假名ヲ付スベシ）
一、本籍地　何縣何郡何村何番地
一、所在地　同　前
一、身　分　戸主某ノ何男
一、年　齢　何年何月何日生
一、職　業　何　業
一、渡航地名　何國何州（何國何港經由）
一、渡航目的　何々農園にて勞働從事
一、渡航年限　向フ何ヶ年
一、出發港　橫濱港

右ニ依リ外國渡航許可竝旅券下附相成度別紙關係書類及寫眞二葉相添此段及御願候也

年　月　日

右　何　某印

住所、番地

保證人　何　某印

何年月何日何生

住所、番地

保證人　何　某印

何年何月何日　生

府縣知事　殿

一、渡航許可願と旅券下附願とを前の如く別々とせず同一書式に併合したものがこの書式で之に依ることも出來る

（備　考）

一、渡航許可願に添附すべき關係書類とは戸籍謄本、共他府縣により一様ではないが財産證明書、資格證明書、身元證明書、印鑑證明書履歴書及保證書等を云ふので若し旅券下附願に是等の書類が添附してあれば二重に差出すには及ばぬは勿論である
一、保證書は必しも差出すには及ばぬ、共故は渡航許可願に二人以上の保證人が連署すれば夫れで十分である
尙ほ此保證人を立てる事を要するのは左記の國へ渡航する場合に限るのである
比律賓群島、濠洲及太平洋諸島、暹羅國墨西哥國、伯剌西爾國、智利國、秘露國、亞爾然丁國、南亞弗利加洲
上記以外の口へ渡航する者は國民保護法に依る保證人を立つる必要はない
一、移民取扱人に移民としての取扱方を依賴すれば旅券下附願、渡航許可願等は一切移民取扱人が取計つて吳れ又前に記した保證人にもなるから別に保證人を立てるに及ばない事になつて居るが、移民取扱人に依賴するとなか〳〵面倒の事があるから直接自分でやる方がよい。

◎ブラジル行希望者にポルトガル通信教授特設

兵庫縣海外渡航者講習所から神戸キリスト青年會外國語學校に於てブラジル行希望者にポルトガル語通信教授科を特設致し一般希望者の利便を計る事を當協會へ申込み來る

海の外

定價

	一部	半ヶ年	一ヶ年
內地	廿錢	一圓十錢	二圓廿錢
外國	廿仙	一弗十仙	二弗廿仙

海外郵稅四錢

注意

▲御注文は凡て前金に申受く
▲廣告料は御照會次第詳細通知致します
▲御拂込は振替に依らるゝが最も便利さす

大正十四年三月三十一日

編輯人　永田稠

發行兼印刷人　藤森克

長野市南縣町
印刷所　信濃每日新聞社

長野市長野縣廳內
發行所　海の外社

振替口座長野二一四〇番　信濃海外協會

大正十四年三月三十一日發行（每月一回一日發行）
大正十[illegible]
定價金貳拾錢

信濃海外協會
海の外社發行

目次

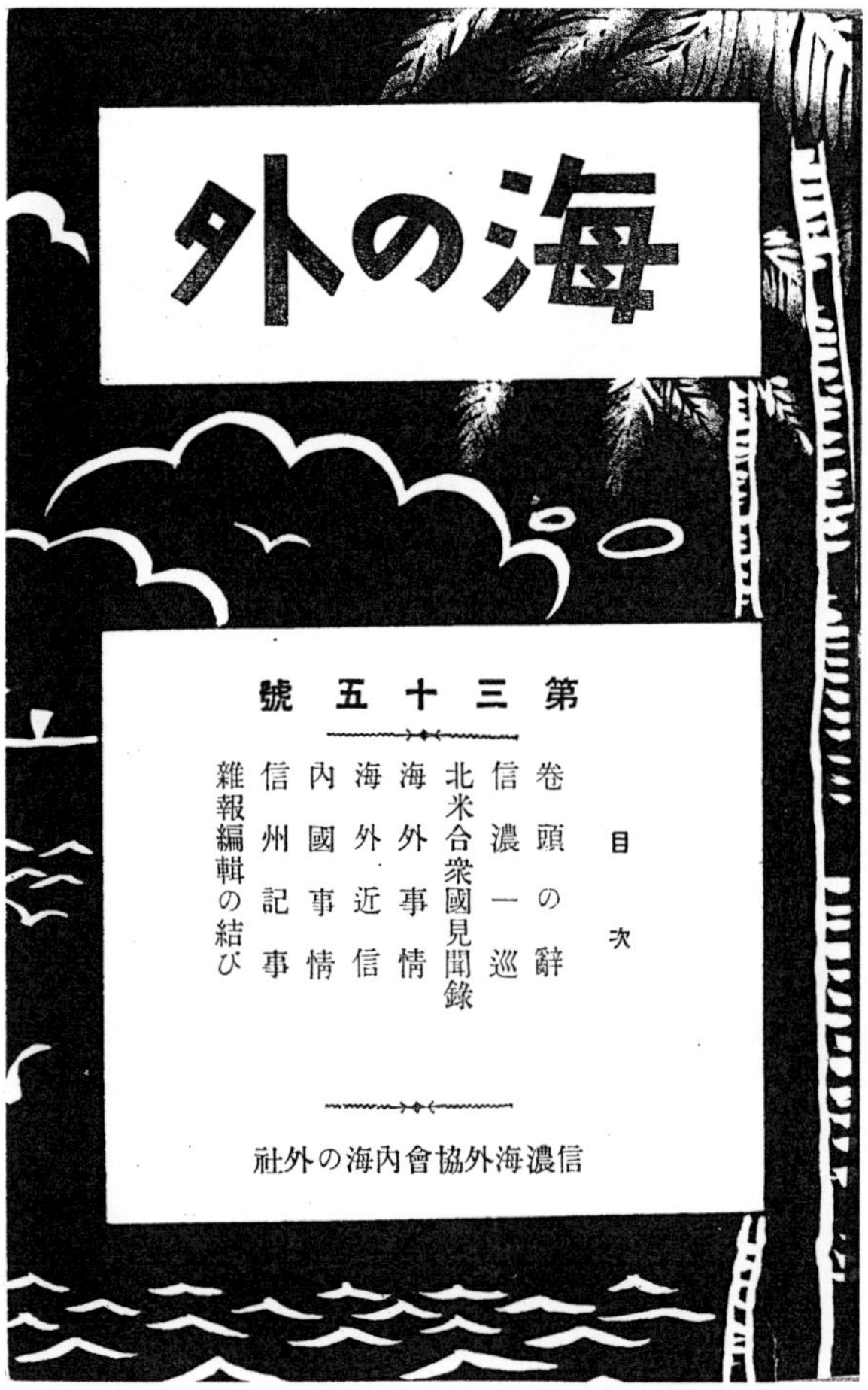

アリアンサ移住地
試作唐玉蜀
大正十三年十二月十日蒔付
大正十四年二月廿八日撮影

滿一ケ年十ケ月　福澤讓二
アラサツバ事務所庭前

アリアンサ移住地
試作稲作
大正十三年十二月十日蒔付
大正十四年二月廿八日撮影

ブラジルの農具

海の外

第三十五號

理想の農村
信濃村
計劃完成扉開く

ありあんさ（信濃村）移住地は既に輪湖北原座光寺の三創業基礎家族によりて理想の農村として大計劃成り。

小川岩波今村上條の四中堅家族及ぶらじるよりの農業に珈琲に体驗ある數家族の移住するあり。守屋大山伊藤の三青年の入るありて旭日昇天の勢もて開かれん噫盛なるかな。

一九二五、四、三〇

信濃一巡

永田稠

三月十五日には高嶋小學校に於ける諏訪聯合青年會で約四十分間信濃村の講演をした。血色のよい元氣さうな青年達が熱心に傾聽して居た。後で縣廳に行つて見ると、澤山の印刷物要求者があつたのに驚かされた。青年達は一番よく自分の將來について心配して居るが、今日では學校でも父兄でも先輩でも彼等が首肯することの出來る樣な具体案を示してくれないのである。信濃海外協會の事業は此點に於て極めて有意義であると思はせられた。

◎

三月十六日には上高井郡に行つた、支部でかなり骨を折つてくれたとの事であるが、來會者は殆んどない、農學校の生徒が間に合せに來て居るに過ぎなかつた。原君の御案内を得て越謬三郎氏坂本重雄氏上條吉之助氏等歴訪した。上原氏は上高井の八十町歩（出資金一千圓につき十町歩の土地を提供するから上高井郡八千圓分八拾町歩ある）の共同開拓を主張せられたので心强くなつた。

◎

下高井には本部からの通知が達して居らないと云ふので何等の準備が出來て居らない。かなりの失望を感じたけれども如何ともする能はず、さりながら八十二歲の湯本宣成氏が衆に先んじて一千圓を提供されたのは嬉しい濫に佐藤氏を訪ね翌日は嶽北に雪を踏んで宮崎氏を訪ねた。

◎

三月廿日の正午から下水內支部の總會が郡役所に開かれた。來會者約三十名決義豫義も決議され二三の熱心家も來會して居た。

◎

廿一日には午前九時の汽車で長野を立ち東筑摩郡の筑膽地村の青年會へ講演に行き、轉し諏訪郡役所に石原郡長さんを訪ねて打合せをして一泊し。廿二日には松本に行き東筑摩郡聯合青年會で有馬賴寧氏の前座として約一時間信濃村の話をした、玆からも多數の印刷物要求者があつた。廿三四兩日は東京に來てなすべき各般の事務を見た。

◎

廿五日には一番の汽車で飯田町を出發して岡谷に行き千野君と面會し、上諏訪へ引かへし伊藤德家君が信濃海外協會諏訪支部の專任幹事となることの打合せをした。同君は犧牲的に諏訪の海外發展の爲めに努力して見ようと云ふのである。人物のある所資金自ら生じ資金の生ずる所事業從つて起るのである。諏訪が專任幹事を置き得るに至つたことは愉快でたまらない。

◎

廿六日は上伊那に行つた。武井覺太郎氏が三千圓を提供された外に誰も應ずる者がないと云ふのである。懇談會への來會者は三四名で中々熱心家はあつたが、今回の信州一巡の目的とは頗る距離がある。宮本牧師の御案內で長田製絲工場で短時間の講演をなし工場主御夫婦の歡待を得たことと、郡役所の有志が大にやりませうと元氣をつけてくれたことがせめてもの心やりである。廿七日には上片桐村の青年會で講演した。二十何年か以前に代用敎員をして居たので私には忘れ難い村であつた。

◎

廿八日は下伊那郡役所で講演し夜は四里離れた千代村の青年男女に講演を試みた。此郡では信濃海外協會の移住地建設資金を未だ一人も出なして貰れい。ブラジルに渡航者は前郡書記羽丹君を始めとして信州としては多數の方であるのだから相談の仕方に依つては必ず出來ると信ずるので、第一支部に於て一層の盡力をすること、第二蜂須賀幹事の出張を請ふこと、第三總裁の出張を仰くこと、それで出來ねば遺憾ながらあきらめることにしたいと思ひこれ等の人々と相談して長野から手紙を書くのであつた。

◎

二十九日には飯田から上諏訪に來る電車の中で口すさんだ。

新しく建てて行かるる信濃の村は
アラサツーバの奥の院

新しい信濃の村の名を問ふならば
ヌクロコロニアルデアリアンサ

チエテ河ゆるく流るるルツサンビラの
停車場から八里半

トラベツサグランデのあの川上に
妻戀ふ男鹿がないて居る

珈琲の白い小さいやさしい花が
何とまア香りが高いだろう

◎

三月卅日には木曾に行つた。郡役所の諸君其他の來會者にブラジルのお話をした小野秀一さんも特に來會された。雪が飛ぶ。

信濃路を旅して行けは伊那路には梅の花さき木曾路雪降る

◎

松本に一泊して三十一日に豊科に行つて見ると藤森町長も不在であるから長野と交渉して八日にしてもろう事になつて居ると云ふので一日の間を得た。

◎

四月一日には北安に行つたが二三の來會者と淸水さんが來た丈けで物にならないし、本部に報告されてある山本さんの一千圓も外の諸君が出資すれば出すと云ふ條件つきだとのことでどうすることも出來ない。八日に南安に來るから九日にも一度來ることにして引上げる。尊い時間が空に消ゆる事の悲しさ。

◎

四月二日には上水內郡に來た、熱心家が三四名あつた。皆物になりさうな人々で嬉しかつた。

◎

三日は神武天皇祭である。更級郡は信州海外發展の發祥地である。篠の井の靑年會で懇談會をして出資募集の打合せしをた。

◎

四日には埴科に行つた。宮下幹事の東京から來援されるあり、新任の西澤幹事の助勢せらるるあるも埴科は何とも目鼻がつきさうにもないが、郡役所の各位に御依賴する。

◎

五日には小縣郡長さんを訪ねて北佐久に行つた。小山淸右衛門氏大塚宗次氏の外郡役所で三四千圓を得らるる資が十分あると云ふので心强い。小學校の校長さん方が四五名來會せられ懇談會を開く。妹を南米にやりたいと云ふ方などがあり愉快であつた。臼田に行つて一泊。

◎

六日の早朝郡長さんにお目にかかつて打合せをなし轉して上田に行く。本部よりは梅谷總裁蜂須賀幹事の來り會せらるるあり、白石支部長の非常なる御盡力に依り小縣郡の有力者約十名の御來會があり梅谷總裁の御挨拶の後を受けて私はブラジル事情を說いた。懇談の後晩餐を共にし大にご了解を得た。八日には宮下君が更に白石支部長縣會議員山本莊一郎氏同沓掛正一氏と丸子に出張され大に努力して下さつた。

◎

七日早朝別所溫泉を出發した梅谷總裁蜂須賀宮下西澤諸氏の一行は午前十時半臼田に着いた。私は午前の時間を利用して農學校で一場の講演をした。午后一時から南佐久郡有力者約十名との懇談會があつて夕食を共にし大に得る所あり一行は午後四時の汽車で長野に歸つた。

◎

私は一行と別れ西澤君と共に八日南安に行つた。農學校や研成義塾の生徒の外流石は輪湖信濃村長を生んだ土地丈けに熱心なる靑年が來會して居り協會に入會者三四名もあつた九日には北安に行つたが豫期した人々は集まつて來ない。寺嶋君と池田の町に行つたが成績は極めて不良であつた。

◎

信濃路を南田北田旅したり雪に來たりて梅の咲く迄

私は爲すべきことをなした。これ以上は只神樣に委ねるより外にはない。二月一日歸朝したらばせめて十日間位は病軀を休養したいとはブラジル以來茲へて來た事であつたが、十日は愚ずき一日も休養などは出來ずに七十日を働き續けた。そして有り難い事に健康はすつかり快複した。昨年出發する時に比較して体重が一貫五百匁足りない丈けだ。信濃の海外發展に一貫五百匁の肉を献けて濟めばお安いご用である。どんなに仕事が困雜だつて生命のある限りやりとうさずに措くもんですか

（終）

北米合衆國見聞錄（其七）

坂井辰三郎

二

小麥價暴落による北米合衆國農民の究狀

全世界小麥產額の貳割六分余を占むる合衆國に於ては、小麥價の騰落が農家の經濟に甚大なる影響を及ぼすは、我が國の米價に於ける全くそれの如くである。彼の國にて小麥價の奔騰せるは、世界大戰當時であつて、一ブツシエル（約貳斗）參弗五十仙にまで昇つた。そこで時の政府は貳弗五十仙の公定價格を以て農家に强制したのである。其後大戰の終りを告ぐると共に。年々漸落に漸落を以てつぎ、一昨千九百貳十三年には生產費を破るが如き暴落を來し、爲めに「ミスシツピー」沿岸農家三百七十萬戶の內三十七万戶は破產の悲境に陷入つたと云ふことさへ報ぜられた。其の他この實狀を明かにする爲めに二、三の記事を引用する

○　○　○

小麥暴落農……民の苦境………日米紙千九百二十三年七月十六日の記事摘錄

（一）

小麥の相場は先週「シカゴ」市場にて大暴落を來し、七月渡しは一ブツシエル九十三仙四分の三と云ふ、千九百十四年以來の最低價になつたので、米國農家救濟の必要なども各方面にて高唱せらるゝに至つた。米國主要農產物である小麥を栽培した畑は、昨年度に於て六千百萬英加以上あり、收穫八億五千六百万ブツシエル、其の價格は八億六千四百万弗と註せられ、之れが耕作に從事する農家の數は三百萬以上に達するであらう。而して小麥相場の高低は單に生產者並

に取扱ひ商の經濟に直接關係ある許りでなく、一般農業家は勿論のこと、又全然方面の異つた商工業と雖も間接ではあるが痛切に其の影響を感ずるものであり、延いては米國の國家經濟に動搖を來す可能性があるが故に、非常に重要視される問題である。小麥が一ブッシェル一弗以下となり、此の相場が長く持續さるゝとせば、小麥を專門に生産する、中西部の農家數百万は破産に傾き、其の余波の及ぼす經濟的動搖の範圍は測り知ることが出來ない。

（二）

大統領は（故ハーヂング氏のこと）西遊の途上、カンサス州小麥生産の農家について、實際の生産費を調べ、市場の相場と比較して農家の苦境を知り大いに驚いた。此の計算によると一ブッシェル六十封度の小麥の生産費は一弗以上について居るから實際農家の懐に入る金は、それ以上でなければ損になるのである。「シカゴ」の相場が九十四仙とすれば其の市場への運賃と仲買商の手數料を差引いた農家の手取りは六十四五仙にしかならない。結極一ブッシェルに就いて三十五六仙の損が行くのである。今年度の小麥收穫は今の所八億貳千ブッシェルに達する豫想であるから、種子を除き實際市場に出す小麥一ブッシェルに就て三十五仙の損とすれば、總計貳億四千万弗が農家の負担し、回收の見込なき投資となるのである。此の如き大なる損失を小麥耕作者三百万の農家が受けて、他人に迷惑を及ぼさない譯には行かないのである。

（三）

外部に現はれた最近の小麥暴落の直接原因は、世界市場に昨年から持ち越された小麥が三億ブッシェルとあり、更に世界大陸地の一として知られたる加奈陀其他の作柄良好にて、豊作の見込みが立つたからだと云ふ。果して三億ブッシエルの持越しがあるとすれば、相場下落の原因とはなるが、此の調査統計の出所が甚だ疑はしい。ウワー、ファイナンス、コーポレーション（戰時財政局）の專務取締なるマイヤー氏の如きは最近歐洲の市場を視察して歸米した許りであるが、歐洲に小麥の持ち越しと稱すべきものは、最少限度に低下してゐる筈だと語つた。是に於て我々は投機商人の常套手段である、無稽の風説を立て市場の混亂を來し其の間に莫大の利益を占むる奸策の潜在を疑はざるを得ない。斯く

の如き事實は從來屢々起つたことであり、二年前の棉市場の動搖なども其の一例として擧ぐることが出來る。當時棉の貯藏量は千万ベールありと報ぜられ、市場相場は一封度八仙であつた。二三ケ月後には其の相場が二倍となり、貯藏持越しの千万ベールが影も形も見せなかつた。此の時暴利を貪り取つたものは云ふまでもなく投機商であり、馬鹿を見たものは耕作者であつた。同じ年に玉蜀黍は十八仙と云ふ無類の安相場から八十三仙に暴騰したのも、同じく投機商の奸策によるものであつた。

（四）

農家救濟策は過去二三回の米國議會で八釜しく論せられた所であり。上下兩院に農民團と稱する一つの變態なる黨派が形成され、農民の爲めに既成政黨の係累などは全く無視して活動した。其の結果であると云ふ譯ではないが、共和黨政府も相當農民の爲めに各種の施設をなしたことは、大統領の西部巡視中にも演說し廣告した所である。然しながら事實として今回の如き農家に大打擊を與ふる市の動搖などが起り、農民は爲す所を知らず茫然自失し、一般社會の人も其の影響何處まで及ぶかの豫想も出來ず、經濟界は不安の間に形成を窺ひつゝある。農業政策としては根本的に國内のみならず世界農産物の生産と消費量を調査發表して農民に據るべきところを知らしめ、資本を供給して農業經營を容易にし、過剩の産物を外國市場にて利益を見て販賣し得べき方策を立つるにあるであらうが、併しそれが一朝一夕に成し得る所ではない。現に小麥耕作者が面接しつゝある難關を切り開く方針としては、今年から資本を增し、政府の直接經營するウワー、ファイナンス、コーポレーションより資本金の融通を受けて小麥を賣り急がず、市場の展開を待つより外に良策が先づないと云ふてもよい。小麥を國内で消費する量以上に生産して外國に輸出する利害は久しき以前より研究問題として農政家に論議され、歐洲の經濟狀態が昨今の如く混沌として破産狀態にあり、地質の甚しく安い南米其の他の産地と競爭を余議なくされる狀態では、結局耕作面積を減じて重に國内の需要を充たす丈けの收量に滿足しなければならぬ樣になるであらうとさへ論ぜらるゝのである。投機者の奸策を防止する手段としては耕作者組合の組織が唯一の良法であり、政府の取締りの如きは到底當てになるものでない。鞏固なる組合が成立し、組合の運動にて市價の甚しき

動搖を防止し、更に米國民に向つて食料として小麥を更に多く使用するやう宣傳したならば、相當の効果を顯すであらう。米國から外國に輸出する小麥が約一万七千ブッシエルあるものとするも、此の量は一人一食に二オンス宛多く食ふことによつて消費し盡さるゝのである。今回の小麥暴落は今後どう云ふ風に轉回するか豫測に困難である。然しながら農民に對しては一つの好教訓となるは疑ひなき所である。而して彼等が覺醒し、更に政治的に又經濟的に自營の策を講ずるに至るべきを信じ、此の試練を無駄に終ることなきを希望する。

○　○　○

最近の小麥暴落と米國農家の打擊……北米時事……千九百二十三年八月四日

下落に下落し來つた小麥相場は最近八十七仙ブッシエルと云ふ暴落を見たので、米國の小麥耕作者は破産の憂目を見るより外はないと云ふ悲觀說を流布するものさへある。此の小麥の暴落と之れが救濟策に關して、最近發行の紐育ナショナル銀行の報告に曰く、

小麥相場の暴落した一大原因は、米加兩國に於ける小麥耕作英加が增加したからである。米國に於ける耕作英加は、千九百十四年から同十八年迄平均四千七百〇九万英加であつたが、昨年度は約六千百二十三万英加に增加してゐる。又加奈陀に於ては政府の鐵道が開通されて以來、小麥の生産額は次の如く著しい增加を示してゐる。

（千ブッシエル）

一九〇〇年	八〇、五九一
一九〇五	一二一、七四六
一九一〇	一九六、〇二五
一九一五	二五四、四八二
一九二〇	二六三、一八九
一九二一	三〇〇、八五八
一九二二	四〇〇、〇〇〇
一九二三	（豫想）五〇〇、〇〇〇

以上の如く米加兩國の小麥耕作英加數の增加した理由は、戰時露國から小麥の輸出が激減したのと、戰爭の爲めに歐洲行小麥の需要が增加したからである。所が昨年露國農産物で國外に輸出されたものゝ中、裸麥及大麥が合計二十万噸ある。而して獨逸政府では本年十一月一日前に穀物四十万噸を買ひ上げる賣買契約が勞農政府との間に既に成立してゐるのは事實である。之の契約濟の四十万噸は、ブッシエルにすると一千五百万ブッシエルであるが、露國は本年度産穀物から二百五千万噸以上三百万噸を海外に輸出する事が出來る見積りである。之れ今日米國に於て小麥相場の暴落した一大原因であるが、農家は合衆國農務局に向つて種々な苦情を申込み、政治家は農家の不案に乘じて種々の運動を試みてゐる。

小麥暴落から蒙らんとする米國農家の打擊を救濟せんが爲めに諸所で集會が催された。六月十六日ウヰチタ市に開かれた小麥會議、又農相の招集に依り六月十二日ワシントンに催された經濟學者會議なぞは、其の重なるものであるが、ワシントン及びアイダホ兩州小麥耕作者の大會は來る八日スポーケンに開かれんとしてゐる。而して既に開かれた會議に於ては、米國の小麥耕作者が將來其の英加數を減少するのが最上の救濟策であると、略意見が一致してゐる。然し此の農家の不安を利用せんとする政治家は、種々の決議や觧決案を提出して人心を收攬せんと知恵を絞つてゐる、例へば去る合衆國議會へ提出された表價調節案なぞは其一つである。國案は小麥の相場をブッシエル一弗七十五仙に公定して政府をして小麥の買占めを行はしめんとするのである。然るに斯る調節策が實施さるゝ曉には、小麥耕作英加は今日よりも遙かに多くなる許りで無い。小麥の外國輸出は杜絕され、折角政府で買ひ上げた巨額の小麥は倉庫に充滿するであらう。次に米國聯絡農業組合の提議として、小麥を抵當に入れ貸し出し銀行をして二億ブッシエルの小麥を市場から引込ましめんとするものがある。此の案の目的は矢張り小麥の相場を上げんとするのであるから、此の法の實行の際には小麥以外の耕作に從事する農家は、米國内のみならず外國にてもドシドシ小麥を蒔く樣になる虞れがある。特に加奈太

に於ける耕作英加數の激增することは明かである。故に他の農作物の値段が安いからには、小麥の相場のみを人工的に上げることは不可能であらう。需要供給の原則は、あらゆる農作物を支配するものなるが故に、小麥相場は之れを自然の儘に低落せしめ、其の低落に依り耕作英加數を減少せしめる事が最良の手段であらう、云々と。

又同紙は次の樣なことを掲げた。

本年度小麥大豐作の報に相場暴落し、米國農民は今や危殆に頻せんとしてゐる。若し目下の下落相場にて千九百二十三年小麥を處分するの余儀なきに到らば米國農民は二億五千万弗乃至六億弗の大損害を受けると、華府の農民首領連は語つた。昨日「シカゴ」取引所の相場は、後場七月渡ブッシエル九十九仙八分の五に暴落し、九月渡は一旦一弗八分の五仙に上り、九十九仙八分の二に落着き、十二月渡は一弗二仙四分の一で場を閉ぢた、尙ほ華府の經濟學者の言によれば、小麥の生產費は一ブッシエルに就いて一弗二十仙乃至一弗六十仙を要せるが、一方目下米國各地方農家の卸相場はブッシエル八十仙から八十五仙を往來し、尙ほ下落の傾向を有せる爲め、今にして相場の維持策を講ぜざれば、農民の本年度損失は、ブッシエル三十五仙乃至六十仙に達するであらう。故に此を救はんとする唯一の策は、現在の收穫の大部分を相場の立て直る迄倉庫に保管することである云々と。

△　△　△

右の究狀に對し如何なる事が叫ばれ、且つどんな事が行はれたかと云ふに、

農民よ！　團結せよ！……コンパース氏の絕叫

米國勞働總同盟會長サミュエル、ゴンパース氏は、千九百二十三年六月二十日市俄古に開催の米國小麥大會に於て、米國農民の正當なる權利を得るには、大勞働組合に等しき農民組合を作るにありとなし、農民よ須く團結せよと叫んで彼等の奮起を促した。同會議は小麥の値段を引上げる爲め七州の知事に依り招集されたもので、農民、磨穀工場主、穀類商人、銀行家、運送會社等の代表者五百名參列した。ゴンパース民は、若し米國農民の權利が立法的の救治以外經濟上健全なる立脚地を保持する何等の方法も講ぜざれば、結局彼等は失意の運命に到達するは避け得られぬ。此の正當なる權利を得る道は、議會にあらず州法にもあらず。一に農民の團結にあるのみであると述べた。

尙ほ當日カンサス州選出の上院議員アーサーカッパー氏は、市俄古の通商局は今や世界最大の賭博場となり、生產者及び消費者の利益を侵害してゐると攻擊し、農民及び消費者を擁護する方法として、協同的取引開始の急務なりを說いた。

△　△　△

農民を救濟せねば革命が起ると……ジョンソン氏の警告

ミネソタ州の新選出上院議員、勞農派マグナス、ジョンソン氏は、千九百二十三年七月二十六日聯合通信へ書を寄せ目下米國の農民と勞働者の逢着しつゝある困憊せる狀態を改革するに非ずば、米國は政治的產業的革命又は武力にさへも訴へんとする革命が起らんとしてゐると大胆に警告してゐる。尙ほ氏は多くのものは露國に勃發せると同じ革命が米國に起り得ないと思惟してゐる。併し自らを欺くな、諸君は何ういふことが進展しつゝあるかを知る前に、その革命は起り得るのである。ヅアーは大陸軍を擁してゐたが、一革命を防ぎ得なかつた。陸軍の殆んどない米國に革命が起つたらどうするか、唯一事をもなすことは出來ぬ。米國農民は今慘怛たる狀態にある。故に農民は政府による一定の保證の下に相當の利益を加へた生產費を得べきである。此れをなすには議會に於て愼重に審議の要あるも、目下の慘狀を救ふ爲め今年中に適用すべき臨時法が必要である。今日米國の富の六割半は人口の僅か二分の手に歸してゐるから、此の富を適當に分配しなければ、國民は叛乱を起さんとしてゐる。富を適當に分配するは、大企業會社等の税を重くし、不生產的所得及び餘剩利得の課税によるのである云々と述べた。

△　△　△

大統領の教書……クーリッヂ大統領

大統領クーリッヂ氏は、中北部麥產地農家救濟策に關して、米國上下兩院に教書を送り、次の五件を推擧した。

1　已に滿期に達したる手形償却の方法。

2　麥作を變じて、他の穀物に轉作する費用に對する金融方法。

3　疲弊せる同地方銀行を後援する事。

4　個人の資本を集めて、銀行の整理を援助する事。

5　戰時財政局の資本貸出權の適用を、今年十二月三十一日まで有効とする事。因に目下戰時財政局が資本貸附をなし得る權能は、今年三月三十一日を以て終了す。

猶ほ大統領クリーッヂ氏は。別の機會に於ける其の教書中に於て、次の樣なことを述べておく。穀物低廉救濟策として、輸出向穀物の產出を制限し其の實行機關として或設備を必要とする云々と。

△　△　△

小麥暴落を中心に……前農務郷と上院議員の論爭

小麥の相場が暴落したので耕作者の打擊は非常なものである。此の問題について耕作者は何か適當の方策を案出し。此の苦境を切り拔ける爲めに智慧を絞つてゐるが、それと同時に政治家は又政治家の立場として、臨時議會を召集して適當な救濟策を講ずるやう論ずるものもあり、又特に農務郷をして或特殊の手段を採らしめ、此の問題を解決せんと運動する人々もあり、政治家の間に研究さるゝ外、一般社會も其の影響を直接間接に受くるのであるから、成り行きについて注目してゐる。先頃歐洲の視察旅行から歸米した許りで、國務卿に露國承認を說き、はねつけられたアイオワ州選出の共和黨上院議員ブルックハート氏も、政治家的に、此の小麥耕作者救濟について種々な提案を試み、極端な悲觀說を唱へたことが傳へられたが、其の所信について前農務卿であつた同じ州の出身のメレデス氏と相違あり、盛んに議論を闘はしつゝある。メレデス氏は農務卿となる前から自ら農業を經營する傍、農業雜誌を發行し、農業の實際に通じてゐるので、其の議論は傾聽に價する。ブルックハート氏は、どちらかと云へば純政治家と目され、議會のファーム、ブロックの一員として、農政問題に相當力を入れるけれども、農家の實狀に通ずる點に於ては、メレデス氏よりは劣るやうである。此の論爭は所謂政治家の人氣とり策と、堅實なる農政家の議論の差があり、味はつて見れば却々に味がある。

論爭の始まりは何でもメレデス氏が世間で無闇に小麥問題に就いて騷くのを戒めた事から起つたらしく、ブルックハート氏は、それに反對して小麥耕作者が今にも破產しそうなことを云ふたらしい、それでメレデス氏は經濟問題を論ずるに當り、未だ曾て深く研究し事實を根據としたことがないと、先づ一本參らせ。それから數字を擧げて說いた。メレデス氏は農業上の統計としては、最も信賴するに足る農商務省の調査に基き、小麥相場の暴落したなど騷いでも、米國穀類耕作者の今年豫期し得る收入は、昨年よりは五億万弗多い。此の事實を認めず極端な悲觀說を唱導するは、何か野心ありてそうするものと察するの外なく、其の野心はブルックハート氏の場合は政治的なるべく、彼は實際は農家の爲めを思ふとするのではない。氏が誠心誠意穀類耕作者の現在、並に將來に同情して研究乃至は論議するつもりならば、先づ統計を農商務省に就いて學び、これを基礎として論ずべきであり、單に自分の想像によるものならば、何の價値もないことである。

小麥の相場は、昨年に比して非常に安いのは實際であるが、農家は小麥のみを作るものでない。小麥は昨年の一ブッシエル九十三仙に比し、今年の八十七仙は確に下落である。併し玉蜀黍は同じ七月一日の農園に於ける評價であり、燕麥は昨年三十七仙三のものが、四十二仙半となり、大麥は五十二仙二のものが五十五仙七となつてゐる。之等の米國主要穀類の今年度の收穫豫想から農家の收入を計算すると、今年は三十六億八千三百五十万弗以上にて、昨年よりは約五億万弗多いのである。從て小麥の市價が暴落したとて、其の他のことを研究せずに極端な悲觀說のみを唱へ、實際積極的な何事をもなし得ないのは、馬鹿に同情ぶつたことを唱へ、自身の政治的地盤を堅めやうとする野心政治家の行爲であるとのことになる。小麥問題から農界のみならず、政治經濟界で種々の議論が行はるゝが、此の二人物のは一つの代表的議論として認め得るものである。

△　△　△

農民の小麥非賣同盟

小麥の暴落に業を煮やした、南西部の農民連は、愈小麥の非賣同盟を起した。米國農園組合では、千九百二十三年七

月十一日聲明書を發し、米國農民は、二億ブッシェルの小麥を市場より徹退し、相場の引返すまで、之れを倉庫に保管する計劃を實行中であると公表した。此れに要する費用は、約一億六千五百万弗であるが、此は前議會で通過した仲介信用法により、諸銀行から目下ドシ〳〵農民へ貸附け實行中であると。

△　　△　　△

不思議！小麥は下る、パンは上る……千九百二十三年八月八日……北米時事の記載によれば……

昨今米國の小麥價が暴落し、農民が非常な窮狀に陷りつゝあることは既報の通りであるが、之に反し同樣に下るべき麵麭が却て騰貴するといふ不思議な現象を呈してゐる。今日米國内の大都市に於ては、麵麭は一封度十仙で販賣されてゐる。然るに地方での小麥は一ブッシェル僅に八十仙である。最近まで小麥は一ブッシェル一弗四十仙で、麵麭は一封度九仙であつたものである。元來麵麭の生產費は一定してゐぬ爲め、政府でも正確な數字を得ることは困難であつた。唯一つ間違のないことは、小麥の値段が麵麭の値段と殆んど關係のないことで、假に小麥が一ブッシェル三弗しやうとも、麵麭の騰費には何等の意味を持たぬのである。政府の統計家は最近麵麭の騰費に就いて調査を開始したが、千九百十三年には一封度僅か五仙であつた。午後小麥及び小麥粉の値段は左程騰費してゐぬ。また今日は殆んど機械のみによつて生產されてゐるから、生產費の騰費といふことも疑はしい。最も給料家賃税金等を入れた表面的の費用は增加してゐるが、政府では果してこの增加が、爾來一封度五仙の騰費を立証するかどうかを疑つてゐる。麵麭値段が製麵麭業者によりどんな風に計算されてゐるかを、次の概算によつて知ることが出來る。小麥粉一樽は約二百八十個の麵麭塊（一塊一封度）を造る、是を合衆國民一億一千万人を基準とすると、三百八億となる。一塊につき少くとも二仙高いとすれば――或人は三仙以上高いと云ふ――製麵麭業者の壟斷する利益は、六億一千六百万弗の巨額に達する譯である。左の如き現狀であるから政府並に一般人民は、製麵麭業者のトラストに疑問の目を放つてゐる云々と。（以下續稿）

海外事情

智利國太統領

本年一月二十三日午後急據革命に成功したチリー國新革命政府は、革命成就に其の意見を同ふする前大統領アレサンドリ氏を迎へて大統領ならしめんとし、昨年九月十日出國亡命した同氏に對して一月以來歸國を促してゐたが同氏は共請に應じて三月二十日無事チリーに歸國し官民の大歡迎裡にサンチヤゴ市に到着し卽日大統領に就任した

秘露の水害

里馬以北の各地は三月初旬から中旬にわたる連日の豪雨のため出水多く、中央鐵道線並海岸支線は浸水し目下不通である就中、チカマ、サンタカタリナ、ツレジロ方面に於けるカサグランデ、チカマロマ並にカルタヴイオ等の重なる砂糖耕地は崩壞或は流失して共の被害程度甚しく損害大約一千万ソール邦貨約一千万圓に上る見込である

墨國新内閣員の履歴

墨國の如く革命の頻發なる國に於ては政府の要職にある者は大槪革命の幸運見で一朝にして重要地位を占むるに至つた者多く、之等の經歴を知悉する事は極めて困難である、客年十二月一日現大統領就職と共に新に任命せられたる現内閣員の略歴は左の如くである

外務大臣　アーロンサエンス氏 Aaron Saenz 一九一三年大尉としてカランサ革命軍に投じ後オブレゴン氏の參謀長となり現に陸軍中將の位を有するカランサ政府時代にブラジルに公使たりしがオブレゴン大統領となり招かれて外務次官となりパニ氏外務大臣大藏大臣となりたる後外務大臣に任ぜられ今回留任した

内務大臣　ヒルベルト、バレンスエラ Gilbert Vilenzuela ソノラ州に生れ法學士である、一九一三年の革命以後政治問題に沒頭しカランサ政府を倒壞せる革命の發端たるアグアプリエタ宣言は氏の筆に成りたるものなりと云ふ、オブレゴン大統領時代にはカイエス内務大臣の下に次官たり、後出でて西班牙及白耳義に公使たりしが今

回内務大臣に就任した

大藏大臣アルベルト、ホータ、パニ Aleberto J.Pani 元土木技師である、一九一三年の革命前には墨國遞信省官吏たりしが革命後政治家として立ちカランサ大統領時代には公使として佛國に就任し、オブレゴン大統領の時に至り呼ばれて外務大臣となり、後デラウエルタ氏大藏大臣を辞するに及び大藏大臣となつた、デラウエルタ氏は次で革命反亂を起せるは尙ほ記憶に新たなる處であるパニ氏は内閣員中最勢力を有するものと見られてゐる

軍務大臣　代理次官ホアキン、アマーロ Jopuin Amaro 陸軍大將で純粹なるヤキ族人であるがデラウルタ革命の際西部戰線に於て殊功あり、目下大臣大理であるが遠からず大臣に昇進すべしとの風評である

商工勞働大臣　ルイス、エネ、モロネズ Luis. N. morones 勞働者の首領株で社會主義を奉じ、勞働者地位改善のために努力し米國、歐洲に遊びモスコーに於ける「第三インターナショナル」の會議にも出席した二、三代議士に當選しオブレゴン政府に於て工務局及軍需局長たりしことがある

農務勧業大臣　ルイス、ヘ、レオン Luis,C, Leon 工學士で衆議院議員たりし時代共の能辯を以て認られ、農事問題に關し研究が深い

遞信大臣アダルベルト、テヘダ Adalberto Tojeda 陸軍大佐で社會主義を奉じ就任前はヴエクラルス州知事であつた、農地共有問題に深き興味を有し知事時代に、勞働者保護立法のため盡力する處が多かつた

文部大臣　ホータ、エメ、プイグ、カサウランク T.M.Puig Casaurane, 醫を業とする後政治問題に沒頭し才能を認められカイエス將軍の機關紙と認められゐる、デモクラタの主筆であつた後カイエス大統領の大統領選擧運動の參謀長となり大統領の信任深くカイエス將軍の歐米旅行には之れに隨行した、墨國士人の敎育問題に熱心である

孫文氏の逝去

二月十八日退院以來鐵獅子胡同の邸宅に在て療養中であつた孫文氏は三月十二日午前九時半逝去した同時に二月二十四日附の孫氏の署名及筆記者汪兆銘氏、立會人孫夫人孫科氏等九名の連署を經たる左の遺言狀が發表された

余の國民革命に力を致すこと凡そ四〇年、共の目的は

支那の自由平等を求むるにあつた、此の間の經驗により此目的を達成するためには民衆を換起し世界中、支那を俟つに平等を以てする民族と聯合して協力奮闘せねばならぬ事を悟つた、現在革命は尙未だ成功せぬから我同志は余が著した建國方略、建國大綱、三民主義及第一次全國代表大會の宣言に依つて努力を繼續して最近の主張たる國民會議の開催及不平等條約の廢除を求め最短期間に共實現を促すよう切望する

別に家事に就いては書籍、衣物、住宅等はすべて夫人宋慶齡氏に與へて紀念とすること又子女は已に成長して自立する事が出來るから各々自愛して父の志を繼ぐよう希望してゐる、遺骸は遺言により十二日ロックフエラ病院に送つて防腐手術を施し將來南京紫金山に埋葬する筈でそれまでは一時中央公園内社稷壇に安置することゝなつた臨時政府は同日國務會議を開いて國葬を營むことに決定すると同時に段執政は大要左の如き哀悼令を發表した

前臨時大總統孫文氏は共和を唱へ我國基を拓き辛亥革命には功成りて功に處らず國家民生のために苦心畵策した、共の宏謨と毅力とは海内の等しく欣仰する所である、本執政は夙に偉動を欽慕し就職の始めに當つて入京を勸め共に國是を謀ろうとしたのに俄かに此元動を失ふたことは痛惜に堪へぬ、葬儀典禮は德望高き元動を優遇する趣旨によつて内務部として定む

廣東政府方面でも孫文氏死去の報に接するや命令を以て胡漢氏、伍朝樞、譚延闓、許崇智、廖仲愷氏等十名を葬儀委員に任命し一個月間半旗を揭げ一週間歌舞音曲を停止し官吏は一ケ月間宴會を止めて謹愼の意をすべきことを布告した

ソヴィエト社會主義共和國聯邦面積人口

共產專門學會出版物によれば、社會主義ソヴイエト共和國聯邦の總面積は二〇、八九〇、六〇〇平方キロメートル（帝政時代の總面積二一、七九七、七二五平方キロメートル）で一九二四年現在の人口は約一三三、九二七、〇〇〇（内村民一一一、六〇〇、〇〇〇市民二一、九〇〇、〇〇〇）である右面積及人口の細別左の如くである

一、ロシヤ社會主義聯邦ソヴイエト共和國　（中央亞細亞行政改革の統計にして時の土耳其斯丹社會主義ソヴイエト自治共和國を含む）

	面積（平方キロメートル）	人口
一 歐露	三、九九三、六〇〇	七四、二九一、〇〇〇
二 アジヤ	一六、一四三、九〇〇	二三、八七九、〇〇〇
計	二〇、一三七、五〇〇	九八、一七〇、〇〇〇
二、ウクライナ社會主義ソヴイエト共和國	四四六、四〇〇	二六、〇二四、〇〇〇
三、白露社會主義ソヴイエト共和國	一一〇、九〇〇	四、〇六八、〇〇〇
四 後高架斯社會主義聯邦ソヴイエト共和國	一九五、〇〇	五、六三五、〇〇〇
總計	二〇、八九〇、六〇〇	一三三、九二七、〇〇〇

佛國内閣の總辭職

佛國に於ては十日午後上院にて財政問題討議の際二十四票の差にて政府不信任案可決せられエリオ内閣は辭職すべく外務省に於て緊急内閣を開いて總辭職を決行しエルゼの大統領官邸に赴き其の許可を得て卽日辭表を提出した

御知し合の方に

大正七年ブラジル國多分海興の移氏としてジストロ二六號に入植された上水内郡柵村大字栃原出身の林部勝則氏及同行された和田陸代氏の消息が昨年頃より遲々として判明せぬ爲陸衛氏の父觀治氏から當協會に紹介しありしが御知り合ひの方は至急御手數ながら當協會まで御通知下さい

海外發展志望者に充分と御相談

本協會では事業の遂行と發展に着々効を奏し早くより海外發展志望者のために親切且つ精確に御相談致し度いと思つてゐました。又海外發展鼓吹、奬勵、指導及在外者連絡等に全力を注ぎ度いと心掛みで襷をかけてゐました處いよ〳〵目的貫徹のために具体的方針により鼓吹奬勵方法には宣傳ビラ撒布、活動、幻燈、新聞、雜誌宣傳、講演會等より指導には各地の支部と連絡して短期講習會夏季及冬季講習會を開き、海外發展者の素質を根本より改善して模範的移住者を廣大無邊な世界各地に送り出し世界文化のために貢獻して見たいと思ひます

尙講演會には各地青年會の集會、會合及び婦女子會等の會合を利用したいと思ひます、及び本會員の會合主催等にもよりたいと思ひます。又個人的に御相談したい方は直接本協會に御手紙乃至御來會下さいお待ちしてゐます

（二三頁に續く）

海外通信

△アリアンサ通信▽
南米信濃村より

輪湖俊午郎

信濃海外協會でミランダ氏の山を買うたと云ふので、其後の視察者引きもきらず、目下協會の土地五千五百町歩の近邊は皆賣れ悉しました。殊に小生等が選擇の際切り捨てた二千五百町歩の土地迄が賣約濟の盛況でありますす。これならば十三粁迄約五里の間を日ならず賣れて仕舞ふことと思ひます。

× × ×

コトベロ驛から信濃村の東境を奔る馬車道は今回自動車道として布設することになりましたので信濃村はコトベロ、ルツサンピラ兩驛へ自動車道の便を得ることになり非常な好都合になりました。

× × ×

五十キロ米突の地點にある新市街豫定地ミランダオポリスも隨分とゝのひました。玆へもミランダ氏の事務所を建設することになり猶其北方へ拾萬本の珈琲を植えると云ふ話ですが此土地は令息ルイズ、ミランダ氏の所有地であります。又、製材場もミランダオポリスの東二町の所に建設せらるる筈でありますから、明年になればあの大森林が余程開拓されることと思ひます。

× × ×

目下信濃村には北原座光寺二家族の外に守屋又七君、南安曇郡明盛村の大山幸平君、上伊那郡長藤村の伊藤忠

雄君が居ります、三人共二十一二歳の青年で一月以來非常に勤勉に活動し、皆自分の村だと思ひ込んで働いて居ります。

× × ×

本年は氣候が例年よりも不順であつた爲めかリンス邊ではちよい〳〵マラリアが發生した由ですが、當地では未だ誰一人として病氣にかかる者なく特に信濃村の者は健在でありますから此點は特に御安心下さい。而し決して油斷は致して居りません。

× × ×

試作物の米、キビ、豆、綿花、瓜、南瓜其他の農作物は驚くべき出來ばへであります。こんなに出來るなら、作年二十五町歩も伐つて置けば大儲けをしたに惜しいことをしたと話して居ります。

× × ×

目下の仕事は移住者收容所の建設であります。場所は三十七粁半で、現在の所より一粁南方であります。地形を踏査した結果道路の左側とし右側は信濃村中央市街地トシヲポリス（本間前總裁の功勞を紀念する爲めにかく命名しました）建設の豫定であります。

× × ×

移住者は本年度はブラジル在留者五六家族の豫定です日本からは前便で申上げた通り十家族内外（尤も適當の移住者が非常に多い塲合は別だが）遲くも當地へ六月中に到着する樣に願ひます。都合に依りては二回に分ちて便乘せしむるもよろしいです。

× × ×

五千五百町歩の土地利用分割等に關しては飽迄當方の計劃を主とせられたい。これは經營上の根本には是非共必要であります。それから協會直營上の珈琲園用地の撰定も當方に委任されたい。三十六粁から三十八粁に亘り約百五十乃至二百アルケールを協會の耕地と決定しました。全体の管理統轄及ひ移住者一の地區分割等の上から見ても、又、事實地形踏査の結果よりするも此邊を選定すること必要であります。

× × ×

移住者の來る時には種子雜誌書物娛樂具等氣のついた物は御送り下さい。收容所が出來ならオルガンを一つ欲しいと思ふて居ります驛から八十粁も離れた森林中へどうして持ち込んだものか獨逸人の植民地にはピアノの音

が響き、庭園にはブラジルに無い草花や木の苗が植えてある、學びべきことと思ひます。

× × ×

四月には荷物自動車を一台買いたいと思ひます。五十粁迄電話延長の議もあります、信濃村でも仲間入りをする積りです、費用は僅かのものと存します。

× × ×

移住者收容所は非常に眺望のよい所であります。建坪は四十坪（間口四間奥行四十間）建築費二千五百圓、平家建、高さ土台上端より軒桁下場迄十尺五寸、床は地上より約二尺上板張り、屋根は四寸五分勾配、フランス瓦葺、周圍は板壁、入口四ケ所、窓十二個。將來は各種公用に使用が出來ます。

× × ×

北米ローサンゼルスの森田三樹君から其持株を土地所有の權利に移したい者が澤山あるが其手續はどうすればよいかと聞いて來ました。詳細は日本から申送る筈であるし持株に對する土地の面積は確實に保存して置くと返事をして置きました

× × ×

北米サンフランシスコの片瀬太門君（北安曇出身）から、桑港に於ける信濃海外協會支部のおも立ちたる者が二万五千弗の資金を集めて銀行を立てる希望があると申して來ました。伯國に於ける銀行のことは永田幹事がよく調査して歸つたから相談する樣にと返事を書いて置きました。日本と北米の有志と共力して御盡力を願ひます

（大正十四年二月二十日、三月五日附）

（二〇頁より續き）

◎在外者連絡については差し當り書物の御寄附をお願したいと思ひます、御承知の通り異鄕の空に何んの經濟的に苦痛を感じない者でも絕へず精神的の欠乏を訴へてゐます。そうした人々のために若し一片の日本文字によりて親しかつた故鄕の狀況山川の淸景が眼に入るときどんなに喜ぶ事でせう、日本民族發展のために世界文化建設のために雄々しく奮闘する在外同胞者のために思ひ切つて援助致そうではありませんか

書物は何んでも叶ひません、古書物でおし入れや本棚の隅にある書物で結構です、一つ探して下さい、勿論新しい書物でも叶ひません遠慮は兩方共いけません

△サンポウロ通信▽

兄上様御一同宛

一三、一〇、九

神澤久吉

拜啓、つい御無沙汰致しましてさぞ御心配の事であつたでせう。此の前の手紙を差し上げてから間もなく、大花君北海道出身、力行會に一ケ年修養）が着伯したので荷物を受け取つてから、その返事を出そうと思ふてゐましたが當時（七月上旬）丁度サンポウロ州に大革命戰が突發したため、すべての交通、通信機關が杜絶し、私はノロエステ（日本人の一番多く集つて耕作してゐる地方）に來て居りましたので何が何やら、さつぱり、わからざる一ケ月を過ぎ漸く復舊致たし、大花君はレジストロ（海外興業株式會社の所有土地）に行き、荷物はサンポウロ市の遠藤氏の宅にある事が知れて、漸く送りとゞけて頂だいたのがつい、此の十月初めでした。

其の間隨分思はぬ御無沙汰致しまして申し譯けありませんでした。

荷物は確かに受け取りましたから御安心下さい。何から何まで一々御心配下され實に思はぬ御迷惑をかけました。

一つ一つの品物に愛がこもつて居つて胸がつかへる樣な有難さを感じ、くれぐれも御禮申し上げます。其の後は皆々樣御健在で何よりです。

私は六月下旬にノロエステの小池樣の所に再び厄介の身となり、それから只今まで居りましたが今後は同じ小池樣の地主からコーヒー園（三千本、三丁七段歩程）を一ケ年間請負つてやる事に契約し去る九月から除草にかゝつて間作も播種せんばかりに準備いたしました。家も建てゝもらつて自分獨りで炊事から洗濯一切をやつて行こうと思ひます。家は既に立派に建たりましたが未だ戶や窓が出來てゐないので來週から住む事になるでせう、世帶道具一切と少しばかりの食料を備へて移轉するばかりになりました。

コーヒー園の間作には米と豆を栽培いたします。籾を五、六十俵に豆を十俵位は天候次第で十分收穫出來る自

信がありますが六月頃から今迄旱り續きで雜草が生へないかわりに何も播種する事が出來ません、何時もの年なら、もう播種いたしたのが芽生へるのに、未だまけないばかりでなく切角のコーヒー樹すら枯れそうになる樣な狀態で誠に困却いたしてゐます、

第一回のコーヒー園（三千本）の除草に十五日程で濟みました。その後は生へないので只今は木挽をやつて居ります少し前まではあまり暑くなく至極木挽作業に適してゐましたが此の頃は日中はとても、木挽等出來ない程暑くなりました。

此の作業について、初めの間は一日五六ミル方しか得られず、その上手にソコマメが二度も出來て休んだり等して全くろくな仕事も出來なかつたが此の頃は普通百姓の屆賃五ミル位なのに十一ミル、十二ミル位の賃銀になります、然しまだよく作業にも馴れずしたがつて体も相當疲かれ、うまくも挽けないので自分のものより外に挽かない積りであります。

そして今後は百姓を專一にしたいと思つてゐりますやつぱり土の子は土を耕して土に歸るのが一番樂しくある樣に思はれます、

力行會長も八月に見え九月に力行會員總會がサンポウロ市に開かれたが出席出來なかつたため、會長に遇へないと思つてゐましたら本月中旬にはノロエステを一巡するとの報に接し待つてゐります

會長も此のノロエステの奧へ（ルーサンビラ驛より自動車道にて八里隔たる）三千アルケール土地を買つたそうです、その樣子も遇つたら聽ける事でせう、その時又御通知申し上げます（中略）

その外あまり御通知申し上げる事が思ひつきませんで又獨りになつたら面白い事やつらい事があるでせうから御通知申し上げます、

△紐育通信▽

信濃海外協會宛

忙い町……大多數の者が殆んど日輪の惠みを得ない穴から穴への、もぐらもち生活を送つて居る、あの殺風景な紐育の町にも矢張春は來ました、然し春とは云ふても當底私共が信濃路に味ふ樣な何んとも云ひ得ぬ美しいそれは何處を探し步いても見え出す事は出來ません

只々、氣候そのものゝ變化と朝夕サブウエー（地下鐵道）に沃魔情の樣に壓し詰められる時のみ婦人の生命とも云へない髮を無作法に切り落し白粉をべたべた白壁の樣に塗り着けた下町の會社へ働きに行く若い女共に『さもフレツレユ（總べての意味に於て）な』米國、否紐育式風の春を味ふのみです。

春に於てこふなのです、まして夏秋冬如何に單純なものであるかは恐らく皆樣方の想像出來得ないそれでせう

少く共外國にパイオニヤ（開拓精神）を自任して活動する我が同胞にこんな事なぞ覺悟の事です、けれ共矢張造物者の成した人間です、時には味ひ度いものです

在紐育 松尾弘

私は今から八年前故鄉下伊那郡大島村を去つて當紐育市に來り奮鬪して居る者です

丁度去年の暮の月より貴社發行の海の外を受け取りつゝ是非金を送りたい、何か書き度いと思ひながら今にまで延びてしまい何とも申し譯ない次第です

海の外の報ずる海外事情殊に故鄉信州記事は何より樂しみにして、一字と殘さず讀んで居ります

感謝しつゝ

內國事情

滿洲を中心に移民奬勵の計畫

伊澤台灣總督　下岡朝鮮總監及び和田關東廳財務課局長の三氏は九日正午永田町首相官邸に集合し江木翰長を加へて植民首腦部會議を開き第五〇議會終了後に於ける植民地統治方針に關し種々協議する所あつたが植民地統治の方針に關しては今後益々刷新を加ふるの必要あり、就中內地の人口問題と關連し移民問題については米國に於て既に門戶の閉鎖を受けたる今日、其の移民政策に於ては帝國政府として大いに愼重考慮の必要あり、卽ち今後の方策を如何にすべきやに關し種々協議の結果滿洲を中心とし各植民地に對し出來得る限り移民奬勵の方策を執るに意見が一致した模樣である、更に今期議會に於て通過した植民地關係諸條件に關しその實施方法につき協議し最後に植民政策の更新問題に關しても重大意見の交換を行ひ同三時散會した

廢艦三笠

永遠に保存　陸と交通路を設く

橫須賀市白濱海岸に繋がれゐた廢艦三笠は海軍當局では日露戰役記念艦として之れを永遠に保存するため計畫であつたがいよいよ九日附を以て三笠保存會に保存方を委任し海軍建築部と海軍土廳とで保存に關する設計をなし豫算二十七万圓を以て艦の底にコンクリートの支柱と艦底の內部にコンクリートを詰めて浸水と腐朽とを除き陸軍の交通路を設け軍港觀覽者に自由に出入せしむる筈であると

總裁たるも全然軍籍離脫不可能

田中大將が政友會總裁に就任については同大將個人は全然軍籍を離脫し全く政黨人として政界に投ずる意嚮で

あるが元來軍人は終身その官を保有し何如に總裁たるも軍籍を離脱と云ふ權能は更になく矢張豫後備に服する義務があるとの事で田中男は一寸頭をかいてゐるが差程政界に活躍するに付て何んの障害するわけでもないだらう

東宮妃殿下御着帯式は九月

當に御姙娠三ケ月

東宮妃良子女王殿下には去る二月芽出度く御姙娠遊ばされ三日以來一切公式の出御を見合せられ午前午後の二回の御散策等で主として御攝生に努めていらせられるので攝政宮殿下と御同列の御豫定になつてゐた關西行啓の儀もいよいよ妃の宮のみ御取り止めの旨仰出だされた一方侍醫寮ではかねての打合せに随ひ東京帝大病院婦人科部長を非公式に召させられたので同博士は數日前東宮御所に伺候相磯侍醫其の他と今後の御攝生につき協議する處あり右の結果四月は當に御姙娠三月目に亙らせられること確實と拜診され御着帯式は多分九月の頃あげらるゝ御事と拜聞する

日支親善―目的の北京訪門の大飛行

海軍省では此の度日支親善の目的を以て支那北京の飛行訪問の計畫を立てた此の計畫は日本航空隊開設以來の大計畫で此の旨北京公使を通じて北京政府の意向を質すべく目下問ひ合せ中である、日本海軍側では成るべく來月中旬には決行したい希望で參加飛行機は二台である、此の晴れの催しに參加する榮譽を擔ふべき操縦者については目下海軍當局に於て選定中である

秩父宮殿下御巡覽の後に御渡歐

秩父宮雍仁親王殿下には五月廿四日東京御出發軍艦にて台灣、琉球御見學の上便宜の地點に於て五月廿五日横濱解纜の箱崎丸に御移乘御渡歐の途につかさせらるゝ御豫定なりと

四千枚の入場券を出して三派の普選祝賀

三派主催普選祝賀會打合は二十九日午後三時から衆議院交渉定で開會祝賀當日は各國務大臣の出席を求める事に決定し尚左の事項を決定し午後四時すぎ散會した

一、日　時　　五月五日午後二時

一、開　場　長　野　精　養　軒

一、當日三派より四千枚の入場券を發行すること

暴力團増加に徹底的取締をす

此の頃色々な團体の名前を作つて暴力を振り廻したり金品を强請したりするものが増加したので、之れが取締方法を講ずることになつた、卽ち震災後俄かに増加した種々の美名にかくれて無警察狀態を作りつゝある暴力團体につき司法、內務の關係省では變態時代に於ける止むを得ざる現象として殆んど手を付けなかつた、それは又之れを取締る規定がないため最近益々その數を増加し全國的になつたので司法省では此の際徹底的に是等如何はしい團体を取締るべく法律の制定を企て次期議會に提出すると

普選の歌

普選案が通過して五月五日は公布される事になつてゐるが國民の間には歡びにみちて左の歌が萠え立ち春の若葉の蔭に絕へず響いてゐる

大正十四年春半
　とは記念の時は來ぬ
吾等は多年叫びたる
　普通選擧は布かれたり
畏れ多くも先帝の
　御聖旨賜ひて五十年
頑迷固陋の輩に
　民意は幾度阻まれし
思へば同志は血を流し
　牢に泣きし幾千人
天人ために光りなく
　御國の前途は暗かりき
春陽今やめぐり來て
　いばらの如く蔓りし
醜類漸く凋落し
　吾等の素志は貫けり
いざ振ひ立て振ひ立て
　第二維新は此の時ぞ
あらゆる因習打ち破り
　御國の礎固めなん
（アムール流血の節）

信　州　通　信

◎アリアンザ移住地信濃村第一回渡航入植者小川氏の上申書

諏訪郡富士見村出身

我が國の將來を洞察する時海外發展の急務なるを痛感し我が同胞のため努力致す使命を感じ大正拾參年壹月より本年四月迄永田稠主掌なる日本力行會海外學校に於て宗教、海外事情、語學（ブラジル語）植民槪論社會學等修養研究いたし今日に及び候

薄學非才と雖も國を愛する精神奔然として止み難く聊かなりとも終生以て天恩に酬ひんことを覺悟致し祖先傳來の舊社會と旣に耕し盡されし土地を脫し新に人間の力創造の歡びを得度く且つ我が同胞の發展を願ふは國內のみにて人心を鼓舞作興せんとするは勞多く至難の事にて候

省に社會の缺陥人心の不安、失業者の增加階級の軋轢の如き問題等に付いても何れもその解決困難なるは凡て此の小天地に蟄屈しゐる故にて候、眠界を開き同胞の到る處に伸びる事と相成り候はゞ雄大なる精神自ら發生し國內に於ける種々の不愉快且つ不健全なる思想自ら消滅致すものにて候

我が國は總人口七千万に近く年々歲々六十万人の增加を見日本內地の耕地に到りては僅か六百万町步にして今後如何に開拓するとも二百万町步の耕地增加し得難く然して以上の增加數の耕地の大部分は地質地勢惡しき場所のみにて從つて開拓費耕作費の消費額は生産額と相償はざる有樣にて候故開招も遲々として進まざる次第にて候

されば人口制限を加ふるか、海外發展をなすかの二方面に道なく、人口制限は不自然の人爲的罪惡にて植民は自然的民族移動にて空氣の濃厚なる處より稀薄なる場所に流動すると同じき理にて候

眞に親を思ふ者は親の下を離れずして感じ得ざると同じく眞の愛國心の如きも亦祖國をはなれて始めて感得する事は先輩によりて知悉する處にて候、要は我が同胞は

國際的に的確なる知識に乏しく何等國際的生活の歡今薄く所謂嶋國的小規模を以て互に只衣食の奔命にのみ疲れ切つてゐる現狀にて候

我等青年は此の現狀より先立つて此の點を改めざる可ざるものにて候、然らずんば折角の開拓に對して又閉鎖さる如き事に成相北米の如き我等の開ける道と自ら閉ずるが如き事と相成候

大和魂の正義人道の精神と其の運動の徹底せんために は今後世界の日本である立場より世界の日本たる訓練を必要とするものにて候

然して此の大責任遂行に於ては何處までも廣く世界を見る事肝要にて然らずんば大和魂の精神の徹底も運動の擴張も出來得難き事と存じ候故進んで新天地開拓に努むる覺悟にて候さきに本縣海外協會は他府縣に先じて斯業に先鞭をつけ全國人士の視聽を集めたり其の經營による信濃土地購買利用信用組合員となり四十口の株を持ちたる者にてアリアンサ移住地に第一回の入植者として奮鬪致す覺悟にて海外協會及び永田稠氏より推選致され五月九日の出帆の大坂商船株式會社所屬なるメキシコ丸にて渡航致す事に成相候

婚姻入籍の關係上旅券下附出願遲延致し今日に及びたる次第にて旣にメキシコ丸には多數移民乘船にて滿員の恐ある故前以て船室申込致せし處關係者の盡力により確實に船室を獲得いたし旣に保証金も出したる次第にて候旅券さへ下附相成候はゞ凡ての準備整ひ居り候間愈々五月九日にてブラジル植民者の好時期に土陸開墾に從事致得ること相成候、若し此期を逸すれば一ケ年の作付季節に間に合はず且つ經費及び勞力の關係上多大の損失と時日の空費物質上又精神上に傷痕を生ずるものにて候

病氣天災等にて出資を要する場合には保證人及び信濃海外協會にてその責に任じ一切公官等に御世話相掛け申す間敷く候間甚だ我儘勝手を申し失禮には候へども右の次第御凉察の上特別の御計ひを以て本月中に旅券に下附相成度此段過る奉懇願上候也

大正拾四年四月廿二日　　右　小　川　林

小　川　操

小　川　梅　人

長野縣知事　梅　谷　光　貞　殿

◎會員名簿（埴科郡の部）

東　條　村　長　　相　澤　忠　七　郎

倉科村長	秋里龍男
屋代町	矢嶋久雄
同	松崎茂
同	矢島廣雄
同	春日正一
同	瀧澤正宏
松代町	島田藤助

◎信濃村建設への先發隊

◎南米ブラジル、サンポウロ州、ヌクロ、デ、コロニアル、アリアンサ移住地（信濃村）の先發隊は目下渡航準備に急がれてゐる同先發隊は五月九日出帆のメキシコ丸にて渡伯の山、その數は五家族十一人でその人は

諏訪郡富士見村	小川林
同　四賀村	岩波菊治
東筑摩郡新村	上條深太
下伊那郡龍丘村	今村悦雄
上水内郡信濃尻村	藤本憲正

の各家族である

雄々しく奮闘せんとする諸氏の健全を祈る。

信濃海外協會員の福音二つ

今後協會の手を經て外國に行く者、即ち當協會の證明があれば今迄海外發展者の最も難關とした旅券が容易く下附される事になつた

今日まで移民と植民とはしばしばその解釋を異にし、法律上一定の解釋なきため旅券出願の折いろいろの折衝を見旅券下附の手間取れたが當協會の事業にかゝる信濃村移住者は今後非移民と取扱はれすべての手續等に於て有利の立場にある事になつた

◎町村議員の改選

縣下各町村に於ては議員の改選で諸々で濁戰が行はれてゐる、普選が議會を通過した今日今回の町村民の選擧に對する態度は從來に比べて面目を一新した歎があるそれでも候補者として名乘を上げるまでには五百や一千の金を用意しなければならないそうである、諏訪の某村で目撃した運動の方法等は全く話の外である、殊に投票の前夜等は大辻小辻に弓張を燈して二、三人の青年が酒氣を帶びて通行人に目をつけてゐる、然かもそれが一週

間も前からあるとは想像以外だ、衆議員等の選擧方法と違ひ立候補の政見發表とか應援演説とかと云ふ言論で戰ふ場合は更になく、全く金力と情實柄の爭奪戰である、斯うした選擧の結果は遂に選擧違反として警察の活動となり、波門は波門を產み遂に一部落から十數名を檢擧しり略式裁判とかで百圓位の罰金で漸やく尼がおさまり、運動當選當時の勢は何處へやら十數日も警察に厄介になり、後で頭に手をあげてア、、ひどいめに會つたとこぼしてゐる

斯うした事件がぼつぼつ突發してゐる、誠に一等國民、東洋の君主國民にしては恥かしい極みである、五月五日には普選法が公布されるが今後一般國民に政治に對する常識と訓練を養はなければ卻つて普選に對するへい害が伴ふと識者は憂へてゐる

◎千圓以上の多額納税者決定

總數は二百三十六名

本年四月一日現在による本縣下の多額納税者は千圓以上のもの總數二百三十六名で之れを貴族院多額納税議員の互選資格者二百名と限定ある時は三十六名の超過となる順次二百名を計算すると最低者は千百三十二圓で其の以下の納税者は資格を得るに至らない、各郡市の千圓以上の納者總數及二百名と限定した場合の有資格者數は左の如くである

	千圓以上納税者	有資格
南佐久	一二	一〇
北佐久	一七	一四
小縣	一〇	七
諏訪	七六	七六
上伊伊	一一	九
下伊那	一五	一〇
西筑摩	三	二
東筑摩	一三	九
南安曇	六	五
北安曇	七	七
更級	一一	九
埴科	三	一
上高井	八	六

下高井	一一	一一
上水内	五	五
下水内	一	一
長野市	一五	一〇
松本市	一八	一六
上田市	四	三
合計	二三六	二〇〇

更に之れを地方別に見ると諏訪は全体の三分の一强を占め北信は全部で六十七名の約三分一にすぎず諏訪を除く南信全休で約三分一といふ狀況である

◎蠶糸圖業者の奮闘期

春が深み行くにつれて流石雪國の信州も遠山の雪がだんだん消え失せて行く――かつて諸君が幾年か前に高き理想と燃へるが如き希望を抱いて手に桑摘みを握つて奮闘したありし昔を想像して下さい――財界不況の聲を前にして各農家は今や春蠶掃立準備を進めて一陽來復を祈つてゐる、養蠶業者も最近は溫度の調節飼育術の向上等によつて自然の天候にそう支配されなくなつて來たが此處に一番恐るべきものは霜害である、之れは殆んど不可抗力で豫知も至難だ一萬が一豫知し得ても之を完全に豫防する事は困難である昨年は五月七日十一日十三日と三回連續的にあつて被害面積丈でも九千百八十町步損害見積り百三万余圓と云つてゐるのでいよいよ霜害の期節になつて來たので先づその豫防方法を第一に肥料の購入、桑園の手入蠶具の用意掃立準備と寢食を忘れる程に一生懸命になつてゐる

◎實業學校入者狀態調査

本縣では縣立農學校の志望者が他の中等學校に比較して少く今年からは入學試驗期日を別として受驗せしめた程で此の實情に鑑み今回本年度の新しい情況を調査すべく 一、入學志願者人員 二、受驗人員 三、當初入學許可人員 四、前記入學許可人員中入學取消數 五、入學取消のため缺員入學許可數等の各次に亘つて調査し是を材料として善後策を講ずる事となつた

信州の壯丁は全部松本隊へ

軍制改革に伴ふ管區の變更により本縣下一圓は松本聯隊に歸屬する事になつたため特科隊入隊者は別として從來は步兵管區に於ては松本步兵五〇聯隊の外高田步兵第五

十八聯隊豊橋六十聯隊に入隊してゐるが本年より近衛朝鮮北海道等の入隊兵を除くの外は全部松本隊へ入隊する事になり從つて松本聯隊は郡下各郡市の兵卒を網羅する事になつたわけである又從來は第十三師團管下より朝鮮師團の入隊は第二〇師團に入隊してゐたが今回の改革で第十四師團に編入された關係上十九師團に入隊する事になるべく朝鮮における最北方即ちロシヤの國境に近き豆滿江沿岸の部隊に入隊して之れが防備に努める事になつた

職を選んで女の自動車運轉手

先に女の自動車運轉手志願者が一人出た、又茲に一人の志願者を見た、下高井郡平穩村安代溫泉湯澤喜久男の長女みね子（二二）さんは同村小學校を卒業して家庭の扶けをしてゐたが氣に入つた適當な職業を選ぶに思ひつき遂に埼玉縣浦和自動車學校に入り今度卒業したので自動車の運動手になりたいと長野警察署に書面を差し出し來る十五日本縣で試驗を行ふ筈であるが頗る美人でしかも所謂御轉婆娘でないとの事である

千曲の長提を櫻並木たらしむ

長野市西澤喜太郎、須坂町越壽三郎兩氏は改修後の千曲川の沿岸櫻樹を植えつけて近い將來に於て櫻の名所とする計畫があつたが既に本年度分は一万本を購入して假植を行つた四年後に本植をするもので今後四年繼續事業として完成するが植栽地は主として上田、大正、篠の井村山、立て花の各橋梁を中心としては種類毎に槳園的にうえ込む計畫であるが內務省では堤防外に植樹せよとの意見であるが植栽する以上は美といふ點からみても提防上に植える方針で主務省の諒解を得たが樹櫻の管理等は知事から地方の青年團に依賴する筈である

南米に關する書物が此の頃非常に澤山出ましたから一束にし御紹介します

一、植民地事情（第一卷より第六卷迄）外務省通商局移民課發行（非賣）

一、伯剌西爾事情　發行前同じ（非賣）
一、實地經營伯國金儲け附ブラジル渡航案內。　古川大斧著（一圓卅錢）東京市京橋常盤町一日本植民通信社發行
一、實相相談海外發展の手びき　六〇錢　日本植民相談所長內藤英雄　行前同
一、植　民　雜　誌　　發　行　前　同
一、大和なでしこ　南米立志小說　（五〇錢）　酒井絆藏著
一、南米の植民地　（二　圓）　藻田飯郎著發　行　前　同
一、葡和辭典　（五　）　大武和郎著
東京市小石川區林町七〇日本力行會發行
一、南　米　一　巡　（一圓八〇錢）永田稠著發行前同
一、新　渡　航　法　（二　圓）　永田稠著　發行前同
一、南　米　寫　眞　帳　（十　圓）　永田稠著　發行前同
一、海外發展叢書ブラジル　（二〇錢）　發行前同
一、力行世界　（雜誌）　（十　錢）　發行前同
一、海外移住講義錄　（各壹圓全拾册）　發行前同
一、南米富源大觀　（三圓五〇錢）　難波勝治著
大阪大山通一大阪屋書店發行
一、南米の寶庫伯來西爾　（二圓五〇錢）　竹澤太一著
東京麴町內幸町ジヤパンタイムス社發行

一、邦人發展地ブラジル　（一圓八〇錢）　大島喜一著
東京澁谷東文堂發行
一、邦人發展資料總南米　（二圓八〇錢）　朝日胤一著
東京京橋銀座一大日本圖書株式會社發行
一、船のりが覗いた南米ブラジル　（非賣）　川村豊三著
神戶市東須磨八二ノ二發行
一、日本青年の南米生活　（一圓八〇錢）　田中誠之助著
鹿兒島縣姶良郡東當村脇元二六五海外發展社發行
一、日本人の新發展地南米ブラジル　（三　圓）
田中誠之助著　發行前同
一、伯國サンポウル州北西（ノロエステ）年鑑　（非賣）　ブラジル北西社發行
一、海　の　外　（雜誌）　（二〇錢）　長野縣廳內
信濃海外協會發行
一、其の他小册子は當協會で時々發行してゐます

雜　報

新任理事西澤太一郎氏

久しく本協會常任理事として御苦勞下された藤森克氏は家庭の都合上やむなく辭任されましたが程なく、親しく教育界に奮闘せられた更級郡出身の西澤太一郎氏が此回斷然教育界を辭して本縣海外發展のために否世界民族共榮共存のために常任理事として赴任されました。今後氏の敏腕なる活動は直ちに本縣海外發展史の上に特筆大書すべき事と期待してゐます尙氏は來月號より挨拶をかねて本社のために執筆されます

宮城前廣場に一万燭光の照明

風薰五月十日兩陛下銀婚式の盛儀に東京市では前後三日間に亘つて市民は赤誠を披瀝して彌榮ます皇室の御繁榮を奉祝する事になりいろいろの模樣しが準備されてゐるが殊に目立つのは宮城廣場には一万燭光の照明燈を据夜間は之れを照らして皐月の闇を照り榮させると

編輯の結び

◎海の外の發送は何時も遲れがちで會員諸君に申譯ありません、悪い、すまない、申し譯ないと思ひながら又非常に遲れました、來月からは大車輪大馬力で急ぎます、何時も、光と希望と愛に滿ちて諸君に接し度いのです、

◎海の外は今非常に難局にあります此の難局を如何にして突破するか、勿論編輯子に十分に責任と義務とある事を知つて十二分に努力してゐますが縣下に廣く散在せらるゝ諸君の讃助と世界各地に奮闘せらるゝ會員の援助に待たねば此の難局を打壞する事は不可能な到底の事と今更ながら痛感しました、何卒十分の後援と援助をお願します

◎それについて未だ具体的の方法は遺憾ながら印刷してありませんが熱と力を以て會員の募集に待たねばならないと思ひます

◎第三十三號は、アリアンサ移住地建設號と題して會員諸君に充分感動した見え毎日山の樣にいろいろな問ひ合せが舞ひ込みます、誠に結構の事です、未だ殘本が澤山用意してありますから友人同志にお奬めを願ひます。

海の外

定價	内地	外國
一部	廿錢	廿仙
半ヶ年	一圓十錢	一弗十仙
一ヶ年	二圓廿錢	二弗廿仙

海外郵税四錢

注意
▲御注文は凡て前金に申受くします
▲廣告料は御照會次第詳細通知致します
▲御拂込は振替に依らるゝが最も便利さす

大正十四年四月二十五日
編輯人　永田稠
發行兼印刷人　藤森克
長野市南縣町
印刷所　信濃每日新聞社
長野市長野縣廳內
發行所　海の外社
振替口座長野二一四〇番　信濃海外協會

大正十四年四月二十六日發行（每月一回發行）

定價金貳拾錢

信濃海外協會
海の外社發行

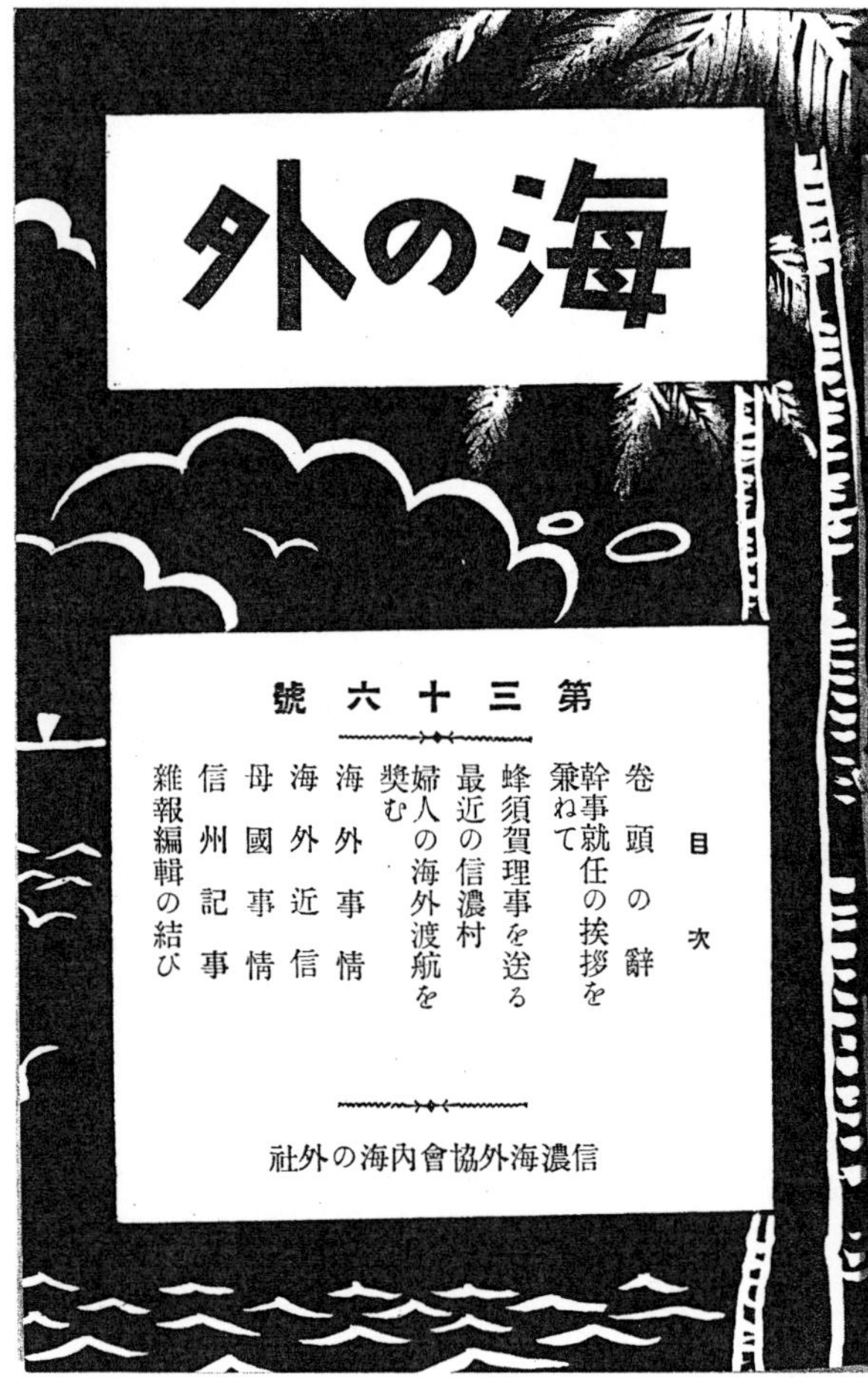

目次

海　の　外

第三十六號

大正十四年

五　月　號

日本人の使命

——世界的になれ——

「この藥を得れば生き、此の藥を得なければ死ぬと云ふ時。これを得んと爭ふもの五人、しかも藥は只一つと云ふ有様」が日本の現狀である。此處に有ゆる禍根は深く根ざして居る。「溫順なれ！　勤儉なれ！」何を求め何を望むか而して又、共產主義も結構であるが。爭ふ物なきに爭つたつて何になる。日本には生活を滿す資料がないではないか。資本家も、勞働者も、地主も、小作人も、倶にやつて行けぬではないか。蝸牛角上の爭をやめろ、眼を世界に放て、而して凡の問題を世界的に解決しなければ駄目だらう。南米や西洋の原始林は我等の開拓を待つて居る。世界の生活資料を此處から供給しやうではないか。世界には多くの生產國がある。しかし如何に多く生產しても橫暴なる資本家。人道の敵侵略的帝國主義國家ではならぬ。故に宜敷彼等の反省を求よう。あらゆる手段を以て自覺を促がそう。それでも自覺しなければ、天の命ずる處に從つて一大鐵槌を振はん、日本人の使命は其處にのみある。

—一九二五、五、一五—

幹事就任の御挨拶を兼ねて

西澤太一郎

人の天賦の性能と、その個性と共母体の環境とは、之れを如何ともする事能はざるは、是れ又天命ならんか天地の又常理ならん。然れどもその天禀の性能と、天賦の使命とを、あらゆる機會と、あらゆる環境とを通して、是れを育くみ是れを培かひ、以て人間存在の意義と價値とを、最高程度に高張實現するは、これ人生の命なり使命なり、又大自然を環境とし、生活の舞臺として、己れを創造開發し、舞臺を開拓し、全人類とあらゆる萬有と與に、此大宇宙の進化發展に貢献參與するは是人生の大道なり、是れと共に存して、その喜びと樂しみを分ち、その苦しみと悲しみを與にするこれ人生の華なり、至樂なり、あらゆる存在、あらゆる人類、共に〳〵に各その天與の使命を創造實現せんがため、相倚り相扶けて、その最善美の生活を營むは、これ人生純美の生活ならん。

我國民の幾多が、その時と所とを得ずして、振ふべき熱と力とを有しながら、徒らに限られたる此小島國に蹋蹐して相率ひて世を呪ひ人を恨み。小利に汲々として、果ては我利〳〵となり我慾となり危險思想となり、世界無比の國体と光輝ある我帝國の歴史とを、一朝にしてこれを空しうせんとす。

卽ち有爲熱血の士にして、そのなさんとする志と力を有しながら、なし得ざるの環境にあるものは、是れを打破改造せんと企劃して、却つて常軌すら逸するに至れるものあり、あるものは共產主義となり、あるものは無政府主義者となり、土地國有論、所有權拒否論、資本主義撲滅論、勞働生產萬能論、等種々様々なる過激論者の、產出を見るに至り、さながら百鬼夜行の有様を現出するに至れり、然かしながら、是れ亦勢ひ止むを得ざるの時代の趨勢ならん。卽ち大になさんとして、熱と力を有しつゝ、然かも又溫健純良の士は、時弊の虛僞と詐謀と術數と、修羅生活の巷に飽きて、あたら青春の身を以て、隱遁厭世の思想に落入り、悲觀者となり自殺者となり、狂暴者となり、あたら人生の徒費者悲慘者を產出するに至る。

又一面有爲の士にして、時弊の潮流を突破して、淸淨流に入るの力と努力なく、却つて此の流れにおぼれて、世を益々濁流化せんとするもの少なからざる狀態なり。

全國民を擧げての生活難、全農村を擧げての行き詰り、誰れによりてなされ、誰れによりて之れを解決せんとするか、我島帝國の全財產全富力全生產、是れを全國民に均分するも、又よく各人の生活をして平和安住の境に入らしむるを得るか、鐵に乏しく、綿に乏しく、米麥に乏しく、乏しきもののみを有する事こそ、これ我日本の富なるか、これを物質的に精神的に、又眞の人間生活に甦らするの道、何れに開くべきか。

建國以來三千載、此瑞穗の國、世界無比の樂士、千足の國をして、一朝轉じて、見ず穗の國、足らざるの國、修羅の地と化し、武裝いかめしく、人を見たらば盜棒と思へ、鼻の穴の毛迄も、拔き取るものよと、今後幾千年繼續せしむるの事ならん。

我國民我民族の負ひなせる使命は、それかくの如き事か、我寶祚の榮えまさん事、天壤と共に極まりなかるべし。との我皇祖天照大神の御神勅に、如何にして添へ奉るを得るか。

自ら播けるものは、自ら刈らざる可からず、我民族我國民の、協力一致數千年來の努力により、生きかはり死にかはり、幾十億の生靈が產み出せる現代の國狀、これを救ひ、これを革め、病魔の根治に投藥し、一大手術を施して、我皇祖皇宗の遺訓と我健國の理想とを、作興恢復して、再び麗はしき大和の國、平和の國たらしむるの道は、實に創造開拓の大精神なり、而かして此海外發展の道こそ、我國士憂國の士の、これを開きて、坦々砥の如き大道たらしむるの責任ならん。老ひたるも若きも、男も女も國を擧げて世を擧げて、まさに緊褌立たざる可からざる問題なり。農村問題、勞資問題、小作問題等、幾多の現代社會問題思想問題の解決、經濟問題の解決も、亦海外發展にまつ事大なるものあらん、否此の道に依つてのみ望まるゝものならん。

余は足未だ南洋に至らず、北米に至らず、又南米に渡らず、且つ淺學短才、而かも信濃海外協會の幹事に就任し、此重大なる責務に當れる所以のものは、一にただ、天下憂國の士、將來の運命と人生の眞生活を創造開拓せんとする純良

有爲の士、我帝國永遠無窮の發展と國民の眞の幸福のために立たんとするの士と、共に憂ひを共にし、悶えを共にし、志を共にせんとする一片の微衷に外ならず。

玆に謹んで、先輩友人、協會の役員會員諸賢に、御挨拶を兼ねて一言申述べたるもの、願はくは邦家のため十二分の御指導と、御鞭撻とを賜はらん事を。

大正拾四年早春

◎內外在住諸君の御投稿を歡迎する

今後海の外は益々內容充實を計り合せて內外在住者諸君との連絡を密にし後進者の道を啓き益縣外の發展に資するため會員諸君の廣く見聞した事情及び諸君の感じた事等をなるべく幼稚に綴つて御投稿下さい。來月號からは信州記事及び海外通信を紙面に滿載して諸君に接したいと思ひます。

蜂須賀理事を送る

本協會理事　蜂須賀農商課長は今回隣縣山梨に轉任せらるゝことになつた。本協會のために獻身的努力を以て御苦勞下された蜂須賀理事の轉任は、實に本協會として遺憾に堪へぬ。

殊に協會の新事業として全國的に異彩を放つたブラジル信濃村建設については、其の畫策する處多大なものがある。既に信濃村は本縣出身のブラジル先住者數家族及北米より轉住せる人々によつて着々開墾の歩を進め、本國よりは五月九日の出帆メキシコ丸にて四家族の植民者が渡航され、今や信濃村は旭日昇天の勢を以て進展するものも之れ偏りに同理事の努力の賜と謂はねばならぬ。

同理事が本縣に就任せられたのは京濱大震災直後であつた。御苦勞下されし事此處に三年の歳月、

本縣觀業政策の積極的方策の一として重要視し且つ世界平和の確保の上からうの一半の任を負ふて活動せられたことは實に地方行政者として新人であり先覺者であつたと思ふ。

今回も榮轉をもらす數日前から南信方面に出張され、町村地方の有力者を集めて、縣民の縣外發展を唱導せされて、歸廳後漸やく自分の轉任を知られたこといふ有樣にて、今回書記官として榮轉さらるゝ同理事には本協會一同滿腔の謝意を表し此處に惜別の微哀を捧ぐるの外はない。

尙山梨縣に於ても俊敏なる手腕を縣政のために振はれん事を、

ただ一同は前途の益々多幸ならん事を祈り猶本事業にも御聲援を賜らんことを切望に堪えないのである。

大正十四年五月十五日

最近の信濃村

永田稠

昨年十月信濃村の土地五千五百町歩が購入されて次來既に八ケ月を經過致しました。此間にブラジルでも日本でも信濃村の建設に對する準備は着々として進捗して居ります、其の大体の御報告を致します。

一日に玉蜀黍は二寸稻は一寸伸びる

移住地を講入して第一次の仕事は、幹部の入植でありました。即ち北原理事は十月上旬に下伊那出羽の大工さんである座光寺夫妻と共に入植し、輪湖理事は私がブラジルを引上げると十二月中旬に三四の青年を引率して入植しました。

それから七町五段歩の森林を伐採して山燒きを致しました。一体ブラジルでは山燒きは七八月の仕事であるから、信濃村の山燒を十一月にやるのは亂暴でありますが、土地を買ふたのが既に十月で山伐をしたのが其下旬であつたから少し無理でありましたが、幸にしてよく燒けましたので、十二月十日には玉蜀黍や稻の種子を蒔きつけました。これも蒔附けがかなり後れて居るので果してよく出來るや否や多少氣づかつて居りましたが、其生育は實に驚膝すべきものでありました。二月廿八日に寫した寫眞が參りました。これは「海の外」の口繪に出しましたから御覽下さつたことと思ふが、玉蜀黍は約一丈に達して居ります。十二月十日から二月廿八日迄は僅かに五十日である、五十日に一丈に達すれば、平均一日に二寸宛伸びた勘定である。稻も人の乳の丈けに伸びて居りますから四五尺と見てよい、そうすると稻は一日に八分か一寸宛伸びたことになりなります。土地の肥えて居ることは一見して私は確信して居りました。今日でも持つて來た地の標本を見れば、正に肥料にする乾血其儘でありますから、始めから土地のよいことは信じて居りましたが、かく迄よい土地ではないと思ふて居たのに、豫想が其儘に實現したので、私は非常に喜んで居ります。

移住者收容所完成

何しろ五千五百町歩の所が全部森林で、始めは家が二軒しかありませんから、始めに行く移住者は宿泊所がありません。それで協會では移住者の收容所を建築しました。輪湖君の通信にある通り、間口四間奥行き拾間乃ち四拾坪、窓は十二あつて、屋根はフランス式でありますから立派なものであります。

日本からの船がサントスに着けばお迎ひに誰かが來てくれます、汽車に乘つて二十余時間でルツサンビラ驛につきます。自動車が來て、一行を連れて行きます。そこで移住者は收容所に宿泊致します。荷物をといて宿泊の準備をします。食料品は協會で準備して相當の價格で賣つてくれます。井があつてよい水が出て來ます。それでも不完全ではあるがとに角露營をせずに濟む事になります。翌日は山を見に行きます。既に二十五町歩乃至五十町歩に境界が出來て居りますから、自分で好む所を選みます。それから伐木を致します。始めの年は五町歩か多くて十町歩位を伐つてよく乾燥させて燒きます。燒いた後に適當の位置に堀立小屋を建てます。其建て方や釘やトタン板や其他の必要なる材料は協會で分讓致します。それから井を堀ります。これは伯國人に依賴して堀つて貰ふてもよいです。そして小屋が出來ると移住者收容所を引上げて玆に移ることになるのです。それで收容所が大切でありますから、それを一番先きに建築しました二千五六百圓もかかつたのですからブラジルの移住地としては立派のものだと云はねばなりませぬ。

かくして兎に角信濃村は入植の準備が出來て何時でも移住者を收容するの準備が整頓しました。

旅券下附も容易

政府ではブラジル移住を奬勵して居りましたけれども、事實に於てはブラジルに先きに行つて居る者からの呼寄せがあるか、さもなければ移民會社の手に依らねばならぬことになつて居て、非常に不便でありましたが、信濃海外協會が愈移住地を經營することになり既に土地も購入し入植の準備も出來ましたので。外務省と十分に了解が出來て、信濃海

が協會で信濃村へ行く者であることを證明すれば、旅券は容易に下附されることになり、既に六七名下附されて居ります。これも誠に一進歩であります。

渡航準備費補助

ブラジルに移住する者に對して政府の補助金が、一昨年は四十万圓、昨年は六十万圓、本年は百万圓計上されて居た。然るに其補助を受けるものは移民會社の手に依るものに限られて居た。これは非常に不都合であつた。營利を目的とした會社は法定手數料や船會社からの割戻金合計一名につき七十圓も金を得て居るのに、信濃海外協會の如き公益團体はたつた五百圓の補助金を貰ふに過ぎず、且、協會の世話で渡航する者は補助金が貰へず、移民會社に依る者が貰へると云ふ事は非常にベラ棒のことであつた。我が協會は玆に見る所があつて、梅谷總裁以下大いに此點について努力した結果、政府でも信濃村に移住する者には補助金を下附しようと云ふことになつた。此原稿を書いて居る五月十七日には未だ正式に政府の通知には接しないが、此原稿が讀者に讀まるゝ頃には確定すると思ふて居る。これも我國民海外發展史上の新例であつて誠に慶賀すべきことであると云はねばならぬ。

梅谷總裁の熱心なる努力

幸にして信濃海外協會は熱心なる總裁を得て居る。協會創立當時には岡田總裁があり、廿万圓の移住地經營は前本間總裁に依つて決せられ、今回の梅谷總裁も亦非常に熱心家であり殊に台灣に居られ南洋方面開拓の事業はよく了解されて居るので極めて好都合である。資金募集の爲めに各郡市に出張せらるるは勿論、地方長官會議の爲め上京せらるるや、外務省内務省其他の方面にも極力運動せらるるのでさしもに國難なる事業が着々と進捗して居る。熱心な者から見れば仲々事業がハガ〲しく進まない樣であるが、協會が創立されてから僅かに三ケ年である僅かに三ケ年間に五千五百町歩の土地の購入を了し既に入植者が續々と進發する迄に至つたことを見れば極めて好良の成績と云はねばならぬ。

未だ分譲地が二千町歩ある

五千五百町歩の内三千五百町歩は既に大体に決定したが、猶殘りが二千町歩ある。此土地は廿五町歩を一千三百圓位で分讓して居るから欲しい者は至急協會に申込むがよいと思ひます。明年になれば土地代は更に騰貴致します。南佐久の瀨下登君は北米から歸つて來て、廿五町歩の土地を購入し、六人の家族をつれて渡航します。加洲に居る諏訪永明村出身の竹村安定君は、五十町歩を購入し半分は小作を入れ半分は明年渡航して自作することになつて居ります。東京方面の有識者で土地分讓を申込む者が澤山にあります。降旗陸軍政務次官閣下も廿五町歩を購入しました。小川法相、今井貴族院議員等も勿論です。（終）

◎ 會費至急納入

當協會の一事業たる機關雜誌海の外は會員諸員の御援助によりまして會員の增加と共に印刷部數も增加してまいりましたが其の後會費の打ち切れた者もあり轉住された方等もありまして此處に海の外はいよ〳〵經濟的に壓迫を受けて既に印刷代としては數百圓の借金を負ひ、原稿代も充分にやる事も出來ず。のみならず發送代にも窮してまいりました。

もとより海の外は其の內容弱貧にして、會員諸君の期待する万の一をも盡さなかつた事は誠に遺憾に堪へない所でありますが從がつて其の使命も十分に果す事が出來ず・かねてより一大改革を斷行しやうとしてゐました。それについて縣下の會員と廣く世界各地に散在する在外會員の御意見と具体的實行方法をおきゝしたいと思ひます。それと同時に海の外をして經濟的の獨立を計るため會員諸君の會費の納入を至急お願ひ致します。

婦人の海外渡航を奬む

日本力行會

嘗つてはあの樣に全世界の新天地と云ふ新天地を、己が植民地として居たスペイン民族が、植民者として失敗した原因は種々あるけれど、其の最大の原因は女子が男子と共に隨いて行かなかつた爲めです。それで新しい天地へ渡航して行つた男達は、仕方なく其の土地の土人と結婚せねばならぬ樣になりましたし、一方低劣無智な土人と結婚する事を肯んじなかつた男達は、短期間に金銀財寶を蒐集して、一日も早く本國へ歸らうとしたのでした。土人と結婚してから生れた子孫は何うしても、低劣にならざるを得ませんし。又歸心矢の如きもののみを持つて、活動して居るのでは、永遠の植民的効果を擧げる事の出來ないのは、火を睹るよりも明らかな事です。

斯うして、スペインの男子は確かに雄飛的ではあつたが、其の雄飛的背景に女子がなかつた爲めに、根抵の淺い一攫千金的な、そして焦燥な所謂掠奪植民しか出來なかつたのでした。

その中に、アングロサクソン民族が、勃興して來て、彼等と新しい天地に於いても、競爭する樣になりました。競爭の結果は、今日の如く、彼らをして「我らに日沒なし」と豪語させる程に、アングロサキソン民族を成功さして終ひました。

何故アングロサキソン民族が勝つたかと云ふに、彼らの植民地へは、男子と共に、女性が一緒に渡航して、相扶け合つたからです。

近來、我が國でも、婦人で新天地に、自己の運命を開拓しやうと云ふ人達が大分增えて來ました。是れは、非常に慶賀すべき傾向であります。御存知の通り、我が國の人口は毎年七八十萬人宛增えて行きます。人口問題と海外移住と云ふ事は、心ある人達の是非共考へなければならない、重大な問題になつて來て居ります。これから海外へ渡航志望の婦人の爲めに、多少參考になると思はれる愚見を述べて見ませう。

從來、同胞婦人の海外渡航と云へば、北米合衆國と南洋が、その目的地の凡てであつたかの樣な觀を呈して居りました。勿論南洋へ渡航した婦人では、正式な渡航方法を採つた人達は、曉天の星位なもので、他の大多數は、娘子軍と名の付く所謂醜業婦連でありまして、民族としての誇りにならぬ事は云ふ迄も無い事です。アメリカ合衆國へは、多く寫眞結婚をして、渡航したものでしたが、今日では排日法案が可決されたので、眞に勉學とか觀光とかを目的とする人々の外には、渡航する事は出來なくなりました。今まで同胞婦人が渡航して居つたカリフォルニヤ洲などは、氣候も良好であり、物産も豊富であり、而かも勞銀は世界一高いと云ふわけで、夫婦共稼ぎするには、絶好の土地でありました。私が最初米國へ參りましたのは、十年以前でしたが、その頃までは、未だ同胞婦人の數は極く尠くつて、百人に對して一人の比例にもならなかつた程、同胞婦人の數が尠かつた爲めに、一人の女性を、假令それが人妻であらうと何んであらうとかまはずに、何人乃至何十人の男で、奪取戰を始めると云ふ樣な次第になつて居たのでありました。勿論さうした需要と供給との關係から、婦人達の權威と云ふものは、米人社會の女尊男卑よりも、一層甚だしいと云ふ奇觀を呈した事は云ふまでもありませんでした。何んな女性でも、顔の美醜は勿論の事、教養など云ふ事さへも無視されて只女であると云ふ事實だけて、故國では、夢にも想像出來なかつた尊敬と奉仕とを、男性から享ける事が出來たのでありました。其の爲めに、夫となつた者は、妻に對しては、他の男よりも一層深い愛情と尊敬と奉仕を現はさねばなりませんでした。けれど、それからだんだんと、女性の數も增へて參りましたが、その漸く增えて來もし、又移住者達の心が、愈々落着いて、これから何かやらうと思つて居た時に、峻嚴な排日法案が制定されて、同胞の活動が阻止された事は、殘念な次第です。アメリカも、男子が最初渡航する時、女子も一緒について行つたなら、屹度今日の數倍乃至數十倍の確固たる基礎が在來上り、こんな排日法なぞも、未然に防ぐ事が出來たかも知れませんでしたが、何しろ從來の日本婦人は、ラテン系の婦人と同樣に、引込み勝ちで雄飛的ではない憾みがあるのです。

今後、日本民族が世界的雄飛を試みやうとするには、何うしても、婦人が先きになつて男子を激勵鼓舞して、海外へ移住せねば駄目だと思ひます。婦人が共に行かぬ爲めに、海外に在る男子が、何んなにその活動能率を低められて居るかは、實際を親しく見なければ判らないのです。又吾々日本民族の血を享け且母を土着の婦人に持つた子供達の成育狀態を見た時、これが、俺達民族の血を引いた第二世かと嘆息せざるを得ない場合が多くあります。私がメキシコで生活して居つた頃。此の實例を數ふるに遑ない程、見て知つて居ります。メキシコには同胞が二千人位在住して居りますが、婦人の數は、極く尠ないのです。が、北米とは違つて、親日國である爲めそれぞれ分に應じて彼の國の社會に接觸して行く事が出來ます。又自由に土着人との結婚も出來ますので、大抵の男子はメキシコ婦人を妻に持つて居ります。そして二人の中には子供が生れて參りますが、問題は其の子供です。純粹のメキシコ人であるならば、未だしもいゝでせう。彼らはメキシコ人でも無ければ日本人でも無い。そして日本の同年配の子供達と比較する時、智的方面に於いては、殆んど問題にならぬ程、低劣であります。彼らは、遊惰に何事も爲す處なく、而かも無智な成育振りを示して行つて居るのです。若し教養と信念のある同胞婦人との仲に生れた子供なら、決して斯んな結果にはならなかつたらうと思はれるのでありました。

近來、南米渡航熱！別けてブラジル渡航熱が、全國的に盛んになつて參りました。それと共に婦人の其の方面への渡航希望者も隨分出て參りました。私どもの會などへは毎日數名の婦人達が、其の渡航方法の問ひ合せにやつて參りますが、一般に渡航地に對する知識が極く淺薄である樣に見受けられます。

ブラジルへ渡航する婦人の多くは、實際的植民者として活動する人々でなければなりません。卽ちブラジルへ行つて農業をやる人々の內助者となり得る覺悟がなくては駄目です。で、日本から適當な男子を見つけて、その人と結婚して行くのが一番いゝ方法ではありますが、單獨渡航の希望者の爲めには、力行會では、サンボウロ婦人ホームを作りまして、渡伯希望の婦人をサンボウロの婦人ホームまで送り、そこで、いろいろ植民地活動に必要な精神的及び技藝的方面の修養をさせ乍ら、ブラジルで活動して居る堅實な青年と結婚させる樣な方法を採る事になつて居ります。

植民事業は、土に根ざした仕事である丈けに、其の當事者は、五十年乃至百年の後を透視して活動し得る堅實な思想の所有者でなければなりません。從つて其の內助者たる婦人は不撓不屈の精神を持つた人でないと、寶の山に入りながらも、徒らに歸心矢の如きもののみあつて、何ら成功の端緒すら得る事が出來ないのであります。

農業に從事する同胞が一日一日と增加するに伴つて。女醫、看護婦、產婆なども當然必要になつて參ります。其他一つの社會を形成するに必要なあらゆる職業！特技を有する婦人達が要求されて參ります。

何と云つても新しい天地です。其處では勤勞の値が正しく報いられます。生活難と云ふ事は夢にも見られません。そしてより新しく、より理想的な社會を建設しようと云ふ、ユウトピアン型(タイプ)奮鬪的婦人達が行つて、あらゆる文化方面の開拓や建設に努力したなら、誠に理想的鄉土が出來上る事と考へられます。

◎今後會費納入者は本誌に掲載

今迄會員諸君の會費納入については一々領收書を差しあげていましたが今後本誌海の外に領收書に代へて芳名を掲載いたしますから左樣御承知下さい

海外情事

米國勞働長官の亞國訪問

一、訪門の目的と長官の談話

昨年十一月米國勞働長官デヴィス氏は、南米諸國に於ける移植民制度其の他取調べを標傍して南米各地を周歷した。同長官の旅行の目的と云ひ、又昨年ローマに於ける移民會議の後をうけて移民問題に關する世論尙ほ消へ去らぬ折柄とて各國朝野の間に尠からぬ注意を喚起した樣である。

同長官は先づ十一月廿六日ウルグアイ國に上陸し翌月亞爾丁に渡つて十二月迄同國に滯在した。頭初同國南部諸州を弘く巡察するの豫定であつたが本國政府の命によつて遽かに之を中止して六日智利に急行したのである。智利出發の前日長官は一新聞に對して大要次の如き陳述を與へた。

アルゼンチンは自分にとつて全く一の驚愕であつた。今後出來得るだけ北米人殊に政府筋の者が多數亞國を訪問することを歸國後慫慂する心底である。亞國が今日の如く進步せる文明を持つからには將來世界の一大國となるに疑はない處であろう。而も米亞の兩國は實に脣齒輔道の關係に立つものであつて一方利害關係消長は直ちに他方の繁榮に影響すれば兩國は密に相提携して進まなければならぬ、思ふにスペイン語は先づ何國よりも米國に於て一層普及奬勵せらるべきである。

二、亞國は移民制限を要するや——亞國の駁論

旬日に亙る滯在中同長官は移民問題に關して何等發表しなかつたが、亞國英字雜誌レビュー、オブ、リヴア、プレート（十二月十二日號）は同長官の持論として傳へらるゝものに對して「亞國は移民制限を要するや」と題する論文を掲げて反駁を試みてゐる、その要旨は次の如くである。

最近の華府電報は南米諸國歷遊の結果北米勞働長官デヴィス氏が「拉典亞米利加共和國は或種賢明な移民制限策を採用することを得る」との決論を得たと報じた。移民問題に關する同長官の見解が如何なる程度のものであるかは詳細にし得ないのであるが、吾人は同長官が北米と亞國とが其の國情を異にせる點を充分に考量し併せて本問題については遺憾なく調査を遂げた事は推測し難いのである。されば彼が說く「亞國の最大利益は北米合衆國の爲せるが如き移民制限法に依り增進せらるゝ」に爲す議論は其根據を知るに苦しむ。

現在北米は各方面に亙り多大の利益を享受しつゝある狀態である、これは往年無制限に移民の入國を許可したる結果增殖した一億二千万人の人々の賜である。

抑北米合衆國は一國家として現在の如き隆昌の域に達したのはしかく尨大なる人口なくして果して築き上げらる得べきものであつたか、而し一億二千万の人口は過去數十年間外國移民に對する無制限入國許可の結果に外ならないではないか。

今日北米にとつて有利なる事柄は寧ろ二十年乃至五十年後の亞國に對して勸奬すべきものであつて今日の亞國に推奬すべき事柄は既往十四年の北米に推奬せられたりし所のものである。

從つて北米現在の要求する移民の素質は亞國現在の要求する移民の素質でない。卽ち北米にとつてより望ましき移民は亞國にとつて望ましからざる移民である。北米今日の狀態は既に農產業遺憾なく發達し機械工業も亦驚くべき程度に整頓して往日の鍬犂鶴嘴の時代は遠く影を潜めた。運輸交通の便も亦よく備つてゐるので極短時間を以て國內邊陬の地に通ずるを得るなど亞國今日の社會狀態乃至經濟狀態と比較する時は實に半世記の相異がある米國今日の要するものは單純なる筋肉にあらずして腦力と熟練とであらう。

翻つて亞國の立場を見れば全く之と趣きを異にし北米に於て歡迎せらるゝところの熟練した特技を有するものは亞國に來つて自己の欲する特種の商業又は職業に就職せんとする以前に先づ餓死する覺悟がなくてはならない。終日鋤犂を驅使する筋肉勞働者こそ實に亞國の要求するものである。これは明かに北米にとりて不用の人物である亞國には此の如き人物を持ちつゝある幾多の未完成且未著手の事業が存在する。而して此の種人物は北米が入國を禁止せんとする南部歐洲から招致せねばならぬ。

吾人の見るところを以てすれば若し亞國にして移民制限の必要ありとなさば、そは北米が最も要求する階級の移民に對して當に加ゆべき制限である。

吾人はデヴィス長官が南米諸國に對して爲したる移民制限の勸奬は果して如上の事情を理解するや否やを疑ふ。現在亞國の最も歡迎する移民は自己の財產を以て永住の意志を有し怜悧と熟練と不撓の努力とに依り未墾の曠野をして整頓して良土化せんとするの輩である。

依然亞國に於ては機械力使用の範圍は頗る狹小であつて假令機械購買の便宜がありとするも寧ろ勞働者の招致を喜ぶの狀態である。卽ち亞國の如き未だ國力發展の過度期にある國土には機械力を充分に利用するよりも寧ろ身に一物を著けざる外來移民階級にぞくする輩が其の發展の要素である」云々

右論旨は移民問題に關する亞國一部輿論の趨向を代表するものであると認められてゐる。

有望新天地 北ボルネオ事情

サンダカン市 坂本市之助

其二 有望なる木材業

吾輩は前章に於て當地の薪炭業の梗況を記して、如何に當地方が天然の物資に豊富で又安價で有るかの實例の一端を述べた。

薪材、炭材には既述の如く沿海のマングローヴ樹が極めて適良であるが此の沿海を距れて内部に入るに從つて無限の大森林樹帶となる。

千古未だ斧鉞を入れざる處女林である。實に雲際を摩する巨木である。何れも太皷の胴の樣なまん圓い樹幹が百數十尺も眞直ぐに延びて七、八十尺から百尺位の高さ迄は一本の枝もない。截り倒した時は百雷の一時に崩れ落ちたと思はるゝ程で地煙が濛々と立ち昇り山岳も共に振動する、實に壯絶なものである。

當地の護謨耶子栽培者は斯ういふ森林を截り倒すに一英町歩當り何十弗といふ伐木費を支拂ふ。伐り倒した樹幹樹枝の漸く枯れた時機を覗て火を放つて燒き拂ふ是れにも燒拂費を要する。燒拂後は幾度も燒け殘りを集めては燒く、ために後片付費を要する。後片附が完うしてから漸く植付準備の測量に着手する。樹幹の直經四尺五尺と小硬木になると仲々燒けぬ。腐れるのを待つのみより外には仕樣がない。日本ならば一本數百圓乃至數千圓價値のある良材でも此處では邪魔で邪魔で持て餘す。此の燒いても燒けずに邪魔がられる樹種中には勿論鉄刀木(タガヤサン)もあれば樟腦樹もある、俗に謂ふボルネオ紫檀樹もある。其の他幾多の優良材建築材が含有される。

抑も北ボルネオに於て調査濟の材種の約貳百數種未調査のものも亦貳百種以上に達するといふ事である全体を通じて硬本四割軟木六割と觀たならば大差が無い。今主要なる材種を左に畧述して見よう。

(い) サ ラ ヤ Serayah

當國に最も多量に産する軟木で材質は恰も日本の杉に能く類似してゐる。氣孔稍大きく木質軟かにして脆く屡樹脂塊を含むことがある、材の淡褐色を呈するものは「赤サラヤ」白色のものは「白サラヤ」と呼ばれる。美しい木理を有して工作も容易であるから家具材鑵詰箱等各種の用途に使用される、當地方や新嘉坡地方から輸出される護謨シートの木箱は悉く此の材で製作される。比重〇、六四　直徑五尺　長さ七、八十尺位の巨材も得られる。

(ろ) キャンホル (camphor,

赤褐色を帶びた硬木で其の種類が數種ある。ボルネオ樟腦も龍腦も皆此の樹種中から産出するのである。家屋橋梁の建築材としては最も好適のものである。比重〇、五乃至〇、七　前者に比して遙かに腐蝕し難い。

(は) セラガンバト Selugan Batu,

伐り立ては黃褐色を呈するが間も無く光耀ある暗色褐に變ずる。堅牢で彈性あり、且つ昆蟲類の腐蝕少なく耐久力に富むから棧橋床板鐵道枕木梁柱等として賞用される。猶造船材としてチーク材の代用ともなるから「ボルネオチーク」の俗稱も有る。比重〇、七乃至〇、九　其の丸太材は水に浮揚しない。直徑五尺長さ五十尺位のものが普通に伐り出される。

(に) ビ リ ア ン Billian or Borneo Ironwood

日本で古來鉄刀木(タガヤサン)と呼んで黑檀紫檀と共に珍重したのが即ち此のビリアン材である、比律賓のスールー族は此の樹を「タボレアン」と呼びボルネオのデウソン族は「タガヤス」と呼んでゐるタガヤサンといふ名稱は此の「タガヤス」の轉訛したものであろうと思ふ。此の樹は南洋諸島中特にボルネオに割合に多く就中英領北ボルネオ東岸地方の立樹中六パーセントは此のビリアン樹である。暗褐色を帶びた頗る重い硬木で別名鉄木(Ironwood)といふ。當地方の如く白蟻の侵害の非常に多い所でも流石に此の材だけは其の侵蝕に逢はない。又氣候濕氣に因る變化もなく頗る堅牢にして著しく耐久力がある。比重〇、九以上蓋し鉄木の名は鉄の如く硬く鐵の如く重いから自ら生じたものであらう。

香港大學で此の材の耐重力を試驗したるに一吋半方に對して九噸といふ驚くべき成績を示したといふ事である。但世界の最高レコードは從來に於ては七噸であつたのである。直徑二尺乃至三尺長さ百尺位に達するものも稀でない。兎に角ボルネオ材中の最良なるもので柱材橋梁材としては世界に冠たるものである。和蘭、佛國等の大建築物の捨抗に重用されるといふ事である。當地ボルネオのサラワツク國地方ではこの板を屋根葺用にしてゐる。サンダカン地方でも間々見受けられるが數十年の耐久力があるらしい。

(ほ) マ ガ リ ー ス mengaris

雪來人は此の樹を「トーラン」と呼びスールー族は「マガリース」と稱する。又別に「カユラジヤ」(樹の王)の名稱も有し俗にボルネオ紫檀と呼ばれてゐる。外皮灰白色を帶び蟲々雲をも摩する巨樹である。硬く重く粗き木理を有する暗赤色の木材で干燥すれば更に堅牢となる水に浮揚しない。

(へ) マ ラ ボ ウ mirabau

スール族は「エツピール」と呼び馬來人は「マラボウ」と稱す高さ百四五十尺にも達する大樹で材は重く且つ硬く暗褐色にして木理が粗い。堅牢にして耐久性あり蟲の侵蝕を受くる事難く水に浮ばない。家屋建築材に適當する。

(と) ク ル イ ン Kruin

サラヤに次で多量に産出なし得る。其の種類も約二十に達する。帶灰赤色の稍重き硬木で組織粗く屡々樹脂塊を含むことか有る。直徑五尺長さ八十尺位の材も得安い。硬くて丈夫ではあるが土には弱い供給多量且つ安價で巾廣い物を得るに易く建築材として甚だ有望である。

(ち) ゲ リ テ ン Geriting

美しい木理を有する暗灰色の重い硬木でマングローヴ樹の一種である切斷せる當時は薔薇に類する香氣がある。水に浮ばない。當地方では捨抗としてビリアンに次ぐ良材として重用される。直徑二尺長さ三十尺位の丸太を普通とする。

此の外にまだ幾多の優良材が有るけれども以上の八種を先づ當地方の代表的のものと觀てよいと思ふ。現在の溫帶地方に於ける森林は年と共に急速に減退しつゝあるが其れは其の國の森林の成長が伐採量に追付かないからである。熱帶の森林は其の成長率が著しく溫帶の其れに優つてゐる然かし南洋諸島中ボルネオの森林は未だに比較的に斧鉞が這入つてをらない。從つて其材積は無限である。今後の世界市場に現はるゝ木材は恐らくボルネオ。スマトラ邊より輸出せらるゝものであろう。

當國では今サンダカンに英領北ボルネオ木材會社(British Borneo Toimber Co,)といふ唯一の造材會社がある。一九二十五年の設立で資金三百万弗、一ケ年の造材能力二百二十五万呎である。同造材所の一九二一年に於ける伐採額は一九六五三三〇立方呎で其の内譯は次の如くである。

香港英國濠洲及び其の他への輸出額	一五七五〇四〇立方呎
內地消費	一八九六八六立方呎
在荷	二〇〇六〇四立方呎

此の外には二三の支那人が伐採權を獲て丸太材を香港市場に輸出する位のもので未だに目星しいものも無い當國政府も此の莫大なる財源の開發に着眼すること數年愈此の度森林條令の改正を施行して伐採權の獲得其の他極めて有利容易となつた。當地方の伐木搬出費は頗る低廉なものである。此の際是非共日本有識家事業家の奮起を痛切に希望する。又海外協會の如きは先覺者として大いに聲を大にして斯界に觀說して欲しい。もつと斯業者をして海外の事情に精通せしめて欲しい斯んな富源斯んな遺利が吾が臺灣のすぐ南に千古來放置してあるのを何故日本の人は見逃がしてゐるのだろうか、もつと日本人は朝野擧つて經濟的に欲望を逞しうぜねば何時まで經つても國は富まぬ。まだ〳〵國民は覺醒し足りないのだろう。再び吾輩は「日本の人は暫く日本の山を伐らずにボルネオの山を截つたら如何だろうか」と繰返して言つて見たい。(未完)

(附記) 若し前記各材の見本希望者あらば盛んに申越されたい。送付の勞は敢て厭はない。但し見本購入費に送料等は希望者に於て御負担願いたい。吾輩は吾が故國たる日本と此のボルネオとをもつと經濟的に密接に結び付けて見たいと思ふ。

海外近信

短信

哈爾賓　島田生

内地の人達が花に醉ひ新綠の香に生の歡喜を味はふてゐる頃漸く北國の都の冬が終る。凄まじい自然の脅威蒙古風が共鉾を納めて漸く五月も終る頃白樺や白楊に若々しい元氣に滿ちた新綠が芽ざす。北國の情緒。自然の恩惠は夏に於て一番深く味はゝれる。

トロイカの遠乘、アムールの舟遊、近郊のピクニック、魚釣り。競馬、露西亞人の呑氣な生活はハルピンに於ては今も昔も變りない。白黨の殘黨、彼等は全くの敗殘者だ。彼等の現在を目前にみる時我々は國家の背景が如何許り力强く吾々の生活に響くものかを痛切に感じる。彼等の現在は悲慘の極だ。嘗つては騎兵大佐たりし者今は僅に十八圓の門番。これで上の部といへば他は推して知るべきのみ。共產主義を唱ふ現在東支鐵道幹部をみる。いゝコントラストだ。彼等は皇帝の政治を覆へした。そして天下を取つて共產を敷いてる。併し誰も彼も所謂成り上り者だ。マルクスも辨さねば、レーニズムも知らぬ。口に共產黨を唱へて共產黨を知らず、而して共生活振たるや夜は女を抱き美酒に浸りあらゆる贅澤三昧に耽つてゐる。そして翌日は國家の名に於て人民の財產を押收する。これは浦鹽の例だ。矢張人間の子は人間だけにしか成り切らぬ。人よりよい物も食ひ度いし樂なことをして威張つてもみ度い。

ロシヤは最近に個人資本を移入することに就て論議してゐる。出來上るとすれば之又面白い事實の一つだ。徹底した様なせぬ様な、可愛いゝ所のある様なない様な面白い人種だ。併し今のロシヤは猶太系ロシヤ人の天下であつて純スラブ系のロシヤでないことに留意したい。段々暑くなる。これから又ハルピンを中心に問題の渦が卷き上る。滿鐵と東鐵。ロシヤと支那。松花江航行問題。忙がしい事だ。

（五月十三日）

百町歩地主となり奮闘

レジストロ　村松榮治

前略、過日レジストロ鄕報お送り致しました。日本に於ける會報などに比較すれば、甚だ貧弱ですが、ブラジルの一角に於て邦人の自治組織を見、之れが機關として生れた鄕報なる事を思へば、嬉しくあり、誇りて足る處であると思ひます。（中略）

イグアペ植民地を經濟的方面から見ればいろ〳〵の欠點がありますが、之れを一般他の植民地に比較すれば其處に非常な相違ある事を認め得るものであります。現に昨年共拓會が鄕に變更し會費が等級割に委任制度が代議制度になるとか、種々改革を行ひ、將來伯國の公民となるべき準備をし、近くは歸化の許可を得べく百余名の申請者を見、之れが認可になれば各方面に寄與する處が多からうと思ひます。

目下行き詰まつて居る問題は教育で何處の植民地も之れで腦まされてゐる。現在レジストロに三校一幼稚園があるが急に三校一分教場を增設せんとて、各一万圓の豫算を計上してゐるが折角建築した學校も教師がなく閉鎖する様になりはせんかと思はれ、臨時教員養成の聲が叫ばれてゐるが一般が未だ共の氣にならんとので何時實行出來るか心細い事である。何と云ふても金の問題だがこの大切な仕事に對して日本政府あたりでは相當の補助をせねばならぬと思ふ。

衞生に於ては醫師一名藥劑師一名助手一名で近く病院も出來る由なれば我々の喜ぶ所である。

交通も外部に向つて稍ゝ欠く處があるが之れは今迄の事で植民者の懷具合がよくなるに從つてだんだん完備されるが拾里以内の自働車道位なんでもない事で殊に昨年からの好景氣で大半土着を決心し種々な事業熱が勃興し例へば發電事業銀行業などの目論見を見、昨今ジニキア停車場までの自轉車道など實に朝飯前で云ふてもよい位に早く出來た。

本年度の植民地の收穫豫想は目下調査中なるも私の區十六家の豫想調べは、

	二七一〇俵	（一俵目下三十八ミルナルモ平均相場三十二ミル）	八九、四三〇（コントス　ミル）
砂糖	三三五俵	一俵五十ミル見積	一六、七五〇
ピンが（酒）	五〇本	一本百ミル見積	五、〇〇〇
唐黍	六〇〇俵	一俵二〇ミル見積	一二、〇〇〇
豆	一六〇俵	一俵八〇ミル見積	一二、八〇〇
マンヂョカ	一五〇俵	一俵二〇ミル見積	三、一〇〇
家畜類			五、〇〇〇
雜收入			一二、〇〇〇
合計			一五六、〇八〇

一戸平均九コンスト五十五ミルとなる（邦貨約三千圓）此の收入を得るには勿論多少の雇人を入るも主として一家の勞働能率は約二人にて足りてゐる。然して日本の農村と異なり或る程度の自給自足が出來る。茶、コーヒー、砂糖、ピンガ、米は勿論棉まで取れる。鹽と石油だけ買へば生きて行かれると云ふ調子あまり呑氣すぎるのである。土人等の生活は一週に勞働日が三日間、食料がなくなれば働く、ある内は歌ふて遊んでゐると云ふ有樣である。話が枝道に入つたが收穫の外目下手入中のコーヒーが其の面積三十五町歩植付本數二万六千五百本、來年から相當の收穫が得られる。今やコーヒーはイグアペ植民地の主作物たらんとする勢で至極結構の事と思ふ。ノロエステやソロカバナ線ばかり憧れてゐた自分達も總ての設備や秩序ある進步の有樣を見れば今更移動する氣も起らない或る視察者はノロ及ソロ線に比してレジストロには活氣ないと言ふが、活氣とは華美の風をしたり、賭博的農業をしたり、汽車でも二等に乘らなければ人間でないと言ふた氣分が活氣なら、此の視察者は實に大切なものを見逃してゐる。成る程レジストロの人は活氣はないと見えるかも知れんが落ちつきある其の人を見よ。家を見よ。道路を見よ。そして彼等に大なる使命を意識してゐる處を見よ。永田力行會長はレジストの講演會に於て北米の目下の排日から伯國内地の視察談から引いて將來堅實な植民地になり得べき素質と可能性を以てゐる處は土地肥沃のノロエステでもなければ棉成金の生ずるソロカバナ線でもない。土地辯せで交通不便を凌ぎ常に奮闘努力して止まざるレジストロに植民地をおいて他にないと言はれた確かに見る處を見てゐられたと思ふ眞に永田會長は日本海外發展者の指導者である。今度二、三の有志が集合して此の好景氣に乘じて失配を演ぜざる豫防する策

として土地組合を組織して一口五〇コントスとして五年賦位で十コントスづゝ拂ひ込むべく約五百アルケール一万二千五町歩は買入れられるそしてクペイラ河を中心に南サンボウロ州に根强い邦人植民地を建設したい。

私も今度接續たる外人の土地を四人共同で購入しました面積は約百アルケル（二百五〇町歩）立派な家も、道路も、牧場も、ありて且つ河に接し、申し分なき場所で、此處で一と働きして見る覺悟です。其の他に廿五町歩手に入る事になりますので都合百町歩ですから日本から直接來る人及呼寄せしした人なども充分腕が揮るふしゝ私も折角世話しても土地のないので一所に迷ふ樣で困まりましたが之れから漸やく新事業に着手すべく目下種々計畫してゐます。來年の今頃は相當の成績を擧げ喜んで貰い度い力瘤を入れてゐます。

縣人の經濟調査は目下多忙のため出來せんが六、七月頃調査してお送り仕度いと思ひます。それに依つて縣人の實力が故國の人々に認められ將來の海外發展に資する處も多からうと思ひます。

ブラジルの今日此頃は大分涼しくなり、唐黍の枯れたの、稲の黄金の波打ち、秋冷の感彌まさり故國の秋を偲ばれます何分取入れを目前に控へてゐますので亂筆で濟みません。終りに貴會の隆盛を祈ります。草々

大正十四年五月十五日附

メキシコ渡航者のために

墨國マンサニヨ　勝田正武

勝田氏は日本力行會で修養し渡墨されましたが其の後後進者のためにしばしば親切なるお手紙を下され誠に感謝に堪へません、氏は只今彼の地に奮闘して同志の渡墨を待ちあくんでゐます。

一、船中の心得

先便にて少し御通知しましたから重ねて申しあげる事はないと思ひます。唯一通り必要品丈け持參の事餘り餘分のものの持參の要なし食料品は到着港迄買入れる事。ホノルヽ、サンフランシスコにて買ふ事が出來る。船中費用は貳參拾圓位費せば充分です。

二、上陸に際し

僕の上陸の時はマンサニヨ港は數年前から棧橋ありし由なれど只今はあらざるため一町餘の沖に碇泊する、先づ船が着すれば墨國移民官がモーターボートにてやつて來て、旅券及見せ金（初渡航者のみ五十圓再渡航者無必要）を見せしのみにて檢疫も何もなく直ぐにランチにて上陸する事が出來ました。ランチは人五〇錢、荷物大（五〇錢小廿五錢）を要しました。荷物は直ちに税關（上陸の所より約半町の所）の前に到着順に並べられ檢査せられる。檢査員は時に變るから其の人により異なるが僕等の時の人は仲々細かでした。どんなものでも一々見ました。特に絹物には注意します。新らしいものはばらばらに入れおけばよし一所にして置くと商品と見做され税を附けられますから注意する事、絹物は一キロ（二百六十六匁）四十二圓の税です。商品は日本から持つて來るもよいが其土地に依り趣向が異なりますから初めから持つて來ぬ方が得策です。實際にメキシコに通じた上如何なるものが有利なるか、税率需要の點等も仲々內地より困難な點が多いので充分事情、語學に通じた上なら失敗は無からうと思ひます。猶十一月より新法律出で移民にて來るものは五百圓の見せ金を要す由につき移民の旅券を得た者は其準備を要する。尤も上陸の際無ければ有る人から一寸借りて見せれば濟む。然し豫め心得おく事が必要です之れは新しく出たの

で公使館にても知らなかつたが本當だそうです。

マンサニヨには移民收容所がないので直ぐに上陸自由です。一等でも三等でも同じ事です。故に收容所の出來る迄は三等で來る方が呑氣だし色々都合がよいと思ひます。上陸後旅券に五十錢移民官の證明料を要します。

三、持參品

特に必要のもの携帶するのみに留まり餘分のもの持參の必要なし洋服、靴、紙シャツ等其他一般に反つて日本よりも安い故日本より持參する考への人は其れ丈け金で持參して上陸後購入の方有利です。特に運賃は割合に高い、自分の荷物行李マンサニヨよりバイエス迄十八圓も要した故にあちこち持ち歩けば運賃だけで隨分金を要します。

四。兩替

日本金は船丈けにつき米金に替へます。殊に金貨にする事。メキシコは金貨なれば一弗二ペソ紙幣なれば所により一ペソ九〇仙乃至一ペソ八〇位です。其れですから日本人の商店又は（銀行）で兩替して貰ふ事が最も有利と思ひます。船で兩替する事は口錢を取られ損ですから內地（正金銀行）で兩替する方よいと思ひます。

五、マンサニヨよりバイエス迄旅程

マンサニヨ港は小さい港です。汽船一二隻位しか常に居りません。然し自然の良港です三方ん殆ど山にかこまれて居ります築港でもして人工を加へたらよい港になると思ひます。日本人は未だ一人も居りません旅舘ばステーション附近に二三ケ所よいのがあります。食附き三圓五十錢より五圓位です。其の家により違ひます。汽車は一日一回午後一時半出發きりです。税關や色々で此地に一泊せねばならぬと思ひます。汽車は一般に一、二等だけです。所により寢台車があります。

汽車賃は以前より最近一等七割二等五割高くなつたとの事です。約一キロメートル（九町十間）一等五錢二等二錢二、三厘位の計算です。別便にて汽車時間表御送附しますから御覽下さい。

荷物をすぐ送るには ExpRess に手荷物（日本のチツキ）は Ewipaje として送る事が出來ます。日本と違ひスーツケースなれば汽車の中に持ち込めます。（二にても三にても可）然し汽車中に持ち込むに混雜の時は乘り代へ場所等で盗まれる危險がありますので旅行中は携帶品を少なくする必要があります。特に日本と違ひ場所により直行汽車がなく晝間丈け走るため所々にて泊らねばならぬ。其の爲めに荷物を持ち込めば Hotel まで運ぶと Cargadar を賴まねばならぬ。費用が多く掛ります。

CargaDor（カルガドール）（日本の赤帽の樣な人頭腦の邊に圓い眞鍮製の數字の入つてある管をつけて居る故すぐ解ります。之れに荷物を持たせるのが安全で其の番號さへ覺へてゐれば荷物を盗まれる恐がない。然し初め慣れぬ旅人と見れば無法に金を取るから注意する事五十錢位やればよい所を二圓位よこせとねだる。

切符は大きな驛になれば鋏を入れるが多くは汽車中にて車掌がやつて來て鋏を入れる。そして下車する驛前で車掌が切符を受取りに來ます故渡して下車すればよいのです。

さてマンサニヨを出發して汽車は五時間餘りにしてコリマ市に着します。此處で汽車は止まる故一泊ぜねばならぬ。

コリマ市は人口參万、日本人は醫師商店竹細工理髮等で拾人位居ります。町は驛から十町位離れた所に在ります。鐵道馬車、馬車、自働車等の利便があります。驛前より椰子の並木公園にて一寸美しく道路は石が敷いあります。ホテルは町に拾數軒あり、驛前に一寸したのが一軒あります。翌朝六時半汽車はグアダラハラに向ひます。午後參時半にグアダラハラに着します。

グアグラハラ市人口廿万メキシコ第二の都會、氣候はメキシコ第一のよい場所僕の居つた時は七十度程であつた日本人は拾人位です。醫師商人自動車運轉農業等です。美い町です。汽車はメキシコ市行きが午後四時半に出發します。それで丁度コリアから汽車で間に合ふ樣になつて居りますから折よくば乘り代へて此の町に泊らずに行く事が出來ます。然しメキシコの汽車は其の時に隨分遲延する事があり、遲延して乘り代が出來ぬ樣なれば一泊せねばならぬのです。一泊すればメキシコの切符は無効になります。何日間有効と云ふ事は無いのですから損をせねばなりません。

それ故一度は見物して居つてもよい所故直行を買はずにグ市迄の切符にて一泊なり二泊なりする方が宜敷いと思ひます。ホテルは驛前にも澤山あります。

サンルイスポトン行きはグアダラハラを出てケレタロで乘り代へて行くのとイラパートで乘り代へアグエスカリエンテを經出して行くのと二途あります。後者が運賃二、三圓（二等にて）高い。

午後メキシコ市行の汽車にのると午後十二時頃ケンタロに着き共所ですぐ乘り代へれば午前七時頃にサンルイスポトンに着きます。若し乘りおくれゝば朝の汽車に乘り代へ午後四時頃着きます。此の町には日本人三十人主に雜貨商食料品店である。

バイース行きは午後十時出發翌朝七時半頃バイエスに着します。

（續く）

北加信濃海外協會員名簿（續き）

○臼井省三
東筑摩郡麻績村
現住所 1625 Webster st sau Francisco caliF.

○武田左文司
北安曇郡北小谷村字大網
現住所 105 Main st, Watsnuville CaliF.

○赤羽茂人
長野縣東筑摩郡里山邊村字新井
現住所 Menan Idaho, U. S. A.

○青木實次
小縣郡東內村二七番地
現住所 2603 Nnion st Oakland, Cal. U. S. A.

○遠藤照治
北安曇郡社村
現住所 2076 Bush st, San Francisco. Cal.

○五味福平
諏訪郡永明村字横內
現住所 R. no 2 Box 72 Rocky Ford. Calo.

○二木三一
南安曇郡明盛村字二木
現住所 P, O, B, 534 Sugar City Idaho.

○藤森德重
諏訪郡湖南村字北眞志野
現住所 R. F. D. ※2 Rocky Ford. Calo.

○古田銀三
東筑摩郡筑摩地村一一七番地

現住所 1828 Myrtil st. Oakland, Cal.

○北村繁

東筑摩郡上川手村字穗高二郎

現住所 205 S. Center st, Stackton, Cal.

○伊藤晴之

諏訪郡中洲村字下金子

現住所 105 Main st, Watsonuille. Cal.

◎片瀬太門

北安曇郡會染村

現住所 1644 Post st, San Francisco. Cal.

○久保田その

下伊那郡龍江村字今田乙四〇八

現住所 1692 Post st, SanFrancisco. Cal.

○近藤宗助

下水內郡三水村字芋川

現住所 1604 Larkeis st, San Francisco. Cal.

○北澤武衛門

更級郡塩ノ井町字見六 五四番地

現住所 547 Pochmus st. Son Jose. Cal.

○北澤鐵重

更級郡塩ノ井町字見六

現住所 782 Morris st. San Jcse. Cal.

○北村森久儀

東筑摩郡松本市伊勢町一丁目

現住所 517 8th +, Oakland. Cal.

○町田貞三郎

小縣郡上田市字川原柳

現住所 400 L st, Sacramento. Cal

○町田平內

小縣郡上田市字川原柳

現住所 R. F. D※4 Box1241 Sacramento. Cel.

○宮坂馨

埴科郡西條村

現住所 28 W. Washington. Stockton. Cal.

○諸田鼎(カナエ)

上伊那郡美篶村字笠原

現住所 3010 Sacramento st. Sanfrancisco. Cal.

○丸山吉永

東筑摩郡松本市大字蟻ケ崎

現住所 44 S. El Dorado. Stockton. Cal.

○松田午三郎

北安曇郡池田町

現住所 105 Main st. Watsonville. Cal.

○牧彌助

上高井郡須坂町四一番地

現住所 R2 Box9 San jose. Cal.

○丸山保

南安曇郡東穂高村字白金

現住所 1211 10 th Ave. Oakland. Cal.

○山崎與一郎

小縣郡長村字村松

現住所 517 8th st. Oakland. Cal.

○海野富之助

下高井郡日野村間山

現住所 P. O.Box67 Watsonville. Oal.

○上原隆二

諏訪郡永明村字塚原

現住所 R. ※3 Box111 Rocky Ford. Calo.

○上田豊

南佐久郡川上村

現住所 44 S. El Dorado st. Stockton. Cal.

○上原徳三郎

小縣郡上田市

現住所 1409 Sutter st. San Francisco. Cal.

○瀧澤應助

小縣郡豐殿村字秋和

現住所 1255 26th st. Oakland. Cal.

○武田昌二

下高井郡平岡村字竹原

現住所 R. A. Bo×396c San gose, Cal.

○古畑八郎

小縣郡上田市

現住所 484 Sutter st Sanfrancisco CaliF.

○內山正雄

北佐久郡北大井村

現住所 1719 Buchanan. st Sanfrancisco. Cal.

○橋澤直人

北安曇郡社村字宮本

現住所 1701 Post st. Sanfrancisco. Cal.

○龍野鉅次郎

小縣郡東塩田村

現住所 1701 Post st. Sanfrancisco. Cal.

○有賀岩吉

北安曇郡池田町

現住所 1428 Webster st Sanfrancisco. Cal.

○森日源司

上伊那郡美篶村

現住所 1641 Post st. Sanfrancisco. Col

合計　五十七名

母國事情

◎琉球嶋悲境のドン底へ

浪靜かに平和な夢を辿つてゐた沖繩琉球島に前代未聞の恐慌が來た、それは財界不况に此の離れ島を見放さなかつたのである。

昨年暮に縣金庫の沖繩産業同商業銀行、沖繩銀行、が産業不振のため潰れてしまい島をあげて動きが取れないといふ悲境に陷つた。それといふのは自治制を布いた結果國庫の補助が減少し、かてゝ加へて、タツタ一つの大切な生業である黑砂糖が大正九年以來全く屏息した形となり苦しまぎれに縣廳では酒造税や所得税により血路を見出したが悲境のドン底にある島民は到底此れを拂ひ得べくもなく今や同縣の官吏公吏は誰一人滿足に給料を貰つてゐる者がないといふ話である。

◎雪のアルプスを海外に紹介

先きに「夏のアルプス」を題して世界に紹介したが今度「冬のアルプス」を彼の歐州アルプスに比して敢て遜色なき事を遠く海外に紹介するため鐵道省で大馬力であるあの雄大な明眉な情景は實に世界に誇りて足るものであると思ふ。同省では囑託河山譯雄をリーダとし、慶應山岳部の渡邊大賀兩氏も參加し、山部案內人夫として知られた松井憲三を案內者とし山岳を縱斷横斷して之をフイルムにをさめて紹介すると、

◎三派合同と政局の前途

政、革、中の三派合同を中心として、政局の推移並びに現內閣の將來等に關し貴族院有力者筋で大要左の觀測を下してゐると。

三派の合同は現內閣として相當の痛手であろうと豫期してゐたが、其の結果は少しの苦痛もなかつた樣である。その理由は頭數が意外に少かつた事も一つで最大理由は新政友會も最初の意氣込みに返し政權慾に變つたる跡が歷然としてゐるからである。

合同式當時の田中總裁の演説が如實に之を物語つてゐる。

政友會がかゝる態度に出る以上は從來が三派協調が二派協調となつたのみで、現內閣繼續に何等變る所はあるまい。如何に田中總裁が現內閣とは連帶責任である故三派合同しても尙百四十五名に滿たぬ樣では如何に政界の曲藝に長じた政友會も現內閣を倒してその跡釜に振る事は不可能である、事位は承知してゐるだろう。又一方憲政會としても此の場合成るべく喧嘩せず現狀を維持すればそれだけ自派に有利な局面が展開して來るのであるから出來る丈け穩忍自重するであらう。斯く兩者共現狀打破に對して痛し痛しの立場にある以上は現內閣は依然豫算編成期まで行き、その時税制整理、農村振興、行政の根本的整理の具体的問題に付或は行掛り上、地租委讓財産税の創設等の問題から多少曲折はあつても結局兩者の互讓によつて然事終了するだろう。斯くて五十一議會に臨む事になり、現內閣の危機は豫算編成期より寧ろ來議會開會中であらうと。

◎國民平等に被選擧權を

………坊さん連の陳情

全國佛敎各派(五十八宗派)で組織してゐる佛敎聯合會では十七日內閣總理大臣內務文部各大臣其の他關係各方面に宛左の如き請願提出した。

一、貴族院伯子男爵互選規則第二條及多額納税議員互選規則第三條を削除し諸宗の僧侶又は敎師に被選擧權を附與せられたきこと。

一、現行地方制度中諸宗の僧侶及敎師の被選擧制限に關する規定を削除し國民平等の公權を附與されたきこと。

一、治安警察法第五條第三號を削除し各僧侶及敎師の政社加入を自由にせられたきこと。

◎本州四國間の郵便飛行開始

航空局では五月廿日から大坂高松今治間と大阪德島間の定期郵便飛行を堺の井上航空輸送研究所に委託して行ふことになつた。回數は大坂、高松、今治線は一週三回往復とし大阪、高松、德島間は一週一回往復で飛行郵便

取扱局は大阪從前通り各局としてその他各地はその土地の各郵便管內で取扱ふ事に決定した。

近時我が國の航空界は長速の進歩をなしてゐる。殊に民間に於ける航空熱は非常なもので本縣に於ける民間飛行家として有名なのは松本出身の長谷川一等飛行士である。

◎在監人は減少したが性質極めて惡化

司法省では大正十一年度から司法保護處分制度を行ふ

春蠶二千事になりてより、從來常に五万台を下らなかつた在監囚人が一躍三万台に減じ目下所三万內外の在監者を維持してゐるが激減に反比例し在監人の性質極めて險惡になつてゐるが殊に智能的犯罪が多數を占めて改禍遷善する事は頗る困難な狀況にあり、而かも從來の監獄作業は收支向上のみを中心としたため肝心の行刑制度が閑却され累犯者が年々增加するに鑑み司法省は今度刑務所に訓令し收監者に對し種々の條項につき智能考査を行へたる後其の智能に應じ作業を廢し行刑を習慮して累犯豫防に努めてゐる。

信州記事

●恐しい霜害、襲はれた東筑地方

松本を中心として岡田、本鄉、壽、廣丘、鹽尻、山形、波多の一部から平坦部の島立、島內、神林、笹賀、の一帶は十三日朝結霜せる霜害面積は約一千町步損害見積高八万四千二百五〇圓に達し霜害に因る收繭減少概數は四百五十貫にして之を一貫匁の價格十圓と見積もる時は二万四五百圓にして結局今回の霜害で約十万圓の損害を蒙つた。今年は一般に糸價好況其の他の關係でその掃立豫想數は前年の實數に比し三千五百六十六枚を增し五万八千四百十五枚に達してゐるから霜害により收繭量二千四百五十貫を蠶紙一枚當り三貫として換算する時は約八百枚となるから之れ差引も尙二千七百六十六枚の增加を

示し從つて總收繭量に於ても前年より增加するものと見られてゐる。目下同地方は催青中にて此の慘狀を目擊した一般村民は意氣喪失してゐる。然し催青中なれば發生前日に於て約四十度位の低温に冷藏すれば十日間位は遲れて發生するから此の間に充分桑葉の恢復を見るだろうと樂觀してゐる。

◎拓殖省新設と海外協會で氣を吐く

地長方長官會議における梅谷知事の歸廳談

此の行き詰つた日本の局面を如何に展開するか。政府は行政整理を行ふが一面には拓殖省を新設そして海外發展によつて此の行詰つた日本の新生面を開かうとしてゐる。自分も此の問題に對しては大いて意見を吐いて來た。どうも政黨內閣等はやゝもすれば黨勢擴張のために鐵道とか道路港灣政策とか兎角內的施設にのみ走つて遺憾の點が多々ある。

海外發展は一時も忽緒に附すべき問題ではない。此點については本縣等は信濃海外協會等によつて南米ブラジルに新たな植民地を設けて着々進行中で大いに氣を吐いて來た。政府も明年は協會に對して相當補助を行ふのみかブラジル殖民地の小學校設費に對しては建築費全部又病院費は醫師給（渡航費）全部を補助する方針であるから近く申請したいと一通り氣焰をあげだ」云々、梅谷閣下は本協會總裁として常に活氣滿々俊敏な手腕を振て、本縣人の縣外發展に心血を注んでゐる。

◎不衛生な製糸工場

可憐な若い娘が朝の六時からおしせまつた工場で眠も放なさずに働いてゐるのは製糸工場である。弱い女性ながらも資本家の下に常に不平を鳴して自由を要求してゐる。毎日長時間にわたる過激な勞働は遂に工女を虛弱にし且つ、衛生設備も不十分なるため一層種々な病人を出してゐる。今回新潟縣工場課で發表した本縣に於ける八万余人の製糸工女中に約三分の一の肺病患者がゐると、右の發表以來全國勞働界の大問題となり內務省社會局でも重大視してゐる。兎に角製糸工場に於ける工女の健康狀態は何時でも問題にされてゐるが一番の生長時代にあり修養時代におかるゝ女子には、斯うした資本家の下に酷使されると云ふ事はすべての點において誤りである。

◎區民一揆押出す……天龍川々上橫斷問題

諏訪郡川岸村の夏明地籍で堰取つた天龍川の水を遠く上伊那郡西箕輪村まで運んで其處に數百町步の水田を開拓すべき西天龍耕地組合の大工事はこれまで色々の障碍にぶつゝかりながらも次第に運んで川岸村茅野附近までトンネルが大体出來上つて第二次工事に取り掛るべく組合ではあらかじめ地元川岸村川上橫斷の橋型溝橋を造るべく本縣に施設認可手續きを踏んでゐたところ右設計は最初組合が地元川岸村民と協定してアーケ型のものでなく下流の中部に三本のピーヤを立てその上をコンクリートで橋を渡して溝渠を作り其の傍らに人道を作る事になつてゐたので地元川岸村夏明、駒澤の兩區民は組合が豫て契約に違反するばかりでなく、大水の出た場合下流沿岸の水田は浸水し由々しき大事となると十五日早朝區民は非常召集を行ひ篠衝く雨を冒かして四〇名が一揆となり同郡役所に繰り込み石原郡長を中に陳情に及んだが兩方とも死活問題に影響する處大いのでその調停圓滿解決には苦しいだろうと觀測してゐる。

◎西筑の木炭製造事業

當郡における木炭製造狀況は大正十三年五月木炭組合を組織すると共に着々改良進步縣內は勿論他縣迄も認められて來てゐる。現在は白炭黑炭を各八等に別け嚴重に檢査の許に賣り出し今年は檢査を受けて個人で約三百圓の增收を得たと報告してゐる程で一年の產額は三百万貫此の定價百万余圓と云ふ農家經濟の重要なる位置を占めてゐるのである。然し此の原料となる山林は年々恐ろしい勢ひで切り盡され現在では余程山奧でなければ長い間の製炭は出來ない狀態となり從業人は何れも禿山を眺めて嘆息をもらしてゐる。やがて來るべき製炭材料問題は木炭組合では至る處に暗い程繁つてゐる御料材の一部を拂ひ下げて新たに製炭の道を開かうと意氣込みで目下それぞれ計畫し懇請中である。

◎縣營松本運動場

梅谷知事は縣營運動場を松本に設け大いに体育獎勵の中心とせしめんとし極東オリンピック大會も明後年は日本の順序であるが是非共松本市に開きたいと非常に意氣

込みである。

◎漁民三千の生命をどうして呉れる

每年三十万圓余の鯉や鰻や蜆等を產出して沿岸三千の漁民の生活を賑はしてゐる諏訪湖が近年水力電氣が發達して來た加減から自然其の產額を減少して來たと云ふので、諏訪郡漁業組合では十七日總代會を開いて調査委員をあげ實地調査を行つた上相當資料を得て關係各電氣會社に交涉する事になつた。一体諏訪湖は面積が狹い割合に今迄漁穫物が非常に多く平均一町の收穫は二百五十圓に達し一町步宛りの收穫高に於ては全國湖沼中第一等の成績をおさめ、琵琶湖霞ケ浦などに比較して五十位乃至百位の經濟價値を見てゐたのであるが之は沿岸の住民が多いため自然漁獲地が行屆いてゐるからで組合では之れに對し益々積極的施設をし魚類の減少を防いで來たが近來同湖水に流れ込む郡內の上川や砥川などに水力發電所が設けられて叉近くは同湖から流出する天龍川の下流に於て大發電所を建設される場合は湖水の水位を低からしめることになるため結果魚族の繁殖を妨げることになるので委員をあげて會社に交涉し補償の道を講ぜしめ三千の漁民の生活安定をさせたいといふのであるが偖、此の談判は何なるか今や湖畔を中心に渦まいてゐる。

◎燒岳鳴動……盛んに灰を降らす

日本アルプス燒岳は十八日午後二時より大鳴動を約五分間續け南安郡一帶に降灰甚だしく一坪あたり約六勺余桑葉等に着し養蠶家は大いに憂慮しつゝあり。猶アルプス連山は灰色化したが此のため雪解期をはやめ用水に欠乏を來さんと一般農家は憂いてゐる。

▲お國自慢の踊の手ぎわ

本縣當局では四、五年前より農村娛樂として盆踊の獎勵を行つて來た結果近頃では幾百年の史的景背を有する木曾踊、伊那踊の如き殆んど全國的に流行してゐる程であるが、尙之れに加へて近來新しく勃興した安曇踊り須坂小唄等もいよ〳〵認められて來て、新しい人々の間に非常な喜びをもたらしてゐるが、縣當局では此の際多少お國自慢の形もあらうがひとつ東都の檜舞台で立派に踊らせてみやうとて、いよ〳〵今秋の日本青年會館の余興

場へ送りだそうとしてゐるが、地元地方でも土地の宣傳になる事とて大いに意氣込て木曾踊りは伊東町長を看板に伊那踊りは杉原郡長を須坂は田中縣會議員安曇は榛原方面委員を先達として昨今猛烈な自選運動を行つてゐる

◎御幣を擔いで結婚を急ぐ女達

御柱の年には結婚をするものでないと謂ふ迷信からして長野郵便局の電話交換手が昨年末から本春にかけて續々と結婚するため非常の欠員を生じ一、二月の頃の如き十名からの辭職者を出して事務支障を生じはしまいかとさへ思はれた事があつたが、學年末のために一時救濟されてゐたが此頃に至つて又もや結婚へ結婚へと急いでゐるために八名の欠員を生じたので若し此儘の狀態で進むものなら今度こそは本當に事務に支障を生ずる事になるであらふと謂ふ處から目下同局では交換手の志願者觀誘に殆ど特別に人員を配置すると云ふ警戒ぶりであるが、どうしたものか少しも希望者がなく然も一日〳〵と辭職者が增加する模樣にあるので百方力を盡し觀誘に努めてゐる有樣である。

▲會員名簿（南佐久郡の部）

大澤村　本内定一
川上村　林武
北相木村　山口条之祐　菊池千勝
共出正雄　木次作重郎
青沼村　三石圓治　三石武雄
中澤吉郎次　三石賢太郎
三石毅　新津榮
三石實　三石忠亮
川口村　松井長三郎　大塚直作
佐々木重一　高橋大吉
高橋嘉作　岩田濱重
横山重太郎　竹内貞男
柳本榮厖　榊原甲子男
佐々木泉　佐々木鐵之助
岩野村　古平準一　酒井理喜太
木内長七郎　岩下幸平
與良一平

雜報

海外發展思想が普及されだん〳〵、渡航希望者が殖へて、毎日七、八名の血氣な青年や優しい元氣な女の方々がいろ〳〵な質問に參られます。誠に本縣の上から又帝國の上からも嬉しい事であります。之等の質問に一々答へてゐますが仲には漠然と、たゞ海外に行き度いと一種の好奇心と憧憬の下に參られますが折角質問に來て何を尋ねてよいか、少しもわからずして、まご〳〵してゐますが之等の人々には海外發展に關する書物や雜誌を讀んだりして、モウ少し海外の事情を知らねばならぬと思ひます。折角質問に參られた方々には極めて親切に御相談致してゐる積りですが餘り長い時間を取ると次の人にも私共の事務の上にも差しつかひます。

いろ〳〵の印刷物や書物の希望者が通り一片の依頼文をもつて葉書等で寄せられますが本協會はなるべく、親和的態度をもつて今迄の官僚式を廢し本當に打ちとけた心持をもつて自己の年齢、職業、境遇及び希望とかいろ〳〵の事柄についてお知らせ且つ返信料位は添付して下さらないと、いろ〳〵手落の點がおらうと思ひますから、何卒今後は注意して下さる樣お願ひします。

編輯の結び

◎毎日薄暗くなるまで机の上でコツ〳〵眼を丸くしてゐるのは信濃海外協會の場席である。農商課の末席に一ケの机と、腰の折れさうな腰掛を與へられた、信濃海外協會は事務の引きつぎから、今日迄の整理でまるで机の上は山と築いた、書類や領收書の切れや印刷物である。だん〳〵上の方から崩づして、それ〳〵整理してゐる。それでも誰一人苦情も云はず不平も云はず、殊に西澤理事の如きは午後七時三十五分の列車に上衣を脫いでマラソンで漸やく間に合ふ有樣。

◎其の上事業は益々積極的に進み、毎日數名の訪問者、是非やらねばならぬ仕事、警察や、郵便局からの注意や催促で此のゴタ〳〵の内からも時に後れまいと大馬力大車輪でやつてゐる。一つは一（マイナス）の仕事、一つは十（プラス）の仕事、何うも一（マイナス）の仕事が多過ぎて困まる。

◎海の外もどうやらこうやら此の混亂の中から孤々の聲をあげて三十六號が發刊された。三十五號の發行がやむを得ず後れて一緒にお送り致す事にしました。何卒今迄の罪は許して下さい。良心に鞭打たれ遍輯子今度は是非早めたいと思ひます。

海の外

	一部	半ケ年	一ケ年
內地	廿錢	一圓十錢	二圓廿錢
外國	廿仙	一弗十仙	二弗廿仙

海外郵税四錢

定價

注意
▲御注文は凡て前金に申受く
▲廣告料は御照會次第詳細通知致します
▲御拂込は振替に依らるゝが最も便利です

大正十四年五月二十六日

編輯人　永田稠
發行兼印刷人　西澤太一郎
長野市南縣町
印刷所　信濃毎日新聞社
長野市長野縣廳内
發行所　海の外社
振替口座長野二二四〇番　信濃海外協會

大正十四年五月二十六日發行（毎月一回發行）
定價金貳拾錢

信濃海外協會
海の外社發行

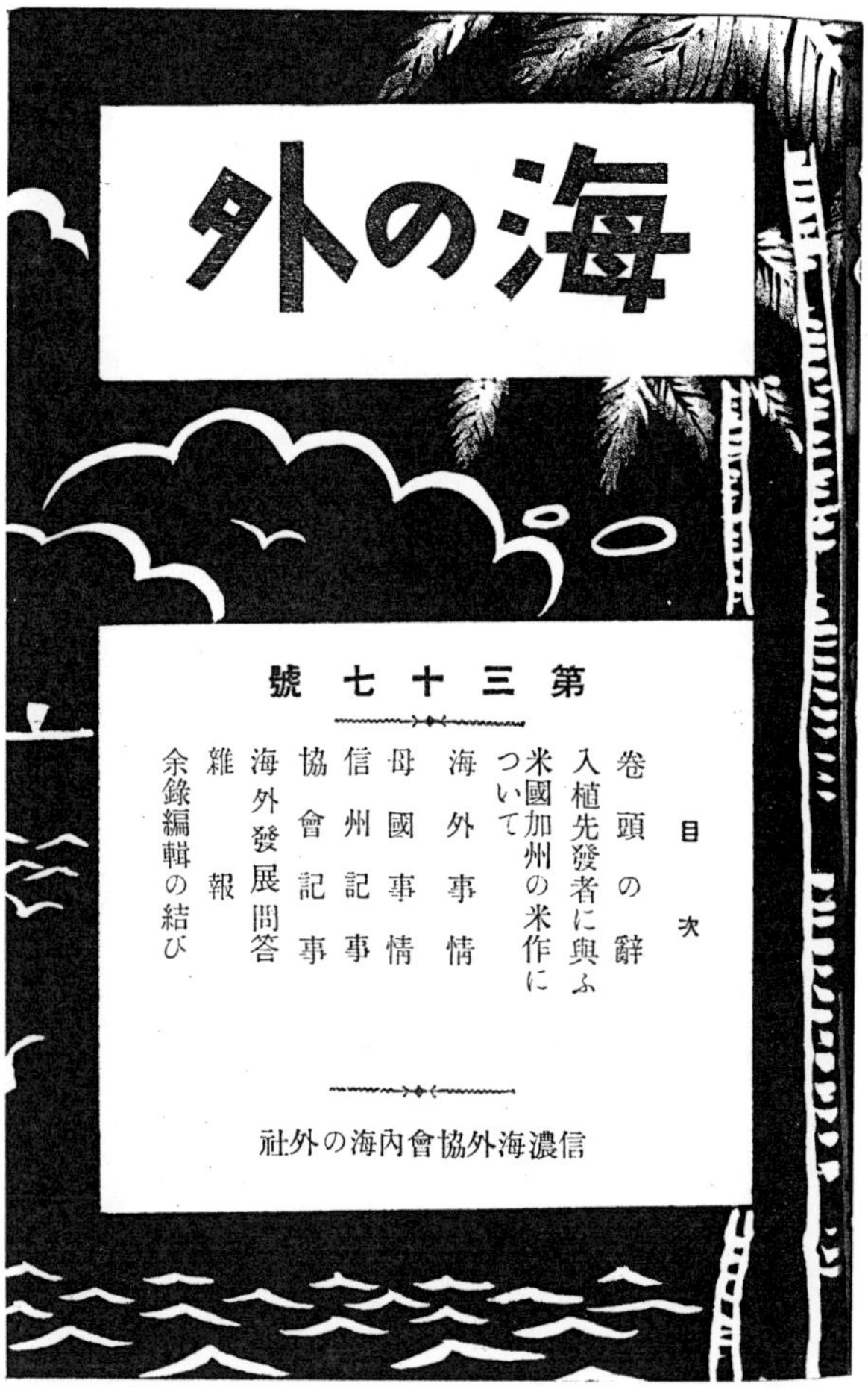

目次

海の外

第三十七號

大正十四年

六月號

焰ゆる我が胸

◇

我が胸は焰ゆ　我が腕は振ふ
　創造力と　開拓精神に
新緑若葉に溢る　希望の英姿
　欅々深み、行く盛夏の自然

◇

青春の血は湧き、肉は躍るなり
　熱と力のある所、何をか屈せん
　希望に焰ゆる我がハート。

改造の精神、建設の努力、理想の實現は我れのもの
何んぞ狹猾の士、歷史重なる陋習の士に屈死せんや。

◇

我れの行く所必ず守るあり。神の救ひは敢て望まづとも得るなり

◇

自己の充實と世界人類の幸福を肩双に擔ふて、無邊の地、シベリヤの曠野に、或ひはガンジス上流、幽閉の地に　或ひは轉じて、アフリカの山深く、南米、アマゾンの沃野に、身を躍らさざらんや
　嗚呼　我が秘める胸は焰ゆるなり
ア、　我が鐵腕は振止み難きなり

入植先發者に與ふ

○

我々の今迄は余りに歴史長くして、幾多の因襲と陋習が今でも傳はり、(勿論よい所もある) 絕へず進歩しつゝある新社會に生き樣として新理想を實現せんとする我々には、これを俄かに打壞して新しい人間社會を建設せんとする努力は非常の困難であらう。

○

最早、日本の國では、いくら農業の改良や、商工業の奬勵をした處で、毎年一縣に相當する人口が殖へるのだら、何うしても海外發展による、積極的方策の一も考へねばならぬ事であり、それが實行も思ひ切つてやらねばならぬは我々の常に主張して來たのである。

政府當局も近時これに耳を傾く樣になつて一昨年は、三〇萬圓、昨年は六〇萬圓、今年は百萬圓とだん〳〵補助金をだして移民奬勵をしてゐる。

誠に喜ぶべき事であるが果して當局の移民目的が一時の彌縫策であり、本國本位のものであり、又移民自身の渡航眼目が那邊にあるかは、今後十ケ年を出でない日本の國際關係の上に重大なる問題である。

若し、今日の海外發展が舊日本の延長であり、舊社會の膨張にすぎないならば、それは直ちに一面に米國の二の舞ひを踏まねばならぬ事であらう。

西班牙及葡萄牙の海外發展は武力を以て世界を征服し、アングロサクソン民族は今や經濟力に依つて世界の征服を企て現今に及んでゐるが、皆一に征服的、侵略的の海外發展であつて、その末路が今日迄の世界植民史を繙いて見るとき一面に戰慄すべき哀れな事實を物語つてゐる。

新社會に新理想を實現せんとする我々の頭には斯うした事實を、良く知つて、常に改造の精神に醒めて、世界文化のために、進まねばならぬ。

○

信濃海外協會は三星霜、國民海外發展を唱導して、遂に具体的實行の域に進み、此處に南米の一隅に新しい植民地を開設した。

此の植民地は産業組合による、勞資協調を外形とし、宗教により精神的の融和を以て內容としてゐる。

既に此の植民地が大和男の子の腕によつて開發されつゝある。

更らに母國から元氣潑溂たる四家族は此の植民地入植の先發者として重大なる任務と責任を負ふて今や萬里の波濤を蹴つてゐる。

焰ゆるハートと高き理想を抱いて移住した後からは新しい文明が生れる、やがてこの一團が奮鬪の曉きは野山の草花は新しい綠を吹きだすのである。

今や全國から注意の的となつてゐる、我が信濃村建設の成敗は擔ふて此の先發隊一行の双肩にあるのである。

嗚呼一行の負へる任は重し、卒し

然しその任こそ一行に與へられたる唯一の使命である。その使命の內に眞を自由を味はられるのである。

世界平和の文化に貢獻するものはこれぞ
我が大和民族の眞聲を發揮するものはこれぞ

○

蓋し、身体の强健、志操の堅固、永住の決心、鞏固なる信仰は入植者全部の全生命であり、活動の原動力である。

すべて土地が違ふ、氣候が違ふ、仕事が違ふ、接するもの一にして同じものがない、いろ〳〵と身体に異狀を來し易い且醫藥等も割合に高い。余程身体を大切にしないとそのために折角の事業が座折する。

其の上開墾事業は殊に困難である。往々期待に反する場合が多い、豫期した事が目前からうらぎられる。意志が亂れ易い。

遠大なる計畫の恭に、馳らず、倦まず着々進歩して。

斯うした場合に於て、更らに消し去らんとする心を鞭ち、失望せる精神に勇氣を附け、慰安を與へ、希望の光を認めさすのは實に信仰そのものである。

更に和衷協同、自重自愛、常に相互扶助の實をあげ、後進者の途を拓き、本會との連絡を密接にし益々其の域に努力せらん事を。

一九二五、六、一三

渡伯海上通信

十三日午後一時一行を乘せたシカゴ丸は十五日神戶港に入港して更に渡伯移民を乘せて長崎に向け出發した。

神戶寄港の際一行より得たる短信。

これからしばらく海上通信として一行の目に寫り心に感じた、いろ〳〵の通信を諸君に供提いたす事が出來るだらうと思ひます。

第一信

小川林　操氏より(葉書)　神戶シカゴ丸にて

忙しい處を態々來て吳れたね、林ちやん〳〵と呼ぶ聲がなつかしかつた。西澤さんと二人して自分の使命を感じて斯迄に盡力されること私共同志にとつて、どんなに、うれしいことかわからないそして君が私共を信濃村へ送るべく眞心から遙々來て吳れたことを私共は滿腔の敬意を以て感謝する、君も幾度かあの埠頭で友を送つたね。

そしてこうした時が來るとは思つてゐたいよ〳〵來た時悲喜交々至るの感がして胸が一つぱいになつた。

けれども新生への旅路を祝して吳れるに足るだけの私共にも決意があるからね、安心して後々も勵みと慰めを與へてくれ靑な海は平氣で操も食事を攝つてゐる。

篠原秋次氏より(葉書)神戶シカゴ丸にて

出帆の節は態々御見送り下され有難う座います、一同元氣よう。御座いますいろ〳〵と御通知は長崎か香港で致します。

假の樣でゐて書く手間がないのが俺の今の狀態である。勉强出來そうで少しも出來ないのも今の船中生活の一端だ。

又詳細の御通知は必ず致しますではこれでお許し下さい。

×　×　×　×

汝の平安常に主にあらん事を

願くは主イエス、キリストの恩惠、神の愛、聖靈の交感、なんぢら凡ての者とイエス、キリストあらんを

◎驛の涼風

白い燒土の道を歩いて、驛のプラットホームに來てベンチに腰を下すと、急に睡氣を催して、うつら〳〵する。

どこからとなく涼風が來た。ふと眼を開けば驛員の撒水ポンプが、ギツクンギツタン。

米國加州の米作に就いて

△米作の盛になつた原因

日本人はアメリカ合衆國を米國と云ふ。先見の明があつて名命した譯でもあるまいが、今日では誠に米の國である。昨年の耕作面積は約十三万英加、二百卅万俵の收穫があつた。此米作は日本人に依つて創始され、亦今日多くの在米日本人の手に依つて耕作されて居る。而してその收穫の大部分は我同胞が消費して居る。勿論日本へも特に震災當時多量に輸出されたのであるから日本の食糧問題にも多大の關係がある譯けである。故に一通り加州の米作に就いて知つて居る必要がある。抑も加州の米作は一九一五年以來非常な勢ひを以つて發展し、同年の植付面積三千百卅五英加であつたが翌々一九一七年には一躍八萬一千三百十英加に上り翌一九一八年には更に十二萬五千英加餘となり一九一九年には二十萬英加近くに達する盛況を呈したが、增加の原因は戰時中各種食料品生產業が凡て旺盛になつた中でも特に新しい產業である米作りが非常に利益を擧げ政府も亦之を奬勵したのと、一般米人が食料としての米の眞價と美味とを知つて來り、急速度を以て之が消費量を加ふる一方に於て太平洋岸諸州並に布哇の在留同胞が漸く加州米の味に親しみ今迄日本より年々輸入した米の代りに我加州米を喰ひ出したからであつて戰時中から在米同胞が日本米を食膳に上すものは殆んど皆無となり其全部が加州米、或はテキサス、ルイジアナ米を食ふ樣になつた。剰へ日本へ逆に輸出する樣になつたのである。

△加州米作の始まり

加州に於て米作を試みたのは約半世紀の昔である。一八六〇年頃からにして、當時アラメダテハマ、サンマテオ、サンタクーズ及びソノマの各郡に少量づゝ試作をなし、同年に於て二千百四十斤の米を得た事があつたが其當時の方法は所謂陸稻にて到底收支相償はず間もなく廢棄せられた。然るに一九〇〇年頃在留同胞により水田法によ

る米作が試みられてから漸く米作が再び擡頭し始めたが、此の水田法による米作は其の後諸所に於て間歇的に試みられたけれども、或る所は地味餘りに肥沃に失したり、或所にては加州に特有の狀態に馴れなかつたりして莖だけが無闇に長くなり實を結ぶ事亦尠なく、且つ灌漑水を要する事が餘りに多かつた爲めに何れも經濟的に失敗に終り今日の如く大規模に之を作るに到らなかつたのである。

△始めて水田法採用

一九一二年中加カーン郡に於てアルカリの爲め他の作物に適せぬ土地約十五英加を選び米を作つた所一英加當り二十三俵（百斤入）の成績を擧げたので加州一般人士も漸く注意をし始める樣になつたが、當時ビューテ郡に於て試作中なる米國政府の米作成績と相待ちて其の頃から愈々加州は米作に適すると認められる樣になつた。米國政府の農事試驗場がビューテ郡に米の試作をしたのは同郡及び附近にある廣漠なる粘土質の土地の利用を主眼とし、既に此地方に於て日本人が一九〇二、三年の頃より米作を誠み比較的良好の成績を擧げてるのに着目したからである。

△加州米作地の中心

此の經路よりして加州の米作は北加ビューテ郡と中加のカーン郡とを中心として發展したのであるが、水利・借地料・地代及び資本の關係等からして中加方面の米作は間もなく廢され今や加州の米作は殆んど全郡ビューテ郡及びタサー郡等に集中してゐると云ふも過言でなく。其の種籾の如きも始めは十數種の各國産があつたのが日本種が漸く勢力を占め來り今や日本種のみと云ふも不可なき狀態となり。齊小量の伊太利種とテキサス方面で作つてるブルロース種が試驗的に作られてるのみである。

△大戰當時の米作者

戰時中メリット氏が加州米作者組合長となりて米作者に對し一俵に付一弗七十五仙迄融通したので加州の米耕作段別は急に增加し加ふるに一九一九年の如き籾一俵七弗の馬鹿値を現はし日本人の米成金なども出來たけれども、一九二〇年の大暴落で籾二弗に下りアダムスが代つて組合長になつてから米作者に融通もせぬ樣になつた爲

め昔日の成金再び步に返へり一時二十万英加を越へた米作英加數も激減するに到つたがそれでも昨年の如きは總計約十三万英加の米耕作面積を算し約二百三十万俵の米を收穫してる。

△米作と同胞の關係

日本人米作者の耕作段別だけでも一九二〇年の如きは十萬英加近くあつたのが昨年は數年打ちつゞく不景氣で激減し一萬三千英加程になり、ソレが本年は更に減少しそうな模樣である。之は單に累年の不景氣で再び立つ可からざる打擊を蒙つたばかりでなく、土地法の制定でウントやられたからである。加州米は糠付であるから三分の一程布哇に送られ一割五分が種籾として保存され殘りが全部日本人により消費さるゝのであるが是だけでは勿論在留同胞の需要を充たすに足らぬのでテキサス・ルイジア・アルカカンソウ邊からミガキ米が多量に同胞へ供給せられてる。東洋汽船の船などは主として加州米を使用して居る事は大平洋を橫斷して桑港に向つたものは誰でも知つて居る處である。そんな譯であるから今後如何程作つてもその米作者の心配する樣に販路に困る樣な事はない。故國の日本人は日本で生產して謂所日本米に特殊の趣好を持つて居るがどうせ日本米丈けでは日本人の需要を滿たすに足らぬのであるから大規模の大農組織に依る生產費が故國の集約農業の生產費より經濟的になる時は加州米が太平洋を越えて益々多く日本に供給される事になるであらう。

（終）

◎初夏の賦

うすみどり日に匂ふ桑畑にうた歌ふ乙女は聲を惜しまず

生木焚く煙の匂ひ流れつゝ青葉木の下の土はつめたし

久々に野風呂たきたり若葉下の雫つめたく肌に落ちくる

月かげいまだほのけし夕ぐれのしめれる土に散るしゆろの花

海外事情

上海を中心の排外騷動

事の起り

二月頃から在上海日本人經營の紡績工場に同盟罷業が起り、二週間の紛糾の後解決したが五月に入つて再び怠業狀態となり、又復騷ぎ起した。これと同時に青嶋でも同じ狀態を現出し終に山東督軍の張宗昌氏の武斷的解決に依りて數十名の死傷を出だした。

此の事件があつて、二、三日を出でない五月三十日に上海の學生團が上海罷業の煽動者として逮捕され。その學生の釋放のため示威運動を行ひ各種各樣の宣傳ビラを撒きながら市中をねり步く中に、その宣傳ビラは一言にして云へば排外的の不穩な文字が多かつたので、居留地警察のために遮斷され、その首魁者が拘束された。

是に於て學生團は拘留學生の釋放運動から第二の拘留者を出したことを遺憾とし、勢ひこんで警察隊と衝突して武劇を演じ數名の卽死者を出して、是に上海全市民は一齊に呼應し各工場は總罷を爲し、一般暴動の氣勢は更に方向を轉じて各種の業務に從事する支那人のボイコットを企て、銀行は勿論家庭のボーイ。子守までも罷業させやうとしてゐる。

對外反感は今や極度に達し、殊に英國と日本に對する反感は絕頂に達し、列國は居留民保護のために陸戰隊を上陸さす軍艦を急派する狀態で今尙報道される新聞紙面には每日數件の事件が下らない有樣である。

而して外人に迷惑を及ぼす關係にある支那人の罷業數は三十萬にも上るだらうと云はれてゐる。列國の紙幣は通じなくなる。船が動けなくなる。商賣が立たず、電話、電信が片輪になる、食料品のマーケットは商賣せず、電車は投石せられ、外人は暴行に會ふ。

これと相呼應して北京、南京、蘇州、鎭江、漢口、長沙、廣東等南北支那の大都市に騷が起り、海外では東京倫敦の留學生まで騷出し、國權恢復を唱へながら一般排外運動となつて、北京政府は居留地官憲が武裝せざる學生を殺傷した事を不當とし手ひどく外交團に抗議したから、支那全國皆上海支那人の行動を是認してゐる程で、全く支那

の全國的興味を喚起して近來稀に見る大問題となつてゐる。

地方的の問題に國際的……內政的

此の問題に對して英米軍艦は上海へ急行し、日本陸戰隊も六十名上陸し日本人俱樂部を本部に邦人の保護にあてゝゐる。

上海からの電報によると（三日）「震災慘虐の仇を報ぜよ」と同胞雪恥會の名儀で日本人殺戮の宣傳ビラが市內に撒布された。而して本日迄比較的靜穩なりし佛國稅界支那人商店も明日から一齊に休業すると。

此處に列國は共同動作を取るべく協議中である

影を操る共產黨の煽動

上海の暴動事件は靑島のストライキ暴動とは直接關係なきもその爲す所は紡績工場の罷業外國人の排斥等で全く共產黨の煽動に基くものであると。

露國の支那宣傳は共產主義鼓吹の困難にぶつかつて一轉し、支那人の國民主義覺醒から來る排外感情を煽ることによつて露國の目的がよりよく達せられることを知つて以來、露國の對支政策は此處に完全に確立された感がある。

昨年の六月以來の出來事は此の斷定を立證するものと云つてゐる。現に露國大使カラハン氏が學生團の間に偉大なる勢力を有し、學生の實際運動に深い連鎖を有してゐる。又國民黨が自ら露國の革命精神の洗禮を受けその手段を支那に於て模寫せんとしてゐる。

現に十七日の報道によれば數万の示威行列に「英日の侵略主義を懲せ」と支那語と英語との旗印を樹てゝ北京市中をねり廻してゐる。一方には勞農大使員等はその群衆に交り支那人の喊聲と和して拍手して氣勢をあげてゐるのである。

日英銀行發行の紙幣流通停止

八日ペキン銀行公界は午後研究會を開き

一、日英銀行發行の紙幣は流通せしめさる事

一、上海の勞働者へ一萬元の救恤金を贈る事

右二項を決議した。北京市內の銀行は右決議に基き九日から英日銀行發行の紙幣を受け取らないことになつた。銀行公界は直ちに行外を取卷いてゐた學生團に此の旨を報告すると學生團は大に滿足して道々演說をしつゝ氣勢を加へた。

折柄の降雨に北京の國民大會

十日更らにペキン學生團は國民大會開會當日早朝から再び蒸返して白熱運動を起した。

各自、腕に喪章を卷き手に、手に「租界を回收せよ」「日英紙幣を禁止せよ」と白布に黑く染め拔いた小旗をかざして憤激の言葉を高唱しながら會場たる天安門に操り込んだ——會場は既に定刻前に埋められてゐた。折柄降つて來た雨にも臆せず、多數群衆は身動もせず、開會を待つ有樣は物凄い光景であつた。

執政府は國民大會に對し十万元を支出した。

北京商業會議所經濟絕交を宣す

ペキン商業會議所は本日大會を開き宣言書を起草し同時決議を爲した。

上海事件に於ける日英兩國の不法行爲は世界の等しく認むる處、而も我が政府兩度の抗議に耳を藉さず之れがため庶民憤慨の極本日より兩國の經濟絕交を實施す

一、上海罷業國費援助のため義捐金を醵出す

二、大示威運動をなすこと

三、日英兩國に對し昨日より經濟絕交を施行す

四、日英兩國の商品を賣さず且つ兩國銀行の紙幣を用ひず

斯くの如く事態は益々惡化し、猛烈となつてゐるが果して今後何う展廻されるか更に不明である。從來朧れながら斯く／＼の途を辿つて此の邊できまりがつくかと考へられるやふに思つてゐたものが次ぎ次ぎと新しい形を取つて現はれ原因の豫想しない新らしい形を現出してゐる。然し支那國民の流れる一筋は永久に變り得ないものであらう、たゞその一筋に向ふ手段方法として豫想の出來ない。形となつて現はれるだけであらう。

六月十七日迄の概略

◎驛の涼風

白い燒土の道を歩て、驛のプラットホームに來てベンチに腰を下すと、急に睡氣を催してうつら／＼する。どこからとなく涼風が來た。ふと眼開けば驛員の撒水ポンプが、ギックンギッタン。

海外通信

渡伯から入植まで

大提篤

次の通信は日本力行會會員の大提篤氏（栃木縣出身）の通信です氏は昨年末、家族數人を連れて渡伯されました。間もなく氏からの通信が度々ありますのでこれを連續的にのせる事にしました。

非常に面白く幼稚に書かれて又他人の思ひつかない様な處を赤裸々に現して後進者の注意を促す處が多くあります

× × ×

なつかしき　君よ

と、今はなつたかな、俺れは至極呑氣で元氣に航海を續けて居る確かに、行くものより送くる者の方がよほど淋しいだらうこれは俺も經驗があるからそれは力行會に居つたころよく友人を横濱の波止場に送つた。そして親しい友ほど讚美歌を歌つて送るのが涙ぐましく悲しかつたことを思ひ浮べる。そして俺れは石岡で送られ、土浦で別れ東京ステイションで別れたが一つも悲しくは思はなかつた。神戸でも（神戸では神戸にて友人になつた兄と親類の人が居たそしてお互にテープの交換をしたが）長崎でも別して氣分は變らなかつたしかし心の中はつらかつた。今でもその當時を思ふと、ホロリとなるが多年の宿志が遂げられた事と希望に滿ちた心との一パイの爲め今ではかなしい事はない。然し君等は立話にも篤の野郎は今頃どうして居るかと心配して居るかと思ふと、便りもしたくなる、又明日は香港に着くから。手紙を出すに都合がよいから此の手紙を書く。俺れのことは心配するなよ便りのない時は丈夫なものと思つてゝ呉れ、今は顏色もよいまだ誰れにも通信しないからよろしく、特に俊三君、義、加藤にも、兩植田さんにも靑年會の人々にも本田さん、大久保先生、突天にも出すのに藥書がないから折りにふれて御傳言を乞ふ、毎日寢られるから呑氣だ食ふて寢るから俺れの理想通りだ、石岡の警部補さんにもよろしく、餘り面白いこともないからこれで御免

サヨウナラ

今は支那沿岸を進んで居るが陸は見えない臺灣はもう過ぎた故え春のような氣候です。（十二月二十八日夜船中にて）

途中より度々通信しようと思つたが、船の中では思ふ様にならずまたアフリカのターバンもケイーフタウンも寄港したのであるが便船がないためかへつて日數がかゝると思つてつい御無沙汰しました。

船中は無事に過したと言ふほかない、然し無趣味なつまらない日を平凡に送つてしまつた、正月には餅が食べたかつた、コロンボより、此方四十日間も船の中で過し港へ寄つても何一つ船には賣りに來ず副食物に困つた菓子も食べたいし果物もアンパンもと言ふようになほ無暗に食べたかつた、丁度舊正月の頃は甚だしかつた君等にしたところが飯ばかり食べて居られるかどうか考へて呉れ、贅澤の樣だが飯ばかりでは生きて居られないと言ふ結論になる。これは船の中にて書いたのだ。これから移民舘にての樣子を話そう。

十五日無事、サンポウロの移民收容所につきましたから御安心途中サントス港からサンポウロに來る間は二千尺の高原を二時間で來るのだから險しいところは、太いロープを以て汽車を引き上げるなどは皆電氣仕掛で、碓氷峠のアプト式より一層規模の大なるを感じた。收容所の食事は朝六時パンとコウヒで十時（晝）はパン及び米の飯（ブラジル式の豚の油又はフエシヨンと云ふ隱元豆の樣なものを入れて塩かげんをしたドロ／＼した御粥）で二人分位呉れますコウヒは六杯呉れるところを定兵衛さんと俺れと二人きりしか呑まないから飯もコウヒも二人分食べて居るので大いなる胃病になつてしまつた、しかし胃の藥は大醫者ほど持つて來たから心配御無用ジヤスターゼを飲めば十分間で腹一パイたらふく食べたのがまつたく消化してしまうから。八百人近くの人が一度に食事をするのだから大變な騷ぎだ、外國へ來たのだから喧嘩仕掛の樣なことはないが我先きに食事に着きたいと仲々急ぐものだからかなり賑かだ、銀座通りで食事をして居るように。船の中に腦脊髓膜炎の者が二人居つたので豫防注射をさせられた、またチブス、コレラなどがサンポウロのみに流行して居るので豫防の丸藥を三日續けて飲むだ、皆政府でやつて呉れるのだからありがたい樣なまた一文なしの樣な扱に、氣持が惡かつたそんなことで收容所では意外に暇どつてしまつた明二十日には耕地へ出發のことゝ思ふ。物價が高いには驚く白米一俵（三斗五升入）伯價百十ミル邦貨にして三十圓だから日本の倍だこんな農產物（主要國產物）で、すらこのように高價だから外國製品は三倍から四倍だ仁丹（五十錢）が伯國貨六ミル日本貨

約二二圓だからあきれてしまう。こふ言ふ具合だから初めての內は全部買つて喰べなけりやならないからかへつて借金が殘るかも知らない然し一年後には少くとも生產者として自分の喰ふもの位は收穫出來るから最初一箇年だけが苦しいことゝ思ひます。

俺れは元氣だ皆禮狀を其の內出します家族も皆大元氣です詳細は後便にてさらば　（二月十九日ペンナにて）

今日は雨がポツリ〳〵やつて來たので有難い淚雨がやつて來たのだと思つて仕事もロクにしないで急いで歸つて來ました、今日で當耕地へ來てから三日目です每日イシンヤードと云ふ日本ではものぐさかまと言ふような大きなもので草取りです。手には豆が出、腕は痛くなりますなれない中はまあ泣きたい位です。

しかし俺れは血色もよく、肉も船の中よりづゝと付いて若し途中で君等に會ふたら見違う樣になりました。やがて皮膚の色も伯國色、日に燒けたのど土の赤チヤケた色、煉瓦色になるでせう、今の生活は晝は馬の樣に働いて飯は豚の如く喰べ夜は疲れた身を休ませる位だ。丁度動物の樣な生活をして居る動物の生活がしたくつてブラジルへ來たのかと思ふと今更自分の愚しさがシミ〳〵身にしみる、

ハハハ――然し送別會の時に誰れかが「踏まれても根强く忍べ稲諾草やがて花咲く時は來るなり」と歌ふて吳れたが、初志は貫徹するまたそれを考へると痛い腕は骨になる樣な氣がします、此の樣に第一年は骨が折れる俺れの居るシヤンテンプレツト耕地はミナス人が多數來て居ります皆伯國語を話して居るので出來ない俺れには不自由な時がありますそれに面白いことには、ハイカラな蛇が居る尾にカラ〳〵なる鈴を付けて人が近くを通るとその鈴をカラカラならし俺樣が此處に居るぞと知らせるこの鈴は每年歲をとるたびに一ケづゝ殖へるそうです。それに未だ裸足にはなれないのです。足のヒラの毛あなにのみが卵を生む之れを知らずに居るとあるけなくなる早く見付けてほり出すのです子供などは皆やられた、大抵は不潔にするとなるようです。

兎にかく每日元氣に働いて居るよ食へなくつて死ぬ樣なことはない、いくらかづゝは殘る今までもまづ五年もをれば大地主になりうんと金も殘るよたしかに禮狀を皆やらなくつては悪いが其の內書きます。

繪葉書もたくさん買つたから學校へでも送らう、それから体の丈夫な人で

來るものがあつたら送つて下さい。品物ではないが生活難なんて言ふことだけはない實に呑氣に暮せる。氣がむいたらまたかいて出そうよ皆さんによろしく　（三月十一日通信）

信濃村から喜びのおとづれ

信濃村移住地にて　座光寺與市

聖市で御貴殿（永田幹事）に御別れしてより（北原地價造氏）と私と貳家族にて今回御貴殿の買求せられし新設地アリアンサ移住地に去年十一月十八日に入りました。其の後着々と萬事進行し行きつゝあります山入當時は何につけ不自由勝でありましたが只今では何の不自由も無く此の肥沃の地の人となつて働いて居ります次に私の渡伯する樣になりし機會と渡伯してから今日に至る大凡を申し上げて見たいと思ます。

私は御承知の貧しき農家に生れそして何處の親でも申す如く貳男以下の男の子には何か手に職でも習はして置けば行く末暮す上に喰ふにはぐれる樣な事がないなどゝ親の話のもとに、私は建築大工となりました。そして廿七才の春自分の僅かの預金で、ある少さな家を買ひ妻を迎へました共して兩人で子供の出來ない內と思ふて一生懸命に稼ぎつゝ、他に自分と同じく手に職のある（獨力にて築き上げし）方の豊に其の日を送ると云ふ人の話等を聞きてみると其の築き上げし財產は家屋一、倉庫一、不動產としては若干の宅地に其の他二三反步に過ぎず、之が十人中の一人の最上の部分私も故鄕に住んで種々順調に進んで之れ丈運が悪ければ喰ふ丈も出來ず又私の職業進行上にも種々なる敵があつて仲々暮し悪く何處か廣々どした地に行きて此の世に人間一疋として生れた甲斐のある働きをして見たいと思ふ矢先に丁度伯國から輪湖俊午郎氏が見へられて私は此の好機會を逸してなるものかと兩親兄等に相談したる處父兄等は直に昔は運は寢て待つと云ふが之は昔の言葉で自分で良い機會と思ふたら行くが宜しいと許しが出た、然し共れに贊成して吳れないのは母故、母の許しを得るのには大分骨が折れました之で兩親兄等の許しが出で今度は家族構成しなければならん此の方は幸自分の從兄に當る者が直に出來た今度は渡航費用之は少さながらも自分住宅を賣りし金と、婚結後十ケ月兩人にて稼ぎし金と合して都合千圓位

其の內から渡伯に就ての必要品分を補ひて殘七百圓强之では澤山の不足故海外興業株式會社から一人頭（四百圓）合計壹千貳百圓の借金を擔ふて大正八年三月廿七日長崎港出帆同年五月廿八日に植民としてレジストロ植民地に着し共して地區を選定して共處に移りました、故國にて猫面丈も所有して居らなかつた私共には四十何町步と云ふ廣々した土地を今後如何にして開拓すべきかと可なり少さき頭を痛めました。十年も二十年も一代も此處に大尻を落ち付る考へでありましたが、最初渡伯當時と一年よりは二年目二年よりは三年目と云ふ工合に私等思想が變つて行きますから天惠の少い處よりは同じ勞力にて天惠の大なる方大なる方と人は皆進んで行きます。私の思ふのにはレジストロは暮して行く過ぐる丈には誠に申分のない良い處と思ますが地形及地味の關係上天惠が割合にうすい樣に思はれます右の樣に私しが申しましても百人百色ですから

私も昨年海外興業會社の債務一切を終へまして自分の早くからの目的地たるノロエステ線に來ました來て見れば私の先住地とは土地に於て又交通に於て大した差があるのには實に驚きました私共も最初此の方面に來て居たら今頃は一寸故國訪問も容易に出來得た事と思ます。

農業者として土地が肥沃にして交通が宜しかつたならば之に優る事はないと思ます。私共も渡伯してより以來彼方此方と移轉致して只今の地に至る迄三回移動いたしましたが三回目の此の地は眞に私共が故里出發前に想像したる南米の寶庫に略近き理想鄉と思ます過去は皆良い經驗をした事と喜んで居ります。私も只今は御蔭樣を以て一日々給伯貨貳拾ミルレースを得る樣になりました本年よりボツ〳〵と土地の貳十アルケールも所有して之に珈琲の一二万も植へ付けて四五年過ぐれば如何に安價に見ても壹百コントス位にはなる事と信じます右の仕事をなすにも働き手が必要であります私等も家族は少人數故に故里より實弟を呼び寄せようと度々書面を送るが眞にブラジルを解し得ぬ爲か此の頃の通信には他家に養子に行つたとやら、なぜ養子に行く費用で妻を迎へて此方に來ぬか私は養子は大きらいの爲か弟の意久地の無いのをあわれますには居られません。

只今は此の地も多人數になりました當アリアンサ移住地丈でも十四五人居ります皆達者でピチ〳〵して働いて居ります。去る四月十三日十四日の二日に亘りて廣大な植民收容場の建舞も無事に終りました五月中旬には成功する事

と思ます故國からの新しき諸君を指鶴首して待つて居ります。此の地も昨年賣出しの頃の價の今は倍位になつて居ります終りに御願致したき事は故里の資本家諸氏にあまり目の前に計りあせらずに少しは同胞の行く末と云ふ事に着目して頂き度ものであります。今や當サンパウロ洲東西南北隅から隅まで賣り出され先見の早き外人資本家は大金を投じて居る今日であります。

先は久しく御無沙汰を謝し御親に併せて近況御知らせ迄に候永田會長其の他協會諸氏の健康を祈ります

大正十四年四月廿九日

「右の通信は余り赤裸々に内情が詳しいので掲載を拒ばみましたが實際日本內地にゐる私共の狀態がそれです
二、三男女問題―人口過剩の日本に於ては大きな大切な問題です熱と力と希望に燃ゆる靑年の開拓すべき天地は何處でせう……
いろ〳〵の事情を考へて此處に座光寺氏の許しも待ませんで掲載いたしました此の記事を讀んだ諸氏は靜かに胸に手をあてゝ我れの行く手を考へて下さい……それで充分です

メキシコ渡航者のために（續き）

墨國マンサニヨ　勝田正武

六、職業的方面

墨國には日本人が少いので未だ充分發展して居らぬもつとどん〳〵日本人が來て仕事をすれば御互に有利な活動が出來ると思ふ。それには是非資本を作はねばならぬ。そうしたらより以上發展が出來る。僕の見聞した範圍はまだ狹いので實際の眞情は別らぬが僕の通過した範圍內で、僕の感じた事を書く。まだ、日本人は經驗が乏しい。其上或る範圍內に活動するので一般の事情に薄いもつと研究心あり、一般の事情に通じ各方面に活動したいと思ひます。同時に又日本內地の人にも充分に當國の事情を知らしむる必要があります。日本人の海外渡航は今迄餘りに凡ての點に不充分である。資本・職業・語學・其他の點についてもつと研究して渡航したなら必ず外人と對して優勝する立場を得るに違ひなかつたと思ふ。今後渡航者は之の點を充分研究して大いに活躍してもらいたいと思ひます。

特に墨國渡航者は此の點が必要だと思ひます墨國は事情に通ず資本・職業・語學・等を有する者は必ず有利な地位を占め活躍が出來る。然し日本人は多く此の點に缺けて居る。假に渡航しても右のものゝ一つでも欠く者は何も役にたゝない、初めの內は生活にも困窮する樣な有樣です勞働賃銀は安いので勞働方面より發展しようとしては仲々困難である。

墨國の農業で最も注意すべきは水利だ此の點さへ完全せしおれば必ず利益を

見らる。少し大きな資本を得て初めたなら面白い仕事が出來ると思はれる。最も市場（遠く合衆國に輸出する）とかの連絡は必要である、墨國の農業は一般から云へば大資本を要すると云ふことが成功する必要條件である。然し小資本にても必しも駄目とは云ひ得ぬ墨國は槪して野菜類に乏しく且つ比較的高價である。都市の附近で野菜園果樹園にても經營すれば相當の成績をあげる事が出來ます。

猶一寸田舍に引き込ばめ土地はいくらでもあつて土地は大地主によつて所有されてゐる。所有權なども容易に得られるから何か一つ團結して眞に働かうとすれば五年なり十年の後には理想的の植民地が自然に出來るだらう。

將來に於ける農業はとにかく有望である。

商業方面として現狀の所では貿易方面に大々的に活躍してゐる商法は少ない多くは雜貨食料品の小賣商である。日本人が資本を有さなかつた事、內亂のあつた事、年數のわかい事、經驗に乏しき事、事情に明かならざる事等は日墨貿易の將來を考へる意味に於て十分な研究を要する

その他工業的方面等はまだ幼稚なものである政府の當局等で或る名義のもとに日本資本家と合同して一大投資機關を組織して貰らいたい。（以下略）

亞國の平原

亞國アルゼンチン　山崎忠直

此の通信は大正五年航路東廻りにて亞國に渡航された山崎忠直氏から鄕里への通信です、氏の鄕里は埴科郡消野村字岩野です現在は三人共同で商業牧場農業の經營を手廣くやつてゐます。

拜啓御地は丁度正月下旬にて毎日酷い寒氣にて御父上はじめ御家內樣には何のお變りもありませんかお伺ひ申上候

降而小生去る十二月十三日午後七時目的地たるブエノス、アイレス市に無事到着いたしまし候、十二月十一日午後〇時三十七分の列車にて智利、バルバライソ港を發しアンデス高峯に向い候附近の山は太さ直徑七八寸高さ一丈余もあるサボテン澤山之有り其の他の樹木は更になくたゞ草點々として茂りゐり候。

午後六時頃山中にあるロス、アンデス町にて一泊し翌朝七時の列車にて愈々壹万余尺の高峯にさしかゝり隧道あり、アプト式あり、岩壁峨々として聳ゆ

るところを十二時頃其の絶頂に達し、雪は鐵路眞近く氣候は丁度三月頃の具合にて一寸寒さを覺へ候。

隧道を越へて亞國に入る。此處にて智利國の車掌運轉手監視二名亞國の税關官吏一同は車中の手荷物全部を取調べ候五時三十分頃此の山岳を抜け出でいよ〳〵亞國大平原におしだされ候、實に廣い事一眺千里全く眼をさいぎるもの一物もなく全く大海原と等しく、たゞ〳〵呆然たらしむ、メントサ市には八時頃丁度電燈の光にて市中を裝飾して一寸美觀を呈し、直覺的凡ての家造事業の點に到るまで大規模に出來てをる事を想像いたし候、同市附近は皆葡萄畑にて川中嶋の田を見る如く汽車の窓から十時間も見る事なれば何程あるか御家內樣の想像に委せ候。

同市を午後九時に廣軌鐵道に乘り換へ車中にて同夜を明し候、明けぬれば太陽は全く地中より出で、此の大平原には牛、馬、羊、豚など臥するあり草食するあり。戯れゐるを見て午後七時漸やくブエノスアイレス市に到着致し候。汽車にて昨日來二十有余時間然かも廣軌の急行にて進行しても未だ尙平野である事は如何程大原野であるかは御想像の許す處でありまん只だ〳〵大平野である事に膽を潰し候。

地面は砂地にて水利は餘り便ならずも風車にて水汲みおり候。此の大平野を日本內地に仕事がない、土地が狭いなど〳〵言つてゐる人の目の前に引き合せて見たいものである。同地停車場一ツ前まで同市津曲氏出迎に來る。亦ブイノスアイレス停車場まで力行會先輩上水內郡古間村牧野氏、（丁度小生在會當時會員にて五月二十九日出帆せし人）同停車場まで出迎に來り、廣島縣人金子氏の經營せる宿屋に入る翌日十二月十四日午前九時に停車場に至り一切の荷物税關の調を受け皆無事通過、午後新聞社に至り就職廣告三日間九十錢にて揭載を依賴し翌十五日の紙上に現れ同日の午後八時頃同市富豪より手紙來り翌日同家に行き一日賃銀一圓五十錢にて、栽培してゐる野菜、西瓜、南瓜、花卉果實を作る事を契約し翌同市より三四十分汽車にて行きそれより自轉車にて耕地に行き「バラ」の花を澤山小生に切らせて午後七時頃歸宅致し候此の耕地には夫婦の土人二人おるのみにて一寸淋しき田舍にて候。

就職も比較的容易に出來た事を感謝してゐます。

まづは到着後最初の挨拶を兼ね今後いよ〳〵奮闘する覺悟に御座候

（一九一七年十二月廿一日）

母國事情

◎山陰地方一帶強震に襲はる

五月二十三日午前十一時二十分大阪、京都、兵庫方面に大强震あり被害、甚大、山陰線豐岡驛は地震の爲倒潰し火災を起し、倒壞戶數七十燒失戶數一千五百死亡者四十八負傷者二百、城崎町倒壞戶數六百五十二燒失戶數六百七十八死者二百、負傷者三百、その他各部落倒壞戶數一千二百二十四、燒失戶數一千六百七十、死者二百七十八で、損害は一億三千万圓位である。震源地は大阪、京都兩測候所觀測の結果を綜合すると城の崎、豐岡間の溪谷が癖物らしく此の地方一体は慶長年間以來かつて地震のない所であつた。

此の震災に對して兩陛下からは御救恤金として三万八千五百圓を下賜された。此の地震について本縣下は微震なのでわづか松本地方だけ電燈や戶障子が搖れる程であつた。

◎陸軍省で兵卒新聞發行

陸軍省では近く兵卒新聞を發行する計畫で、その目的とする處は下士兵卒に社會の事狀につき、理解及判斷の標準と軍事並びに時代的常識を備へ趣味の向上を計る事に依つて目的としてゐる右計劃は宇垣陸相年來の懸案で初めは週刊とし、又は旬刊とし、追て日刊にする豫定であると。

◎官治的目的から民政の充實へ

田中政友總裁の抱負

政友會東北大會に於ける田中總裁の演說には地方權力の擴張並に地方自治の根本的更改を力說して政局の緊張味を加へてゐるが未だ所謂具体的でないから政友會の方針が那邊にあるか測知得ない狀態であるが確聞すれば大体左の點に眼目をおくものであると。

一、地方振興の根本は國税及地方税の繁苛なる現狀を釐革し官治的自給の現狀を改めて民政の安定と充實とを基調とする共同協力の自治制を確立するにあり

二、共同協力の自治制の完備せんがためには先づ以て財源を與へざるべからず、即ち一、國税としての地租及營業税を地方税に移し同時に一切の附加税を廢止して徵苛を除去すること　二、兩税の移讓によつて生ずる中央財源の欠陷約一億三、四千萬圓の補充方法としては所得税法に大改正を施し負擔者を約三倍に增加せしむることを必要とす。

◎山梨縣下に大降雹

農作物全滅

五月二十四日午後山梨縣下各郡に亘り大雷雨ありしが途中より降雹となり多い所は三寸、少い所でも一寸位溜つたので、桑葉共の他農作物は大被害を受け殊にブドーの產地たる東山梨郡勝沼村及東八代祝村附近も激しく蠶豆大の雹が三寸餘りも積つたことで、目下發芽中の葡萄の被害甚しく、農作物は全滅の有樣で養蠶家は勿論一般農家は大損害を被つた。

◎生れ出る銀座街の偉觀

銀座通りの區劃整理は東側は其儘に動かさず西側十間幅削り取るので松平駐米大使に依賴して米國の建築會社の援助を求むべく交涉する事になつた。即ち銀座通りは從來東京第一の市街であつて態面上にも亦新帝都唯一の美觀として保ちたいといふので躍起となつてゐるそれで各商店別々に建築せず聯合建築で京橋から新橋まで四、五階揃にしたいのであると之れが完成の曉きは確かに新市街中の偉觀である

◎日露協定の槪項

一　露西亞が舊露帝國の締結したポーツマス條約（日露戰爭終結のため）の有効なるを承認した事

二　日本の沿海州沿岸に於ける漁業權を認めた事

三　兩國民相互に從來居住の自由を得、且通商貿易其の他の業務をなし得ること

四　相互に宣傳の禁止を嚴重に勵行すること

五　露國領土內に於ける鑛山、森林其他天然資源開發の利權を日本に與ふる事

六　尼港事件について誠實なる遺憾の意を表する事

七、北樺太に於ける油田の五割日本に與ふる事

八　北樺太の日本軍を五月十五日迄に完全に撤退する事

九　北樺太西海岸に於て炭田を開發する權利を日本に與ふる事

信州記事

◎多額議員選擧戰—有志者策動す

九月十日を前に多額納稅議員の選擧策動が殊更にざわめいてゐる。殊に今回の選擧は二名連記投票であるから南北信一人づゝ仲よく選出して行こうといふ空氣を作つてゐる。

而して南信側は小口善重氏(中立派)北信側は小林暢(政友派)の兩氏を物色し兩氏の諾否にかゝわらずこれを擁立し飽くまで兩氏の當選を期すべく小林暢氏に對しては脊掛正一氏が使者となつて立候補の交渉を遂ぐることゝしそれ／＼劃策中である

◎小縣郡町村稅滯納多し

小縣郡四月末日町村稅徵收成績は調定額八十五萬一千六十七圓のところ滯納額は一萬六百六十七圓の多額に上つてゐる。その原因は昨年の旱害並に財界の不況に因るものである。

◎山浦田植後良好

諏訪郡山浦中部地方は苗代仕付當時例年にない冷氣と降雨のため一時は數十町歩に亘る苗代が殆んど全滅の悲運を傳へられたがその後ボルドー液の撒布や氣温の恢復で、約三分一の苗は殘り、それに他から移入された苗を融通して大部分植付をした。其の後の發育は存外良好で何れもよく猶全郡的に數百町歩の不足を來すべく心配されてゐたが種々の方法で目下のところ殆んど全郡に行き亘るべき見込である。

◎東筑の春蠶狀況

東筑摩郡地方の春蠶狀況は目下川手方面の早口はぼつ／＼上簇にかゝり、大並四眠催眠期遲口三眠であるが成績はいづれも良好で、桑葉もその後天候や氣温の恢復で發育良好なるも昨年に比し多少軟葉の傾きあれば當業者は此の際給桑に注意すれば上繭一〆目十一圓位は確實であると。因みに繭相場も昨今來好況を呈してゐる有様である。

◎岩鼻螢の名所—亡び行く

埴科郡で螢の名所といへば岩鼻の螢合戰をすぐ胸に浮かんでくる程に隨分と古くから持て囃された其の岩鼻は小縣と埴科と兩郡境の南條村の地籍にあるのだが鐵道が開通され、國道が改修され、葉原は開墾さるゝといふ様なことから、螢の住家は遠慮會釋もなく取潰されたので、往時盛んだつた螢茶屋も百姓家と變つて、國道筋の螢橋も其の名ばかりを殘すにすぎぬといつた様な淋しい變り方をして上田市や長野市から押しだす螢狩りの連中で今も尚名所だけの値打を見せてゐる。附近の人も例年ならば忙しい養蠶期も忘れて觀螢客と打ち興ずるのであるが今年は冷氣が續くので漸くチラホラその顏を見せる位で夏至が二十二日に當つてゐるものゝいつもの盛觀は見ることが出來まいといはれてゐる。

◎富士見高原へ—文化施設

海拔三千五尺白雲松林を包む—將來の避暑地として目されてゐた諏訪郡の富士見高原は單に夏期に於ける絶好の避暑地であるばかりでなく、近年冬期に於けるスケート場として諏訪湖等の未だ凍らぬ先から充分滑走が出來るので評判となり、四季を通じて全國的に遊覽客を集めるやうになつて來た。同村では斯うした自然の天惠に適當な文化施設を加へ一層その眞價を發揮せしむべく今度豫算六萬圓で二万坪の大運動場を設け各種のスポーツに關する施設を行ふことにした。同二萬坪のうち五千坪はスケート場とし一萬五千坪は野球のダイヤ及びトラツクその他更に中央に五千坪の競馬場を抱かせ倚避暑勉學の學生團体等のために合宿所その他の設備をなす方針である。

◎小縣郡滋野村議改選の珍選擧

村議改選に併つて類例なき珍選擧をやつて内務省を驚かしたのは小縣滋野村である。それは去る四月廿二日村議定員十二名の處へ十八名選擧した不可思議の事實が今にいたり端なくもわかつたので當時猛烈なる大競爭のため落選したる人達の群が俄かに騒ぎ出し事容易ならぬ

形勢を示してゐる。

此の失態の原因は本年二月頃郡役所に選擧に關する主任會議があつた時に現住人口に依らず國勢調査に依る人口を以て定員と定むる様な指示があつたがツイうつかりして、現住人口五千三百に對して十八名を選擧したわけで、國勢調査に依る同村の人口は四千八百人で五千人を欠くから定員は十二名でなければならなかつたのであるのに小縣郡最終の神川村選擧が今回終つたので表の整理をして初めてそれを發見したのであつた。因みに同村は古今無双の力士「雷電爲右衛門を出して全國に名を轟かしてゐる。

◎天井知らず米價—謀き出される生活苦

持越し不景氣の揚句が米價の暴騰で三等白米の相場が圓に一升八、九合とあるこの遽な生活苦に遭ひあはてゝ職を求むる者が多くなつたと。長野職業紹介所では前月の一日平均三人に對し尠い時で六、七人時には十人近くにも達してゐる、これ等求職者は所謂中産階級の事務員書記上りの連中が多いと、

協會だより

本會役員

總裁　梅谷光貞
副總裁　佐藤寅太郎
　　　　笠原忠造
顧問　今井五介
相談役　細川平長
　　　　竹下豊次
　　　　越壽三郎
　　　　小里賴永
　　　　高田茂
　　　　福澤泰江
　　　　小林暢
　　　　山本愼平
　　　　鳥羽久吾
　　　　工藤善助
　　　　片倉兼太郎
幹事　石田龜一
　　　宮下琢磨
　　　永田稠
　　　西澤太一郎
（信濃村）　輪湖俊午郎
同囑託　畔上日義
　　　　宮本乙己
會計監督　原田増次郎

支部長

南佐久郡　但丸留藏
北佐久郡　市川多萬吉
小縣郡　白石喜太郎
埴科郡　長坂治助
更級郡　小林一重

上高井郡　志賀市藏
下高井郡　中山德十
下水内郡　竹中三吉
上水内郡　田口泰藏
諏訪郡　石原快三
下伊那郡　臼田松太郎
上伊那郡　杉原定壽
西筑摩郡　羽生秀三郎
東筑摩郡　高野忠衛
南安曇郡　長山謙吾
北安曇郡　牛山喜一
長野市　丸山辨三郎
松本市　小里賴永
上田市　勝俣英吉郎
東京市　加藤正治
レヂストロ　宮下延太郎
米國西北部　宮下主計
北米ロスアンゼルス　藤本安太郎
北加サンフランシスコ　臼井省三
　　　　　　　　　　　小川榮一
　　　　　　　　　　　片瀬多門
ありあんさ　輪湖俊午郎

◎新役員

竹下豊次氏　本縣警察部長として昨年十二月着任せられ今回當協會相談役として御苦勞煩す事になつた

石田龜一氏　農商課長として五月着任せられた。着任早々繁忙の中にもかゝわらず、幹事として今後一方の勞を擔ふて頂く事になつた。

◎會員調（大正十一年ヨリ十四年五月二十五日マデ）

年度	種別	南佐久	北佐久	小縣	埴科	更級	上高井	下高井
十一年度	特別	人	1					2
	維持	人	2				9	
	普通	22人	3		17	18	91	14
	計	二三人	六		一七	一八	一〇〇	一六
十二年度	特別	1人	1	3				2
	維持	1人	2	23			9	
	普通	22	3	152	25	18	91	14
	計	二四人	六	一七八	二五	一八	一〇〇	一六
十三年度	特別	1人	1	3				2
	維持	1人	3	23	1	1	9	
	普通	22人	3	153	25	18	91	14
	計	二四人	七	一七九	二六	一九	一〇〇	一六
現在	十四年	二五人	八	一七九	二六	一九	一〇〇	一六

下水内	2	21	60	八三	2	21	63	八六	2	21	63	八六	八六
上水内	1	1	51	五三	1	1	85	八七	1	1	87	八九	八九
上伊那			23	二三	1	2	52	五五	1	2	57	六〇	六二
下伊那			76	七六			100	一〇〇			100	一〇〇	一〇〇
諏訪	2			二	7		3	一〇	8		4	一二	一三
西筑摩			46	四六			46	四六			46	四六	四六
東筑摩	1	1	72	七三		2	80	八二		2	82	八四	八四
北安曇	4	7	106	一一七	4	7	102	一一三	4	7	102	一一三	一一三
南安曇		1	9	一〇	1	4	40	四五	2	・4	40	四六	四六
長野	2	5	6	一三	3	7	8	一八	3	7	8	一八	一八
松本			2	二			2	二			2	二	三
上田			1	一	1		1	二	1		1	二	二
計	14	47	617	六七八	27	79	907	一〇一三	29	82	918	一〇二九	一〇三三

◎移住地入植その他につき外務內務兩省との交涉事件報告

當協會梅谷總裁西澤常任幹事及び永田幹事は今年四月下旬信濃海外協會及協會の事業たるブラジル移住地について外務內務兩省を訪問し陳情交涉せる事件については左記の如く當局は非常に良く了解し、且つ一段の後援と援助を明示されし事は當協會の發展上忘れ難い事である。

一、信濃海外協會補助金の件、

一、特別補助金下附申請の件、

一、旅券下附　當協會の事業たるブラジル、アリアンサ移住地の入植者へは當協會の入植證明書があれば無條件で然かも短期日に下附されること

一、入植家族へ渡航費、奬勵費補助の件

同移住地に入植する者には一人當り海外興業株式會社補助移民と同一の補助金額を目下當局に申請中である

一、小學校教員住宅補助の件

同移住地に施設する小學校建築費、教員住宅建築費全額補助の了解を得た

一、病院建築醫師產婆看護婦派遣の際補助の件

尙病院建築の場合醫師、產婆看護婦派遣の際はその渡航費及給料全額を補助するの了解を得た。

◎雑誌發送及海外移住志望狀況

郡名	雑誌發送數(海の外)大正拾四年 四月	五月	六月	海外事情研究志望 拾四年四月一日ヨリ六月六日迄67日照介人員	信濃村入植志望者 拾四年四月一日ヨリ六月六日迄67日手續照介人數	信濃村入植者 四月一日ヨリ六月六日迄旅券下附	
	部			人	人	戸	人
南佐久	一三五	一三五		一	三	一	四
北佐久	九	九		一	五	一	二
小縣	一七五	一七五		〇	〇		
埴科	一三五	一三五		五	三		
更級	一三〇	一三〇		三	三		
上高井	八四	八四		〇	一		
下高井	一一五	一一五		〇	〇		
下水内	八七	八七		四	三		
上水内	八九	八九		四	六		
諏訪	一一四	一一四		九	一二	二	四
下伊那	九九	九九		三	一	一	二
上伊那	七〇	七〇		五	五		
西筑摩	四六	四六		一	一		
東筑摩	八六	八六		五	八	一	三
南安曇	四五	四五		六	三		
北安曇	一一四	一一四		〇	一		
長野市	一八	一八		一	一		
松本市	二	二		一	六		
上田市	四	四		〇	一		
東京	二五〇	二五〇					
トレチロス	四五	四五					
米國西部	五〇	五〇					
北米ロスアンゼルス	四〇	四〇					
北加サンフランシスコ	五〇	五〇					
ありあんさ	一五	一五					

合計	一五三	一五三		四四	五九	六	一四

フイリツピン、ボルネオ、キウバ、メキシコ、シンガポール等	二八
	二八

◎縣外に現はれた海外志望者、

	海外事情研究	信濃村入植志望
	人	人
青森縣	二	三
北海道		一
秋田縣		三
新潟縣	二	七
栃木縣	一	一
群馬縣	一	二
東京府	三	一
靜岡縣		一
岐阜縣		二
京都府		二
大阪府		三
香川縣		二
愛媛縣		八
岡山縣		一
佐賀縣		一一
長崎縣		一
神奈川縣	一	
大連	一	
福岡縣		一
合計	一一	五〇

◎入植渡航狀況

今や全國に知られたブラジル、サンポウロ州アリアンサ移住地（信濃村）の最初入植者は三十五號に發表してありましたが、渡航出發前いろ〳〵の事が出來て、岩波菊治氏には不幸筋肉疝に襲

はれ（目下東京電燈病院に療養中經過順調）上條深太氏夫妻には船室滿員にて止なく中止、小川林夫妻にも同じき憂きめにて之れまた中止、藤本憲正氏夫妻にも一寸とした家庭の關係より遂に乘船不可能となり、たゞ今村悅雄氏夫妻のみ無事乘船出來たが、乘船後聞く處によると海興移民に轉じたる由なれば事實、五月九日の出船メキシコ丸にては失敗の形となつた。先發隊一同の心痛想像に余りあるべし、一同は此處に益々決意を强くし、躍る心と高鳴る腕を固く秘めて次の乘船を待つより外に仕方なかつた。

其の間更らに入植者は續出して一同に加はり遂に六月十三日の出帆シカゴ丸にて渡航する事に決定した

その數は四家族七人で

諏訪郡富士見村　小川林　妻操

東筑摩新村　上條佐和太　妻ふじを

北佐久郡協和村　篠原秋次

秋田縣　鈴木京壽　妻なつへ

の諸氏で一行は午後一時紅白のテープに交はされて、無事目出度出航した、當日は大多數見送りありて阜頭は見送人を以て山を築いた。

尙七月二三日の出帆船マニラ丸にては、

諏訪郡四賀村　岩波菊治　妻とめ

南佐久郡野澤町　瀬下登　妻テイ

瀬下虎雄妻クニ

の二家族六人乘船と確定してゐる

一、在伯信濃村入植者

神奈川縣　守屋又七君

南安曇郡明盛村　大山幸平君

上伊那郡長藤村　伊藤忠雄君

一、此外ブラジルニ於ケル信濃村創始者

南安曇郡出身(本會幹事)　輪湖俊午郎君夫妻一子

上伊那郡出身　北原地價造君夫妻

下伊那郡出身　座光寺與市君夫妻

◎來訪

宮下琢磨幹事　信濃村移住地出資及郡市長會議後に於ける協會の狀況報告及協議及來長

遠藤照治氏　北米北加信濃海外協會會計として盡力下される氏は今回日米新聞主催の母國觀光團として來朝あり六月初日當協會のに來訪せられて大いに意氣糾合する處があつた、同氏の來訪によつて益々北加支部との連絡を密にする事が出來た。

小宮山義佐氏　小縣郡武石村の出身明治四〇年墨國に渡航　今回十九年振りにて鄕土訪問に歸朝

氏は今墨國チワ、州フアレス市に商業を營み、成功の域にあり今回歸朝記念として當協會のために五〇圓を寄贈された、氏は八月便船にて再渡航、墨國の天地に活躍。

尙墨國にも當協會の設立に奔走し、縣民の海外發展に貢献する。

◎新入會員及新講讀者

會員

南佐久郡野澤町　瀬下登
南佐久郡切原村　新海武一郎
北佐久郡協和村(渡伯中)　篠原秋次
南安曇郡南穗高村　淺川武男
同郡三田村　横山林十
同郡明盛村　大山喜久定
諏訪郡宮川村　小池安
松本市輻上町　藤原政三
上田市下房山　丸山文夫
伯國サンポウロ州イクアペ郡　海野助彌

講讀者

上伊那郡伊那富村　松田幸治
同上美和村　黑河内章一郎
東筑摩郡吾妻村　橋本菊雄
諏訪郡上諏訪町　藤森茂里
同　泉野村　三浦政廣
上水内郡北小川村　清水一郎
群馬縣澁川町　星野均
東京府下大崎町下大河二七五　木村勇夫
愛知縣愛知郡豐明村　原田惣太郎
北海道　三島芳夫

以上は大正十四年度以後の申込者にして當協會直接又は支部よりの通知により明かなるものなり

◎會費納入

一金八拾九弗五仙　米國北加支部殿
一金九拾圓六拾六錢　米國北米支部殿
一金拾二圓參拾錢　小池釣夫殿
一金拾　圓　松尾弘殿
一金壹圓拾錢　黑河内章一郎殿
一金壹圓拾錢　三浦政廣殿
一金二　圓　原田佳作殿
一金二　圓　瀬下登殿
一金二　圓　篠原秋次殿
一金二　圓　海野助彌殿
一金二圓五〇錢　藤原政三殿
一金壹　圓　清水一郎殿
一金五拾圓　小宮山義佐殿
一金二圓五〇錢　淺川武男殿
一金二圓三拾五錢　新海武一郎殿
一金二圓二拾錢　渡邊衞殿
一金一　圓　佐藤一平殿

雜報

◎信濃村移住地入植者に對する旅券下附注意

先きに三十四號に旅券手續き一般と題して、旅券下附方法を記載したが、今度南米ブラジル國信濃村移住地入植者（入植家族又は入植者）に對しての旅券下附一切について記し様

一　海外旅券下附（書式）

海外旅券下附願（用紙美濃紙）
一、氏名　戸主夫　何　某（片假名ヲ付スベシ）
　　妻　何　某（同　上）
　　家族（長男／長女）何某（同　上）
一、本籍地　何縣何郡何村何番地
一、所住地　同　上
一、身分、年齡
　　戸主　夫　何　某　生年月日
　　妻　何　某　生年月日
　　家族　何　某　生年月日
一、職業　戸主夫（農業）
　　妻（農業又は看護婦）
　　家族
一、渡航地名　ブラジル國
一、渡航目的　信濃村にて農業從事
一、渡航年限　向ふ十ケ年
一、出發港　横濱港

右ニヨリ海外旅券御下附相成度別紙關係書類及寫眞二葉相添此の段御願候也

年　月　日

　　右　戸主　夫　何　某印
　　　　妻　何　某印
　　　　家族　何　某印
長野縣廳内
　　保證人　信濃海外協會印
何縣何郡何村何番地
　　保證人　何　某印
　　生年月日

長野縣廳内梅谷光貞殿

二　備考

一、海外旅券下附に添付すべき關係書類とは出願家族の戸籍謄本、各人の履歴書　各人の身体檢査書（開業醫師より）各人の寫眞二枚、入植者（入植家族又は入植者）についての保證書及び保證人の資産證明書及當協會の入植證明書である。

二、海外旅券下附願には戸主と同行する家族、夫と同行する妻、又は父若くば母と同行する子ならば連記する。

三、寫眞は手札形半身像、台紙に貼りつけてないもの（記念撮影として十枚位用意しおくこと）

四、保證書には二名の保證人を要し、内一名は海外協會之れを保證し、他の一名は戸主これを保證す但し戸主保證能力なきか、又は相當資產なき場合は親威又は知人等にして資產名望あるものを選び保證人とする

保證書作製せる時は直ちに當協會に送附し入植證明書と保證人としての協會の承諾を受くること

五、入植證明書は當協會で交附し、この入植證明書がなければ旅券は下附されない

六、戸主、又は親威知人の保證人については保產證明書を役場より貰ふこと

七、寫眞、保證書、資產證明書、は當協會に保存するため各一通宛余分に作られたきこと（寫眞は當協會入植者寫眞帳を作る）

三　保證書（書式）

保證書（美濃紙）
原籍地　何縣何郡何村何番地
現住地　同　上
戸主何誰何男
　　夫　氏　名　生年月日
　　妻　氏　名　生年月日
　　家族　氏　名　生年月日

右の者私の（何々）に有之候、此段南米ブラジル共和國へ農業經營の爲め渡航することに相成候に付ては往復の費用は勿論其の他一切の本人の事件は私等に於て引受可申右保證書の如く候也

大正　年　月　日

長野縣廳
　　保證人　信濃海外協會印
　　縣　郡　村　番　地
　　保證人　氏　名印

長野縣知事　殿

◎アリアンサ移住地建設號の姉妹三十四號

信濃村移住地について毎日多數の紹介狀が舞ひ込んでゐます、出來得る限りは建設號を送附してゐますが既にその殘木も尠くなりまして折角の御希望に滿足するだけの事は出來ませんその變り、アリアンサよりの通信を滿載した三十四號が澤山あります、これはアリアンサ移住地建設號と姉妹の關係にあるものです。もし御希望の方は遠慮なく申し込みをお願ひします。

◎頗る低下した農家經濟能力

農林省の農家經濟調査の第二年度（大正拾一年度）農家經濟調査によると

種別	大正拾一年度	增減△
農業用土地總面積	二、五三畝二〇歩	△二畝一〇歩
田畑面積	一六四二三	△　七
農業資本	八七五三圓五九五	△一四八二圓六八〇
農家總純財產	一三三〇八、二七〇	△二〇六、〇七四
農業總收益	一三七一、二七〇	△一七三、九六〇
農業經營費	六四三、六一四	△三七、三五五
農業所得	七二八、六五七	△一三六、〇五
農業勞働日數	五八五日	△十四日

農業一日當勞働報酬	圓六〇〇	△圓一四〇
農家總收益	一六二三、二九四	△一八一、一六四
農家の所得	九六三、五四六	△一〇五、〇八五
一世帶家計費	九五五、九四二	△三五、六二〇
一人一ケ年宛家計費	二一七、二九九	增六、六九九

右の狀態によると一世帶當家計費は初年度より二十五圓六十二錢減少し一人一ケ年の家計費に於て六圓六十五錢の增加を見てゐるが、これは農業の收益と農家の生活程度との一致せざるを立證するもので、尙初年度に比較すれば農家の經濟能力は甚だしく低下し農村は益々疲弊の傾向を示しつゝあるのを觀察される、而して今後に於ける農村問題は農家過多の人々と農業經營の改善による收益增加の外はないので農林省では移民問題と農業共同經營等について極力研究中である

海外發展問答

海外發展志望者のために海外發展問答欄を設けました。海外發展志望者の頭には絶へずいろいろな疑問の點が浮ぶだらうと思ひます何卒その都度、雜記帳に忘れぬ様書きおきし、澤山ある場合には直接當協會宛に三錢切手封入御質問になれば早速御返事申しあげます。又當協會に近い人々は直接御尋ね下されば尚更結構だと思ひます。一回の御質問は五問以下に願ひます淡然たる御質問は御遠慮下さい。

問 伐木はどうするか。(海外發展熱狂生)

答 ブラジルの伐採作業は困難であるやはり一つの熟練作業で土人等が專門に請負ふて伐採してくれる伐木期は五、六、七月迄にしなければ作づけ上不便があります森林を伐るには先づ「フォイセ」と稱する長柄の鎌に似た農具で樹木にかゝつた葛や蔦及經三四寸程度の木を伐り後を斧を用ひるのです森林にもよるが不慣な人で一アルケール二町五反の伐採日數は約五十日内外見當です

問 土地組合に加入したいと思ひますが近頃ブラジルにも排日が起つてゐるやうですが北米の二の舞の様なことはないでせうか。　更級 憶病生

答 北米人の様に人種的差別をしない民族ですから心配はありません、然し今排斥される原因は日本人にも相當缺點がありますからそれは力めて改めなければなりません南米の排日は米國人の煽動だと云はれてゐます

問 私は三男で今農林學校三年在學中です將來海外に雄飛し度いですが有望でせうか

答 行き詰つた農村ではもう君達の様なものに満足を與へてくれませんから海外に渡航されることは極めてよろしいと思ひます、海外發展中農業者が最もよろしく殊に農學を修めたものは一層よろしい君が日本にゐるよりはずつと有望です

問 ブラジルへ資本を持つて二三年後に行くのと赤手で直ぐ行くのと何れがよろしいでせうか　小縣 渡伯希望生

答 ブラジルは勞働賃銀が日本に比べると廉いので勞働賃金を貯へそれを資本とするには相當の年月を要するのです若し五百圓でも一千圓でも資本を持つて行けば例へ二、三年後れて渡伯してもその方が成功し易い様です、だから貴君に今資本がなければ二、三年位日本で働いてから渡航しなさい、働き場所は責任を以て御相談致します赤手空拳で成功すると言ふことは如何にも花々しい様ですが危險でしかも思ふ様にやれるものでありません遠大の計畫を立て着々に何事でもやる事が大切だと思ひます

問 こんど信濃海外協會で南米ブラジル移住者のために土地組合が出來既に移住者の世話をしてゐる様ですがその加入手續を教へて下さい

答 信濃海外協會では土地を購入して移住する者を募集してゐます、加入希望の御手紙を下されば早速手續書類詳しく説明して御送り致します

問 私は家に居ても將來が餘りつまらなく考へられるのでブラジルに渡航したく兩親にも話しましたが若し遠い南米で職がなくて食ふに困まることすれば心配だからとて容易に許してくれません御會の會員になれば仕事口を世話していたゞけますか　北佐久 近藤生

答 仕事がなくて困まるのは日本だけですブラジル等仕事が多くて働き手が無いので困つてゐるからよく御研究して御兩親に説明すれば許してくれませう、尚當協會は東京小石川の日本力行會と連絡を取り力行會は世界各地に支部がありよく連絡がとれてゐますからいくらでも世話いたして下さいます

問 南米だけの精密な地圖の發行所を御知らせ下さい　長野市 禍島生

答 日本のものはありません外國製のものは丸善にあります伯國サンポウロだけのものでしたら海興、海外協會中央會及び當協會にあります

問 ブラジル航海寄港地日程と距離を教へて下さい　上高井出發生

答 寄港地神戸よりの日程　碇泊日數　距離

寄港地	神戸よりの日程	碇泊日數	距離
神戸	—	—	—
長崎	二日目	一日	六九五浬
香港	七日目	一日	一、〇七〇
西貢	一三日目	一日	九三〇
新嘉坡	一六日目	二日	六三四
古倫母	二四日目	一日	一、五六五
ダーバン	四〇日目	三日	三、六六〇
ケープタウン	四六日目	二日	七九〇
リオデジヤネイロ	六一日目	一日	三、二七五
サントス	六三日目	二日	二一三
ブエノスアイレス	六九日目	—	一、〇〇五

これが西廻りで南米渡航者の一番容易い航路です東廻りは渡航日數を多く要し從がつて運賃も高くブラジル國に渡航するにはまことに不都合な航路です

問 渡伯後直ちに自宅を建てる事とせば夜電燈を使用するのでせうかランプを使用するのでせうか　諏訪田中生

答 電燈の直ぐつく様な處は殆んどありません故に石油ランプや種油カンテラを使用するのです

問 海外渡航者の徴兵關係を記した書物はありませんか　心配生

答 日本力行會發行の移住講義錄第四編に詳しくあります最も書式等は司令部にお尋ねになつたらあるでせう、外務省移民課からもそう云ふ方面の纏つたものが發行されてゐる様に記憶してゐます

△木曾谷は目下青葉若葉の新綠が美しくなつて來たのでアララギ派の歌人齋藤茂吉氏、久保田豐平、中村憲吉三氏は女流歌人三名と共に打ち連れ三十日木曾路に入り森林鐵道に依つて原生林の繁る山峽に詩想をねる事になつた。是等歌人の打ち連れての來郡に木曾谷は賑やかである

余錄

△五月九日出帆のメキシコ丸にて便船せし今村悦雄氏はその後(乘船間際)海外興業株式會社の契約移民として渡伯した由、當協會は同氏のために旅券下附その他について相當の勞を惜しまなかつた。然るに彼は旅券下附の方便として、當協會を利用したのだといふ事が今になつて判つた。然し海興の契約移民なれば海興で一切を引き受ける勿論旅券下附等も問題でないのに何うして此方の手を煩したか?、

△俄かに殖へた海外發展問答　一度全國の各新聞に新刊紹介として當協會の一筋がわづか三行内外に紹介されたにもかゝわらず全國から潮の如く押しよする手紙が朝晝午後と三回に亘つて大したものである。これによつて直覺的に感じさせられるのは　如何に我が國の海外發展熱が、殊に青年子女の間に高いといふ事である、經濟的精神的に壓迫を加へられた現代青年の胸に描く自由と理想とは斯うして解決の途を探りつゝあるか。

▽長檎辰三郎氏結婚　本會員長檎辰三郎氏は上伊那郡東春近村出身大正七年フイリッピンに渡航現在大貿鑛業會社　農林部に活動　今回郷里の北原みゑ子姉(二三)と婚約成り　姉は七月の神戸出帆便船にて渡比の由　全信州婦人を代表して奮闘される姉今後一層の精勵を望む此の新家庭の上に常に神の導き豐かならん事を祈る

△突如信濃海外協會は二十六日農商課より農商課分室に移轉した。常に狹隘を感じてゐた協會は此處に形の上に於て大發展をした。今後の活動は此の廣い所で思ひ切つて出來る事と喜んでゐる。これから協會に訪問される方は何卒間違ひのない様お願します

編輯の結び

△今度こそはと撚をかけた編輯子、一尺位のものにかゝわらず途中で折れた觀がある努力は我々の大精神である。改善は我々の本領です。

△漸やく事務が片ついた、丁度夏の夕立のあつた後の様に晴晴した氣持になつた、頭が統一され、組織的に階段的に事務が運ばられる

△其の後海の外は益々發展して今や遠く世界の隅に迄に飛雄を志してゐます。何卒斯うした誌子に對して一層の御援助をお願ひ致します。

海の外

定價

	内地	外國
一部	廿錢	廿仙
半ヶ年	一圓十錢	一弗十仙
一ヶ年	二圓廿錢	二弗廿仙

海外郵税四錢

注意
▲御注文は凡て前金に申受く
▲廣告料は御照會次第詳細通知致します
▲御拂込は振替に依らるゝが最も便利です

大正十四年六月二十六日
編輯人　永田稠
發行兼印刷人　西澤太一郎
長野市南縣町
印刷所　信濃每日新聞社
長野市長野縣廳内
發行所　海の外社
振替口座長野二一四〇番　信濃海外協會

大正十四年六月二十六日發行(毎月一回發行)
大正十一年三月廿六日第三種郵便物認可

定價金貳拾錢

信濃海外協會
海の外社發行

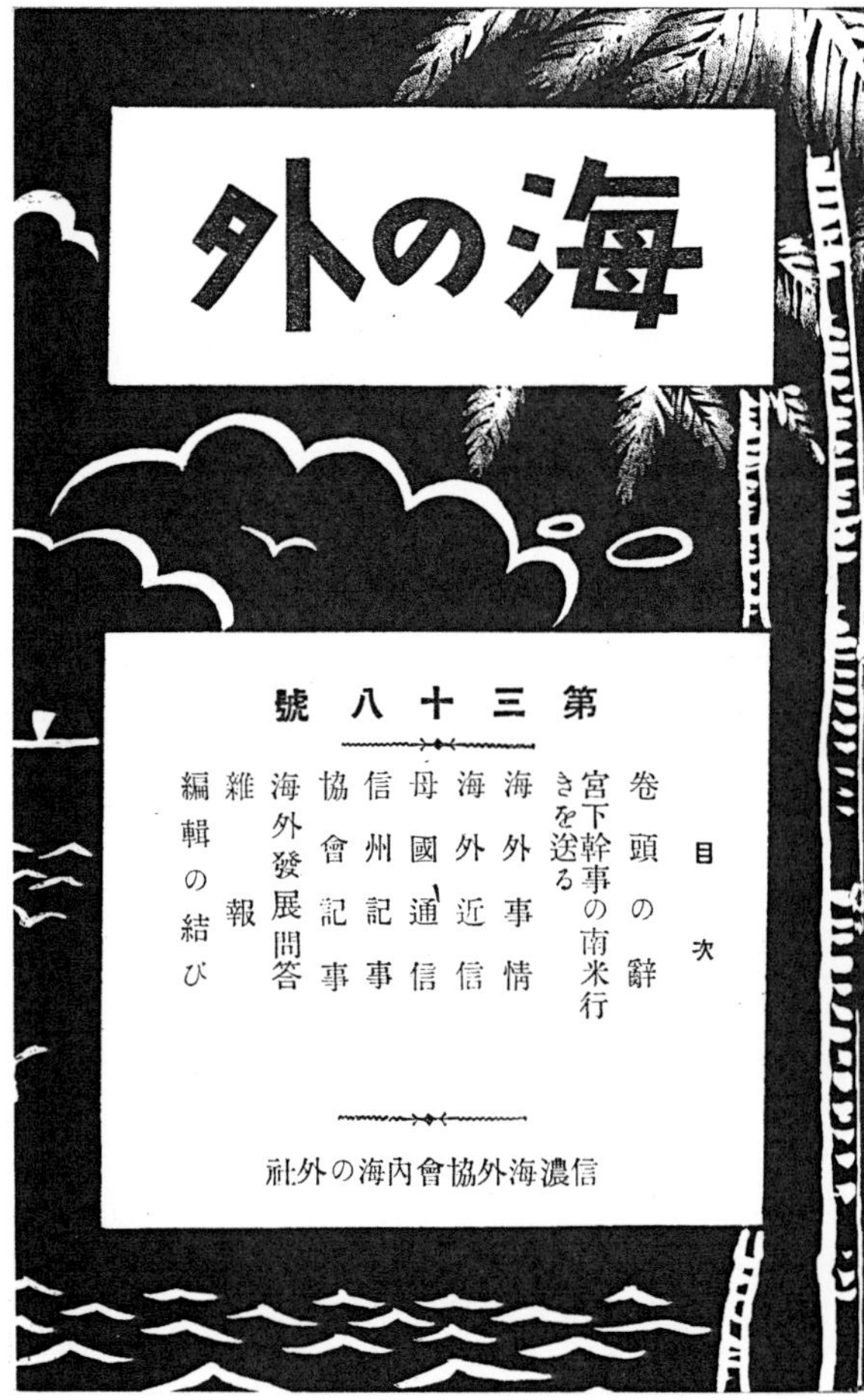

目次

向ッテ右ヨリ（甲板上ニテ）
上條佐和太氏　小川林氏
上條夫人　小川夫人
鈴木京諦氏　村上夫人
篠原秋次氏　鈴木夫人
細田校長

出帆刹那の光景

一行を上せるシカゴ丸（五、八四八噸）

六月十三日入植者諸子を上せたシカゴ丸は八月十三日上陸港サントスに着く豫定（橫濱解纜）

上 向ッテ右ヨリ
熊本縣人　木原傳造氏　仝妻（墨國人）
長野縣人　小宮山義佐氏　仝妻（墨國人ローサ、ローペス）

下 墨國チワヽ州ファレス市小宮山義佐氏經營ノ酒屋ノ外面

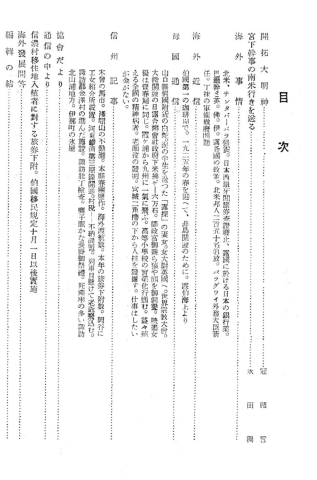

海の外

第三十八號

大正十四年七月號

開拓大明神

戰にまけた諏訪明神を軍國主義者は「日本第一大軍神」として祭り上げてしまうたが、諏訪明神は軍神ではない。

西九州から東奥羽に至るに、諏訪明神を氏神と仰いて居る村落は數限りもない。氏神は其地の開拓者を祭つたものが多い。諏訪明神はこれ等の各地の開拓者であり、移住地指導者であり、少なくても開拓の顧問であつた筈である。

神代の昔、皇化の未だ遠きに及ばざる間に、明神は既にスワの拓殖を實行して居たのである。スワ明神は開拓大明神である。我等氏子は開拓の精神に生きねばならぬ。

――永田稠――

宮下幹事の南米行を送る

永田稠

信濃海外協會と海外協會中央會との幹事を兼任して居る同勞の友宮下琢磨君が、七月十九日に東京驛を出發し廿三日神戸港から、大阪商船會社のマニラ丸に乘つて、遙かに南米に向つて出發することになつた。私は今同君の南米行きを送るにつき所感の一端を述べて見たいと思ふ。

信濃海外協會の未だ生れない先きに、私は中村國穗君や今井新重氏が當時の學務課長であつた津崎尙武氏などと共に信州に於ける海外發展の運動にたづさはつた。ある日犀北舘の一室で宮下君に初めて面會した、其當時は『金をもうけるならば須坂の裏のくぬぎ林を買ふた方がよい』などと話したことを思ひ出す。其後幾年か過ぎ津崎氏去り中村今井の兩君は逝き、私が第一次の南米旅行から歸つた時には、信州に於ける海外發展運動は火の消えた様であつた。私は之れをなげき、東京で小川平吉氏今井五介氏等と相談し、組織的に信州の海外發展運動を計劃し、前記兩氏の紹介狀を懷にし長野に行き、時の知事岡田忠彥氏に面會し信濃海外協會設立の相談を始たが其時迄私は一人ボッチであつた。たしか大正十年十二月日比谷の陶々亭で岡田知事、小川平吉氏、今井五介氏、佐藤代議士、笠原縣會議長と夕食を共にして下相談會を開いた頃から、宮下君は又となき相談相手の一人であつた。從つて信濃海外協會の設立、海外協會中央會の組織、信濃土地組合、南米土地組合の組織せらるる樣になる迄、大きな問題は知事や今井小川氏達に計つたが、小さい問題は宮下君と事を決めて行くのであつた。私がブッキラ棒で目的に向つてガムシヤラに進む時細心な注意を拂ふて事の大成を期してくれるのは宮下君であつた。

特に忘れることの出來ない一事は、信濃海外協會の廿万圓の移住地計劃創業の時であつた。たしか大正十貳年の春、海外協會第二回總會の時であつた。時の本間總裁が何かの用事で午前御出席が出來なかつた、竹井內務部長が知事の意を体して、支部に分配すべき會費の分合を十分の三に減少する決議を强行したので、只でさへ面倒がつて居る郡役所の連中は、口には云はないが

『それでは支部の仕事は出來ない』

と云ふ顏付をして、總會の空氣は非常に悲觀的になつた。私は會場から『海外協會の運命は今日決定するな』と思ふて控室に來ると、本間知事は

『こんな事なら海外協會は止める方がよいじやないか、併し若しやる氣なら金の二十万圓も集めて移住地の建設でもやらうじやないか？　どうだ宮下君片倉組に相談して金の五万圓も出してもらはうじやないか？それが出來ないなら海外協會なんかやめようじやないか』

と云はれました。私は默つて宮下君の顏を見て居りました。君の一言は海外協會の運命を左右するからです。するとうです、あの大きな眼がぴかッと光つて、二三回まばたきを致しました。

『長官！やりませう！』

と之れが宮下君の言葉でした。今井五介翁の協贊と片倉兼太郎翁の勇斷とで、先づ資金五万圓を得らるる內諾が出來、拾三年五月には本間總裁があの有名なる『南米信濃村建設の宣言』をするに至りましたあの宣言書は長野縣廳の一室で擧げられたのだから割合に大なる反響はありませんでしたけれども、實際から云へば我國海外發展史上の革命宣言でありまして、あの宣言から我國民の海外發展の新紀元が發足して居ることを忘れてはなりません。

資金募集は幾多の難關にブッつかつて意の如く進まず、特に關東の大震災は最大なる打擊を與へましたが、本間總裁以下當局の努力に依つて、大正十三年五月には申込金額約拾万圓に達し、私は其要務を帶びて南米に出發しました。留守の萬事は藤原克君の努力もあつたが大部分は宮下君がきり廻してくれました。

總裁は更代して梅谷知事になつた。私は本間總裁と土地代に七万圓つかつてよい御了解を得て出發したから、萬全を期した上で

『金七万圓送れ』
と云ふ電報を打ちました。所が集まつて居るべき筈の金は集まつて居ないので
『五万圓送る適宜手配せよ』と云ふ電報を受領しました。併し當時信濃海外協會の移住地建設の事業は、在伯日本人間の問題であるのみならず、ブラジル國に於ける國際的の立場迄進んで居りました。此邊の消息を知つて居る多羅間領事は、外務大臣に宛てて
『信濃海外協會の移住地購入には七万圓を要する見込』
と云ふ電報を打つてくれました。此電報を受取つた長野では重要な會議が開かれたそうです
『事業を中止し永田を招還せよ』と云ふ議論さへ出た位だとの事でありました。此際も梅谷總裁と宮下幹事の勇斷の結果、金二万圓が追送され、私は豫定の仕事をすることが出來ました。

信濃の海外發展のかくの如き樞機に參して居る宮下君が、ある時飯山で講演をしました。講演が面白いので聽衆は多大の感激を以て聽きました。會が終ると一人の聽衆が
『宮下さんは幾年南米に居りましたか？』と質問しました。流石の宮下君もウソは云へず、頭をかきながら
『實は未だ一度も行つた事がありません』
と答へました。そんな苦しい經驗から宮下君が是非共海外を一巡して來ねばならぬ事情にありました。天は最良なる機會を此君に惠み、今回、各種重要なる要務を帶びて出發せらるることになつたのは、偶然の結果ではありません、ある人は『宮下君ウマクやつてるな』と云ひませうが、其人は宮下君が多年の苦心と、多大なる貢献と、多年の研究とを知らない者であります。

此多年の研究を實際の上に見て來れば、宮下君の海外發展論が千鈞の重を加へる筈であり、信濃海外協會、海外協會中央會の爲めにも此上もない力となる次第であります。私は同勞の友宮下君が、水陸兩路・靈肉共健にして邦家の爲め共重任を完濟されんことを祈つて止まない者であります（終）

海外事情

北米 サンタバーバラ强震

六月二十九日午前六時四十分加州サンタバーバラに强震あり、貯水池は破壞され、家屋の倒壞も多數　死重輕傷者三百名に達する。市民は何れも恟々として電信電話尚不通にして詳細不明（ロスアンゼルス廿九日發）其の後の詳報によれば當地はロスアンゼルス市より北方約百マイルの（海岸）にあり死者十五名、負傷者百五十名、損害見積八百萬弗にして市民は三萬一千　何れも四時間の後恢復したと、流石は北米合衆國である。尚本邦人には何れの被害となく目下同地方に在留長野縣人もない様であつた。

日本西班牙間旅券査證廢止

邦及佛伊兩國內に於ては相互主義の下に旅券査證の取極成し既に右實施中であるが、今般更に西班牙とも同樣の取極成立し七月十日より實施せらるゝ事になつた。但右取極は原則として日西兩國植民地をも包含するものであるが目下交戰狀態にある西領モロツコだけは一時除外する。

露國に於ける日本の銀行業

日露通商關係の回復は露領內の銀行及通貨問題に關し日本側の注意を惹けり、哈爾賓通信は前露國政府の一切の通貨及一切の外國通貨は本年三月一日以後西比利亞流通を禁止せられ、朝鮮銀行紙幣のみは唯一の除外例なるを報ぜり、現在外國銀行にして浦鹽市に營業せるは朝鮮銀行のみで橫濱正金及香上銀行は以前同地に支店をおきたるも一九二四年之を閉鎖したり。朝鮮銀行の支店はアレキサンドロヴスクにありその紙幣は朝鮮關東州南滿鐵道全滿州極東露岸地域に廣く流通す。目下日本の銀行は浦鹽向貨物に金融を與へず、故日本輸出業者は浦鹽に於て貨物を引渡し露國政府よりチヌルヴオンツイー紙幣にて支拂を受け更に之れを朝鮮銀行の紙幣又は手形と交換す。浦鹽にある露國銀行は露國國營銀行及露國極東銀行の二者で神戶東京及函館に支店設置の計畫である。（一九二五年六月一日コムコースレポーヲ記事）

巴爾幹と英佛伊露各國の政策

海外時報より

獨乙に於て屈指の露國通稱せらるゝ、ヘッチュ教授が最近巴爾幹地方を旅行

してボレシユビキ運動等を實地視察し來り、其の印象及意見を墺太利新聞ノエブライプレツセに投稿した。右は最近の巴爾幹政局に關し獨り土耳口、勃牙利、セルヴクロアートスロヴヱーヌアルバニア等各個國々の內政外交につき其の要點を捕へて說明を加へたるのみならず、進でん英露伊佛等各强國の對バルカレ政策並其バルカンに於ける勢力を論及し、獨乙自身の政策勢力については一言觸るゝ處がないが、巴爾幹に於ける佛國政策は飽迄も攻擊してゐる、之に反し、英國の政策を支持し土耳古は到底永く露國と提携する事困難なるべく歐州年和のためバルフン諸邦佛國の羈絆を離脫するに如くはない。

即ち英國の政策に據る外はあるまい。又伊太利は强國たるの地位に副ふため宜しく猛省すべしとなし、現在、希、羅、セルブ三國及び土、勃、洪三國の二つの結果が出來て居るが今後の巴爾幹政局推移の主要點は勃國とセルブ國間和解問題とアルバニヤ問題の解決になす事と論斷し、又バルカン地方に於ける過激思想宣傳に關しては其の運動の猛烈なるに拘らず、元來同地方は過激思想に對する內部的條件存在せざるが故に左迄憂慮すべき問題にあらずと斷定してゐる。

北米邦人二百五十名追放

北米オレゴン州トリードに於ける大平洋モシ製材會社工場の日本職工二百五〇名は去る十二日夜同數の白人暴徒のため自動車に乘り込ませられクンカアン郡略に追放された。右は何等排日問題とは關係なく單なる勞働者間の競爭から惹起された問題であると看做してゐる。同地においては佛伊兩國の勞働者間にも右と同樣の事件があつたと云ふ。現在同地方にゐる在留邦人は四千名に達し過半數は農業に他は材木工場の職工として働いてゐる。

二万の住民消息全く不明

朝鮮慶南金海郡大渚河洛兩方面は八日以來の豪雨に刻々增水し十三日午後六時に至り水利組合の提防は破壞されたため住民凡そ二万人の消息全く不明となり鎭海要港部から驅逐艦を派遣したが濁流のため目的地に入る能はず同地方は避難場所もなく死傷多數ある見込である。既に大渚方面では百五十名の死傷者を出た。（釜山十四日發電）

新駐日英國大使任命

在南米伯利西爾英國大使サージヨン、アンソニーセシルチレーは今回現英國大使エリオツト博士に代り駐剳大使に任命された。氏は一八六九年に生れ劍橋大學卒業外交生活に入り曾て外務次官たりし事がある。一九二〇年伯國大

使となり今日迄在任した人である。

バラグワイ國外務大臣の新任

外相ペーニヤー氏病死後乘船中であつた司法長官エンリケ、ボルデナーベ氏今回外務大臣に專任せられた。

大平洋に於ける米國海運業の新發展

桑港銀行家フライシヤツカー氏を中心とする桑港資本家のシレヂゲートは大平洋郵便會社の窮狀善後策として同船會社の大株主たる、ダブリユーアールグレース會社及アメリカンインターナショナルコーポレーションの現所有株を讓り受くることになつた由である今後グレース社は太平洋郵船所有の汽船の運航を取扱ひ太平洋上に於ける米國河運業の調節及發展を計る意氣込である。

丁抹の軍備撤廢問題

一九二四年十月丁抹社會黨內閣が同國議會に提出した、軍備撤廢案は委員附託となり、社會黨及急進黨より八名保守黨より七名合計十五名より成る委員會に於て審議中であつたが外務大臣は在外丁抹公諸使の本問題に對する各任國政府の態度に關する報告を說明し又軍備撤廢に反對するもの多くなつたので更に本年十月議會開會早々新案の提出を約束した。右新案は

（一）徵兵制度を廢止し一萬六千人を限度とする警備隊をおき主として丁抹と獨乙との國境防備に當らしめ、右警備隊は傭用とし步兵及び砲兵より成り、年々千六百宛を募集し四ケ月の間現在士官たる者をして之れを敎育せしむ、士官及下士總數は約五百人とする

（二）政府船隊は監視船六隻及小型の船二十四隻、水上飛行機十二隻等より成り、別に水雷部をおき有事の際水雷を敷設する每年五百人宛の水兵を敎育する。

（三）コペンハーゲン附近の要塞並陸海軍工廠等は改造して軍用以外の工業に使用する。

（四）右警備隊に要する經費年七百二十萬クロレ合計千七百五十萬クロンとす等の諸點を定めてゐる。（現在陸海軍備費は年六千四百万クロン、軍備撤廢案による陸上水上警察隊經費は年千百五十万クロン）

此の新案も社會黨及急進黨が多數占めて下院通過は可能であるが、自由黨は軍備の現狀維持を主張し、保守黨の意見は寧ろ軍備の擴張に傾いてゐるので上院通過は覺束ないと觀られてゐる。

海外移民五十四万人からの一年間の送金高は、五千二百万圓なりと。

海外通信

伯國第一の珈琲園で

大堤篤

當耕地へは三月一日入植しました。其の後共皆元氣です當コーヒ園は樹數六十万本と稱し當園第一と稱せられ居ります。今年は一本平均十五ミル位結實して居るから六十万圓位の收入ですこんなに持つて居ればどんなに贅澤しても使道がないと思はれます。昨日除草した所などは十年樹位で土地はよしそれに一本にて二十五ミルの實が取れると云ふて居りますから耕地主の收入は百万圓位になるかと思はれます。一万本あれば三四十人の家族位は遊んで活せるとか云ふて居ります。一万本は四アルケールあればよいのですから、我々にしたところが出來るとこゝ思はれます。資本が千圓もあれば三年目にはきつと一万本位の樹數を買ふことが出來ます。然し之れは机上の計算にて實のところはまだ日が淺いからわからない二三年は今の耕地に居ようと思ひますがみす／＼人の金儲を見て指をくわいて見て居る樣な氣もしますから同一耕地には落付かないかと思はれます。荒木留介さんなどはガータバラには一年位で東京植民地に行きサンポーロ市到着の時に合ふた時の話でも又近くどこかに行くとか話して居られました。賃金は好景氣の爲めコーヒ樹千本で金にすると四百ミル日給七ミル位です。俺れの家の家族で八千本位は出來るでせうから三コント二百ミルコーヒ實採取千本貳コント合計五コント以上の收入になれようと思はれます。食費雜費が月參百ミルで約一コント半の利益になります。二年目からは米豆等主要食物が取れますから三コントや四コント位殘るのは易い事です。當コーヒ園は大きな樹の間作も二列を許して居りますから、間作物でもうまくやれば二コントや三コントになります。取締りも大して嚴しくなく朝は監督の鈴の音で起きて行くことにはなつて居りますが、時間に出なくつても仕事だけきれいにして居れば良いから大變樂し良いです。大根と白菜と大豆とを播きましたが、大變よく出來るようです。日本の果物は大變良く出來るそうです。時候は朝晩一寸寒いが日中は暖かです日本の七月頃の氣候です働くにはごく良いです今コーヒが赤く熟し初めて丁度日本のぐみの樣に奇麗で喰ひ付きたい位です

五月頃採取するのです、米は丁度其の前ですから四月頃刈入いたします。『ミリヨン』も出來て毎日毛唐の作つたのを取つて來て食べて居ります西瓜などは山にも畑にも道端でもいたるところに野生のようにゴロ／＼して居ります勝手に呉いてしまうのです、電氣がありませんから不便です仕事は午後三時には終ひますから讀書等は充分出來ます。朝は太陽の上がらない中出掛けて朝のうちに一日の仕事の大半をしてしまひます。なれないうちは身体が綿の樣につかれましたが、近頃はなれました。伯國は何處に行くにも毛の洋服は着ない、靴なども、りつぱな丁度巴里式です。文化の程度はづつと日本などより進んで居ります、後れて居るところもあるのはあるのでせうが、食物も米（三斗五升入白米）一俵百ミル、三十圓です日本の倍位ですこんな風ですから勞働者はよいのですけれども日用品のたかいのにも驚きます、それからづぼんは短いのは使用しませんアブの樣な虫が居りますから。伯國へ來るのは單獨か夫婦ものでも小さい小供さんなどはない方がよろしく、若い者なら男でも女でもよい四五人共同してやればきつと良い、一寸一人ものゝ收支計算して見ますに一年二百五十日働くとして約千七百ミル其の内食費や雜費に七百ミル使用しても二コント位になりますから四五百圓は殘ります。そんな風ですから人があるなら四五人送つて下さい五年務めて見れば、一人にたいし二千圓の金は持たせて送り返してやります來年からは間作が取れますからずつと樂になります米の百俵位取ることは敢て困難では有りませんそれから新聞雜誌の樣なものを送つて呉れ、新聞でなくともアサヒグラフ、サンデー毎日、週間朝日の樣なものでもよろしいです、其の内くわしく書きます諸君によろしくたのむよ

俺れの居るところより三里ばかり西北へ行くと上塚植民地東へ二里ばかり行けばやはり邦人の集團植民地があります。

三月二十六日通信

一九二五年の春を迎へて

海野助彌

氏の鄕里は上水内郡古里村上駒澤です。氏は大正八年長野縣人約二〇名と共に海外興業株式會社の契約移民として五月三十一日の出帆船シヤートル丸で一家族三人で渡伯された。現在はレジストロ三三二號耕地に活動されてゐます。此の通信は氏から今年正月鄕里に宛てた手紙です。

新年の御慶目出度申納め候、御家一同

益々御健全にて御越年なされ候由大慶の至りに御座候　小生家内一同も幸ひ無事一九二五年の春を迎へ申し候間他事ながら御休心被下度候

陳者永々疎遠に及び申しわけ無之候

昨年再渡航の安曇郡出身の松村氏に小生よりお願の品々及御手紙を托し被下され正に落手致し有難く御禮申し上げ候　殊に中には　紙、石版等思ひかけぬ品御送被下操坊や千芳子は大喜びにて飛び上りをり候（中略）

又前便にて承り候和夫氏は目下中學校に精勤致し居る事と存じ候　兄の頭腦明晰なるは今尚目の前に浮び候　今後一層勉强せられ、大いに世界に濶歩致す樣、今日迄の中學卒業生等は皆ブラツキ同樣の態にて何んのために中等教育を受けしものやら、何卒兄に於ては十分に醒めて大和民族將來の上に着目せられて報國のために活動せられん事を御願致し候尚小生家の操坊は今年は早や二年生で千芳子も學校に仲良く通つてゐます、正義は毎日何げなく遊んでゐます、當地方は暑さが激しいので畑に行つて西瓜を見つけ犬子の樣に食べてゐます。長野を隔れて既に八星霜未だ成功の域にはつきませんが、諸農具の買入れ家財道具の用意も十分出來て、これからは農作物の收穫一方と相成り、幸ひ珈琲等も二年前は一袋八九十ミル（一ミル三十三錢）のものが目下三百ミルです、砂糖も以前は六十キロ（十五貫目）一袋が十二、三ミルでしたが今日は七十ミルと相成り候

今年は不幸に非常の日早りにて米作は半作位なからうかと臆測致し候へども甘藷は此頃の雨で生育良好に御座候

まづは貴家御家内樣にもよろしく、益々御養生專一に、又後便にて種々御報告申し上ぐべく候

一九二五、一、一

和夫樣

操ヨリ

あけまして、お目出度ございます。また せきばんをおくつて下さいまして、まことに、ありがたうございます。千芳は大そうよろこんで、だいてゐるほどです。私は今年やつと二年せいで、千芳は一年せいです。學校には先生が二人ゐます一人の先生は日本語で一人の先生はブラジル語をおしえて下さいます、讀本、さんじゆつ、唱歌は皆日本語です千芳は未だブラジル語をはなせません。

さよなら

比島開拓の爲めに

一月以來の海の外落手しました終始一貫奮鬪せられつゝある永田會長始め貴兄等御活動の樣子を知つて疲れた我か心も大いに勵まされました。

當地では左程表向きに論じられたり騷いでは居りませんが邦人間には日米關係について問題にして居ります。無論當地にはまだ感情的排日の氣分は見ま

せんしまた米人も大抵は邦人勞働者の力によつて利益と平和を得て居るので米本國のやうに馬鹿な眞似は今の處出來ません比律賓土人は排米親日の氣分はありますが日本人にして、土人語、英語、西班牙語の何れによつてゞも比律賓人の力となり指導者となるやうな人は皆無です。米國人はそこへ行くと統治者の位置に居るばかりでなく深く土人と協力して仕事をして居るし比律賓の青年は年と共に英語によく通ずるやうになるので若い人達は大抵アメリカ崇拜でスツカリ信服して居ます土人で獨立問題なぞ本氣に考へて居るものは大抵西班牙時代の教育を受けた人達でせう。だから日本人が比律賓に對して米國より善きアミーゴとなるにはどうしても英西日何れにしても語學に通じた日本人が多くなつて土人とスツカリ打ち溶けたアミーゴにならねばならぬでせう力行會員にして英西の兩語に素要ある人達が多く來て貰へればよいですが自分も其事を思ふ餘りに自分の無能無力なのに嘆ぜざるを得ません、自分はアリメカの店に三年も働いて居ても組織的に英語を習つた譯でもなしなか／＼口でも手でも英語ならなんでも來いと云ふ譯には行きませんし西語は甚しくブローンなもので役には立ちませんしまた甚だノーサベールです土人語は尚ほ更の事で昨年から少しづゝ習つては居りますが、たゞ毎日の忙しい仕事に從事するだけで語學はさつぱり進みません日本人は日本人で固まつて日本語ばかりしか使はぬので自然他國語は何年比律賓に居ても覺へられません、その點になると支那人の方が數等上手に見へます。何としても比律賓で將來仕事をしやうと思つたら英語を知らなければなりませんしまた比律賓人の眞のアミーゴとなるにはまだ／＼矢張土人語が話せて總ての方面に向つてスツカリ土人の呼吸が飮み込めねばならないでせう。土人語なぞ一般的に通ずるビサヤ、カタログの二語に通じさへすれば他の諸多の地方的の言葉は比較的容易に學ばれると思ひますが其主なる二つの言葉を日本人が習ふ何の便も設もないのですから今の處では先づ英語か西班牙語を會得してからそれによつて土人語を學ぶより外ないので、英西何れの言葉も知らぬ多くの邦人勞働者が土人語に通ぜんとする事はなか／＼困難の事ですそれも少數の日本人が多くの土人の中に割り込んで共同して働いて居るなら自然に會得する事が出來るが日本人は大抵日本人同志で集つて居て土人等と直接交渉が餘り少いので日本語以外の言葉に通ずることは全く望まれません、また土人語が判らぬからます／＼土人との直接交渉を避けると云つたやうな理で特別に此方面に向つての施設が必要だと思ひます。

永年當地に居る先輩の中には多少土人語の話せる人が居るがそれを一般の邦人に教へやうともせず自分の寶のやうにして一人だけで藏つて置く傾向が見へますまた一般の人もまた餘り本氣に習はうともせず只管金を蓄へて早く日本へ歸る事ばかり考へて居るやうです

何分此方面の運動を起してよい機關を設ける事が出來たらと願つて居ますが當分そう云ふ氣分さへも見へません三千近くの邦人が此ダバオ灣の沿岸に居りながら謄寫版刷の日本人會報が月一回づゝ內外新聞の書き抜きをして居るに過ぎません無論マニラの新聞は一週間を經れば見られますが悲しい哉マニラの新聞が讀める人は極く少いでせう日本の新聞雜誌は約一ヶ月を要しますだから力（能力と資力）ある人が當地で印刷業を始めて或る週間新聞なりと發行しまし、また、日、英、西、比、支の印刷に應じる事が出來たら在留邦人も少しは力強くまた土人との交渉も密接になつて來るでせうが今の處そう云ふ人はありません。

東京の外國語學校を卒業した人でマニラの大學でも卒業し獻身的にそんな仕事をやる人があつたら、またそう云ふ事に向つて努力する在留邦人が居ればよいがそれもなか／＼むづかしい。

只今ダバオにはダバオ州の中央小中學とハイスクール迄しか無いしまた比律賓人の營むプリンチングがたゞ一ヶ所あるのみですが將來此印刷所を引き受けて二、三人の力ある人があつて新聞を發行しステーショナリーを兼ねて商つたら相當立ち行く事と思ひます、それには無論土人と共同してやつた方がよいと思ひます、自分は今そんな望みを持つて居りますが自ら其衝に當るには餘りに無力無能です、更に我が兄弟の中より其人の出て來る事を祈つて居ます、無論多少の資本の援助が無ければたゞ身体だけで來た移民には一寸出來兼ねます。

日本人の學校も在學生二十人餘りの小學校が二ヶ所で本年の四月から開校しました、以前に日本で教員をして居つて移民で當地に渡航して數年間麻山の勞働に從事して居た人達の中から先生を撰んで其人達が一生懸命になつてイロハと一つ二つ―、それに鳩ぽつぽ／＼やでん／＼虫々なぞ教へて居ます當局の見込では來年は兩校共六十人以上の生徒となり翌々年には百人を越すそうです。早く當地に來た人達の中にはもう十才以上になる邦人の子供や土人との混血兒が可成あるのですが今迄學校が無かつたのでロク／＼邦人の子供で讀み書きや計算の出來ぬものがあり土人との混血兒は日本語を解せぬやうなものばかりになつて居たので此學校の出來た事は嬉ぶべき事です然し其教育の方針については――

神（日本の）々を考へて皇室中心の國家主義にするか、キリスト教主義比律賓主義にするか――大に會長なぞの御意見を伺ひ度いと思つて居ます、（因に一校の先生は僕が渡航して來たばかりの頃居た處の內山君です）何れにしても此學校を卒業した小供が土人と一緒にハイスクールで學べる迄になつたら甚だ賴母しいものですもう十年後の日比の關係！

獻身的で教育ありキリスト教的に示練された――の必要には甚だ同感です浪人と云へば賭博でもしたり血を流し合ふ者ばかりを連想させらるゝ程當地にも性のよくない浪人は見へますが會長の言はるゝやうな浪人は一人も見へません舞論五年や十年で思ふやうな人物は出來まいが永田式の浪人の輩出を望んで居ます。

渡伯海上より

更らに一行からの通信を得た。今（七月十三日）一行は一瀉千里の勢で洋々たる印度洋を亞米利加の南端ターバンに指差して群がる鷗に己が安否を、故國の人に寄せて、無事平安の航海を續けてゐる丁度先月の今日一行は橫濱の第五號の皐頭に送られた。今此のペンは正午に近づきつゝある時計の長針にいそがれてゐる。何こなれば偶然にも今日ペンを握つた彼は今日の十三日を明示しつゝ先月の十三日の正午を思ひ浮べるからである。丁度出帆正午前三〇分の時刻は今である。あの皐頭に山と築いた人群の中に壯年二十數名の人々によつて靜かな讚美歌に旅路の平安を祝し祈られたのは此の一行だ、處女の天地に己が運命を開拓すべく笑つて船出したものはやはり此の一行だつた。出帆合圖の汽笛がボオーと物凄くなつたその時……動くが如く動かざるが如く皐頭を隔れるその時……紅白のテープ或はちぎり、或は更らに長がく繋がれて或は亂れて海中に漂ひ或は海風に卷き上げられて更に高く時々のカン聲を交へてだん／＼と遠く隔れて遂に見失ふたその船が神戸に寄港し、長崎に定泊して香港をすぎ、南洋シンガポールを出で今や北東から南西に向つて渺々たる海波の上を滑つてゐる。多分此の船は本月の末ケープタウンを出で來月中旬目的港サントスに到着するであらう

長崎と香港で通信して、吳れた篠原秋次君の手紙は海中忙しいにかゝわらず後進者のために、渡航に關する準備用品費を詳しく細目して吳れた事は感謝の至りである

第二信

篠原秋次氏より（長崎港　シカゴ丸にて）

お手紙を出すのは私の義務と思ひますが隙の様で、案外船中では書けませんお許し下さい。

費用の方は香港で出したいと思ひます今長崎に寄港してゐます、皆元氣でありましてアンアンサ行きは一室に集つてゐます。神戸港から澤山の移民が乘船致しましたが皆行儀の惡いのに驚きます、裸体で腰卷一つで平氣でゐる女等は見る人が顏を蔽ふ位です。これも日本の國民にして、國の代表者です。日本の教育は斯くの如くです。笑ふべしですねー。

船中生活も中々愉快で御座います。基督教の牧師が移民監督でして、私共も大いに力を得ます。日曜學校を其の與様もやりたいと云つてゐます。

持參金は長崎で全部英貨に兩替してしまひました、外國でやると手數ですからネー

船は午後七時（十七日）出帆します。香港まで、五、六日だと云ふ事です。愈日本を離れ異國へ嬉しくて嬉しくてたまりません。

乘船客は契約移民二百名、自由渡航者三〇名位です、これから船中の教育等は必要の事です事務長からも色々のお

話があります、中々忙しいものです

さよなら、これで御免下さい。

第三信

初めて異國の土に　香港

篠原秋夫氏より

二十二日今は誠に晴朗なお天氣で御座います。明朝は香港に着く豫定です、初めて異國の土を踏むと云ふので皆の心は好奇心に躍つてゐます。船中は運動不足で、其の上間食をやるので、御飯が甘くても食べられません。どうしても胃腸をいぢめ過ぎます。

此の二、三日以來、暑々加はり、夜等皆、寢むられず困つてゐます。一行は皆元氣です、始終言ひ譯的な手紙で間に合せて誠に申し譯ありません、こんどこそはよいお手紙を差し上げ度く思つてゐましたが矢張駄目です。

渡船費を細別してやり度いが頭がむしや／＼するし、船中に机一ツあるのでなし。算盤あるのでなし唯列記致します。

炊事道具類	
鍋　三ケ	二・八八
貝殼	二〇
藥鑵	三・二〇
辨當箱	五〇
飯ふかし	一・五〇
水筒	一・二〇
鉋丁	五〇
柄杓	一四
バケツ	五八
計	九・七〇
金物類	
鎌	九二
鋸	六五
釘	五〇
針金	四〇
鍬	一・二〇
計	四六七
衣類	
洋服	二〇・〇〇
シャツ（二ツ）	二・四五
皮帶	五八
ゴム足袋（二足）	二・六五
手拭（一反）	一・二五
晒（一反）	九〇
靴下	三五
サル又（二足）	一・〇〇
フランン	一・〇〇
蚊張（三疊木綿）	三・八〇
計	三三・九八
日用品	
楊子　三ツ	七〇
齒磨粉　一〇ケ	九〇
石鹼　四ツ	六〇
洗濯石鹼	四〇
バスケット	三五〇
計	六一〇

其の他ビール箱三個細引等購入す。

以上は鄕里にて箱詰にせし分にてブラジルまで開かず。

東京にて求めし分

ライオン齒磨粉	二〇
サル又（二ツ）	九〇
齒刷子	三二
靴	九八
靴ブラシ	三〇
アルバム	七五
ナイフ	八〇

爪切	四〇
靴下（六足）	二・〇〇
葉書	六〇
書簡紙	一・〇〇
ペン	三〇
腕止め	一八
カラ	九〇
ピン	二〇
カフスボタン	三五
ワイシャツ（三ツ）	六・五〇
シャツ（二枚）	二・二〇
ネクタイ（二ツ）	二・三五
帽子（中折）	三・五〇
毛布	六・〇〇
聖書	六・五〇
ブラジル査證料	一〇・六四
英國査證	一・〇〇
種痘	五・〇〇
勞働服上（四着）下（一着）	一一・二〇
寫眞（五枚）	一・〇〇
櫛油鏡	二・六五
石鹼	六〇
鉛筆（一打）	三五
封筒	二〇
手帳	五〇
讚美歌	二〇・〇〇
夏服	三・〇〇
ハンケチ（六）	五五
サル又（三）	四〇
ヅボン	八〇
以上の外汽車賃、電車賃等あり	
計	九三・九四
橫濱にて	
船賃	二二五・〇〇
同手數料	二・〇〇
荷積（本船）	六・五〇
宿屋	三・五〇
森林伐採	三〇〇・〇〇
計	五三七・〇〇
合計	六五五・三九

此の外土地拂込代生活費其の他船中及渡伯の金圓は携帶せり

大低右の様な極く簡單はものばかり用意しました。

二十三日香港に着きました。中々の良港です。支那人の同盟罷業のため上陸禁止で殘念でした。香港は人口六十五万位日本人二千人位です。電車等も運轉中止だそうです。

伯國工場數

（一九二〇年）

食料	三・九六九
衣類	一・九八八
窯業	一・五九〇
織物類	一・一一一
木材	一・二〇七
化學製品	九五〇
家具	五四八
車輪	五三五
冶金	五〇九
製革業	四二四
建築業	三三一
學術美術文書	四七
動力生產輸送	二九
合計	一三・三三八

母國事情

山口縣岩國附近に白蛇集團棲息

昨年十二月天然記念物として特に指定された山口縣岩國附近に棲息する白蛇は長さ六尺もあつて、胴の直徑一寸五分位、目の色は可愛らしい黄金色を呈し、普通の靑大將と稱するものゝ白化した種類であつて、珍珂郡今津川の地域、約四百町歩に互つて集團的に約一千匹を下らざる多數が棲息してゐる。

一匹でさへ白化した蛇は珍奇なるに一小區域にこんなに産すると云ふことは學術上注目すべきものであつて、世界の何處にも例のない事で、冬は川岸や石垣の間に住み溫暖の季節には、街路、庭園、田畑等に徘徊してゐるが其の性質普通の蛇に比較して溫順で、少しも人畜に危害を與へぬので、同地ではこれを愛護してゐる。

涙の半生を送つた「露探」の妻―十數年振りで歸國

露探殺しの今村氏が勞農露國で利權讓得の一番槍をやつたといふのにこれはまた何といふ運命の皮肉であらう。二十六日敦賀入港の新高丸にて露探の汚名に不慮の死を遂げた、前田精治氏の元夫人、前田かほる子がこんど東京勞農大使館參事官スパルイン博士の夫人として國へ歸つて來た數奇に滿ちた前田夫人の半生こそは誠に涙なしには聞かれない

三十六年外國語學校ドイツ語科を經て前田精治氏は新妻かほる子を伴つてウラジオの東洋學院の教授に赴任した彼が露探の汚名を着せられたのはその時分からであつた日露國交が斷絶し已むなく歸國したが翌年遂に夫は今村氏のため日比谷原頭に敢ない最後を遂げた戰捷に醉ふた國民は人殺しの今村氏を國士と賞めたが殺された前田夫人の小さい胸はどんなに世の迫害に苦しんだことか知れない彼女はもう一生日本に歸らぬ決心で再びウラジオに去つた當時の東洋學院長スパルイン博士はいたく彼女に同情し東洋學院圖書館秘書に雇入れ自活の途を與へた革命や內亂のために幾度か危險に遇つたが明るい生きた晴天の身となつて一度懷しい故國の土を踏むことに念じてゐた彼女のいぢらしい心にひかされたのは當時妻を失つたスパルイン博士である中年の二人は何時しか甘い戀を囁く身になつた博士は大正七年日本に出張の折前田氏の母堂に話して間もなく二人は正式に結婚した前田女史はスパルイン夫人として廿六日十數年振りで日本の土地をふんだのである彼女の胸中を去來する思ひ出の數々は果して何であらう

女大尉英國へ

日本救世軍士官學校附女大尉の近藤、大友の兩女史は滿一ヶ年の豫定で英國へ留學を命せられ七月十六日橫濱解纜の榛名丸で鹿島立つた。

世界宗教大會

文學博士井上哲次郎、聖公會監督元田作之進、神學博士渡邊海旭氏其他神教徒の組織せる舊教懇話會等では近頃物質萬能の時代となり宗教道德は地に落ち忌はしき事件の續出限りなく精神文明の振はざるを嘆き、各種の中心人物と提携し一種の宗教運動を起してゐるが、來春四月東京に於て世界宗教大會を催し英米を始め、各國の代表的宗教家の集會を待つて世界的宗教運動を起し大いに世界文化のために活動する。

大陸開發の日露合辨會社

露細亞通の後藤新平氏は加藤首相を訪問し拓殖政策の上よりシベリヤ滿蒙の資源開發をすべく日露兩國協調して一大會社を設立すべく種々協議があつたが近くこれが具体的計畫の內容を見るであろう。

政府米拂下げ―六万石

岡崎農相は米價調節策として今回東京、大阪兩所に於て五万八千石の古米拂下を行ふ事に決したが、右の拂下げは現下の米價騰貴に何れだけの効果を及ぼすか疑問であるが、これを國民各人に分配するとすれば僅か一合不足の分配高で一日の生活をも保障するにすぎぬと云ふ有樣である。

攝政宮御親ら猿や熊を御飼養

生物學の權威として知られた理學博士服部廣太郎氏は今回東宮御所掛りとして拜命おほせつけられた。攝政宮殿下の生物學に對する御素養は高等學校程度を終り大學在中頃より自ら土や肥料をいぢつて各野菜の栽培を遊ばし小猿や小熊も親ら飼養の御手數を取られる次第で今後服部氏と深く學者的研究に御心を注がせられるものと推察される。

映畫女優は賣春婦に同じ

內務省中央職業紹介所事務局では全國大都市に「婦人隱密」を派遣して使用人側と被使用人側との內容を詳細に調査させてゐるが、大坂には目下松本文子といふ妙齡の婦人が特派されて婦人ホームの谷口益枝さん等と各方面に活動してゐる。既に此の調査の終了となつた職業婦人の中に活動女優がある。近頃一寸顏の綺麗な女は皆女優になりたがるが一休此の華かな女優は何の位の收入があるか、キネマ。東亞。日活等の女優の身許を內偵した處驚く勿れ其の大部分は賣笑婦と何等選ふ處なき事實が發見され其の他文子さんのノートには人間生活殊に婦人について赤裸々に記錄されてゐる。

霞ケ浦から九洲へ一氣に飛ぶ

霞ケ浦海軍航空隊では十五日から三日間同隊九洲大村間往復五百二十カイリの長距離無着陸大飛行を擧行し日出度成切し日本空航の新記錄を作つた。

高等小學校の實業化行惱む

高等小學校を改造して實業化したとは岡田文相の宿望であるが圖らずも乙種實業學校關係問題にぶつつかつて行き惱に至り强いしこれを決行せんとせば、兩者の內、何れか一方は存在せざるに至るといふ重大問題に立ち至つた。

卽ち小學教育の特色は普通教育を施す點で、乙種農學校は實業教育を施すにあるが、現時の趨勢は普通教育を實業化すべしと云ふ要求盛んなるに鑑み、岡田文相は今回高等小學の改造に手を染るに至つたわけであるが、而も一部に於て實業學校の普通化が叫ばれ、漸次之れが具体化せば、兩者の特色が合一に歸し、何れか一方は存立の必要がなくなる、其の場合當局として如何なる處置を取るべきかが重大問題で容易に決定を見ないので行惱んでゐる。

益々殖える全國の精神病者

生活苦は愈々痛切になつて來た。失業者の群は洪水の如く渦をなして全國に喘ぎ苦んでゐる。物質にのみ捕はれてゐる現今の人間社會に於ては、その物質生活の滿足を果し得られずして、又人間生命を維持するに足る物質をも求め得られずして、種々腦苦してゐる。近年頻りに精神病患者が殖へて內務省最近の調査によれば、全國の精神病者は五萬四千六百七十三名で內

男　三万三百十八名

女　一万九千三百五十五名

である、今此れを大正十二年の調査した實數と比較すれば二千七十三名の增加である。更らに一千五百名以上地方を擧ぐれば

府縣名	男	女	合計
東京	二七二四	一八二一	四五四五
大阪	一五八五	一〇三三	二六一八
兵庫	一四五四	八二〇	二二七四
愛知	一五二八	八四〇	二三六八
福岡	一二八一	七三六	二〇一七
廣島	一二二九	七一七	一九四六
熊本	一二三四	七一六	一九五〇
京都	一一五三	七二六	一八七九
靜岡	一〇五二	五五五	一六〇七
鹿兒島	一一〇〇	五〇六	一六〇六
茨城	一一三二	四〇七	一五三九
三重	九六六	六二八	一五九四

の三府九縣で本縣は一〇三四名で　男七一一　女三二三である。

老顏役の發明

茨城縣新治郡都和村松田三次郎老(七十一)は五年以來鐵道線路の踏切に使用する安全機を考案中であつたが此程漸く完成したので『鐵道自動踏切安全機』と銘名し九日郡役所から裏書きを受けて特許局に特許を出願した之れは七十才の老人が考へたものと思はれぬ程巧妙な驚くべきもので十數丁先に列車が來れば第一にベルが鳴り響いて踏切の戶がしまり通過すれば戶が自然に開くと云ふ仕掛である發明者三次郎老は語る『私は元五十人や百人の乾分を有つて居た博徒の親分であつたが新刑法以來ぶつつりやめ生れ附き發明と言ふことに志し之れ迄八つの特許權を得た此安全機は五年苦心して製作中費用だけでも三萬圓位使ひ果した之れで特許を得られ鐵道省で御採用となれば社會のために無償で提供する其代り全國通用のパスを頂戴して自分の發見した秘密利器を見て廻りて死ぬまで樂みたい』と三次郎老は近く模型を携へて東京鐵道局に出頭し專門家の實驗に供すると

宮城二重櫓の下から人柱を發掘す

一昨年關東大震災の際畏くも宮城內各所の被害は大かつたので宮內省では一日も早く修覆せんとして、先頃からそれが工事を進めてゐた所圖らずも、二重櫓下から人骨二休が現れ人夫をして驚かしめたが又々此の人骨が二回に七個發掘された。それは立姿、かがんでゐる者、寢てゐる者もあつて、頭の上には孰れも七世紀時代の支那開

元年間の古錢が乘つてゐる、發掘された場所は何れも大きな柱の下や建築上重要な場所であるので人柱の説がある。中には處女の白骨もあるとの事である。右白骨は專門學者の研究に委ねその研究がすめば何れかのお寺に埋葬して冥福を祈る積であると。

仕事はしたいが金が無い

失業の續出に納り返つた社會局、不景氣の持續に伴つて都會地並に地方に於ける失業者は益々增加する傾向あるが失業者扶助又は社會救濟施設の衝にある社會局では幾らやりたしても肝心の豫算がないので手も足も出ないとの事、本年豫算の如き地方改善費に約三百万圓を取つてゐる外各地の職業紹介所に對しては、十五六萬の補助を支出するのみで來年度豫算を見ると左の如く計上されてゐる

健康保險法實施	百二十五万圓
勞働爭議調停	四〇万圓
移植民保護奬勵費	九〇万圓
失業救濟費	三〇万圓
國立女子感化院設置	五〇万圓

木曾の馬市……集まる一千頭

木曾谷農村に於て一年に一度の書き入れ時として大切な馬市は例の福島町に開かれた。何しろ此の馬市が終ると共に木曾谷の各農村では年内の總勘定をするだけあつて、北海道、青森等から東北馬を眞先に一日夕刻から二日かけて福島町は馬の町となり、到る此で、三頭五頭位宛馬子に挽かれた二才馬が頻りに鳴き立て、夕刻迄に約一千頭の馬が集つた。各農村の人達は天氣が快晴のため夥しい數に上り、福島町は珍しく活氣を呈した。本年は春蠶の出來も上等で景氣もよかつたので、此の馬市を見當り興業物は停車場附近に四、五小屋掛けて、馬を挽いて來た娘や若衆を呼んでゐる有樣で三、四日は更に人出も多くなつて馬匹取引相場は百三、四十圓が普通で昨年よりは稍々良好であつたと云ふ。

淺間山の不動瀧

磊々たる熔岩と鼻をつく硫黃の臭いで、殺風景の淺間山にも凉味萬斛旅人の勞れを慰める瀧があつて、登山者は下度砂漠の中でオアシス遭つた人と同樣の感に打たれると云ふ……卽ち、平火高原に源を發する蛇堀川は牙山の直下に於て二段の瀑布を懸けてゐるが、其の下段の不動瀧は高さ二〇メートル、集塊溶岩を被へる奇巖の上から落下してゐるので、風光絶佳山

中の一大偉觀としてゐる。尚附近には不動窟と稱する一大洞窟があつて盛夏の候と雖へども堅氷を存してゐると云ふ。

本縣春繭豊作

縣下養蠶家の努力と汁の結晶物は三百八十九万二千五十一貫で前年より一万百八十三貫の増加で今年の平均賣繭相場は十圓以上であつた、それでも農村各々は數年來の經濟壓迫に痡せ衰いて、懐に入れた金は厘毛も出さない樣にしてゐる
尚本縣の春蠶收繭豫想高各郡市別は左の如し
（△は減收）

郡市	收繭量	前年との増減
南佐	二九七・五〇六	四六・七九六
北佐	三〇九・一一四	二九・九八八
小縣	四三〇・七六〇	△四七・八七八
諏訪	一一四・四七〇	二・〇二〇
上伊	五〇五・八一六	七・〇九九
下伊	七八五・四五五	四五・七八四
西筑	八四・九四一	△二・〇一六
東筑	二八三・〇六四	△六・六九三
南安	八二・七五一	△五・三一二
北安	六六・一二〇	△一・五一六
更級	二一七・七四四	八・五〇五
埴科	一八七・二六二	一六・五五九
上高	一五八・〇〇〇	△一五・四三六
下高	九〇・六四〇	一・二一八
上水	一七三・四八〇	三八・八九二
下水	三八・六三〇	四七七
長野	三〇・〇〇〇	九九三
松本	一〇・八四〇	四・四二一
上田	二五・四六六	△二・七三八

本年の旅券下附數（自一月至七月）

本縣大正十四年一月よりの旅券下附數は七月十日現在に於て移民二十九名非移民二十二人である尚共の内別は

移民

	加奈太	玖瑪	比律賓	伯剌西爾
上伊那	六	二	四	
下伊那			一	
西筑摩				一
南安曇	三			三
小縣	一			
上高井			二	

非移民

	歐洲及露細亞	加奈太	北米合衆國	墨西哥	伯剌西爾	ボルネオ	ペルー
上伊那							
下伊那	一				二		一
東筑摩			一				
南安曇			二		二		
諏訪	一		一		四		
小縣			一	一		一	
北佐久					一		
南佐久					五		
松本	二	一					
長野	一						
上田			一				

海外渡航者數

これは大正十二年に於ける本縣の海外渡航者數で一番優勢の數を示してゐるのは、やはり、北米合衆國で、次は伯剌西爾である、もつとも北米合衆國は再渡航が大部分であつて、大正十三年七月一日から施行の新移民法によつてからはその渡航者は頓に減じてゐる。現に本年度の上半期に於ける北米渡航は尠少である。本縣は他縣に比して海外發展が可成り唱導されてゐるにかゝわらず、その渡航者の少ないのは何處に原因するか不思議である、常協會も此處に大なる使命がある事を痛感してゐる

國別		再渡	夫同伴其他ニテ	父母夫其他ヨリ呼寄ニ	産業視察	學術研究	商用	農業勞働	雜役勞働	計
北米	男	二七	二	三	一	四	一		一	三九
	女	六	一〇	一		一				一八
布哇	男	二								二
	女	一	二							三
比律賓	男	四		一						四
	女	一	二	二						五
伯剌西爾	男							二一		二一
	女			一				一三		一四
墨西哥	男			二	二					四
	女		一	三						四
加奈太	男	四				一		二		七
	女	四	二	一						七
ボルネオ	男					一		一		二
	女		二							二
印度支那	男						一			一
	女									
チリー外五ケ國	男	一						一		二
	女		一	一						二
英吉利	男					三				三
	女									

國別		再渡	夫同伴其他ニテ	父母夫其他ヨリ呼寄ニ	産業視察	學術研究	商用	農業勞働	雜役勞働	計
佛蘭西	男						一			一
	女									
玖瑪	男	一								一
	女		一							一
獨乙	男					二				二
	女									
合計	男	三九	二	五	三	一一	三	二五	一	八九
	女	一二	一九	一二		一		二三		五五

岡谷に工女紹介所設置

製糸工女の募集をもつと容易にし從業者と工場主との雇傭關係を圓滿に自由にさせるために内務省では岡谷を中心として縣下の主要地に職工紹介所樣のものを官營若くは公營の形によつて設直せしむべく立案中であるが、製糸家の組合なりその團体なりが紹介所を設くる事は實際問題として自己の不利益であるばかりでなく到底繁雜に堪えるとの事で自ら進んでそれを設くるといふやうな考へはない。現に兩三年來實施されてゐる岐阜縣の工女紹介組合、山梨縣の普誘會の如きその他新潟縣にもいくつかの組合があるが役人の旅費だの俸給だの費用をかけるばかりで少しも工女のためにも、工場のためにならぬので、今では工女自身が工場と直接契約を希望してゐる樣な有樣であるから内務省が切角の企圖も望まれないと云ふ、然し要は工女及工場主の自己覺醒に持つより外はないと思はれる。

河東鐵道第三期線開通

埴科郡屋代驛に起點を發する河東鐵道は第一期線を須坂まで、第二期線を中野迄、既に開通となつてゐたが今回更に第三期線たる下高井木島まで漸やく竣工を見るに至つた此の開通は中野、平野、科野、倭、木島の各町村の文化、産業、交通上に益する所大なるべく尚第一に惠まれたのは野澤温泉で常地方の人には今後入浴、避暑に非常に便利である。

村税不納同盟

諏訪郡落合村瀨澤新田區では此の頃縣税戸數割に對する村税賦課が不當だと言ふで村税滯納の申し合せをなし村當局を非難して不穩の色があつたが最近に至り他の部落も共鳴するものあり約三百戸に亘るつて税金不納同盟會をつくるべく騒ぎ立て混亂を極めてゐる。

列車目懸けて老爺飛込む

小縣郡別所村山本源助（七二）は四日午後四時上田市小牧鐵道附近にて疾走中の客車を目懸けて跳り込みたれど線路上に横はらぬ中に撥返されたもので生命には別狀ないが實子利藤治（四三）は酒癖惡く父を虐待する事甚だしいので病氣（

中風病）に惱んだ源助は此の世の世情をなげき遂に最後の死を選んだのだと

諏訪郡金澤村の進んだ施設

中央線青柳驛あたりを中心とした金澤村は戸數僅かに四百戸、人口二千五百足らずの山と山との間に挾まれた貧弱村にすぎないが村民の和合統一が遺憾なく行はれてゐるために自治体として行政事務は勿論各種の組合團体等の共同作業が頗る完全に有意義に行はれ、現に同村信用組合の如きは中央並に本縣から數次の表彰を受けてゐるが近頃青年の間に勤儉力行の良法を徹底させ樣として早起會を織組し朝四時に起きて七時迄、三時間宛御料林の代採並に運搬の請負をやつてゐるが其の收益金全部を百五十名の會員全部に平均に分配してゐる。更に同村では村營病院を設立し院長加藤氏が産婆看護婦と共に農繁期だけ手足のまといになる小供を預かつてお守りをなす等山の中の寒村では模範的な農村であると世の賞讃の的となつてゐる。

諏訪壯丁檢査

諏訪郡に於ける壯丁檢査は受檢人員一千七十五名に對し現役志願六名で四名合格、甲種合格三百三十五名　乙種百四十八名　第二乙種二百五十三名　丙種二百十八名　丁度二十九名　戊種一名　學力尋卒三百三十一名　高卒六百二十二名　中卒百十九名　專門大學三名　トラホーム病　四、六五％花柳病〇、六五％であつた。

囃子賑かな長野御祭禮

佛都の祇園祭第一日は全く思ひもよらぬ好天氣であつた何がさて中央道路の工事で三年間も中止してゐた踊屋臺を始め俄物が今年から華々しく復活すると云ふので市中は未明からお祭氣分で、軒に並び立てられた高燈籠それに飾られた花の色も行交ふ町人の揃の着物や花傘にシツクリ調和して、夏祭の情緒は寸分の隙もない。呼びものの練物が大勸進の御物見前を過ぎ、彌榮神社附近に勢揃ひしたのは八時の定刻も過ぎ午近であつた。屋臺の順序は第一番が問御所で東町（屋臺）權堂（俄物）横町（踊屋臺底拔）（新田）（目印）西之門（踊屋臺底拔）大門町（底拔屋臺）櫻枝町（目印）伊勢町（踊屋臺底拔）千歳町（俄物）西後町（踊屋臺底拔）といふ順で十三番の榮町（屋臺）は約一ケ月も前から火の出る様な練習を續けてゐただけ權堂藝妓の腕も確かで、三味の音、大鼓の音小づつみの音　それが錯綜して浮ばせる雰圍氣は勇みの漱兒連の木遣り聲

やら、親の自慢で出された片びら姿の男の子や金棒引いた女の子の可愛い姿とは何んな世界にもない様な賑況、何處の通りも垣をなす郡衆で身動きもならぬ、殊に人氣の呼物の「權堂の暴ばれ獅子」はあの方は中央道路を狹し、と右往左往と暴れて、衆人の的となつた。

死産率の多い諏訪北山浦地方

本年一月から六月迄半箇年間諏訪郡に於ける出産數は上諏訪の二百五十七人、平野村二百五十一を最多として、最も少いのは米澤村の四十二人北山村の六十四人等で通じて二千四百二十八人の中死産は二百二十六人で一割足らずであるが、その中古來有名の死産村北山、米澤、湖東等は以前から比べると餘程減つたとはいふものゝ北山村は生産四十三人に對し十人湖東村は三十二人に對して十八人泉野村は四十九人に對して十八人といふ驚くべき數字を示してゐる。尙郡内に於ける産婆の現在數は八十二名で出生八十四人に對して一人宛の割合であるが上諏訪岡谷等の市街地を除いては産婆の手をかけるものは極めて少數の者で、市街地に於ける産婆すらも獨立した營業として生活して行く事は困難との事であるから一般妊娠出産に關する知識の普及してゐないことも死産の多からしむる原因ではないかと觀られてゐる

伊那町の氷屋六十餘軒

去年しめた味を忘れられん氷水屋さん今年も一儲けせんと店を開くは伊那町だけでも六十軒にも達する勢、伊那町の人口は約二万五千と云はれてゐる、この小さな町に六十餘軒の俄店が出來たとは、處が今年は冷氣が續き且つ雨が降るので折角仕入れた氷が皆、水に消えて終ふと云ふ有様　日中でも日陰に居れば丁度溫かさで夜から朝にかけては單衣物一枚では一寸寒さを感ずと云ふ五月頃の陽氣である　十四日朝の最低溫度は四十五度七分と降下して永處の騷でないので氷屋は大こぼしの態である。

協會だより

新役員

清水義直氏　氏は保安課海外旅券係で縣民の海外發展については直接間接御便宜被下されてゐたが　更に今回當協會の囑託として直接に海外渡航者について御盡力被下される今後海外渡航者は大いに便宜を與へられる點が多からうと信ずる

信濃村移住地建設資金出資者

大正十四年七月一五日現在

郡村名	口數	氏名
北佐久郡小諸町	一	小山清右衛門
北佐久郡小諸町	一	大塚宗次
小縣郡丸子町	一	工藤善助
小縣郡殿城村	一	金子行德
諏訪郡川岸村	五〇	片倉兼太郎
諏訪郡平野村	八	小口村吉
諏訪郡平野村	五	小口善重
諏訪郡平野村	一	尾澤福太郎
諏訪郡平野村	一	林文六
諏訪郡平野村	一	林七六
諏訪郡上諏訪町	一	宮坂作衛
上伊那郡伊那富村	一	武井覺太郎
上伊那郡飯島村	一	林讓、高坂松藏、山田織太郎
西筑摩郡福島町	一	小野秀一
西筑摩郡王瀧村		瀧龜松
東筑摩郡中山村	二	小岩井宗作
東筑摩郡錦部村	一	小澤和一郎
東筑摩郡芳川村	一	中村畯作
東筑摩郡塩尻村	一	川上源一
東筑摩郡新村	一	上條信
東筑摩郡山形村	一	永田兵太郎
東筑摩郡中川手村	一	倉科多策
東筑摩郡朝日村	一	清澤嘉右衛門
南安曇郡穂高村	一	望月國俊
南安曇郡梓村	一	榑沼泰男
北安曇郡大町	一	福島幸重
埴科郡坂城町	一	佐々木伊佐三
上高井郡須坂町	三	越壽三郎
上高井郡小布施村	一	市村連
上高井郡井上村	一	坂本重雄
上高井郡須坂町	一	上原吉之助
上高井郡須坂町	一	原嘉道
上高井郡須坂町	一	田尻新治
下高井郡科野村	一	湯本宜成
下高井郡往郷村	一	宮崎信安
下高井郡平穏村	一	佐藤喜惣治
上水内郡中郷村	一	山本直義
下水内郡柳原村	一	丸山森三郎、丸山常吉
長野市吉田町	一	横田九一郎

出資者に對する土地無償分譲

信濃村移住地建設資金、出資者に對し最初は一口の拂込について約二〇町歩の土地を御禮の印しとして無償にて差し上げる、お話であつたそうですが、其の後、御承知の移住地及周圍の土地代は益々　騰貴して參りますので、協議の上今年度だけは一口に對し、十町歩を差し上げる事になりました。これは勿論拂込濟になると同時にお渡し致すのです、來年度の申込及拂込に對しては其年度の協議の上差し上げる事になつてゐますが、今年度差し上げる土地よりは一口に對し少くなるのは當然です

來訪

駒津昌虎氏　氏は去る大正六年八月雄圖を抱いて比津賓に渡航し、專ら建築方面に活動してゐたが財産も相當出來、今は安樂にその日の生活を續ける事が出來たので　郷土訪問を兼ね迎妻を目的として八ケ年振りにて郷里上高井郡仁禮村に歸る途中、長野驛下車にて協會を訪れ南洋發展に關する今後日本人の改ためねばならぬ點や比津賓の事情を話された。且つ比津賓産の大蜥蜴を寄贈された近く迎妻の模様にて伯剌西爾信濃村移住地に入植希望

橋爪秀雄氏　氏の郷里は上伊那郡東春近村大正八年九月比津賓に渡り、更らに伯剌西爾に渡航致す志望にて去る五月歸郷、今回妻を迎へて近く海外興業株式會社の手で渡伯する由

瀬下登氏家族　七月二日南佐久郡野澤町瀬下登氏妻、ヘイ様瀬下虎雄氏妻クニ様及、瀬下猪一氏の三名は七月廿日出帆マニラ丸にて渡伯につき最後の挨拶を兼ね態々訪會された

永田稠氏　當協會幹事で在京活動してゐたが移住地資金につき三日早朝來會された

宮下琢磨氏　南米渡航旅券下附につき來訪

宮下琢磨氏の南米視察

今回　氏は單身一ケ年の豫定を以て南米各國及北米合衆國を視察すべく横濱七月廿日の解纜マニラ丸にて最初ブラジル國リオデジヤネイロ市に上陸し殊にミナス、ゼライス州につき産業方面を探究し、サンポウロ州に出で更らにアルゼンチン、ウルガイ、パラガイボリビアペルーを經て北米合衆國に現れ出來ればメキシコを視察して歸朝する。此の際氏の健康を祝し、無事視察旅行を終へて歸朝せられん事を祈る

新會員及講讀者

西筑摩郡山口村	古井乙三郎
南安曇郡穂高町	山田靖雄
東京市芝區西應寺町	佐藤一平
新潟縣中魚沼郡秋成村	高橋專平
諏訪郡豐田村	藤森正

金錢納入

一金拾四圓四〇錢	上伊那支部殿
一金壹圓	佐藤一平殿
一金壹圓	佐藤清治殿
一金二圓	古井乙三郎殿
一金拾圓	山田靖雄殿
一金六拾錢	吉田與一郎殿
一金壹圓二拾錢	藤森正殿
一金六拾錢	渡邊彌助殿
一金五拾錢	瀬戸喜代松殿
一金壹圓二拾錢	高橋專平殿

通信の中より

身は若年ご雖へども

山田靖雄

謹啓、
先日私儀會員として入會の節は種々と御心配に預り誠に有難く厚く御禮申上げます。
早速御禮申上げる處つい遲れてしまつて誠に申譯ありません。私も一ケの男子として此の世に生れた以上何にか君國の爲に此の身を捧げ樣と思つておる折、たま／＼貴會の幹事永田さんが豊科にお見えになり吾が國家の移民政策及び信濃村建設について講演いたされ私もそれに接し日頃の思ひこれぞとばかり、
　おー海外發展だー
男子志を立てゝ腰辧におはるよりは宜敷しく祖國の爲海外に雄飛すべきだと思ひ遂に貴會に入會する事となつたのであります。
もと／＼十七といふ若年の身をもつて良く先日の御依頼を果す事が出來るかは私として疑問であります
しかし一ケの男子として依頼された以上この大任を果さないでおられましようか。
邦國の爲大和民族のため、又人口問題のため農村問題の解決の爲海外發展の大問題を大いに研究しもつてその宣傳とその實現とに微力といえども力を盡す所存であります。
大いに同志の士を得て海外發展の實を上げる事に努力します。
其れについてぜひお願ひですが海の外雜誌參號四號及びサンパウロ州ありあんさ移住地の地圖をお送のほどお願ひします。
度々お願して申譯ありません。草々

初志一貫萬難を排しても

酒井茂

前略
御懇切なる書狀有難く親展仕り候
小生履歴の事は別紙に委細御報告仕る可候なれば其の他の儀に付御返信仕る可候
昨夏意を決して上京後旅券下附願提出なし單身渡航せんと約四ケ月の日子を費し研究し關係官廳に出頭して內狀を披歴仕り候へ共悉く獨身の不利、將來獨立自營上誠に宜敷からずと說得せられ日本力行會の御意見に基き帶妻の上渡航す可義兄の下に足を止め候。配偶者物色中最早內定仕り候勞力不足の地なれば養子をもと種々苦心仕り居り候未婚の妹一人之有候へば極力勸說して同伴仕る覺悟にに御座候妹は農業に御座候へば注文通りと悅居り候。
二男に生れ候なれば兄の方より別條遺産の分配を受ける必要も御座無候なれ

ば永年來宿望の事なれば零細の預金仕り居り候ものゝ一千圓位有之候兄々それは必要に應じ極力援助致す可誓ひ居り候なれば千五六百圓位は差支之無と信じ居り候資金の狀態右の如きになれば經驗上土地購入を善良の策と斷じ小作人として四年位は、契約に應じ度心組居り申し候
資金、極度の調達に附昨今兄（戸主）との交涉仕らず候條一千五百圓乃至二千圓を限度と考察仕り候。
兄は、勿論の事双手を擧げて贊盛し申し候一人の母人も初老も間近に御座候へ共永年來の希望なれば許す旨昨年は申し居り候なれば今年とても同一の事と存じ居り候
親族の中には多少意見を異にする向もあらんと存じ居り候なれ共皆一樣に共喰生活にて滿足する鎖國主義の事に候へ共了得す可樣懇談仕る心組に候從兄などは非常に贊同して若しか〻りせばと寄る年寄を恨むかの如き人も有之候に付贊否五分五分と存じ候
然れ共意志堅固なれば何程の事やある兄母の許す限り初志一貫して萬難を打開すべく心組居候
衣服の事などに付ては永年來の宿望に付きズボン及シャツなどは意を用ひ堅固念入に調製仕り置き候日用品なども右の如くに御座候
唯々遺憾の極みに御座候へ共家事の都合上來春四月以後にあらざれば渡航の出來得ざるは誠に殘念の至りに御座候家事の萬止むを得ざるなれば詮なき事と諦め其の間に遺憾無き樣理想的準備仕る可候條何卒御見捨なく御願申上候

七月十四日

×　×　×

列强の空軍現狀

國名	機數	現在の中隊數	將來の中隊數
日本	五〇〇	一六	二六
英國	一二〇〇	五〇	八五
米國	三〇〇〇	四〇	一二〇
佛國	三九〇〇	一三〇	二〇八
伊國	一三〇〇	二六	―

全國捨子の數

東京	四五一名
神奈川	四九名
福岡	四八名
佐賀	二六名
兵庫	二六名
北海道	二三名

愛知、長崎、岡山等も相當の數に上つてゐる

×　×　×

雜報

◎信濃村移住地入植者に對する旅券下附注意

先きに三十四號に旅券手續き一般ご題して、旅券下附方法を記戴したが、今度南米ブラジル國信濃村移住地入植者（入植家族又は入植者）に對しての旅券下附一切について記し様

一　海外旅券下附（書式）

海外旅券下附願（用紙美濃紙）
一、氏名　戸主夫　何　某（片假名ヲ付スベシ）
　　　　　妻　何　某（同　上）
　　　　　家族　長男　長女　何某（同　上）
一、本籍地　何縣何郡何村何番地
一、所住地　同　上
一、身分、年齡
　　　戸主　夫　何　某　生年月日
　　　妻　何　某　生年月日
　　　家族　何　某　生年月日
一、職業　戸主　夫（農　業）
　　　妻（農業又は看護婦）
　　　家族
一、渡航地名　ブラジル國
一、渡航目的　信濃村にて農業從事
一、渡航年限　向ふ十ケ年
一、出發港　横濱港
右により海外旅券御下附相成度別紙關係書類及寫眞二葉相添此の段御願候也
　　年　月　日
　　　右　戸主　夫　何　某印
　　　　　妻　何　某印
　　　　　家族　何　某印
　　長野縣廳內
　　　保證人　信濃海外協會印
　　何縣何郡何村何番地
　　　保證人　何　某印
　　　　　生年月日
長野縣知事梅谷光貞殿

備考
一、海外旅券下附に添付すべき關係書類とは出願家族の戸籍謄本、各人の履歴書　各人の身体檢査書（開業醫師より）各人の寫眞二枚、入植者（入植家族又は入植者）についての保證書及び保證人の資產證明書及當協會の入植證明書である。

二、海外旅券下附願には戸主と同行する家族、夫と同行する妻、又は父若くは母と同行する子ならば連記する。
三、寫眞は手札形半身像、台紙に貼りつけてないもの（記念撮影として十枚位用意しおくこと）
四、保證書には二名の保證人を要し、內一名は海外協會之れを保證し、他の一名は戸主これを保證す但し戸主保證能力なきか、又は相當資產なき場合は親戚又は知人等にして資產名望あるものを選び保證人とする
保證書作製せる時は直ちに當協會に送附し入植證明書と保證人としての協會の承諾を受くること
五、入植證明書は當協會で交附し、この入植證明書がなければ旅券は下附されない
六、戸主、又は親戚知人の保證人については保產證明書を役場より貰ふこと
七、寫眞、保證書、資產證明書、は當協會に保存するため各一通宛余分に作られたきこと（寫眞は當協會入植者寫眞帳を作る）

三　保證書（書式）

保證書（美濃紙）
原籍地　何縣何郡何村何番地
現住地　同　上
　戸主何誰何男
　　夫　氏　名
　　　生日月年
　　妻　氏　名
　　　生年月日
　　家族　氏　名
　　　生年月日
右の者私の（何々）に有之候處此段南米ブラジル共和國へ農業經營の爲め渡航することに相成候就いては往復の費用は勿論其の他本人一切の事件は私等に於て引受可申右保證書是の如くに御座候也
　大正　年　月　日
　　長野縣廳
　　　保證人　信濃海外協會印
　　縣　郡　村　番　地
　　　保證人　氏　名印
長野縣知事　殿

伯國移民規定

一、入國を許可さるゝ移民は本人の素行善良なる事を證明する書類及之を適法に證明したるもの並びに寫眞を貼付せる身分證明書に其の年齢國籍婚姻關係職業指紋及特徴を記入せるものを上陸地の官憲に提出するものに限る

二、右書類は乘船港に於ける伯國官憲の査證を要す、

三、右に反するものは同一移民船により船會社をして之れを送還せしむ

四、移民輸入は伯國植民總務局の許可を得たる汽船會社に限る

五、船長は碇泊の際左記書類の提出を要す

イ、上陸又は通過船客全部には規定書式により作製されたる一覽表に其氏名、年齡、男女別、國籍、家長との續合、宗教、教育程度、發送居住國名乘船及上陸港名を明記せるもの

ロ、上陸移民の手荷物明細表

六、汽船會社は少くとも二日前の豫定を以て移民運送船が伯國に於ける最初の寄港地到着日取、船名、及移民行先港名を植民總務局に通知するを要す、

七、右通知を怠たる場合には着船港後二十四時間移民を船内に留置すべし

八、如何なる企業組合會社又個人を問はず移民輸入を希望するものは豫め植民總務局の認可をうくるを要す

九、右認可出願の際左記事項を記入せる資格證明書を提出するを要す

イ、輸入すべき移民數

ロ、家族數

ハ、國籍

ニ、移民の有する資力

ホ、行先地へ移民の從事すべき業務並に之に關する相互共益及義務と移民輸入者の提供する保障

十、一九二五、七、一、左記諸港より入國する移民に限り入國を許可す、

サントス

リオデジヤネイロ

外七港（略す）

右の規定は七月一日より實施すべきも十月一日以後より實施せらるゝ事が出來た

尚ほ一の書類作製手續等に於ては外務省よりの通達を待つて御知らせ致します

小宮山義佐氏の略歴

彼の郷里は小縣郡武石村の下武石である。兄猶助氏は現在立派な家庭を持ち農業に營んでゐる彼から寄せた略歴の一端を此處にのせて海外發展青年輩の參考とす。

十九才の彼

明治三十八年、日露戰爭が日本の勝利となつて、國民は上下を擧げて國力發展の御祝をした丁度彼はその時十九の春を迎へた。紅顔可麗の彼青年は人目を避けて春を送り夏を迎へて、寒も加はる十一月の初日もすぎた數日を迎へた。これは彼の一生を通して、最も忘れ難い、又彼の生命の上に深く流れてゐるものであつた。當時彼は既に或る女性のために、身も靈も捧げてゐた。

そして二人は固く誓つた。

世は紅葉を以て染められ、草藪の虫の聲さへ衰へた或る夕べ、遠寺の鐘を寂しく、耳に入れて此の一女性と共に泣き崩れてゐた。此の既に惡魔は彼等二人を襲ふたのだつた。此れは彼等にとつては實に慘酷に無情のものであつた。二人は此處に希望を奪はれて、彼等自身の存在の價値を、零としてゐた。我が子に理解なき親。親からの絶對權利に盲從する女には斯うした事件が日本には數限りないだろう。

翌十二月彼の女は或る仲介人の媒酌に嫁したり、總ては失へり、天の無情は斯くのものか、彼はたゞ我れの行く處を知らず袂をしぼつた。然るに見よ、明けた新進な正月彼の女は年賀狀を兼ねて彼青年に最後の言葉を送つたこれが彼の奮起を促した一大原因で現存の彼にと引き上げたものであつた。

直ちに飛雄し墨國の天地

時恰も國運勃興して殖產工業の發展は異樣の色彩を見せてゐたが國民の意氣は戰勝の夢を辿つて緊張味を失つてゐた。識者は痛く憂へて國民の反省を促してゐた時、彼は意を決して。愈々墨國の天地に渡つた。最初南部コアサコアルコス港に赴き　鐵道運輸部に活動してゐたが酷熱甚しく、遂に不幸病床に呻吟した。

異國の土に病める彼の心中は何かに、遙るか故郷のありし昔を憶ふて更らに決する處があつた。「神は我を守れり」彼は何時も口吟んで、我が身を神に委ねてゐた。程なく遂に床をはなれて、再び活動の身となつた。首府メキシコ市に現はれて、家庭勞働につき　語學に熱中して

ゐたが四十一年十二月決然　コヴエラ洲に身を躍らして炭礦抗夫となつた。居る事三年激勞と奮闘して遂に勝を得て、ヴランゴ洲に渡り行商に轉じた、墨國各地を放浪的に流轉した彼はすべての体驗と經驗を得て、遂に大正五年チワ、洲フアレス市に永住の地を定めた、この地こそ彼の第二の故郷であつた、彼發展の基礎となした。

家族生活

同市にては酒店を開業して、經濟の地盤を强固にした、其の間、墨國婦人ロサローペスと結婚して、家族生活の端を開いた。後酒店を賣却して藥店及雜貨店を開き漸次發展して、現在に及んでゐる、既に愛兒は二男一女いづれもすこやかに、一家團欒春風常に漂ひ去る四月一家を連れて、生家に訪れ、廣く故國の狀態を視察して、來る八月の便船にて、再び渡墨せんとしてゐる、今彼が再び鄉土を踏んで、思ひめぐらすもの多からんと思ふ、若輩二十才にして、雄圖を抱き遂に現在の榮を擔ひたるは全く彼の努力と奮闘に基くものである。

（寫眞參照）

天にも土にもない一人息子の坊や、何時も御飯に汁をかけて口から胸に澤山飯粒や汁をこぼすので、母が

「坊や御飯にお汁をかけて、食べると、お婿になつた時、雨や風が出て困るよ　およしな」坊元氣よく口を開いて云ふ樣

「お母ちやん　僕雨が降つて來たら一人で先きに飛んでくるから大丈夫だよ」

◇

若い母が月夜の晩に散步して

「坊やお月樣いくつ」

「母ちやん　お月樣は一つしかないよ」

◇

海外發展問答

漠然たる質問は不可

本誌を繼續して讀む

一名六問以内の事

「海外發展問答」と朱記する事

問　ありあんさ移住地入植者の資格を教へて下さい、（以下前橋市涌井茂）

答　信濃海外協會員又は其の家族及び南米土地組合員に限られて、長野縣以外の人でも右の資格があれば結構です、

問　小作人として入植する場合の手續及び契約條件を教へて下さい

答　伯國以外の地に住居する者で十アルケールの地を所有し、他人をして開墾をさせる場合に小作人を要すので、それは持主との直接契約によるのですが基準契約は今草稿中です小作人として入植希望なれば申し込みを願ます

問　ありあんさ植民地の氣候、衣服は一年中に必要なるもの御教示下さい

答　大体日本の冬と夏を除いた位の暖かさで最高温度九八度で四五年に一回位の降霜がある位です、衣服は洋服折エリ、詰エリ　勞働服でやはり夏冬一通りのものはいります、

問　一人につき制限内に荷物中に用意して支障なきもの

答　一人につき手荷物無賃制限は三等で二十一貫匁で（大阪商船會社）あるが事實は一々携帶品の重量や容積を計算してゐないから出來るだけのものは持參するがよい、詳細は日本力行會發行の海外移住講義錄の第三編に「用意周到なる南米伯國移住者の仕度攜帶品の實例」にあります

問　渡伯には三、四、五月が適當の樣に敎へられましたが渡航後何如なる不便がありますか

答　悉く原始林でこれを燒き拂ひて、初めて作物の播種をするが八、九、月の頃が播種季節なので、それまでに森林伐採燒拂及燒跡の片つけ等に少くとも五、六月を要するからである、

且つ二、三、四、五月は、乾燥期であるから伐木には至極適當の時期である。

問　貴協會の經營せる移住地に入植する者には旅券下附につき盡力して與れますか、（入植生）

答　當移住地に入植するものには當協會の入植證明書を差し上げます、此の入植證明書があれば外務省との諒解の上ですから旅券下附は確實であります。

問　二五町步の土地を買ふて　移住開墾して數年後には此の耕地の見積り價格は何程なりや（上田　松本生）

答　資金二千五百圓（三人家族、渡航準備から入植まで）にて五年度末にて思はざる凶作若しくは、其の家族に災難のあらざる限り六年以降は年三百乃至四百俵の皮つき珈琲を得而して第五年收支差引は約は二千八百圓で入植資金一千五百圓から差引くも尚千三百圓の剩餘金を見、此の耕地の見積價格は約一萬圓である。

問　斯んど買ふた移住地は日本人の所有權となるものなりや

答　既に此の土地の所有權は第二回の拂込みと同時に移管されます、地權の確否についてはサンポーロ帝國總事館が各關係の公證人役場　土地登記所等と調査して確實なると認めてゐる

又當協會より土地分讓を受けたる者も第二回の拂込濟と同時に地券を交付してゐる

暑中御見舞申上候

信濃海外協會

梅谷光貞　細川長平　高田茂　島羽久吾　原田増次郎　輪湖俊午郎　市川多萬吉　志賀市藏　石原快三　高野忠衞　片瀬多門　宮下主計

佐藤寅太郎　竹下豊次　福澤泰江　工藤善助　宮下琢磨　畔上日義　白石喜太郎　中山德十　臼田松太郎　長山謙吾　勝俣英吉郎　藤本安太郎

笠原忠造　越譯三郎　小林暢　片倉兼太郎　永田稠　清水義直　長坂治助　竹中三吉　杉原定謙　牛山喜一　加藤正治　臼井省三

今井五介　小里頼永　山本愼平　石田龜一　西澤太一郎　但丸留藏　小林一重　田中泰藏　羽生秀三郎　丸山辦三郎　宮下延太郎　小川榮一

編輯の結び

◇

だん〳〵暑くなりました昨今は九十二度といふ最高溫度を示しました。坐つて、扇子を使つてゐても額から汗が滲みでる、これから、益々炎暑やくが如くなります。だるくて、眠氣を模樣して困ります。然し此の熱い黑土を固く踏んで高く鍬を振げて働く諸君を想像する時　私共は何んと悄まけた氣持になれ得ませう。大和民族を代表して異國に活動する諸君の緊張味を想像する時故國にあつて微力ながら働く私等の努力の足らざる事を恥かしく思ひます、然し私供は常に思ひを遠く異國にある諸君に寄せて諸君の見方となり友となつて邦國のために活動しなければなりません

◇

私共の活動舞台が全世界に擴がつてゐるとき私共は全世界の幸福のために働かねばなりません。今や故國ではすでに社會問題、經濟問題が持ち上つて、其の解決のために行き惱んでゐます。

日本の存立は大事な事であります世界の一個の日本として存立は難かしいものでせう世界の日本として生きねばならぬ樣にすべての問題を世界的に解決し實行せねばならぬ以上、日本の前途は危いものでせう。海外にある諸君が何時もそういふ態度で日本をより以上生そうとし努力してゐるのに故國にある私共の中には未だ偏狹な自分よがりの主義主張をしてゐます。

◇

編輯子も充分忙しくて、東奔西奔、身の動く處を知らない有樣です、約一年留守にしましたので始末仕事が山とつまれてゐます。それがため諸君には腹の立つ樣な御無沙汰ばかりしてゐます。たゞ誌子を通してわづかの御挨拶を申し上げてゐるばかりです、今後お互に通信を緊頻にして故國と連絡を密にしませう

◇

在外家庭及近隣の人々は諸君の動靜について心配してゐます。

それが一寸した事で大なる誤解が傳はり　とんでもない評判になる事があります。兎角私共は困難の場合や悲しい時、病氣になつた時だけいろ〳〵の通信をするが、事業が順調に進み何げなく働いてゐる時は何んの通信をしないものです、ですから不幸の場合のみの通信を得た親や家庭ではそれを何時も心配してゐるのです、何卒親や家庭の人の心配を察して又後進者のために努めて通信を下さる樣お願します

◇

在外者家庭の訪問を仕樣と努めてゐます、そして、誌上に發表して諸君の安心と家庭との連絡を一層に接近せしめ樣としてゐます。

海の外

定價

	内地	外國
一部	廿錢	廿仙
半ケ年	一圓十錢	一弗十仙
一ケ年	二圓廿錢	二弗廿仙

海外郵稅四錢

注意

▲御注文は凡て前金に申受く
▲廣告料は御照會次第詳細通知致します
▲御拂込は振替に依らるゝが最も便利さす

大正十四年七月二十六日

編輯人　永田稠

發行兼印刷人　西澤太一郎

長野市南縣町
印刷所　信濃每日新聞社

長野市長野縣廳内
發行所　海の外社

振替口座長野二一四〇番　信濃海外協會

大正十四年七月二十六日發行（每月一回發行）
大正十一年四月廿六日第三種郵便物認可

定價金貳拾錢

信濃海外協會
海の外社發行

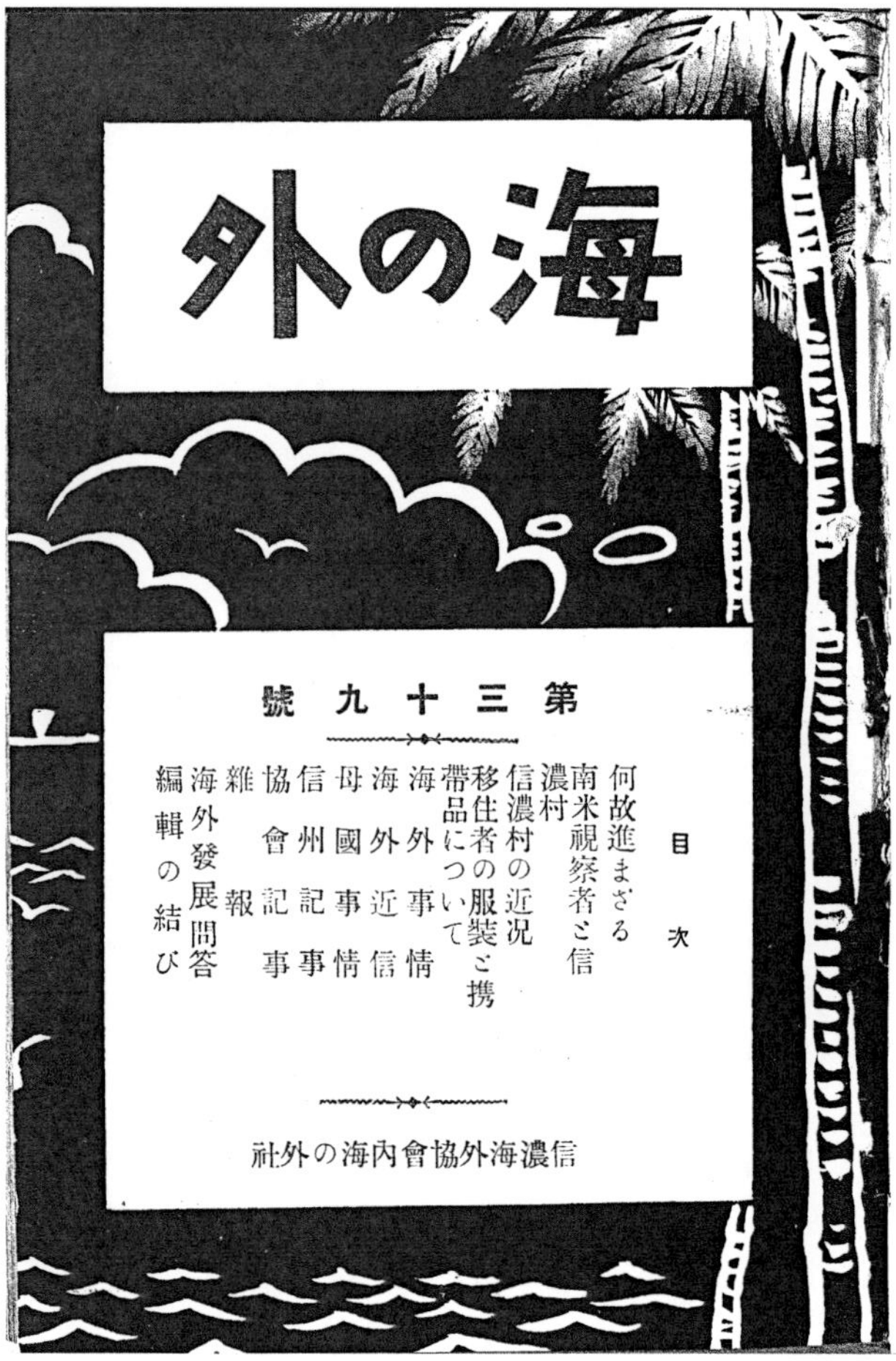

目次

海の外

第三十九號
大正十四年
八月號

何故に進まざる

ブラジルの一洲から
『五千町步の土地を進上するから、來て養蠶と製絲と機業とをやらないか？　學校も病院も建ててやる』
と云ふて來て居る。他の一洲からは
『日本人が二萬家族移住するなら、五十萬町步の土地を只上げる』と
申して來て居る。
此行きつまりに直面して居りながら
何故に日本國民は進まざる
進んで取らざるか！

—(永田稠)—

南米視察者と信濃村

信濃海外協會幹事　永　田　稠

先年、南米ブラジル共和國の獨立百年祭があつて、日本からは實業視察團が、ブラジル及びアルゼンチナの諸國を旅行致されましたが、共際、長野縣下からは片倉兼太郎、黒澤利重、土橋源藏の三氏が此視察團に加はつて出發をされたのであります。三氏の御留守中に信濃海外協會では信濃村建設の計劃を立て之れが實行に着手することになりました。從つて前記の三氏が如何にブラジルを見て來らるるか、又、私共の信濃村建設の計劃に對しどんなお考へをお持ちになるかは、かなり重要關係を持つ次第でありました。由來信濃村の建設は、多少ブラジルの事情を知つて居る上に、既に小さい開拓組合を造つて實驗をやつて見た私と、ブラジルに七八年も居住して各方面の事情に精通して居る輪湖俊午郞君とが主として計劃を致しましたので、時々刻々變化する土地の相場や農產物の相場などは致し方がないとして、大体の組み立ての上には確信を持つて居りましたものの、計劃の時からは既に二年も經過して居るから、前記の三氏が信濃村の建設計劃について如何に思はるるかは、少なくとも私には重大な問題でありました。

御出發前に私は片倉翁に對しては特にサンポーロ洲のノロエステ鐵道沿岸を見て來て下さる樣に御依賴を致しました、これはサンポーロに行く者が、多くの場合モジアナ線の珈琲園とレジストロの海外興業の植民地丈けを視察して、ノロエステ沼線を見ない方が多いからであります。サンポーロ洲の視察に此方面を忘れるとは、最も重要な地點を見落すことになるのですが、當時サンポーロ市で日本から行く視察者を案內する者が、どう云ふ譯かノロエステに御案內を致さないのであります。それで居てノロエステ線沼道には、日本村を建設した幾多の生きた實例があります、始めて植民地を建設したと云ふ平野植民地、英國人から土地を買ふて建設したビリグイ植民地、僅かに二三万圓の資金で建設した上塚植民地などがあつて、皆研究に價するのであります。それで私は片倉翁には、特にノロエステを見て下さる樣に御依賴を致しました所が何かの都合で同地方を見て來られなかつた、加之、

『二億圓を以て宏大なる土地購入し一大植民をやらねば駄目で、二十萬圓位ではモノになるまい』

と主張されるので、私は驚きました、資本が大きければ大きい程よいのは勿論ですが、日本の現狀で二億の資金が出るか否かも問題だし、出た所で、これを運轉し得る人物の有否も疑でありますから、私は片倉翁にお目にかつて、ノロエステ沿線の植民地の事情や、海外興業のレジストロ植民地も二三十万圓の金で出來た事などを申上げ、二十万圓あれば相當の植民地の成り立ち得ることを申上げました。流石は企業の大家でありますから、直ちに御了解になり、五万圓の御出資も願はれた次第でああります。

土橋氏はブラジル視察中不幸にして病氣に罹られ御心配を重ねて歸朝されたのだから、南米に對しては悲觀說を持つて居らるるに相違ないと思ひました處、それは案外で

『病氣はありがたくなかつたが、歸朝して見るとモ一度南米へ行つて見たくなつだ』

と云はれ土地組合にも加入されるのでありました。

黒澤さんには行き違つてかなり永い間お目にかかることが出來ませんでしたが、信濃村の建設費金を募集して、小縣、南北佐久に至ると

『見て來た黒澤君が駄目だと云ふから、南米なんかの事業に金は出せない』

と、其邊の有力者が主張し、それが爲めに資金が集まらないとの事である。私は不思議な事だと思ひましたが、又、私共や、片倉翁土橋氏などの見る所の外に、何か具合の惡い點があつて反對されるのであるかとも思ふた。小縣や南佐久の郡長さん達も

『黒澤さんは實際南米に行つて來たんだし、僕等は見て來ないんだから、黒澤さんと太刀打は出來ない』

と云はれるし、どうしても一度私から參上して黒澤さんの御意見を拜聽せねば、東信市三郡の資金募集は行きつまりになると云ふ有様になりました。それで六月下旬上田に黒澤さんをお誘ねすることになりました。小縣郡役所で當の黒澤さん

郡長さん沓掛縣會議員、石口、西澤兩幹事、相原君などと懇談致しました。黒澤さんは南米事情の講演で

『ブラジルと云ふ國は未開の國だから土地購入などに對し念には念を入れなければならぬ』と云はれ又

『ブラジルに渡航する者は十分に困難に打ち勝つ覺悟をして行かねばならぬし』

『投資する者も特に細心の注意を要する』

と云はれたに過ぎないとの事である。それは共講演を聞いて居られた沓掛縣會議員なども正に共通りであると云はれるのであつた。

それならば私共は以前から高調して居た所と全然同一である。お話を承はつて見て、黒澤さんは信濃村の建設に反對して居られるのではなくて、却つて細心の注意をされて居ることがよく解り、又、同氏も南佐久の有志と相談して應分の出資をなさるる意向であることがよく解つて、黒澤氏の講演が一部の人士に依つて聽き違へられて居たこともよく了解が出來たのは何より嬉しい事である。

信濃村の建設には不純な分子は一つもない。此仕事をして利益を擧げようと云ふ者は一人もない。皆報國至誠の誠に止むに止まれざるに出づる所の擧國の志の發露である。協會の當局者も損はするが儲かる人はない。出資者も此事物が進展すれば儲かるかも知れないが大に儲けようと心得て居る方は恐らくは一人もあるまい。只、私共局に當る者は民族發展の基礎的事業の出資者に對し、小なくとも御損を掛けては相濟まぬから、出來る者ならは四五年後には、御出資金に對し何程かの配當の出來る樣に致したいと存して居る。又、これは事實に於て可能の事の樣である。昨年十月一日にアルケノル二百五十ミルレイスで買入れた土地が今日では四百五十ミル以上になつて居る。費つた金は十万圓以下であつて全部支拂ふても十七八万圓で事は足るのに、現在の價格は小なくとも二十八万圓はして居る、明年になれば三十三万圓以上の價格になるの可能性がある。信濃村の基礎は堅實である。只、若し足らざるものがありとすればそれは僕等の誠意が足らないのと、信州の有資產等が此奉國的の事樣に出資を躊躇して居るの二點である。信州の健兒は猛進せねばならぬ。

信濃村近況

（六月廿六日發）

輪　湖　俊　午　郞

入植者

五月一日附の御書面と越えて五月十三日附の分も正に落掌。尙「千町歩ソチラで賣却せよ」の電報は五月廿七日「シカゴ丸で七名立つた、宮下マニラ丸で立つ」の電報は六月十九日それ〴〵落手。移住地は目下元氣な靑年九名と例の北原、座光寺の二家族皆々昨年來風一つ引かず頗る健康なれば此點は御安心下されたし。近日中ブラジルより植民二家族及び請負者一家族入地の豫定。何れもよき靑年家族で信州人。

レジストロの信州人

一千町歩賣却せよとの事故其方法を考案中。本年は聖洲一般の經濟界大不況、從つて土地の購入の希望者は多々あるが、土地代支拂が困却です、强いて人物を選まず賣り飛ばせば、無論ありませうが、かくては當初の精神に反する譯なれば金のある者の內人物のよろしき者を入れるとすれば、共選擇が簡單に參らす。

先日小生はイグアッペの××君其他を訪ねました（××君はなんと云ふても非常に當移住地に關して心配して居た樣貴君の先便にありましたから）そして同志等に「若しアリアンサ入植規定を承認して土地購入入地等を決定するならば移住地の一部分を君等信州人に割讓しよう」と約し歸途××君をアリアンサ移住地に同道しました處、××君も此移住地が非常によいのに驚いた樣子。直ちに同氏はイグアッペに歸り目下希望者に對し、視察報告中でありませうから。多少は此方面からも入植者があらうと存じます。

土地代支拂

十月一日の土地代第二回支拂は何を置いても御盡力を願ひます。金は止むを得ざれば一時外から借りて拂ふて置いても損ではありません。又、當地方の土地代がドシ〳〵騰貴しますから、ミランダ氏も何を云出すかわかりません、

契約には條件を守らねば五百コントの罰金とありますからネ。

附近の土地代騰貴

聖洲が不景氣だと云ふに拘らず、土地代は非常の勢で騰貴して居ります、ルツサンビラから五十キロ米突地方の如きは、一アルケール六百ミル七百ミルと稱して居ります。個様の次第だから土地代第二回拂込みの分は一時借りて支拂ふて置いても決して損をする様なことはありません。

人植者出迎

小生は本日パウルに參り目下領事舘に立ちよりました。これからイグアペに行き、歸りにメキシコ丸で來る海外協會の圖書を夫れ〲各地へ送り出し尚ほ移住地入地家族の世話をなし、直ちにアラサツーバに引きかへし、山を見て再びシタゴ丸の新移住者を出迎へに參り萬事心配のない様に世話を致します。

片倉翁に感謝

片倉翁から朝鮮人參を分與下さるとのこと感謝の外はありません。其人參は移住者諸君の爲めに備へて臨機分與することに致します。小生からも御禮狀を差し上げますが、猶大兄からも宜しく御傳言を願ひます。

「信毎」其他の印刷場

信濃毎日新聞落掌多謝。力行會飜譯の「伯國歸化法」は非常に評判がよく「力行世界」の讀者が小生に御禮を云ふといふ有樣。「アリアンサ移住地の建設」も當地方では非常の評判で誠に信州人の面目この上なき次第であります。

テニス・コート

青年を大切にしない移位地は必ず亡びる。小生等の後を繼く者は小生等の子ではなくて、目下二十代の青年であります。疲れたる父と幼き子供の間に立つて經濟的にも精神的にも移住地を生かして行く中心勢力は誠に此青年です。私はよい青年を多く入れたいと思ひます。我移住地の青年達はテニス・コートを造つて居りますから、お土産にボールを買ふて歸ります。

移住地の事業進捗

移住地の事業の内、山伐り全部百町歩。山の中へ這入つて見ると急ふに大きな樹があります。四丁斧で半日かかつて一本伐つたと云ふ様なのがある。

移住者收容所が落成しました。最近に寫眞を送りますが、一寸立派です

荷物自動車を買入れ荷物を運搬して居ります運轉士は守屋君で仲々上手。

食糧品が騰貴する見込みであるし入植者が增加しますから安い内に買入れました。これは消費組合の仕事として北澤君が世話をする筈です。

六段反に蒔いた米が二十六俵取れました。玉蜀黍が二アルケール分あり棉も少々ある。豚は五疋になり鶏も盛に繁殖して居ります。（下略）

移住者の服裝と携帶品について

服裝と携帶品については、其の渡航者の身分渡航地及目的により一様でない、歐州北米方面の渡航者は体面上可成服裝等に注意せねばならぬが、伯國、チリー、アルゼンチン方面殊に農業牧畜等を目的として渡航される者には乘船中寄港地、上陸後入植迄の外、余り服裝には注意を要しない、海興あたりの移民では其の通過する英領米領の寄港地では出來る丈け立派な服裝をお奬めするが愈上陸すれば出來る丈け下等な勞働者然たる服裝をせよとの事である位だ、もつとも伯國、チリー等の勞働者を必要する傭主は余り立派な服裝をした日本勞働者を喜ばないからである。

然し信濃村の入植者諸子にはそうした遠慮をする必要がないから出來る丈け立派な服裝で行つてもらいたいが服裝そのもの丶目的からそう立派にする必要は勿論ない、殊に入植者には出來るだけの金圓を開墾助成に繰り入れねばならぬから、其の邊を注意して世界漫遊氣取りになつて贅澤の服裝をしい様、其の變り、携帶品については一段の奮發をして成るべく、多く求めねばならぬ、內地でも新夫婦が新生活に入るべく所謂「新世帶」の時には可成りの苦痛をなめるのである、

今可成り餘裕のある者の服裝と携帶品について「用意周

到なる南米伯國移住者の仕度携將品の實例」と題して殊に信濃村入植者諸子の參考に供したい。

△衣服其他（大正八年）

雨カツパ　二　洋服折エリ　一
詰エリ　二　勞働用服　五
白シャツ　七　ズボン下　五
靴下　一五　カラー　十五
スルメ　一三（又Yシャツ五）
靴下止　六　手袋　六
甲掛　一二　手拭　二〇
タホル　五　板草履　三
帽子　三　猿又　一〇
皮帶　三　下駄　三
腰卷　五　ゲートル　四
手甲　三　ネクタイ　三
カフス　三　カフスボタン　二
カラーボタン　二　同前　二
同後　二　白ボタン　一〇〇
洋服ボタン各種　三〇　ホック　二〇
コハゼ　五〇　靴　三

袴　二　木綿　三
サラシ　二　毛布　四
シキフ　三　フトン　三
カヤ　一　フランネル　一
眞綿　三〇匁　唐ブトン
フロシキ　數枚　サナダ紐其他紐數

以上の外常に使用せる木綿衣類、ハツピ、シヤツ等、但し婦人と雖も絹布は絶對に持參せず（實際は使ひかけのものなら差支なし）大幅のチヾミを持つて行く事は甚だ便利である。

△種子類

漬菜、茄子、蕃茄、南瓜、夕顔、甜瓜、牛旁、人參、大根、葱ホーレン草、西瓜、ナンバン、長芋、小豆、大豆、サ、ゲ、ゴマモロコシ、高キビ、アワキビ、粟、茶、栗、ソサビ、ショウガ等

△農　具

寒暖計　二本　二圓〇〇
比重計　二本　一圓四〇
ノリクラ　一組　二〇圓〇〇（伯國にて求めてもよろし）
鐵の輪　一〇ケ　三〇
ウスガマ　一〇枚　三、〇〇

ナタガマ　五枚　一、〇〇
小草クサカキ　三ケ　一、〇〇
草搔ジョレン　二ケ　四、〇〇
鍬　二ケ　五、五〇
備中　一ケ　二、二〇
萬能　二ケ　三、六〇
唐鍬　一ケ　一、八〇
ツルバシ　一ケ　二、八〇
手バサミ　一ケ　〇、四〇
剪定バサミ　一ケ　二、〇〇
移植ゴテ　一ケ　〇、三〇
押切り　一ケ　三、八〇
砥石三種　一〇丁　一、二〇
チョーナ　一丁　一、〇〇
ナタ　二丁　三、〇〇
ヒトバリ　三本　〇、五〇
マサカリ　二丁　三、二〇（外國製のもの丶方使よし）

△什器

ナベ　三枚　四、五〇　カマ　一ケ　六、〇〇
洋食皿（ニーム）　五枚　一、五〇　ハシ　一〇人前　〇、二〇

チヤワン　六ケ　〇、六〇　皿數　一〇枚　〇、五〇
洋食用小刀三ケ　〇、五〇　同ホーク　三ケ　一、〇〇
同サシ　〇、六〇　ヤクワン（赤）二ケ三、〇〇
庖丁　二丁　一、〇〇　バケツ　二ケ　二、三〇
洗面器（赤セト引）一ケ二五　大根オロシ一ケ　〇、二〇
コツプ　四ケ　〇、八〇　塗盆二枚　一、〇〇
メシバチ　一ケ　一、二〇　チヤウボ　一ケ　〇、三〇
キユウス　二ケ茶ノミ五ケ一、〇〇
ベントウ箱三ケ　一、五〇　水ビシヤク一本　〇、二〇
汁サジ　一ケ　〇、二〇　フライヤキ一ケ　一、〇〇
スリバチ　一ケ　〇、二〇　火バシ　二組　〇、二〇
アルミメワン一〇ケ二、〇〇

△日用品

石鹼（彼地は高價）一二ケ　一、二〇　粉石鹼　一二袋　一、〇〇
同洗濯用一二ケ　〇、八〇　同ヨージ二〇本　二、〇〇
ハミガキ粉二四袋二、二〇　ゴムノリ　一ケ　〇、二〇
矢立　一ケ　〇、五〇　ランプ二組（心三本ホヤ三本）一、〇〇
マツチ　一〇ダアス　一、〇〇　クツバケ　三ケ　一、〇〇
靴ズミ　六ケ　一、〇〇　モノサシ　〇、二〇
針　〇、六〇

ハサミ		〇、五〇	火ノシ		〇、七〇
ガス糸		〇、二〇	木綿糸		二、五〇
ボタン糸		三、〇〇	ハリウケ其他		〇、三〇
紙	一〇丈	一、三〇	改良半紙	一〇丈	一、三〇
封紙	一〇丈	一、四〇	手帳大小	二〇冊	二、〇〇
ペン軸	三本	〇、二〇			

△大工道具建築具

鋸四枚(ガントウ一兩歯二、二尺)		九、五〇			
ヤスリ三種	各七枚	二、五〇	ボトー(一本一寸一分 二六分一)		一、二〇
カンナ	二丁	一、三〇	ノミ(四分六分八分)		一、五〇
キリ	一〇本	〇、二五	クギヌキ	一丁	〇、六〇
ペンチ	一ケ	一、〇〇	萬吉	一ケ	二、二〇
カナズチ	一ケ	〇、三〇	サシガネ	一ケ	一、二〇
スミツボ	一ケ	〇、四五	ケヒキ	一ケ	〇、三〇
水平器	一ケ	〇、八〇	塗ゴテ(左官用)	二ケ	〇、三〇
タガネウチ	各一ケ	〇、五〇	ヤツトコ	一ケ	〇、五〇
棒ヤスリ	一ケ	一、二〇	カスガイ	二〇本	二、八〇
クギ	五寸五〇本一寸五分三〇〇匁七分二〇〇匁 二寸二〇〇匁三寸三〇本	二、五〇			
水繩	一	〇、四〇			
針金(十八、十三番 線各五〇〇匁)		二、〇〇	アサリ出シ	一丁	〇、一〇
小刀	一丁	〇、六〇	カナテコ	一丁	二、〇〇

△藥品類(合計四十圓位)

腹藥調劑、腸藥同上、風藥同上、下劑、洗滌藥、(ホーサン氣付(ハッカ寶丹)清涼劑(仁丹清心丹)イシチオール、胎毒下シ、吸出膏藥、添付藥(妙布、明所膏、バンソウ膏)婦人藥(命の母三、〇〇安神湯)驅虫劑(ナフタリン)炭酸、虫藥神藥、脫脂綿、体溫器、繃帶、ハバリスポイト、ピンセット、手術用ハサミ、瓦砕り、クスリヤカン、牛胃、氷袋、水枕、アルコール、アンモニヤ水、腸藥品、强壯劑(クレオソート二、二〇)健胃劑(ケンチアナホ 一、〇〇)

△船中必要品

ビスケット	四ケ	一、〇〇	キヤラメル	四〇ケ	四、八〇
カツブシ	五本	三、〇〇	砂糖	二斤	一、〇〇
ブドー酒	一本	一、〇〇	フクジン漬	三罐	一、〇〇
澱粉		一、〇〇	粉ミルク	一罐	一、二〇
罐詰類	四ケ	一、二〇	卵	三〇ケ	二、〇〇
梅漬		一、〇〇	ミソ漬		
アサダアメ	三ケ	〇、八〇	茶	一斤	一、三〇
ショーガ		〇、二〇	コルキ抜キ		〇、二〇
トランプ	百人一首	樂器	カン切り		

以上の外前記に人品中携帶せるもの、洋服靴及其の他附屬品、一通、和服付屬品一通り、日用品的二ケ月分、藥品類中特に必要たるもの

△雜品

ハンダ	一ケ	〇、七〇	ハンダコテ	一ケ	一、五〇
ソロバン	一挺	一、八〇	水筒	一ケ	二、〇〇
枕時計	一ケ	二、〇〇	時計	二ケ	一〇、〇〇
オリクギ	二本	〇、二〇	洋傘	三本	八、〇〇
提灯	二張	〇、七〇	磁石	一ケ	〇、三〇
擴大鏡	一ケ	一、〇〇	製圖器	一臺	三、〇〇
アブラ紙大テンマク用	三枚	六、〇〇			
麻繩荷造用		六、〇〇			
線香		〇、二〇	ローソク	二箱	一、五〇
サナダ紘		一、〇〇	モグサ		〇、一〇
竹コウリ大	三ケ	一〇、〇〇	柳コウリ	二ケ	八、〇〇
バスケツト		二、五〇	地圖		〇、七〇

參考書雜、誌其他娛樂書籍類(彼の地に行つた後に買入れる事は殆んど不可能である故可成く一通り揃えて持參する事)

△日用品

鉛筆	三〇本	一、〇〇	チリガミ	一〇丈	〇、三〇
麻		〇、八〇	吸取紙	一〇枚	〇、二〇
角封	二〇枚	一、〇〇	インキ	三ケ	〇、七〇
筆	一〇本	〇、六〇	墨	三ケ	〇、二〇
スズリ	一ケ	〇、三〇	小刀	二ケ	〇、五〇
服ブラシ	二ケ	〇、五〇	ケヌキ	二ケ	〇、二〇
ツメキリ	一ケ	〇、三〇			

結髮道具

ハサミ	〇、五〇	クシ	一、〇〇	元結	〇、七〇
バリカン	二、五〇	フケトリ	〇、二〇	カガミ	一、八〇
ブラツシ	〇、三〇	墨汁	〇、二〇		

又船中にてはバケツ(一個)洗濯用洗面器一個が必要である。ゴム底足袋も勞働に便利だから七、八足は用意するがよい。

(終)

海外事情

西藏に内亂 デリーテレクラブ所報によれば目下西藏には軍閥と保守的ラマとの間に内亂が起り一万の支那軍は内亂鎭撫のため出動すべく、命ぜられたと報ぜらる。

前人未路の山は邦人によつて極めらる バンクーバ發電によればカナデアンロツキーの槇氏一行が其の目的としたるアルバーカ山天をきはめて下山し玆に世界の登山家が恐ろしき山と仰ぐだに恐れた前人未路のアルバーカ山我探險隊によつて遂に成功したのである。

比律賓事情

面積、一、九〇〇〇方哩(本州及九州と北海道)
人口、一〇三五萬人

一 地文と産業

位置 比律賓は我が臺灣の更に南方に點在する大小約參千百余の島嶼よりなるもので、その群島中大きいものはルソン、ミンナダヲである、この二大嶋に亞いでサマル、ネグロス、パナイ、パラグア、パラソン、ミンドロ島がある。

氣候 一槪には言へないが、内地にゐて比律賓は熱帶圏内だから非常に暑いと想像する程ではない、對岸の佛領印度支那などでは日射病にかゝるものが多いさうだが比律賓には殆んどない一年中全島に亘つて氣溫に變化が少なく、一日中正午から三時頃まで八十度から九十度を上下するが、朝夕は案外に涼しく、七十度前後である。なほ一年を雨期(自七月至十月)乾燥期(自十二月至五月)の二期に別ける事が出來る、乾燥期などは我が國の秋の様に快晴の日續き、極めて清爽である。

產業 比律賓は前記の様に氣候はよくて、天惠豊かであるから、暖國の產物は豊饒である。從つて產業は農業が主である。總面積一二七、〇〇〇方哩もあるが、地味肥沃で農業に適する地は五二、〇〇〇方哩で、既墾は其四分の一(一二、〇〇〇方哩)に過ぎない何故に天惠豊かな比律賓がかうして殘されてゐるか、其の理由は種々あるも住民一般が懶惰にして、天惠に厚きをたのみ貯蓄心なく、且つ農作法の幼稚なるによるのであらう。

農產物中主なるものは麻、椰子、煙草甘蔗、米の所謂五大產業と儀せられるもので、麻は土人がアバカと稱へるマニラ麻で芭蕉科に屬し芭蕉に似て葉裏の線條が多く果物のバナナがない位の差異である、植えつけた麻が二十ケ月位すると葉鞘から切り取り、鐵製の櫛

で之をすき纖維をとり、乾燥すると麻となり、優良品になると長さが八尺から十二尺になるものである。そしてその用途はその質輕くして強く、早く乾き且柔軟性を有し、耐水性强き故船艦のロープに使用され、其の他シャツ、胴着、婦人帽を製せられるものである。マニラ麻は輸出類第一位を占めてゐて總輸出額の五分の一の六千萬ペソ位輸出する、米は住民の常食で、質は日本米に似てゐるが、粗惡で粘質が少ない土人は耕作法拙劣だから日本に於ける耕作法を以てやれば改良の余地が多いと思ふ。椰子は海岸地帶に栽培され、又は天然もにあり、主として椰子油の原料とされる。煙草はマニラ麻と並び稱せられるもので、品質良好、生產量も多い。甘蔗も宣ろしい。兎に角、何れの農業も充分發達してゐない、農業以外の產業も餘地はあるが、まだ〳〵幼稚である。

二 住民と政治

人種 千九百十八年の國勢調査によれば、約一千〇三十五萬人居るが一方里五十五人に過ぎないのである。全面積が日本の三分の二以上もあるのだからまだ〳〵人は幾くらも這入れる。そして人種別によれば。もとより土人が多く、米人は非常に少ない。又支那人(五万人商業に從事)は今入國を禁ぜらてゐるのでこれも少ない、總で外國人が七万位だ。比律賓は元來インドネシア族であるが支那人、スペイン人の血も混つ居た、大体日本人に似てゐる。從つて日本人には親しみ易い。彼等の宗教はキリスト教が盛んで。殆んど全人口の大部を占め他に少しく回教も行はれてゐる。

風俗 男は、上中流は普通脊廣服、下流はズボンの上に薄きシャツを着るが、女はスペイン文明在來文明との折衷式と云ふべき異様の服裝をしてゐる下には西洋婦人の様に裙の長い袴を穿ち、歩行の時には折つて前に挾み、上ては廣袖の上着を着る、之をカミサと云ふには マニラ麻で作つた蚊帳の様な薄い元來婦人は濃厚な色彩を好むので、カサミを着た比律賓婦人が集まつた時には赤や青で燦爛として美しく、その薄いカサミの上から肉体が透視され、男も女も比律賓では裸足の者はなく、靴かスリッパを穿つてゐる、又ラテン文明の結果か極端に女尊男卑であり、金錢等は女が保管し、その鍵を女は外出の時に腰に下げ共多いのを誇つてゐる。尙奇異なのは既婚婦人は左手に、未婚婦人は右手に裾をまくつて歩くことである。

政治 米領になつたものの米國は統

治に困り、半獨立になつてゐる、比律賓の獨立案は米國議會にて殆んど年中行事の様に出てゐる。一九〇八年に比島全島選出議員にて第一回比嶋評議會を設け、一九一二年三月には上院も出來茲に完全は比嶋立法部が完成され、直按に行政、立法に參與してゐる卽ち上院は各部長官九名にて組織し、衆議員は比嶋人八十名にて組織する。行政は總督の下に內務、教育、財政、司法、農務、商務及警察の六部からなつてゐる。

地方は三十六州に分ち、各州に州知事を置く外、ミンダナオはミンダナオ、スルー省を置き、七省に分つ知事を置く、都市には市制を布き、其數八百五十余り、マニラとオロンガホー、サンボアンガー、イロイロ等が大きい首府マニラはルソン島の東南岸にあつて人口約三十萬市街は現代式都市として萬般の文明施設を有し、歐米人が東海の眞珠市と言ふ程である。此には帝國領事館もあり在留同胞は二千余人、旅館、料理店を營む者も少くない。

三　交通と貨幣

交通　西國領有、は線路も殆んどない有様であつたが、米國は鋭意交通土木に努め、一九一一年までに約六千萬ペソを費し道路を造つたので、現今は山間にも容易に自動車を通ずることが出來る。一九一七年には共延長五四六四哩にも達した。鐵道は現在約八百哩に達したが、自動車の發達は鐵道の發達を阻止した樣である、卽ち主要部市のみでも其數四千臺位に達すると言ふ海運も可成に發達してゐる。以前からマニラ、香港間を通ずるものに二つあり、一つは印度支那氣船會社の船が一週一回寄港し。他の一つは日本郵船會社濠洲航路の船が一ケ月一回寄港した尙日本、マニラ間には南洋郵船、大阪商船東洋氣船會社の航路がある。此の近海航路は數多あつて數種の會社に依つて、經營されてゐる。

通貨　比律賓の通貨は硬貨と紙幣で硬貨には、銀貨一ペソ、五十センタボス二十センタボス、十センタボスの四種白銅貨五センタボス、銅貨一センタボスがある、紙幣には二、五、一〇、二〇五〇、一〇〇、五〇〇ペソの七種類がある、此の外に五、一〇、二〇、五〇一〇〇、二〇〇ペソの六種の比律賓銀行券がある、そして百センタボスが一ペソで、邦貨の約九十五錢位に當つてゐる。

度量衡　重さを表すにカツチイがある、我が百六八匁餘で、百カツチイを一ピクルと言ひ、十六貫八一七匁余である。

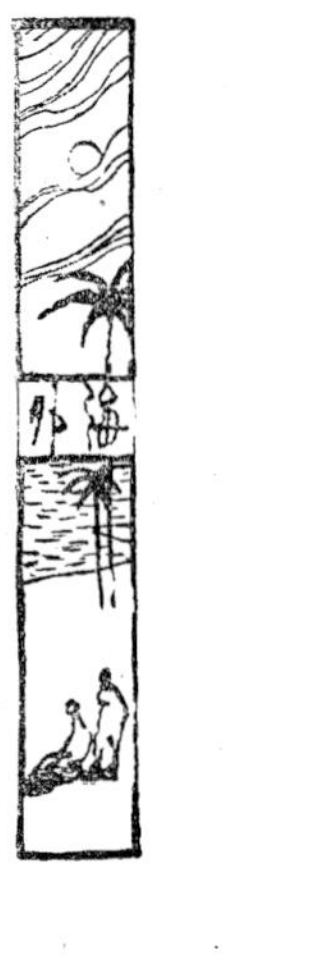

海外通信

伯國渡航希望者諸君へ

伯國は北米ハワイのやうな勞働を目的とする出稼地ではない。三年五年の短日月の間に巨利を縛し得ようとか、未開地である故、人知れぬ金銀寶玉の山があらうなどと考へる空想家の成功すべき地でもない。

アメリカ大陸を發見した時ヨーロウパ人が唯れも彼れも黃金寶玉を拾はんとて渡つたが黃金も寶玉も無かつたと同じで、如何にブラジルが宜い所だと言つた處が世界何れの國の人が鳥の目、鷹の目でよい寶山でもないかと、探してゐる今日、何處に行つても濡れ手で粟を握む樣な所はない。

たゞブラジルの良いといふ所は第一人口が稀薄で土地が無限にあると云ふ事第二に文化程度が低く新開國であるため、六ツ敷ひ法律や昔からの因襲とか形式にとらはれないでノンビリシタ生活が出來るといふ事、第三に氣候が溫順で雪が降らないため、農作物がよく繁茂し、果實が年中實り、冬になつても綿入の心配がいらない。

第四北米の様な人種的辟見がない。

第五土地が安價で容易に地主になれる

第六市民權を容易に得られる。

等がブラジルの他に勝れて良い所である。しかし良い所には、必ず半面に惡い所あるを考へねばならぬ卽ち

第一日本內地に余り遠隔であるため兩國との交通不便である。

第二經濟界が發達していないため農產物其の他の物品の値段が一定してゐない。卽、生產過剩の場合には常の半額にも價ひしない有樣で、斯ふ云ふ場合には外國輸入物品(必需品)が非常に高い

第三勞銀の安い割合に生活費凡ての物品が高い事

第四子供の敎育が充分に出來ない事

第五病氣に罹つた場合治療代の高價の事である。

それで伯國移民募集者が金儲けに面白しく常に涎の流れるやな甘言を以て募集に腐心し、また今迄の日本から來る伯國視察者のいふ人の多くは一二週間サンボウロ市に滯在して、門口から一寸伯國をのぞき、領事館や移民會社の統計を見て、ブラジル一班を知つた風に、日本へ歸つて大々的廣告をやるといふ樣な人話をその儘眞實に受けて、空想を胸に描いて、渡伯した人々がコーヒー園の勞働でシツクリ豫期に反してゐるのに失望して終ふ、監督や主人からは牛馬樣に酷使され無理の命令にも服從しなければならぬ。朝から晩まで畠では黑人の顏の樣に眞黑くなつて働いて日本金一圓內外しか得られぬ。最初は土に慣れないために水あたりする、身体に寄生虫が入る、言葉は解らなくて外人から笑はれる、二三年の中に成功して歸へろうと思ふ渡航費を借りてまで來たが、何年過ぎても、金は殘らぬといふ樣な事になる。

所で耕地は見込がないから早く獨立事業をやつて金を蓄へやうと或る人は米作をやる、土地を買ふてコーヒ樹或は甘蔗を植へつける、青年は市街に飛び出すと云ふ有樣で日本人のやり方は何處までも浮腰で土着する氣などは豪もない。

植民地では至る所、近視眼的金儲けに腐心するばかりで新しい村とか、理想の村を造らうなどゝ云ふ考への人々はない、蝸牛角上の爭ひ多くて、共同利益を計つて今後の發展を期すると云ふ樣な氣槪は更らにない。

町に出た青年は墮落する、相當教育ある人々は無理な農民や伯人を僞計に陷れて放浪すると云ふ有樣である。

仰も日本人が耕地に於て、植民地に於て、又は市街勞働に於て余り成切してゐないと云ふ原因は一に現存日本に於て伯國移殖民を募集する人々が、嘘八百を並べて歡誘したる事と應募者間の伯國事情についてその智識余に乏しきに依る。又政府當局が移植民業者と云ふ商賣人に詫びて顧みかつたためによる。私はコーヒー耕地の移民は余り奬勵したくない。何故かと問ふならば答へよう。卽ち日本がブラジル耕地に勞働者を給供するには日本人は余り偉過ぎるからである。たゞ日本が偉過ぎるその事であるその說明は諸君の判斷に委かせる。

そこで、今後の日本人のブラジル發展は不往を目的とする殖民事業である。猫額の土地に手も足も出せず重い稅を課せられ、自由に身動も出來ず、形式や因襲に囚はれてゐる、日本の土地から廣大無限のブラジルに渡つて唯々遠慮氣兼ねをする必要はなく同志と共に理想の村を造る事である。それには堅實なる思想と不居不撓の奮鬪家、自ら手に斧を以て開拓する人でなければならぬ。

私が居住してゐるビルグイ殖民地から程遠からぬフラカツバ驛から三十里も山奥に一獨乙殖民地がある。昨年あたりから獨乙から渡つた植民が五、六十家族も入り込んで開拓してゐる。戰前相當の地位にあつた人も、大學を卒業した青年も中には大學敎授もゐる。皆一樣に鍬を以て耕作し、理想の村を造らうとする努力は驚かさるを得ない。

私は此の樣な種類の日本人植民地が數多く續出する事を望んでゐる。

人間至る所に靑山あり。慣れない殖民事業にも最初いろ〳〵の困難がある。それらは十分に承知して戰はねばならぬ勇氣ある人々が廣い世台に立つて自分の技を試して見る程面白い事はあるまい。又排日などのない中に日本人がどん〳〵入り込んでブラジル內に大和民族の勢力を造る事も面白からう。たゞ今迄の日本移植民の大体を見ると、世界の各國の人々と步調を合せて進むだけの準備がない。耕地では一等國民として餘り醜い風体を露して外人から顰排される。言語は不通、事業家には資金が乏い、子弟の敎育はなほざりになると云ふ樣の現在の狀態では、折角の日本人發展も望まれない。所で、今後の渡伯者には外國事情の一般の智識を得る必要がある。日常言語も出來得るならば知りたい。殖民者には資本と植民地經營一般の常識を欲しい。大日本帝國國民は世界何れの地にあつても大國民の尊嚴を維持するやうな行動を取つてもらいたい。（續き）

有望なる伯國の養蠶業

氏の鄕里は下高井郡平岡村、大正七年海外發展の最も盛んな頃、當時の指導者、故中村國穗氏の斡旋にて渡伯された。最初海外興業のレジストロの植民地に活動したが、今から五年前、現在のビリグイに獨立された此の通信は本月十日協會宛に寄せられたのである。

大正十四年六月廿日　　小林伊助

拜啓御貴會益々御發展相成邦家のため本縣のため最も慶賀に御座候。

陳者、昨年末より雜誌御送本被下有難く御禮申し上げ候。雜誌料金も御送金相致さざれば、相成らぬと存じ今回輸湖氏と一纒にして送金致すべく候

（中略）

今回拙者の近況を通知申上げ協會及び本縣人の發展の上に相成候ば此の上もなき事と、存じ候。

拙者は去る大正七年九月中村國穗氏の周旋にて、渡伯致し、未だ年若くして樣々の仕事に失敗致し、種々逆境に遇ひ、難局に處し、遂に養蠶事業に手を染め、漸やく順調に相成り最早四年を經過致し候。

斯業開始以來蠶具の調製に苦心慘膽致し、今日蠶座四百枚許り取揃へ申し候三人家族にて二拾五貫のものなら遊び位に御座候、昨年の一回の收繭量は五拾五貫に御座候、その折恰度京都高等蠶業學校の中根敎論が視察中にて同收繭を見て非常に驚き斯くの如き良繭を伯國で發見した事は視察中の重要なる事柄であると同時に伯國の善蠶業が今後著しい勢で發展するは疑ひなく且つ生產品に對する生產費が低廉なる故日本內地の養蠶業に一大影響を與ふる時が來るだらうし兎に角將來の伯國の養蠶業は大いに有望であると申され候。

伯國は天賦の極樂天地と思ひ候、桑葉は無肥料にて、根刈にて一年に三回の刈取りが出來年中御地の春蠶の裝置なら何時にても飼育出來特に冷藏室の設

備之有候ば便宜に候。尙中繭等にて副産物（眞綿等）も製造致さば以外の利益を見候

今年拙者は一人にて棉花七町歩を蒔付致し候所案外成長も良く馬耕にて、北米式に大農式に候ば御地の七町歩の棉作豫想も判談致し兼ね候が實際樂にて誠に呑氣に御座候。

成功は決して急がず、拙者は內地にて極樂の味を知らずして、伯國にて初めて極樂の味知り申し候、內地にて食いたい飲みたい私共が、當國にては貯めたいお金をためたいと念頭に之有候

棉花も三百五拾アローバの收穫豫定に候一アローバーは四貫目に之有候。目下の四貫匁は十五、六ミルレース乃至二〇ミルレースの相場に候（一圓が三四〇ミルの爲替相場）然らば七千圓の收入之有候と存じ候棉花摘採は女子の手にて致す事と存じ候、現在拙者の經營は大体中並にて漸次順調、に運び居り候、追て事業の擴張計り居り候、先づは御無沙汰を兼ね御報告申上候

頓首

亞國然丁に來る人の爲めに

＝亞國人の禮義に就いて＝

諸國民雑居に依り成立し居る亞爾丁社界の復雑なる事は他に其比を見ないと云ふのである北米合衆國の如き亞國以上多數の海外移民を入れて居るが當初に於て英國人種で基礎を作つた事と英國人の氣質が他を服彼せしむる力を持て居る事の爲めに舊西班牙領地の夫れと趣きを異にして居るのである又た其外に西班牙人は土人と混同した爲めに人種の復雑と共に一般が面倒になつたのである。

南米諸國內で亞國程多數の移民を受けた國は無いのであるが夫れで發達も一歩他に進んで居ると同時に社界的弊害も少くないのである南米中亞國の社界程下卑な社界は無ひと云はれ亞國人も是認して居る樣であるが之れも當然の理屈である即ち多くの無教育無學の上級勞働移民を入れて其の連中は成金者が中流社界の大部分を形づくりつゝあるのである夫れで現在の狀態では亞國は變化時代とも云ふ境にあるので完全なる亞國々民は成立して居らないものとしてある。

亞國上流社界は西玻牙舊家を主として組識せられて居て最近に到つては外國人の子孫の地位ある者が其範圍內に加へられて居るが根本的には今日も昨日の如く西玻牙流の習慣を議る主義である。時勢の潮流に從ひ余程變更して樣でありながら社交の事等相變らず祖母時代の教訓に制せられて居る宗教の力は盛んなものであるが其の程度に古き習慣の制裁を受けて居るのである。

西玻牙はアラビア文明の遺傳を受けて

屋るので共習慣內に東洋式のもの多くあるが禮義の事等共の一である

教育ある立派な家庭に生れた亞國人の品性は實に嚴しもので共禮義は對する惑念の强き事日本人以上である我等は東洋の君子國のもの母國の教へを忙れず亞國の上流の人に劣らざる程禮義に謹む事に注意したいものである

日本人は日本の社界の然らしむる爲めか禮義にも外見或は表面的を主として誠意を欠ぐ樣に見へるが流水等は注意する外國人の奇とする處である又日本人は元來婦人を輕視する社界を生れて居る爲めに外國で婦人を尊敬する事を知つて居り外國人間に於て表面的にも之れを正しく習ふ事をてない樣であるので日亞人間の集會の場合に注意して見ると明かに眞意が行爲に現はれて居る

歐米では婦人の地位を見て共社界の文明の程度を現するものとせられて居るのである

雑居民家の間に長く生治して學問も教育も低き人を日々相手にして居る在留同胞の多數者は餘程の注意を拂はなければ群集の好ましからざる風に化し禮義正しき日本國民の美風を既ふに到るから此の點も常に念頭に置くべき事であると思ふ

言葉の使び方が又禮義の一つである事は日本も亞爾然丁も同樣である日本人の大部分の人は當國に在るも能く共迄葉を學ばない爲めに或は此の邊の事言には氣にしないかと察せるけれども決して放棄すべき事でないのであるから語學を學ぶ付ても丁寝に話す事を勉めて學ばれたいのである　（終）

もつこ海外同胞は親密に

比律賓　ＹＨ生

人間の生活が常に現實を遠く離れた、空想の中に存ずる事は誰しも否定します。併し乍ら人間の生活の價値は矢張現實にあらねばなりせん。如何に理の通つた立派な思想でも完教の教へでもその倫理の基礎を現實におかずしておる時は如何に教理を教ふるとも、それは不可能の事であります。人間を教ふべき宗教が人間を本能を不具にする樣なことがあるとしたらその宗教は既に人獸界を指導すべき價値のなきものであります勿論宗教や哲學には俗見の褻れざる或る力の存在することの出來ないものであります。が近代の思想がこの現實的傾向をあびてゐる事は社會の諸事實に徵して明かなる處でありますそれらの社會的事實が幾多の犠牲を拂ひ久しい星霜を經く漸やく現實化の過渡期に入つた次第であるので一朝一夕に出來上つたものでありません。

そうした諸事實の傾向は未開地等に於ては余り著しくありません。何故ならば其の目的とする所が余り遍則な利欲

の念に驅られ過ぎてゐる故でありますが個性の修養とか向上とかそうした方面に生活を向ける程の餘裕を現實の生活の中に認める事の不可能な故である。植民地生活者の性格の粗野な事は文化的施設の備はつた華麗な都市に常に住居する人達と如何に極端に相違したコントラストでせう、併してこの粗野な性格より溢れる人情の充溢してゐる植民地が何時迄もそうした狀態を持續すると云ふことは自然の推移する上に於いて容さるゝことではありません。文明開化と云ふ事が單なる衆團的作用のみでなしに各個人生活の外的投映であると云ふ事を知るならば社會の改革と云ふことの前に個人生活の改善と云ふことが必要ではないだらうか

新しい村の建設。これは決して惡い事ではありません併しその前に在留同胞各個人の生活を今小し改善向上させる必要がある。

私共新移民の期待と憧憬を裏切つたものは同胞相互間の友情の念の稀薄の事であつた。同國人同志で同じキャンプに住居してゐながら、別個の生活樣式を營み、その生活程度が少しも違ふと、輕蔑視すと云ふ態度に出でゝ少しの融合的生活の出來ない事である。米本國の加州に於ける排日の根本的萠芽が單なる彼我勞働者の壓迫と見たり、人種的遍見と斷じたりすることも正しい見解と云はれないのでありますが寧ろ自ら招來した禍とも云ひ得る點も決して少なくないのであります。

從來の移民政策の失敗した責任等も徒らに政府當局者の無能を攻めるよりも移住者各自の自覺の足りない事、即ち移住に對する覺悟及び移住地生活の基調を誤り又は相互間の內的不合による點も十分に顧考せねばなりません。現在比嶋人に對する日本人各自の態度も決して要を得たものと云ふ事が出來ません之等も米本國に於けるそれに似た結果を生む原因とはならないでせうか故に常に彼等に當面する機會の多い職業にある人達は常にそうしたことの責任を重く感じてゐなければなりません。殆んど無制限に似た移民の渡來之等のことも一時的出稼ぎでない人達の考慮を要する所です。母國の事情を詳知する者程亦此地に於ける同胞の發展と云ふことの將來を深く考へるべきことです母國との通信機關の完備してゐない此の地におきましては充分に同胞各自自重を計り彼我の親密に努めねばなりません。

內國事情

攝政宮殿下の樺太行啓　八月二日御出發の攝政宮殿下には政局多端に御延期遊ばれて一時樺太廳民の失望する所であつたが、政局安定するや四日愈御出發と決定し、三日葉山に妃殿下と親しく御別れを告げさせられた。五日午前十一時橫須賀軍港の皐頭より軍艦長門に御移乘一路樺太行啓の途に上らせられた。海路平安。九日午前十一時大泊灣頭遥るか沖合に一沫の煙を吐いて進み來るや奉迎の蒼生は歡呼の聲高く、二十一發の皇禮砲に代る煙火は空中高く、響き攝政宮殿下には御弟宮高松宮殿下に久邇の宮殿下と共に午後零時稅關の假棧橋より記念すべき樺太の地に第一歩の足跡を印せられた。攝政宮殿下には數日の航海にもかゝわらず小しの御疲勞もなく直ちに各方面に御成り遊ばされだ、喜びに狂ふ全町民は提灯行列を行ひて、殿下の御旅情を慰め奉つた。十二日は御豫定の如く、大泊を御出發眞岡港に向やられた。眞岡には十三日午後御上陸午後は更に本斗港に御成本斗にては小學校、特產物等御覽になり其の日午後再び御召艦に御移乘、橫須賀に御歸航遊ばされた。

內閣總辭職

三十一日辭表を捧呈、

加藤協調內閣はしば／＼政友會出身閣僚と稅制整理案の上提されてから、意見を異にして、二十九日の閣議は兩派睨み合ひの儘散會し、三十日も引き續いて開會したが、岡崎、小川兩相の强硬なる反對の結果、遂に協調は決裂し而も兩相は自ら辭職せんとせず飽迄も無理心中に進み異狀なる波瀾を惹起したが、加藤首相は三十一日午前八時官邸に臨時閣議を召集し、內閣總辭職の決意を發表し、閣員一同も又之れに贊成したので、直ちに一同の辭表を取り纒め、午前九時赤坂御所に參內攝政宮殿下に拜謁辭表を捧呈した

加藤子に大命再降下　直ちに三相後任の詮衡後繼內閣組織に關し、牧野內府は興津に西園寺公と會見し、歸京直ちに赤坂御所に伺候伏奏の結果大命は加藤高明子に再び降下した。加藤子は御召により午後五時御所に伺候攝政宮殿下に拜謁內閣組織の大命を拜受して官邸に歸り直ちに組閣に着手したが、閣係は政友會出身の野田、岡崎、小川三氏を除く全部を留任とし右三氏の辭表だけその儘勅許を仰ぎ其後任三相は八月一日中詮衡する事になつた。三相詮衡と親任式。第二次內閣の親任式は二日午前十一時赤坂東宮御所に於て擧行された、此の日加藤高明氏は昨夜詮衡を終りたる閣臣の人名簿を携へて午前九時燕尾服にシルクハット晴れやかに巨軀を包んで、東宮御所に伺候直ちに攝政宮殿下に拜謁仰付られ、携

へ來りたる閣臣の人名簿を奉呈するや攝政宮殿下はさきに加藤首相より奉呈した第一次加藤内閣閣僚全部の辭表中新閣臣人名簿を乘せた、加藤首相、幣原外相、若槻内相、濱口藏相、宇垣陸相、財部海相、岡田文相、安達遞相、仙石鐵相の九大臣の辭表はこの儘加藤首相に御下渡しありたる上、新に閣班に列すべき左の三大臣に對して、親任式擧行せらるべき旨仰出された直ちに御座所にて加藤首相侍直の上左の如き官記を親授された、同時に政友出身三閣僚には辭表聽許の辭令が下つた。

任司法大臣
内閣書記翰長 正四位勳二等 江木翼

任農林大臣
大藏政務次官 從四位勳三等 早速整爾

任商工大臣
内務政務次官 從四位勳三等 片岡直溫

司法大臣 小川平吉
農林大臣 岡崎邦輔
商工大臣 野田卯太郎
依願免本官

內閣の新陣容 三大臣の親任式によつて新内閣は即ち左の陣容となつた

内閣總理大臣	加藤高明
外務大臣	幣原喜重郎
内務大臣	若槻禮次郎
大藏大臣	濱口雄幸
陸軍大臣	宇垣一成
海軍大臣	財部彪
司法大臣	江木翼
文部大臣	岡田良平
商工大臣	片岡直溫
農林大臣	早速整爾
遞信大臣	安達謙藏
鐵道大臣	仙石貢
内閣書記翰長	塚本清治
法制局長官	山川瑞夫

政務官決定 八日の閣議で詮衡中の政務次官並に參與官は

内務政務次官	俵孫一
同參與官	鈴木富士彌
外務政務次官	矢吹省三
同參與官	永井柳太郎
大藏政務次官	竹内作平
同參與官	三木武吉
陸軍政務次官	水野直子
同參與官	溝口直亮
海軍政務次官	井上匡四郎
同參與官	伊藤三郎丸
司法政務次官	本田恒之
同參與官	八並武治
文部政務次官	鈴置倉治郎
同參與官	川崎克
農林政務次官	小山松壽
同參與官	高田耕平
商工政務次官	棚瀬橡之佐
同參與官	野村嘉六
遞信政務次官	頼母木桂吉
同參與官	山道襄一
鐵道政務次官	降旗元太郎
同參與官	古屋慶隆

八坂丸登載金貨引上げ成功す

歐洲大戰中大正四年エ

ジプトの沖地中海を佛國マルセーユを出帆してポーオサイドに向つた日本郵便八坂丸は金塊百万圓、貨物一万四百噸乘客百廿人(日本人七名)を乘組ませ滿船の狀態であつた。丁度午後二時突如の雷撃を受けて撃破したが人生に異常なく幸であつたが彼の金塊は空しく四十尋(二百十尺)の深海に葬られてゐたが偶日本深海工業所の引き揚げ仕事決定するや、世人は冷笑でこの壯擧を迎ふた。然し同所は海底六十尋迄降下してゆける大串式潛水器によつて遂に九日金貨引き上げに成功しポートサイド、フランス銀行に入れた。此の壯擧を敢行するに至つた一人物は同所主任の原賢造氏であつた、原氏は長野市選出代議士笠原忠造氏の實弟で東洋汽船重役原鎗三氏の養子となり爰に資金を得た彼は遂に此の成功を見るに至つたのである因みに同氏は幼時の時から仕事が好きで寧ろ勉强はそつちのけの方で特に彼は人を使ふに妙を得てゐる。

信州通信

竹田宮川中嶋古戰場へ

(篠井電話)竹田宮殿下には日本アルプス御登山の歸途八日午後二時五十八分篠の井驛に御下車梅谷知事其他のお出迎へを受られ驛長室に御少憩の後縣廳差し廻しの自動車にて川中島古戰場八幡原に成らせられ同所で寺澤下氷鉋小學校長から古戰場の御說明を申上げたのを御熟心に御聽取遊ばれ再び自動車で引返され篠の井驛午後四時廿分發で御機嫌麗しく輕井澤へお歸りになつた更級郡から林檎一箱に川中島煎餅一折を獻上したが御嘉納の光榮に浴した

縣下の諸税額負擔 縣下に於ける本年度の諸税總額は、二千四百三十八万八千三百四圓で之を税別に見ると

市町村税	一二一三六〇二〇圓
國税	五四五三八七八圓
縣税	六七九八四〇八圓

で之を戸數割納税義務者一人平均の負擔は八十三圓八十六錢三厘一毛、又總人口一人平均は十五圓六十四錢四厘で前年度に比すれば總額では、三十七万四千三百六十二圓の負擔輕減を見るが總人口一人平均では、たつた二厘の減にすぎぬ。戸數割納税義務者一人平均では二圓四十五錢の負擔が輕くなつてゐる。

埴科の副業 政府當局では農村振

興策の一方策として農家の副業を奬勵してゐるが當縣に於ても副業を奬勵すべく殊に特産物に對する副業を眼目として目下副業副業基本調査に取かゝつてゐるが、今埴科に於ける加工的副業生産額について、見れば、

副業種別	從業戸數	生産販賣用 數量	生産販賣用 價額	自家用 數量	自家用 價額
藁製品	五六一三		六九三〇		四〇・四八八
生絹	八八七	四八九六	三二・一三二	一・四一八	九四・一一四
玉糸	一・七六八	二七六	一五・六三九	六一五・一〇〇	三三・七六〇
座繰糸	一・二九四		一六六・三九五		二七・九三六
眞綿	一・二〇一	二八六	一二・七五一	二六六	一一・六一八
縮緬	二二三	四三	六四五	三六	五四〇
上田縞	二二三	八七反	一・三〇一	一七	二五五
絹綿織物	五〇九			五六五反	三二九一
竹製品	三		七六〇		
凍豆腐	一〇	二七・五〇〇	一・六六〇	一六〇	一六〇
杏罐詰	一	五六〇	二・九一二		
干杏	四二五	一・二五〇	三・七〇〇		
木綿織物	五六九			一・八六九	四・九〇九
繰絹織物	三五	一二〇	一・八〇〇	六〇	九六〇
薪炭	一八九	四一〇俵	六一五	四三四	六六〇
其の他	五		五・三〇〇		
計	一二・九五五		二四七・七七四		一三三・九九〇

數字の示す處によれば自家用に對する販賣生産額の多き事は最も注目に價すべく、殊に將來に目されてゐる物は座繰糸、絹綿織物、杏製品である。中にも杏に對しては今後栽培品種の改良から加工設備の點に至る迄注意して名實共に善光寺土産の一に加へたいと云ふ。又當郡は養蠶が盛んなるため生産繭に對する副業生産が大切であると。

次回改選から 縣議定員變更

總定員四十五名來る十月一日國勢調査を行ふ事になつたが此調査に依る人口は總ての基準となるもので今回調査區を設定する爲人口概數を調査した處に依ると總人口百六十八万餘人で前回より十一万七千餘人の增加である此の人口增加は直に縣會議員の定員に影響する譯で即ち府縣制に依ると人口百六十八万ある時は縣會議員四十五名を選出する事になる從つて本縣は現在より一名を增加する然して之が爲め各郡市の選出定員に異動を生ずるが其選出歩合と現在定員とを比較すると

	歩合	現在	新定員
南佐	二八〇四	二人	二人
北佐	二、六六	二	三
小縣	三、二四	三	三
諏訪	四、七五	四	五
上伊	三、九八	四	四
下伊	四、六二	五	五
西筑	一、五八	二	一
東筑	三、六一	四	三
南安	一、五八	一	一
北安	一、六五	二	二
更級	二、四五	二	二
埴科	一、五五	一	一
上高	一、七〇	二	二
下高	一、七三	二	二
上水	三、八六	三	三
下水	〇、九七	一	一
長野	一、六七	二	二
松本	一、六五	一	二
上田	〇、八八	一	一

即ち東西筑摩は現在の定員より各一名を減じ北佐久諏訪松本で各一名を增し南北信の比例は依然南信が一名多い事になる

田中阿歌麿の湖沼研究 更級郡更府村涌池と八幡村大池を調査した、湖沼學の權威者田中氏は本月來郡して調査してゐるが語る處によれば「涌池は弘化の地震によつて出來たもので大池は別に取り立つて云ふ事はないが數丁の附近にある方二十疊敷位の蝮池と云ふ小氣味の惡い名の小さな沼は舊噴火口の跡であるらしく非常に興味ある研究で數日滯在調査する豫定である」と

農事試驗分場設置の爭奪 本縣の農事試驗場分場問題は技術的方面から見れば一日も忽に出來ぬ急施を要する問題である。目下の設置は下伊那を第一候補地とするや上伊那の赤穗伊那富伊那等も各別に之れが爭奪を開始したが結局は縣經濟と試驗場設置の目的に從て當分は決定不可論ずる事の出來ぬ有樣である。

上伊那に明治大帝の生祠發見 明治天皇がお葬れになつて後代々木原に明治神宮を建られ國民敬慕の的となつてゐる。而かも天皇御在世中から其御德を慕ふの餘り既に拜殿迄造つて祈し奉つた生祠の事實が加藤玄智博士によつて上伊那の小野村矢彥神社に發見された。天皇の生祠としてはこれが最初なので、歴史上重要發見である。同博士は語る「此の祠は遠く明治元年に建てられ既に明治二十七年に拜殿が出來上つてゐる。これは神官故倉澤誠也氏によつて矢彥の四つの拜殿一番奧にあつて小松宮彰仁親王の御筆による「明治宮」及當時の宮相土方久元氏を經て御下賜になつた御神寶「十勝石」を以て事實天皇の「御靈」と崇め奉つてゐるので神殿の用材は明治天皇の特別御思召によつて木曾御料林から伐り出されてゐる。名前は「明治遙拜殿」となつてゐるが其の實質即ち村民の精神と其の內容の信仰に至つては立派な神社である。

諏訪湖の蜃氣樓 諏訪湖には神渡りと云ふ冬季氷の隆起する現象のある事は一般に知られてゐるが蜃氣樓の現れる事については今日迄何人も氣付かずにゐたが今回諏訪中學の三澤教諭によつて諏訪湖の名物と云つてもよい位

常時現はれると云ふ。同教諭は語る「昨今の空氣のよく澄んだ朝、上諏訪町から湖水の水上はるかに對岸岡谷をのぞくと、家並が水に映じて何かも美しく見える。これが卽ち蜃氣樓である元來これは空氣と光の關係で現はれるもので諏訪湖の蜃氣樓を見ると空氣層が水から諧然とはなれてゐる。大槪十一時頃になると消えるが沙漠や海上によく見るが此の山岳國で見ると云ふことは珍らしい事である」

長野附近の降雹 四日夕刻長野附近を襲つた暴風雨は明治二十二年長野測候所創立以來の事で加ふるに蠶豆大の降雹があり、約三十分、目もあけられぬ程激甚を極め市內家屋には多數浸水せるものあり、殊に農作物は被害甚しく、中にも長野名產の林檎はピチン〳〵と降雹にたゝかれて石にたゝきつけられた樣な損傷を受け桑葉等も目下秋蠶用の桑候で身長旺盛な時なので中途から折れたもの多く、蔬菜花卉茄子胡瓜等も又豪雨と降雹のため倒れたるもの、雄花の脫落せるもの葉に穴又は破れ等して實に慘狀目もあけられぬ個所も少くない。殊にその被害の强烈なりしは上水內郡若槻村吉部落から中鄕村字那出神鄕村地方で平均五寸にも雹が積つた。

尙田畑に働いてゐる農民中には此の雹に叩かれ瘤等をこしらへたもの數十名もあつたと。

今年の輕井澤案外淋しい。 現在輕井澤の避暑客は外人千二百五十三名で邦人三千五百二十九で昨年より外人　六百名減少してゐる、その變り邦人の避暑が殖へたのは不思議、昨年の當日から比較して約一千名減少してゐる。これは割合に暑さがきびしかないのと他の方面卽ち富士見野尻等に避暑地が出來たためと、政變に對する打擊が大なる原因をなしてゐると、目下縣當局等では同地の開發のため、充分力を入れてゐるがその割合に發展してゐない若し今後輕井澤を理想の避暑地として計畫するならば先づ第一に交通衞生及物價(日用品)方面に一大斷行をせねばならぬと云つてゐる。

善光寺保存會に現はれた不景氣 善光寺保存會では目上御屋根葺替工事の寄附金を募集してゐるが以前はどんな常の日でも五六十圓以上の寄附金があつたが現在では、二、三十圓の寄附金があるのみであると云ふ。

今や神佛にまでこの不景氣が影響した事は云ふまでもなく、如何に地方人の經濟的壓迫に苦しんでゐるかがうかがわれる。因みに葺替の第一次落成祝賀は明春行はれる模樣である。

伊那糸の糸質硏究 下伊那製糸組合聯合會伊那社では從來腰弱であつて經糸として使用する事ができない欠點であるのでこれが改良をすべく目下松本西ゲ原蠶業試驗場に依賴してあるかその原因の發見され曉きは伊那糸のためのみならず日本生糸界の一大福音である。

川西地方の水騷ぎ 小縣郡川西地方一帶は十日夜彼の豪雨のため湯川及

産川等洪水あり各橋梁は危險となり各村では十餘組の消防組が出動して徹宵水防に努めたが泉田村日向部藏に於ては長さ二十二間の橋梁流失し、浸水家屋十二戸に及んだ(上田電話)

協會たより

他府縣からの移住地入植

他府縣からの移住地入植については、屢々問題としてゐましたが多數の申込のある事と全國的に模範的の理想植民地を作る上から、改めて全國からの希望者を選定の上入植させることにしました。既に土地分譲を申込で來春迄に出帆の出來る準備にまで進んだのは新潟縣、鳥取縣山口縣から三家族です。其の他選定中のもの申込のものも可成あります。

移住地の小作契約 出資者土地分讓を受けたるもので、小作人をやつて開墾して貰ふ時小作契約を致します。これは勞資協調による精神より生れたるもので、實に理想的なものです。今二十五町歩を所有せる土地に對して實際に契約調印せる一例を示せば。

契約書

一、土地所有者　　　(甲トス)

一、請負者　　　(乙トス)

右ハ南米ブラジル共和國サンパウロ州アラサツーバ郡內信濃海外協會ノアリアンサ移住地內ニ於ケル甲ノ所有セル農業地經營ニ付キ左ノ契約ヲナス

一、乙ハ甲ノ所有スル土地拾アルケールスノ土地ニ對シ左ノ計畫ニヨリ經營ヲ請負フ

イ、四アルケールスニコーヒー約七千本ヲ植付クルコト

ロ、一アルケールスヲ牧場トナシ二アルケールスヲ雜作地トスルコト

ハ、殘餘ノ三アルケールスハ原始林ノ儘存置ス

二、甲ハ乙ニ對シ左ノ義務ヲ履行ス

イ、住宅竝ニ井ノ設備ヲナスコト

ロ、間作物ハ乙ノ所有トスルコト

ハ、植付後四ケ年目ノ終ニ於テ其ノ成木ニ對シ一株ニ付栽培費六百レースヲ支拂フコト

ニ、四年目結實ノコーヒー收穫ハ折半分配ノコト

ホ、山伐代珈琲種子代及穴堀代ヲ支辨スルコト

ヘ、牧場費ヲ支辨スルコト

三、本契約期間ハ大正十五年四月一日ヨリ起算シテ滿五ケ年トス

四、本契約不履行又ハ天災ニヨル損害其他本契約以外ニ必要ナル事情發生シタル場合ハ凡テ信濃海外協會移住地理事ノ裁量ニ一任ス

右契約ヲ締結ス

大正　年　月　日

縣　郡　村

契約者

縣　郡　村

第一年度(大正十五年度)

1 山伐リ代　金百貳拾圓

ミル(一アルケール分)

2 蒔付費　金六拾八圓

ミル(一千五百株)

3 種子代　金貳拾壹圓

ミル(一俵)

4 住宅　金七百五拾圓

ミル

5 利用料　金九拾圓

ミル

6 井　金九拾圓

ミル

合計　金壹千百參拾九圓

ミル

第二年度(大正十六年度)

1 山伐リ代　金參百六拾圓

ミル(三アルケール分)

2 蒔付費　金貳百四拾圓

ミル(五千五百株)

3 種子代　金六拾參圓

ミル(三俵)

4 利用料　金九拾圓

ミル

5 土地代　金四百五拾圓

ミル

6 利子　金八拾五圓

元金八百五拾圓年一割ノ利子

ミル

合計　圓

ミル

第三年度(大正十七年度)

1 牧場費　金百八拾圓

ミル

2 利用料　金九拾圓

ミル

3 土地代　金四百圓

ミル

4 利子　金四拾圓

元金四百圓年一割ノ利子

ミル

合計　圓

ミル

第四年度(大正十八年度)

1 利用料　金九拾圓

ミル

2 珈琲育成費　金貳百七拾圓

ミル

合計　金參百六拾圓

ミル

第五年度(大正十九年度)

1 珈琲育成費　金九百九拾圓

ミル

各年度累計

金　圓　ミル

備考

1 大正十九年度末ニ於ケル地主ノ資產ハ壹萬五千圓ニ達スル見込ニテ二十年以後ハ年々純益貳千圓以上ヲ得ル見込ナリ

2 小作人ハ五年ノ末ニハ少ナクトモ五千圓ノ貯金ヲナシ得ル見込ミナリ

3 壹圓三ミル五百レース換算

(爲替相場ハ常ニ變動アリ)

4 土地代ハ殘金ニ付テ年一割ノ利子ヲ附ス(協會ノ規定)

役員會員動靜

小宮山佐氏　しばらく歸鄕中の小縣郡武石村の同氏は來る九月八日橫濱解纜の銀洋丸にて渡墨の由、同氏の健全を

祈ると共に益々日本民族の發展のために努力せられん事を、特に將來を目される墨國の天地、希ふくば一段の躍動を

矢島要氏　飯山の出身、ボルネオに奮鬪今回私用のため歸鄕して當會を訪れた。

池田幹事　小縣支部の池田幹事出資會費整理につき當會訪問打合せ

新會員及新購讀者

(前月十五日カラ本月十五日マデ申込セシ分)

會員

上伊那郡伊那町　城倉角雄

上水內郡北小川村　清水一郎

上伊那郡高遠町　羽場三男

群馬縣前橋市一毛町　涌井茂

下伊那郡下久野村　池田廣志

上高井郡仁禮村　上野袈裟義

南安曇郡穗高町　山田甲子次郎

同上　伊藤榮雄

山口縣宇部市　瀬戸喜代松

南佐久郡櫻井村　臼田銀治

上高井郡仁禮村　駒津昌虎

購讀者

支那間島頭道溝領事分館　藤澤定司

京都市上京區西陣大德寺前　佐々木益雄

鳥取縣氣高郡勝春村　高山利治

諏訪郡豊田村　藤森正

北佐久郡協和村　渡邊彌助

會費納入(前月十五日カラ今月十五日迄ニ受領セル分)

一金壹百圓也	特別會員費	小坂順造殿
一金拾圓也	大正十三年度維持會員費	市川勝雄殿
一金拾圓也	同	原嘉道殿
一金拾圓也	同	西鄕吉義殿
一金拾圓也	同	白鳥德之助殿
一金拾圓也	同	山中遜殿
一金拾圓也	同	三溝茂門殿
一金拾圓也	同	平川房吉殿
一金拾圓也	同	根橋清二殿
一金拾圓也	同	遠藤於菟殿
一金拾圓也	同	佐藤寅太郎殿
一金拾圓也	同	畔田明殿
一金拾圓也	同	石塚保吉殿
一金拾圓也	同	河田止也殿
一金拾圓也	同	寺島誠司殿
一金拾圓也	同	濱種治殿
一金拾圓也	同	小口大次殿
一金拾圓也	同	小口勝太郎殿
一金拾圓也	同	須田卓爾殿
一金拾圓也	同	伊藤長七殿
一金拾圓也	同	吉家敬造殿
一金拾圓也	同	六角三郎殿
一金四圓也	大正十三年度 大正十四年度普通會員費	荻原勘助殿
一金拾圓也	大正十三年度維持會員費	田中穗積殿
一金拾圓也	同	土橋源藏殿
一金拾圓也	同	木戸傳殿
一金拾圓也	同	小穴唯三郎殿
一金拾圓也	同	北澤種一殿
一金拾圓也	同	熊澤幸一殿
一金拾圓也	同	宮坂式郎殿
一金貳圓也	大正十四年度普通會員費	城倉角雄殿
一金參拾錢也	(切手)	星野均殿
一金貳圓也	大正十四年度普通會員費	清水一郎殿
一金貳圓也	同	瀬戸喜代松殿
一金貳圓也	同	山田甲子次郎殿
一金貳圓也	同	伊藤榮雄殿
一金貳圓也	同	上野袈裟義殿
一金貳圓也	同	池田廣志殿
一金貳圓也	同	涌井茂殿
一金貳圓五拾錢也	同(其ノ他)	羽場三男殿
一金貳圓也	大正十三年度普通會員費	佐々木重一殿
一金貳圓也	同	高橋大吉殿
一金貳圓也	同	岩田濱重殿
一金貳圓也	同	佐々木泉殿
一金四圓也	大正十二十三年度普通會員費	橫山重大郎殿
一金四圓也	同	高橋嘉作殿
一金貳拾錢也		中村忠規殿
一金壹圓也		中澤芳三郎殿
一金四拾五錢也		高木利治殿
一金拾圓也	大正十四年度維持會員費	宮下友雄殿
一金貳圓參拾錢也		阪上敬藏殿
一金壹圓也		佐々木益雄殿
一金壹圓拾錢也		藤澤定司殿
一金拾圓也		駒津昌虎殿
一金壹圓也		丸山文夫殿

通信の中より

愈々兩親の諒解を得て

鳥取縣　高木利治

謹んで暑中お伺申上候
時正に三伏の暑候と相成申候ところ總裁閣下幹事御一同樣御健勝の段大賀奉候
降りて私儀先般來書面をもつて種々御厄介に相成候段厚く御禮申上候幸ひ父兄を始め親類一同に於ても異議なく我等の希望を許し呉るゝ事と相成明春、三、四月中に渡航出發仕る運びと相成申し候
ついては是非御協會殖民地アリアンサに入植願度と存じ居り候
先般申込書等御送付に預り居る事故今般至急申込致度存じ候ところ相憎銀行預金期日に不都合有之候間甚だ勝手乍ら十一月初旬迄約三ケ月間御猶豫御願申上候
我等移住者に取りては只の一錢の金と雖も貴重の資と相成可ければ其邊御諒承右厚く御願申上候尤も是非今日申込めよとの事に候ならば御命令にも應じ申さんもなる可く右樣お願申上度く候尚十一月初旬迄に希望者多數にて申込滿員と相成る樣ならば千載の遺憾と存じ候間共の際は御面倒ながら至急御通報の儀お願申上候右御通知料として（金參拾錢也御同封致置き候
尚研究の結果左記不明の事項有之候間之又御面倒乍ら御回答の儀伏して願上候
一、明春入植に就き地代を三ケ年賦に願度即ち本年十一月第一回拂込として第二年度も同じく十五年十一月拂込となし被下まじくや尤も十五年度の分は入植者に於て拂込不可能の場合には內地父兄に於て御支拂致可く候
二、三ケ年賦拂込として其の利子は全部で邦貨幾何と相成候や
三、政府補助金は出發前入手か入植後下付さるゝか御伺申上候
四、パンフレットに依れば入植者は御協會員となる樣に書き入れ有之候ところ共の手續方法及び會員としての義務負擔は如何なるにや。
五、アリアンサ移住地の事務所宛所宛名歐文にて即ち通信封筒の表記を御教え被下度右御願申上候御回答料十五錢封入致置候
右甚だ御多用中恐れ入り候へ共御願申上候
七月二十日　匆々
信濃海外協會御中

よろしく日本人は世界的に

野澤町　N　S　生

中略それから同封中に北米加州の新世界紙の切片御送りします、海外に有る日本人でも此の如き現狀です、世界に國境なく人種に差別なきと云ふ樣な考へで居る人はまだ〳〵稀です、伊太利などの方進と伊太利人の氣質などは日本人に非常に似た人種なれど海外發展の上から云ふたら日本は實にはづかしい次第です伊太利國家としては海外に發展するのに付いて世界何れの所にでも永住的に伊太利人の發展と見て決して故國に歸ると云ふ樣な狹い考へはないのです、だから伊太利人が一ケ年間に海外に出る數は現在日本の世界中海外に居る數と始ど同數であるとは驚くでしやう何も食へる間海外などを夢見ぢ此狹き土地に雜居して人生を味ひつゝある日本人氣質は實にあはれむべきです、亦日本國家としてもどし〳〵世界至る處に出したら如何です多く出せば多く出した効力があるでしやう、つまり日本人が世界的に發展したと云ふ事になるでしやう、日本の戸籍簿の樣な事を云ふて居る必要はないと思ふです、例へば白人或は他人種と雜婚し發展しやうが矢張り日本人なるものゝ發展と見てさしつかへないと思ひます、學有る人學なき人の差別なり海外へは健康體のものを撰んで送れば青年などは自然に處世上充分なる學者と成り獨立精神を持つ立派な人間が出來上ると思ひます、先は此度はこの位にして次に亦書きましやう。

現今當地方は實際百姓の多忙の節とて居る心地もしませんです、益々貴家等の海外發展に盡力されん事を切望す。

六月廿一日

雜報

◎信濃村移住地入植者に對する旅券下附注意

先きに三十四號に旅券手續き一般こ題して、旅券下附方法を記載したが今度南米ブラジル國信濃村移住地入植者（入植家族又は入植者）に對しての旅券下附一切について記し樣

一　海外旅券下附（書式）

海外旅券下附願（用紙美濃紙）
一、氏名　戸主夫　何　某（片假名ヲ付スベシ）
　　　　　妻　何　某（同　上）
　　　　　家族長男何某（同　上）
　　　　　　　長女
一、本籍地　何縣何郡何村何番地
一、所住地　同　上
一、身分、年齡
　　戸主　夫　何　某　生年月日
　　　　　妻　何　某　生年月日
　　　　家族　何　某　生年月日
一、職業
　　戸主　夫（農業）
　　　　　妻（農業又は看護婦）
　　　　家族
一、渡航地名　ブラジル國
一、渡航目的　信濃村にて農業從事
一、渡航年限　向ふ十ケ年
一、出發港　橫濱港
右により海外旅券御下附相成度別紙關係書類及寫眞二葉相添此段及御願候也
　年　月　日
　　右　戸主　夫　何　某印
　　　　　　　妻　何　某印
　　　　　家族　何　某印
　　長野縣廳內
　　保證人　信濃海外協會印
　　何縣何郡何村何番地
　　保證人　何　某印
　　　　　　生年月日
長野縣知事梅谷光貞殿

備考
一、海外旅券下附に添付すべき關係書類とは出願家族の戸籍謄本、各人の履歷書　各人の身体檢査書（開業醫師より）各人の寫眞二枚、入植者（入植家族又は入植者）についての保證書及び保證人の資產證明書及當協會の入植證明書である。

二、海外旅券下附願には戸主と同行する家族、夫と同行する妻、又は父若くは母と同行する子ならば連記する。
三、寫眞は手札形半身像、臺紙に貼りつけてないもの（記念撮影として十枚位用意しおくこと）
四、保證書には二名の保證人を要し、內一名は海外協會之れを保證し、他の一名は戸主これを保證す但し戸主保證能力なきか、又は相當資產なき場合は親戚又は知人等にして資產名望あるものを選び保證人とする
保證書作製せる時は直ちに當協會に送附し入植證明書と保證人としての協會の承諾を受くること
五、入植證明書は當協會で交附し、この入植證明書がなければ旅券は下附されない
六、戸主、又は親戚知人の保證人については財產證明書を役場より貰ふこと
七、寫眞、保證書、資產證明書、は當協會に保存するため各一通宛余分に作られたきこと（寫眞は當協會入植者寫眞張を作る）

三、保證書（書式）

保證書（美濃紙）
原籍地　何縣何郡何村何番地
現住地　同　上
　戸主何誰何男
　　夫　氏　名　生年月日
　　妻　氏　名　生年月日
　　家族　氏　名　生年月日
右ノ者私ノ（何々）ニ有之候處此段南米ブラジル共和國ヘ農業經營ノ爲メ渡航スルコトニ相成候就イテハ往復ノ費用ノ勿論其ノ他本人一切ノ事件ハ私等ニ於テ引受可申右保證書是ノ如クニ御座候也
　大正　年　月　日
　　長野縣廳
　　　保證人　信濃海外協會印
　　　　　縣　郡　村　番　地
　　　保證人　氏　名印
長野縣知事
　　　　殿

海外發展問答

漠然たる質問は不可
本誌を繼續てし讀む
一名六問以內の事
「海外發展問答」と手記すること

問 伯國サンポウロ州の貴協會にありますか又價は如何程ですか（以下愛知生）

答 大變に困ります、質問の要點が何處か判からないで、多分サンポウロ州の地圖かと思ひます。又は當協會の支部の事かとも思ひます。地圖は當協會の「南米土地組合便覽」及び「海外興業株式會社の發行のものが邦文で今の處一番詳いものです。價格は「土地便覽」が三〇錢で海興發行なのが五〇錢です

問 貴協會移住地建設資金に對する報酬は如何。

答 信濃村移住地建設資金應募者には一口千圓とし一口に對し十町步をお分け致します第二回沸込が近期ですから篤志家にお奬下さい

問 一口の金高は何程ですか。

答 右記の通り一口千圓ですが南米組合の方は一口五〇圓一人宛二十五圓口以上です。以上三問については海の外三十三號（二〇錢分與）に詳しくあります。

問 伯國の貨幣は邦貨より相場下落してゐらば農具日用品等は渡伯後にて購入せばさき事と思ふ如何。

答 爲替相場によつて諸道具の購入方法を決定するよりも、耕作方法や生活樣式が違ひますから內地に求め得べき物は可成る準備せられたい勿論伯國貨幣の下落してゐる方邦貨の價値が大いです

問本年度の入植者數及既に入植せる數や

問 渡航の際協會より案內者隨伴するや

答 出帆當日には、可るべく當協會から東京支部の幹事が出發港に參る事になつてゐます。

問 建設號には二五丁步經營とあり、土地便覽には三七町步經營とあり、何れが事實なるや

答 これは收支の數字計算に於て略同じ樣になつてゐますがそれは、開墾面積の略同一なるによります。又便覽の方の收支計算は建設號よりも早き實例にて寧ろ建設號の方が二十五町步購入者として適確の實例と存じます

問 明年四月中旬頃の出帆船にて渡伯の希望なれど如何

答 誠に結構です。もつと早く渡伯した方尙ほ便利です。早く地代を拂ひ込んで（第二回）地券の交附と共に旅券下附の出願が大切です、

問 海の外土地便覽の記載事項中には誇張誘惑の記事なきか。

答 此の冊子は永田幹事が實地調査せし結果に生れたるものにて、誇張とか誘惑の記事等は決して、ありませんたゞ植民者の收支計算や土地組合（便覽）の方が多小變更しただけです。

問 海の外三十四號は未だありますか（愛知生）

答 澤山取揃へてあります。御承知のアリンサ移住地よりの通信が大部分ですから、大變參考になる處があると思ひます、大方の志士にお奬をお願ひします（二〇錢余與）

問 今後大阪商船の新造船が非常に速いそうですが南米航路に於てはどんな風ですか（出帆生）

答 それはまにら丸で排水噸數一、八〇〇〇で速力十六浬（以前は十四浬）船客定員一等十五名三等が七〇〇名です。目下同船會社では更らに三四隻新造中で、今後南米渡船者は可成助かる事ですが國民の海外發展促進にはモツト〳〵短期日に船行出來る樣せねばなりません。今大休同船の航行日程を左記すれば

		碇泊日數	他船の航行日程
神戸	出帆		
長崎	二日目	一日	二日目
香港	七日目	一日	七日目
西貢	十一日目	一日	十二日目
新嘉坡	十四日目	二日	十六日目
マロンボ	二十二日目	一日	二十四日目
ダーバン	三十五日目	三日	四〇日目
ケープタウン	四十一日目	一日	四十六日目
リオデジャネイロ	五十三日目	一日	六十一日目
サントス	五十七日目		六十三日目

海外の在住諸君へ

相變らずの御奮鬪の事と存じます。當協會も諸君の御後援を得て、益々發展の域にあります、共々信州人の縣外發展に努力致しませう、今回、海の外も印刷部數の制定上、殊に自個宛に雜誌御受取の方に左記の事項について御返事を頂き度存じます。

一、多年雜誌を差し上げゐますが、その雜誌は每月御手本に參つてゐますか？

一、今回後進者のために會費納入をお願致します（會員種別は特別（百圓、維持十圓、普通二圓で維持と普通は十ケ年間醵出します）然し海外の諸君にはそうした會員種別を設けず幾價なりとも御願致します。送金は銀行爲替により小切手送金を便利とします。と同時に會員申込も口添へて下さい。

一、諸君の通信を待つてゐます。信州健兒の海外發展に諸君の通信が何よりの宣傳と指導になります。

編輯の結び

△漸やく、追ひつぎました。ホツト一息蘇生の思ひます。タイムと戰ふ事の如何に努力を要するかと、つく〴〵感じました。今信州は平穩無事です、時候が昨年より餘程遲れてゐます。今頃漸やくミン〳〵蟬の聲を聞くところです。從がつて、稻等も充分おくれてゐます。時候がおくれてゐるとしればこれからだん〳〵暑くなければならない筈の此頃、モウ秋涼立つて來ました。でもそんなに心配する程の不順でもありません、殊に養蠶神のあたり年なので海外にある人々と心配ないで安心して下さい▲內地の會員で所謂靑年會員の殖えて來た事は誠に喜ぶべき事です。此の靑年會こそ將來を期待するものです。軈がて處女村の山奧で斧の音を立てるものこれぞ、パイオニヤの先驅者。すべては靑年に委さねばなりません。輪湖俊午郎氏の通信の中にもある通り實に靑年は大切なものです。今後會員組織の上にも意氣ある靑年の組織に待ねばなりません又そうした靑年と相待つて大切なのは女子會員の事です。世界の植民史を通して實に植民の興亡は女性の有無によつて決するとまで定論されてゐます。今日女性の內に會員申込が少い樣ですが誠に悲事です。そこで此等の靑年によつて大いに女子會員の募集に力を注いで頂き度ございます。

△六月十三橫濱を出帆した一行は此の十八日目的港に上陸します。上陸地には輪湖幹事が鶴首して出迎ひてゐます。一行は長い航海にもかゝわらず皆元氣の由です、今向ふは涼い時節ですから多分驚くでせう。いよ〳〵先發隊の入植が出來ます。これから信濃村の開發は見物です。それにつけても一行諸子の健在を何時も祈の中に加へてゐます。

△現在の私は協會の御手傳です、何も出來なく、失敗を重ねて何時も叱り飛ばされてゐます。自分では最善を盡してゐます。仕事等も可るべく簡單に濟まして、餘裕をみつけて、仕事しなければ本當の仕事は出來ません。たゞ忙しい忙しいで。つまり仕事の運び方を知らぬのです私もそうしなければいけないと知りながら出來ないのが私の無能の所です。何卒諸君對して過ちの點は許して、遠慮なく云つて下さい。（宮本生）

海の外

定價

	內地	外國
一部	廿錢	廿仙
半ケ年	一圓十錢	一弗十仙
一ケ年	二圓廿錢	二弗廿仙

海外郵稅四錢

注意
▲御注文は凡て前金に申受く
▲廣告料は御照會次第詳細通知致します
▲御拂込は振替に依らるゝが最も便利です

大正十四年八月二十六日
編輯人 永田稠
長野市南縣町
發行兼印刷人 西澤太一郎
印刷所 信濃每日新聞社
長野市長野縣廳內
發行所 海の外社
振替口座長野二一四〇番 信濃海外協會

大正十四年八月二十六日發行（每月一回發行）
大正十一年四月廿六日第三種郵便物認可

信濃海外協會
海の外社發行

定價金貳拾錢

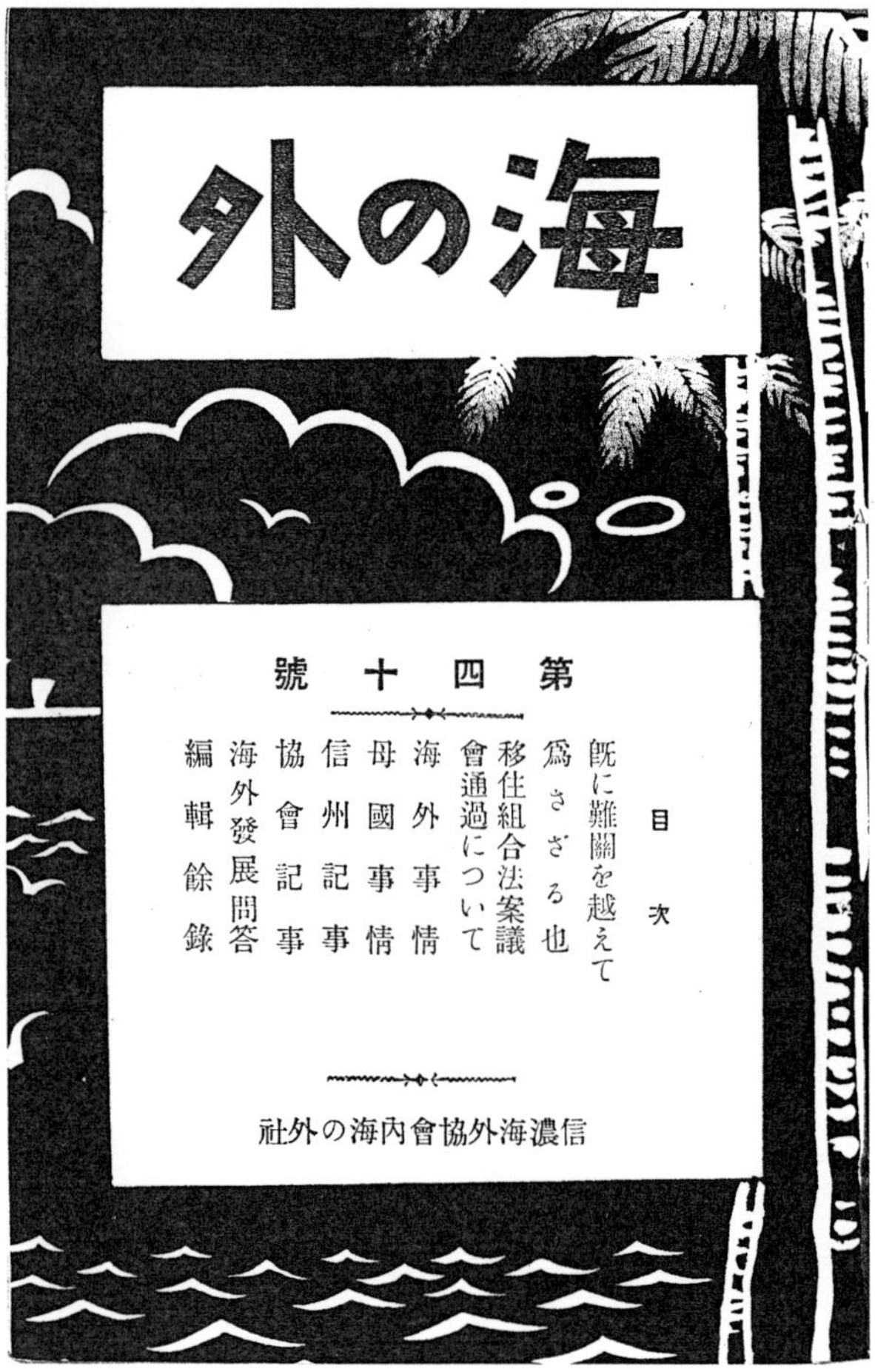

目次

海の外

第四十號

大正十四年

九月號

既に難關を越えた

信濃村建設の事業の內で、一番難關と見なされて居たのは、本年度の土地代支拂ひであつた。土地もよし風土病もなし、政府の援助も意外の好結果を得て、萬事は順調に進んで居たが、第二年度の土地代は容易に集まらなかつた。然るに梅谷總裁、西澤幹事、各支部長、其他の同情者の熱心なる運動は着々と進捗した。心配された爲替問題も今井顧問の御盡力に依り有利に進行する望が出來た。これで、信濃村建設の難關は突破した。

―永田稠―

爲さゞる也

信濃海外協會幹事　永田稠

私は今、信濃村建設資金募集の運動の一段落をつけて、東京に歸る汽車に乘つて居る。そして思を南米移住地建設運動の當初に馳せざるを得ない。本間總裁が有志を集めて、縣廳の一室で南米信濃村建設の一大宣言をしたのは、大正十二年の五月であつた。集まつた者は多くは郡長さん方であつた。

『まア食事をしながら懇談しよう』

と云ふので一同はある旗亭に行つた。笠原總裁が中心になつて、出資金を郡別に割り充てた。

『諏訪郡は五万圓、どうだね郡長さん』

と云ふた調子で、割り當てた後で、金額を計算すると廿五万何千圓かになつた。

『じや二割減收と見るかネ』

と云ふ様な事で、郡長さん達も、とに角引受けて御歸りになつた。

けれどもよく考へて見ると、海にも接して居らぬ山國の信州で、所もあらうに地球の向ひ側の南米へ地所を買ふ、其資金も一二万ならとに角、二十万兩と云ふのであるから、常識から考へれば如何にも亂暴なことであり、正に縣知事や郡長の肩を入れる仕事としては無謀の擧であつた。郡役所へ歸つて主席の郡書記に其話をすると彼は云ふた

『郡長さんエライものを背負ひ込みましたネ』

と。かくて仲々仕事は困難であつた。

其内に關東の大震災が起つて、天下はヒツクリかへる様な大騒ぎとなり、南米の信濃村どころの問題ではなくなつて大正十二年は暮れて行つた。震災の如きものがあればある程、國民の海外雄飛は必要になつて來るので、本間總裁以下

の局に當る者は奮起したのであつた。

東筑摩は第一に立派な成績を示した。一郡で第一に八九千圓の出資を募ることが出來た。第二は諏訪であつた。片倉組の五万圓は別として、其他五六名の有志が一万六千圓の出資を承知してくれた、第三は西筑摩であつた、一口の割り當てに對し三口の申込みがあつた。上高井が之れに次いで約九千圓、下高井が二千圓と云ふ風に、困難の内にいくらかづつ進歩して、約十万圓に達するのであつた。

『もうソロ〳〵土地を買ふ方がよいかも知れぬ』

と云ふ事になつて、私は大正十三年五月下旬に其使命を帶びて日本を出發して南米に向ふた。桑港について新聞を見ると知事乃ち海外協會から云へば總裁が交代した。かなりの不安を抱いた私はブラジルに着いた。

大正十二年七月調査費を送つて移住候補地の調査を多羅間領事に依託したのであつたが、丁度其調査の完了した所へ私は到着した。實地に視察し調査し研究し諸氏の意見も聞いた上で、日本へ電報を打つた。なかなか返電が來なかつた。私の出發後集まつて來る筈であつた金が集まらなかつたのである。とに角、梅谷總裁と宮下幹事の努力に依つて、前後七万圓の送金を得て、五千五百廿五町歩の移住地を購入し、輪湖北原兩君に依頼し、各般の準備を終つて歸朝したのが本年の二月であつた。

報告の爲めに信州を一巡したが、各郡とも報告を聞きに集まる者は少なかつた。ある郡では

『そんな通知がありませんでした』

とさへ云ふた。私は多大の不安と失望の間に、とに角、印刷物を作り、移住者の募集と、資金の追募に努力せねばならなかつた。梅谷總裁は極めて熱心に努力してくれた。多忙の間を或は小縣へ、或は南佐久へ出張され、機會のある毎に各方面の方々に出資を勸誘された。

東京に於ける仕事も仲々容易ではなかつた、內務省から入植者の旅費の補助と信濃村の爲めに特別に助成金を貰ふこと、外務省では入植者に對し旅券の下附をすること、特別の補助金を貰ふこと等、蜂須賀、石口の兩氏と共にお百度を

踏まねばならなかつた。私が二月歸つた時に片倉翁が

『土地代の支拂期日がすぐ來るで』

と云はれた通り、其期日は着々とせまつて來た。

三万兩を豫期した北米方面からは一万圓位しか出來ないと云ふて來た。東京では兎に角豫定の二万圓が何とか出來さうである。長野で四万圓を得ねばならぬ。內務省の補助其他を合せて二万圓きり出來て居ないし、其內で借金の支拂を要する分もある。

『もう二万圓』

と私は決心をして九月上旬に信州に行つた。黑澤利重氏、白石小縣郡長、西澤幹事の努力は、小縣に於て約一万兩を得らるる望となり、北佐久の努力で小山邦太郎氏外數氏より三四千を得らるる望が立ち、但丸南佐久郡長と黑澤剛氏のお骨折りで、南佐久でも七八千兩を得らるる望がついた。

九月十三日には石口、西澤兩幹事、諏訪郡長、本場課長、山岡郡書記、林縣議、山岡縣參事の諸氏と岡谷に行つて、諏訪の製絲家諸君に訴へた。殘暑の暑苦しい內を四日間に二十四軒を歷訪して、私共の志のある所を訴へた。其結果は未だ知ることは出來ないが、開拓の神諏訪明神の子孫達は、此事業の爲めに應分の努力をしてくれることを信じて居る。

ブラジルの金が高くなつた。去年の金は日本金一圓が伯貨四ミルに替へられたが、本年は一圓が二ミル九と云ふので一圓につき三十錢の差がある、七万圓の送金で二万圓も損をせねばならぬ破目にあるので。今井顧問にお願いし、正金のリオ支店から伯貨を一時借り入れて土地代を支拂ひ、伯貨の下落した時に圓を送ることにして頂かうと思ふて居る。

かくて約一ケ年半の苦戰惡鬪の結果は漸次酬ひられつつある。

出資金を割當てられた當時、多くの人々は

『ソンナ事が出來るものか』

と心中で思つて居た様である、ある郡長さんは、後日會議のあつた時

『海外協會の仕事には反對しようじやないか』

と相談をしたとさへ傳へられて居る。然かも開拓の精神に燃えて居た當局は敢然として猛進した。杉原郡長の如きは、上高井で一ト戰やり、更に上伊那で第二回の戰をして、立派な成績を擧げて居る。古人は云ふ『出來ざるにあらず爲さざる也』と。

無謀の擧であると認められたる南米信濃村建設の大事は、關係各位の開拓の精神に依つて、既に其一大難關を突破した。出資の困難を認められた更級や長野も近日相當の好果を見らるべしと豫期されて居る。今や私共は辭書から「不可能」と云ふ文字を消すべき機會に到着して居るのである。常に信濃村の事業のみならず、人生百般のこと只開拓の精神がなければ効果を擧げることは出來ないのである。

（終）

南米と日本人（一）

ゼナロ　アルバキガ氏

左に連載せんとする「南米に於る刻下の日本人問題」の筆者であるゼナロ・アルバキガ氏は、過去六年アルゼンチンの新聞雑誌業に關係し、歐洲大戰にはアルゼンチンの新聞シンヂケートを代表して米國にありし有名なる新聞記者にして、本文は最近氏がメキシコ地方を視察し夫等の材料を纏めたものである。

（一）　過去十八年に亘る移民增進

北米合衆國は今や徹底的に日本移民に對しての門戸を閉鎖するに至つたが、後者は今やラテン・アメリカにその進路を發見し、現下の狀態を以てするならば、こゝ數代に上らずして我等にとりては、最も吃驚すべき問題を惹起するに相違ない。

その國境は太平洋に面して、歐洲移民より無視されつゝある南米の西部沿岸は、今や數億万に垂々とするアジア人種、特に日本からの注目を受けてゐる、濠洲、カナダ而してアメリカから門戸を閉鎖された日本人は、白人の殖民地化としては極めて荒蕪なこれ等の國土に眼を注ぐと共に、彼等は日本人の望みを承諾するの止むなきに至つたのみならず、アジア移民を奬勵するの態度に出でゝゐる。日本はこれ等の國土に對し最近數年に亘る過剩人口を「投賣り」せんとしつゝあるのである。

日本がラテン・アメリカに對して組織された移民政策をとるに至つたのは、日露戰爭も終結して間もない千九百六年の事であつた。それ以前に於ける日本とラテン・アメリカは何等の直接の交涉も關係もなかつたのである。

然るに日本政府は今やラテン・アメリカの諸國土に向つて使節を派遣し、その經濟狀態や移民地としての望みを調査すると共に、互惠的なる通商條約を調印し、外交官及び領事館を創設して通商關係を促進し、移民と殖民計畫を奬勵し南米航路に從事する滊船會社の補助に着手した。斯の如くにして十八年前である千九百六年より極東の密集移民は放出されたものであるが、恰かも現排日移民法の根源であるカリフオルニアに最初の排日的煽動が發生した當時と相前後して、メキシコに第一次の日本移民が到着したものであつた。

千九百六年當時、ラテン・アメリカに在留する日本人は殆んど皆無と稱しても差支のない程度にあつたが、現在數は約十万人に及び、約三國に亘つて居留してゐる。是等の移民は日本人殖民會社の手に依りて取扱はれ南端の方面では日本の資本家が土地を租借し、南米の農業には多數の日本人勞働者が入込み、地方的產業にも多數の日本人が使役されてゐる。日本との貿易もこれに竝行して非常なる增進を來し、千九百五年頃の日本とラテン・アメリカの貿易は十二万五千弗程度であつたが、十八年後の千九百二十二年には約百倍して、千二百五十万弗といふ巨額に達してゐる。

日本政府は昨今に至り、特にラテン・アメリカの移民を奬勵してゐる。この特殊な使命を帶びた視察團は千九百廿四年九月に日本を出發して、メキシコから中央アメリカ、ブラジル、アルゼンチン、チリー、ペルーの各地方を視察し、內に於ては外相幣原喜重郎男を委員長とする移民問題調査委員會の設立となつた。最近接手した報道に依ると日本政府は、大阪商船會社の南米航路を奬勵する意味に於て三隻の新造船に補助金を下附したが、現在の南米航路に從事しつゝある船舶力を合算するならば一年優に七万人の移民を送り得るのである。

（二）　移民增加に伴ふ貿易增進

斯の如くにして十万人の日本移民がラテン・アメリカに居住しつゝある秋に當り、若し茲に何等かの制限を施さない限り今後廿ケ年の間にその移民數が著しい增加を來す事は、想像するに難くない。從來とても日本の人口過剩は一ケ年約百万人の程度に上り、布哇、朝鮮、滿洲等從來日本の注目を惹きつゝあつた土地は、溫帶的なラテン・アメリカに比較するとその歸納性が乏しかつたのである。故に移民の殺倒は、アジアにとつて新らしい世界を發見したものとして後者に注がれるであらう。

日本移民が目下集注しつゝあるペルーには、支那人といふ他のアジア人問題がある。彼等は十九世紀以來移住して褐色人種に同化してゐるが、日本移民の殺到は茲に異つた問題を生じて來る。蓋しペルーの如き國家に無數の日本移民が侵入して來るならば、彼等はペルーに同化するといふよりも寧ろ反對の結果を生ずる事となる。卽ちこの强力なる蒙古人種の到來は、インデアン及びインド・イベリアンの人口を寧ろ消耗するの杞憂があるのである。

併し乍らかうした人種的混合乃至同化性が、來るべき十ケ年に大した結果を生まないと假定しても、單純なる經濟的局面から見て日本移民の成長を歡迎する狀態となつてゐる。現在太平洋を橫斷する移民の經路は、メキシコとブラジル及びペルーの三路に分類する事が出來る。

尤も他のラテン・アメリカの國土に移民する者もあるがこれは極めて少數であつて、ボリヴヰア、チリー、アルゼンチン等に居住する日本人は極めて少數なのである。チリーの如き曾ては移民の家長に對して土地を賦與する外、最初の一年に亘つては每年七十五フランクス及農具等を與へたものである。而し乍ら是等の諸國土と日本にとりて最も重大なる關係を及ぼしたるものは、補助金に依る日本滊船の直接航路開始より生じた貿易の增進である。卽ちこの直接航路は日本よりチリーのイクイクに及び更らにボリヴヰアに至り、ケープ・ホーンを經由してアルゼンチンのブエノスアイレスに寄港してゐるのである。その結果として千九百五年には殆んど何等の關係もなかつた日本のボリヴヰア、チリー、アルゼンチン輸出は千九百廿二年に至りて四百十七万弗となり、輸入は三百五十八万七千弗に及んでゐる。

更らにこれを他のラテン・アメリカの國土に就て見るに、メキシコに於ては既に支那人が移民として日本に先驅し、第一次日本移民が到着した當時は、既に數千の支那人が移民してゐたのであつた。一千の日本移民が初めてメキシコに上陸したのは千九百六年の事で、日米兩國の間に紳士協約が締結され、米大陸に接續した地方への移民を禁止するに至る間に於て、日本移民の入國數も非常に增加してゐる。故に日米兩國の紳士協約は既に破棄されたのであるから、日本が將來とてもメキシコへの移民を制限するかといふ事は疑問としなければならぬ。殊に千九百廿四年に改締された日墨通商航海條約は、日本人のメキシコ居住に就て充分なる餘地を與へてゐるのである。

千九百十一年、メキシコに革命が生ずる以前まで、メキシコは日本人の移民を奬勵したものである。この意味に於てメキシコ政府は東洋滊船會社に二万六千フランクスの補助金を下附して橫濱、サリナリルズ間の直接航路を開かしむる外、移民に對しては農產業奬勵金を賦與し旅費の輕減、歸化後十年に亘る兵役義務の廢止、納稅免除等の特權を與へ、一日本人會社はメキシコの太平洋沿岸に漁業租借權を獲得するに及んで更らにこれをペルー及びチリー方面にも擴張する目的の下に活動を開始したものであるが、この日本人の漁業上に於ける活躍は千九百廿四年十一月十五日、低加州知事アペラルド・ロドリギウズ氏が排日宣傳運動に着手したる上日本人の租借權契約違反を稱として、低加州一帶に亘る日本人漁業權の破棄を公表するに及んで一時停止の姿となつてゐるのである。

ロドリギウス知事の排日的態度は、メキシコ人の抱く感情の一端を表現したものであつた。

移住組合法案議會通過について

我が國の海外發展は既に第二期に入つて、組織的に、具体的の移住策が樹立せねばならぬ時になつて來た。往時は所謂宣傳の時代であり海外移住の準備的時代であつたので、政府に於ても、國民自身に於ても、海外發展なる事業に於ては差程に愼重な態度を取らず徒らに煽動的に移住が行はれてゐたのであつた。

其の結果、移住者各自にあつては、自己の植民的訓練の欠陷と共に、國家又は團体的後援のなきため、到る處に於て豫期の發展どころかその失敗不成功の後は國家的恥辱をも受けたのである。

勿論我が國の海外移住はその移住する所全部が他國領土內であるから國家的の移住政策は往々國際間の問題を惹起し國家的誤解を受けるが故に、此の種事業に對しては一般國民の理解、援助を求め團体的集團によつて聲を高くして、進まねばならぬと思ふ、そして政府は此れらの意見希望を十分入れて、國民海外發展奬勵の事に當らねばならぬ。

今回、各府縣海外協會及海外協會中央會は第五十議會に於いて既に建議案として通過をしてゐる移住組合法案制定について今五十一議會には是非共通過せしむべく、內閣總理大臣、內務大臣、外務大臣、農林大臣宛に左記移住組合法案建議書及移住組合法案（私案）を提出した。既に移住組合法は說明するまでもなく、國民海外發展及び日本內地植民地に移住する者のために緊要不可缺の事にて、此處に同志は各方面各關係者より聲を大にして多數の建議をなす必要があるのである。

移住組合法制定建議書

我カ國ニ於ケル農村問題其ノ他社會問題解決ノ策トシテ移住奬勵ノ緊要ナルコトハ今ヤ遍ク唱導セラレ政府ニ於テモ既ニ其ノ必要ナル所以ヲ認メ移住奬勵費（所管內務省社會局）又ハ開墾移住費（所管農林省、農務局）在外子弟教育補助費（所管外務省、通商局）等ノ經費ヲ豫算シ以テ内外移住ノ奬勵ニ當ラシメ居ルモ之レヲ利用シテ實際移住セントスル者ノ立脚地ヨリ之ヲ考察スルトキハ移住ノ實行機關トシテ移住ヲ必要トスル地方ノ同鄕人ヲシテ移住組合ヲ組織セシメ相互扶助ノ精神ニ基キ相提携シテ移住資金ノ調達、移住土地ノ購入、渡航ノ周旋等ノ事業ニ當ラシムルヲ最モ急務ナリト信ス而シテ此ノ如キ事業ヲ目的トスル現在ノ法律ニ於テハ其ノ據ルヘキモノナク曾テ信濃海外協會ヨリ現行産業組合法ニ依リ此ノ如キ事業ヲ目的トスル産業組合ノ設立ヲ認メラレムコトヲ農商務大臣ニ願出テタルモ現行産業組合法ニ於テハ此ノ如キ事業ヲ豫想シテ立案シタルモノニ非ス又海外ニ於テ組合カ土地ヲ所有シ其ノ組織員タル組合員カ之ニ移住スルカ如キモノハ到底之ヲ認ムルコト能ハス唯其ノ子弟ニ對シ移住ニ必要ナル資金ノ貸付及貯金ノ便宜ヲ得セシムルハ可ナリトノ解釋ニシテ其ノ解釋ニ基キ長野縣下ニ産業組合法ニ依ル一組合ヲ設立シタルモ海外ニ土地ヲ所有スルコト能ハス又其ノ組合員自身カ移住スルコト能ハサル等ノ不自由アルカ爲ニ折角南米ニ移住地ヲ購入セルモ遂ニ組合ヲ解散シテ各自ニ其ノ土地ヲ所有スルノ已ムナキニ至リタリ此ノ如ク現行法律制度ノ下ニ於テハ以上ノ如キ目的ノ組合ハ全ク據ルヘキ法律ナシト云フヘク仍テ移住奬勵目的貫徹ノ爲別冊私案ノ如キ移住組合法ヲ制定セラル、樣特ニ御配慮相煩シ度別紙移住組合法案ヲ相添ヘ此ノ段及建議候也

大正十四年八月

信濃海外協會代表者　梅谷光貞

移住組合法案（私案）

第一條　本法ニ於テ移住組合トハ組合員又ハ其ノ家族ノ移住ヲ助成スル爲左ノ目的ヲ以テ設立スル社團法人ヲ謂フ

一、組合員又ハ其ノ家族ノ移住ニ必要ナル資金ヲ組合員ニ貸付スルコト

二、組合員又ハ其ノ家族ニ移住ニ必要ナル資金貯蓄ノ便宜ヲ得セシメルコト

三、組合員又ハ其ノ家族ノ移住ニ必要ナル土地ヲ取得シ又ハ借受ケテ之ヲ加工シ若ハ加工セスシテ組合員ニ賣却シ又ハ利用セシムルコト

四　組合員又ハ其ノ家族ノ移住ニ必要ナル建物其ノ他ノ物ヲ購買シ之ニ加工シ若ハ加工セスシテ又ハ之ヲ生産シ若ハ造成シテ組合員ニ賣却シ又ハ利用セシムルコト

前項ノ家族ノ範圍ニ付テハ命令ヲ以テ之ヲ定ム

移住組合ハ前項ノ各號ノ目的ノ外定款ノ定ムル所ニヨリ組合員又ハ其ノ家族ノ移住地渡航ノ周旋ヲ爲スコトヲ得

移住組合ハ其ノ取得シ又ハ借受ケタル土地ヲ組合員ニ賣却シ又ハ利用セシムルニ至ラサル期間臨時其ノ用法ニ從ヒテ其ノ土地ノ經營ヲナスコトヲ得

第二條　本法ニ於テ移住組合聯合會トハ左ノ目的ヲ以テ設立シタル社團法人ヲ言フ

一、所屬組合ニ必要ナル移住資金ヲ貸付シ及移住資金貯蓄ノ便宜ヲ得セシムルコト

二、所屬組合カ其ノ組合員ニ賣却シ又ハ利用セシムヘキ移住地ヲ取得シ若クハ借受ケテ之ヲ加工シ又ハ加工セスシテ所屬組合ニ賣却シ若クハ利用セシムルコト

三、所屬組合カ其ノ組合員ニ賣却シ又ハ利用セシムヘキ建物其ノ他ノ物ヲ購入シテ之ニ加工シ又ハ加工セスシテ若クハ之ヲ生産シ又ハ造成シテ所屬組合ニ賣却シ若ハ利用セシムルコト

移住組合聯合會ハ前項各號ノ目的ノ外定款ニ定ムル所ニ依リ所屬移住組合ノ組合員又ハ其ノ家族ノ移住地渡航ノ周旋ヲ爲スコトヲ得

第一條四項ノ規定ハ移住組合聯合會ニ付之レヲ準用ス

移住組合聯合會ハ移住組合若ハ移住組合聯合會又ハ移住組合及移住組合聯合會ヲ以テ之レヲ組織ス

第三條　移住組合及移住組合聯合會ハ有限責任トス

第四條　移住組合ノ區域內ニ居住スル組合員ハ組合員總數ノ五分ノ一以上タルコトヲ要ス

第五條　移住組合ノ組合員ハ定款ニ別段ノ定アル場合ヲ除クノ外出資ノ全額ヲ拂込ミタル後ニ非サレハ組合ノ區域外ニ移住スルコトヲ得ス

第六條　移住組合ノ組合員ハ組合ニ關スル一切ノ行爲ヲ代理スヘキ者ヲ定メタル後ニ非サレハ本法施行區域外ノ土地ニ移住スルコトヲ得ス

前項ノ代理ヲ爲スヘキ者ハ當該組合ノ區域內ニ居住スル者タルコトヲ要ス

移住組合ノ總會ノ招集又ハ總代ノ選擧ハ第一項ノ代理人ニ通知スルヲ以テ足ル第一項ノ代理人ハ移住組合ノ總會又ハ總代ノ選擧ニ於テ當該組合員ニ代リテ其權利ヲ行フコトヲ得但シ總代タルコトヲ得ス

第七條　本法ニ別段ノ規定アルモノヲ除クノ外産業組合法中産業組合ニ關スル規定ハ移住組合ニ産業組合聯合會ニ關スル規定ハ移住組合聯合會ニ付之レヲ準用ス住宅組合法第十一條乃至第十三條ノ規定ハ移住組合及移住組合聯合會ニ付之レヲ準用ス

第八條　本法施行區域外ニ於テ行フ移住組合及移住組合聯合會ノ事業監督ニ關スル事項ハ別ハ勅令ヲ以テ之ヲ定ム

附　則

本法施行ノ期日ハ勅令ヲ以テ之ヲ定ム

銀行會社員妻子の滯米に就いて

本邦銀行、會社、商店員の在米勤務を命ぜられ赴任する場合、之に對し契約勞働者に關する條項を適用せざることゝなつたのは本年五月中之を公表した。然るに其の妻子は一九二四年米國移民法の規定に依り一時的旅行者として之を呼寄又は同伴するの外なく、其滯在期間は六ケ月乃至一ケ年に限られ關係者の不便少なくなかつたが、米國勞働省は最近其取扱振を變更した結果、此等妻子を夫と同樣入國當時の身分を保持する限り無期限に滯米し得ることゝなつた。

× × × × × ×

海外事情

比律賓事情（續き）

四　日本との關係

イ、**日本人の現況**　在留日本人は比律賓群島全體に七千六百餘人移住してゐる。其の中マニラ及び其附近に約二千三百人內外、ミンダナオ島。ダバオ及び其の附近に約六千四百人內外、其の他各所を通じて二千人位なほ比律賓の中ではないが、グワム島にも二百四十人位居る。

これらの日本人はどんな事業に從事してゐる――其の職業は大工職、農業者、麻職業者、木挽業、雜貨商及び藝者、酌婦等である。此內で大工は八百人內外あつてこの仕事は特に有望である。又バダオには日本人の經營にかゝる馬尼剌麻會社が多い。これは後に詳記する、又ホロ島には眞珠貝の採集に從事する日本人が六十人居る、其他各所の農耕開拓地では日本人を歡迎してゐる、これ等の內には多額の貯金を有するものあり、またその雇つた會社からは勞働に對し利益配當の代償として年々土地を分與するから、勞働者は餘暇を以つて自ら之れを開拓し其の收獲物は協定價格に依つて會社に賣りこみ斯くて一方に於ては日給取として勞働し、他方には地主として相當の位置を占むる者が少くない。

而して彼等の賃金は世界大戰中は潛水夫は一日四弗、又は五弗、大工は二弗又は三弗、農夫は二弗平均、漁夫の三弗、麻紡業で三弗、料理人の三弗と云ふ有樣であつたが、現在は世界的不景氣に襲はれて戰時中の樣でない併し生活が簡單であるから酒色や賭博に耽らざる限り、優に將來生活に差支へざる貯金をなし得る。それから比島に於ける邦人の保姆、料理人、給仕人は何れも清潔であり、正直であると云ふので英米人等の家庭にやとはれ、食料を與へられ、保姆は月給三十圓から五十圓、

給仕は二十圓から四十圓、料理人は四十圓から六十圓で雇はれてゐると云ふことである、雜貨商も處々にあるがこれも相當の利益をあげてゐる。要するに比島に於ては日本人を內々大に歡迎し、又日本人そのものも相當な成功をなしてゐるものが少くない。

しかし、一時景氣の好い頃には比島には邦人が一万何千と云ふ盛況であつた。それが今では殆んど半數七千六百位に減じた。この事は日本人が植民的の訓練のない實證である。由來日本人は『儲かる』と聞くと事情も何も研究せず直ぐに飛び出し少しでも多く金の得られる仕事ばかりを逐ひ、永住の決心もなく轉々し、一朝不景氣になれば靑息、吐息である。例へばダバオでは麻もよく出來るが、米も產するところである、だから少し植民的の頭があれば、如何に好景氣とて麻ばかり植えることの不可をするであらう。然るに日本人は麻を植えて、米は他から買ふた、それでも景氣の好い時はよかつたが、麻が下落すると米が買へない程になつた、そして邦人は「ダバオも駄目だ」とてドンドン引揚げて來たのである。何たる慘な事だらう。これ故に海外に行くものは比律賓に限らず、行く前にその地の事情を硏究し、永住の決心を持つて行く事は極めて大切だと思ふ。

邦人の發展地としての比律賓　比律賓は人口の密度は少なく、天產物や農產物が豊富である。それで自然生活が樂であるから、土人は一般に怠惰である、食ふだけ金が出來れば無くなる迄は働かぬと云ふ有樣であるから、比律賓の開拓上非常に勞働者の不足を感じて居るのは事實である。

我が國人中には比律賓は米領だから日本人は排斥されると考へてゐるものがある。特に資本家とか、企業家とかはカリフオルニヤの排斥を聯想して、投資を躊躇するものも少くないと言ふ。斯く思ふのは全く彼の地の事情を知らぬからである。

前記の樣に比嶋は殆んど自活にまで進んでゐる。若し比嶋の人が日本人の入國を嫌ひ、又は日本に對して好意を持たぬと云ふならば格別だが、さうでない限り米國は決して比律賓人の意志に反してまで、日本人を排斥などはしない。元來彼のキヤリフオルニヤ等の排日の原因は多々あるが、人種的偏見、感情が濃厚になつた事は一つの主なる原因であるから、比律賓人は寧ろ日本人を好み親しむ有樣だ、故に人種的の感情は極めて良いのである。

尙此の地では支那人を入れず、又白人は來ない、土人はなまける次第だから、比島の開發は自然日本人にまたねばならぬ狀態にある。それだから日本人が此律賓人と協力して、同嶋の經濟的發達を圖ることは最も望ましいことである。

今日でも比嶋では日本勞働者が重寶がられてゐる。其の理由は、第一腦力、第二技術、第三勇氣、第四仕事が土人の二倍以上もはかどるためで、其の上規律を守り、衞生に注意し、節制があるからである。それで特別な技術を要する大工職のやうなものとか、規律を重んずる農業勞働とか、淸潔でなければならぬ家庭勞働とか云ふものには歡迎され、その賃金は大低土人の二倍である。

五　比津賓渡航の心得

日本からマニラへの航路は日本郵船、東洋汽船、大阪商船、南洋郵船等の船がある

船賃は横濱からザンボアンガ迄四十四（三等）ザンボアンガ、ダバオ間十二ペソ三十五仙で入國稅は八弗、見せ金三十弗である。勿論見せ金は沒收されるのでなく一寸見せるだけである

米國領事の査證料約二十七圓を要します。海外興業會社では現在も比島行きの單獨移民を募集してゐる。詳細は同社に照會されたい。（終）

世界羊毛工業の現狀　『其二』

羊毛工業は一九一四年以前の約十年間は其の之が充分に發達せる諸國に於ても又何等かの有利なる條件を具へて地方的小羊毛工業の發達せる諸國に於ても何れも著しき擴張を示しつゝありたり英米獨白伊の如き是なり是等諸國の人口の增加は羊毛工業發達の主要原因を成せり露西亞亦外國製半製品輸入防止に努力したり獨り佛蘭西は遙に背後に殘されたり之其人口靜止的にして儉約の習慣は羊毛工業擴張に便ならざりし爲なり右諸國以外にても農民の使用する毛織粗布及毛布等の小工業勃興しつゝありき主要羊毛工業國の大多數が自國產羊毛を主要原料と爲さゞるに至りし爲是等羊毛生產者中に自ら其羊毛を消費する者を生じたり而も一般士民の間に多年手工業として紡織せられたるもの亦鮮しとせず獨り日本羊毛工業は輸入原料を以てする工場制度の下に發達せり而して一

九一四年迄の主要羊毛工業國はウールンよりは寧ろウルスチツドに對する設備を爲すもの多かりき戰前のウルステツド工業發達の理由に二あり第一に羊毛工業がウールンよりウルステツドに移るは其發達の普通の順序なりウールン製品はウルステツド製品に比し其製法一般に簡單なり卽ち紡績前羊毛の扱方少く又一般に熟練を要すること少し又ウルステツド方式は細手紡績及薄地機織に便なり機械刷梳法は一八四〇乃至六〇年迄充分に發達するに至らず其間ウールン方式の方多く採用せられたり然るに十九世紀末より大戰前にかけてウルステツド製造は毛織工業と共に諸國間に急激に發達したり此發達は羊毛供給量增加及其市價低落就中優良毛市價低落と同時に行はれたり當時各種ウルステツド製品は同一品等のウールン製品に對し些少の高價を以て賣買せられたり極東日本の如く同工業開始後れたる國にても一九一四年前既にモスリン製織に特化する傾向ありき實にウルステツド製品は毛織物需要者の一般流行にして而も益々其傾向を辿らんとするが如くなりき

米國羊毛工業は南北戰爭より同世紀末にかけ急激に發達したるもウールン方式より現行方式への變遷の傾向顯著なりき一八九九年ウルステツド生產額はウールン生產額に比し其金額超過したり一九〇年より十年間に於ては大に生產力を增加し且ウールン方式衰退の傾向益々顯著なりき一九〇九年は羊毛工業全體の急激なる發達の終期にして又ウルステツド方式全盛期の絕頂なり爾後一九一四年迄羊毛工業生產力の發達は極めて徐々に行はれウールン方式衰退の傾向亦稍々緩和せられたり軍服毛布其他の軍裝に對する莫大なる戰時需要は米國羊毛工業の發達に一轉換期を劃せり卽ちウールン方式衰退を阻止しウルステツド方式の發達を終止せしめたり然れども尙戰時中刷梳羊毛錘數增加僅に一割五分にして前世紀末に比し僅に八分の增加に過ぎざるも同期間ウルステツド紡績設備は十二割六分の增加を示せり又外衣用編物工業はウルステツド・ヤーンの消費者なりと雖米國羊毛工業のウルステツド部門の生產力は主として主要ウルステツド織物關係の仕事に從事す尤も現今の需要はウールン製品に集中せるものゝ如し而して米國羊毛工業は他諸國に比し有利の地位に在り卽ち收入多き多數人口の存在是なり一九二三年國內のウールン及ウルステツド製品に對する殆ど全部の需要を充すを得たり又現世紀最初十年間の米國羊毛

工業發達は英獨伊の發達と同時に行はれたり佛國同工業は殆ど靜止狀態に在りき故に佛國は其輸出市場を維持するの困難を感ずるに至れり加之佛國人の保守的より新式設備据付を逡巡したりしが戰後佛國は最新式機械を裝置し戰前の優勢を同復するに至り今やアルサス地方と共に刷梳機千八百ウルステツド錘數二百三十萬ウールン錘數七十萬動力織機五十五萬五千を算す佛人の主たる衣料は毛製品にあらず是れ英國と異る所なり一九二四年佛國は毛織物七千六百萬封度（一九二三年五千二百萬）を輸出するの盛況に達せり

海外近信

伯國渡航希望者諸君へ（續き）

母國の兄弟姉妹達へ

一里四方の中に二千人以上の人間が生活して每日生活難、就職難と互に髮の毛を引きつ引かれつ押し合つて騷いでゐる國は他に餘り見ない樣である。そしてこの狹い土地から出來る僅少な米では足りなくて、年々六十六万石かの外米を輸入しても尙、足らなくて、安い高いと云つて騷いでゐる生活に苦しむ人々の痛々しい叫び聲。醜い運動の起きてゐるといふ事がはるか南米の地にある私共の耳に傳はる時、何故に我が兄弟達が狹い日本の地を離れ得ないで、斯くも苦しんでゐなければならぬだらうかと怪しまざるを得ない。勿論海外に出られない幾多の理由ある人もあらう、生れた鄉土、故國を去るに忍びない人もあらう、然し海外は必しも他の國人の專有する土地でない、全世界いたる處、吾々人類が自由に生存して行くべき神より與へられた土地であつて、國境等も作つたのは人間が自己の利害から造つたものにすぎない。私共は全世界到る處に安住の土地を求め生活すべきものである。吾々の行く處、吾々の住む處皆日本國である、日本人のすむ安住の土地であると考へたい。吾が兄弟達が狹い日本で利害を爭ふは、自分の財布中にある金錢を爭ふと等しい愚の事である。何故ならば、日本國中の富は既に日本人の各自の富であるからである。

狹い土地に住み、足りない米を食ひ、互に席を押し合つて生活してゐて、我は東洋の君士、一等國民なりと揭破し

ゐられるであらうか、戰時劍を取つて戰場に立つ事ばかりが忠君愛國であるまい、新天地を開き我々民族が全世界到る處に發展して、國威を海外に揭げる事が、忠孝を兼ぬた眞の愛國の發露ではあるまいか。母國の人々が下らぬ問題に熱狂し、小さな事件に國をあげて騷ぐが、この海外發展については餘りに無頓着なるに不思議でたまらない。我等の祖先が遠き昔海外に雄飛したものだ。その子孫たる吾々は一歩足を海外に出づるを恐れてゐるとは何んたる意氣地がない事だ。私は遙か遠く伯國の天地より母國の兄弟達に一言したい

一度海外の空氣にふれん事を、若し事情止むなくて、海外に出づる能はざる人は手を海外に、手を海外に出し得ない人は海外事情を、…………また海外に在る同胞の如何に努力してゐるかを…………

同胞を迎ふる青山は世界何處の地にもある。

果してブラジルは有望か

これは伯國渡航希望者の決心、信仰、職業、健康に依る事で、堅實な決心を抱き、奮闘的な健康の人であるならば私は、卽座に伯國渡航を奬める、卽ち海外渡航者は　民族發展の勇士であるから、兵士が戰場に向ふ時の様な決心で何如なる苦しい場合でもよく奮戰して成功せねばならぬ信念と、戰術の上手な立派な体軀を持つた精兵でなければならぬ、所謂日本武士でなければならぬ、斯ふ云ふ精兵であれば必ず成功する　今迄は精兵もあつたが雜兵もあつた。外國人と交際する言葉も、禮儀も知らない、まるで訓練されてゐない雜兵がまだ戰場に望まない中から巨砲の響に恐れて、逃げ出したと云ふ様な事もあつた、斯う云ふ人にはブラジルは駄目である。のみならず何れの國に行くとも成功しない、ブラジルと他の國との比較、何れの國がよいかと云ふ事は六つケ敷い問題であるが北米にあつた。人或ひは布哇支那濠洲に居つた人、南米ペルーメキシコ等を歩いて來た人々の話を聞いて見ると、日日の勞働賃金を得る目的の人には北米、布哇よりも劣るが『斯んな自由な生活の安易な國はない』と異句同音に云つてゐる。自分の土地自分の家を持つてゐる植民者が何等官憲の壓迫も、納税の義務もなく、米俵を高く積み重ね、砂糖、小麥粉、食擅等も俵で買ひ入れて、上戸黨は五斗入一石入の酒樽を置いて生活の出來る國はないと言ふのが世間通の文句である。

私共の眼には同胞の發展が遲々として成功者の數の少いのを嘆くがブラジルを視察する識者は何れも日本人が渡航して日の淺い今日目覺しい發展をしてゐるを感嘆してゐる。

勿論日本人がブラジルに渡航してから十數年經た今日數万のコーヒー園の持主や百數十町歩の地主もボツボツ出來たし、商工業方面でも隨分發展して來た事は事實で金額にしても時價百コントス乃至百數十コントスの財産家が見えだした。私は讀者諸君の堅い決心を持つてブラジルに發展する事を望んでゐるものである。（終）

亞國に到着して

清水三郎

母國を去つて、早や四ケ月になりました。皆様の御熱心なる送別に母國の別離の悲哀もしらで航海を無事一月廿四日憧れのアルヘンチナの土を踏みました。三箱の書物は當亞國に持參しました。關税の都合で一番尻になりました。皆濟んだ後に大荷物を持込んだ、ため殊更に取調べられ言葉は通ぜず六百に餘る書物は一々檢査されるのでその下をと思ひましたが日本金のみ殊に大きな金のみでしたので、惜しかつたが、宇治茶と金若干を握らして漸やく門を出ました。

然し何の道をどう行くのやら、同船客がヴイヤモンテの邦人下宿に行くのでそこまで荷を馬車に載せ運ばせました、其れより主人に敎はリコングレースより電車にてリバタビアの六〇〇〇番迄來り田中氏の處へ行きました。處が、門前にて二人の會員に逢いました黑水、紅瀨の二君にて、「船に行きしも、下船後なりしため歸つて來ました」との事。

二君の案内にて西洋人經營の安宿に室を取り直ちに守屋氏を訪ねました。

如何なる方面に進むべきにや？

亞國の現在は如何？

何も知らない私には見當もつかない。先づ言葉を覺えるため家庭奉行しようと思ひ市一流の新聞ナシヲンに就職廣

告しましたら幸ひ英人の家庭で入用となり、行く事にしました。其の家は七間の外家中の掃除と食卓のボーイ迄する事にして料理人は日本人なりしため至極都合が好いと思ひ住み込みました。處が家の掃除には殆んど一日を費やされ汗みどろになつた白服を一日三回替へらせられ、服代だけでもたまらず、ましてシャツの洗濯の假等はないから洗濯屋にやれば、月拾圓位はかゝり、月給四十四圓でつとまる仕事ではありません　普通此の方面の仕事は皆百圓以上ですが言葉の不明の故を以て此んな無茶な事をしたのです。其れはマア良いです、食卓の給仕は少しでもそゝうのことがあればそれは大變なこと、加へて主人が未だ三〇才で神經質ですからそれがため家内は常に不和で食卓等でも無口で實に冷いホームです。

或る時は二人の娘の化粧の時には白粉をとつてやり、鏡を後から持つてやり持ちかたでも惡いとが…が…やられ、とてもたまりません。

どうして海外万里に志を立て慈父母の懷を離れて來て、何うしてつとまる事でせう、で遂に假を乞ふて出ました。限ある金をいつまでも遊んでゐられませんで直に牧場行きを決心しました。直ちに牧場行きの仕度をして出發せんとすると牧場の小松慶也氏から早速手紙が參いりましたが折惡しく或る事情のために斷念いたしました。

着亞以來第一に困り拔いたのは、語學の出來ない事でありました。在會中今少し先生の云はれる處に從つてゐればこんな苦しみもありますまいと今更ながら殘念に思つてゐます。

是非是非語學は日本で覺えなければ駄目です、亞國の入國は益々きびしくなつて眠病と脚氣病者は送還との事にて同船にても沖繩縣の人が送還されました。當地は自動車より馬車の方が高いのです港には澤山の馬車がゐて荷を取りますから惑はされぬ様にして下さい船中から無電を打つ事も考へものです當地には新聞着船日がチヤンと發表してありますから。船中での二三の注意を申し上げます。第一事務長に對し故國出發と同時に移民と自由渡航者とを區別しないと「當港は移民は上陸を禁ずる」とあつて上陸できませんから又上陸の可否は船長の考へによるのですから上陸禁等の時は直接船長に談判すべきです（略）

清水氏は力行會で修養し僅十九才の身を以て渡亞されたのです彼が渡航を許可されるまでには兩親に何んなに迫つたかわかりません。それがため中學を半途退學し家業こする牛乳業に終日就業したのです、牧畜のアルゼンチン！彼が今後の活動は見るべきものこ期待します

邦語教授問題について（一）

在晩香坡市メーン街一一八半

田中廣

在加同胞は目下一萬八千…否な二萬…と稱せられて居る、其中八千は同胞婦人と見て過言はないであらう、年毎に獨身者が妻帶して一家庭を造られる、それに伴ふて續々として子供が生れて來る、それが年經て學齢に達して來る日本人の密集する地方には總に二十校に達せん日本語小學校は各地に設けられて邦語教育を施されて居るが未だ密集し居らざる地方に於ては目下頻りに日本語小學校の必要を感じられて其兩親の頭を惱まされて居る。當州アローナ在留同胞は頻りに兒童の邦語教授問題に就いて騷いで居られる、左に或る日或る所で交はされた對話を紹介する事としやう。

× × ×

だるま『誰れかと思つたら、喧し屋さんぢやないか』

やかまし屋『よう降るね毎日、今日はお休みかね』

だ『今日はサンデー（日曜日）ぢやないか』

や『ハヽヽ、雨の降る日はサンデー（日曜日）かね』

だ『併し良い雨ぢやな』

や『餘りよくもないよ、こう毎日ぢや俺れの所のトメート（赤茄子）は濕け込んで色が紫になつて來たよ』

『さうかな、君の所は濕地だから相だらうナ、だが俺れの所は乾燥地だから雨なら幾らでも歡迎するんだ』

や『おれらの迷惑も考へずにさう歡迎されちや閉口なるナ』

だ『でも旱魃の時にや、こちらが閉口する順番だから五分さ、ハヽヽ』

や『旱魃の時にや水を引けるが、雨の方は何うも仕様がないからナ』

だ『マアその様に落膽するなよ、今に太陽の照る日もあるから』

や『併し此の頃の様に、やれ練習艦隊が來たとて寄附、何某を國に歸へすと云つちや寄附、おまけに晩香坡の方からまで教科書を拵らへるとか、

圖書舘をどうするとか云つて寄附金を集めに廻つてゐる相ぢやないか、こうも金のかゝる様になつちや實際落膽もするよ』
だ『全くよな、それに今度はケローナに學校を建てるさうぢやないかまた金の要る事が増して來たぞ』
や『さうよ、あれや全體どうなるんや君は聞いたかえ』
だ『良くも聞かないが、ちよつと向ふの鼻張りやさんに聞いた所ぢやアどうしても建てるらしいんだ』
や『それや彼等の様な子供のある先輩にや直ぐにも建てたからうさ、して學校を建てると云ふことは決定したのかえ』
だ『イヤまだ決まりはしないが、其れに就いてこの二十八日の日曜日に總會を開いて皆に相談するんだ、何うなるかな』
や『何うなるも、こうなるも詰まる所金が眞先だらう、寧ろ子供のある親ども計りでやつたらいゝだらう、おれ等になど相談するものがあるまいにな』
だ『所がそれが良くないんだ相だ』
や『金が無いからだらう』
だ『それもあるが、こうと——何んでも難しい事を言つてゐたよ、子供に日本語を敎へるのは社會事業の一つだとか二つだとサ、つまる所皆の爲めだと云ふわけだらう』
や『人を馬鹿にするなよ、おいらの様に婦も持たずに辛棒してゐる者が他人の子供の世話までさせられてたまるものか、考へて見ろえ、君はさう思はんか』
だ『思つた所で仕様がないから、おれは何うでもよいと思つてゐる』
や『だから君は駄目だ、鼻張りだつて誰れだつて、自分の子供が大きくなつて他人の爲めに唯で働かせる様な、慾ばなれのした心が起ると思ふかえ』
だ『あの慾張りの鼻張にはなか〳〵難しからうな』
や『さうだらう、誰れだつてさうだ他人のためになどたゞ使はせる様な親どもが、このケローナに一人だつてゐるものか、獨り歩きが出來る頃になれば赤兒でも連れて行つてトメート（赤ナス）摘みをさせたい者ばかりだらうハヽヽ』
だ『さう云へばさうだな』
や『社會事業だとか、ヤレ協同事業だとか云ふ事は、もつと慾ばなれした人間どもの間で云ふ事だよ慾と來ちや他人をつき除けても關はぬ連中に社會事業が聞いて呆れるんだ』
だ『全くよな、早い話が體裁上社會事

業だとか協同事業だと云ふわけなんだな』
や『そうとも、だから自分の都合のよい時は、鹿爪らしくこれは社會的協同事業だから同胞一般が協力してやらうと出るが御自身に都合が惡いとなると、眞實協同すべき社會事業でも何んだかだと屁理屈を付けては、加入したがらぬ、よし加入しても加入せぬ者の方が具合良かりさうに見えると協同どこか此れを打ち毀さうと計畫したりする』
だ『例へば昨年の農會對否會員の協同販賣不賛成裁判沙汰の様なことだらう』
や『そうだ、だがあれ計りぢやない今年の教會の事件だつて、おれから見れや同じ蔓に咲いた花としか見えないんだ』
だ『そうだらうな、皆もそんな風に考へてゐるらしいよ』
や『さうだらう、さうある筈だ……幾らトメート（赤ナス）摘みに無我夢中になつてゐても其れ位ゐは解るだらうよ、だが解らねえのは鼻張だよ』
だ『ヤヤ誰れか來た様だぞ（と窓越しに遠くを見る）ヤ噂に影さすで鼻張がやつて來たよ』
や『そうか、それや丁度いゝ所だ』
だ『併し餘り議論をするなよ、うるさいから』
や『何かまうもんか、解るまで聞かにや承知出來んから聞く丈けは聞かうよ』
（鼻張り入り來たる）
は『ヤ今日はお休みだね、オヽ喧し屋君も來てゐるのか、どうりでなか〳〵騷々しいと思つたよ、時に君のアニオン（ネギ）はこの雨でめつきり延びたなア（と達磨に）
だ『今年は虫に喰はれてだめえよ』
は『虫は何處も同じことだ、君の所は何うだな（と騷し屋に）
や『おれの所はトメート（赤ナス）計りだが此の雨ぢや、さつぱり延びんのさ』
は『全くよく降る雨だな、時に喧しや君、君等によく呑み込んで置いて貰はんければならんが、あの日本語敎授の一件だがね、此の二十八日に其の事で總會を開く筈になつてゐるんサでなる丈け異議なく賛成して貰いたいんだが』
や『今も其の話で、達磨さんと話し込んでゐたのだがね何んですかい經費や其の外一切の見積りが出來てゐるんですかい』
は『まあ略々二百五十弗もあれは出來ると云ふ事になつたのさ』

更らに精神的糧をも與へられて（一）

レジストロ　田中正勝

拜呈時下御地は初夏の陽光に滿たされ明るき希望に導かるゝ頃と存じます當地は初春の暖氣追々と加わり、果樹園の蜜柑、ラシジヤは已に落果致しましたが桃は今を盛りと咲き誇り懷かしき日本の節句の頃が思ひ出され幼時親しき友と打ち連れて花咲く野邊に遊びたる戀しき記憶を辿らせます、一時皆落葉せる桑も力強い綠色が點々として枝に現はれ八十八夜の頃を思わせて、形容し難たいユーモアを感じさせます、元氣の良い珈琲も來月頃よりは白い香氣の强い花を咲す事と思ひます、植民地の生活の常として、强い勞働に從事する身は知らず〳〵御無沙汰勝になる事を深かく謝します、日本に居る中は、特に海外渡航の目的を起こして海外に出る迄は色々と先輩の方々に御世話になつて居ても一度海外に出れば音信不通となつて誠に赤面の至であります、然し一面又私共否植民の境遇上から考へますと、幾百年前からの祖先の遺物によりて生活して居た人々が一度海外の新開地に入植して、井を掘り、家を造り、水田を作り、畑を耕し、家畜を養ふ設備をなして、生活の安定を得る迄は仲々奮闘努力を要します、そしてこの努力は故國にある人々の想像の及ばぬ苦心がありますのでつい通信の禮を欠く様になるもので何卒皆様も此の事情を諒として幾重にも御許しを願ひます。

昨日貴協會より「海の外」第三十五號第三十六號の貳部の御惠送に接し幾月振りで懷かしい故國の記事を見て、宛ら故鄕にある如き感が致しまして眞に嬉しくありました、アリアンサ移住地の方も順調に進みつゝある由共に慶賀に堪へません（何卒創業の當初より、常にヱホバに依り頼み其の難境にあるも其の順境にあるも油斷する事なく眞の人生の意義と使命とを自覺して理想鄕（神に由つての）實現の出來る事を祈り居ります、尙知事様初め協會の皆様の御奮闘振を拜見して、眞に感謝して居ます、私共は其の後追々進歩しまして、土地も百町歩餘與へられ、珈琲樹も漸く八千臺に上りまして本年の收穫は精製品貳拾俵ばかり取りました、來年度は五拾俵台に入る事と思ひます、然し珈琲の乾操場の擴張、倉庫の設備等益々切要となります、然れ共實に感謝であります、自分達の汗脂の報ひに由り少しでも事業設備がなり、生活の向上が出來る事を思ふと日本に居りし時分自分達の汗脂を坪六合五勺の年貢を出せば殘るもの何も無くて雪の下（冬季）の生活に恐怖された悲慘な生活をコントラストすれば一つは希望の黎明の感あり一つは闇黒の切迫の感があります、私達の努力が當地に於いては $2\times2=4$ であり日本に居た時分は $2-2=0$ でありし事を七年后の今日今更ながら痛感して居ます、

珈琲栽培と共に養豚の方面も進んで來ました、今は三拾頭飼育して居りますが放牧場を八反歩づゝに區分けして、豚をしてアラード代用にして、一區を開けば他區を移つして其の區に植付（短期作物に米、豆、黍等）なす轉回放牧場を貳ケ作りました來月下旬迄には今一區作る考へで居ります、尙今年下旬には貯水池の土堤を造りにかゝり、水車をかけてマンジオカ粉の製粉を起して、珈琲手入の餘閑に製造しやうと考へて居ります、花畑も出來果樹園も出來やゝ内地にありし頃の生活迄に向上するのも（其の設備上より見て）近き中と思ひます、然し日本の生活は他人の土地の上であり、當地は自分の地所の中であります、其の勞働の愉快は日を同じやうして語る事は出來ません然しかゝる境遇に上りしのも故仲村國穗様初め我が縣下に於ける海外發展の切要を感じて唱道せらるゝ有識の方々の御指導の賜物であります、私が母校なる松尾小學校の高等貳年級に在學の折幸にも仲村國穗様の東洋發展の遊説を拜聽する事が出來其の頃の私の頭腦に强い印象を記るされた事を思ひ出し、南洋と南米と所こそ違へ共皆海外發展の一人として、奮闘の生活を送り居る今日より考へれば私の海外發展の素心は實に松尾小學校在學中故中村様に由りて基礎を置れた事を申し上げるに憚りません、唯人と云へ八ケ年の敎育を卒へて實社會に出ようとする時は、長男は「如何にして我が一家の平和と生活の安易を得んか?」に思ひを走せ次男以下の人々は「如何にして余の前途の生活を有意義に展開すべきや?」の理想を追ふ頃であり又、世の濁流、性の煩悶等を前に控へて居ります故此時信頼する先生や先輩の方々の親切なる一言一句は實に一生をして、成否を

決する事が應々あると思ひます、私の愚考する所を申せば、海外發展の宣傳をして、最も有意義にせんとすれば小學校に在學せる男女特に卒業の切迫せる人々に爲すを最も良好な事と思ひます、

日本人であるが故に

日米新聞社にて　遠藤照治

過日日系市民見學團員同伴歸國の際は多大の御同情と御援助に預りましたことを深く感謝致します、御蔭様にて見學團員は日本の古い文化、亦は新しい日本の建設について祖國に對する尊敬と強い自信とを獲て歸りました。歸米以來團員は日本人の各居住地に於て連夜報告講演會を開いて居ります、今や彼等は日本人であることを誇りとし又は黄い血に對する一種のプラウドを感じて居る様であります、如斯私は我が社派遣の日本見學團の大成功を齎したことを皆様に報告するの光榮を有するものであります。終りに臨み重ねて皆様の御同情と御援助とを深謝し併せて御健康を祈ります。

別封の日米住所錄には在米日本人の姓名住所を記載してあります在米同胞の實情を知る御參考までに御送附申上げました。

大正拾四年八月一日

× × ×

拝啓時下益々御清穆奉賀候今春歸朝の際は御手厚き御餞別に接し何とも申上様御座なく候幸ひ十一名の日系市民の見學も無事濟み六月二十六日着米し爾來各地で講演の爲出張し終に御疏情に打ち過ぎ申候何卒國家の爲精々御努力給はり度當地信濃海外協會員へは雜誌は五、六月號中に有之候通り直接貴所より配本給り度御願ひ申上候　宛名の變更者は佐藤榮二郎氏歸朝仕り候先は不敢取御厚禮旁々御通知まで

げにや熱帶の驟雨

シンガポールにて　宮下琢磨

拝啓酷暑之候御機嫌如何に候哉御伺申上候扨小生七月廿九日香港、八月二日サイゴン寄港　五日シンガポールに着仕候、神戸出帆以來槪ね天候快晴風波穏に幸に頗る頑健に罷在候間乍憚御休神を賜り度候。

赤道附近の氣候は槪して暑きやう想像仕居候處、三十餘年間シンガポールに居住候美蔦田醫師の家の御話によれば華氏八十五度以上に上る事稀なりと申居られ候。

げにや熱帶特有の驟雨毎日一、二時間程有之驟雨一過の後新綠をもるゝ涼風は實に快き限に候　夜は日本ならば白露滋き涼秋九月の候を思はれ候　母國の政變はサイゴンにて仄に承り、シンガポールにて詳細新聞にて承知仕候　月蝕は安南の南海にて觀申候　中天雲なく皎たる月光鮮に仰き申候　途中の諸般の感想は後日に讓り新嘉波安着の御報知旁御左右御伺申上候　猶殘暑酷烈祈御自愛の程

大正十四年八月八日

在外諸子の通信を歡迎します

一、出身地、海外飛雄の動機。兩親其の他の承諾から旅券下付出發終迄に於ける追想。
一、乘陸から現在までに於ける奮鬪、記錄。
一、事情、風俗、習慣等。
一、日本人發展に關する基礎的條件に對する私見。

等につき廣く諸子の回顧及意見を御聞きし度くあります。

母國事情

荒撫地開拓し集團移民奬勵

内務省は大藏省と協議の結果失業者救濟を理由として六大都市に對して地方債の起債を許し夫々適當なる地方事業を起さしむる事になつた事は既報の通りであるが是は單に一時的の失業者救濟策であつて永久的性質のものではない。仍つて内務省は此際失業者増加を防止するために其根本的對策を講ぜざるべからざるを自覺し六大都市の失業者救濟事業に關連して愈其の根本計畫に向つて調査を進むる事に決定した。卽ち内務省の見る處に依れば失業者は續出し畢竟するに人口の過剩に起因するものであつて地方人の都會集中も之に原因を有する事は疑ひない事實であつて地方民の都會集中は必然的に失業者の増加となつて現れるのである。而してこの現象は之に關する根本方策を樹立せざる限り如何なる方法を以てするも到底之を防止する事は絶對的に困難である。故にその根本的原因たる人口問題の解決に手を染めざるべからざるに立至つた次第であつて是を具體化するとせば當然移民政策に依るより他なき事を自覺し内地移民の計畫を樹つべく之が調査の歩を進むるに至つた次第であつて其の第一の方法としては政府補助の下に全國の荒蕪地を開拓せしめ之に集團的移民を企つる事である卽ち内務省は此の目的を以て内地に於ける代表的荒蕪地を視察せしめ同時に開墾助成法に依る耕地整理の狀況を視察せしめつゝあるが開墾助成法に依る耕地整理の現狀は助成に對する政府の補助ならびに住宅建設費に對する政府の助成が餘りに過少に過ぐるため實際的効果を現はさず開墾事業の如きは遲々として進捗せざる現狀各あるが斯くては開墾事業の完成は近く望むべからず、從つて最後の目的とする移民政策の如きも不徹底に終るの嫌ひがあつて新に内地移民法なるものを制定して政府の補助額も實際に照らして多くし以て徹底完了の上政府に向つて是が具體化を要求する模樣である。

實業學校卒業生の就職口

全國の大學、專門學校、中等學校等にあつては就職難が激しくなるにつけて其卒業生の就職口を開拓するに頭痛鉢卷のていであるが其中全國實業諸學校當局者の卒業者に對する就職口開拓法を見るに工業學校では遠隔の地は文書を以て或は修學旅行を利用して各種企業者と接觸を保ち近隣地は職員自ら出張し又隨時生徒を參觀せしめて各種の卒業生と接觸を保ち其他卒業生と學校と連絡して以て就職口の開拓に努め商業學校では一般に會社銀行に對し就職

依賴狀を發し又卒業生と連絡して開拓しともに早きは前年の秋期より運動を始めて居る。農業學校の力は農家の子弟教育を目的とする故積極的開拓方法を講ぜず特に希望者がある時のみ求めて居る。而して東京、大阪、京都、兵庫、神奈川、愛知、長崎、福岡、宮城廣島等の各府縣に於ける實業學校百二十三校に就て中央職業紹介所が本年の卒業生の就職狀況を調査したのに依れば左の如くである

實業補習學校教員養成所は一〇〇%で卒業者の全部就職し工業學校は就職者七二%上級學校入學者七%未就職者七%自家營業一四%商業學校が就職者四九%上級學校入學者一四%未就職者二%自家營業三八パーセント農學校が就職者一四パーセント上級學校入學者一三パーセント未就職者四%、自家營業六九%水產學校が就職者三七%未就職者一一%自家營業五二%實業學校(雜)就職者四八%上級學校入學者八%未就職者一〇パーセント自家營業三三パーセント

不均等な教育費生徒一人當りの經費調査

文部省では最近全國の大學、專門學校、高等學校高等師範、中學、實業、女學、師範、補習學校、小學校等各種學校の經費人數並に生徒一人當りの經費等の精細に亘つて調査してゐるので近く發表される筈であるが其中で各學校により生徒一人あたりの一年間の經費を經常費のみについて見れば次の如くである。

官立大學	一、一〇〇圓
官立專門學校	五〇〇圓
高等師範學校	六〇〇圓
高等學校	二四〇圓
師範學校	三二〇圓
中學校	九〇圓
高等女學校	七〇圓
實業學校	一一〇圓
實業補習學校	五〇圓
小學校	二〇圓

此調査によつて見るに師範學校及高等師範は生徒に學資の一部を補助するのでその一人あたりの經常費が多くなるのは當然であるが。併し學齡期にある國民の全體におよぶ小學教育に僅生徒一人あたり二十圓、上級學級に進まざる全國青年の約九割に對する實業補習教育に僅五圓をつひやすのみであるに反し官立大學に於ては一一二〇一名といふ比較的富裕なる家庭に育つた極少人數の教育のために國家は一人あたり千百圓といふ大金を費やし高等學校ではわづか一〇、二二二名のために一人あたり二百四十圓を費やしてゐる事になるのでこれは明かに從來の教育が下層階級のためには薄く上流階級にのみ厚かつた事を示すもので文部省内でも又一般教育界でもこれに對し教育の機會均等を主張するものが多くなつて來た。

多額議員政派別

多額議員選擧成績につき、内務省が各政派別に調査したる處左の通り當選率は政友會及同系が第一位を占め當選及得票數は憲政會及同系が第一位となつてゐる

黨	得票數	候補者	當選者	當選率
憲政會	二・二二九	二九	二七	〇・七一

政友會	九三四	一七	一三〇、七六
政友本黨	七〇五	一三	七〇、五三
無所屬	一、五七二	二七	一六〇、五九
計	五、四四〇	九五	六三

多額議員の年齢と職業

多額議員に當選した六十三名（北海道と沖縄を除く）につきてその職業別官、公職、年齢別、及び納税額に關し内務省の調査は左の通りである。

（職業別） 農林一四▲鑛一▲漁二▲醬油釀造三▲酒造五▲藥品製造二▲製糸二▲銀行會社重役二一▲新聞記者三▲商五▲土木建築三▲金貸一▲無職一

（官公職） 現貴族院議員七▲現代議士二▲府縣會議員二▲市區會議員五▲町村會議員五▲町村長一▲商業會議所議員六▲縣農會長二▲大學講師一▲無官公職三二（現代議士は宮城の伊澤平左衛門）政友高知の宇田友四郎（憲政）（兩氏）

（年齢別） 三十三歳一▲三十五歳以上四十歳三▲四十一歳以上五十歳一三▲五十一歳以上五十五歳一五▲五十六歳以上六十歳一三▲六十一歳以上六十五歳一一▲六十六歳以上七十歳四▲七十一歳二▲七十二歳一

平均年齢は五十四、八これを衆議院の四十九、八に比すれば五才の年長で、最年少三十三才は瀬川彌衛門氏（岩手憲）最年長七十二歳は津久居彦七氏（憲）七十一才は澤山精八氏（長崎、無）森本善七氏（愛知、憲）である納税額最高額は濱口儀兵衛氏（千葉、無）の十一萬五百七十三圓、第二位は西本健次郎氏（和歌山、政）の四萬千二十六圓、第三位は岡崎藤吉氏（兵庫、無）の三萬八千四百二十六圓で最少額は奥田榮之進氏（鹿児島本）の九百圓である

各地に大暴風起る

名古屋では十一日曉四時頃暴風雨に襲はれ市内電車は全部運轉不能に陷り交通上一大支障を來してゐる尙ほ名古屋市西部は殆んど浸水した市内並木は六分通り吹倒され凄慘を極めた。

又三重縣鳥羽大王崎を去る南東五百五十マイルの地點を航行中の神戸乾船會社所有の菊知丸は遭難し刻々波沒して最後の無電の應答もなし絶体絶命の窮地に陷つてゐる。

遠州地方は十日來二日にわたり近來稀なる暴風雨が襲ひ電信、電話、不通となり濱名郡白須賀町では民家二軒空中に捲き上げられ四名の死者に數名の重輕傷者を出した。

東京の虎疫

帝都にあつては數日前よりコレラ發生の事を聽き市民は戰々怖々として一齊に豫防注射を强制的に施行してゐたが十一日までに既に十八名を出してゐる。患者は大体海産物を食したのが原因となつてゐるので魚類其の他の海産物の食物は絶對に食せない様に注意してゐる。

貴衆兩院全燒

九月十八日午後三時半貴族院と衆議院の中間より發火せる火は雨天なるにも抱らず火勢猛烈となり最初貴族院側に延燒し消防隊は懸命に防火に努めたが、其の効なく更らに轉じて衆議院に燒え移つた。最早兩院を包んだ猛火は如何ともする能はず消防手は手を束ねて全燒を待つより外なく、附近にはジヤパンタイムス社、國際通信社。東海生命保險會社等あり大混亂の内に荷物を片付け避難した。かくして午後五時漸く鎭火し其の間一時間半、火の廻りの强かつたのは工事中壁を下してあつたためであると。尙出火の原因についても漏電とも云ひ、工事人夫等の煙草の火がペンキに燃え移りたるものなりとも云ふ、損害は約二百萬圓であると、重要書類は無事であつた因みに議事院の燒失は明治二十二年六月大正九年三月二日と今回が三回目であると。

バラック建の議院を建築

政府は議院燒失の善後策として一坪二百圓五千坪百萬圓を以てバラック建議院を建設する事になり五千坪の平屋はいまの場所では不足であるから日比谷公園を使用する。かくて今五十一議會までには間に合ふ様準備急いでゐる。

汽車辨の喰殘し年百五十石

東京鐵道局では管内各驛で賣り出す汽車辨當の包み紙に「一粒の米でも人々の汗の賜であるお互ひに無駄にせぬ様にしませう」といふ新標語を入れた。因みに同管内では毎日上、並辨當四萬三千九百本賣出されて旅客中には飯を半分喰ひ殘したり折詰の蓋や底に殘したまゝ捨てゝ行くのが多いので調査した所三本につき一勺の割合で一日少くとも四斗三升一年約百五十石といふものが塵の中に捨てられてゐる事になる。

信州記事

本縣の多額納税議員選擧

本縣の長者議議選擧開票は十一日午前十時より縣廳内で開始された結果總投票數百八十八票

百四票　今井五介

八十三票　小林暢

で即ち本縣の定員二名に對し今井小林兩氏當選した。因みに、今井五介は諏訪郡平野村生本年六十七歳、先代片倉兼太郎氏の弟で鄕里至誠學校長を經て明治十九年米國へ絹糸業視察に赴き廿二年蠶糸業視察として支那へ渡航し信州製糸業發達のため貢献する處が多く其傍ら貴族院議員、松本商業會議所會頭帝國經濟議員、片倉生命保險、日華蠶糸、片倉殖産、信濃鐵道の各社長の職にあり殊に現に信濃海外協會の顧問であり海外協會中央會の會長である。

小林暢氏は更級郡信田村に生れ本年四十七歳信田村の高等小學卒業後長野市北村漢學塾に學び明治四〇年信田村村會議員を振出しに六十三銀行、長野新聞取締役、信田村郵便局長、農工銀行頭取を經て現に六十三銀行の頭取である又當協會の相談役である

衆議員補欠選擧

衆議院議員第九區北佐久、南佐久選出議員岡部次郎氏補欠選擧は政友會の篠原和市、憲政會の中山武三郎氏が双方しのぎを削つて大活動とした結果五日開票の上左の點數で篠原氏の勝利となつた。

篠原和市氏　四四八八

中山武三郎氏　四四八七

各中等學校の軍事教育經費

五万二千餘圓

各中等學校に現役軍人を配置されてより經費の増加もして來て縣費としての各學校内譯は左記の通りである。

松本中學	一、五五〇	長野中學	二、六七〇
諏訪中學	六、六〇〇	上田中學	二、六七〇
飯田中學	二、二四〇	飯山中學	一、八二〇
伊那中學	二、一八〇	松本二中	七四〇
屋代中學	一、一五〇	木曾中學	九四六
須坂中學	九四八	上伊農學	一、七二〇
小縣蠶業	一、七四〇	木曾小林	一、七七五
長野工業	二、〇二〇	北佐農學	一、九三五
更級農學	一、七七五	南安農學	一、七七五
小諸商業	一、八二〇	丸子農商	一、八〇〇
諏訪蠶糸	一、七四〇	下伊農學	一、七七五
東筑農學	一、七六五	下高井農學	一、三〇〇
上水農學	一、三〇〇	長野商業	一、八二〇

濟生會の助成で岡谷産院建設

天下の製糸工業地である岡谷地方の有志は約三万からの女を抱擁してゐるので既に先年來姙産婦保護、産兒保護の施設を行ふ方針で計畫して既に間口五間奥行十一間の二階建家屋まで建設したが其の後杳として進捗しなかつた、たま〳〵今春濟生會役員が來縣の砌此問題が話題に上つて濟生會としても此工業地帶に何等社會的施設が一つとしてないを遺憾として場合によつては濟生會事業として産院を建設する方針で本縣を通じて照會する處があつた然るに岡谷地方有志は濟生會事業として行はるるは地方の名折れとでも思つてか主體は吾々がするから濟生會から相當の補助を受けて完全なる產院の施設を試みたいとの希望あつた今回上京した濱田社會主事は其序に濟生會をおとづれて種々打ち合する所あつた其結果縣の要求する約六千圓の補助は交附し來る事に諒解を得たが濟生會も非常に乘氣となつて場合によつては地元から建て物其他現在の施設一切の寄附を受けて直營したいと云ふ意嚮もあつて近く調査を行ふ事となつてゐる、現在の施設は產室十五ケ姙產婦室に合せて五十名以上を收容し得るもので主として姙產婦保護、助產、產婦、健康相談所等を設くるもので卽ち母體保護、產兒保護を行ふもので濟生會直營の場合は或は米國式產院的施設を行ふかも知れぬといふ。

本年の製糸資金一億圓を突破

製糸業者はそのふところも大きいが借金もでかい殊に本年は糸値も好いが繭價又途方もなく高いので勢ひ製糸資金卽ち銀行からの借金が多いことは云ふまでもなく日銀松本支店取引縣下十三銀行の製糸資金貸出し殘高を見ると最初の豫想を裏切つて今や一億圓を突破するらしい狀態にある　從來の狀況を見ると大槪の年は九千萬圓位に止まり昨年の春繭安のため狂しく八千万圓位にゐたけれども兎に角一億圓突破は記錄破である

煙火製造資格合格者

本縣保安課では內務省の火藥取締令により煙火製造作業主任資格試驗を施行した結果受驗者十七名中僅か左の四名が合格した

北安曇郡大町　寺嶋義惠

上伊那郡七久保村　那須野健一

下伊那郡飯田町　內山源次郎

長野市問御所町　藤原章

光明に輝く盲人救濟會

盲人の爲め點字圖書館の設立雜誌の發行及講習會開催盲兒の就學奬勵保護救濟等をなすべく長野盲啞學校卒業生によつて計劃された盲人救濟會は其の後贊助者を募る一方會員募集等に努めた結果贊助者としては丸山市長大勸進大本願をはじめ市內有力者三十餘名を得基本金とすべき一千五百餘圓の贊助金を得た今後は普通會員の募集に努むる筈であるが同會主催卒業生一同は今後は普選も實施され盲人も選擧權を有する樣になつた爲め點字の普及を最も必要とする爲め此の方面に大いに力を注ぐと意氣込んでゐる

夏蠶の採算有利農村は大元氣

縣下の夏繭も各地出廻り初めたが相場は可なり高く各地の平均を見ると先づ左の通りである

長野	一〇〇〇（圓）
屋代	一〇、六三
小縣	一一、二八
須坂	一〇、八二
中野	一〇、五五
吉田	一〇、一五
明科	一〇、七七
坂城	一〇、九六
鹽田	一〇、八九

總平均十圓六十六錢に當る其處で夏繭一貫匁の生產費はどうかと云ふと凡そ左の如くである

桑代	六、〇〇圓	(葉桑十貫五圓)
種代	四〇	―
人夫	二、〇〇	一人
光熱	一〇	―
雜費	五〇	―
計	九、〇〇	

右の如くであるから九圓の生產費を十圓六十六錢から引くと純益は一貫に就いて一圓六十六錢に當るのである桑代の十貫匁五圓は決して安くはない又人夫の一日二圓も安いとは云へないから人を雇つて又桑を買つての夏蠶飼育ではさう多額の利益は見られないが自家勞働と自家所有の桑とに依るものは可なりの利益となるのである春蠶に引き續いて農村の大元氣なのも當然である

縣下の桑園小作料高いのは上田小縣

本縣蠶糸課では目下縣下各郡市について桑園小作料の調査中であるが今日までに蠶糸課に達せる報告を見ると左の如くである

		上	下	普通
南安曇	畑	三七	二五	三〇
	田	六〇	三七	五〇
諏訪郡	畑	三七	一二	二六
	田	四八	二〇	三二
上田市	畑	四五	三二	三二
	田	六三	四七	五二
南佐久	畑	三九	一二	二二
	田	五五	三〇	四二
上高井	畑	四四	一一	二七
	田	五〇	三〇	四〇
北安曇	畑	二六	一三	二〇
	田	四〇	一〇	三〇
北佐久	畑	三〇	一二	一九
	田	五五	三〇	四五
下高井	畑	三四	一四	一九
	田	二六	二〇	二二
小縣郡	畑	四六	三〇	三二
	田	六六	三五	四六
西筑摩	畑	三五	一五	三〇
	田	四〇	一〇	一九
下伊那	畑	四九	二二	三九
	田	五六	二九	四二
東筑摩	畑	二七	一四	一九
	田	三四	二一	二九

田とあるのは登記面では田になつてゐるが實際は桑園になつてゐるものである。

托兒所補助。 本縣では社會事業の一端として非常に有意義な托兒所新設について、既にその効果を認め、これが氣勢を揚げやうといふので目下計劃してゐるが來年度に於て

上伊那	三	長野	二
上諏訪	一	岡谷	一
小縣(和村)	一	北佐久	二

右十ケ所の新設を實現すべくこれに對し一ケ所少くとも二百五十圓內外の補助を交附する意向である

長野市の膨脹 長野市は先きに三輪、古牧、吉田町、芹田を編入して大長野市にしたが今回更らに大長野の理想の基に安茂里、大豆島の二ケ村を編入したが之れが編入理由に就いては該理由書を其の筋に申達する筈でこの頃出來上がつた內容に就いて大久保庶務課長の語る處に依れば左の如くである

『安茂里の方は唯川を一筋隔てゝゐるので現在長野市が同村に接近した方面は住宅地として漸次發展し將來は川を越して安茂里の地籍へ必ず入るものとし一方公園風致方面からも長野市は將來必ず安茂里方面にこれ等の實現をみることになる見込がある又安茂里から見れば果樹の販賣其の他商取引等からも長野市と現在も關係あり將來は尙深い關係のものと見られる大豆島の方は主に交通關係から必要を感じたもので芹田古牧を兩方にして中央に位す大豆島は將來の交通地帶の上から電車を引く場合或は還狀道路を設ける場合等にはなくてはならぬ地籍である大豆島自身とすれば以前一町三ケ町村合併の際にも自ら合併を希望した程のもので市を利用する點が少ないのみならず都計上或は地勢上からもどうしても度外視出來ぬ爲め編入したものである

縣下の二百二十日

諏訪地方は可成の大雨降であつたため稻作一部に打擊があつたが、大体平年作には漕ぎつけ得る見込であると。木曾地方は十一日午前暴風雨となり各河川何れも增水したが被害はなし。松本大町地方も猛烈な降雨であつたが打擊はない飯山伊那地方も同樣先づ安全無事だつたので通じて縣下の二百二十日は至極安全なので今後天候が順調に行けば平年作以上の成績であると。

農家の大豊年小縣郡下は大ホク〱

上田市及び小縣郡一帶の農家は例年にない夏秋蠶の大當りに加へて昔から農家の最も恐れてゐる二百十日の厄日も至極平穩に過ぎ稻作も先づ確實に一割方の增收が豫想されて何れの農家も近年にない豊年だと喜んでゐるが

本年は桑葉の繁茂が極めて良好であつた爲め何れも桑があり餘るので桑不足を慮つて例年五枚の掃立をなしたものは最初四枚位に減じて掃立をなした家が多かつた

之等の家では桑の繁茂良く蠶兒の發育も良好であるので又一枚追加掃立をしたが更に桑が餘り蠶兒の發育が良い爲め追加掃立をしたので郡內一般が右の樣なだら〱掃立をしたので早口からだん〱に上簇が了へるので例年よりは倍以上の掃立をみてゐるが之に要する人手は平均に忙しかつたが一時的に多くの人手を要せぬ關係から雇人等は平常の年よりも少く夏秋收繭は倍以上に上つてをり最近に至り中央に於ける絲價の活況に伴つて本縣各製絲家の繭不足からの買あせりに繭値も高く賣れる狀況であるが此好結果を收めた農家は更に晩秋蠶晩秋蠶の掃立を多量に行つてゐる模樣だが今月上旬に掃立てたものは四五日打續けて高溫蒸熱に遭遇し稚蠶時の被害を受けたが大した事なく群馬縣地方に此種の硬化病が蔓延して蠶兒を放棄したものが尠くないとの事であるが之が爲に蠶種王國の名ある本縣への注文多く最近に至り蠶種の價格は約二三割方の昂騰をみてゐる

大男六尺二寸一分の記録破り

南信の徵兵檢査に當つて、圖拔けた身長の大男が現れた。それは北安曇郡常盤村の一壯丁でその身長は六尺二寸一分と云ふ素晴らしいものだ、本人は中學校も卒業したし徵兵官も見事だとは思ふが、何分あまり圖高いので惜しいことに第二乙種に編入された由。今迄松本聯隊區管內の徵兵檢査に現はれた身長のレコードは昨年諏訪から五尺九寸のがあつたと云つて評判されてゐたが、本年の常盤村の第二乙種君の如きは松本聯隊區設置以來のレコード破であると。

先生の敎へ方に滿足せず

―可憐な少女の自殺 上田市小學校高等科女子一年生にて上田市新屋町寺尾吉五郞二女寺尾正江(一四)は廿一日午後九時半頃上田驛下手遠方信號を去る三チエンの處で鐵道自殺を遂げた躰は上り列車に轢かるゝ間もなく下り列車に又屍体を轢かれたので全身めちやくちやで辛うじて肉片をかき集むる程のむごたらしさであつた正江は受持ちの寺島訓導の敎授振りが心に染まず遂に寺島組より脫して他の組へ組替へをしてもらうべく父母が奔走したけれども其の効なく精神は日に〱學校から離れ行くに至り尋常六年迄は嘗て缺席した事などなかつた正江は本月十日は缺席し自殺當日も亦缺席した之について父と姉とよりいたく叱られたので性來勝氣の正江は學校に對する絕望と缺席に對する父母や姉の叱責に遂ひ思ひつめて自殺を決意したものらしい當夜は同人の信仰する日蓮のお題目講が附近にあるので之れへ行くためにと着物を替講中の少年少女等が持つ小い珠數を手にして八時過ぎ立出でたが講へは行かず一直線に市公會堂近傍に至り鐵路に橫はつたのであつた正江が死の道を辿るにいたつた學校に對する失望の度合は其日記に詳しく記されて日に〱絕望の淵へ沈み行つたかに見らるゝのであつた

協會便り

內務省から壹万圓の補助

去月下旬內務省社會局から本會事業補成に對し壹万圓の補助があつた。此れは本會が殊に海外發展の組織的事業に就業してゐるので政府當局は特別の補助をしたのである 卽ち信濃村移住地の建設は我が國海外發展史一紀元と云ふべき協會として實に組織的實行的具体的方法をやつて既に海外發展の第二段に進んでゐる、今後協會は施設の充實を計り目的の達成を期し長野縣民否日本民族發展の好模範を示す覺悟なり會員諸君及共の他關係諸君と共に喜びをわかつと共に益々努力致したい。

信濃村土地代第二回拂ひ込み

信濃村開設既に一年、信濃村は着々穩健な發育をなしてゐる。周圍からも又協會自身にても憂慮されゐた出資金も續々と集つて、豫定額の七萬圓に達せんとしてゐる。殊に信州では養蠶好況のため、以外の出資の希望者もあつて誠に信濃村發展に喜ばしい事である。第二回拂ひ込みは十月一日で土地代五萬圓、利子一萬圓、登記料一萬圓 合計七萬圓を拂ひ込むので 此の拂ひ込みと同時に地權は交附されるのである。永田、西澤兩幹事は出資金募集に下縣各地に出張してゐるが、その報告はいづれも好成績をおさめて、此の數日を以て切り上げる豫定である。尙第二期第三期の出資金募集も既に計畫されてゐる

海外渡航者の第一次移住地選定

日本人は至つて移住的訓練に乏しく、その鄕里の古巢に宿借りをするので、少しの進步もなければ向上もない、靑年に靑年らしき意氣さへ失はれゐる。今日までの日本人の海外發展の失敗は全く移住的訓練のない事が一大原因をなしてゐる。移住は常に精神的修養をする忍耐性を養ひ、その境遇に順應性を與へ更らに向上性を養ふのである、日本力行會では海外渡航靑年のために先づ內地に第一移住地を設け、こゝで移住的訓練と植民的訓練をやり、以て海外に圓滿なる發展をさせ樣と此の程小縣郡地籍菅平にその第一候補地を選定した。面積は三萬坪

養蠶を第一とし蕎麥、小麥、大麥、栽培し、冬期は官有林の間伐作業或は智識方面の勉學に利用すると、當協會も之れに贊成して西澤幹事はわざ〳〵出張視察を遂げ、種々研究した結果、力行會と協力して、縣人青年の希望者を、收容させる事になつたが、此れが具体的實行方法は後日更らためて發表する。

内務部長の榮轉

本縣内務部長細川長平氏は今回宮城縣内務部長に榮轉された、同氏は昨年七月に赴任されて以來尙日が淺いので、同氏の轉任は誠に惜しむべきものである　殊に當協會の相談役として一方の御苦勞を下された同氏の惜別は協會一同の徵衷を捧ぐる所である。

因みに今回の地方官異動は全國的に波及した、又本縣内務部長としては石川縣書記官牛嶋省三氏が榮轉された。

新會員、新購讀者

會　員

東京市本郷區大學病院　北澤たか井
更級郡篠ノ井町唐臼　酒井幸雄
南安曇郡穗高町　小平留雄
北佐久郡協和村　渡邊彌助

講讀者

東京府下阿佐ヶ谷　北原鄉
支那安徽省大平府　新碼頭事務所
岡山縣条郡加美村　藤井巖

金錢納入（前月十五日から今月十五日までに受領せる分）

一金壹圓拾錢也　三浦鍋太郎殿
一金貳圓也　大正十四年度普通會費　臼田銀治殿
一金貳圓也　同　高木利治殿
一金貳圓也　同　武居重幸殿
一金壹圓拾錢也　北原鄉殿
一金貳拾四圓九拾錢　牧野菊朔殿
一金貳圓也　大正十四年度普通會費　藤本顯正殿
一金四圓也　大正十二、三年度普通會費　清水準一郎殿
一金四圓也　同　田中明治郎殿
一金四圓也　同　小林仙之助殿
一金四圓也　同　轟万作殿
一金四圓也　同　山岸政藏殿
一金四圓也　同　久保田勇太郎殿
一金四圓也　同　小林泰助殿
一金四圓也　同　鈴木四五十殿
一金四圓也　同　轟小八郎殿
一金貳圓也　大正十三年度普通會費　松山勝三郎殿
一金貳圓也　同　佐藤幸藏殿
一金貳圓也　同　平塚平八殿
一金貳圓也　同　坂井典敏殿
一金六圓也　大正十一、二、三年度普通會費　新井眞太郎殿
一金六圓也　同　竹内幸松殿

一金四圓也　大正十二、三年度普通會費　小池幸家殿
一金四圓也　同　松木七三郎殿
一金貳圓也　大正十四年度普通會費　北澤たか井殿
一金貳圓也　同　酒井幸雄殿
一金貳圓也　同　小平留雄殿
一金壹圓也　藤井巖殿
一金五圓也　同　勝田連殿
一金壹圓也　中村忠規殿
一金拾圓也　大正十三年度維持會員費　小山完吾殿
一金拾圓也　仝　岩井猪三殿
一金拾圓也　仝　黑澤利重殿
一金拾圓也　仝　龜井唯二郎殿
一金拾圓也　仝　小山悅之助殿
一金拾圓也　仝　依田豐殿
一金拾圓也　仝　小林盈殿
一金拾圓也　仝　神尾光臣殿
一金拾圓也　仝　瀧澤菊太郎殿
一金拾圓也　仝　吉田靜致殿
一金拾圓也　仝　志賀三行殿
一金拾圓也　仝　藤森良藏殿
一金拾圓也　仝　鈴木梅四郎殿
一金拾圓也　仝　依田稔殿
一金拾圓也　仝　有賀文雄殿
一金拾圓也　仝　小松豐作殿
一金拾圓也　仝　池上秀畝殿
一金拾圓也　仝　小松謙次郎殿
一金拾圓也　仝　小平權一殿
一金拾圓也　仝　關延世殿
一金拾圓也　仝　湯本武比古殿
一金拾圓也　仝　高橋貞造殿
一金拾圓也　仝　白澤保美殿
一金拾圓也　仝　大工原銀太郎殿
一金拾圓也　仝　五嶋慶太殿
一金拾圓也　仝　片倉武雄殿
一金拾圓也　仝　稻垣乙丙殿
一金拾圓也　仝　花岡敏夫殿
一金拾圓也　仝　稻田稻雄殿
一金拾圓也　仝　藤原咲平殿
一金拾圓也　仝　塚原嘉藤殿
一金拾圓也　仝　本城郡治郎殿
一金拾圓也　仝　渡邊嘉一殿
一金拾圓也　仝　近藤次繁殿
一金拾圓也　仝　樋口長市殿
一金拾圓也　仝　筧克彦殿
一金拾圓也　仝　澤柳政太郎殿
一金拾圓也　仝　辻太郎殿
一金拾圓也　仝　塩原副殿
一金拾圓也　仝　赤池濃殿
一金拾圓也　仝　柳田國男殿
一金拾圓也　仝　名取和作殿

（續く）

▲通信の中から▼

技術者として

池田廣志

謹啓　度々御書面有難く御禮申上候小生愚志に對して斯く迄も御親切に御指導下され厚く御禮申上候。

小生は横濱高等工業學校電氣科二年在學中にて、中學當時より海外發展につき憧れをもち本村（下伊那郡下久堅村）羽生、尾曾兩君が南米へ渡航致したる際は微力ながら盡力致し其の後學生生活に入りたるも寸假も海外雄飛を忘れずにおり候、かつて大谷光瑞氏は我が國の海外發展を論じて、我が國海外移住の第一人者は有產遊民なり、先づ此の有產遊民を移住せざるべからず此の有產遊民とは自己の財產によりて衣食し而も我國の直接生產生活に從事せざる者也而して、自己の財產とは自己の技倆也、と言ひて最後に技術者を移住せしめざるべからず」と言はれたる事ども小生目下の境遇より非常に喜びおり現同校長も海外發展の趣旨より殊に横濱港に設立を見たるわけにて盛んに海外研究に從事致しおり候今回小生等同志糾合して校内に「大陸會」なる研究會を組織し第二學期より新たに歩調を以て調查致し度く存じ候

我が信州には早くより貴協會ありて海外發展について指導さるゝは誠に慶賀の至りに候

信州人は河に惠まれざるためか、海外事情に乏しく從つて海外發展者少きの憾があつたが最近貴協會の御努力に植民思想の普及し益々渡航者の續出するに至りしは誠に御同慶の至りに堪ず候

尙今後一層の御盡力あらん事を切望致し候

使命を感じて

飯田町　宮澤一子

先日のお手紙確かに拜讀致しました。私にとつては非常に元氣百倍し勇氣萬進して一日も早く彼地に行き本當に眞劍な人生を送りたく最も意義ある人生を樂み居ります、何卒私の爲に一日も早く渡航出來得る樣御便宜下被度御願ひ致します。結婚は人生の最大事にて其の結果は幸不幸を限定するものであると仰せ下さいましたが、とにかく私にとつては同一の心地を持つて共に働き共に慰め遠く故國を去つて我が日本

民族のために奮鬪する男子であれば全靈全身を捧げて共に奮鬪する覺悟です女のくせに故國を去つてかゝる大膽な心持は或は疑ひになるやもしれませんが私は私としての使命を感じてゐますその使命のために今斯して決心したのです。故に死を覺悟して内地を去り成功せずんば、再び内地には顏向けせず石にかじついても必ず自己の天賦を全します。

何卒何も知らぬ私を御指導下さいまして一燈の光明を指し示して下さい、現在の私について兄上樣も大變理解下さいまして私のために盡力して下さいます事は何よりです

先づは御願ひかたがた御一筆まで

かしこ

我が娘も

上伊那郡　北原欣平

過日は種々御厄介に相成り誠に有難く御厚禮申上ます、御蔭樣にて愚女みゑ儀　去る八月十二日無事神戸出帆渡致しました御安心下さい。いよ〳〵みゑも心ゆくばかりに滿足致し自個開拓に奮鬪致すべくと存じます

まづは御禮かたがた御一報まで

五圓の醬油が一圓餘で出來る

埴科郡農會では昨年度倉科、東條杭瀬下村等で自家醬油製造講習會を開き非常に良好の成績を擧げたので今年は十月下旬から一ヶ町村三四日乃至一ヶ月位の豫定で全町村に施行して自家用醬油製造の普及に努力する事となつた現在製造をして居る町村に倉科村六斗五升東條村八十石杭瀨下村四石二斗であるが麥、豆等農家の自給品を使用すれば購入醬油一斗五圓が自家製造で一斗一圓七十錢位で出來るので郡内農家一戶平均三斗を使用するものと見て全郡の二千二百三十六石五斗の消費量に於て七萬三千八百餘圓がコロリと產み出されるものである講習は町村農會が單位となり昨年一同行つた町村は加工、シボリ取り今年始めての町村には糀ネセコミ、仕込み等を授講するものである。

海外發展問答

漠然たる質問は不可
本誌を繼續して讀む
一名六問以下の事
海外發展問答と朱記すること

問　信濃海外協會員となるには如何なる手續を要するや（木曾、二十生）

答　本會の趣旨を贊同する人は總て會員たる資格を有します。入會希望者は端書にて申込めば直ちに入會申込書、規約趣旨書等御送附致します

問　私は二〇才の青年です。獨身で渡伯したいです。資金は三百五十圓あります、伯國行きは家族構成でなければいけぬと云ふが好き方法なきや、（更級　獨身生）

答　伯國行は家族構成でなければならぬと云ふのは海外興業株式會社たけです、又伯國自身としても家族移民を歡迎しますが現在日本では青年の渡航が盛んですから、東京の力行會ではこれらの青年のために農業練習所を設置しました獨身で三百五十圓あれば極く渡伯都合上よろしいです。希望なれば東京市小石川區林町七〇日本力行會に問ひ合せて下さい

問　今私は松本聯隊に入營中です、除隊後は是非伯利西爾に發展すべく覺悟してゐます、入營中何か向ふの事狀について相談し得る人がありませんか。（第十中隊生）

答　軍隊生活を經た者は忍耐力に強いので極く植民地向きです、軍人の海外發展は誠に必要な事です營內での相談相手は最近ブラジル駐在武官から同隊に任命された步兵大尉竹內寛氏がおります殊に竹內氏はブラジル全体にわたり精しく視察されてゐられるので相談相手として至極便宜であります

問　渡航中一番注意すべき點は何處でせう（更級　渡伯生）

答　渡航中一番注意する點と質問されても一寸御答に窮しますが船中では常に攝生を重んじ規則正しい生活をし適當の運動と勉强が大切です。

問　「海の外」三十八號の三十二頁に有る伯國移民規則は信濃村入植者にも適用されるのですか（諏訪　小林）

答　勿論伯國政府としての施行令命ですから信濃村入植者に適用される筈です然し適用されたからと云ふて、何も恐威を感ずる事はありません、たゞ入國手續が面倒になつたと云ふにすぎません

問　私は八月二十日諏訪支部に於て入會申込書に會費一ケ年分をそへて申込みましたが未だ「海の外」が參りませんが誌代は會費と別に納入すべきものでありますか（諏訪　小林）

答　誠に申譯ありません、まだ支部からの通知がありませんので、會員から誌代としては別にいりません。會員の方々には無料で機關雜誌其の他のパンフレットを差し上げる事になつてゐます

問　信濃村の土地が未だ分讓されないがどの位ありますか（諏訪　小林）

答　信濃村土地分讓地は未だ澤山まります、分讓地區は二十五町步、三十五町五反步、五十五町步の三種で今年度は一反步五圓餘で分讓致しますがたん〳〵土地代が遂年に二割五分乃至七割の騰貴するので來年度は今年度の價値段で差し上げ兼ねます、

編輯餘錄

△

今日此の頃は最早秋涼立つて殊に、朝夕は袷せ位でも寒い位です。日本の夏は本當に短かいので、暑い〳〵と云つてもホンノ短期日です、一寸前に遲れた氣候がおし寄せてずいぶん暑い事もありました。稻等も此の天候のため思ひの外出穗の出來具合が良くありました。秋蠶も非常に經過よく繭價も景氣がよかつたので、農家の懷具合　圓滿の樣です。それでも、一般農家　經濟狀態は以前と同じ事。

△

南米信濃村は漸次發展してゐます、目下十家族獨身者九名で三十九名の村になりました。來年一、二、三月間に渡航入植者は出發の豫定です、既に出發者は十家族に定つてゐます。尙此の分ならば十五乃至二十家族になるだらうと思ひます。斯うして信濃村は三）四年の內に完成されます。

△

伯貨はだん〳〵騰貴して昨今は二ミル九百になりました。一圓につき三〇錢違ひます、だから、伯國よりの送金はこんど優利の立場になつたわけです。日本の海外移住者の多くは送金を唯一の誇りとし、成功として歡迎するから、伯國在住者の成功は際立つて送金の現象を呈する事であらう。

△

最近比島の麻相場が一ピコロ四十圓臺との事數年辛捧した在比諸子の迎妻歸朝が急に殖えた。やはり植民地に於ける穩健なる發達は女性の力に俟たねばならぬと。

△

未だ海外知識について疎い連中。ヤアブラジルは南米にある事を知つてゐますが、ブルガリヤも南米でしたネ、否ブルガリヤは歐洲バルカン諸國の一國です。アヤ。そうでしたか、ボリビヤがブラジルの西南にある國でした。

△

編輯については未だ遺憾の點が多くあります努めてその欠陷を補ひ內容の充實と体裁とに努力してゐます、殊に編輯は永田稠氏のかはりてありますので、諸子を通じて遺憾の點が多御座います。大方の諸子よりの御注意を感謝します。

△

在外諸子の御通信を歡迎します。この頃漸やく縣下の青年子女の海外發展熱が旺盛になつて來ました。勿論海外發展は各自の自覺と自由意志に俟つべきものでありますが在外先輩をして後進者のために消を開かしたる事は大切な事であります。それには第一に在外先輩諸子の通信が何よりです、何卒御暇を得て御通信を御願ひ致します。

海の外

定價

	內地	外國
一部	廿錢	廿仙
半ケ年	一圓十錢	一弗十仙
一ケ年	二圓廿錢	二弗廿仙

海外郵稅四錢

注意
▲御注文は凡て前金に申受く
▲廣告料は御照會次第詳細通知致します
▲御拂込は振替に依らるゝが最も便利さす

大正十四年九月二十六日

編輯人　永田稠

發行兼印刷人　長野市南縣町　西澤太一郎

印刷所　長野市南縣町　信濃每日新聞社

發行所　長野市長野縣廳內　海の外社

振替口座長野二一四〇番　信濃海外協會

大正十四年九月二十六日發行（毎月一回發行）

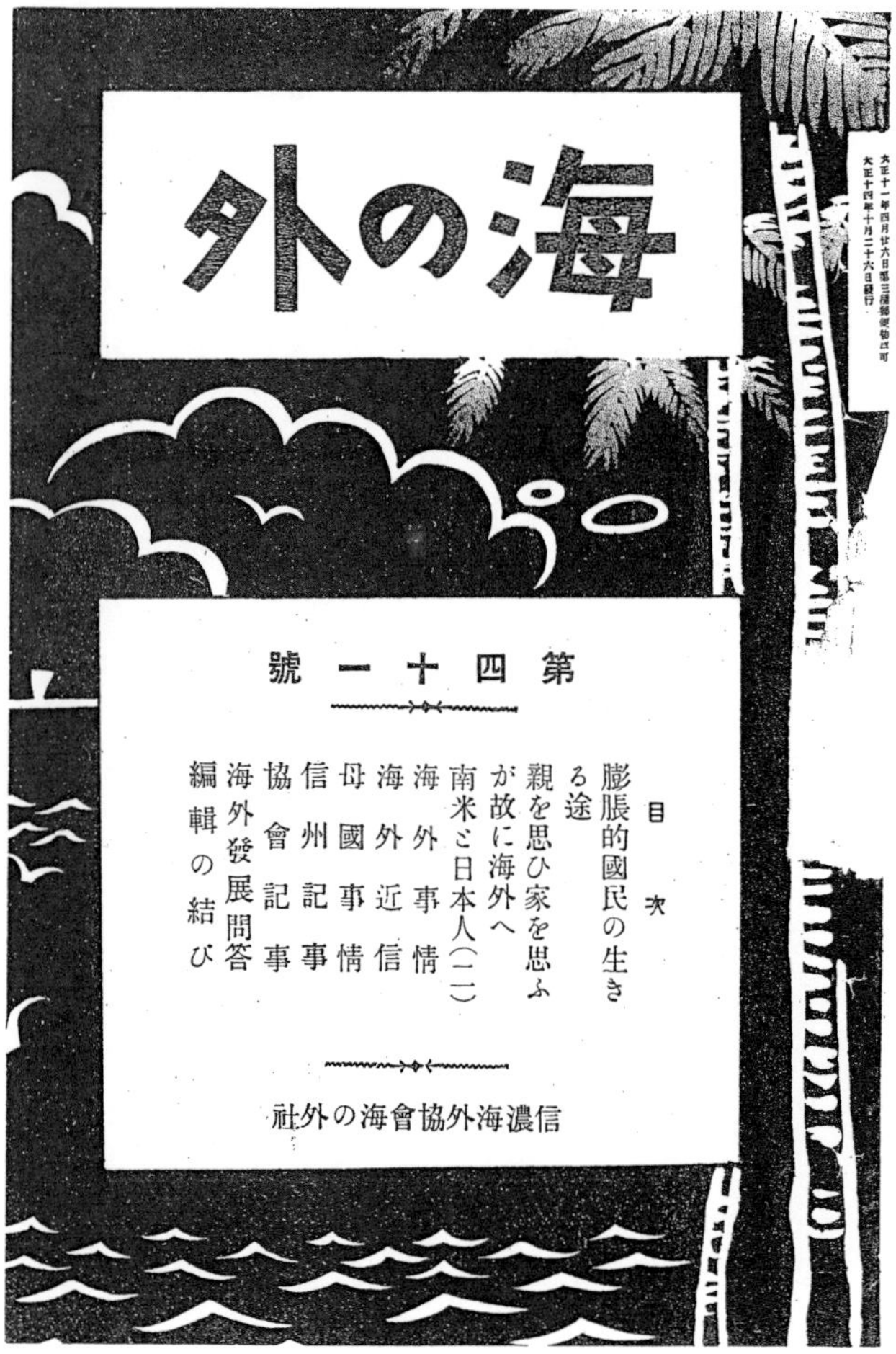

目次

海の外

第四十一號
大正十四年
十月號

膨脹的國民の生きる途

大正十三年度に於ける我が帝國人口について、先日發表された内務省統計局の調査によれば、出生は總數二百四万一千百六人、死亡百二十九万七千五百三十二人、差引七十四万三千五百七十四人の増加を示してゐる。我が國人口の自然增加は明治三十三、四年頃の五十万から激增して、大正七年には著しく低下したが、九年から又もや漸次增加して七十四万と云ふ未曾有の增加を示した。

歐洲の大戰から、今後我が國が世界の列强と伍するには二億の人口を有せねばならぬといふ事である。それには未だ四、五十年を要せねばならぬが、今日僅か七千万に過ぎざるに、旣に人口問題に行き惱んでゐる。種々なる社會問題、思想問題が起つてゐるが、歸する處は人口多く土地狹隘である故である。

我日本、我民族は、此處に一大危機に遭遇してゐる、工業立策も、農業立國策も、サンガー產兒制限も皆出來ない相談である。たゞ相談の出來るのは膨脹國民の最も應しい移住である、海外移住である、移住は我が民族の生きる唯一の途である。(九、一〇)

親を思ひ、家を思ふが故に
海外へ

専任幹事　西澤太一郎

一、幾つになつても子供に見える

七十の歳を越へられた親が腰を曲げて、枝振りのよい所を切り取りて子供が杖にする様にと火にかけて、磨いた黒い燒跡のアリ〳〵と見える太いどつしりとしたのをつきながら居たが子供が、今日は鎭守の祭りの用意に町へ買物に行くと言つて、急ぎながら、

「お父さん一寸町へ行つて來ますから」。「ア、そうか、向ふの道には大變に石があるから轉倒ばぬ様に、氣をつけて行くが良いョ」

「そうして夕方餘り遲くなると道が分からなくなるから早くお歸りなさい」と頻りに皺ばかりの顔をあげて言つた。

子供はもう四十の坂を越した血氣盛りで然かも生れて以來風邪一つ引いた事もない又村中評判の大男で子供も早や七人もある子福者である。

二、あー子供は可愛い

立ち去つた後を見送りながら父親は、あーそれでも忰も大分此頃は大きくなつた、途中で倒ろんで怪我でもしなければよいがと。緣側には日がかん〳〵と當つて居る。秋日和は一層暖かである。お爺さんは杖を立てかけながらどつしりと緣側へ腰をかけた。

「あゝよいお祭りだ」と。

三、親の情けで子は育つ、世は情で持てる

子は親を思ひ親は子を思ひ、兄弟叔姪相思ひ、相愛し、己を捧げて他の爲めを計り己れの最善の努力と己の天賦の個性と全我的の努力と生命の力とを此の世に延ばし此の世に捧げ、己れの喜びを以て他に及ぼし他の憂ひと苦しみと悶えとを己れに分ち、苦樂その總てを分ちて以てその生を樂しむ、それが人生の華である、天の惠みと地の情け人の和と心の和と君の御恩と親の情、浮世の惠みに潤ひて、此の長い人生の綾と錦を織るのである。

天地開闢以來幾億年此の人類が造り上げたる文化である、御同様生を大正の大御世に得て此の世界の文化の惠澤に浴してその精神に物質にその生を樂しむるを得るのも考へ到れば亦、至幸なりと言ふべきである。

四、今の世間には鬼が多い

然しながら又一面考へて見れば我が領土の狹隘なる天産に惠まれざる、御同様悲むべき事なれども仕方がない。綿に乏しく鐵に乏しく食糧に乏しく貧しきものが我が國の特長である。鬼の多いのも又無理もない。

五、誰が鬼ケ島に行くか、征伐に

貧しきに惠まれたる我國の同胞我が民族は只是れ努力奮闘世界を開拓し富を造り財を造り、心を開拓して新たに新生活を創造し、新なる文化を産み出し此の八方行き詰りの我帝國の現狀を改造し此の行き詰りの農村の現狀をして、打破救濟しなくてはならない。鬼ケ島の征伐は青年男女の双肩にある。大正の桃太郎は實に幾万の青年男女でありたい。

六、海外發展は連帶責任である

海外發展には貴賤貧富の差別はいらぬ、國民全体の連帶責任である、國民擧つて立つべきの時である、一日の慰安一日

の平和、暫らくの安易の生活のために、國家百年の大計、我民族永遠の發展のために、協力一致立たざれば帝國の前途や知るべきである。建國以來三千歳、光輝ある我帝國も、幾多祖先の功績が積み上げたる我國の文化も、今や累卵の危きに到達して居る。

七、弱い身体は病氣にかゝる

共產主義に。社會主義に、種々なる所謂危險思想と呼ばるゝもの、我農村我國狀此の行きつまれる病弱の身体には、その侵蝕の程度や、うたゝ驚嘆に値するものあらん。實に恐しい病に大分多數の國民がかゝりかけて居る。天下國家を患ふるの士國家の前途を憂ふるの志士は、此現狀を默して一日も過すを得るか。

八、人間の使命

人生五十年、地球の表面に呱々の聲をあげ、その天賦の性の受くる所によつて、人生の眞生活を營み、祖先より受けつぎ、これを現代に受け、よりよき社會、よりよき人類の生活舞台として、後世子孫に傳へ、以て、人生の生活意義の實現に努力すべきである、我帝國の現狀は此意味よりしてあまりに不適當に惠まれて居る。

大いに貧しき環境である。我帝國のため我民族のために、憂國の志士は立つべきである、我運命を遠く南米の沃野に、千古斧鉞の入らざるブラジルの處女林に開拓し、此無限に廣き曠野の開拓に、我が靈と我が肉の、全力を振ひ、男子の志を海外に振ふは、蓋し人生の光榮、實に偉大なる壯擧である。

九、近いばかりでよくならぬ

朝に夕に親の膝下に在りながら、親の心を知らず、眞に親の幸福を知らず、眞に親の心を以て子の心とする事能はず、子の心を以て親の心とする事能はず、日常一家に風波の絕間なく、常に修羅の巷として生活するものも少なくない。貧しきが故に爭ふもの兄弟相せめぐもの、父子相爭ふもの、親戚相呪ふもの、姻戚相恨むものが少なくない、或は富めるが

故に父子兄弟姻戚、相鬩ぐものも少なくない。病ひに藥なく、就くに醫師もない、貧しきに行きつまれる農村の現狀。實に患ふべきである。

十、遠くても親孝行はよく出來る

例へその身は遠く海外にあり遠く故鄉を離れ、日夕その顔とその顔とを見ゆる事は出來なくても、その心常に親に通じその心常に子に通じ、雨に風に、月に花に、親子相思ひ相通じ、その苦樂相共にし其幸福を之れ祈り、行往坐臥、相互にその健康を祈り、神佛に祈り親子兄弟も互に暖かき心持もて、生活をなし念々變る事なきを得られるのである、則ち心は常に膝下にあると同じである、否それ以上に、親子に美しき暖かき、人間味のある生活をなし得るであろう。膝下にありて修羅の生活をなすよりも、離れて遠く海外にありとも、その間に日常暖かき人間味ある生活を營むを得れば、これ人生の至樂、人の道の粹であらう。美しき人生の眞生活も、人類生活の理想も亦その中に實現する事を得ん、相思相愛。相共に人生を淨化し、相共に美化し、相共に向上進步を測り、以て人生の眞生活を送るを事得ん。人間の心持は地上の距離の差によらず、地上の遠隔によりて阻止せらるものではない、我心は以て、天地宇宙に通じ、我心以て無形の神に通じ、我心以て千古の昔に通じ、我心以て萬劫の未來に通じ、時を通じ所を通じ、古今東西その心と心、その靈と靈、相通じ相通徹する神を得ん、これ人類のかへがたい有難さである。

十一、苦しまなければ人になれぬ

苦しまざれば樂しみを知らず、勞せざれば樂を知らず、易きをも知らず、寒なくば暖を知らず、貧ならざれば富みの幸福を知らず、低からざれば高きを知らず、我等は艱難辛苦努力奮闘せざれば眞にその幸福も知ること能はず、眞の人生も眞の人情も、体驗すること能はず、勞せざる財は費し易く、悪錢身に付かず、努力勤勉せざればその財の眞價を知ることを得ず、自ら艱苦缺乏を經驗し、体驗せざれば、眞の人の情も親の情も知る事能はず、窮じて通じたるものならざ

れば以て通じたる有り難さを知る能はず、自ら幾多の心配の体驗をなしたるものならざれば、已れの心を移して以て他人の心に及ぼす能はず、自ら惱み自ら悶え自ら悲歎を味へるものならざれば、眞の同情をなす事能はず、水にあるものは陸を知らず、陸にあるものは水を知らず、水陸相共に住みてその眞相を知る事が出來る。陸を離れて陸を懐ひ、水を離れて水を慕へ、妻を喪ふて妻を戀ひ、子を喪ふて子を思ひ、親を亡ふて親の情を思ひ、その絶大の恩惠に感謝するのがこれ世の常である。惱まざれば平和がない。

十二、可愛子供には旅をさせなくてはならぬ

可愛子供には旅をさせねばならぬ。今時の子供は汽車に船に、安樂椅子に寢台車に。晝をあざむく市街のホテルに、絹布の布團といふわけでは、到底所謂可愛子供の旅は体驗する事が出來ない。少なくとも現代交通の進步せる時代にあつて、世界の一週や地球の南北位は旅行して見なくては、眞の意味の旅行の眞價も効果も知ることは出來ない。「可愛い子供に旅をさせよ」の眞の意味も味ひ得ないのである大正の今日に生れたる青年男女の諸君は、此意味に於てもブラジル國位へは旅をするがよい。日本國民で、海を越えて見ないものは一人もないといふ位になるのを望んで止まない。苟しくも志を海外に立つるものは、少なくとも此覺悟が心要である。

十三、海外發展の眞義

海外發展の眞義は、只海外で仕事をする事ばかりが主旨ではない、異鄕の土地で大森林を伐採し、無限の曠野を開いて產物を澤山收穫するのみが目的ではない、海外各地で努力奮鬪して財を蓄へ、富を作り家を起し、身を立つる事ばかりが能ではない、土地の安い、地味の肥沃な廣々とした平野に働いて、物質を多く取り入れ、氣候のよい所で呑氣な生活をして、衣食や、住居の安易な生活をするのが理想ではない。只々我々人間が萬物の靈長とし、あらゆる總てのものゝ長として、存在する人間特有の心の開拓をすることが、何よりの理想である、心持の改善と、修養が目的である、我心持を改造し、我心を廣め、我心を深め、人間らしい心持を持ちて、親を思ひ、子を思ひ、親戚を思ひ、世を思ひ、國を憂ひ、人類を憂ひ、世界のあらゆる人類、あらゆる人々とその樂しみとその喜びとその苦を分ち、互に相思相愛その幸福の生活と、人類の心持の淨化と美化と、道化とが主眼である。道義生活と、正義の生活と、信仰の生活、宗教の生活のために海外發展を選びたいのである。

十四、是れで人間になれるのである

(異鄕萬里の生活、海外發展)。故鄕を離れ、友と分れ、知己朋輩と分れ、懐かしい鄕關と、涙を以て分れる時は、既に人は人間として救はれた心持となるのである、波濤萬里今日が母國の見納である、今日は知己朋友の分袂であると、涙も出ぬ程の解纜の日の刹那は、已に神人合一の心境となるのである、故國よいざさらば、故國よ今日の分れ。健在なれや、我親、我友、我國、我あらゆる懐かしの友よといふ時から、人間は一つの新しい救はれの生活へ入るのである。海外發展こそ大自然と共に大宇宙と共に、あらゆる人類と共に、人間らしい生活をするにあるのである、財も物も皆精神生活によりて價値を生ずる、吾人は、親を愛するが故に海外に渡り、親の情も恩も惠を深く知るが爲に、海外に行くのである。君を思ひ、國を患ひ、家を思ふが故に、海外異鄕萬里の生活を選ぶのである。親は子を思ふが故に、子を我隣家に分家し、我近鄕に嫁がせ、我近村に住まはせんとするのである。その志や有りがたい事である、その心持や感謝に耐えないのである、然しながら、眞に子を思ひ世を患ひ、家を愛し子を愛するならば、寧ろ我子を海外に住まはしむるがよい海外異鄕の土を踏ましめるがよい。子は親を思ふが故に親の情を知るが故に、家を思ふが故に海外に行くのである、異鄕萬里に住家を求むるのである、分家を海外遠くブラジルに建てんとするのである。國を愛し故鄕を愛する故に、海外に新日本を作るのである、新信濃村を開かんとするのである。親と家とを愛し知己親戚を愛するが故に涙を以て故鄕を分るゝのである、親の命に背いて遠く海外に分家するのである。勇み進んでその志を海外に延すがよい。

二五八五年十月十二日

南米と日本人（二）

ゼナロ　アルバ井ガ氏

【三】日本移民の殺到地ペルー

メキシコ人の日本人に對する敵對心が明示されたのは千九百八年日本移民の群が、チレアフアの鑛山に就働せんとした當時に始まり、現に千九百廿四年の六月に、マンザニロの移民監督官はメキシコ官憲の訓令に基いたものらしく、西部沿岸に殖民せんとして再渡航したる日本人の入國を拒絶せんとしたとがある。當時メキシコには移民の入國制限も公表されて居らず日本とメキンコとは前述したる通商條約を交渉中であつたのである。この間、他方に於て歐洲移民のメキシコ入國は漸次具体化しつゝあるとは現にメキシコと伊太利との間に五十万人の伊太利移民入國が成立したる外新大統領カレス氏はユダヤ移民の入國を奬勵するに及んで米國の比率移民入國令に依り歐洲の港灣に立往生をしてゐる數千のユダヤ移民が近く入國を開始する形勢となつてゐる。

南米の一帶であるアマゾンの廣漠たる凹地の大富源は今尙ほ開拓されない儘に殘されてある然るに日本人は現在地球上に於て最も有望な富源であると認められてゐるこの地に開拓の手を染めんとしてゐるが、この土地の一部はブラジルに、一部はペルーの國境線に連續し、ペルーの東方を通じても行くとは出來るのであるから、現在は太西洋よりアマゾン河を經て夫處に到つてゐる、併し乍ら將來は疑もなく近代交通の途に依りて太平洋に連絡し得るのである。玆に最も注意を要するのはブラジル及びペルーが、他のラテン・アメリカ諸國に比して日本移民に俟つ所が多いとであつて、ラテン・アメリカに入國する日本移民の九分まではこの二國に入國してゐるのである。故に若し日本移民にしてこのアマゾンの凹地に殺到するならば、白人の征服し得ざりしこの地の富は日本人に征服されるであらう。

ブラジルに於ける諸港は大統領令に依りて千九百七年以來日本移民の爲めに開放されてゐるブラジル政府はこの運動を助ける爲めに移民に對する土地所有の途を便ならしめ、サン・パオロ洲では移民に對し鐵道の無料乘車を許可するのみならず、戰前までは移民に對して二百フランクの補助金を下附したもので移民のある者は政府の費用で入國した者もある位であつた。

移民の吸集はこの結果益々急激となり日本移民の殖民地は形成され或は形成に着手し、或る日本移民會社はリオ州に移民を送る外、帝國移民會社は諸耕地鐵道會社、船渠等に數千の勞働者を送つたが、日本移民の根本は主として農業に注がれ、移民會社は土地を所有し、サン・パオロ珈琲園、メナス・ゲラエス州の鑛山、リオ・デジアエロ州の機業、その他の農業地には續續として日本移民が侵入し、日本移民なる者は入國を開始して間もなくポルチユギース、伊太利人、スパニツシユに次ぎ一躍して入國移民の第四位を占むるに至つたが。白色人種の移民は主として南方の中帶に入るに反しアマゾン區域に白色人種移民は極めて尠いのである。

ブラジルに於ける日本移民數は少數に見積つても五万人に達してゐるが、若し將來海運及び鐵路が太西洋方面に開かれるならば何等かの障害がない限り日本移民の數は激增を來すに相違ない。蓋し千九百六年當時の殆んど貿易皆無であつた日本とブラジルは、千九百廿二年に取引額が五十万弗に達してゐる。

將來無數の人口過剩を有する日本人が南米に殺到すればその中心は恐らくペルーに及ぶであらう、これを地理的立場から觀察するならばペルーはアジア移民にとりては極めて不便である、けれ共之を人種的に見るならば、ペルーはモンゴリア人型と覺しいインデアンの血の流れを汲んでゐる、支那人は日本人よりもペルー移民としての先驅者であるが之等多數の支那人はこの民族に漸次同化してゐる、千八百五十五年、ペルーに於ける多數の黑人が奴隷制度より開放されるや、彼等は耕地より都市に移住したので、砂糖や棉花耕作者は支那移民の輸入を開始するに至つたのであるが、支那移民の數は忽ちにして激增の上勞働界に活躍し、玆に支那苦力は黄色の奴隷となりて酷使されたものであることは今より數年前までチ

カマ・ヴアレーの有福な耕作者は夜のカード・パーテーに於て現金を使用する代りに支那人苦力を兩替したことに見るも明白にてその翌朝となれば數百の支那人苦力は賭博の代償として甲の耕地から乙に移つたものである。

然るに時代の推移と共に支那人の漸次耕地の奴隷から町の小賣商人となり、七十年後に至りて數万の支那人はペルーに在留しメスチズ乃至ムラトー（西班牙又は葡萄牙の雜人種及び黑白混血人種）婦人と結婚したのであるが、褐色人種の血を受けた者は支那人を歡迎するに反し白色人種の流れはこれを欲しなかつたものゝ、全班的には支那人に特殊の敵對觀念を抱く者もなく、千九百八年に至りペルー政府は支那人の入國を絶對に禁止したけれ共北京政府の抗議を容れた結果、千九百九年には移民制限を條件として絶對禁止を解除するに至つた。現にペルーの首都であるリマには支那町もあるが、支那殖民の最も誇りとするものは病氣全治に妙を得た漢方醫であるといふことである。

【四】新らしい蒙古人種の發生

黄色の奴隷となつて支那人勞働者は、その國民性ともいふべき忍耐を遺憾なく發揮して遂に自己の力に依る土地の所有者となつた。六十年前まで棉花や砂糖業者の賭博の代償者であつた。彼等は今や棉花砂糖に對する投資者となつたのである。ペルー駐在の米國商務官はこの点に就て、ペルーに於ける支那人の活躍を叙述し尠く共六個の支那人會社は砂糖や棉花事業に五百万弗を投資してゐると報じてゐるが、ペルーの支那人投資額は全般に於て約一千万弗に達してゐる。

ペルーに於ける日本移民の繁榮と進歩は、組織的であり且つ政府の後援を持つてゐるだけにその成育も極めて迅速である。故に極めて短かい期間に於て彼等は啻に多數の移民を送つて殖民せしめたのみならず、ペルーの產業と取引界にも重要なる足場を造成するに至つた。

この移民が試驗的に開始されたのは千八百九十九年のとであつて、森岡商會が先鞭となり神戶からカラオに移民したのであるか、千九百七年に汽船會社の直接航路を開始するに及び、移民は年と共に激增して今やその數も五六万人に及び、人口五百万の國家としては極めて高い比率である。彼等の多數は契約勞働者として輸入されて

砂糖耕地に送られ、土民よりも低廉な給銀で勞働し、多數の勞働者はアマゾン區域で農業に從事するの外、個人的の取引としては、絹物、羊毛、砂糖、煙草、珈琲、白米、皮革類、食料品、料理店、石鹼製造、建築材料、土地賣買、化學工業品、陶器、玩具、マツチ等に從事してゐる。この外日本人商業會議所が日本人事業家に依りて創立され、日本人企業家や移民を援助する外、リマには日秘新報といふ日本語新聞が發刊されてゐる。

日本移民のペルーに於ける成功は今より數年前日本で發刊されてゐる「東洋經濟雜誌」が、ペルーを以て第二の布哇であると論じたことに符合するものであるが、ペルーに於ける日本人發展の可能性なるものはこれ以上の範圍に及んでゐる。といふのは過去數世紀に亘つて分離してゐた褐色人種と黄色人種とは、茲に合体して血族關係を結び從來の人種關係に一大變化を生ぜんとしつゝあることである、この事實は今後一世紀に亘りて日本移民が百万人以上に及んだ場合に於て特に然りとする。

元來アンデス山脈を圍繞する諸國土の人口なるものは極めて稀薄である。これをペルーに就て見るならば、ニユーヨーク、ペンシルヴアニア、マサチユーセツト、ニユ、ハンプシヤイアー、コネチカツト、メーン、ニユーデアージー、デラウエア、メリランド、ヴアヂニア、ウエスト・ヴアヂニア、カロライナス、オハヨー、アラバマ、インチアナ、ヂヨーヂア、ケンタキー、テナシー及フロリダの諸州を合体したものに匹敵する廣漠たる國土の人口は僅かに五百万人弱に過ぎぬ。優秀なるインデアン雜人種で混成されたペルー人は果して蒙古人種の群成を同化し得るであらうか。それとも蒙古人種の密集は現在とても不整然な人種混合を尙更ら複雜せしめないであらうか。それとも人種心理に卓越した日本人の密集は、ペルー人の間に優越性を發揮して、遂にアメリカ聯邦に蒙古人種型の新らしい國民を創造しないであらうか。

アンデス山脈を圍繞する諸高地より南米西部の大平洋沿岸、エクアドーアからチリーに至る間には、インカ帝國時代のインデアン種族が約五六百万人程生存してゐる十六世紀時代に侵入した西班牙人は彼等の社會組織を亡ぼし、種族を絶滅せしめて自らその覇權を握つた。併し乍ら西班牙人は盛んにインデアンと雜婚した爲めに茲にメスチゾ人種を生むに至り、インデアンは白色人種を吸集するに至つたのである。

人種的吸集なるものが、必らずしも完全なる同化と稱し難いことは勿論であるが、人種吸集は幾多の弱い人種群合の影を絶たしめることを意味するがコロンビアを除くアンデス共和國のメスチゾ人種は約八百万人と見積られてゐる。從來霸權を握つてゐた白色人種夫れ自身も人種的群合の跡を絶ち、殖民時代以後はメスチゾ人種が歳と共にその勢力を伸長してゐる。故に白色人種が新らしく移民して來ない限り、少數なる白色人種の殘存は絶望である。而して、白色移民の渡來機會は極めて少ない。

この人種的吸集期が正に完成した歷史的紀元に、日本人は續續として來りつゝある。（完）

海外事情

馬來半島及英領ボルオネ

海峽植民地と英領馬來半島（一）

馬來半島は北緯一度十六分から十三度、東經九十八度二十分から同百十四度の間にある半嶋で、東は南支那、西はマラツカの海峽を隔てゝ蘭領スマトラに、北はシヤムに連接してゐる。半嶋延長四百六十四哩、面積四萬二千七百八十方哩ある。山脉が半島を南北に縱走してゐるので半島は山岳に富み、平地は割合に少なく河も大きなものはなく、パハン、ペラ、ケランタン等が五十哩內外可航せらるゝ位のものである。氣候は一般に暑熱の度高く、一年中季節の變化は少ない。降雨は十一月から三月の間に多い、この頃は東北の貿易風が吹く。四月から十月は乾燥期で、暑熱中々に激烈であるがスコールが毎日の樣にあり、同時に疾風が伴ふので苦熱は一掃されるからさう苦痛ではない、半嶋の南部は濕氣が多いので、熱病に犯

され易いが養生に注意すれば恐るゝところはない。

馬來半島の產業中で名高いのは護謨栽培と錫とである又林業も有望だし、漁業もよい、產物は護謨、錫、檳榔子、コプラ各種果物、肉豆、蔲等多種多様である。

護謨は一九一五年末の統計に依れば、世界護謨植付面積百八十萬英反で、內馬來半島は八十三万三千六十九英反に達し、世界第一、之の投資額六億に達し、內八割は英人の經營であつて半島の護謨園で百英反以上のものを表にすると

	園數	拂下面積	植付面積	採取面積	收量（噸）
馬來聯邦州	八八六	九一六、六〇一	四九九、四七九	六一、一三〇	六二、七六四
海峽植民地	二〇三	二三〇、七〇七	一二九、五三四	六六、一四三	一七、九五一
ジョホール	一五三	三五六、七三三	一三一、三九六	四七、六〇九	一四、〇〇四
ケランタン及ケダ州	一五一	二二五、三三三	七〇、〇四九	一九、〇一一	四、三二四
トレンガヌ	八	二〇、八四〇	二、六一一	—	二〇
合計	一、四〇一	一、七五〇、二五四	八三三、〇六九	四一三、八九三	九六、〇六三

護謨、ゴム栽培事業は、方今南洋各地に行はれて非常な勢をなしてゐるが、是は伯剌西爾のヱベヤを移植したので其移植に關して興味の津々たる物語がある。

英人ウヰリヤムは一八七〇年に、印度政廳からヱベヤ樹の移植を囑託された、併し伯剌西爾政府は護謨樹の種子や苗を輸出をも嚴禁してゐたので、秘密にタパジオス河とアマゾン河の合流する、サンタレムに小規模の護謨耕作地を設定してゴムを栽培し、六年後の一八七六年に、印度に移植を試み、汽船アマゾン號を借切り、ヱベヤ護謨樹を滿たした籠を滿載して印度に直航した。此のゴム苗の大部分が、無事に到着して今日後印度セイロン、スマトラ、馬來其他各地に於けるゴム林の盛況を見るに至つたのである。

ゴム栽培の行はれてゐるのは、獨り南洋のみではない。阿弗利加でも行つてゐる。コンゴー國は一九〇一年に、天然ゴム採收の最高度に達したが、減退の傾向を生じて

來たので、栽培を始めた。ブラジルでも栽培を始めた。

アマゾン流域の天然ゴムは運賃に巨額を要する爲めに栽培ゴムに壓倒されんとするのであるが、栽培には(一)勞銀を低減する事(二)栽培地の生活費を低廉ならしめる事、(三)運賃を低廉ならしめる事を要する。一九一〇年世界のゴム產額は七萬三千噸で。ブラジルは其中三萬八千噸を供給した。近年ゴム栽培事業が東印度諸嶋に急速の發達をし、一九二〇年全世界の栽培面積は三百三十二萬三千英反にして、その產出額三十萬四千噸、內八割八分は栽培ゴムにして天然ゴムは年々その產額を減少してゐる。(海外續本)

錫鑛業、馬來半嶋はまた世界でも有名な錫の產地である、世界產額の六割を產す、そして採掘業は今まで支那人の獨占事業にして、小規模で幼稚なものであつたが、近年は植民地の政廳が投資奬勵に努力したので採掘法も大に進步をして居る。

然し本邦人での錫企業をやつてゐるものは松本良助氏がケダ州で六十英反、江浦挑太郎氏がスランゴール州もで一五英反、吉村二德、森川又五郎氏が各々ケダ州で一〇英反內外、小川鐵太郎氏がケダ州で一三五英反、浦田志德氏がペラ州で六十英反、借地してゐる等が主なるものである。

馬來半島は英領海峽植民地、馬來聯邦州と保護領よりなる總稱で、海峽植民地は英本國植民省直轄にして總督をシンガポールに派遣駐在せしめ、政治上の全權を有し聯邦州は中央政府をコーランポに置いて土人の王族が各州に居るが、實權は英人が所有して居る、又保護領にも英人顧問官がゐるから、何れも英領と變らぬ海岸植民地を更に細別するとシンガポール、ピナン、マラツカの諸州に別れ、聯邦州はペラ、スランゴル、ネグリスミラン、パハンの四州に、保護領は、ジヨホール、ケランタン、ハレンゲヌ、ゲダ、ペルリス、の五州になる。

半島人口――全部で二七三三六七二人で、これを行政別にすると次の樣になる

	面積	人口
海峽植民地	一、二二〇方哩	八一二、七九三
シンガポール	二一七	三六九、一八二
ピナン	五七七	二九八、四一三
マラツカ	七二〇	一四五、一九八

馬來聯邦州	二七、五〇六	一、〇三五、九三三
ペラ	七、八〇〇	四九四、〇五七
スランゴール	三、一五六	二九四、〇三五
ネグリスミラン	二、五五〇	一三〇、二九九
パハン	一四、〇〇〇	一一八、七〇八
保護領	二四、七〇〇	九〇、〇〇〇〇
ジョホール	九、〇〇〇	一八〇、四一七
ケダ	三、八〇〇	二四五、九八六
パリス	三一六	三二、七四六
ケランタン	五、八七〇	二八六、七五一
トレンガヌ	六、〇〇〇	一七〇、〇〇〇

人種は世界各國人種展覽會の觀がある、シンガポールを除いては半島は至るところに馬來人と支那人が相半しシャム人、印度人がこれに亞ぐ、歐米人は少ない、邦人は一九二二年の調査によればシンガポールに二八七七人ピナンに二〇八人ジョホールに一二二二人他の馬來半島に一五三七人居る。

移住民――馬來半島に每年南方印度、支那方面から多數入國する移住民は護謨園と錫鑛業に使役されるのである、その一例として支那人は年十二萬にも達する盛況である。

馬來半島では信教は自由なのでキリスト教、回教、佛教、儒教等を主に信じてゐる。

海峽植民地の歷史の大要はピナンにその端緒を開くのあるピナンの地には一五七八年フランシスドレーキ世界一週途上に歐人第一の足跡を印し、一五八八年にはカヴエンデイシュが見舞ひ、一五九二年にはランカスターが上陸してゐる。後一六〇〇年になつて英國東印度會社を起し、オランダと東洋及び南洋の貿易上に大競爭をし又その必要上アチーンを租借しやうと試みたが失敗に終り一七八六年キャプテン、ライトはこゝを探險しゲタ州王と協商して同年八月十一日に條約締結され、領後一八二六年七月二十日にバンコク條的を以てシサム國王の承認を經て今日に及ぶ。

マラツカは近年まで葡、英、蘭三ケ國の爭奪繼續の地であつた。一五一一年ポルトガルは在來の馬來族を驅逐して之を占領し、一六四一年オランダはポルトガルに代つて占領し以後英國とオランダとの間を三回轉々として一八二四年遂にロンドン條約に依てオランダはマラツカを放棄して東印度の英領と交換し以後英領となつてゐる。

シンガポールは一八一九年に英國が占するまで名もなく又人にも知られなかつた處である。一七〇〇年代はオランダがこの方面に於て全盛期なので英國は一寸手も出せない狀態にあつた。一八二四年になつて英蘭兩國間に妥協が成立してシンガポールが英領となるまでには兩國間には長らくの折衝があつたのであゑ業英領となつて後は四年間『ベンクーレン』植民地政廳管轄下に在り、一八二三年東印度會社の經營に移り、次には印度政廳に移されて一八六七年皇領植民地として英本國植民大臣監督下に總督を置き、ピナン、マラツカと共に海峽植民地となつたのである。(續く)

世界羊毛工業の現狀(其二)

一九〇〇―一〇年佛蘭西は其羊毛製品に對する外國市場を取逃しつゝありき反之英國は同期間同製品の輸出を增加し羊毛消費量亦增大せり卽ち英國は其間時代後れにて役に立たざる機械を廢棄したり然るに其設備改善の程度は遙に米國に及ばざりき英國ウルステッド工業は餘程以前よりウールン工業に比し遙に良く發達し居り開戰當時は主要毛織物より珍柄物に至る多種類を織出したり現今英國製スコッチ織の流行及ウールン製品輸出旺盛に拘らず一九二三年に於けるウルスチツド紡績能力はウールンの夫れを超ゆること正に一割六分に達せり戰時中紡錘織機其他裝置の大部分は其全能力を擧げて運轉し一九一九年には多大の修繕及取換を要するに至れり但し取換以上には多くの進步を認められざるが如し短操實施と共に久しきに亘る失職者統計に依れば少くとも英國ウルステッド工業は市場に於ける製品吸收力以上の生產能力を有するものと謂ひ得べし編物工業の刷梳羊毛需要高は大なりと雖襦袢及靴下等のウルステッド・ヤーン製品は著しく羚絲製品の蠶食する所となれり戰前獨逸のウルステッド工業は英米兩國と等しくウールン工業に比し遙に急速に發達しつゝありき一九〇七年獨逸刷梳及ウルステッド紡績設備は遙にウールン設備を超過したり獨逸羊毛工業の長所は比較的低率の勞銀及長き勞働時間と石炭產地の接近及手職工業の隆盛なるとに在り然れ共一九一四年に至るも尙充分發達するに至らず依然としてヤーン及トップ生產の不足を補ふ爲に之が供給を輸入に仰ぎたり獨逸の織物機械が戰時中惡損せられたるや疑ふべき所なし一九一八年以後の工場改善程度は唯之を憶測し得るに止る

然れども現在の獨逸羊毛工業はウールンに比しウルステッドの生產力遙に優れるものゝ如し而して獨逸羊毛工業は英佛兩國に比し生產力と國內販路との關係に於て米國と同樣に頗る有利の立場に在りと謂ふべし

世界羊毛工業は約十五年前よりウルンよりは寧ろウルステッド機械裝置の方に多くの力を用ひたり此狀態は今尙繼續す羊毛市價若し低廉ならばウルステッドの產額は需要を超過ずることなかるべし然るに羊毛の高値と屑毛入手難とはウルテッド工業者に對する一大衝擊なりき殊に運動著より流行となりたるウルン風潮の爲に大打擊を受けたり然れどもウルステッド法は細手の毛絲を紡出する事を得べく從て薄地物の織製に依り羊毛使用量を減少するを得べし此點はウルステッド獨特の長所なり加之佛蘭西流毛櫛裝置及走錘精紡機は英國ブラッドフォード流機械の使用し能はざるものを扱ひ得る特色あり之二、三歐州諸國及び日本が原料獲得上有する利點なり英米兩國も佛蘭西法使用增加の傾向あり尤も近來購買力大なる人士の嗜好は劣等羊毛を原料とし時としては充分に古毛屑毛其他の纎維を混用し低廉にして而も見榮あるウルン製品に轉向しつゝあるを看過すべからず又今後數年間羊毛工業界には尙幾多の重大問題あり殊に米國は絹物及羚絲物の使用流行すべし賃金騰貴亦斯業界の一問題たるを失はず小賣業營業費の膨脹は小賣値段を高からしむ今後羊毛製品市價と一般消費者の購買力との關係や果して如何又一方には玆十五年間世界羊毛產額は人口增加及羊毛工業設備擴張に伴ふ能はざりき要之流行變遷に對する順應性を有し經營に於て勞銀に於て若は屑毛利用に依り生產費を減少し得るものは繁忙を繼續し得べく輸出向を主とせず國內市場を主とするものは有利の地位に在りと謂ふべし（終）

有望なるボリヴィア市場

ボリヴィア國は面積約五十六萬方哩を有すと雖其現總人口は三百萬人を超えず其中約二百十萬人は印度人及雜種人にして其生活程度低く其購買力亦小なり同國の天然富源は無盡藏にして其山地は礦物に富み錫銀銅蒼鉛銩鉛鎢等を產す護謨樹は熱帶地方に繁茂し珈琲カカオ煙草甘蔗及棉花は僅少ながら現に耕作せられ或は有望視せらる石油層は發見せられ之が開發の曉は世界有數の石油產出國たるべしと稱せらる資本勞働及運輸設備は尙不充分な

りボリ﨔ア國は海港を有せず故に貨物の出入は近隣諸國を通過して行はる米國製品輸入額は一九一三年一、一四五、五五六弗一九二三年三、〇三八、七九三弗一九二四年四、一二二、四一七弗なり(農商局)

海外近信

樂しい日曜日

在アリアンサ　大山幸平

拝啓、貴會より澤山の本を御送り下さいまして一同と共に喜んでゐます。今まで實際讀物に不足いたしてゐました私共は此んなに澤山御送りくださいましたで、彼れ此れ目にうつりがしてたまりません、或る書物を一寸開いて見ますと、未知の友人に送ると書いあります。私は此文字を讀みて、思はず、海外にある私共に非常な感じをさせました、丁度出征兵が村人から萬歳の場裡の内に遠く送られて、來てゐる様な感じがして、ます〳〵緊張して責任のあるを覺へました。

只今アリアンサに靑年が、十人居ります、皆元氣です、ロラサ(開拓)もすれば木出し、道作り、仲々働いてゐます醫局の方は地均し、材木も揃へましたから、座光寺さんが建てるばかりです私共が今まで働いて見まして一番苦勞に感じましたのは井戸堀作業でした。何しろ始めての仕事でしたからネー。現在水の出る井戸は二ツあります。堀りかけもの二ツでこれ等も近く出來上ります。(中略)

收容所は大きな物ですから二分して、一方にはレジストロより來りました伊藤、北山、北澤さん方が住居してゐます。協會の直營地をニアルケール請負つて働つてゐます、レジストロの山で苦勞した腕を持つてゐますから、此ん

な處は平氣な物で外人の請負者と同じとアルケール五百ミルレースで請負ましたが一日少くとも二〇ミルレースになると申してゐます。一方はアルゼレとして植民者に日用品を賣つてゐます斯うして働いてゐれば日曜が本當に樂しい愉快の日と成ります。

バウルの入江書記生殿よりグラーブ、ミツト、ボールを寄附して貰いましたから暇さへあれば投球に興じてゐます今の場所では庭が狹いのですから、收容所の前に場所を決めまして、日曜の朝を「庭作り」として皆なで働いてゐます、今三、四週間もしたら大きな運動場が出來ます、來年度はサンポウロ市、レジストロ、に遠征して勝を征し様と意氣込んでゐます。

家畜としてはポルコ(豚)五頭、ガリンニヤ(鷄)三〇羽位居りませう三ハラ許り此程孵つて奇麗なピント(雛)をつれ歩いてゐます。大きなポルコは此天長節に鍋の中に入るでせう、ブリツと云ふ犬が居りますが猫は未だゐません。

或る日曜の夕

圓い月がだん〳〵色付て、
東の空は未だ薄紅
フクロが森から森へと、
血をしぼる。コロ、、、、、
草根にすだく虫の音は、
嬉しかりしドミンゴ(友人)を
を逢て淋しさ胸に迫る、
其の頭にいただく光りの星を
西の森はジーアボの住家の如く
眞暗で見つめれば見つめる程
身と心も引きこめらる
上に光るプラネタベラレーウスは
エスター　ピスガンド

今週の木曜日には皆様でイタプラの瀑見に行きます

一九二五、八、二、

邦語教授問題について(二)

在晩香坡市メーレ街二八半　田中廣

や「二百五十弗?、それや毎月ですか」

は「いやこれや、ほんの最初の話だ毎月としちや幾らも要らんと云ふ語だつたよ」

や「要らんとしても教師の給料丈けでも相當に要るぢやないかね」

は「所がよ、具合のよい事には牧師御夫婦給料要らずに教へてくれると云んサ」

や「元、あの平牧師か」

は「そうよ、社會の奉仕とか供養の爲めとかにやると云つてゐたが感心な事よな」

や「それを皆が頼んだのかね、其れとも牧師の方から申込んだのかね」

は「其の邊は俺れには解らぬが御當人が承諾してくれたら、こんな結構なことがあるかいな餘り、金がかゝらずに子供を教へて戯けるんだもの」

や「でも牧師は傳道團から耶蘇の爲めに使はされてるのだらう、自分勝手に職分違いな事をしてもよい事になつてゐるのかね、それとも傳道團からそんな許しでもあつたのかしら」

は「無くつたつて闘ふものか、どうせ吾々の爲めに傳導團が此所に送つて置くのだもの」

や「でもクローナの子供に日本語を教へる爲めに傳導團は牧師を送つてるのぢやあるまい」(白人英語小學校放科後)

は「そうでなくつた所で、毎日三時頃から五時頃まで二時間や三時間のタイムが、幾ら傳導團でも文句が無からよ」

や「けれども牧師か傳導する場所はクローナ計りぢやあるまい、オカナガレセンターもあればサマラレドもあるぢやないか」

は「其の時は其の時の様にするさ、牧師だつて承諾するからにや其の邊の考えがあらうぢやないか」

や「そんなアヤフヤな事で始めても直ぐ行き詰るのが解るぢやないかそして何かい、毎日子供をタウンまで連れて行くのかい」

は「それや三ケ所で教へるにさ、タウンとミツションと、それにラトランドとタウンの方は平の奥さんが受け持つてミツションとラトランドは平牧師が一日交代に教へるのだ」

や「一日交代?、ぢや一週間三日宛づか」

は「だつて、それ以上は出來んだらう」

や「出來ない、だつて、一週に三日計り教へる學校が何所にある」

は「何所にもないから今度始めるのさ」

や「それや物と事に依る、言葉と云ふ奴はおれらが英語を覺るのだつて同じだ同じ事を、毎日繰返してゐる所で覺えが早いが、况して子供は暗記ぢやないから、丁度忘れた頃にまた同じ事を聞くや、にやつた程、効能がないと思ふがな、それに牧師が毎日續けられるか、

は「出來いぢや、たかが遠くてラトランだ

や「だが考へて見ろよ、今の中は良からうがもう九月からだそうだがすぐ十月、十一月だ、五時と言へば日が暮れるぞ、それに雪でも降つたらラトランド所か、ミツションだつて難かしいぞ」

は「其の時には自轉車でも買はずにやなるまいさ」

や「ハ、、、君はよく「其の時は何うするさ」と云ふ風に云ふがそれぢや餘り目先きが見えないと云ふものだよ、俺れの様な邪推の利く者には君等の話は、どうもペテンの様に聞こゑるんだ。例へばたか〳〵二百五十弗で子供に日本語が敎へられるとすると一寸皆を釣り易すい、あとから〳〵追加して、まあ結句ものにすると云ふ風さ。」

は「何んだ、金のない所でやろうとするには、そうでもしるより外に方法があるまい、君の様に子供のない者にはそんな事も云はれるが、今頃子供の教育に反對する様な奴は、餘程時勢遅れからケチンボー計りだ」

や「ケチンボーは、君も同じだが、時勢遅れは違ふよ、味噌も糞も一つにして、世間態や人聞きのよさ相な事だと反對されないものと決めてかゝるなんて、餘程時勢遅れがしてゐるだやないか、金がなければ金の出來るまで待つたらよいさ、日本語を教へないからとて、此の國のお世話になつてゐるおかげでロハで立派に學校に通はして貰つてゐるぢやないか(當國白人英語小學校、ハイ、スクール(中學校)は無月謝)、日本語なんで、悪いとは云はんがおれらは金がないから此の國に金儲に來たのだ、友人は金があるため中學から大學校までもやつたよ、俺れはそれを口惜しいは思はれんが、貧乏家に生れた不幸者だ仕方がない。金がなければ、學問も出來ない世の中。恨むなら不都合の中さ」

亞國ブエノスアイレスの美観

翠生

南米の巴里の稱ある花の都ブエノスアイレスその名を口すさんだゞけでも何となく快よい感じを與へる。新鮮なる空氣と云ふ、都の字義に違はず、總て都に存在する事毎家も人も街もその名にふさわしい、新鮮の氣分

がはじきれるやうに、どこにも溢れてゐる。巴里の粹を拔いて、紐育の宏壯を採つてシツクリと亞爾然丁型に丸めた此の首都は近代藝術の生んだ、眞に花の都である。

漆黑の滑らかな、文明人が行き交ふべく造られた、最上の街路とそこに建設せられたる家屋は高からず、低からぬ堅牢にして優美、宏壯にして清洒と云ふこれまた近代文明が齎らした段も進歩した、技術を以て整然として建ち並んでゐる。

この建築物の中に住み此のマチを歩く人々の美しさも決して見のがし得ない、鄙かしきまでに清楚の中にあでやかさを加へさすがに美をもて世界の民族を征服するラテン系の種族とその混血兒を思はせる、男も女も人も花かと見まがふばかりに、美ボウの持主でありエンなる肉體美は彼等のみが創造の主から惠まれてゐるかの如く見受けられる。

殊にブエノス、アイレスには大小四十八の公園が市内に有つて、その公園の手入れの行きとゞいたことも到れり盡せりである、一千四百名の市の園丁は植物園内の園丁學校卒業生の監督の下に常に若みどりの芝生は鋏を入れられ、赤黄色とり〳〵の花々は四季の花壇にいつも色と香とをほこつてゐる。そして又そこには若葉青葉の繁りが心地よきまでに園の風情を添へて心と目とを慰めてゐる。

若したそがれに一日の勞働なり事務に綿の如く疲れた身心を家路に運ぶ折などホト〳〵と此の葉蔭を歩む時の、清新のこゝろ持ちは、ブエノスの住民ならで味ふことの出來ない、自然と人生の固い連鎖を感じ、生の幸福を享樂することが出來る。

なほまた、ブエノスの郊外にはラブラタ河にそふて、キルメス、チーグレオリーボ、サンイシドロなどゝ僅かに數十分でもつて畫のやうな絶佳の風景に接することが出來る。

四十哩の廣幅の銀河は海の如くしかも河はいつも靜かに微風を送つて、小波をたゝえ岸には自然の厚い靑毛が、所せきまでに敷かれ、柳樹は若みどりを長く垂れて人を招くが如く、舟遊び、ピーニツク、水泳ぎなどゝ何でも來いの場所が此の銀河にそふて無數にある、いつでも思ひのまゝに斯うした自然の美に抱かれ、心ゆくまでにその溫い懷ろにすがり得るブエノスの住民の生活こそ美ましい限りでないか。

(二)

土壹升に金壹升といふ物價の高いブエノスアイレスの人口は百九十萬餘の大都會で、世界に於ける大都の第十位

を示してゐるのであるが、文明の施設の完備した事に於ては他に多くの追從を許さないものがある。

照明、交通、運輸、衛生、散策などの如きニホンの帝都と誇る東京など、今後幾十年の後にブエノス、アイレスの如き完備したる、大都會を現出し得るであらう、南米を視して何れの國へも三等國呼はりする多くのニホン人に對して寒心に堪えないものがある。

ブエノス、アイレスの町は眞に碁盤の目のやうに區劃整然としてをる、中央リバダビア街を中心として南北に擴がり、東は海岸通りのアソバルト町に始まりて西に逆つてゐる、殊に町の區劃は一丁は必ず百メートルであり、一丁は必ず百番の番地で始まるのであるから、市の中心にある大統領官舍と道を隔てゝ向ひ合つてゐる議事堂のある通りアベニーダ、デ、マージョ町さへ覺へればそれによつて換算し新參者の誰れにも何町何番地と目標がつくのである。

又市の中央なる大統領官舍前のプラサマージョを起點としてアベニーダ、デ、マージョの地下議事堂前のプラサコングレソ迄の十四丁間更にリバダビア町の一萬二千番まで、つまり海岸通りより百二十町間、一直線に輕快なる地下電車が絶間なく往復してをるから東西南北此の町によりて凡その見當は座ながらにしてその番地までつけられる。

序でにいはなければならぬのは此の地下線の二千八百番はプラサ、オンセと稱し北方大鐵道の停車場のある處であるが、北方鐵道會社は此地下線のその又地下線を布設して同所より海岸に至る二十有八町間に貨物車を運轉してゐる。

亞國の北部平野の豊饒なる物產は太平野より直接にドツク內の岸壁に橫着けられたる外國船に何等のテを要せずして、貨車から起重機、起重機から船へと歐米の市場に積み出されるのである。

なほまた議事堂前を起點としてパレルモ公園に至る約三十丁間を遠からず地下線が布設されんとしてゐる、若しこれが完成の曉にはブ市の交通も更らに調節せらるゝであらう。

なぜなれば、此ブエノスの繁華の蔭には毎日何十件かの。悲しむべき交通事故の多いことである。

約八萬臺の自動車は右往左往四方に疾走して、多く人々を死に至らしめ傷つけてをる。

斯の如き大都の割に似合はず道路の狹いことは歷代の市長の區改正に對する頭痛ではあるが壹千八百五十二年に

は僅かに七萬五千の住民が僅々五十年ならずしてかくも急進的發達を遂げるとは誰が想像し得やう。

(三)

ブエノス、アイレスの朝午前七時前プラサ、コングレソのロダンの彫刻のある下に立ちて、五圓大通りを見おろすと、遙るかに正面の方にある。大統領官舍は碧色の雲の中から浮いて出たかのやうに見える、そして拭き淨められたる五月の大通りガイ路は朝ヒの光をうけて、黄金色の一直線を畫いてをる、ことに春まだ淺く、一列のガイ路樹がヒ毎に若みどり、萠え出るこの頃の景色は、まさに一幅の畫であり朝の新鮮と自然の榮光にいつまでも、あかすただずまさせられる。

ブエノスの空は四季を通じていつも碧色のルリ色の晴れたるヒのみが多い、ドンヨリと曇るといつた不快な重くるしい日は極めて少なく、雨か晴れるかの天氣が、いつもハツキリと區別されてるなど、どこまで自然に惠まれてゐるであらう。

晴れたる日の夜のブエノスの全市のガイ路は徹宵の中に幾百臺の散水車がガイ路を洗ふかと思ふと幾百臺の除掃車は間斷なくその後をふいてゆく、朝のブ市の町が鏡のやうに美しいのも、それがためで、又書間は各三丁毎に一人の掃除夫は、一ボンの塵も殘さぬやうによく掃除が行き屆いてをる、

町は斯して晝となく、夜となく市民衛生の爲に、施設が完備してゐる外に水道の完全なることは、貯水場給水塲などの規模の宏大はそれをよく物語つてゐる。

下水の如きも有難い位に市民衛生のために、設備が行き屆いてゐる、どんな貧民屈に行つても便所だけは、大理石の立派なもので、そこに悠々と尻を落ちつけて、煙草をふかしながら新聞も讀めれば雪隱哲學を考へ出すことも出來る。

ブエノスには二十二の市立慈善病院と、八つの國立病院、その上外國人經營の六つはいつでも市民のために、無料で病氣の憂をのぞいて呉れる。

青に十字の印の慈善病院のホン部では數十臺の病人運搬自動車に醫師一名つき添へて、運轉士は命令一下、病家に行くべくハンドルをにぎつてをる。

青十字のこの自動車の通過に際しては交通歷理の査公も制止するの權限なく、公衆の自動車は言はずして途をさけて、その通過を便ならしめてゐる。

病人のある場合は電話を以つてそのホン部に通知すれば、五分を過ぎぬ中に、早や醫師は病家を訪ねて、應急の手當をなし入院の必要ある場合は、

ホン部の方から夫れ〳〵專門の病院を指定してくれる。

ブエノスの市民は常に見るからにニコ〳〵と快活なる氣分をもつて、勤勉其のものの如く國運の助長に、せつせと働いてゐる、其の裏に斯ふし種々なる施設の完備され、萬一病氣になつたとしても、年老ひ活動力を失つた折にも醫學の許す範圍に絶對の生命の保證の下に入生の最後まで働くことが出來る。

勞銀の高いことにおいては世界に有名な國であり、自然に惠まれたる國とて生活の必需品は割合に安く、その上生活に對する絶大なる保證ある、といふ市の市民の常に快活である事も實に宜なるかなである。

更らに精神的糧を與へられて (一)

レジストリ

田中正勝

今より五六十年前の日本は世界の國々から其の存在すら知られなかつたのが今や世界屈指の强國(兵備のみによらず)として、全世界の國々より、信賴と尊敬を得るに至つたのは敎育の力に依ると言ふも差支へないと思ひます、今や海外發展は日本國の外交上より見ても、內治の上より見ても切要な事と思はれますから小學校在學兒童に海外の事情を話すと言ふ事は必らず好結果を得て、將來はアグロサキソン民族と競爭場裡に在りて、月桂冠を我有にして、有色人種の爲に神の與ふ御榮を現わし、剛慢なる北米の排日の國辱を充分に雪辱し得る事と思ひます、又複雜せる內地の農村問題も必らず解決する事を信じます。

私も渡伯後約五年間は無宗敎の狀態で物質的にのみ留意して大切の精神修養の根本なる靈魂の事に就いては何等思ひ及ばなかつたので誠に不平勝な生活をして居りました處大正拾二年村上眞一郎樣に由りて、「信仰の生涯」に導かれ今尙變らざる御指導を給わつて居ります、「人はパン(物質)のみに生くる能わず」てふ聖言は實に千古不滅の眞理金語と思ひます、朝は聖き空氣を吸ふて祈禱を捧げ、夕べは讃美と感謝の祈りの裡に安すけき息ひに入る自分の能力?に寄る事なく自己の智慧に

頼る事なく只造物主なる神を拜しこれに依り頼のみ、一本の珈琲、一株の甘庶の栽培も神の能力と惠に依りそなさんとし、聖詩人と共に「全地と其の肉の凡ての物はヱホバの物なり」と讃美して物質的精神的に開拓精神を力行して居ます。

御恩寵の溢ふるゝ愛なる神の御導きと御守護の裡に或は野良に或は田園に手に鍬を握りつゝも己が歩む可き正しき路を踏み占めて、村上様より傳へられし、福音を右にも左にも離る事なくして、勇み勵げんで善行を表すべき聖靈の宿らせ給ふ樣つゝしみて日々を送りて「大庭の一日は千日に優れり」の言を眞に深く味ふ事が出來ます、茲に眞の希望があり、平和があり、歡喜があり、感謝があります、本年一月より村上様より、內村先生の主筆になる「聖書の研究」の雜誌の惠送になり、新天地にて教會も牧師もなき事故如何に大なる慰安と信仰の助となる事でしう「我が與ふる水は泉となりて其の中より湧き出づべし」の聖言も強く感じられます、又昨年七月よりは力行會發行の雜志「力行世界」の御惠送に預り信仰を以つて內外に發展せらるゝ會員諸君の感想や動靜を拜見して實に意を強ふせられます、此の樣な時代の要求に適した有益な雜誌を何故鄕里に在りし時に讀まなかつたかと今更悔ひられます、尙救世軍發行の「ときの聲」も折々村上様より御轉送被下まして、日本社會の眞實面な方面を知る事が出來能力ある奬勵に接する事を感謝して居ります、信仰の生涯に入りしより、物質も益々有福に與へられ、精神的卽ち靈の糧も益々與へられ實に歡喜と感謝に若き血の燃ゆる青春の私の胸が一溢になります、四月號の「海の外」に永田先生が「信濃の海外發展に一貫五百匁の肉を献げた」の一言を讀んで私は感激の淚で暫し後文を讀む事が出來なかつた、憶々偉なる哉、信州は幸福である、卽ちかゝる尊敬する、永田先生を有する故に、我々も信州一男兒である永田先生の熱心に感激して、後進者の爲に一燈の光明を海外發展の前途に點じやう、これが我々の責任であり義務であると思ひます。

母國事情

お誕生近き皇孫殿下。

今全國民擧つて大喜びと共に期待してゐるのは來る十一月下旬御誕生遊ばされる皇太子妃殿下の御慶事である。このため宮內當局でも種々愼重に御準備を急いでゐる。今回更らに御養育のため專任奉仕すべき侍醫について鋭意人選した結果、現在醫學界にも人格手腕とに優れた小兒科醫たる赤十字病院小兒科長田中幸一博士及現に千葉醫大敎授の職にある小山武夫博士に內定した、兩博士も既に內諾していよ〳〵專任に御養育の事を奉仕するはずである。

人口增加率激增の傾向

大正十三年の帝國人口動態統計は此の程漸く完了したが其の槪要は

一、婚姻　は件數五十一万六千九百五十三件で前年より六百七十二件增加人口に對する割合一千に付き八、六八件

一、離婚　件數五万二千百三十五件前年より五百七十九件增加人口一千に對し〇、八八件で離婚一千に對し十件に件の割合である

一、出生　は總數二百四万一千百六人で內男百四万一千七百二十三人女九十九万九千三百八十三人總數に於いて前年より四万二千九百八十五人を減じて居る

一、死產　は總數十二万八千五百三十九で男六万七千七百七十七女五万七千七百七男女不明のもの三百五十五總數は前年より八千二十四に減じ人口一千に對し二、一三に當る

一、死亡　總數百二十七万三千七百二十人で內男六十五万三千五百七十七人女六十二万百四十三人で總數に於いて前年より七万七千九人を減じたが依然一千に付て二一、二二人に當る自然增加內地に於ける出生は死亡より七十四万三千五百七十四人多く人口一千につき一二、五七人に當り前年より〇、四一多い我が國自然增加は

激增の傾向にあつて明治三十三四年ごろの五十万人から四十年ごろにも激增し大正二年七十三万人大正七年には著しく低下したが九年から又もや漸次增加して七十四万と云ふ未曾有の增加を示した

東京の人口

あの震火災で百万人も減つた東京の人も其後赤ん坊の出產や地方人の上京郡部からの復歸で段々增加して、先頃行はれた國勢豫備調査の發表する處によると現在は百九十八万六千餘人で、震災直後の大正十三年十一月十五日に調査してより約七万の增加を示してゐる。尙震災から一周年目に行つた市調査は約十ケ月間に三十九万八千八百餘人の增加を發表し一ケ月平均三万七千九百餘人卽ち三割六分の恐しい增加率を示したが十三年十月一日より本年十月一日迄の一ケ年には約三分宛の增加しか見ないわけである。

公判部新說

東京區裁判所で今度賣淫專門の公判部を新設した。これは日本國として餘り誇りとする事の出來ない事であるが、婦人の最高の犧牲を拂つて暗に咲く花が昨今の不景氣に益々殖へる。中には名家の處女名士の愛妾未亡人等が交つて上下を通じて風紀を亂してゐるのでこれが一掃を計るため殊に專門部を設けたのである

德川議長邸丸燒け

二十日午前一時貴族院議長たる市外千駄ケ谷町德川家達公邸新館二階應接間から出火し折柄深夜のことゝて見る〳〵內に右西洋建新館約五百坪を全燒し三時半鎭火した。同邸では家族は大部分逗子の別莊にあり驚きは一方でなかつた。尙其の損害は約百萬圓で原因は漏電と云ひ放火と云ひ紛々としてるを。

新津町の大火

十月九日午前三時頃より同町活動館より出火折柄南の風激しかりしより火は忽ち隣町に延燒し更らに火の手はステーション通りに向つて燃へ廣がり、(消防組は必死となつて防火に努めたが何分水不足のため拱手傍觀の外なき有樣にて火勢一層猛烈を極め、遂に五時半漸やく鎭火したが燒失せる主なる建物は町役場、山十片倉兩製糸乾繭場日本石油工場所長宅其の他新津町の大半を燒失した。

(第二報) 一時鎭火したが午前八時に至つて突如驛前の日本油會社の一萬ガラン石油タンクに燃え移つたため轟然たる大音響と共に爆發し黑煙大に沖し物凄い光景を呈した、燒失戶數五百戶損害高約百萬圓に上るだらう

信州記事

臨時縣會召集

縣參事會員及び都市計劃地方委員選擧の臨時縣會は十月十五日より開會、都市計劃地方委員會は選擧の煩を省き、瀧澤晋六、田中彌助の二名議長平野桑四郎より指名し名譽職參事會員は選擧の結果左の七名が當選した。

瀧澤志郎
三澤喜芳
篠崎四郎
山本莊一郎
瀨戶嘉一
小山邦太郎

因みに臨時縣會は前後二日を以て閉會した。尙梅谷知事より來年度豫算審議の通常議會の開會も目捷に迫まつてゐるから各位の御自愛を新ると挨拶を述べた。

縣下壯丁の成績

松本聯隊區司令部管內に於ける本年徵兵檢査は終了したが受驗人員總數一萬三千六百二十四名に對する合格者九千六百六名之れが各郡市別は

	壯丁數	合格人員
北安曇	四八一	三五四
南安曇	五一七	四〇七
松本市	二八四	一八一
西筑摩	四三四	三三四
諏訪	九八四	七三六
下伊那	一、四〇〇	一、〇五五
上伊那	一、二六八	九六〇
東筑摩	一、二四七	九四七
下水內	三二〇	二二四
上水內	九八七	六五五
南佐久	七〇一	五四二
北佐久	九二七	六四八
上田	二〇六	一二五
小縣	一、〇六二	七〇六
埴科	四八五	三一二
更級	七九二	四八二
長野	四三七	二四二
上高井	五二三	三五七
下高井	五七〇	三四九

となりトラホームの患者の總計は千五十五名にして昨年に比し三割強の增加が北佐久の百五名上伊那の百九名が最も多し上田の十名松本二十一名が最も尠い　花柳病は上伊那の十名小縣下伊那の各八名諏訪と上高井の各七名等で總計八十九名　前年度より十四の增加、其の他所在不明のため不參のもの三百三名刑務所受刑中の者四十八名で遂年所謂文明病の殖える事は共に憂える次第である。

縣議補缺

小縣縣議清水茂十郎氏病死の補缺選擧は憲政派六川氏政友派柴崎氏兩方の激戰は未曾有の大混戰を呈したが、九月二十七日小縣郡衙において開票の結果左の點數を以て六川氏當選した

六千百三十九點　六川長藏
五千七百七十七點　柴崎新一

下高井生產繭の調査

下高井郡に於ける大正九年以來五ケ年間の產繭狀況は今回調査によると左記の如

く成績を示した。

年別	收穫高(石)	價格(圓)
九	一八、七〇一	一〇二七、〇八八
一〇	一二五、四四五	一二八八、二五一
一一	一二〇四、八三〇	一七九〇、五八七
一二	一二一三、〇六七	一六二一七、六三二
一三	一二一五、四〇四	一七三三、〇六一

以上の如くで十二年度には旱害のため多少の減少を見たが他は逐年增加しつゝある。一方養蠶戶數は逐年減少して行くと言ふ皮肉の現象を示してゐる。之れが原因は養蠶と他の職業の兼業者が養蠶を廢止すること、並に養蠶技術の進步と壯年者が年々都會其の他各地へ出稼のため等であると。

農倉建設　北佐久郡岩村田は酒釀地として郡下第一を占めてゐるが共れが改良及び貯藏法を講ずる外小作爭議を未發に防止して地主對小作人との圓滿をはかり金融機關と相挨つて利殖の道を講ずべく同町を中心に平根、三井、志賀、中佐都、高瀬の五ヶ村を範圍として農業倉庫建設に決定し着々進行中であるが出資總額は二萬六千圓組合員二百二十名本年度入庫米見込は玄米二千俵糀一千俵將來は二萬俵收容に擴張することゝなりしが、三層建を二階建に改築しおそしとも十一月迄には事務開始すると。

蠶靈供養塚　蠶糸國として、我が國貿易の大宗たる生糸を供給するため製糸工場の熱い釜の中で所謂、身を殺して仁を爲す蠶の靈を慰めんがため『蠶靈供養塚』を建立するといふ縣下否全國にもその前例のない計劃が小諸町外五ヶ村によつて出來上がつた。主唱者は五住養蠶社、製糸家代表小山邦太郎氏、發起人代表小山耕作氏、小野山清司氏の諸氏により同町長勝寺に於て建立祭を營む事にて碑文は針塚上田蠶糸專門學校に依賴されてある。

焼岳大爆發　「松本電話」本月十二時午後三時焼岳大爆發し黑烟天に冲し筑北部豐科大町方面には多量の降灰あり屋根は眞白となり路上を步いてゐれば衣類の如きも卽座に眞白となり人々は傘をさして町を步く有樣であつた尙松本測候所の調査によると降灰量は新聞紙一枚に五合にも達し上高地一帶の紅葉は一齊に灰色化したので滯在客を痛く失望させた。

御岳登山者　中央線木曾福島驛では七月十五日より九月十五日迄御岳登山期に於ける登山人員を調査したが下車乘車總員約十萬人で昨年の旅客數に比較すると五千五百餘人の增加にて收入に於て千八百八十餘圓であると。

助彌神社　長野市古牧に於ける二斗八義民助彌については同鄉を中心に種々記念碑建設等の議があつたが、

同區民總會の結果十一月中旬頃迄に助彌神社建立に決した。差し當り、助彌の魂入れとして高さ九尺餘の祠式の社を立て將來は松代十万石の產んだ助彌神社として。相當のものにしたいと。又社の「義民助彌」の文字は最も因緣深い眞田伯に依賴し神社建立の意のある處を諒解の上揮毫を乞ふべく其の手續きをしてゐる。

茸出盛る　山に惠まれた信州では漸やく秋の思ひを引きおこさせて、來て、四邊の山は今に燃へそうな紅葉を呈して來た。春の山よりは秋の山の方が又、我々に寄與する處が多々ある。これを情神的に物質的に、春から夏にかけて一生懸命に働いた人々は慰安のために山境の溫泉巡り、山遊び、江葉狩り等は普通で一般俸給生活者及學生達は一週の休みを樂しみに待ち憧んで「秋山」への迎望と憧れを持つてゐる。風光は秋のつきもので隨つて、秋の山の幸も豊に、木瓜、朱實、山葡萄、栗等を始めとして茸類の發生も多く、「愛想のない伯父母に行くより秋山に行け！」の古語を如實に物語つてゐる。此處は北安曇。大町の青物屋店頭を飾る一物は茸である相場は松茸品の良いもので百匁一圓普が八〇錢位で「しめじ」などもボヲ〱百匁十錢位であると

靜寂の木曾谷　此處も信州の情緒、木曾川、流れに映る木々はもう紅葉の用意を始めた、避暑客も皆姿を消し、七日から八日にかけての御岳登山者の賑はひも、ぱつたと止つて木曾は又靜寂の中に住んでゐる人達のみの谷となつた。だが此處一ケ月を經ると今度は紅葉と小鳥の世界と變つて賑やかさにかへる、朝の霜解前にとれるつぐみの毛をむしとつて串にさし、一寸火に見せて血の滴る舌づつみを打つのはこれからだ。木曾の小鳥はシベリヤから北陸で充分にエサを食べて來て居るから鳥肉の味は日本一だと御自慢する

長野の夷講　長野市に於ける年中行事の一つとして縣下は勿論近縣にまで鳴り響いてゐる有名な十一月廿日の惠比壽講煙火は二尺玉を打ち揚げるやうになつてから今年で滿十週年になるのでこれが記念と、農家の一般好景氣にもかゝはらず市內の商業は餘り振はないところから不景氣挽回策のために、當日は二尺玉打揚げ十發其の他尺玉五十發七寸、五寸玉等數百發を間斷なく打揚げて大いに景氣挽回に努める

輕井澤のスケート　避暑客の去つた後の輕井澤町は紅葉見物客によつて僅かに名殘りを止めてゐるが冬の輕井澤を如何に賑かすかは充分と苦心されてゐるが今度同町青年會員によつて諏訪湖に次ぐスケート場を作り東

京方面よりの參加者多くあつたが今年は昨年より以上の盛況を見せ樣と今頻りに苦心してゐる此のスケート場の特徴は池の深さが僅かに一—二尺に過ぎざるため諏訪湖の如く危險がなく寒氣嚴しきため氷結期が長くあると云ふ事である。

青年競技大會　明治神宮競技大會派遣選手の豫選を兼ねた縣下聯合青年競技大會は長野市城山原頭に於て擧行したが縣下各地より應援團多數詰めかけ近來にない盛況を呈した。今各競技決勝を記せば、

砲丸投
一等　上田悅雄（諏訪）十米四五
二等　清水光雄（東筑摩）
三等　北條兼光（上伊那）
四等　細田一平（下伊那）

走高跳
一等　小野克己（上那伊）一米五分一
二等　小池　茂（小縣）
三等　宮前主辨（上高井）
四等　松田正太郎（上伊那）

四百米
一着　藤井良平（長野）一分二秒五分四
二着　小口眞喜（諏訪）
三着　茂木福松（北佐久）
四着　野澤　詳（上伊那）

一萬米
一着　伊藤道雄（上伊那）四十分二七秒
二着　征矢野利勝（東筑摩）
三着　小松秀雄（上伊那）

百米
一着　赤羽義武（松本）十二秒五分四
一着　新井蒼一（下伊那）
三着　高木春吉（諏訪）

柔道
田近榮（長野）　古平源三郎（小縣）

劍道
宮林隆盛（長野）　佐藤太郎（北佐久）

棒高飛
一等　下澤國男（下伊那）二米七一
二等　小野克已（上伊那）
三等　新井榮一（諏訪）

走巾跳
一等　市川彥松（下水內）五米九七
二等　木下保實（下伊那）

弓術
一等　小林辰爾（東筑摩）
二等　山崎寬夫（長商）
三等　宮澤武治（長野）

相撲
長澤吉兵衛（北安曇）

右の通りで百メートル、四百メートル一萬米走巾跳、走高跳、砲丸投の各優勝者一名及劍道、柔道、相模の優勝者各二名を神宮競技へ本縣より選手として派遣し槍投、圓盤投、棒高跳の優勝者は近く柏崎で開く、長野、新潟、兩縣予選大會へ何れも派遣さる筈である。

須坂水道　惡水に惱み拔いた須坂町民の二萬はやつと完全なる飲用水に惠まれ樣としてゐる。三十餘萬圓の巨費を投じて工事中の町內の鐵管埋沒作業迄終り今月十五日を期して通水式を擧げられた。尙町內要所二十一ヶ所の水勢試驗を試み一般町民の水道の偉力を表示し、又消防組の消火栓の放水實地見學等—芝宮神社には臨時噴水を吐かしめ百二十尺を突破して今や町民の歡喜は絶頂に達してゐる。

協會便り

役員

牛島省三氏　本縣內務部長として榮轉された同氏には今回相談役として御苦勞下される事になつた。尙同氏はさきに石川縣移殖民協會の副會長であられた。

萬富次郎氏　內務部地方課長として殊に社會的方面に關係を持つ同氏に今回相談役として盡力を御願する事になつた。本縣に於ける地方課の仕事は非常に廣汎に渡つてゐるが社會事業の各種團体は此の內に含まれてゐる。當海外協會も特に其の關係密接なるにより御願する事になつた。

白石喜太郎氏　久しく小縣郡の支部長として非常に御苦勞被下つた同氏は今回內務部工場課長に榮轉された。同氏には當分事務囑託をお願する事になつた。

以上三役員を迎えた當協會は益々事業の達成に向ふであらう。內、外支部役員の努力により一層の成績を收めたいのである。

地劵交附　信濃村建設資金として應募された出資者に對してはその半額に相當する土地を差し上げてゐます。其の證據として今回地劵を出資者に御送付致しました。

信濃村移住地建設資金出資者

大正十四年十月現在

郡村名	口數	氏名
南佐久郡穗積村	三	黑澤　利重
北佐久郡小諸町	一	小山淸右衛門
北佐久郡小諸町	一	大塚　宗次
北佐久郡小諸町	一	柳澤　憲一
北佐久郡小諸町	一	小山邦太郎
小縣郡丸子町	一	工藤　善助

小縣郡殿城村 一 金子 行德
小縣郡塩尻村 一 中嶋吉左衞門
小縣郡浦里村 一 大井 弘
小縣郡塩川村 一 堀内 庄作
小縣郡塩川村 一 杏掛 正一／佐藤善右エ門
小縣郡滋野村 一 小林 克己
小縣郡滋野村 一 丸山 高
小縣郡縣村 一 大塚自治夫
小縣郡和村 一 兒玉 衞一
小縣郡和田村 一 羽田 貞義
小縣郡豐里村 半口 細田和七郎
小縣郡鹽川村 半口分 松山 原造
諏訪郡川岸村 五〇 片倉兼太郎
諏訪郡平野村 八 小口 村吉
諏訪郡平野村 五 小口 善重
諏訪郡平野村 一 尾澤福太郎
諏訪郡玉川村 一 丸茂 文六
諏訪郡平野村 一 林 七六
諏訪郡上諏訪町 一 宮坂 作衞
上伊那郡伊那富村 三 武井覺太郎

上伊那郡飯島村 一 山田織太郎／林 讓／高坂 松藏
西筑摩郡福嶋町 一 小野 秀一
西筑摩郡王瀧村 一 瀧 龜松
東筑摩郡中山村 二 小岩井宗作
東筑摩郡錦部村 一 小澤和一郎
東筑摩郡芳川村 一 中村 畯作
東筑摩郡塩尻村 一 川上 源一
東筑摩郡新村 一 上條 信
東筑摩郡山形村 一 永田兵太郎
東筑摩郡中川手村 一 倉科 多策
東筑摩郡朝日村 一 清澤嘉右衞門
南安曇郡穗高村 一 望月 國俊
南安曇郡梓村 一 榑沼 泰男
北安曇郡大町 一 福島 幸重
埴科郡坂城町 一 佐々木伊佐三
上高井郡須坂町 三 越壽 三郎
上高井郡小布施村 一 市村 連
上高井郡井上村 一 坂本 重雄

上高井郡須坂町 一 上原吉之助
上高井郡須坂町 一 原 嘉道
上高井郡須坂町 一 田尻 新治
下高井郡科野村 一 湯本 宣成
下高井郡往郷村 一 宮崎 信安
下高井郡平穩村 一 佐藤喜惣治
上水内郡中郷村 一 山本 直義
下水内郡柳原村 一 丸山森三郎／丸山 常吉
長野市吉田町 一 横田九一郎
更級郡稻荷山町 一 小出五十二

金錢納入（前月十五日から今月十五日までに受領せる分）

一金拾圓也 大正十三年度維持會員費 吉田 市惠殿
一金拾圓也 同 佐藤 太郎殿
一金拾圓也 同 辻 同次郎殿
一金拾圓也 同 川村鉚次郎殿
一金拾圓也 同 酒井祐之助殿

一金拾圓也 同 中柴 未純殿
一金拾圓也 同 小口今朝太郎殿
一金拾圓也 同 今村 繁三殿
一金拾圓也 同 名取 夏司殿
一金拾圓也 同 長田 新殿
一金拾圓也 同 小平 省三殿
一金拾圓也 同 春日 茂躬殿
一金拾圓也 同 小平 三郎殿
一金拾圓也 同 小口重太郎殿
一金拾圓也 同 高橋達太郎殿
一金拾圓也 同 江橋 治郎殿
一金拾圓也 同 塩川三四郎殿
一金拾圓也 同 村上 俊泰殿
一金拾圓也 大正十四年度維持會員費 依田 源七殿
一金四圓也 大正十三四年度普通會員費 中林 正己殿
一金四圓也 同 丸山 都治殿
一金四圓也 同 伊藤 善夫殿
一金四圓也 同 萩原 擴殿
一金四圓也 同 矢花 寧二殿
一金四圓也 同 中村 彌六殿
一金四圓四拾錢也 大正十四、五年度普通會員費 荻原彦四郎殿
一金貳圓也 大正十三年度普通會員費 和田猪三郎殿
一金貳圓也 同 野溝傳一郎殿
一金貳圓也 同 坂井 典敏殿
一金四圓也 大正十二、三年度普通會員 小池 幸家殿
一金四圓也 同 松木七三郎殿
一金壹圓拾錢 購讀料 佐藤 清治殿
一金貳圓參拾錢也 同 坂上 敏藏殿
一金貳圓也大正拾四年會費 宮澤 一子殿
一金貳圓貳拾錢也同 酒井 幸雄殿
一金貳圓也大正拾三年會費 森 源三殿
一金貳圓也 同 長田晉一郎殿
一金貳圓也 同 小平 留雄殿
一金貳圓也 同 渡邊 彌助殿
一金貳圓也 同 坂上 宣右殿
一金貳圓也 同 上條 利一殿
一金六圓也 大正十一、二、三年度會費 菊池 千勝殿
一金六圓也 同 酒井理喜太殿
一金六圓也 同 岩下 幸平殿
一金六圓也 同 與良 一郎殿
一金四圓也 大正十二、三年度會費 三石 毅殿
一金四圓也 同 三石 實殿
一會壹圓也 藤井 嚴殿
一金壹圓拾錢也 中村 五郎殿
一金壹圓八拾錢也 原田惣治郎殿
一金八拾錢也 井口吉三郎殿
一金壹圓也 上原長三郎殿
一金壹圓拾錢 新碼頭事務所殿
一金五圓也（布哇） 勝田 連殿
一金六圓八拾六錢（伯國）宮坂 實郎殿
一金六圓八拾六錢（伯國）丸山 重人殿
一金五拾錢也 有賀 實殿
一金參拾錢也 井出治兵衞殿
一金參拾錢也 五味 賢殿
一金四拾錢也 石塚 吟衞殿
一金五拾錢也 佐々木保作殿
一金壹圓參拾錢也 山崎政治殿
一金五拾五錢也 宮川新一郎殿
一金五拾錢也 瀧澤茂三郎殿

▲通信の中から▲

妻も大賛成して

秋田縣 佐藤清治

相啓秋風落淡の候とはなりました今回ありあんさ移住の件に就きましては數度多大な御手數を煩はし何共申譯ありません。萬障を排して移住仕様と決心致しましても周圍を顧み萬途を考ふれば危倶と不安に襲はれて何を苦しんでそんな冒險な事をするか？よい事とは云ふもの丶行く先きは暗し前途は遠し一朝の誤りから可愛し妻子を海外萬里の異鄕に浮浪させる様な事はないか親戚知己鄕土の人々から迷愚の嘲けりを受ける様な事なきか？ から考ゑ來れば折角の元氣も消えて尻込みする様な狀態でありますが再考三思すればそれが即ち人類幸福の一端たり社會一部の救濟より然して國力を海外に伸長し稱屬發展の最大なるものなる事は敢て言を要する迄もなきは勿論之れが壯回の先鋒（當地方にては）となり將來地方青年の此の種發展の魁ともなれば欣快とする處然も生活上何等の不安もなく理想的に漸次發展向上する事を得るとすれば之れより大なる幸福はない事と思はれます妻ともよく熟談して居りますが案じられた程の事もなく反つて大贊成にて是非移住する事に決定致しました今後共萬事手落ちのなき様御指導をお願致します

土地代金第一回支拂致しますから先づ土地分讓申込書差出します來春二月出帆の船に間に合ふ様に御取り運び下さい可成早く渡航したい見込みであります貴會へ申込み順序等に手落ちがありますか本書面貴着次第御指示下さい

尙本月一日附振替二一四〇番へ海の外六ケ月分一圓十錢拂込みましたが如何致したか未だお送本ありません是れも御取調べの上大至急御送本下さい此の行少なりと雖も雄圖たり人烟稀なる南米の地なりその富源の地おう然も多年憧れの地に於ておや鐵腕よく開拓の大精神を全ふするや否や心神の爽快此の上もなし妻も悅んで居ります準備其他に就き不備の點有らば大至急御指示下さい乍末筆各位の爲に邦家のため御奮勵あらん事を神かけ祈り上げます

左様なら

海外發展問答

漠然たる質問は不可
本誌を繼續して讀む
一名六問以下の事
海外發展問答こ朱記すること

問 ブラジル移民は一人又は二人にも宜しきや（上高井 坂口生）

答 ブラジルへの單獨移民は呼寄せ狀のある時は構ひませんが他はすべて、家族構成の上でなければ海外興業會社では取扱つてくれません。そこで海外協會及び日本力行會では此等有爲の青年のために特に單獨渡伯を取り扱つてゐます。即ち海外協會では信濃村、力行會では農業練習所を設置致し單獨者及夫婦者を募集してゐますカ行會は東京市小石川區林町七〇番地ですから詳細御承り度し

問 旅券下附願に添附す可き身体檢査書は出願の時より六ケ月前の檢査にても受理せらるべきや（以下支那新碼頭事務所）

答 半ケ年もたてば人の身の体は變化ある事多ければ、なるべく最近のものがよろしく、檢査書は醫院で何時でもやつて呉れます。尙此の檢査書を得る場合には健康体の時やつて貰ふ事が旅券下附に便宜が多くあります。

問 保證書に連署する保證人は代議士會社々長の人物にても財産證明書を絕對に必要とするや、

答 何人にても財産證明書を必要とします、保證入の承諾を受ければ喜んで財産證明書を出して呉れる筈です、

問 アリアンサ移住地は本年度豫算案に小學校病院の設備をする様見受致しました。既に教員、醫師の派遣せられましたか、

答 事實本年の豫算中にあります。醫師、教員は目下物色中です万一本年度實現出來ざれば引き續き十五年度に入るゝ豫定であります。

問 アリアンサ移住地に入植するには從來農業を以て生業とせざるものにしても相當資金を有せば可なるや

答 入植者本人が農業に從事する決心と体力を所持せば協會は推薦の結果入植許可します若し貴君が單獨で四百圓位の資金を有したら力行會の農業練習所に入りなさい。

問 貴誌上於ても輪湖氏が排日の事苦慮されつゝある様なるが此の問題に就き如何に觀測せらるゝや

答　此の問題については目下の處其の心配はないと見てよろしいが、今後日本人が兩米大陸に異様の發展を見る時は問題になるかも知りませんが、南米大陸は北米大陸より排日の感情は極く少ないから心配はありません、それについても日本人は各自の行を愼みて土人と親しむ心持がなくてはなりません

問　大正十六年の春渡伯仕様としてゐます、土地は今年度の内に分譲を受け度いと存じます、如何なる手續き書が要しますか　（諏訪　小林）

答　前にも申した通り土地代はどん〳〵騰貴しますから早いが勝です、土地分譲申込は別に面倒でなく「土地分譲申込書」を差し上げますからその申込書と同時に一時拂ひ又は三回拂ひとして第一回拂込み代金相添へればよいのです

問　有限責任信濃土地購賣利用信用組合は何故解散しましたか　（諏訪　小林）

答　尤もの疑問です、數日前に新聞紙上で色々それにつき取沙汰されてゐたが皆誤信してあつたので定めし組合員の方は心配されるでせうが決してそんな事はありませんから御安心下さい、それについて、九月十六日の信濃毎日新聞に「南米の信濃村」と題して連載されてゐる處に詳しく記載されてあります。卽ち、現行産業組合法では外國に土地を購入する事が不便なので組合の權利と義務とを協會が繼承する事になつたのである以後は組合員各位には一層、容易に土地を購入する事が出來る樣になつたのです

問　日本力行會の所在地及海外移住講義錄の全册部數價格發行日等御教示下さい　（諏訪　笠原）

答　「東京市小石川區林町　七〇　日本力行會」全册十册一册宛月一回配本一册　壹圓で海外渡航準備教育の本邦唯一指導講義錄です、

問　ポルトガル語は此の講義錄の中にありますか　もしなければどんなものが私共獨修者に適しますか其の書名と價額　（諏訪　笠原）

答　勿論海外渡航の準備教育の講義錄ですから無い筈はありません、法學士で語學家として殊に伯國語に巧みな菊地惠次郎氏が最新の講義法によつて手にとる様に教へてゐます、尙獨修書としては同氏の「ブラジル語獨修書」壹圓拾錢です、それに葡和辭典として大武和三郎氏のがよいと思ひます、定價は五圓、以上同會で販賣取次ぎをやつてゐます

編輯の結び

高天肥馬の候會員諸君には益々御壯健御活動の事と存じます。これから内地では秋收獲の季節となつてゐますそれと同時に多仕度も忙がなければならなくなつて來てゐます　海外各地の樣子はよく存じてゐませんが、やはり内地と同じく忙しい事と存じます。常に日本國民大和民族を代表して活動する在外諸君の雄々しい姿を想像すると實際涙ぐましい心持がします大國民の度量を發揮すべく責任のある諸君の活動には絕へずの感謝と敬意を表してゐます。

△

此の頃信州青年の意氣が沈滯した樣です。彼等には熱もなければ希望もない。青年の青年としての活動が少しも認られない　信州の山奥におしこめられた彼等には刺激もないかはり感激もない生活をしてゐます。

斯ふ云ふと海外の諸君は「マアー何してだろう。僕等はあの信州に居た頃はそんな事でなかつたのに」と慨歎されるでせうそれもその筈既に彼等には餘裕がないのです。現在の自己を自認しながら將來の自己に向つて考へる餘裕がないからです「現在に汲々たる者が何して將來の事を思ひ考へられませうマアー斯して居だら今に何にかなるでせう」

これが將來の縣民です。不幸なものは餘裕のない人、餘裕の持ち得ない人である。哀れむべき者その人々よ。

△

連載の（南米と日本人）は我々日本人に教へる所が多御座います。國家的誤解から犧牲にならない樣に民族發展と世界平和に貢獻したいものです。田中廣君の「邦語教授問題について」も移住地社會的發達を考へられます。より良き文化を産まんとする移住には理解ある人々の集合が大切です

△

或る熱心な海外發展の青年會員から編輯校正について御注意を受けました。深く感謝致します今後そういふ事に關しての通信は「海の外」係へお願ひします

△

編輯の都合上から「南洋より歸りて」の矢島氏の原稿を四十二號に掲載致します海外生活からの日本觀察は「あーも慘めなものであるか」と氏獨特の見方をしてゐます。

海の外

定價

	一部	半ヶ年	一ヶ年
内地	廿錢	一圓十錢	二圓廿錢
外國	廿仙	一弗十仙	二弗廿仙

海外郵税四錢

注意
▲御注文は凡て前金に申受く
▲廣告料は御照會次第詳細通知致します
▲御拂込は振替に依らるゝが最も便利です

大正十四年十月二十六日
編輯人　永田稠
發行兼印刷人　西澤太一郎
印刷所　長野市南縣町　信濃毎日新聞社
發行所　長野市長野縣廳内　海の外社
振替口座長野二一四〇番　信濃海外協會

大正十四年十月二十六日發行（毎月一回發行）
大正十一年四月廿六日第三種郵便物認可

定價金貳拾錢

信濃海外協會
海の外社發行

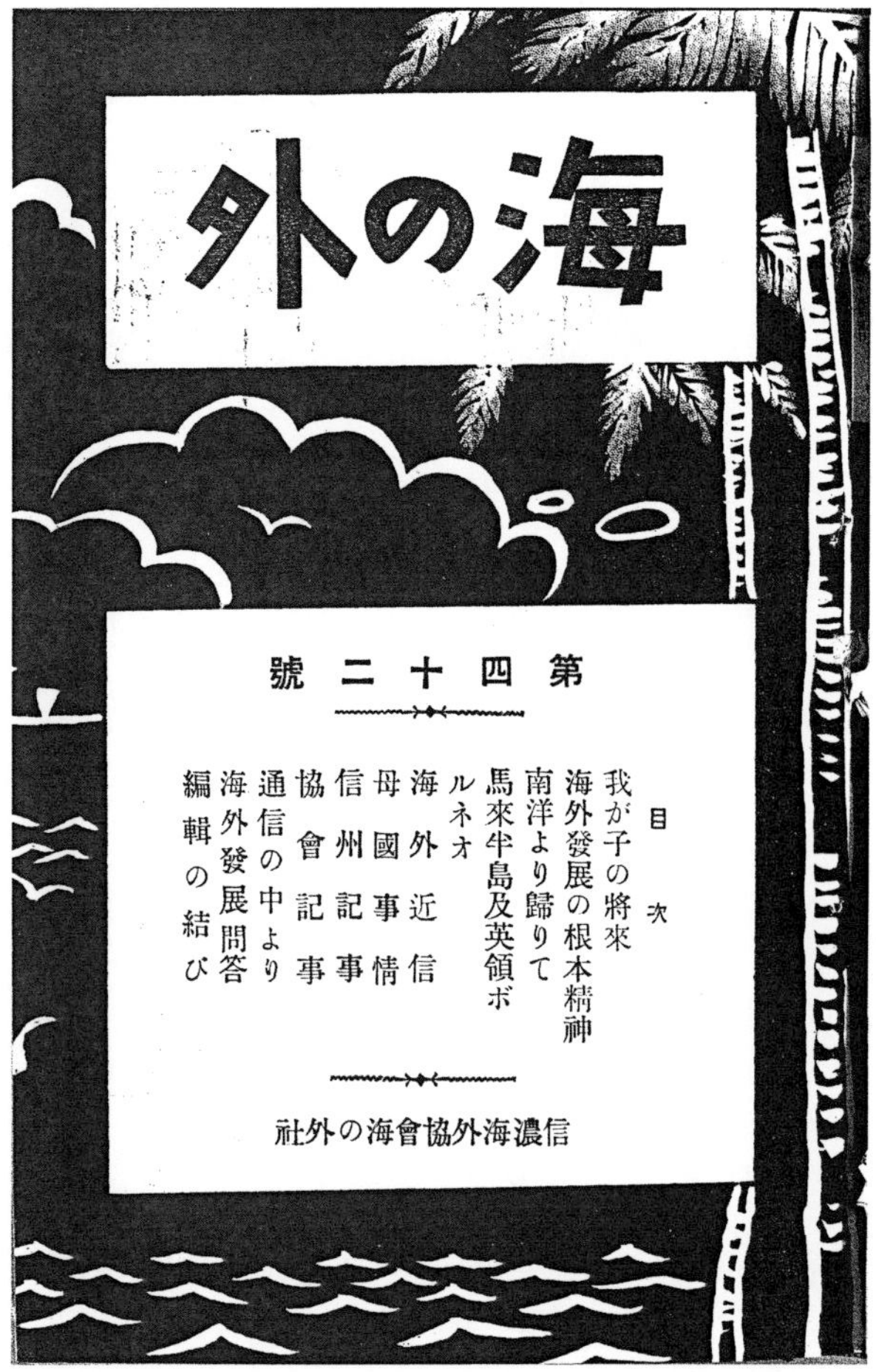

第四十二號

目次

海の外

第四十二號

大正十四年
十一月號

我が子の將來

中産の知識階及の或る親が、日本の行詰りは人口過剩に基くものである事を知つてゐた。その緩和策には海外發展による積極的救濟によらねばならぬ殊に農村問題の喧ましい今日農村の二、三男女の將來については、一層の必要を感ずるこ力說してゐた。彼は曾つて海外飛雄を志して外國旅券下附出願さへした事があつた位だ。

彼には六、七人の子供も持ち、既に長男、長女は何んこか始末をつけねばならぬ年齡に達してゐる。職業的知識を與へて、早く獨立の生計を保たて樣こしたが、子供は思ひの外、親のためにも、家のためにもならぬので彼は今更の如く啞然こして、我が子の行く末を憂慮してゐた。或る外國行志望青年は眞面目に自己の將來、一村一鄕國家の前途を思ふて、遠く異鄕の地に奮鬪すべく、頻りこ妻を求めてゐた。或る仲介者は彼に向つて

「それでは貴君の娘を私に吳れませんか、眞面目な將來きつこ見込ある青年にお世話致しますから。長持も、簞笥も、齎物もいりませぬ。結婚式等も出來るだけ有意義に簡單に濟ませて生活改善の第一歩を實行しませう」

彼はしばらく考へて、

「自分の可愛い娘、これまで育て上げた子をあんな見ず、知らずの遠い地なんか、何うしてやられませう、然かも終日汗みどろになつて働く處へなど」

子に對する親の愛、子の將來に對する親の態度！

これが果して本當の親の愛か？

これが果して子の將來に對する態度か？

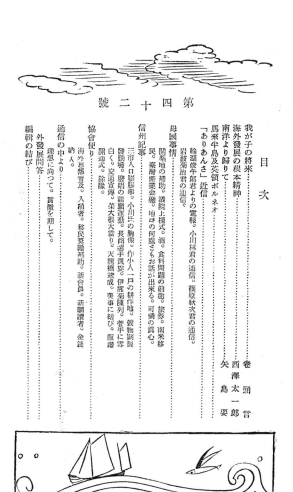

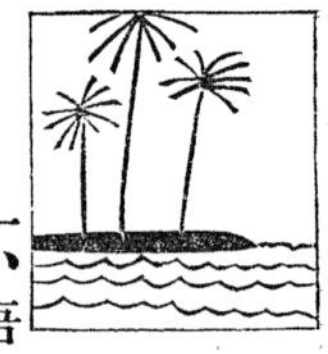

海外發展の根本精神

幹事　西　澤　太　一　郎

一、吾等の住家

天は人の上に人を造らず、人の下に人を造らず、人は人と共に存して上下貴賤貧富の差別の下に存在するものではない。終生富を得ることは出來ない終生貧しきものと運命付けられた者は一人もあり得ない貧しき者よ幸なれ、富める者よ貧しきを希ひ貧しきを願へ、やがて汝は眞の心の富の物の富とを得ん貧しき者よ汝は常に貧しきを希ひ、富を願ふな長しいに貧しきを追へ、やがて汝は無限の富と無限の幸福とを已れの自身の永劫の生命の中に汲み取ることを得ん。大空を傘に地の席風の扇に月の燈で、廣大無限窮まりなき此大宇宙こそ御同様の住家である天地開闢幾億萬年の昔より、又幾億萬年の長劫に、生成變轉、創造發展、變現美妙の間に流れて止まず、進みて息まぬ此宇宙こそ我等の住家である此大自然こそ我等の懷かしき美しき愛すべき住家である。

二、我等の使命

眼は千里の遠くを見ること能はず足は百里を走ること能はず、人生五十年七十にして古來稀なるが大自然大宇宙の中五尺の身體よく何をか爲すべきか。然しながら我心よく之れを開いて天地萬有を包含し得べく、あらゆる人類あらゆる萬物と、その喜びと、その美とその眞と、その聖とを與にするを得べく、その苦しみと、その惱みとその悲しみと、その悶えと共にするを得べく心眼よく宇宙に通ずるを得るのである。我靈、よく之れを啓いて萬古の昔より、千載萬劫の後に至る迄、その道、その德、その眞、その義の通ずるを得べし小軀なりと雖も亦偉大なるものではあるまいか。盡せぬ命、盡きせぬ精神、常住坐臥、進綜不息、不斷の努力と修練とは以て、人生を花たらしめ、實たらしめるものではないか。あらゆる人類あらゆる萬物あらゆる大宇宙の實在と共に與に存して、その美を裝り、その道を啓き、その善正を盡し、そのあらゆる生活の苦樂憂悶を同じくして天地の大道を人倫の大道とを等しうせんため奮鬪止まざるを以て我使命としやうではないか。

環境人を生かし環境人を殺す、種は種のみで育つものではない。天の惠みに地の化育人の情に世の情あらゆる環境の力によつて善の花も美の花も咲くのである、人間の生れた所は地球の表面である、人間の生活の舞臺は世界である地球の表面である、色が白くても黑くても黃いでも赤でも皆人生の道づれである身體が大きくても小さくても老ても幼くても男も女も皆此舞臺の役者である踊り手である人生樣々の複雜な音樂の奏手である長き浮世に短い命御同樣は此人間生活の中に此自然を相手に眞の人生の綾を織り錦となし麗しき生活の舞臺とし環境とすべきである此大自然の環境又人の生をして美しき樂しき人を造るのである眞の人間を產むのであるこの人類と大自然の間に創造せらる、樂土こそ神の意に添ふ環境である樂しかるべき美しかるべき今の世界の狀況人類の生活の現狀は如何に、地獄の世界か係羅の巷でもありませぬか建國以來三千年黃金の國瑞穗の國の我國さへも人を呪ひ世を呪ひ人を倒し已れを殺し悲しむべき世想になつて終つた。

此行つまりを何處に開くか農村も行きつまつた都會も行きつまつた人心も行きつまつた二進も三進もつかぬ、せゝこましいせちがらひいやの世の中になつた何處に新天地を開けばよいか曰く、心の開拓へ曰く、大自然の開拓へ創造の精神と開拓の精神こそ茲に眞人間を育まん人間の眞生活を產み出すであらう。

三、大開拓に向へ

心の開拓我環境運命の開拓、大自然の開拓に渾身の力を罩めて一步一步眞劍なる汗の開拓を行へ靈の開拓を行ひ人生至大の理想[illegible]活の環境が造り出される。曰く心眼を養ひ兩眼を廣く世界に開けその財を世界に働かしめよその强健剛骨の身體[illegible]外に踏み出せ男も女も老たるも若きも國を擧げ世を擧げ上下一致海外雄飛をなせ世界的大經綸をなせ、無限の沃土を[illegible]界に開け、遲ればせながらも我日本の志士により憂國の士により北米に南米に南洋に東亞に七十萬の先覺の勇士世界の各地に我民族發展の道を開いた希くば天下慨世の同志の士奮起せよ海外發展の爲めに。

四、組織的海外發展

一の力を十となし十の力を百となし協力一致民族の發展國力の進展を計るは當にこれ國士のとるべき道なり心と心相通じ神と神と相結び相共に道を論じ義を語り天下國家の經綸をなすは當にこれ男子の本領である、過去の我國の海外發展は實にこれ戰國亂世の一騎武者でその戰ふ所その振ふ腕惜い事には全體の力全軍の勝敗を左右するに餘りに不得策のやり方であつた。我日本の海外發展も亦その徑路をとつた北米に新天地を拓ける勇士あり南米に斧を振ふの鬪士あり南洋に力と汗と熱と戰ふの勇士ありシベリアのツンドラに獸皮を纒ひ嚴寒と戰ふ國士あり滿蒙の砂塵と烈風の中に運命開拓の志士も多かつた、然しながら惜い事には絕河の孤島洋中の捨小舟の樣なものであつた

五、心と心力と力

どうしても健全であり堅實であり着實である植民地の建設永遠に隆昌發展する眞の海外發展を測るにはそれではならぬ、送り出す我同胞は西と東に袖を別ち南に北に袂を分ち熱い涙で男子志を海外に立つ君の健康とその成功とその幸福とを神かけて祈るぞと惜別おかざりしその船出の心持を永遠に忘れず不斷の後援と助力が必要である志を海外に立つ事もしならずんば死しても歸らずと凍圓球上東西南北無限の廣野と萬里波濤の彼の土異鄉の各地に散在して運命の開拓と大自然の開拓と人類文化の開拓とに從がふ處の國士は絕えざる思想の交通心の連絡力の協同と連鎖がなくてはならぬ、又世界の各地の同胞發展地との理解も交通も連絡も心と力の連絡もなくては組織的系統的の海外發展は出來ぬ。（終）

南洋より歸りて（一）

矢　島　要

△便所の樣な國

便所の中に長く這入つてゐると、便所の臭が苦にならなくなると、同じ樣に日本に生れて日本に切り生活してゐると、日本の惡い所がわからなくなる。日本は美しい國だと云ふが、それは自然の景色のことで人間の生活と云ふ點より見れば隨分ときたない國である便所の樣な國だと云ふと餘り例がひどすぎるが、南洋の樣な野蠻國へ行つて來た丈でも、歸つて來てみると日本の醜惡なる生活振りにはあきれざるを得ない。日本の家屋は何處へ行つても這入り口の、人が訪問しても眞先に通過せねばならぬ所に便所がある。これが便所を以つて代表してゐる所以かは知らねども、あまりに無神經である。その又便所が汚物も見えない惡臭も洩れない樣な完全なるものを造つて置くならばさしたる苦にもならないが、とても鼻持ちのならぬ樣な惡臭にせめられるのだからたまつたものではない。門先きにない迄も兎に角日本の便所はすばらしく臭い汚ないものだ。自分ばかりではなく外國から歸つた人は皆このきたない便所には閉口する樣である。便所の惡臭の洗水を受けなければ日本の家へは一步も這入れないのだからあきれたものである。

この筆法で便所ばかりではなく其他のあらゆる生活振が不潔、不整理、不都合極まるものばかりである。何故日本人はもつと合理的に生活しやうと考へないのだらう。惡臭の便所が日本の文化を代表してゐるとは全く情ない氣がする。一体日本人は[illegible]人は上手だが發明嫌いの國民だなんて誰だか言つてゐた。全く日本國民は枝葉のチョイ〳〵した小細工の改善はするが根本的の革命とか改革とか云ふことは出來ないらしい。この惡習がたゝつて合理的な生活をやろうとも考

へないのだ。一体人間は段々合理的に考へ文化の高い生活をするのが大体なのだが生活改善とか文化生活とか世の先覺者が口をすくして叫ぶと云ふのは如何にも古い因襲のからを脱し得ない意氣地のない國民である事を裏書してゐるものだ。便所の位置さへ改善出來ない樣な國民が人類の將來とか民族の將來、海外發展とか云ふ未來の問題が解決され樣筈がない。要するに日本國民は革命思想にあまりに乏し過ぎる。殊に國民の大部分をしめてゐる農民に於ていちゞるしい。農村の疲弊するのも當然過ぎる程當然な事である農民はあまりに便所へ長く這入つて居過ぎて臭がわからなくなつて了つたのだ。便所の惡臭に堪えかねて不平不万の人間が出て來なければうそだと思ふが、仲々忍耐強くて惡臭を物ともせずに甘受してゐるから困つて了ふ。否寧ろ惡臭が全く人間にしみこんで了つてゐる。農村疲弊を嘆く者は農民自身ではなく他の知識階級、憂國の士などで、疲弊してゐる農村では何の不平不万も感じないで幸福そうな顏をしてゐる。稼ぐに追ひ付く貧乏なしなど云ふ諺は今の世の中では何の意味もなさない。現代農民は稼げども〳〵貧乏になる切りだ。これは不合理なる社會組織の罪にもあるけれど、昔より來りし因襲にとらはれた生活を一寸送りにして万足してゐる農民自身にも大きな罪はある。朝早くから夜おそく迄しまりなく働く丈で考へる事や讀書や修養する余裕を持たない農民の現狀を見る時全く氣の毒になる。稼げども〳〵貧乏になる事に疑問もなければ不思議にも思はない。全く、あへぎ〳〵勢一ぱいで生存をしてゐる丈で人間らしい生活などしてゐるものはありやしない。疑問もない丈に生存してゐれば人間としての生活をしてゐると考へてゐるのだから始末がわるい、農民自身が人間並の生活をしやうと考へれば當然そこに疑問が生じて來る筈である。社會制度の不合理な事、海外植民の大切な事位は先覺者が口をすくして叫ばすとも自ら解る道理である。行き詰れる農村と云ふが生存を目的の農民には未だ充分余地がありすぎる樣に思ふ。この生活に行き詰つた農村がいよ〳〵生存に行き詰つたならば如何なる社會を現出するであらう。考へるも恐しい事である生存に行き詰る迄考へずにゐると云ふ事は知能を有する人間にあるべからざる事でもある。又それではあまりに人間甲斐もない事である。自分は不合理極まる社會制度を考へる前に國民の大部分をしめてゐる農民の自覺と云ふ事も最大急務であると思ふ自分も日本と云ふ便所を出て南洋と云ふ極めて原始的の未だ造りたての新らしいとでも云ふかあまり臭くない便所

へ行つて來たので、又元の便所へ歸つて來て見ると、とてもたまらなく鼻をつくので感じた迄の事であるがそうかと云つて感じ丈で發表しないのも無駄の事だから歸國して眞先に感じた事をかいたのである。國民の大部分が日本と云ふ便所の臭氣を感ずる樣になればしめたものである。社會改造も農村振興も海外發展もくだらない浪花節によらないでも易々たる問題であると信ずる。所が思想善導だの農村振興だのと云ふ美名にかくれたなまぬるい間に合せの『臭い物には蓋主義』では隨分心細い話である。その中臭い物だらけになつて了つて蓋も出來なくなる時が來る。蓋の出來得るうちに何とか方法を講じなければならないと世の先覺者は憂へる。遠き將來や民族の永遠の發展などゝ云へば自分達の生きてゐるうちはそんな心配もあるまいと平氣ですましてゐられる農民が多い。この狀態だから最初から椰子は八年――十年經たねば實らぬと承知の上、椰子栽培組合などゝ云ふものに加入しても、正に實つて收穫を得ると云ふきわ迄來てわづかばかりの金が出ないと云ふ樣なことになる。二十五日乃至三十日位で繭になる春蠶や半年位で收穫の出來得る稻などを栽培してゐる農民には植付後十年はちと長過ぎるかも知れない。ぱつと咲いてぱつと散る櫻花にたとへる大和魂の國だから仕方もあるまいが如何にも永遠性がなさ過ぎる。

南米ブラジルへ移民するに二千圓三千圓の費用がかゝると云へば俺らその金があれば日本で何か仕事をすると云ふ。日本で仕事をすると云ふこの御人はその二千三千の金を資本にするでなく資本を喰つて生きのびられる所迄生きて行く事を、仕事と考へてゐるのである。

あつちを見てもこつちを見てもことごとく臭いものには蓋主義である。臭い物を臭いと感じない農民が漸く教育やいろ〳〵の方法で臭い事を感じ出しても、又この蓋主義だから心細い事である。（續）

海外事情

馬來半島及英領ボルネオ（續）

海峽植民地と英領馬來半島（二）

船泊――シンガポールが東西兩洋の接點で、極めて重要地點なる爲め、船泊の出入は非常に多く二千萬噸位の出入あるので交通は便利である。又沿海航路には海峽汽船會社があつて、シンガポールを中心に半嶋の東南と西岸を航行し、我が日本郵船の歐洲航路、大阪商船會社のボンベイ航路南米航路などの汽船がシンガポール、ピナン間を往來し、大阪商船のバンコク、ジャバ線の船がシンガポールとバンコク間を直航してゐるなどで、本邦からも極めて容易に行ける所である。

シンガポール市――シンガポールは半島の先で同名の島に位して海峽植民地政廳の所在地であり、又東西交通の要所に當り、重要地點を占めてゐるので近海を旅行する船で寄港せぬものはない所である。シンガポールに上陸する者はジョストン、ピーヤ橋を通るのであるが何時も印度人馬來人が集合して喧騷を極めてゐる。ジョントンピーヤより以西はシンガポールの心臟で商業の中心地である。

一年間の出入船泊は二千萬噸貿易額は十億圓と言はれこれに通貨、積換、貿易額などを合算すると非常な多額なものとなら う。

輸出品の主なものは錫、胡椒、護謨、コプラ、牛皮、サゴ等で輸入品は米穀、錫鑛、綿製品、各種食料品などである。

▽新嘉坡の建設者ラツフルス△

新嘉坡に上陸し歩を海岸通りに移し、コンノート殿下

の御成通に到れば、青々として大なる毛布を敷きつめたるかと疑はるる芝生の中に、一大銅像の立つを見出すであらう。是れ即ちラツフルスである。彼はフロツクコートで兩手を組み、年の頃五十格好の、婦人に似たる優しき面貌には、深き思ひに包まれつつ南方瓜哇の空を睨んでゐる。

新嘉坡にはラツフルス街、ラツフルス博物館、ラツフルスホテル、ラツフルス橋、ラツフルス燈臺、ラツフルス廣小路など到る處にラツフルスの名を冠したる記念物がある。ラツフルスの四十六年の短き生涯を考へ、その偉業に思ひ到ると人間の事業必しも、小ならざるを思はしめる。（略）

▽邦人發展の現況△

A、邦人の分布と職業　（一九二二調査）

マライ半島に在住する日本人は詳細に知る由もないが領事館の調査にては總數六千五百と稱す、實際はその五割に相當する者は正式に屆出でずに居るだらうと觀察される故實數は此倍と見て然る可きか。今左に在留者を大別し、表として掲ぐる勿論、正式調査を受けしものみ。

地名	男	女	總計
ンンガポール	一一七九六	一、〇六三	一二、八五九
ジョホール	七七八	三九八	一、一七六
マラッカ	四〇	六三	一〇三
ピナン	一〇四	九〇	一九四
ネグリスミアン州	二六〇	二九〇	五五〇
セランゴー州	二六五	五五〇	八一五
ペラ州	二〇〇	三〇〇	五〇〇
パハン洲	三〇	一五〇	一八〇
ケダ、ペルリス州	三〇	二五	五五
ケランタン州	不明		
トレンガス州	一五	一〇	二五

職業に依り細別すれば、所謂娘子軍の千五百名が、最多數の塲合であつたが、この外近來ゴム園の經營者が出來て來たので此の方面に從事する者が千五百名位はあるだらうし、飲食店、雜貨商、醫師、寫眞師等も可成りあつて皆相當にやつてゐる。（略）

各都市に就いて邦人を見ると

シンガポール――此處には邦人三千に達し、南洋各都市中最も多く、日本領事館あり、臺灣、正金等の銀行、三井三菱、鈴木友田等の會社、日本郵船、大阪商船の支店等

の大きなものを始め商店も多く、醫師は十數名も居る盛況である。邦字新聞は發刊され日本人會も組織され居り在留者の子弟教育の爲めに小學校を經營してゐる。郊外には邦人の墓地があつて、南洋の地に邦人海外發展の先驅となつた同胞約七百名玆に眠つてゐる。

ダムピン——には蔭山寫眞館石井旅舘等がある。

マラツカー——邦人百余名で主なものはフラワーホテル、筒井雜貨店、中村、鈴木を始め數名の醫師が居り、寫眞館藥店が數軒ある。

スレムバム—— 渡邊、八雲、小林等の旅館があり、醫師は十名近く寫眞屋其他商店がある。

コーラランポー 日本人會長佐竹逸藏氏(大藥房主)中村茂四郎氏の外(寫眞師)佐藤、末松、堀、小堀、神原(諸雜貨店)宇野、大河醫院、松田、岩田、大石、岡村坂ロ等(齒科醫師)其他旅館、理髮を經營するものが多い。例の妓樓は當市大通りに數十軒も軒を連ねてゐる。この外前記主要都市には大低日本人を見る。その職業は他と差異がない。

B、企 業

マライ半島に於ける邦人間の企業は大部分 護謨栽培である。この地に邦人でこの事業を創始したのは愛久澤氏である。同氏か明治卅九年にジョホール州のベンゲナンで三百エーカー植付の護謨園を二十萬圓にて買收した以後邦人のジョホール河を中心に、護謨園を開くものは約百名最近の租借地面積は十萬エーカー、植付面積は六萬エーカー、投資額は三千萬圓だと云ふ、年産額は一千萬斤以上、價格千五百萬圓以上に達する。大戰後の不況と土地拂下禁止令とは護謨事業も大打撃を蒙つたが世界の護謨需要は增す一方であるから將來益々增加の傾向ある事は喜ぶべき事だが。これを馬來半島の植付總面積九十萬エーカー、資本金八億乃至十億に比較すれば甚だ貧弱である。左に主なる護謨園所在地を示せば、

地方別	個數	拂下面積(エーカー)	植付面積(エーカー)
海峽植民地	四	一、四六〇	一、三二六
マライ保護領	四八	八〇、〇〇〇	五五、〇〇〇
マライ聯邦	四三	六、〇〇〇	四、二〇〇

その有名なる園名で、

ベンゲラン第一植林地　同第二植林地　サンテイ護謨園
バトパハ第一植林地　同第二植林地　ナムヘン護謨園
速水護謨園　三井護謨園　南洋護謨會社園

スンガイ、テイ、ラム護謨園　パナン護謨園　南亞ゴム公司園
日新ゴム園　吉井ゴム園　秋田ゴム園
ラヤンラヤンゴム園　マレイゴム公司　松田ゴム園

等で何れも千九百六年より十三年までに開墾され、三百エーカーより四千五千エーカー宛植付けてゐる。

ゴム栽培計算　ゴム栽培は植付けて數年後でなければ採集出來ないので、その間は資本は固定するから、その覺悟が肝要である。獨逸人エトルスン氏の實驗した一エーカーに對する計算書に依ると、(一盾は我八十錢位)

(一)伐木費	一二、盾	(二)第一燒拂費	六、盾
(三)第二燒拂費	三、盾	(四)第一掃除費	一二、
(五)第二掃除費	七、五	(六)第三掃除費	四、五
(七)排水滿開墾費	三、	(八)穴堀費	三、二
(九)苗樹植付費	三、三	(十)雜草拔費	二、五
合計	五七、盾		

此外地所貸下に關する經費、測量費、貸下料、税金、經營者使用人の給料が必要た。

この外錫企業をやつて居る者が十數名ある。六百エーカー位を租借して好成績を擧げてゐる。

倘椰子園を經營する者が二十五、總面積三千エーカー主なものは三井椰子園が二百エーカー、藤田組が五十エーカー、三五公司が三百廿エーカー、西村椰子園が一八〇〇エーカー等である。

C、我が國との貿易

歐州大戰開始後歐州よりの物資が激減したので、この地に限らず南洋貿易は日本の獨り舞臺で、南洋各地は日本品を以て滿たされ、其勢力が大に擴まつた。然るに大戰後『平和來』の聲の世界に響くと同時に、歐米各國は大戰に傾注したる全力を擧げて、海外各地の經濟戰に還り歐米の物資は非常なる勢で南洋にも侵入し來り、一時好況になつた日本品は忽ちに驅逐され、今や見る影もなき有樣で、好況時の漸く三分の一を保つて居る、これ戰後獨逸等の優秀品が世界に蔓延して來り、高價にして粗製亂造なる日本品はバツタリ需要がなくなつて仕舞つたのである。

D、邦人醜業婦

シンガポールに上陸したる者一度アレイ、ステレツに入れば一見して邦人娘子軍發展振りの猛烈さに驚くであらう。三層の妓樓は數十並び立ち、煌々として電燈輝くところに色彩りのメリンス服を着け、やつれし顏に南京

白粉を塗れる娼婦數百人が日本人、マレイ人、支那人を呼ぶ聲は騷がしく心ある者の顏を覆はしむものである。かゝる現象は獨りシンガポールのみでなく、前記主要都市には數の多少はあるが皆居住して居る、凡そ祖國の血を受けた者で常識ある人は一見して悲しまざるを得ない。唯に國恥であるのみならず、其他其人の爲めに、其の存在の可否は議論を俟たずして知り得る事であらう。近年有識者間に、この撲滅運動に志す者が出來た事は喜ぶべき事で、我等は一日も早くかゝる人々を正業に就かしめ堅實なる海外發展者たらしめる事を希望して止まない。

南洋に於ける日本人は、その先發隊が所謂島原、天草の娘子軍であつた事は人の熟知する所である。娘子軍の狀況は、優に一卷の書ともなるのであるが、彼等は故鄕を出でて北する者は、北清、滿州、西伯剌亞に出で、その南するものは、上海、香港を經て新嘉坡に至り、此處で身の振り方を定める。そして遙かに蘭領印度、濠州、印度、或は阿弗利加の果までも行くのである。古老に聞くに、シンガポールに足を印したる日本娘子軍の第一人はおヤスと云ふ美人であつた。彼は始めから醜業婦として渡航したのではなかつた。彼女が風濤万里を物ともせず、遙々見も知らぬ別天地に來た時には、未だ一人の日本男子も見えなかつたおヤスは即ち緑の黑髮を根元より切り落し、ボーイに變裝して、外人のホテルに住み込み、その愛嬌と忠勤とはいたく旅客や主人の愛する所となつた。その多少の貯へも出來て事情にも通ずるに至りし折二三の日本密航婦の來り例の醜業を營み、非常の成功を收むるを見、彼女も遂にその群に投じたと傳へられてゐる。

是等先驅者のシンガポールに渡來したのは、明治三四年頃の事であると云ふ。さうする中、十四五年頃には、五六十人の醜業婦を數ふるに至り、二十年頃には男女在留者百名以上に上つた。かく邦人の在留者稍々多數となるに至つたから政府で領事館を開いたのが明治二十二年であつた。

娘子軍の數は其後益々多く、その活動も愈々範圍を廣めた。そこでそれ等の中には、所謂成功者とも云ふ可きものも出來て來た、英領北ボルネオのサンダカンなる木下クニ女の如きもその一人である。彼女はシンガポールのおヤスと同じく、此の地の草分けで三十年前、英領北ボルネオ會社の創設當時、二十八歲の折に渡航し來り、五十六歲の今日まで、此のサンダカンに居住し數千百の有髯男子を助け、在留邦人にして此の老俠女の世話にならぬ者はない。

了は先年、此の老女に就いて、北ボルネオ三十年來の出來事を聞き、且つ彼女の一實業として、サンダカン背後の山上に設けたる日本人墓地を見舞つた。墓地には見苦しからぬ讀經所も設けてある。彼女は勿論、此地に骨を埋むるつもりで、その用意として、既に立派なる石碑を、遙々日本の內地より取り寄せて建てゝゐた。

ラブアンのおフナ女も、此の地方に在留すること二十年、最早五十餘の老婆であるが、土地第一の富豪たる支邦人の正妻として、矢張り、多數の日本人を世話して居る。其他一々擧げられぬけれども、是等娘子軍の成功者の中には、眞に小說以上の話題を有するものが少なくない。(南洋より)(續)

ありあんさ通信

輪湖俊午郎君よりの電報

十月二日、南米ありあんさ移住地理事輪湖俊午郎君よりの電報は左の通り

『トチダイカイケツ　カンシヤス　イサイテガミ』

アリアンサ移住地建設の最大難關は第二回乃ち大正十四年十月一日の土地代を拂込むことでありましたが梅谷總裁以下各當局の大努力と、關係各位の大なる御同情に依りて、兎に角拂込みを完うし、地權が完全に協會に讓渡されました。其結果輪湖理事から前記の電報が參つた次第です。

小川林君の通信(一)

同君は諏訪郡富士見村の出身で、アリアンサに約四十町歩の土地を買ひ、妻君を連れて渡航しました。

私共の乘つた船には、福岡縣の十一家族、鳥取縣の五家族、岡山縣の四家族其他の四家族と、自由移民、呼寄せの沖繩縣人若干と、アルヘンチン行き十

名と私共の一行が三等船客として乘りました。下級船員の中には品性の修養の出來て居ない者も見えましたが、船長と船醫とは人格者であり、海外發展についても私共と略同様の意見を持つて居て、優遇してくれたと云ふか―調法がつてくれました。私は船中で體操を引受けたし、篠原君は外國語の學科の世話したり、中田女史は日曜學校の生徒を見たり、讃美歌を教へたし、鈴木君は料理部を手傳うたりしました。

かくて横濱阜頭を出帆してから二ケ月と十四日目にブラジルの首府リオデジヤネイロ港につきました。リオ港の景色を讃美しつゝ十九日の正午ドラの音と共に船は錯をあげました。明朝は上陸するのだと云ふ悦びとそこに一種の恐怖を抱いて、一同は一夜を明しました。

廿日の朝は早起きをし盛裝していそ〳〵として居る、七時につくと云つたのに十一時頃サントス港に入りました緑の野の丘に連れる景色は、恰度西貢河を溯航する如くに、兩岸の景色は靜かなものである。沖繩縣人ならんか、沿岸の小さき家から故國から來た人と其の日章旗を仰いでよろこびなつかしんでハンカチーフを振つて我等を迎へて呉れる。先輩が奮闘せる様を入港第一に印象づけられます。彼等はこの港の漁業權を掌握して居るのです。サントス港には岸壁一杯船がついて居り、珈琲を積んで居りました。めきしこ丸が一時に出帆してその後へつくことになつて沖で待つて居りました。

檢疫もなんでもなく横附けになるとすぐ上陸するすることが出來ました。輪湖さんが心配して下さつて移民と一所に特別列車でサンパウロ市に向ひました。村上さんに鎌田君と物部さん（前航で行つた牧師）等が迎へに來て居て呉れて力強さを感じました。インクラインの登山列車にて海岸山脈を越したもう薄暮で霧がかかつて居たのでよい景色を眺めることは出來なかつた。

列車が移民收容所についたのは七時で、薄暗い大きは建物の中に久し振りにて動揺のない地盤を踏みしめて安心した。大きな豚肉の魂りと。フエジヨンと米の煮附けにパンを腹一杯與へられました。寢室は寢臺が二階になつて居り、女子や子供は夜中に轉び落ちて泣くやら騒ぐやら大變なさわぎて、仕舞ひには敷布團を板の間におろして休みました。こゝには毛布がなく藁布團があるのみであるから、毛布の一枚位は用意する様注意してやらねば風邪でも引く様なこともある。私共が移民と共に待遇を與へられたことは感謝である。或者は移民收容所に入らずにホテルにでも泊る様に心配して呉れる者もあつた。又薄暗い部屋におしこめられて悲觀したるものもあるが、我等には感謝であつた、幾百萬の移民が此の門をくぐつて内地に突進したのである、我等は同一のスタートに立つて居るのである。

廿一日。七時に珈琲とパン、十時にアルモツサ(朝食)。海興の赤穗さんと長谷川さんと政府の移民官とが來て、耕地への約束、(今度來た一行はソロカバナ線のバルボーザ耕地に一纏に行くことになつた）人耕してからの注意、旅劵の點檢等を濟して後、伊藤八十二さんが一同に對して主の道を平易に述べて下さつた、たゞの一言に依つてどれだけ心の刺激と緊張を得て奥地へ入り込むことが出來るであらう。主の道を述べる植民地の青年傳導師の働きを尊く思つた。ジヤンタール(夕食)を食つてから自働車で市内の見物に連れられて行く（婦人連は村上さんに迎へられて行を別にした）。輪湖さんが「このホテルで永田君が土地を買ふ約束や計畫をしたし、病氣で惱んで居たのに、もう今斯して皆さんを迎へるのは夢の樣だ」と云つて居た。瀬木商店にて開拓者青年の苦心談を承つて心强さを感じました、遠藤さんの所にも寄る、日本のどの店にもいゝ本のないことを淋しく思ふ、あるものは木村重成、猿飛佐助、宮本武藏、塚原卜傳類の長編講談本である。

廿二日。朝霧の未だ霽れざる屋外の煉瓦屏の側に停んで祈禱を忘れることは出來なかつた。ピリピ書の中から强い勵ましを得て本當によろこびであつた。我等が伯國に來たことが己れのみのことであり、古きを捨て新しきに附き得なかつたら何んの意味もなく只苦しみであらう。オ、我等はコスモポリタンだ。世界人だ、そこに我等にのみ得られる悦びと幸福がある、讃美歌を謡へば子供が集つて來る。船中にて親しくなつた皆んなとも別れねばならぬ。昨夜サントスから荷物が到着して居たので、八時頃税關吏が出張して荷の受取けを始めた。各々の蓋を開けて吏員の前につき出して調べて貰ふのであるが、嚴重ではなかつたが一々手を通して見ました。私のは荷が箱であり確固り荷造りしてあつたので開くのに大儀であつた。勝田さんから買つて戴いた藥も何んでもなく通過しましたがオキシフールオを一瓶とられました外に廊裏草履を珍らしがつて呉れと云つたのでやつたのみ一文の關税も取られず通過しました。上條さんは奥さんの三十圓もする襟卷をとられて後で十ミルやつて取り返へした、篠原君が石鹼

を二ケ、村上さんが菓子を入れる重ねバチを取られた位でした。インコメンダー(客車便小荷物)にて送るのと貨物にて送るのと二つに分けた。荷物便は收容所から無賃で送ることになつて居るし、インコメンダーは賃金を取られるのである、インコメンダーは一週間許りでつくが、荷物便は一ケ月余りもかかるそうです、私共は汽車賃も無賃であります、インコメンダーの賃錢は三百ミル許りとられました。

（續く）

篠原秋次君の通信

同君は北佐久郡協和村に生れ、上田中學を卒業し、アリアンサに五十町歩の土地を買ふて移住しました。

二十日午前十時サントス港に着きました。サントスも餘程河を上つた良港です。メキシコ丸が丁度午後一時過出帆しましたので其後の棧橋に着しました。種痘の檢疫は簡單にて古い跡がついて居ればオーライです。輪湖さんがお迎へに來て居て下さいまして、早速特別を持つて移民と共に其の移民收容所に着きました。汽車は無賃で特別列車なる爲め四時間以上かゝりました。（普通二時間半）

收容所の御飯は油煮の御飯に豚肉大切れタツプリと菜葉、それにパンです到底食ひ切れるものではありません、中には食へずに困つて居る人もありましたが、私達は舌鼓を打つて食べました。寢臺はあまり感心出來ません、盛んに落る、子供や老人や女は下にねなければ駄目です、低い方からでも子供が落ちて泣いて居るのは淡い悲劇ですサンパウロの町には自働車にて案内して頂きました。人口は六十萬位あり、年々發展は非常なものにて、近き將來はリオやブエノスを凌ぐだらうと云はれて居ります。(一時間に四戸宛增すと聞きました)

二十二日の朝漸く荷物が收容所内の驛に到着、早速税關、面倒なく通過、(但し石ケン二個とられた) 一日中荷物の整理に忙殺されました、荷物は移民收容所内の所定の所に置けば貨車で無料に送つて呉れます、(但一ケ月か二ケ月位遲る)、急ぐのは客車便で送ります二十一日には移民の行く先きを定めました。大低ソロバカナ線のバルボーザ耕地です。自費契約移民は耕地撰擇の自由を持ちます、結局非移民と變らぬものであります。移民收容所はきいたよりよい所でありました。

二十三日早朝プラス驛からパウリスタ線に乘つて行きました。移民收容所に居る者は無賃で輸送して呉れます。其の夜バウルの日本旅館に一泊致しました。次の朝は又早朝ノロエステ線に乘つて行きました。どの驛にもどの驛にも日本人が居り、又車内にも日本人の乘客が澤山居ります。閉口するのは埃の列車内に入ることです、身體中埃で眞白です。アラサツーバの輪湖さんの事務所で其の夜饗應に與りました。よき寢臺を與へられこゝろよくねむれました。皆悲しみの色を見せませんでした。ルツサンビラ驛には北原、守屋等の方々が貨物自働車にて迎えに來て下され、原始林の中を走つて北原さんの家について早速アルモツソの御馳走お皿の中には大根の大切れ、豚肉、野菜物など入れて御馳走になると本當に嬉しいのです。收容所はそこより一粁にて十間に五間位、今伊藤喜久二さんの家族が居るさうです、北山、北澤等の方々は立派な家を建てゝ移轉をして居ります。現在家族數は八家族、人口三十人以上です。山伐りと山の狀態を見ました、實に大自然は偉大ですね、此の山に來て非常な歡喜を覺えました今月中に山を燒きます。米一俵百ミル以上、豆一俵五十ミル位、森林伐採一アルケール六百ミル、物價の高價には驚く程です、

然し、こゝが墳墓地、どこ迄も頑張つて動きません。今の所は共同生活。換算率上り日本價拾圓ブラジル價三十ミル以下の狀態です。今は試練の時なれば暫し沈默してやります。

岩波菊治君よりの通信

懐しき故國の人達よ！　今地球の反對面ブラジルの一角より拙きペンを走らせて皆様に通信しやうと思ひます。信濃のふる里は野に山に秋の惠みは溢れてゐるでせうね――と言つてもこの便りが皆様の眼に觸れる頃は秋も終りか冬の始めと思ひます。

御承知の信濃海外協會に依つて計畫されたアリアンサ植民地へ自分達の理想の一端をば實現すべく人々の萬歲聲裡に横濱埠頭を解纜したのは夏も既に盛りに入らうとする七月廿日でした。北米に於て二十年の奮闘生活をした南佐久出身の瀬下氏一行も同船して自分達と同じくアリアンサへ入植しやうとします、船は大阪商船のマニラ丸（總噸數一万噸長サ七十五間速力十四哩）で、同室の人達には同じ力行會員が三名、植民學校出が三人です、殊に面白いのは飛彈の山中から北海道へ渡つて三十年、頗る裕福な生活の出來る樣になつたのに更に南米に新天地を求めに行く橋田と言ふお爺さんも居ります、今年六十才だと言ふのに頗る元氣で覗

察の結果が良ければ一家をまとめて大擧するのだ相です、早く老衰して隱居氣分になり元氣も何も消耗してしまふ樣な人達に、この人の爪の垢でも煎じて呑ませたい位です。

四日市では茶、陶器を積込み、神戸では海外興業會社のブラジル移民が六百名乘りました。ブラジル視察に兼てアリアンサの現況をば見に行く海外協會中央會の宮下琢磨氏もこゝで乘船しました長崎からはシンガポールのゴム園へ行く人達が七十名乘船すべてゞ八百名位の人達が生活するので隨分賑かになりました。こゝは日本の土の踏み收めと思ふので何だか寂しい樣な、併し亦前途の輝く光明を望めば餘り執着のおもひも無く、やがて母國の島かげも夕闇に沒し去りました。

山國に育つた自分達にとつては海は大きな驚異であり、よろこびです、水と空ばかりなる大海原に走るは只我船のみであり、朝には輝く朝日の光、夕べには映ゆる落日の色五彩にあやなす雲のさま、さては波の上を群れ飛ぶ飛魚や、悠々と汐噴く鯨や、群れなす海豚夜は檣頭を掠めて落ちんかと紛ふ星影亦、月の出づれば波はきらめき、夜光虫は波の上に螢を浮べた樣であり、それ夜の甲板を渡る涼風に到つては、盛夏を覺えず陸上生活者の到底夢にだに及ばぬ快さであります。

七月廿九日香港入港。こゝは英國の東亞に於ける根據地だけあつて仲々良い港です、併し城廓の樣な建物が島の中腹まで建てつゞけられ殊に樹木が無いので頗る殺風景です支那人の排英運動の餘波を受けて危險だと言ふので上陸も出來ず即日出帆しました、珍らしいのはサンパンやジャンクです、卅日には移民の人が女兒分娩、船長の命名にて万里子と呼び小豆飯を出してその幸を祝しました。

越えて八月二日には西貢入港、いはゆる南京米の集散地です、メコン河を四十哩も溯つた所の町です、右も左も椰子の林が限りもなくつゞき、その間を一万トンの巨船が悠々と上下する壯觀を思つて下さい、こゝまで來ると南國の氣分も味はへます。スコールは毎日やつて來るので內地で想像する程熱くもなく、芭蕉のかげに鳴く虫の聲や、椰子の葉末に輝く月影など捨て難き景趣です、今から三百年前には、この邊から南洋一帶にかけて邦人の發展は素晴しいものであり、今でもこゝから北方七十哩の所にはその墓もある相です德川氏の鎖國政策は返す〴〵も殘念で堪りません。

四日の晩は折からの月蝕で『その雄大さに接しました。かつて八ケ岳山中で

見たことがありますがあれ程の凄惨さはありませんが、面白いものでした。

次の日には既にシンガポール着、埠頭の草原でランニングや砲丸投などに興じ月明に乘じて海水浴もしました。こんなことでもしてゐると全く身は異境にある樣な氣もしません。

こゝも西貢も其他南洋一帶に於ける支那人の勢力は大したものです商業の實權など殆ど彼らの手に依つて握られてをります。營々として働く彼らを見ると、俺は日本人であるなどゝ餘り威張れたものでもあるまいと存じます、この町に三十年も齒科醫を開業して信用を博してゐる自分達の先輩の蔦田氏を郊外二哩のお宅を訪問しました。事務所は市內にありますが住宅は南洋的のサツパリした建て方で一町歩の土地の內には椰子林あり花畑ありテニスコートあり、一家三十人の大家族が皆眞面目なクリスチャンであつて樂しいホームを作つて居られます。我らはこゝで皆様の心からなる歡待に預り、船中の垢も一風呂浴びてすつかり落し、熟れたバナヽの味には頬も落ち相でした。浴後シャツ一枚となつて園內を逍遙すれば涼風徐ろに來り、十六夜の月は椰子の梢に輝き咲きさかるカンナの蔭に虫の聲はしきりにするのです。そゞろに信濃の秋を偲びました。アリアンサに於ける自分達の將來の生活も斯うした潤ひのあるものにしたいとつく〴〵思はせられました。

八日には雨に煙るシンガポールを拔錨マラツカ海峽を外れるとが名なベルガル灣です。こゝはどんな時でも荒れる相で十三日にコロンボへ入港する迄殆ど搖れつゞけました、併し、何分大きな船なので小間物屋を開業する人も僅かで濟みました。

コロンボは何等港灣の要素のない所へ築港したことゝて防波堤など仲々大したものです。打ち寄する印度洋の浪が碎けて、七彩の虹を現出する樣など壯觀なものです。こゝより北七十哩の所には釋尊の齒牙を埋めたキャンデーがあり、セイロン茶の產出もたくさんです。今度の航海ではこゝから南アフリカのダーバンまでが一番長い航路です單調な船中生活を賑かにすべくいろ〳〵な企てが出ました。各種の運動會演藝會など開かれ甲板には水泳場も出來ました。併し、それは二三日で涼しくなつたので忽ち撤去されました。

十六日午後一時四十分赤道通過、話ばかりは聞いてゐた赤道祭に始めて接しました。灼熱の太陽の下、怪しげの扮裝の行列六十餘名、船內を二巡亦三巡船長の前に敬意を表して散會、御馳走もあり、愈南半球に入りました。この

日の夕方には西の方に繪の様な珊瑚礁のつゞくのを望見することが出來ました。もう日毎に涼しくなる許りです。夜の甲板など重ね着をしなければなりません、既に故國を去つてより一ケ月も經ちました、陸で想像する程苦しいものでもありません。既に北極星は水平線下へ沒し、七夕の星も低くなりました。それにつれて、蝎星座は中天高くなり、南十字の星影も夜毎に望むことを得る樣になりました。

廿三日にはマダカスカルの險しき島影を右舷に望みました。この邊の海には鯨が大へん出沒します。數十頭の群が遊泳する樣は壯觀です廿六日南阿ダーバン着、シンガポール以來始めて陸を踏むので全く嬉しいものでした、こちらは今春の始めなので名も知らぬ草に混つてタンポヽが咲いてゐますし、海岸の小石一つ無い渚などは素的なものです、有名な大規模の海水浴場もあつて、春と言ふのに海は暖流が流れてゐるので海水浴が盛です、鳥の羽や牛の角などで頭を飾つたニグロ土人の車夫なども興深くあります、その晩は丁度舊暦の七月七日なので、船上に宮下氏主催で七夕祭を行ひました、芋の葉の露も、短冊も無いので、ノートを引きちぎつて歌など認め、夜おそくまで語らひつゝ故國を偲びました。

卅一日は天長節なので總員甲板へ出て船長の發聲にてはるかに聖上の萬歳を叫びました。例になく御馳走も出ました、かつて印度の航海者にとつて大きな喜びであつた喜望峯！　それは自分達にとつても同じ思ひがします。もうこれからは亦北西へ走ります。その喜望峯も夜のうちに廻つてしまひました

九月一日未明船が停つたので起きて見ると、もうケープターンです。甲板は凍り相な寒さです。オリオンやシリウスの巨星は東天に輝き前面にはテーブル山が夜目にもそれと判ります。下弦の月は將にテーブル山へ隱れんとし、山の裾をめぐつてケープターンの町の灯はつゞいてゐるのです、その壯觀な樣は貧弱な筆舌の到底よくする所でありません。この邊は海流の關係で魚族が非常に豐富なので糸を垂れると、一尺から三尺位の奴が面白い位にかゝります、バケツに一杯や二杯またゝく間に釣れます。

テーブル山は全く素的な山です、直立二千尺、頂上はテーブルの樣に平で、終日雲は去來し、ライオンヘツドと對してこの町を圍んでゐます。こゝは餘り大きな町でもありませんが東京などより數十倍の立派さで、南吋の統一を完成したセシルローズの偉業が偲ばれます、テーブル山の中腹には、彼の邸

宅と、裸馬にまたがつた裸体の彼の銅像が市中を見下してゐます。こゝも春の盛りで葵、つゝじ、藤など咲き盛り其他名も知らぬ花が一杯で殊に驚くのはシャボテンが二間にも伸びてまるで樹の樣な有樣です。

三日、出帆、今度こそ目ざすブラジルです、否應なしに……日毎に近づくばかりです、船は豫定の如く十三日夜、リオデジャネイに着、あゝ遂にあこがれのブラジルに着いたのです、流石にリオの港は世界三大美港の一と呼ばれた丈あつてその美しさ、殊に夜の美觀は素晴しいものです、點々と列る燈火は波に反映して空の星とその美を競ひ港口に直立するスリバチ山にはケーブルカーが設けられてあります。

一緒であつた宮下氏とも暫くのお別れをする、あらゆる形容詞を使つて巧みに話をつゞける氏の談話は始めればその盡くる所を知らず滔々とまくし立てるのです、全く愉快なものでしたので何だか別れるのも名殘惜しい樣な氣がしました。こゝで一寸上陸してまづ南米の地に第一歩を印しました。町も隨分美しいものです、かうして各地を巡つて見ると日本の美しさなども少々心細くなります、殊に都會に於て一層この感を深くします。

こゝでは思ひがけずアリアンサの事務をしてをられる輪湖俊午郎氏がはる〴〵お迎へに來てゐて下さつたので何より心強く思ひました。先に入植した人達の樣子も聞き、前の船で行つた小川篠原の諸君の話も聞いて安心しました。美しきリオの夜景を後に亦南へ向ふ。

十五日、雨を衝いてサントス入港、長い船の旅にもお別れする時が來たのです。

自由渡航者はこゝで勝手に下りることが出來ますが移民の人達はサンポーロの移民收容所まで參ります。大荷物は政府で送つて呉れますのでほんの手廻品だけ持つて上ればよいのです。所が思ひがけず檢疫が面倒で、上陸出來ず再檢査だとか何とか稱して仲々上陸出來ません。今日は十八日ですがまだ駄目です。こんな例は滅多に無い相でどうも排日の現れだらうと思はれます、まあ明日あたりは上陸出來るだらうと觀測します。

輪湖さんの話によればブラジルに於て日本人の入植する門戸をとざすのも遠い將來ではあるまいとのことです。それには種々の事情もありませうが、こゝに居る日本人も矢つ張り北米や布哇と同じく出稼根性が拔けないのだ相です。單に物質さへ得れば他人など如何でもよく、一年も早くもうけて歸國し

やうとする様な人達ばかりが多いのです。眞の植民者としてこの國に永住しやうと言ふ人は極めて僅かだ相です、これでは北米と同じく何所へ行つても歡迎されないのは無理も無いこと〻思はれます。

故國の人達よ！殊に若き人々よ！徒らに蝸牛角上の爭を止めてこの國へ來なさい、無限の土地は無限に人を要します、眞の植民者としての覺悟を持つて來るならばどこでも諸君の鐵腕を振ふのを待つてゐます。然り！時は今です、近い將來に於て必ずや門戸はとざされませう、その時如何に臍を嚙んでも及びません。

アリアンサに於ける有樣は亦、次の便りとします、では左樣なら、

九月十八日

母國時事

開墾地の補助 農林省は本年度より政府開墾事業の計畫を樹て其調査費として廿万圓の豫算を計上したが右に關連して開墾地移住奬勵金を政府直接奬勵金とし從來各府縣に交附したるものを直接移住者に交附する計畫を以て約五十万圓の豫算を計上して大藏省の審査を待つて居る而して右計畫は政府開墾事業に附隨して當然開墾移住者も政府が補助奬勵して移住せしむる必要があるので政府開墾事業の實施と同時に實施されるのであるが政府が現在交付しつ〻あるは府縣か一戸當り百圓を補助する時は農林省も百圓の同率となり移住者住宅建設費の約二割を補助して居る現狀であるが斯くては移住者の爲頗る補助少く且つ移住者の奬勵となり得ざる實狀にあるので政府が約二割の補助をなすと同時府縣も一割乃至二割の補助をなさしめて開墾地移住者を奬勵せんとして居るものである而して現在に於ても千戸以上の移住者あるにも關らず補助金を交附するものは六百戸前後に過ぎず補助金の不足を告げて居るので來年度よりは是非とも五十万圓程度に增額し內地開墾地移住を奬勵する方針である

議院上棟式 豫定の十一月三日より二週間早く上棟式を二十一日午前十時より擧行された何分一日も早く竣工を急ぐ事とて二千六百名の工事從事員はチョー〳〵と仕事をなし居る所に祭主官幣大社日枝神社々司以下祭官德

川上院、粕谷下院兩議長及び兩院副議長書記官谷屋營繕管理局長竹內大藏次官其他の關係官及淸水、大森、大倉、安藤、松村各請負業者代表者參列擧行せられ十一時五分棟木は各五區の屋根上に立てられ式を終つたが五彩の布を垂れ鏡を吊り錦の袋を結んで五本の棟木は折柄の陽光に晴々しく映した

酒 酒は百藥の長と云ふが之が爲の害毒亦恐ろしいものである政府の統計によると我國一年中に費す酒代は約六億圓と云ふが酒は酒ばかりで濟むものではない必ず之に伴ふ雜費がいるのである彼是合計すると酒及び雜費で約十五億圓と云ふ巨額なものになる。然らば一昨年の大震災の損害百億圓などは實に飲酒家が六七年禁酒すれば復舊は容易なのである。又第二國民を作るべき義務教育費として國庫支辨の一億七千万圓の如きは酒代の四ケ月分もあればとうの昔に解決し得たのである酒代の六億圓と云ふのも我國の人口を六千万人として其內飲酒家は壯年の男のみにて約四分の一卽ち七百五十万圓と見做し之れが一日二十錢宛飲むものとせば其金額は正に約五億五千万圓となるのである、

さて我國は債務國であり米國の如きは立派な債權國である然るに債權國は旣に禁酒を勵行して國民擧げて之れを實施しあるに我國は一も之れに觸ることなく僅かに未停年者に禁酒令を布かれたのみにては自家撞着の嫌ひがあるやうである

食糧問題の前途 我々日本人の食料品は農產物畜產物水產物山林物等であるが日本內地だけの生產では大なる不足を告ぐるを以て勢ひ外國より輸入を仰がねばならぬのである、今日外國に向つて日本が食料品の爲に支拂ふ金は實に二億三千万圓の多額に達してゐるのである其不足の重なる品目は米、牛肉、卵子等は多く外國より買入れてゐるのである。日本の生產物中不足するのは米、小麥、豆類等は大いに不足して一億八千六百万圓は以上の品物に費されてゐる米は三百万石不足し小麥は四百三十万石不足である主として農產物が足りないのである。日本の人口は一ケ年に七十万人から增加するが一人一石づ〻必要として七十万石から自然增加を見る譯で三十年後には三千五百万石需用增加すべき割合である。これを增加するには如何にすべきか第一に國內の生產增加を計る事である第二には外國よりの輸入を計る事第三には移住により人口を減ずる事であるが海外移住は一年に數万人に過ぎぬから一ケ年七十万人增加する日本人の割合に比しては小部分である外國から輸

入も我國の欲する通りに食物が得られぬのである故に內地の生產增加より途はないこれには第一農事の改良を施す事である第二耕地の改良である第三に開拓である開拓は我國として餘地がある各府縣で百二十四町步も開墾の餘地があるから之を開いて生產力の增加を計る事が必要である斯くするに非ざれば日本は食糧品缺乏の爲めに大困難に陷る可きである

農學博士 有働長夫談

旅券 海外旅券は從來比較的大型でポツケツト等に入れてゐるには誠に不便で在外者の等しく苦痛とする所であつたが大正十五年一月一日から發給する旅券型は体裁の良い便利なポツケツト型に變更される事になつた。

縣視學支滿鮮視察 文部省及外務省にては今回全國各府縣視學より二十名を選拔し文部省督學官葉山万次郎氏引率の下に本月下旬より約一ケ月にわたりて支、滿、鮮の教育を視察せしむるが本縣よりは臼田紀六氏が選拔された。

南米移民 外務省は明年度豫算に移民奬勵費四十六萬圓を計上したが此の中には是れまで三千人であつた南米移民を五千人に增加する費用もある。

臺灣產業金融 今回臺灣に於ける唯一の產業金融機關として臺灣拓殖株式會社を創設するの計劃を立て目下內閣拓殖局と協議中であるが之れに要する法規に臺灣總督府としては律令を以て臺灣拓殖株式會社令なるものを制定せんとする意向である同會社の組織內容は大体左の如きものである

一、同會社は大体東洋拓殖株式會社が朝鮮並に外國に於て拓殖及拓殖業を行ふ如く臺灣に於ける拓殖資金及拓殖事業の經營を爲すことを目的とすること

一、資本金總額は約二千万圓とし其の內金一千二百万圓は政府が官有地を出資し殘額金八百万圓は民間より株式を募集する事

一、會社の基礎を確實ならしむる爲め同會社の配當が年八朱に達せざる間は政府の出資に對しては無配當と爲すこと

一、同會社には總裁一名理事監事若干名を置き株主總會にて選擧したる後政府の認可を要すること

一、總裁は政府之れを命ずること

一、同社事業の目的を達する爲め臺灣拓殖債券の發行を認め拂込資本金の十倍迄之れが發行を許すこと

地球の何處ともお話が出來る

埼玉縣岩槻無線電信受信局は旣に大体の工事を終り明年四月の開局を待つてゐるが諸機械取付けに本局から出張した河原技師は取付作業のかたはら世界各國の送信局や受信局と送信受信を研究して來たそれによると先にロスアンゼルスに送信したのを手初めに順次に波長を縮小し米國各地に成功しその後短波長三十九米メートル送信機を製作し從來送信がむづかしいといはれてゐたロンドンの送信局ロクエルゼーと完全に受送信を行つた更に最近になつてチリーの送信局ジー、エッチ、ワン、イー、ジー及びアルゼンチンの無電實驗所ビーエー、ワンとの受信送信に成功し人々を驚かしたアルゼンチンは地球の半周の距離にあり五千里をへだて〻ゐるので同所との通信に成功したことは世界各地に完全に通信が出來ることを裏書されたもので日本に於ける通信界の新記錄を作つたものであるなほ同局では目下夜間がながく雷が少いので無線電信の好シーズンとして更に各地との通信をする意氣込んでゐる。

可憐な眞心 十八日神奈川縣鎌倉郡郡役所樓上で可憐なる少女二十四名を中心に町村長小學校長列席美しい紅白の絹二卷に對し淸祓式を行はれた內郡中和田、瀨谷、大正、中川、永野、本鄕、村岡の七ケ村小學女生徒四百廿五名が皇孫殿下御服の爲めにてよその子等は海に山にと驅け廻る暑中休暇中汗みどろとなつて働いたのが此の絹であつて郡內持田、宮崎兩製絲場で精製の上八王子久保田織物工場で謹製された六疋の內更に其の中から選んだのが以上の二卷で猶少女等が働いた實況を寫した寫眞帳を添へ十九日縣を經て遲くも二十一日には宮內省に獻納の運びとなると

信州記事

三市の人口膨脹率 縣下に於ける國勢調査は大體修了し縣には小縣、上伊、西筑摩、下水內の四郡が未報告で其他は報告濟みとなつたが今長野、松本、上田の縣下の三大都市の人口增加振は何人も興味をもつて注目の標的

となつてゐる今前回の大正九年第一回調査當時は松本市が第一位を占め、次に長野、上田と順序であつた其後上田市は城下村を長野市は吉田、三輪、古牧、芹田の一町三ケ村を松本市は松本村を何れも合併するのみでなく工業招致策にとあらゆる方面に專ら發展策の策動を試みた卽ち第一回調査人口に更に合併町村の國調の結果を合せた人口を見ると其數は

長野市	五七、一〇〇
松本市	五二、二〇〇
上田市	二九、七〇〇

で長野市が第一位を占めてゐるが五年後の本年十月一日現在の國勢調査の結果は詳細不明であるが大體

長野市	六六、一〇〇
松本市	六六、八〇〇
上田市	三二、五〇〇

と云ふ數字で一時一町三ケ村合併によつて第一位に上つた長野市は又復松本に蹴落された卽ち其の增加率を見ると長野市は一割五分七厘、上田市は二割七分九厘、上田市は九分四厘と云ふ狀態で松本市は工業に其他に進展は殊に目ざましいものがある

小川氏の胸像

諏訪の生んだ大政治家小川平吉氏の登閣を永久に記念するため諏訪の有志が吉田三郞氏に依賴して製作した小川平吉氏の胸像贈呈式は今十日上諏訪町都座に擧行するが胸像はさすが吉田氏の力作だけあつて小川氏を生々と表現している

小作人一戸の耕作地

本縣に於ける小作人員及小作人一戸の平均耕作地は是迄に調査したものが無かつたが、今度縣當局の調査したものを見ると小作人は三市十六郡で九万八百六十六人あり、其の耕作地は一戸平均二反五歩に過ぎず各郡市別は左の通りである。

郡市	小作人員（人）	一戸平均耕作地（反）
南佐	五二四〇	三、〇
北佐	一一五一〇	二、三
小縣	五三三一	二、二
諏訪	三二六四	二、三
上伊	九三三三	二、四
下伊	七八八一	二、七
西筑	九五六	三、二
東筑	一一六四八	二、三
南安	五八五八	三、三
北安	三七六〇	二、九
更級	五七四五	二、〇
埴科	二〇八〇	一、七
上高	四四一七	二、〇
下高	三六五六	二、一
上水	五四五一	二、九
下水	二〇一二	三、一
長野	五七二	二、九
松本	七一五	二、四
上田	四四七	二、二

穀物調製發動機

東筑摩那內で現在使用されてゐる穀物調製用の發動機は石油を原料とするもの小組合に於て二十四臺小組合以外の團體で四臺電力に依るもの產業組合に於て三臺、營業用に於て八十三臺計百〇四臺となり勞力節約の關係上年々增加の傾向にある

六百餘名の細民

十二日午後一時長野市方面委員會を開き細民基本調査カード作成に就いては租税二十錢以上五十錢迄九十七等以上百等迄で總人員六百有餘名を如何に救濟するかを講究した

廢娼の請願運動

廢娼問題の中心となつてゐる廓淸會の支部發會の式は來る二十二日長野市に於て行れるを此れが準備の爲ノルマン氏始め準備員四十名は準備に目下奔走中である十日現在の諸願出を松本支部に報告し松本支部では上田、長野、松本の各支部の分と併せて十三日頃縣知事に報告する筈であると調印者は七十人の多數を算し縣會議員では田中邦治氏他六名で長野市內でも松橋久左衛門氏も調印することになつてゐると同運動員は來る十六日開會の縣會に當日迄集めた諸願を取纒めて平野縣會議長宛に請願する事になつてゐると同會にては此處兩三年中に此の運動を實現せしむるべく根强く運動をしてゐる。

長商選手凱旋

明治神宮競技に選拔參加した長野商業野球部は優勝戰にこそ神港商業に名をなさしめたが三日午後二時二十五分長野着列車で凱旋した日の疲勞も見せず意氣揚々と母校に凱旋した

相變らず驛頭は市內のファンを以て埋められ應援團は又團旗を先頭にして出迎へ時ならぬ雜踏を呈した、何しろ優勝戰で神港商業に惜しくも破られたが甲子園全國大會で惜敗した大連商業と皮肉にも同じ第一日目に相ま見へ一蹴し去り二日目に於ては愛知の剛敵を殪して來た事とて………

其の意氣は頗る荒く。名實共に常勝軍の態度をもつて威風堂々數百の應援團に護られて母校に歸つた

伊那菊陳列

伊那町菊陳列會は三十一日より四日迄晝夜上伊那倉庫會社內に開催、出品百八十餘點に達し同町には空前の催しなれば入場者はなかなか多く三十一日の如きは休日のため千名以上であつた

菅平に雪白く

四日夜から五日朝に掛けて氣濕は俄に低下した爲七

信國境吾妻山から越後に聯る山脈一帶の山嶺には初雪が見舞ふて冬らしい情景をえがき出した、此初雪は平年に比すると十日遲く最も早い降雪の一昨年に較べると廿四日遲いが該降雪の影響は長野地方など五日當日の如き最高で五十四度五、最低三十六度九の冷氣で愈々信濃名物の炬燵に親しむの期も迫つて來た。

交通宣傳

來る二十日縣下一齊に行はれる日本縣自動車協會主催の交通宣傳に際し松本支協會では同日午前十時より本縣同協會より交附された大型ポスター支部協會にて印刷した小型ポスターに十數種を合せ約三萬枚を自動車六臺に分乘し市內及び本鄕村、芳川村等隣接町村に撒布する豫定であるが右ポスター中の一二を揭げると『氣取るハイカラ注意をされて赤い顔して行く左』『右じやあぶない守ない子供一人遊びは怪我のもと』等である

菜大根大當り

北佐久地方の菜大根は本年は近年になく珍しい豐作で目下收獲の最中であるがお百姓の方ではこんなに馬鹿安くては一そのこと肥料にした方が賣るよりは遙か得だとついこの間小諸町の靑物屋に賣りに來て菜一圓に十八貫と値段をつけられた某村の靑年は馬鹿々々しい運賃も手間賃にも何もありやしないとプンプンしながら家へ持ち歸つてしまつたので後で聽いて見ると桑畑へ運んで切り刻んで、うねの中へ肥料の代りに埋めて終つたとのことである大根も目下一本五百匁近い練馬宮重が百本一圓と云つた調子平素野菜の滅法高い小諸町などは本年は町民は大喜びである

天龍橋竣成

下伊那郡平岡村字鶯巢と神原村字福嶋間の天龍川はこれまで縣營の渡船で連絡してゐたが降雨增水の時は交通杜絶となるので架橋中のところ今月末に竣工する筈で橋名を『天龍橋』と名づけることになつた橋の長さは七十餘間巾七尺であると

飯鐵開通式

飯山鐵道大瀧森宮野原間の開通式は旣報の通り十九日午後零時半終點の驛構內で開會昨今に珍しい晴天であつたので鐵道省關係その他兩縣に跨がる沿道の各官衙長新聞記者有力者四百餘名出席高橋取締役の挨拶に對し長野運輸事務所長縣會議員郡長新聞記者その他の祝辭あり酒間を飯山宮野原大割野の紅裙數十名斜旋し種々の餘興もあり同地空前の賑ひであつたなほ沿道の開通各驛もそれぞれの祝

意を表したが何れも大した賑ひであつた

美事に結ぶ

下伊那郡平岡村は信州で一番暖かいところであるが同村農會では本年チャヨテ瓜を熱帶地から取寄せ試植したところ九月上旬開花しいま美事な瓜がなつてゐる成績良好で一本に百五六十個なると冬の食用に珍重される

除隊

松本步兵第五十聯隊では來る二十八日午前九時營庭に於て除隊式を行ひ三十日午前八時一齊に除隊する筈であるが本年度除隊兵は約八百名であると

協會便り

海外思想普及

信州人の海外發展について當協會は、常に思想普及と宣傳に努めてゐるが今回上田警察改築祝賀展覽會及び一市三郡（長野市、更級郡、埴科郡、上水內郡）の農村文化展覽會に海外各地の產物、寫眞及び海外渡航に關する參考書を陳列して一般縱覽者に益する所が多かつた。

入植者

最近本國より信濃村に入植せらる者及入植せる者は左記の通りである。

瀨戶喜代松氏。山口縣宇部市家族同伴神戶港出帆パナマ丸にて十一月十三日に渡伯す

佐藤鼎氏。千葉縣安房郡古尾村單獨渡伯橫濱出帆サントス丸十二月二十二日乘船の豫定

高木利治氏。鳥取縣氣高郡勝香村獨身渡船十二月二十二日出帆の豫定

佐藤淸治氏。秋田縣北秋田郡下小河仁村家族四人にて同じく十二月二十二日の出帆の豫定

移民獎勵補助

先きに內務省よりの一万圓補助は南米ブラジル信濃村入植者に對する渡航補助金であつた。今回更らに同省から移植民保護獎勵のため金千圓の交附に接した。

新會員

上高井郡川田村	坂口　宣右
南佐久郡畑八村	佐々木保作
上田市大字御所	松澤　竹治
上水內郡朝日村	西澤幸之助

購讀者

神奈川縣鶴見町　中澤　潤二
諏訪郡湖南村　井出治兵衞
樺太留多郡能登呂村　山崎　政治
秋田縣北秋田郡小河仁村　佐藤　清治
東京市外中野町　中村　五郎

金錢納入（前月十五日から今月十五日まで受領せる分）

一金四圓也大正十二、三年度會費　三　石　毅殿
一金四圓也　同上　三　石　實殿
一金九十錢也　三浦　政廣殿
一金壹圓也　白鳥　信彥殿
一金八圓也大正十一、二、三年度會費　藤井勝太郎殿
一金二圓也大正十四年度會費　柳本　榮奄殿
一金二圓也　同上　竹内　貞男殿
一金二圓也　同上　松井長三郎殿
一金二圓也　同上　横山重太郎殿
一金二圓也　同上　高橋　大吉殿
一金二圓參拾錢也　大正十四年度會費其の他　松澤　竹治殿
一金二圓也大正十四年度會費　西澤幸之助殿
一金二圓也大正十二年度會費　佐々木喜助殿
一金二圓也大正十三年度會費　水野　惣藏殿
一金二圓也　同上　傳田　源藏殿
一金二圓也　同上　清野　鐵藏殿
一金二圓也　同上　清野　助治殿
一金二圓也　同上　秋山儀十郎殿
一金二圓也　同上　佐藤　義雄殿
一金二圓也　同上　山口佐五七殿
一金拾圓也　同上　牧野　長藏殿
一金拾圓也大正十四年度會費　清水　謹治殿
一金拾圓也　同上　神田　秀齊殿
一金拾圓也　同上　小林茂一郎殿
一金拾圓也　同上　六川　己枝殿
一金二圓也　同上　柳　橋　透殿
一金二圓也　同上　宮下清三郎殿
一金二圓也　同上　小林　一夫殿
一金二圓也　同上　花岡　常助殿
一金二圓也　同上　花岡　寅八殿
一金二圓也　同上　北澤覩次郎殿
一金二圓也　同上　土屋　輪麗殿
一金二圓也　同上　細田貞次郎殿
一金二圓也　同上　大塚　米作殿
一金二圓也　同上　神田紋次郎殿
一金二圓也　同上　柳澤彥太郎殿
一金二圓也　同上　大久保政義殿
一金二圓也　同上　坂口權次郎殿
一金二圓也　同上　伊藤宗太郎殿
一金二圓也　同上　松尾　林吉殿
一金二圓也　同上　三井庄次郎殿
一金二圓也　同上　小林芳太郎殿
一金二圓也　同上　佐藤喜次郎殿
一金二圓也　同上　内海　定治殿
一金二圓也　同上　平田梅五郎殿
一金二圓也　同上　坂口七五三殿

＝募　集＝

○印度行青年　十七、八歲から三十歲迄の身体强健にして商業的方面に活躍し度い男子、旅費支給。渡航後は衣服、食料、宿等主人持ちで初給二十圓から三十圓まで、言語、風俗、習慣等會得後は百圓から百四、五十圓まで、三年に一回位歸朝靜養を許す。

○伯國行婦人　十七、八歲以上の身体强健、意志鞏固なる田舍の婦人、渡航費は先方にて負擔す。信濃村人植者で結婚式は内地で擧行。出發は明年一、二月頃。

○加奈太行婦人　先方は現在某新聞社に在勤、上田市出身にして卅二歲の紳士である。渡航後は邦人兒童の教育に當るため高等女學校以上卒業したる教育に經驗ある婦人。

右により志望者は詳細問合せ、履歴書戸籍謄本、寫眞を添へ申込まれたし。

信濃海外協會

新刊紹介

一、イスパノアメリカ（月刊雜誌）西班牙語獨習の唯一なる良書、一部十五錢一ケ年一八圓十錢（發行所東京府下中野町三三〇東京西班牙語學會）
一、和西會話辭典　定價三圓五十錢、西語研究者絕好の參考書（發行所同上）
一、黑流（長篇植民小說）佐藤吉郎著、定價二圓八十錢（發行所東京小石川區林町七〇日本力行會）
一、南米再巡　永田稠著、南米發展者の良書定價三圓（發行所同上）

海外發展問答

漠然たる質問は不可
本誌を繼續して讀む
一名六問以下の事
海外發展問答と朱すること

問　一家族（三人）にて渡伯せんには渡航費準備費（被服費、農具、日用品雜費）船中費上陸より信濃村までの費用等全部でどの位費用を要するや（土地代除く）以下南佐、臼銀生

答　大体は「南米ありあんさ移住地の建設」にありますから御覽下さい。尚海の外三十八號の海外通信には篠原秋次君の通信があります。實際は種々費用に多額を要する樣に考へられますが、極く質素の用意が肝心と思ひます。

問　種々都合上獨身にて渡伯せんには費用はどの位必要か

答　一概に書き立てられませんが、單に勞働者として行く場合と、信濃村等に入植する豫定で渡伯する場合について云へば、前者の時は全く、スーヲケースの二―三ヶと金若干を所持すれば事足れりであるが、後者の場合は直ちに自作農の地位にあるため、相當の家事必要品。日用品及び農具等を用意せねばならぬ。篠原秋次君の通信等は丁度彼一人で直ちに入植自作農になるのであるが記載してある位で十分であらう。

問　獨身にて渡伯せる者は最初如何なる勞働に從事すべきか

答　現在獨身の場合は多く呼び寄せで渡伯するからその場合は直ちに呼び寄せ者に參るのか最も安心で又確實であらう。一般の勞働者は珈琲園其の他從事するがすべて一人ぼつちで渡航する事は餘り良い方法でない。

> われ地に平和を投ぜんために來れりと思ふな、平和にあらず、反つて劍を投ぜんために來れり。
>
> イエス・キリスト

◎會員諸子へ

一、多年「海の外」を差し上げてゐますが、その「海の外」は每月御手許に届いてゐますか？

一、今回事務整理と、事業進捗のために會費納入をお願ひします。更らに後進者の道を開くために此の御奮發をお願します。

編輯雜記

△

此の册子「海の外」は何時も定期發行日より後れて會員諸子には誠に申し譯ありません。協會の諸事業の雜倒と整理に忙殺せられ、其の上手間のない忙しさと經費の乏いので、此の難局にあるのです。私設の公共團体には政府及び官廳邊りの十分なる援助のない限り、圓滿の發達は期し難いものです。又民間篤志の同情と會員各自の援助のない限り此等團体の發達は思ひもよらぬ事であります。幸に當協會は縣下多數の篤志家の理解と同情及び會員全部の力により既に三星霜此處に極度の發展の見せてゐるが縣下各地の會員及び在外諸子の會費未納に就て少からず支障を來たしてゐます。それが會員連絡の疏通を招き殊に在外者との連絡が斷たれたので、故國在外者家族にあつては非常に心配してゐます。此の際特に會員諸子の御奮發を促し度いのす。

△

信濃村入植者（六月二十日及び七月二十日に出帆せし諸子）の動靜がシンガポールで發信した後しばらく音信がなかつたので、少からず心配してゐましたが、此の程一行の「無事上陸」及「入植當時の感想及狀況」等の通信が連續的に着信するので、ホツト一息胸をなで下して喜びました。此の通信が最近の信濃村について最も權位のある信用のある確實なので原文のまゝを紹介する事にしました。

△

四十三號は「會員名簿號」と題して内外在住各會員の名簿を作る事にしました。

（宮本生）

海の外

定價	内地	外國
一部	廿錢	廿仙
半ヶ年	一圓十錢	一弗十仙
一ヶ年	二圓廿錢	二弗廿仙

海外郵税四錢

注意
▲御注文は凡て前金に申受く
▲廣告料は御照會次第詳細通知致します
▲御拂込は振替に依らるゝな最も便利とす

大正十四年十一月二十六日
編輯人　永田稠
發行兼印刷人　西澤太一郎
長野市南縣町
印刷所　信濃每日新聞社
長野市長野縣廳内
發行所　海の外社
振替口座長野二一四〇番　信濃海外協會

南米信濃村移住者募集

一、南米信濃村は一切の準備が出來ました。

二、二、三人の家族で二千圓あれば二十五町歩の地主となり四ケ年後には二万圓の資産を得爾後毎年三千圓の年収が得られます。

三、二、三人の家族で六百圓あれば二十五町歩のコーヒー請負耕作が出來、四ケ年後には約五千圓の蓄金をなすことが出來ます。

四、移住者には政府で渡航費一人分二百圓宛を補助してくれます。旅券は本會の證明があれば外務省から容易に下附されます。

五、詳細のことは「南米ありあんさ移住地の建設」と云ふ冊子にあります。此冊子は申込み次第無料で差上げます。

長野縣廳內

信濃海外協會

大正十四年十一月二十六日發行（毎月一回發行）

信濃海外協會

海の外社發行

第四十三號

目次

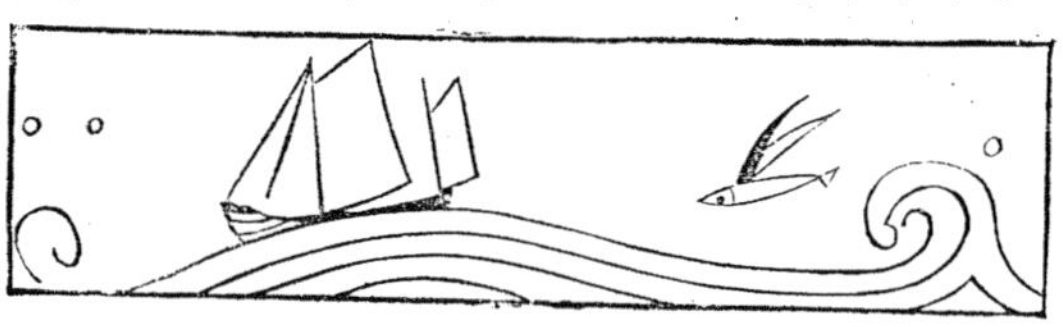

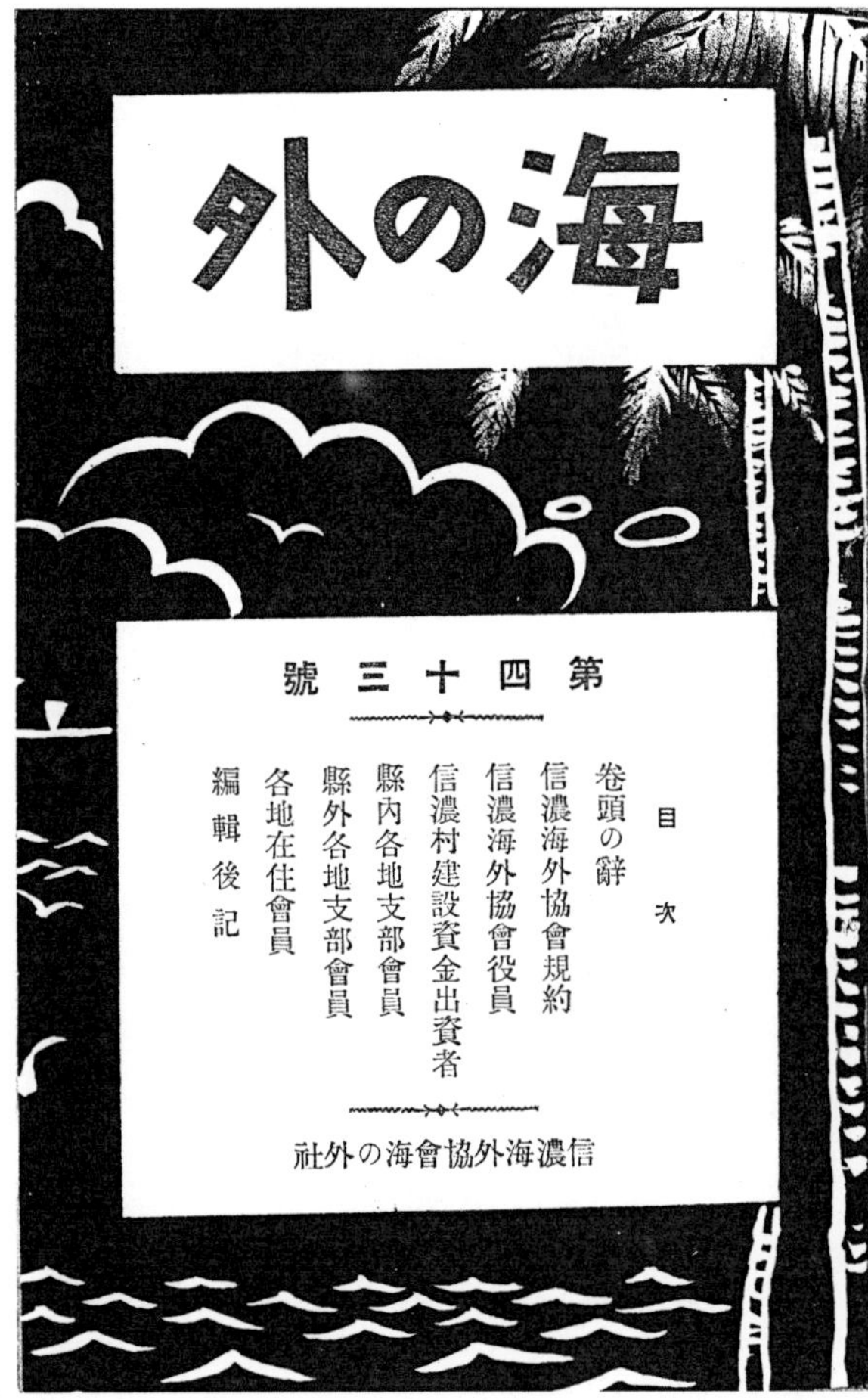

正誤表

頁	段	行數	誤	訂正文字
(目次)	二	九	支等・	支部
	四	九	下内	下水内(加)
		十四	ジストロ	レジストロ(加)
	一	十七	墨哥・西	墨西哥
	一	十八	伯剌爾・西	伯剌西爾
一	一	六	咲し・	咲く
四	上	七	竹上・	竹下
五	上	六	松次・郎	松太郎
六	上	十三	原・保・司	山城義成
七	上	五	意一・	憲一
七	上	十三	擄川・村	塩尻村
八	中	四	田中・村	田口村
八	上	三	森・	木次
九	上	十六	大・川	六川
九	上	二〇	萬・藏	万藏
九	中	十二	輪麗・	輪龗
九	下	十七	細田・	細谷
九	下	十七	義太・郎・	義虎
十	下	二五	山崎・	山岸
十	上	十二	文・夫	丈夫
十		十二	菊太郎・	榮太郎
十一	上	三	卓治・	卓治

頁	段	行數	誤	訂正文字
十一	上	九	綱・野	網野
十一	上	二一	未・太郎	米太郎
十一	下	十五		伊藤金太(加)
十一	下	十七	蜂・藏	峰藏
十一	下	二二	唐・漱	廣漱
十二	上	二一	北原	北原阿(加)
十三	上	一		千代村(加)
十三	上	六	平田	平田内(加)
十五	上	十二	梅・藏	栂藏
十五	下	十九	連・水	速水
十七	中	九	諏・諏・	諏訪
十七	下	十一	眞・一郎	直一郎
十七	下	十一	義次・	義治
十九	上	十六		山崎江壽(加)
十九	中	九	謙・田・常・治・	除く
十九	中	十八	澤・田	戸田
十九	中	二五	千代治・	千代佐
二〇	上	二三	友治・	友治
二〇	下	八	健二・	健三
二〇	下	二三	兵三・助	兵之助
二一	上	三	虎太・郎	虎次郎
二一	中	十二		謙田常治(加)

一

頁	段	行數	誤	訂正文字
二三	上	十九	雑司ノ谷・	雑司ケ谷
二三	上	十九	明・三郎	明三郎
二六	下	一	下・水	上水
二六	下	十七	Taekson	Tackson
二六	下	十九	Waih	Wash
二八	上	十九	熈・誠	熙誠
二九	上	四	Whitefiish	Whitefish
二九	下	三	Wa4h	Wash
二九	下	二五	Wasn	Wash
三一	上	二〇	Eord	ford
三一	下	十三	鳥・山	島山
三一	下	二〇	收・	牧
三二	上	六	390c	396
三二	上	十七	W.N.A.	u.S.A.
三二	上	二一	Fdrd	Ford
三二	下	五	ntackton	Stackton
三二	下	十一	Josc	Johse
三二	下	十三	Sth+	8th st,
三二	下	十八	蕭・	鼎
三二	下	二〇	Oal,	Cal,
三三	三	五	理楷・	理橋
三三	二	八	政治・	政信
三三	六	三	壽	壽三
三三	三	二〇	宮津・	宮澤
三三	六	十八	工・大原	大工原

頁	段	行數	誤	訂正文字
三四	三	六	伍一郎・	伍一
三五	上	三	藻・一	禛一
三五	上	十二	佳・雄	佐雄
三六	上	十一	高・之助	富之助
三六	下	四	兒・村・辰之助	兒玉辰之助
三七	上	六	考・四郎	孝四郎
三七	上	二〇	清・人	涓人
三七	上	二三	大・島	下島
三七	下	四	信重・	信衛
三七	下	五	清・平	浩平
三八	下	四	若・三郎	卷三郎
三九	下	七	夏・太郎	百太郎
三八	下	二一	源・藏	源儀
三九	上	九	情・春	清春
四〇	上	二〇	健一・	健
四六	上	二五	Cavao	davao
四七	上	一五	CO	c/o

二

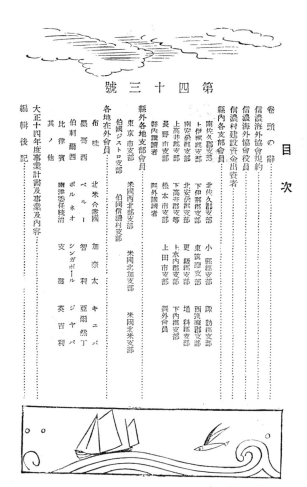

海の外

第四十三號

大正十四年
十二月號

海外協會誕生四星霜

天下國家を憂ふるの士。

亡び行く農村を慨くの士。

我が民族、永劫の隆昌發展を劃するの士。

宇宙、大自然と共にその發展と創造を共にするの士。

渾圓球上、世界人類の何人ともその道とその德とを同じうせんとする士。

東に西に北に南にシベリヤに！パンパスに果たラプラタに！四時花咲し南洋にその高き志と深き人類の愛情を育まんとするの士。

今や同志會員一千名。その熱と力に溢れて縣外同志三百名、六大洲に跨る勇士八百名三十有餘の支部榮へ其礎は鞏固なり。

常夏の南米ブラジル二万浬の彼方に創設せられし信濃村。廣茫六千町歩、戸數は增して二十余戸、人口まして六十余人、旭の旗のそれのごと、我が大稜威や御威德は輝き渡るアリアンサ。

來れ天下の憂國の士。英氣溢る男女の青年、つきせぬ心の開拓と、その運命の開拓と、大自然の開拓の、三大開拓に志すの士。

いざや來れ、我が會に。

いざや渡らん信濃村。

いざや進まんアリアンサ。

人生僅か五十年、あらゆる窮迫を突破して共に眞人生の意義に立たなん。


（一四、一二、二〇、西澤太一郎）

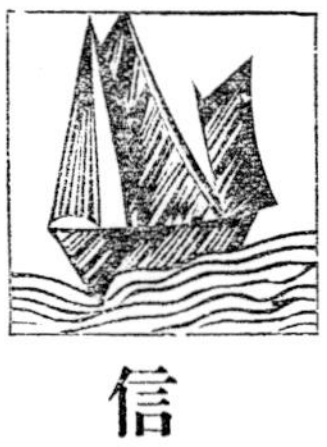

信濃海外協會規約

（大正十二年三月改正）

第一條　本會ハ信濃海外協會ト稱シ本部ヲ長野市ニ支部ヲ必要ニ應シ內外各地ニ置ク

第二條　本會ハ縣民ノ縣外發展ニ關スル諸般ノ事項ヲ調査研究シ其ノ發展ニ資スルヲ以テ目的トス

第三條　本會ハ前條ノ目的ヲ達スル爲メ必要ニ應シ左ノ事業ヲ行フ

一、縣民縣外發展ノ方法ニ關シ立案ヲナス事
二、發展地ニ就キ調査ヲナシ其ノ結果ヲ紹介スル事
三、在外縣民ト聯絡ヲ計リ指導後援ヲナス事
四、海外投資ノ研究ヲナシ之ヲ發表スル事
五、海外發展ニ必要ナル人材ヲ養成スル事
六、雜誌其ノ他ノ出版物ヲ利用シ若クハ自ラ發刊シ又隨時講演會ヲ開ク事
七、海外發展ニ關スル各種參考品及統計ヲ蒐集スル事
八、本會ト共通ノ目的ヲ有スル他ノ機關ト聯絡ヲナス事
九、前各項ノ目的ヲ遂行スル爲臨機本會ノ代表者調査委員等ヲ內外樞要ノ地ニ派出スル事
十、移住組合ノ經營
十一、其ノ他本會ノ目的ヲ達スルニ必要ト認ムル事項

第四條　本會ノ會員ハ名譽會員特別會員維持會員普通會員ノ四種トス

一、名譽會員ハ代議員會ノ決議ヲ經テ總裁之ヲ推薦ス
一、特別會員ハ一時金百圓以上ヲ醵出スルモノトス
一、維持會員ハ會費年額金十圓ヲ十ヶ年間醵出スルモノトス
一、普通會員ハ年額金二圓ヲ十ヶ年間又ハ一時金十六圓以上ヲ醵出スルモノトス

會費ヲ滿一ヶ年以上滯納スル者ハ會員ノ資格ヲ失フモノトス

第五條　本會ニ左ノ役員ヲ置ク

總裁　一名　　副總裁　二名
相談役　若干名　　會計監督　一名
代議員　若干名　　幹事　若干名
囑託　若干名

第六條　本會ニ顧問若干名ヲ置ク顧問ハ總裁之ヲ推薦ス

第七條　役員ヲ定ムル手續左ノ如シ

一、總裁副總裁ハ代議員會ニ於テ推薦シ代議員ハ各支部ヨリ三名宛ヲ選出シ相談役會計監督ハ總裁之ヲ推薦シ幹事及囑託ハ總裁之ヲ指名囑託ス

第八條　役員ノ任務ハ左ノ如シ

一、役員ノ任期ハ二ケ年トス但再選スル事ヲ得
一、總裁ハ會務ヲ總理シ相談役會及代議員會ノ議長タリ
一、副總裁ハ總裁ヲ補佐シ總裁事故アル時之ヲ代理ス
一、相談役ハ重要ナル會務ニ就キ總裁ノ諮問ニ應ス
一、代議員會ニ於テハ豫算ノ議決決算ノ認定其ノ他重要ナル事項ヲ議決ス
一、幹事及囑託ハ會務ヲ處理ス

第九條　本會ノ會合ハ左ノ如シ

一、總會ハ毎年一回之ヲ開ク
一、相談役會ハ隨時之ヲ開ク
一、代議員會ハ毎年一回之ヲ招集ス但シ必要ノ場合ニハ臨時招集スルコトアルヘシ

第十條　本規約ハ總裁ノ發議又ハ代議員十名以上ノ發議ニヨリ代議員會ニ附シ出席會員三分ノ二以上ノ賛成ヲ得ルニアラザレバ改正スルコトヲ得ス

第十一條　本會ノ經費ハ會員ノ醵金寄附金及ヒ雜收入ヲ以テ充當スルモノトス

第十二條　支部規約ハ各支部ニ於テ適當ニ定ムルモノトス

附　則

本規約ハ大正十二年度ヨリ之ヲ施行ス

信濃海外協會役員

總裁	梅谷光貞
副總裁	佐藤寅太郎
同	笠原忠造
顧問	小川平吉
同	今井五介
相談役	牛島省三
同	竹上豊次
同	片倉兼太郎
同	越壽三郎
同	小里頼永
同	福澤泰江
同	小林暢
同	山本慎平
同	鳥羽久吾
同	工藤善助
同	萬富次郎
同	高田茂
幹事	石口亀一
同	宮下琢磨
同	永田稠
同	西澤太一郎
同(信濃村)	輪湖俊午郎
會計監督	原田増次郎
囑託	畔上日義
同	白石喜太郎
同	清水義直
同	宮本乙巳

海外協會支部長

南佐久郡	但丸留藏
北佐久郡	市川多萬吉
小縣郡	阿蘇温藏
諏訪郡	石原快三
上伊那郡	杉原定壽
下伊那郡	臼田松次郎
西筑摩郡	羽生秀三郎
東筑摩郡	高野忠衛
南安曇郡	長山謙吾
北安曇郡	牛山喜一
更級郡	小林一重
埴科郡	長坂治助
上高井郡	志賀市藏
下高井郡	中山德十
上水内郡	田口泰藏
下水内郡	竹中三吉
長野市	丸山辨三郎
松本市	小里頼永
上田市	勝俣英吉郎
東京市(理事長)	加藤正治
レジストロ	小松撤一郎
アリアンサ	輪湖俊午郎
米國西北部(總務委員)	
北米ロスアンゼルス	藤本安三郎
米國北加(理事)	

海外協會各支部幹事

南佐久	宮田撤一
北佐久	市川多牧 外二名
小縣	池田徳重 外二名
諏訪	本壇茂次 外二名
上伊那	池田一二 外二名
下高井	小池鐵次郎
西筑摩	田口伊勢太 外一名
東筑摩	飯嶋長藏 外一名
南安曇	原貞治郎 外一名
北安曇	寺嶋弘
更級	西澤善十郎 外二名
埴科	野中貞三郎
上高井	原保司 外一名
下高井	小林俊次郎
上水内	加藤傳治
下水内	釜田孝一
長野市	大久保幸次郎
松本市	
上田市	
東京市	宮下琢磨 外一名
米國西米北部	
米國ロスアンゼルス	澁谷豐
米國北加	臼井省三 外二名
レジストロ	
アソアンサ	

信濃村移住地建設資金出資者

郡村名	口數	氏名
南佐久郡穂積村	三	黒澤利重
北佐久郡小諸町	一	小山清右衛門
北佐久郡小諸町	一	大塚宗次
北佐久郡小諸町	一	柳澤憙一
北佐久郡小諸町	一	小山邦太郎
北佐久郡中佐都村	半口	萩原丈次
小郡丸子町	一	工藤善助
小縣郡殿城村	一	金子行德
小縣郡塩尻村	一	中嶋吉左衛門
小縣郡浦里村	一	大井弘
小縣郡塩川村	一	堀内庄作
小縣郡塩川村	一	沓掛正一・佐藤善右エ門
小縣郡滋野村	一	小林克巳
小縣郡滋野村	一	丸山高
小縣郡縣村	一	大塚自治夫
小縣郡和村	一	兒玉衛一
小縣郡和田村	一	羽田貞義
小縣郡豊里村	半口	細田和七郎
小縣郡塩川村	半口	松山原造
小縣郡長久保新町	半口	竹内忠雄
諏訪郡川岸村	五〇	片倉兼太郎
諏訪郡平野村	八	小口村吉
諏訪郡平野村	五	小口善重
諏訪郡平野村	一	尾澤福太郎
諏訪郡玉川村	一	丸茂文六
諏訪郡平野村	一	林七六
諏訪郡上諏訪町	一	宮坂作衛
上伊那郡伊那富村	三	武井覺太郎
上伊那郡飯島村	一	山田織太郎・林讓・高坂松藏
西筑摩郡福島町	一	小野秀一
西筑摩郡王瀧村	一	瀧龜松
西筑摩郡中山村	二	小岩井宗作
東筑摩郡錦部村	一	小澤和一郎
東筑摩郡芳川村	一	中村畯作
東筑摩郡塩尻村	一	川上源一
東筑摩郡新村	一	上條信
東筑摩郡山形村	一	永田兵太郎
東筑摩郡中川手村	一	倉科多策
東筑摩郡朝日村	一	清澤嘉右衛門
南安曇郡高家村	半口	飯田廖司
南安曇郡南穂高村	半口	轟侑
南安曇郡明盛村		小松修
同 豊科町	半口	丸山高次郎
同 烏川村		佐々木重雄
南安曇郡穂高村	一	望月國俊
南安曇郡梓村	一	榑沼泰男
北安曇郡大町	一	福島幸重
更級郡共和村	一	寺澤穂二郎
更級郡栄村	一	柳澤德治
更級郡篠ノ井町	一	山岸市治郎
更級郡篠ノ井町	一	宮崎萬平
更級郡篠ノ井町	一	宮崎運平
更級郡稲荷山町	一	小出五十二
埴科郡坂城町	一	佐々木伊佐三
上高井郡須坂町	三	越壽三郎
上高井郡小布施村	一	市村連
上高井郡井上村	一	坂本重雄
上高井郡須坂町	一	上原吉之助
上高井郡須坂町	一	原嘉道
上高井郡須坂町	一	田尻新治
下高井郡科野村	一	湯本宣成
下高井郡往郷村	一	宮崎信安
下高井郡平穏村	一	佐澤喜惣治
上水内郡中郷村	一	山本直義
下水内郡柳原村	一	丸山森三郎・丸山常吉
長野市吉田町	一	横田九一郎

△南佐久郡支部會員

特　大澤村
北相木村
森作重郎
畑八村
靑沼村

木内定一
井出正雄
菊池千勝
佐々木保作
山口条之助
三石武雄
三石賢太郎

三石毅
三石圓治
三石忠亮
田中村
岩田濱重
竹内貞男
佐々木泉

三石實
三石伴治
大塚直作
高橋嘉作
佐々木重一

松井長三郎
横山重太郎
切原村
櫻井村
岸野村

柳本榮庵
新海武一郎
臼田銀治
岩下幸平

△北佐久郡支部會員

特　小諸町
維　西長倉村
布施村

大塚宗次
依田定三
山崎虎次郎

川邊村
平根村

小林孝
土屋清作
關口仁助

協和村

渡邊彌助

△小縣郡支部會員

特　丸子町
特

下村龜三郎
小林清之助

特　塩川村
維　丸子町

堀内庄作
齋藤繁之助

維
同

小井土周造
工藤善助

維
同
同
同
同
同
同
同　滋野村
同　和村
同　禰津村
同
同　殿城村
同　依田村
同
同　傍陽村
同　神科村
同　長瀬村
同　塩川村
同
同　室賀村
長久保新町
竹内忠雄
小池審平
大澤八太郎
長窪古町
井出伊兵衛

倉島柳太郎
土屋光治
瀧澤寛
倉島瀧之助
工藤三八郎
清水忠作
下村萬助
丸山高
兒玉爲次郎
小林義敏
高橋常
金子行德
瀧澤守一
田村耕造
武捨啓治
大川己枝
池内直次
田中市治
堀内萬藏
土屋岩太郎
竹内忠康
小嶋忠吉
清水作平

笹澤豐
滋野村
若林藤太
唐澤平八
縣村
小林太藏
藤田善太郎
禰津村
柳橋透
小林一夫
花岡寅八
土屋輪麗
和村
關學
田中實
竹内敏
神川村
長谷川榮三郎
豐里村
大塚米作
神田紋次郎
殿城村
北澤茂一郎
金子吉太郎
金子安太郎
本原村

瀧野恒一
有賀嘉雄
鷹野悅之助
矢嶋荒次郎
宮下清三郎
花岡常助
北澤靱次郎
土屋丑太郎
大塚猛三
深井永吉
深井功
山崎百太郎
細田貞次郎
金子萬壽
柴崎新一

丸山保夫
清水良平
長村
柳澤彦太郎
坂口權太郎
松尾林吉
傍陽村
三井庄次郎
佐藤喜治郎
坂口七五三作
牧内進一郎
半田梅五郎
神科村
井出常次郎
中曾根忠左衛門
山崎幹雄
細田喜太郎
塚原秀一
久保田正邦
塩尻村
井出武喜
小林繁太郎
中島忠次
長瀬村
丸山芳郎
山崎政吉

丸山操
神林政芳
大久保政義
伊藤宗太郎
小林芳太郎
内海定治
坂口兼作
寺澤智義
池田庄平
竹内宣守
山崎義人
竹内銀藏
伊藤義太郎
成澤佐傳治
清水茂十郎
沓掛喜
清水喜左衛門
山崎半三郎
白井安次郎

塩川村
瀧澤寛治
横山政太郎
瀧澤市郎
寺西文三
依田村
吉池幹
小山伊勢吉
金井今朝吉
大門村
小林元一郎
清水安治
武井辨之助
西内村
瀧澤浩
永井繁太郎
池内淺一郎
今井三郎
東内村

遠山遠吉
松山原造
關弘矣
吉池常之助
西村清吉
上野清吾
小林雅雄
山村文夫
清水恒一
齋藤寛吾
今井壽左衛門
齋藤益吉
澤山吉次郎

武石村
柳澤賢次郎
竹内萬之助
和田村
瀧野藤平
川邊村
倉升升彌
櫻井孫次郎
泉田村
宮島騂
增田宗一郎
小林菊太郎
室賀村
赤羽春雄
白鳥修一
古平佐兵衛
浦里村
宮下周
中村忠治

小宮山猶助
瀧澤芳邦
羽田三郎
山浦善右衛門
黒坂慶一郎
小山菊太郎
上原直一郎
清水了
清水恒吉
山下喜平治

西塩田村
竹下繁松
六川靜治
別所村
櫻井仁太郎
倉澤運平
中塩田村
甲田英勝
遠藤用治郎
手塚雄
宮澤彝憲
矢幡利一
和田米吉
東鹽田村
坂田六平
瀧澤精良
横關延靖
富士山村
長澤牧右衛門

齋藤重太郎
庄村時治郎
山極孝平
若林萬兵衛
小泉亮三
前嶋定義
水野袈裟治
高野安
柳澤藤一郎
有賀信成
宮原泰治

△諏訪郡支部會員

特　川岸村
同　平野村
同

片倉兼太郎
小口勝太郎
小口金吾

特
同
同

小口善重
小口村吉
小口今朝吉

特　玉川村
同　上諏訪町

矢島廣之助
丸茂文六
小松直治

四賀村
永明村
堀卓治
矢崎鶴五郎

宮部里治
伊藤晋作

玉川村
泉野村
落合村
宮川村

原田佳作
小林國一
兩角崎彌

矢崎福美
小池安
豐田村
平野村

小海嘉一
笠原義忠
羽場金重郎

△上伊那郡支部會員

特　伊那富村
維　小野村
同
伊那町
維　金井清志
原才三郎
橋爪秀雄
城倉角雄
高遠町
野口傳兵衛
羽場三男
小野村
矢島英雄
川嶋村
前澤倭文雄
伊那富村
嵯峨座末次郎
長田晋一郎

武井覺太郎
宇治光治
小野三雄
綱野泰藏
原徹志
清水瀧次郎
藤澤正三郎
小野錄
足助八郎
矢島久治郎

中箕輪村
南箕輪村
西箕輪村
小池泰司
西春近村
佐々木盛雄
唐木悅藏
宮田村
代田與八郎
赤穗村
大森祥太郎
飯山村
有賀榮一
七久保村
前澤貞次
上片桐村
岡本喜代太郎
片桐村
福澤龜一

小原傺十郎
倉田正
小坂梅吉
西村爲衛
松澤平一
福澤泰江
林讓
高坂宗司
宮澤謙造
大塲茂雄

南向村
中澤村
林朝治
坂井近夫
菅沼直衛
伊那村
福澤貞七郎
澁谷慶太郎
東春近村
酒井秀治郎
富縣村
河南村
矢野蜂城
尾坂保則
美和村
池上菊彌
伊那里村
伊東右衛門

塩澤貞雄
宮脇喜久十
竹村善次郎
遠藤豐
内藤金彌
竹内寛一
塩原藤三郎
宮下留七
唐瀬權太郎

三義村 長藤村 小林善一 守屋佐次郎 美篶村 飯田町 維 鳥羽耕治 吉川宗一 北原順一 田口順一郎 大島村 新井助一 吉田一郎 山吹村 黒須諭 市田村 後澤幸五郎 福島文之助 上郷村 松澤稲雄 北原智之助 上飯田村

佐々木乙松 林義司

△下伊那郡支部會員

春日賢一 横前鍜太郎 渡邊衞 矢澤泰助 松尾初太郎 平澤和三郎 吉森才宏 井坪忠治 高田茂

森源三 橋爪勇男 手良村 箕輪村 北原善造 鼎村 松尾村 龍丘村 下平芳太郎 代田市郎 下川路村 今村正治 泉好一 伊賀良村 山本村 矢澤光雄 清内路村 會地村 新井彦治郎 伍和村 千葉恭太郎 平野桑四郎

伊藤熊男 竹中八十次郎 島山喜太郎 濱島彦十 森本勝太郎 中田幸 伊藤治郎 鈴木誠治 久保田重太郎 櫻井房吉 黒柳仙彌 原良雄 林稲一

東箕輪村 高木八十八 朝日村 桑澤藷 郡役所内 智里村 熊谷實太郎 波合村 根羽村 下條村 大下條村 金田理玖 豐村 佐々木傳藏 旦開村 平田藤太郎 神原村 平岡村 秦宇平治 金田正長 泰阜村 中嶋利一

清水常重 三澤龜太郎 安達久作 金田春太郎 中島與三郎 北原良之助 小林宣 藤本善二郎 小林幹藏 前田廣太郎 林重太郎 花田清 松下才治郎

栖榮一 中田鐘一 龍江村 松島奥太郎 上久堅村 喬木村 福嶋町 伊藤淳 飯森豊太郎 中澤茂十郎 中村豊八郎 小桂豊喜 兒野文助 細澤藤一 山下岩右衛門 平田源太郎 上松町 野中儀正 維 芳川村

藤本蕃 關川保二 小池清彦

△西筑摩郡支部會員

小野秀一 田沼佐太郎 海老澤又兵衛 平田藏太郎 安井新七 蜂谷義一 杉本敏雄 中澤榮作 蜂谷朝吉

△東筑摩郡支部會員

中村畯作

村澤寛一 神稲村 河野村 芦部三重 久保田鑛三郎 大鹿村 武井平造 木祖村 黒木平藏 奈川村 齋藤縫喜 楢川村 開田村 藤村貞一 堅谷常太 下嶋松壽 王瀧村 三岳村 同 中山村

吉川圓治 原英 芦部丑太郎 澤木鎌造 山田勇雄 古幡文左 市川杉藏 田澤秋藏 千村萬三 蜂谷千晴 田中新兵衛 水城仟次

井上正 竹上初助 上村 木澤村 讀書村 松瀬茂里 市川圓次郎 吾妻村 蘭青年會 北原岩吉 山口村 淺倉又十 坂巻保太郎 古井乙三郎 同 中川手村

田中惠吉 前島隆俊 宮内直一 田澤梅吉 山内元次郎 志水清兵衛 尾崎逢太郎 市脇清一 牧野又作 倉料多策

維 入山邊村 本郷村 錦部村 曾根原豊 中川村 下里伊三茂 金子伊造 五常村 山田岩政 本城村 洞源四郎 中村初太郎 井口喜七郎 藤井謙吾 坂北村 小野傳彌 倉下清治 青柳八郎 麻績村 坂井村 特 豊科町

丸山雄一 吉田榮 鈴木豊藏 望月義十郎 中村卷治 丸山忠九郎 川上泰長 關川與一郎 花岡關十 栗田與 倉下倍平 吉野章治 玉井右一

△南安曇郡支部會員

熊井勝司

日向村 塚原唯五郎 生坂村 村上義彰 宮川良治 東川手村 中川手村 小口伊織 淺見千代三郎 上川手村 嶋立村 小岩井八太郎 小原福治 塩原幸吉 百瀬利藤治 北野秀之助 和田村 島内村 神林村 藤牧熊人 維

青木清 丸山龍治 宮川胤男 小山五郎作 望月平一 望月傳市 龜井旭彦 村山周市 塩原數馬 吉江藤九郎 中野茂三郎 高山金太郎 野口禎一郎 藤森馨

山形村 永田八郎 波多村 今井村 笹賀村 洗馬村 高木源吾 下平壯聯社 小倉部青年會 宗賀村 廣丘村 平出省三 芳川村 田中増七 古畑義雄 中山村 百瀬榮吉 降幡耕一 壽村 片丘村 塩尻村 維

村瀬茂三郎 大月熊三郎 大野田善喜代 長瀬美代次郎 大田壯聯社 下町青年會 荻上仁哉 永原龜代 永田勇 百瀬瀧 上條金兵衛 百瀬四方市 長澤晃策 横山市十 小松勇右衛門 細田次郎

維 維 維 維 維 維 維
穗高町 烏川村 豐科町 後浮友一郎 丸山光司 笠原政一 熊井梅藏 丸山珉竝 特 大町 同 常盤村 同 神城村 同 中土村 維 大町 同 常盤村 同 七貴村 同 平村 同

岡村政雄 山田與惠 藤森俊一郎 小松奥野 山田茂治 山田靖雄 黒岩重義 丸山義一 笠原好一 山田瀧藏 丸山山司 西澤兼太郎

△北安曇郡支部會員

福島幸重 清水鎭雄 下川長十 鷲澤健三郎 平林秀吉 五十川眞人 諸地喜市 西澤丈太郎 工藤頼房

小林政太郎 關守男 丸山元三郎 清水春重 穗高町 小平留雄 山田甲子次郎 安曇村 輪湖卓三 梓村 務臺彦一 伴政喜 倭村 同 神城村 同 南小谷村 大町 堀内光治 百瀬金吾 平林伍鹿 社村 常盤村 清水滋男

小林和嘉一 中澤茂富 山本新平 伊藤榮雄 竹山洋二 薄井壯介 清水一郎 松岡弘 下川博也 相澤佐太郎 福嶋元治 荒井聯一 築井玉三郎 一志自治郎 西澤登

明盛村 赤羽讓平治 溫村 小倉村 三田村 烏川村 西穗高村 有明村 北穗高村 南穗高村 青木賢治 淺川武男 高家村 清水眞虎 川上喜彌衞 荒井島吉 會染村 薄井爲次 丸山清 高山健次 高山常次 太田實

大山喜九定 二木卯太郎 布山繁樹 槇山林十 三澤英一 鍵田喜作 宮坂亮 丸山新一 飯沼若太郎 武野光江 菅澤茂一 栗林市衞 荒井千太郎 宮澤金作 相澤連水 和澤梅次郎 高山義雄

七貫村 瀧澤貞市 矢花百合吉 瀧澤常一 陸鄉村 荻久保馬太郎 廣津村 山口橘司 井口柳平 井口新 小山千秋 丸山庄三郎 北條精一郎 遠藤龜盛 松嶋綱男 曾根原秀吉 八坂村 麻田彦衞
田中辨一 高田甚一 牛澤忠雄 山崎茂盛 牛越彌滿太郎 小山清治 宮島幸雄 宮田今朝治 中澤安雄 山崎梅次郎 小林今朝信 矢口金一 坂井義雄

中村源太郎 丸山平吉 內山福司 平林喜美司 高島正則 丸山惣吉 美麻村 伊藤誠一 平村 工藤房太郎 岡澤馬吉 傘木市太郎 傘木七五三吉 平林藤一郎 平林丑松 高橋進 神城村 茨木積二
宮下隆穩 下川鑛夫 麻田康雄 丸山朝十 丸山平市郎 西澤厚隆 西澤常維 平林賢重 西澤才吉 西澤榮一 岡澤七藏 遠藤彌八 深尾淳

田中市太郎 倉科義智 白澤秀市 北城村 鄉津常吉 太田太重 南小谷村 元村造酒治 鄉津義登 小倉主馬吉 西澤藤重郎 北小谷村 石田孝晴 見田彪 中士村 太田瀧藏 八田多忠治 鷲澤地球治
篠崎末治 松本林司 横澤定治 後藤源一郎 中川菊次郎 高舘清次 鷲澤佐一郎 戸澤三千太郎 相澤多久治 伊藤伊代吉

△更級郡支部會員

篠ノ井町 維矢田鶴之助 村上村 山崎親喜
酒井幸雄 小林菊治

久保太兵衞 近藤七三郎 更級村 八幡村
小林信次 上原長三郎

宮坂康孝 牧鄉村 共和村 瀧澤大之助
中澤吉治 太田徹三郎 大澤鉄左右

寺澤種二郎 瀧澤嘉久太 榮村
瀧澤安之進 宮本彌次郎

眞島村 青木島村 鳥羽信炳
三保直治 伊藤新太郎

柳島慶作

△埴科郡支部會員

屋代町 澁谷專 中村實治 松代町 矢澤賴道 保崎熊藏 坂城町
堀內朝雄 小山保雄 伴雄三郎 市川澄丈

南條村 埴生村 柿崎利嘉 杭瀬下村 森村 久保博美 倉科村
瀧澤志郎 湯原惣右衞門 鳥羽晴一郎 諏訪賴長

安藤恒四郎 雨宮縣村 酒井富衞 清野村 西條村 東條兵衞 豐榮村
近藤宇八 半田郁郎 小林金太 小出知春 村松榮左衞門

△上高井郡支部會員

維須坂町 同川田村 同綿內村 同井上村 同仁禮村 同 同 保科村
田中邦治 伊藤榮作 小林榮十郎 坂本重雄 田中喜右衞門 柄澤五一郎 壚澤源之助

上林輔四郎 玉井德太郎 坂口花藏 川田村 坂口宣右 義家龍太郎 和田德治郎 本井貞夫
堀勇之助 渡邊太郎 堀安雄 關本甚藏 牧野千之助 岡田森作 北城和太郎

大日方悌一郎 北島眞三 元田眞一郎 綿內村 伊藤芳家 堀內佳一郎 宮澤貞助 松澤宗四郎
義家惣作 西澤老松 北嶋義次 玉川覺左衞門 原田六郎治 石田治作 安藤琴次郎

堀內昌治 田村鶴五郎 戸井田專重郎 山崎良太郎 前角良彌 井上村 牧高次 竹前定藏 平野源之亟 山岸又吉 堀內六兵衞
田村傳七 玉川要右衞門 駒村藤太郎 宮澤富治 安藤與作 西澤清治 横山勝之助 塚田二之助 駒木市右衞門 成田傳藏

山岸大治郎 仁禮村 中村貞之助 藤森平治郎 南澤萬龜治 柄澤熊太郎 玉井熊重 青木虎藏 上野袈裟義 日野村 田中豐
坂田庄作 小泉佐吉 石橋又右衞門 和久井靜眞 坂田太三郎 駒津昌虎 佐藤岩治郎

原健治 寺澤半三 豐洲村 田子木造 高井村 小布施村 內山實之助 中澤照琳 樋田清一 市川三郎
永岡幸助 池森壽助 荒井蕾太郎 宮前大祐 栗田勘三郎 田中十一郎 小宮山才吉 樋口龜吉

△下高井郡支部會員

特科野村 同 維平岡村 中野町 延德村 中嶋俊助
須藤兼治 湯本宣成 山田市之亟 小島金一郎 神田治平

穗波村 夜間瀬村 科野村 倭村 常田信治 瑞穗村
山本保 市川淨 花岡孝美 畔上村治

關口千代松 豐鄉村 竹井豐吉 富井太一郎
大口直治 齋藤茂 西方寅吉

△上水內郡支部會員

特大豆嶋村 維中鄉村
轟金藏 杉谷治三郎

同三水村 同富士里村
福田清市 戸田正義

同 同柵村
木田隣 中村金廣

維北小川村 大豆嶋村 轟小八郎 小林仙之助 小出嘉藏 松山榮吉 鈴木四五十 山岸政藏 山岸勝太郎 北村志津男 朝陽村 西澤幸之助 柳原村 長沼村 鳥居村 神鄉村 古里村 若槻村 平塚平八 淺川村 新井直太郎 高岡村 青木卷三 伊藤利惣治 中鄉村
川又每佳 小林泰助 山岸縫藏 轟彌十郎 保谷元三郎 久保田勇太郎 轟万作 竹內幸松 市川市作 松山勝三郎 小池幸家 西澤淸吉 吉川晃一 關口彥一郎 長沼亥一 田中明治郎 松木七三郎 久保田蓮 平井恭佳

中鄉村 三水村 宮崎岩次郎 禰津榮助 信濃尻村 松澤謹一 松木政治 酒井太郎 岩下文二 柏原村 古間村 久保田這吾 松山定治 三井茂利 富士里村 佐藤義信 花岡淸齋 五味澤作一郎 五味澤利政 佐藤仁作 竹內仁太郎 芋井村 宮澤善藏 戸隱村 曾根原千代治
曲尾孫左衞門 山浦茂 佐藤昌平 澤田勇 池田茂 藤本顯正 謙田常治 佐藤幸藏 牧野理理 黑田好郎 池田六太郎 大草彌市 澤田鶴太郎 水澤豐恭 小林豐治 戸谷元治 森豐馬 西久四郎

瀧澤五郎 鬼無里村 北小川村 松澤景一夫 宮下貞知 南小川村 津和村 太田貢 水內村 黑岩元佳 伊部昌成 小林保治 北原嘉平治 清水嘉一郎 榮村 宮澤龜治 和田義章 日里村 小田切村 藤澤信治 安茂里村 太田庄三郎
塚田清重 松田潮之助 坂井典敏 宮尾安治 吉澤万藏 酒井友一郎 松尾增治 北原長雄 吉原信一 小池嘉善太 長田武八 清水準治郎

△下水内郡支部會員

種別	住所	氏名
特	秋津村	丸山龍之助
特	飯山町	西川大六
維		清水謹治
同		牧野長藏
同		島津雄三郎
同		佐々木得三
同		川口基治
同		足立幸太郎
同	豐井村	神田秀濟
同		小林茂一郎
同	柳原村	渡邊萬吉
同		丸山喜右衛門
同	常盤村	木内一郎
同		宮下三治
同		高橋幸作
同		水野長一郎
同	太田村	久保田三良左衛門
同	岡山村	小田切清

飯山町
藪原惠一郎　山室彌太郎
牧野莊右衛門　西川清記
小林三代吉　關伴治
村松友治　池川九万兒

佐々木喜助
豐井村
小林慶太郎　林英一
神田佐太夫　神田賢一
清野儀作　瀧澤東馬
清野助治　山口佐五七
佐藤義雄　折山儀十郎
神田曾平　丸山寅治
北山良三　臼井一郎左衛門
清野鐵藏
永田村
高野儀助　島山七七
中島須英　高野末太郎
片桐宗内　長澤信治
傳田新壽郎　鈴木杢右衛門
津金捨五郎　岡村晋治
柳原村
丸山藤吉　堀内庄之助
武田眞由美　清水武市
丸山雄一郎　山田善吉
小湊三藏　嘉部小市郎
外様村
清水豐作　足立寅藏

町田政治　栗岩壽作
北澤量平　島田松造
今清水清之助　阿部安之輔
常盤村
木内戸市　兼子茂
山崎三彌治　田中敏理
沼田重雄　藤卷一二
木内健二
太田村
小林淺五郎　今清水森作
水野惣藏　宮澤藏治
青木節治　高橋春次
水野三右衛門　高橋兵三助
宮澤友義　傳田源藏
岡山村
丸山乙次郎　野口茂
柳原恒之進　大口喜代太
渡邊鐵二　渡邊喜平治
小林喜久治　宮本昌次
古谷長司
水内村
櫻澤才吉　櫻澤彰美
江口十作　半藤眞

高橋忠次　嶋田英之　島田壽平　櫻澤朝次　下平力

▲長野市支部會員

特　狐池町　小田切盤太郎
同　栗田　倉石虎太郎
同　吉田町　横田九一郎
維　大門町　宮下友雄
同　吹上　平坂岩吉
同　後町　松橋久左衛門

同　芹田　大澤長之助
同　工業學校　眞多令治
同　吉田町　倉澤與吉郎
芹田
宮島次太郎　早野竹藏
三輪

春原安治　長峰亥吉郎
縣町　久保田茂一郎
古牧　中澤芳三郎
賀茂
山浦政　樋口長衞
郡役所　丸山惠藏

▲松本支部會員

彌生町
山内粂一
降旗鐵治郎

幅上町　藤原政三
松本　笹部芳雄

郡役所　田村金平

▲上田支部會員

特　上田　瀧澤助右衛門
維　　有川仙之助

下房　丸山文夫
御所　松澤竹治

▲縣外會員

樺太勢香郡内路町末廣町　武居重幸
東京市本郷區大學病院内　北澤たか井

横濱市大岡田町中島四九六　池田廣志
前橋市一毛町一六〇若井隆二方　涌井茂

群馬縣新田郡木崎町赤堀　石塚吟衞
群馬縣澁川町中町　星野均
鳥取縣氣高郡勝谷村木梨　高木利治

▲縣内購讀者

南佐久郡野澤町　長纒辰吉
諏訪郡湖南村共同製糸所　井出治兵衛
泉野村　三浦政廣
上諏訪町新小路　藤森茂里

豐田村　藤森正
上伊那郡美和村　黒河内一章郎
伊那富村武井製糸場　松田幸治
西筑摩郡吾妻村　橋本菊雄

松本市師範學校　島田仁重
東筑摩郡鹽尻村　有賀秀
上伊那郡飯島村　井口吉三郎

▲縣外購讀者

樺太留多郡能登呂村菱取宮行事業所　山崎政治
北海道小樽市外高島町小樽漁港會社　小林鎮國
後志國奥尻島青苗村　坂上敬藏
小樽市外高島町　三浦鍋太郎
秋田縣北秋田郡下小河戸村　佐藤清治
新潟縣西頸城郡青海村電化南社内　中村忠規
新潟縣中魚沼郡秋成村　高橋壽平
東京府下大崎町下大崎二七五島田方

木村勇夫
阿佐ヶ谷六〇二谷口光邦方　北原鄉
東京市芝區西應寺町三中村辰五郎方
佐藤一平
東京市外中縣町囲三一二八瀨川方
中村五郎
群馬縣新田郡木崎町赤堀　石塚吟衞
千葉縣成田町鄉部　片山祐治
神奈川縣鶴見生麥四六堀内散三方
中澤潤二
愛知縣愛知郡豐明村　原田惣治郎

京都市驛前通東三丁目山吉商店　吉田與一郎
上京區西陣大德寺前竹内龜吉方　佐々木益雄
岡山縣久米郡加美村　藤井巖
島根縣簸川郡朝山村　飯島直次
支那間島頭道溝領事分館　藤澤定司
安徽省大平村　新碼頭事務所

◎東京市支部會員

會員種別	住所	氏名
普通	東京市四谷區西信濃町一〇	伊藤善夫
維持	在海外	今井登志喜

會員種別	住所	氏名
同	東京府下國分寺村國分寺假樂園	今村繁三
同	同目黑町下目黑三四八	稻垣乙丙
同	東京市日本橋區兜町五	岩井猪三
同	同小石川區原町一三	伊藤長七
同	同赤坂區青山南町三ノ二三	石塚保吉
同	同本町區元町	市川勝雄
同	同下谷區谷中清水町一三	池上秀畝
普通	臺灣總督府	色部米作
特別	東京府下代々幡町代々木初臺六二一七	今井五介
維持	東京市牛込區市ヶ谷谷町九三	六角三郎
普通	宮城縣志田郡下伊場村	萩原彦四郎
維持	東京府下青山北町七ノ一	春田茂躬
同	東京市京橋區南紺屋町實業ビル五階	花岡敏夫
同	同神田區雉子町九	濱種治
同	同麴町區飯田町三ノ一五	原嘉道
同	同赤坂區青山南町六ノ九五	本城郡次郎
特別	東京府下高田町雜司ノ谷旭出	堀内明三郎
普通	東京市本郷區駒込千駄木上町四六	戸谷善助
同	東京府下西巣鴨町堀ノ内一五一	荻原擴
同	在海外	小山磐
維持	東京市神田區小柳町二八	小口今朝太郎
同	朝鮮水原勸業模範農官舍	大工原銀太郎
普通	東京市小石川區大塚坂下町一一二	荻原勘助
維持	同神田區淡路町二ノ四	小口勝太郎
同	同神田區表猿樂町一三	小口大次
特別	同小石川區關口臺町七二	大倉發身
維持	同神田區小柳町二八	小口重太郎
特別	同四谷區四谷仲町二ノ一二	小川平吉
普通	同小石川區大塚坂下町一一一	和田猪三郎
維持	同赤坂區表町三ノ一三	渡邊嘉一
特別	同麻布區本村町三五	渡邊千冬
維持	東京府下巣鴨町駒込染井一一	川村鉚次郎
維持	東京市牛込區北町七	筧克彦
同	同小石川區水道端町二ノ三五	片倉武雄
同	東京府下代々幡町幡ヶ谷八七七	神尾光臣
同	東京市赤坂區丹後町五八	河田止也
同	東京市日本橋區榑正町一四	龜井唯二郎
特別	同京橋區疊町八	片倉兼太郎
同	同麴町區元園町一ノ二	加藤正治
維持	東京府下大崎町居木橋一九七	依田源七
同	東京市麴町區下二番町四〇	吉田市惠
同	神奈川縣川崎市東田二五	依田稔
同	東京府下千駄ヶ谷町千駄ヶ谷九〇二	吉田静致

同	同澁谷町上澁谷七〇	依田豊
維持	東京市牛込區市谷仲之町三八	吉家敬造
同	同四谷區三光町一二七	高橋達太郎
同	同本郷區駒込動坂町三二七	高橋偵造
同	同牛込區辨天町一七〇	田中穗積
同	同小石川區同心町一	辻同次郎
同	同麹町有樂町一ノ三	塚原嘉藤
同	東京府下千駄ヶ谷町千駄ヶ谷五四三	辻太郎
同	東京市牛込區廿騎町三〇	土橋源藏
同	同京橋區疊町八片倉會社	根橋清二
普通	同麻布區霞町二	中林正已
同	同赤坂區檜町五	中邨彌六
維持	廣島高等師範學校内	長田新
普通	東京府下日暮里町日暮里一一〇九	中川紀元
維持	東京市芝區三田一ノ三五	名取和作
普通	同本郷區湯島順天堂病院内	中山茂樹
維持	東京府下北多摩郡武藏野村吉祥寺二七三三	中原市五郎
同	東京府下巣鴨町宮下一五五九	名取夏司
同	東京市小石川區坂下町九六	永田稠
同	同赤坂區青山南町五ノ七三	村上俊泰
普通	朝鮮水原富國園内	野溝傳一郎

同	東京市日本橋區坂本町三九	草間要
維持	同日本橋區堀江町二ノ一〇 第十九銀行東京支店内	黒澤利重
同	同赤坂區臺町三	畔田明
普通	東京府下中野町千光前三〇六四	山岡勘一
維持	東京市牛込區市ヶ谷加賀町二ノ一六	柳田國男
同	同京橋區疊町八片倉會社	山中遜
普通	同芝區三田四國町二八	矢花寧二
特別	東京府下澁谷町中澁谷六八八	山岡萬之助
普通	長野縣松本市小柳町九五八	蒔田惣次
同	東京市日本橋區佐内町八	丸山都治
維持	東京府下中野町上町二七八九	牧野一馬
普通	東京市麹町區元衛町中央氣象台官舍	藤原咲平
維持	東京府下西巣鴨町宮仲二二七二	藤森良藏
特別	東京市下谷區谷中眞島町二ノ一	福澤平太郎
維持	東京府下目黒町下目黒三四六	藤森佐金次
同	同落合町下落合一三七九	小平權一
維持	東京府下澁谷町中澁谷五五六	小山悦之助
同	同大井町五三二〇	小平省三
特別	同澁谷町中澁谷堀ノ内四〇	小坂順造
維持	東京市神田區駿ヶ台南甲賀町一〇	近藤次繁

同	東京府下澁谷町上澁谷一三六	五島慶太
同	同澁谷町下澁谷二二九	小林盈
同	東京市本郷區東片町一三四	小穴唯三郎
同	東京府下瀧野川町西ヶ原二二	小松豊作
特別	東京市日本橋區横山町一ノ一〇	小松録衛
維持	同麹町區三番町二六	小平三郎
同	同芝區高輪北町五二	小松謙次郎
同	同麹町區永田町二ノ二九	江橋活郎
維持	東京市四谷區内藤町一番地四三	遠藤於菟
同	同神田區小川町二ノ三	寺嶋誠司
同	東京府下千駄ヶ谷町原宿	赤池濃
同	横濱市山下町一九八片倉會社	有賀文雄
普通	東京府下大久保町西大久保四九二	雨宮信一郎
維持	東京市芝區白金今里町五	酒井祐之助
同	長野縣輕井澤萬平ホテル	佐藤太郎
同	東京府下高田町雜司ヶ谷旭出	澤柳政太郎
同	長野縣北佐久郡岩村田町	佐澤寅太郎
同	東京市芝區琴平町二	佐藤秀松
同	同麹町區飯田町四ノ一二	西郷吉義

同	東京府下中野町中野六一〇	北澤種一
維持	東京市麻布區森元町一ノ二七	木戸傳
同	同芝區伊皿子町一五	宮坂式郎
同	同京橋區疊町八片倉會社	三溝茂門
同	東京府下西巣鴨町宮仲二三六九	宮下琢磨
同	東京市京橋區疊町八片倉會社	篠田稻雄
同	東京府千駄ヶ谷町穏田一三〇	鹽原副
同	同目黒町下目黒三九七	白澤保美
同	同千駄ヶ谷町原宿二〇四	志賀三行
同	東京市芝區白金猿町六一	鹽澤幸一
普通	東京府下中野町打越二〇三八	清水福市
維持	東京市役所地理課	白鳥德之助
同	東京府下中野町千光前三〇七一	鹽川三四郎
維持	東京市小石川區東京高等師範學校内	樋口長市
同	同京橋區疊町八片倉會社	平川房吉
同	同芝區三田四國町五	關延世
特別	同麹町區富士見町一ノ一	關谷兵助
同	同芝區車町七六	瀬下清
維持	神奈川縣大磯町	鈴木梅四郎
同	同小石川區春日町四九	須田卓爾

◎米國西北部支部會員 （大正十四年三月三十一日現在） ABC順

長野 萩原長吉 Ketchikan, Alas.
下水 河瀬孝一 208 9th Ave. So., Seattle, Wash.
長野 木村憲司 303 Washington St., Seattle, Wash.
下水 小林慶太郎 110 8th Ave. So., Seattle, Wash.
更級 小林英德 612Terrace St., Seattle, Wash.
上水 小林城一 P.O. Box 56. Tye,Wash.
埴科 近藤八十松 722 Washington St., Seattle, Wash.
同 中川二郎 911 Plummer St., Seattle, Wash.
同 中島靜雄 114 11th Ave. So.,Seattle, Wash.
更級 中曾根武平 1015 E. Pike St., Seattle, Wash.
同 西野入德 4115 15th N.E., Seattle, Wash.
埴科 大井千之 歸國中
下高 大口啓一郎 紐育行

下水 佐藤信次 668 King St., Seattle, Wash.
下高 下田中司 111 11th Ave. So., Seattle, Wash.
上水 田中正作 123 Maynard Ave., Seattle, Wash.
長野 田中春治 414 Main St., Seattle, Wash.
同 山口良之助 668 King St., Seattle, Wash
小縣 福井フランク 1017 E.James St., Seattle, Wash,
同 原春樹 1605½ Jackson St., Seattle, Wash.
同 原量 605½ Main St., Seattle, Wash.
同 長谷川英人 949 24th Ave. So., Seattle, Wash.
同 池田専太郎 1232 Weller Seattle, Wash.
同 河西啓二 613 Jackson St., Seattle, Wash.
同 川轂和夫 308 14th Ave. So., Seattle, Waih.
上田 香川一直溫

208 12th Ave. So., Seattle, Wash.
小縣 小林三吉 R.F.D. No.9 Box 560, Seattle, Wash.
同 神津智 1632½ Weller St., Seattle,Wash.
同 神津作一 1403 Yesler Way, Seattle, Wash.
上田 小池代治郎 668 King St., Seattle, Wash
小縣 小池松枝 216 2nd Ave. So., Seattle, Wash.
同 小岩井榮七郎 Box 45, Nippon Sta., Seattle, Wash.
同 黒坂博 651 Jackson St., Seattle, Wash.
同 黒坂吉次郎 413 11th Ave., Seattle, Wash.
上田 増田傳一郎 216 2nd Ave. So., Seattle, Wash.
同 松澤文男 212 5th Ave. So, Seattle, Wash.
小縣 宮澤鹿之助 1102 E. Spruce St.,Seattle, Wash.
同 宮澤常太郎 114 9th Ave. So., Seattle, Wash.
同 村山籍善 1210 Terrace St., Seattle, Wash.

同 中村逸慶 1322 E. Pike St., Seattle, Wash.
同 太田正成 1015 Yeslerway, Seattle, Wash.
同 尾澤永吉 1628 Weller St., Seattle, Wash.
同 坂口喜廣 歸國中
同 清水均 109 21st Ave. So., Seattle, Wash.
同 春原俣 1121 Jackson St., Seattle, Wash.
同 春原忠一 302 Main St., Seattle, Wash.
小縣 竹内節 613 Jackson St., Seattle, Wash.
同 瀧崎保 1405 E. First Seattle, Wash.
同 瀧澤筇 1232 Weller St., Seattle, Wash.
同 田中豊造 1123 Powell St., Seattle, Wash.
同 塚原巖 402 6th Ave., Seattle, Wash.
同 山極啓吾 R.F.D. 1, Box 415, Bellevue, Wash.
同 山極信策 R. F. D. No. 1, Box 1,Seattle, Wash.
同 山浦興十郎 911 Plummer St., Seattle, Wash.
同 山浦孝 911 PlummerSt., Seattle, Wash.

同 柳町森太郎 511King St., Seattle, Wash.
上田 横田地政二郎 P.O.Box518, Whitefish, Mont.
南佐 市川彥八郎 1351 Terrace, St, Seatte, Wash.
同 井出猪仲 歸國中
同 井出憲三 166 11th Ave., Seattle, Wash.
同 井出欽一
670 Jaeckson St., Seattle, Wash.
同 池田倉助
913 Plummer St., Seattle, Wash.
同 中島昇
201 9th Ave. So., Seattle, Wash.
同 並木周造
1335 Broadway, Tacoma, Wash.
同 尾羽澤義胤
201 9th Ave. So., Seattle, Wash.
同 武川保平
918 E. Alder St., Seattle, Wash.
同 臼田五一郎 歸國中
北佐 渡邊源誠
302 14thAve. So., Seattle, Wash.
南佐 山下信太郎 歸國中
北佐 依田武左衛門
1015 E. Terrace St., Seattle. Wash
同 依田譜一
111 11th Aue. So., Seattle, Wash.

同 吉村國會 614 Terrace St., Seattle, Wash.
東筑 青木傳吾 107 Broadway, Seattle, Wash.
同 降旗鐵次郎 歸國中
諏訪 五味清朝
306 6th Ave. So., Seattle, Wash.
東筑 原渡 509 Main St., Seattle, Wash.
諏訪 柔光重
1114 Washington St., Seattle, Wash.
東筑 保刈陽夫
2033 Washington St., Seattle, Wash.
諏訪 細川德栖 700 Jackson St., Seattle, Whsa.
同 細川喜史 306 6th Ave.So., Seattle, Wash
同 伊藤賢
125 Prefontain Place, Seattle, Wash.
東筑 木戸岡昇郎 2323 1st Ave., Seattle, Wash.
松本 栗田佐市 P.O. Box X,Deer Lodge, Mont.
諏訪 三井寶
P.O. Box 132, Skykomish, Wash.
東筑 宮田主計 657 Weller st., Seattle, Wash.
諏訪 溝口浪三郎
310 Washington St.,Seattle, Wash.
東筑 百瀨藤雄 歸國中
同 百瀨七雄 410 8th Ave. So., Seattle,Wash.
諏訪 名取三重 1211 Main St., Seattle, Wash.
東筑 大澤嘉代吉

同 高野定基
1236 Weller St., Seattle, Wash.
316 Maynard Ave., Seattle, Wash.
諏訪 田中稻實 c/o M. Hori, Whitefish, Mont,
東筑 寺田誠治 163½ Jackson St., Seattle, Wash.
諏訪 牛山明成
R.F.D. Box73, Bellevue, Wash.
同 牛山政成
733 25th Ave. So., Seattle, Wash.
松本 渡邊宗七郎 歸國中
南安 青柳菊彌
R;F.D. 2, Box 408, Auburn. Wash.
同 荒川山護 2129 1st Ave., Seatqle, Wash.
同 藤原正宮
114 11th Ave. So., Seattle, Wash.
北安 原田八郎
317 Maynard Ave. Seattle, Wash.
南安 平林竝騰雄 2323 1st Ave., Seattle, Wash.
同 平林悲宜 666 King St., Seattle, Wash.
同 平林勝信
310 Washington St, Seattle, Wash.
同 平林利治
R.F.D. No. 2, Box 51, Kent, Sash.
同 平林俊吾
R.F.D. No. 2, Box 52, Kent, Wash.

同 平林毅明
R.F.D. No. 2, Box 52, Kent, Wash.
同 伊藤豊作
R.F.D. 1,Box 77, Seattle, Wa4h.
同 伊藤恒司 〃 〃
同 伊藤傳一 〃 〃
同 岩原量平
317 Maynard Ave., Seattle, Wash.
同 片瀨與市 611 Terrace St., Seattle, Wash.
同 勝野莊一郎 R.E.D.2, Box 53, Kent, Wash.
北安 小林乾
921 Washington St., Seattle, Wash.
南安 小平線次
R.F.D. 2, Box 408, Auburn, Wash.
同 小平重雄
114 11th Ave. So., Seattle, Wash.
同 小松顯一
1414 Norman St., Seattle, Wash.
同 黑岩滿次
2300 E. Madison St., Seattle, Wash.
同 望月嶽嶺
R. F. D. 6, Box 305. Seattle, Wash.
同 望月五六 1251 Main St., Seattle, Wash.
同 望月秀一
2822 Arthur Place, Seattle, Wasn.

同 望月瀞見 1236 Weller St., Seattle, Wash.
南安 根津宗吉 810 Yeslerway, Seattle, Wash.
同 小口進作
659 Jackson St., Seattle, Wash.
同 太田留吉 1236 Weller St., Sash.
同 太田作一 1236 Weller St., Seattle, Wash.
同 太田丑太郎 709 N. 61st St., Seattle Wash.
同 須坂美濃惠 1251 Main St., Seattle, Wash.
同 高橋寶 724 11th Ave., Seattle, Wash.
同 高橋榮作
P. O. Box 217, Harlowton, Mont,
同 竹岡喜嗣
R.F.D. Box 73, Bellevue, Wash.
北安 瀧澤百二
1617 Federal Ave., Seattle, Wash.
南安 等々力喜太一
312½ 5th Ave. So., Seattle, Wash.
同 臼井榮策
P. O. Box 518, Whitefish, Mont.
同 矢口次男
R. F. D. 2, Box 7A, Tacoma, Wash.
北安 山田慶次郎 加州行
同 山田高成
418 Maynard Ave., Seattle, Wash.
同 山口巖水

同 横山信之 822 Washington St., Seattle, Wash.
同 横山重義 R.F.D.2, Bo. 50, Kent, Wash.
2300 E. Madison St., Seattle, Wash.
同 横澤久市
421 12th Ave. So., Seattle, Wash.
上伊 有賀太三郎 歸國中
同 廠野篤一
1729 12th Ave. So., Seatle, Wash.
同 池上榮七
2123 E. Union St., Seattle, Wash.
下伊 今牧延藏
2432 17th Ave. So., Seattle, Wash.
上伊 伊藤博隆
1040 Jackson St., Seattle, Wash.
下伊 伊藤本次郎
114 9th Ave. So., Seattle, Wash.
上伊 小町谷 G. L. Co., Forest, Wash.
同 倉田國吉
207 5th Ave. So, Seattle, Wash.
同 黑河內欣一 1002 Yeslerway, Seattle, Wash.
同 中村學一
112½ 8th Ave. So., Seattle, Wash.
下伊 中田寅
1105 Washington St., Seattle, Wash.

上伊 名和三五郎
G. N. Ry. R. H., Inter Bay, Wash.
同 酒井儀助 P. O. Box 336, Sumner, Wash.
同 佐藤孫三
1312 E. Jefferson St., Seattle, Wash.
同 關島堅 611 Terrace St., Seattle, Wash.
同 田中映一
2014 E. Madison St., Seattle, Wash.
同 山崎五也
R.F.D. Box 39, Port Blakeley, Wash.
同 吉澤健治 1151 Main St., Seattle, Wash.
藤野丈四郎夫人 2402 E. 65th, Seattle, Wash.
上代靜枝
P. O. Box 105, Steveston, B. C., Canada.

◎米國北加信濃海外協會員

○野口貫一
175 Bernerd st. San Francisco Calif.
○西村彥三郎 R. F. D. #2 Rocky Ford Calo.
○大久保政潤
1865 Bush st. San Francisco Calif.
○小川榮一
1739 Buchanan st San Francisco Cal.
○小野郁世 P. O. Box 16 Florin Cal.
○小川重雄
1401 Scatt st. San Francisco Cal.
○折井吉高
R. F#. D.3 Rocky Ford Colorado.
○太田竹太 R. E. D. Rocky Eord Colorado.
○岡垣吉太郎 546 N. 3rd st. Sanjose Calif.
○酒井喜多市 1684 Post st. San Francisco Calif.

○相馬狎 2624 Sutter st. San Francisco Calif.
○佐藤榮三郎 P.O. Box, 144 Garfield wab.
○曾根宗 2643 Union st. Oakland Calif,
○田中常助
484 Sutter st. San Francisco Calif
○島山平藏 500 Green st. Martines Calif.
○土屋市若
R. F. D #1 Box 1241 Saclamento Calif.
○塚原正美
28 W. Washington st stockton Calif.
○寺澤六之助 Box 54 Sugar City Idaho.
○松田午三郎 105 Main st. Watsonville. Cal.
○牧彌助 R2 Bo 9 San jose. Cal.
○丸山保 1211 10th Ave. Oakland. Cal.
○山崎貞一郎 517 8th st. Oakland. Cal.

○海野富之助　P. O. Box 67 Watsonville. Cal.
○上原隆二　R.#3 Box 111 Rocky Ford. Calo.
○上田豊　44 S. El Dorado st. Stockton. Cal.
○上原德三郎　1409 Sutter st. San Francisco. Cal.
○瀧澤應嶋　1255 26 gh st. Oakland. Cal.
○武田昌二　R. A. Box 396c San gose Oal.
○古畑八郎　484 Sutter st Sanfrancico. Cal.
○內山正雄　1719 Buchanan. st Sanfrancico. Cal.
○橋澤直人　1701 Post st. Sanfrancisco. Cal.
○龍野銀次郎　1701 Post st. Sanfrancisco. Cal.
○有賀岩吉　1428 Webster st. Sanfranciscso. Cal.
○春日源司　1641 Post st. Sanfrancisco. Col.
○臼井省三　1625 Webster st. San Francisco CaliF.
○武田左文司　105 Main st, Watsauville CaliF.
○赤羽茂人　Menan Idaho, U. n. A.
○青木實次　2603 Union st. Orkland, Cal. U. S. A.
○遠藤照治　2076 Bush st, San Francisco.Cal.
○五味韶平　R. No. 2 Box 72 Rocky Fdrd. Calo.

○二木三一　P. O. Box.534 Sugar City Idaho.
○滕森德重　R. F. D.#2 Rocky Ford. Calo.
○吉田滋三　1828 Myrtil st. Oakland, Cal.
○花村醇　305S. Center st. ntackton, Cal.
○伊藤晴之　105 Main st. Watsonuille. Cal.
○片瀬太門　1644 Post st. San Francisco. Cal.
○久保田その　1692 Post st. Sranfrancisco. Cal.
○近藤宗助　1604 Larkeis st. Snanfrancisco. Cal.
○北澤武衛門　547 Poehomus st Son Jose. Cal.
○北澤篌重　782 Morris st. San Jose. Cal.
○北村嘉久藏　517 5th＋, Oakland. Oal.
○町田貞三郎　400 L st. Sarcamento. Cal.
○町田平內　R. F. D#4 Box 1241 Sacramento. Cel.
○宮坂磐　28 W. Washington. Stockton, Cal.
○諏田磯(カナエ)　3010 Sacramento st, Sanfrancisco. Cal,
○丸山吉永　44 S, El Dorado. Stockton. Oal.

◎信濃海外協會北米支部會員

（大正十三年六月現在）

藤本安三郎　入　隆夫　山岸嚢茂　澁谷　豐　浦田毛佐太郎　唐木保蔵

茅野恒司　伊藤作右衛門　遠山　民　丸山晋五郎　春原順三
青木梅作　伊藤政十　山崎　節　矢澤足比古　松島鋤人
塚田九平　堀內　茂　田中銀之助　荒井館太　理楷耕作
竹村安定　木下　糾　大澤信郷　矢花甚喜惠　新海正雄
大井四子惠　大和元雄　平澤寛十　赤坂壽種
秋山英之助　溝口　功　小木曾壽　埋　章

◎伯國レジストロ支部會員

小松敬一郎　中澤與五郎　南澤龜之亟　鹽川常造　松橋久彌　內田登始雄　中城靜惠　丸山爲治　青木半治　北澤眞治　宮下延太郎　山寺　融　春日文藏　寶　臣衛　高井多賀治　桂谷　久　島田　普　松本覺治　平出二郎
那須野喜平治　大工原宗一郎　大谷政治　淺野利實　湯澤藤平　馬場信次　久保田安雄　山室滋治　中島幸吉　宮坂三次　藤原滿壽門　村山七郎　松林米治　牛越今朝男　吉原喜太郎　太田政彌　石川忠愛　土屋武雄　植木吉右衛門
堀內友治　翠川半之助　市川又太郎　長谷川小一郎　前田治三郎　清水清藏　松村榮治　松澤　百　瀧澤克己　六川佐市　小林武治郎　永井覺市　高野宇一郎　飯島義政　宮津今朝吉　倉島駒治　下平與市　村田政勝　青柳新治
林　今朝士　藤澤房吉　金子繁松　水上廣太　橋本榮三郎　有賀德次　木下　東　大平　安　高野　實　中澤　貫元　池上龍次郎　大室助治　加藤吉松　中島川佐　柳澤喜四郎　北山金作　曲尾良雄　中村義彌　中島省三
金野幸輔　青柳芳治　近藤新九郎　平塚太一　大日向龜惣　北澤伊代吉　伊藤重彥　小平桑三　中島貞雄　田中甲子龜　西村健重郎　大室猶衛　淺川正賢　土井吉助　青木忠太郎　南澤增衛　中村芳美　井浦多吉　市村學治
秋山餘一郎　長澤信家　花岡　賢　海野助彌　小笠原秀雄　戸田今朝一郎　島岡幸一　中島源吉　和田陸衛　伊藤長喜　田仲益雄　深澤深一　唐澤實雄　工大原佳郎　市川又太郎　吉川司馬藏　村澤和一　大峽　佾　小出長助

伊藤今朝太郎　島田鶴雄　吉川喜之作　猪俣久美　人形源彌　林　實衛　吉川八十八
村岡　信　田中正勝　牧內　忠　輪湖滋三夫　竹內正三　吉川伍一郎
伊藤正三　宮下丑藏　宮原壽之藏　竹內寬治　平出延平　吉川九十郎

◎アリアンサ支部會員

輪湖俊午郎　瀬下　登　小川　林　瀬戸喜代松　伊藤　宮村
地原地價造　篠原秋次　上條佐和太　大山幸平　北山　堀　了
座光寺與市　岩波菊次　瀬下虎雄　鈴木京壽　北澤　戸叶

布哇在住會員

○勝田連　Hotel st. Honolulu
○三浦盛男　Puna Pahoa.
○小林介十　Pahoa Hawaii,
○成澤吉正　Wahiawa Hotel Oafu
○小林程藏　P. O. Box 211 Wahiawa Oafu
○片山驟　P. O. Box Wahiawa Oafu
○小林政男　c/o Nakamura & co, Moely st. Honolulu city
○金田一

○小山金二　c/o Comehameha girl's School Honolulu
c/o Yamashiroya. P. O. Box 113 Honolulu
○永田安雄　P. O. Box 747 Honolulu
○山田学　1248 Nuana st. Honolulu
○柳澤武藏　Ranch Anomea Hilo,
○林金太郎　Puna Pahaa
○眞壁金次郎　Yerva Oahu
○關はつ　c/o mr, Iwasaki Katis tewn Olra.
○中村金治　Haiku Mauii
○東福寺子四郎　P. O. Box 317 Lohaina maui
○五味夏三　c/o mr, I. Migami Wahiawa Clahu
○田川連太郎　Hilo City Hawaii
○河合牛次郎　Ranch,Bahoa puna
○岡島准次郎　R. O. Box 128 Hilo Hawaii
○中村富喜　Ranch, Bahaihou Hilo
○小山田龜之助　2. Camp Waiokea 6 Hilo
○井浦廣太　c/o mr. M. Sakamoto Waitea Hilo
○池田藤次郎　1248 Nuana st. Honolulu
○勝山三郎　524 Polama n. King st. Honolulu
○土橋岩松　c/o Seikaiya Hotel P. O. Box 994 Honolulu City
○前田勘司　P. O. Box 1389 Honolulu

北米合衆國在住會員

1 在加州

A 在桑港

○土屋巖一　1736 Sutter st. San Francisco
○荒井態太　1622 Bushanan st. 〃
○小林富次郎　c/o Consulate of Japan 〃
○今村幸人　484 Sutter st. 〃
○小宮山成巳　545 Grarand ave, 〃
○菅原忠雄　2092 Pine st. 〃
○村山有　#1624 post st, 〃
○本郷龍雄　830 California st. 〃
○五味重吉　750 Stanyan st. 〃
○北澤佳雄　2062½ Pine st. 〃
○大澤信郎　1701 Post st. 〃
○小川龜重　1739 Buchanan st. 〃

B 在オークランド

○牧野菊朔　168-376.-th ave, Oakland
○中澤茂十郎　423 Aris st. 〃
○金澤浮幸之助　401-403 8th st. 〃
○伊東喜與治　232-No.6th st. 〃
○安原吉次郎　232-9 st. 〃
○塚平九藏　2935 Marcket st. 〃

C 在デンバー

○片桐稙美　2009 Lalimer st. Demver
○永井慶哉　c/o Universety cf Dember
○荒井貞雄　2801 Curtes st. 〃
○上原[illegible]代重　P.O. Box 327 Rockyfood
○上原寛正　R#2 Box 158 〃

D 在フレスノ

○有賀新治郎　1541 W. front st. selma Fresno
○尾澤寧次　1505 Turely st. 〃
○和田孝　284 D st. 〃

E 在サクラメント

○百瀬治水　203 m. st. Sacramento.
○村松樂之助　P. O. Box 260 (Ematon) 〃

F 在ユタ

○藤森藤左エ門　P. O. Box 418 Ogden
○內堀運平　c/o mr, Moriyasu 2462Cal ave, Ogden
○寺澤畔夫　P. O. Box 919 Salt Lake city
○小林伯治郎　161 W, so,Temple st. salt Lake

G 在其の他

○田中孫三郎　R. F. D. 1 Box 105 Brighton

○青本　茂　Rt, a, Box 84 Madera.
○古田文太郎　P. O. Box 35 Monut Eden
○龍野仙松　631 Sixth st. Bakersfield
○龍野百一郎　638 R. st.　〃
○下平潤吉　1924 Ashby Ave Berkley
○尾崎英二
c o C. M. B. Co.卄1Mandevilla st, stackton
○今井敬一　P. O. Box 232 Walnut Grove
○福澤
117E, Canonper dido st, Santa Barbora
○海野高之助　P. O. Box 67 Wasonvill
○小宮山熊二　P. O. Box 17 Walnut grone
○小野いくよ　P. O. Box 16 Florin
○宮下袈裟雄
c/o mr. I, Adachi R. F. D.卄1 Box 384 Berkely
○森田穂治郎　1605 Park st. Alameda
○中島博治　P. O. Box 627 Brauley
○早川州一郎　P. O. Box 8　〃
○兒村辰之助　Rt. E. Bvx 322 〃
○古平信吉　R. F. D. Rox 2 Sanguable
○田中作藏　P. O. Rox 127 Lumpac
○寺澤菊治郎　P. O. Box 957 Colexico
○荒井內平　〃
○齋藤定一　Rt 3 Box 39 Eelcentro
○平出　清　R. F. D. 3Box. 178 Aarahaim
○大澤開之信　32513 San Pidro.
○森田三樹　P. O. Box 376 Hollywood
○今村正雄　P. O. Box 163 Livingston
○横山衞門　1205 N. Vermont Ave Holey wood

在ロスアンゼルス

○原宮　治　328 main st.
○八　隆夫　347 E 1st st.
○小貽俊司　348 E 1st st.
○小口清一　1641 Cosmo st.
○清水秦雄　c/o Tap. Asso
○奥原正人　325 E 12 nd St.
○篠原四野平　E. 32 nd st.
○志摩亮平　248 E. 1st st.
○丸山清作　213—7Est. 1st st.
○北原益貴　2911 E. 2nd st.
○甲田文彌　250 E. First st.
○赤羽直八　6400 Susnet st.
○新井國吉　217 E. 1st st.
○青木梅作　P. O. Box 651
○三澤貞三　250 E. 7th st.
○湯澤瑞三郎　1422 W. 36th st.
○野口騰郎　250 E. 1st st.
○牛山市郎右衞門　卄250 E. 1st st.
○山口仙助　Rt. 12Box 501.
○矢島光藏　c/o 5. Cal.univesity.
○塚平九兵衞　140—W. 36th st.
○坂田三郎　250 E. 1st st.
○富澤直治　718W. 12th st.
○瀧田　維　卄250 Estfirst st.

II　在オレゴン州

在ポートランド

○車條　繇　494 Washing st.
○代田虎太郎　272—6th st Portand
○濱村一尾　P. 6. Box125　〃
○濱村考四郎　同上　〃
○久保田貞雄　R. F. D 2Box 128 Hiyas. 〃
○池田敏男　502 W, Richmond st ..
○小池兼雄　$285\frac{1}{2}$ First st.　〃
○木內榮助　252. S. 1st st.　〃
○市川袈裟太郎　268 Everett st　〃
○井上作一　1395 mo Kenna. ave.　〃
○佐藤市男　c/o Furuya & co.51n. 4th st. 〃
○平林吉三郎　76n. 4th st.　〃
○岡村　得　252 S. 1st st　〃
○伊藤　賢　54 N, 3rd st　〃
○今井末好　92½ E. Grand Ave. 〃
○三浦　純　468 Hoyt m st.　〃
○畫神彥太郎　266Front st.　〃
○岡田清人　426 Nut st　〃
○田中四郎　P. O. Box 96　〃
○松本康雄　354 E. Cuch st.　〃
○大島清太郎　129—12nd st.　〃

B 在フオードリーバー

○平澤療一
R. F D.卄1 Box 115 Hood River
○平澤信重　〃
○小穴清平　12卄4 Box 251 Walow Rat, 〃

C 在アストリヤ

○堀內　競　P. O. Box 741 Astoria

III　在ニウーヨーク

○松尾　弘
224 E. 59th st. New York city.
○古村武七　225 5th Ave.　〃
○相原　信　3 10 Elm Wood Ave 〃
○花岡眞登　225 5th Ave　〃
○箕輪　保　600 W. 186th st　〃
○勝山邦光　524 Rive side　〃
○青木福逸　541 Lepington Ave 〃
○北島竹夫　330 E. 57th st.　〃
○片桐智博　224 E. 59m st.　〃
○林光次郎　83 Magison st,　〃
○高山　潔　c/o Colonbia Univesity 〃
○高野　操　123 W. 102nd st.　〃
○鹿野克明　c/o Yokohama apa, B. L. 〃
○長沼四郎　120 Breadway st.　〃
○梶原竜穗　224 59 st.　〃
○五明忠一郎

c/o Inter National Hous 500 River side Drive 〃
○中山
c/o Nippon Drg Good Co. 100 w, 32nd st. 〃
○臼井六平　9 West 14th st.　〃
○瀧澤松代　413 w. 46th st.　〃
○長田武夫　146 West 65th st.　〃
○下村　雄　51 E. 42nd st.　〃
○川村吾藏　96 5th Ave　〃

IV　其の他

○荻原長吉　Kettchin Alaska
○藤森市造　Yokutat Alaska
○小林　强
c o The Consulate of Japan Chicago, Ill.
○土井梅次郎　426 E 51st st. Chicago Ill
○伊藤　武　2949 S. Michigon St. Chicago Ill
○藤森淸吉　P.OBox 95 Yomat, Flo.
○甘利直正　P.O. Box 107 mt, Clanens,mich
○牛山次郎吉　R.卄1Box 49 Towlen Colorado
○丸山康次郎　c o Mr. K. Kigashi 2735 Grllbana Rood Kansas city M.O.
○田ノ口　英　1632 N. 16th. st. Philadelphia Pennsy
○代田金吾　Commack, Burr st. Long Isl.
○兒田　勇　1632 N. 16th st. Phila pa.
○粟林確二　307 Rogal st. New Orbans Ruegiana
○伊藤　銈　269 Court st. Binghanton
○矢島若三郎　992 P.O. st. Fenir City Arizona.

加奈太在住會員

○山浦藤治
c. oMr. S. Oi. 126 Bauwel Van Conver
○田中夏太郎　P. O. Box 31 port Esswgton
○田中　廣　c o The Comada Daily News, 118½ Main st. Van conver
○上野福男　P.O.Box 33 Chase
○丸山　巖　Point Grey Vanconver
○勝野千秋
c/o Ishikawa comp stave Jolls via Rashin
○井出六太郎　Calling Wood Est.
○關　滿　P.O.Box 203 Steveston
○小林森平　1825 Powell st. Van Conver
○山浦　甲　P.O. Box 151 Port Hammond
○山邊辰次郎　Clator. skeena River
○吉村孫次郎　P.O. Box 298 Kelowna
○山邊　清　Royal Road Summar lando
○寺島源藏　P.O. Box 452 Steveston
○武井岩男　Gresbia
○河西一雄

c/o K. Oshii Egu, P.O. Box 592 Victoria
○岩波淳吉　1582 Comson st. Victoria
○平林　昇　962 Robert st. Toronto Ontario
○向山　繫
c/o Mr. Miyashita P.O. Dal Vag Alta
○宮下靜馬　476 E.Kadber st, Vancon Ver
○井出眞一郎　2475 Price st. S. Van Conver
○沓掛　長　21767 Pouwell st. Vancon Ver
○百瀨情春　932 Granville st. Vancon Ver
○岩下晋一郎　331 Pawell Voncon Ver
○伊藤信一　1677 W. 2nd st. Vancon Ver
○荒井茂左右衞門　733 Cordora st. Vancon Ver
○瀧澤　平　1441 Geogia st. Vancon Ver
○大井信一　126 Bowel st.Vancon Ver
○柳澤元二
P.O. Box 1097 469½ Bawel st. Vancon Ver
○水澤　新　2517 Main st. Vanco Ver
○松倉義次　523½ Powell st. Vancon Ver
○有賀千代吉　c/o The Tairiku Nippo 135 Cordova st. E. Vancon Ver
○樋口榮作　146 E. Braadway st. Vancon Ver
○樋口右近　c/o Fwinya and Co. 46 Hesuching st. Vancon Ver
○林　安雄　373 Cordova st. E. Vancon Ver
○瀧澤　保　c/o Consulate of Japan Vancon Ver

キューバ在住會員

○今村廣美　Calle Monte 146 Havana
○小林百輝　Central Jatibonico Camaguey
○櫻井恭平　Central Baragne Camagney
○瀬在藤治　Cntral Jagneyal Ciego de avila
○柄澤豊治郎　Loolonia San gsidro Lantral caracasleruces Santerclara
○吉澤　正　O'Rely 80 Havana
○芦部猪之吉　Cntral Jagueyal Ciego de avila

黑西哥在住會員

○矢島洋三　Apartado 282 Tampico Tama
○小宮山義佐　Calle Raman Ortiz No. 214 C. Juarez chih.
○瀧澤善平　9a Mina 210 Mexico D. C.
○岩垂貞吉　Aportado 282 Tampico Tama
○勝田正武　Botica Japannese Manganillo Cal
○小林武夫
E. T. Kobayashi Esperanra R. Y. Sonora
○須藤正夫　Gueretaro No. 191
○中曾根　浩　c/o Sr.H. Morokuma 221 avenida madero zuares, Chiwawa

○金井 英雄 c/o Sr. S. Simizu Escuintla
SaconusCo. Chipas
○森下 哲 c o Restourant camos 1a Calle
de Sanguan de Letran #12
○古川 芳雄 c/o Dr. T. Turu. Ode Valles S.L.P.
○出浦 義毅 Aportaao #26 Psnuco Vera.
○安藤 勇 Nicolas Bravo 235 Colima Oal.
○片瀬 淺次 11 Yueviero st. Hermasillo sono.
○小林要太郎
c/o K. &. Kishimoto Esquitla. Chipas
○長淵 鐘吉 Apartad 2501 Mexico D. F.
○高橋田太郎 Pilares de Nacozari Sonora.
○竹内 駒雄
c/o K. Y. Kishimoto Co. Esquintla chipas
○林 彌兵衛
c/o S. P. D. m Hospital Empalme Sonora

智利在住會員

○遠澤 貫一
c/o K. Kawada Casilla 457 Valpaliso
○竹中 健一 apartado 634 Valpaliso

ペルー在住會員

○宮岡 愛之助 Apartado No. 26. Oraya
Departamento Junia

○北澤 德治
c/o Haceda Casa Grand Trujillo
○宮澤 文平 Apartado 29 Lima
○宮澤 文八 Apartado 29 Lima
○岩波 爲好 31 Calle de Inconpertello de
Sanpedro Lima
○村田 孫治郎 Apartado 895 Eallende Vallallo
22 Lima
○鳥羽 秀榮 Apartado 292 Lima
○須澤 虎雄
c/o El Consilado del Japon Lima
○宮澤 虎雄 同 上

亞爾然丁在住會員

○河野 通俗 Cabildo No 464 Buenos aires
○青木 小市郎 Calle chacabaco 763 Buenos aires
○小林 義彥 „
○横内 五郎 c/o Guinta Japanesa Eestacion
Haedo F. C. C.
○宮原 基 Cosquin F. C. C. N. O.
○志眞 義忠 Calle Lavalle 1079 Buenos Aires
○小林 一郎 Calle Pasda·1657 Buenos Aires
○荒井 金太
c/o El legacion del Japan Buenos Aeres
○上條 秦三郎

c/o sr. Juan a. monte Funes F. C. E. A.
○井口瑠璃之助 Burzaco. F. C. S.
○田村 惠 Calle Colon 1770 Cordoba
○山崎 忠直 Leosquin F. C. E. N. A.

伯剌爾西在住會員

A モジアナ線

○市村 謙一郎 Fagenda Tuyaty Est. Coqueiro
○伊澤 力三郎 Faz. das Flores Est. Craimbos, „
○高山 盛政 „
○立岩七右衛門 „
○河西 萬衛 „
○西澤 登次 „
○上野 一平 Faz. Figueiea Est. Alvarenga
○松本三郎兵衛 Faz. Figueira Est. Dowingosvillera
○寥川 喜藏 „
○藤森 八治 „
○宮嶋 富美男 „
○降旗 秀雄 „
○竹内 清志 „
Faz. Varger Aregure Est. Jgarapara
○中澤 繁雄 „
○油井 國太郎 Faz, Santa Rita Est. Jon Firm
○原 多七 „

○中村 島太郎 „
○小池 庄平 Faz. Villa Costina Est. villa Costina
○牛山 德江 „
○森元 武雄 „
○森原 菊三郎 „
○眞島 爲一 „
○小林 勝治 „
○若月 智亮 „
○小松 代太郎 „
○牛山 富喜衛 „
○大工原 虎男 „
○高橋 藤治
Faz. Wargue algure Est. Tgarpava
○南澤 和次 Faz. Restinga Est. Restinga
○南澤 紋吉 „
○竹松 隼人 Faz. Palmiyra Fst. Chanan
○百瀬 松千代 „
○高橋 武 Faz. Chanaan Est. Chanaan
○篠原 與三郎 „
○綠川 忠七郎 Faz. Gulapara Est. Montiros
○小林 實太郎 Faz. Sao Joao Est Scorana
○黑坂 勝男 Faz. Taguty Est. Cogeiro
○村石 憲太郎 Faz. Bargion. Est. Delte
○齋藤 幸 Faz. Trauswaal Est. Serrana.
○武井 龍市 Est. Scolana.

E ソロカバナ線

○宮坂 實郎 Faz. A. Araqua Caixa P. No12
Est. Sao manoel.
○丸山 重人 „
○丸山 粂一 Faz. Arqua miriu Caixa P. 6
Est. Sao manoel
○松野 森治 Frz. Brejio Est. arvares.
○市川 新七 „
○宮下 倉吉 „
○北澤 安太郎 Faz. Veravista Est. Avarey
○宮脇 晉治郎
Faz. Santa maria Est. Rodorigos Arbes.
○西村 福男 Sandabarbara-do-Rio Pardo Est.
Cerqueira Cezal
○土屋 庄之助 Olio Eist. mandoli.
○織井 今一 Faz. Paudalho Est. Jao Alfredo
○田中 源七 3 Riopard Est. santa Barbara.
○矢部 市郎 Faz. Dn Carlos Est Ourinhas.
○柄澤 幸之助 Faz. machado Bregion Est. Arvores
○野溝 勇
Faz. Santa yudoxia Esr. Alfredoelles
○小田切 傳 „
○滋野 英一 „
○竹本 京藏 „
○酒井 正治 „

○小林 源八 „
○丸山 喜市
Faz. Santa Ernestina Est. Conpas Sales
○矢崎 節夫
Faz. Anhamas Est. Cao Corrego R'.Co.
○村松 圭二 N. C. Tokyo Est. Motuca.
○松本 泰治 Faz. Montepel. Corineo. Barabonit.
○高橋 一敬 Faz. Isahel. Est. Monte. Alto.
○保科 正景 Faz. Saogerardo Est. Piratinga.

C ノロエステ一線

○折井 嘉英 Caixa P. 31 Est. Guaranta
○上原 資郎 Faz. Carrigo Azul Est. Promissao
○内山 銈雄
Faz. Agna Mariuba Est. Monlabado
○笹澤 新 Est. Heitor Legru
○花石 勝人
Faz. Santa Teresa Est. Hetor Legra.
○嶋田 義高
Faz. Cascatta Est. Presidente Penna.
○小林 伊助 Caixa P. 13 Est. Biriquy
○瀧澤 浩
Faz. Tayemde Tromissao. Est. Hitorulegur

D アララクアラ線

○嶋田 省四 Faz. Boa Vista Est. Inochios
○笠井 胖 „

○中村 太郎 Faz. Baragasu Est. Takawaratingo
○大谷 峯松 Caiza P. 60 Taquaritinga.
○笠井 良登 Caixa P. 88 Y. Bira

其の他

○野村 忠三郎 Est. Anna Dias L. Santas-Juquia.
○平出 延平 Sete Barras L. Santos-Juquia
○和田 千苗
Faz. Juquelia Est. Juquelia L. Ixgles
○鈴木 長治 Rua Moca 26 Sao Poulo
○森山 彌曾治
46 Comde de Sarzedas C do Sao Poulo

○村上 眞一郎 Caixa P. 1114 Sao Poulo
○松橋 久彌
Rua Senador Feyo#359 Santos San Poulo
○今井 鶴太郎
Rua Condede Sarzedao No 85 Sao Poulo
○黑坂 武雄 Caixa P. H. San Poulo1
○伊藤 八十二 Caixa P. 1114 San Poulo
○原 繁重 Hetel Esplanada San Poulo
○望月 貞太 5. Rua Tantinguera San Poulo
○田中 信男 China Santa Elness' San Poulo.

ボルネオ在住會員

○坂本 市之助
Z. O. Box 60 Sandakan British N. Borneo
○大瀬 房人 Kata-Baroe Poeloe Laoet Borneo
○中村 良相 „
○酒井 理文 „
○柿崎 しげ „

○小山 嘉一 Tawao British N. Borneo.
○細尾 直一郎 „
○小澤 義通 „
○關 長一郎 c/o Kuboto-Plantation Tawo B. N
○池田 良之助 c/o Nomura Rubber Refinery
Kaloewa Amoenta Datch Borneo

シンガポール在住會員

○土屋 擴 c/o Fukuda & co. # 5—3 Beach
Road Seingapore S. S.

○村石 巃 43 Queen St.
○北村 三郎 P. O. Box 562 Sungei Papan Estate

○山川繩之助　63 Vi. ctoria st.
○松山金治郎　46 〃
○奥田直常　c o Sangei Papan Est M. G. K.
○村上政太郎　c/o Dr. Tsutada 74 Bras Basah R'd.
○加藤庫造　〃
○加藤榮男　〃
○町田孫太郎
c/o mr. Ohta. & Tanaka #95 Deskar R' d.
○伊藤熊一郎　#5—9Beah Roah
○加藤虎雄　#7—4 Bras Basah R' d

ジヤバ在住會員

○赤津傳　56 Watan Pasar malang Java
○三澤綱良　c/o Toko Japon Karakusan
○半田積善　c/o The Bank of Taiwan Kali Besar Batavia
○宮本清　c/o Nomura & co. Samarang
○宮作長重　c/o Tomoe Trading & co. Pekodjam Semarang

比律賓在住會員

A ダバオ在住の部

○石田幸成　P. O. Box 159 c/o mintal Dep co. Taloma Dowao Mindanao Ph. Osland.
○小林千尋　P. O. Box158 Dagan
○草間和重　〃
○佐久木信次　〃
○香山忠雄　B. O. Pox 165 Davao
○北原武雄　〃
○山口忠七　〃
○高坂權一　〃
○春原團造　〃
○宮下甲司　〃
○青木重太郎　〃
○米山紳吉　〃
○竹澤水津八　〃
○高寺彌助　〃
○古市万五郎　〃
○宮下鶴　〃

○上田五郎　〃
○南澤基利　〃 155 〃
○龍野文一　〃 154 〃
○柳澤勇雄　〃
○百瀨一雄　c/o Davao co.P. O. Box141 Davao
○北原國市　P. O. Box 134 Davao 〃
○塚田久米治　〃
○小笠原巖　P. O. Box 110 Davao
○酒井蓮治　〃
○長橋辰三郎　〃
○北條英雄　〃
○伊藤春好　〃
○井上靜雄　〃
○飯島光男　〃
○藤澤富朝　P. O. Box 99 Davao
○瀧澤興一　〃 70 〃
○茅野秀夫　〃 49 〃
○瀧澤半次郎　P. O. Box 27 Davao
○石井哲次　〃
○小林帝次郎　〃 23 〃
○中村貫一　〃 5 〃
○内山寛治郎　〃 4 〃
○藤澤美次　〃 A 〃
○村上稻美　c/o Ota Kogyo co. Davao
○丸山政義　〃
○小林喜一　〃
○黑澤寛　〃
○原山芳保　c/o Matsuoka Kogyo Co. Davao.
○田中壽次　〃
○山口久行　〃
○等々力芳治
c/a Okada & co. P. O. Box C. Davao.
○中島幸次郎　〃
○中谷芳太郎　〃
○中谷幾男　〃
○古平淸　〃
○丸山竹次郎
c/o O. D. C. Hosptal P. O. Box 159 Davao
○村澤靑砥　〃
○金森晉市　Iram Davao
○胡桃學三　〃
○千國民治　〃
○松橋雅光　〃
○望月政一
c/o Furukawa & co. Dalion Davao
○青柳喜美人　〃
○竹内八郎　〃
○小山正直
c/o Dalia Unvavayas Co. Davao

○嶋田幸治　〃
○南嶋武雄
c/o Bate Plan Co. P. O. Box 70 Davao
○松永覺三　〃
○宮坂國人
c/o Ohta Development Co. P. O. Box 1150 Davao
○石澤善平
c/o Maling Co. P. O. Box 196 Davao
○神津吉子　c/o Iramplantation Ohta Deuelopmentco. P. O. Box C. Taloma
○中村安博　c/o Manan Culan DeveloPment Co. P. O. Box 65 Davao.
○北村正一　Morig of Furukawa P. O. Box 154 Davao
○宮澤峯三
c/o Mamanbrer & co. Taiver Davao
○瀧澤主計　c/o Post office Davao
○星野義美　Ranch Rayal. Davao
○大角廣吉　c/o Ranch co. Davao.
○小池鈞夫
c/o Talomo Plant co. P. O. Box 134 Davao
○越定三　c o Ranch Mintaluro Davao
○西村多蔵水　c/o Davao Ananbre Davao
○高寺邦保　c/o Shigisawa &Co. Davao
○林博十　c/o Manam Brach co. Cavao
○塚田良人　Mananbran Davao
○近藤幸衛　Rimev Side Davao
○大澤繁喜
Manoisin Agricultural School Davao.
○本郷吉久
Agricultural School Guianga Davao
○山岸米雄　Bato Davao.
○野口運之進　Malila Kimatae Davao

B マニラ在住の部

○高橋榮位　1709 Poko. Peran Manila
○酒井準一
1089 Alhidargo St. Quiyabo. Manila
○松岡重司
538 Arbarato St. Pinaudo Manila
○丸山眞
411 Reyna lejente Binond Manila
○中澤英雄
60 Piuia St. Santansesa Maila
○杉山君次郎
P. O. Box 461 c/o Mitsui Basan Co.
○關谷豊太郎　8 Carsila Cobo. Manila

C 其の他在住の部

○窪田久登
P. O. Box no. 2 muraro gninobatan Albay
○高寺茂雄　P. O. Box 30 Baguiu Benged

○太田正治郎　P. O. Box 35 lacuna Sau Poblo

南洋委任統治諸島在住會員

○西澤要　南洋ポナペ島マグラユーム村
○荒井幸市　南洋ポナペ島電信所
○宮下重一郎　南洋パラオ島南洋貿易株式會社
○關友幸　〃

支那在住會員

○上條利一　青嶋四方局區孤山
○松嶋親吉　滿州吉林領事舘
○新井淳　上海東亞同文書院
○戸谷米保　青島青島病院
○内山重利　奉天江嶋町三番地

英吉利在住會員

○遠藤進　The Naval Inesp. Office westminster London England
○堀信吉　13. Beresford St. waol wich. London S. Q. 18 Eengland
○丸山　c o Nippon yusen Kaisha #4 Lloyds Ave London E. C.
○諏訪部一
Yokohama spice Bank Ltd' London E. C.
○海野重治　23Bradway Terrace Harewood Ave marylebone London N. W. 1.
○高橋常次　#62Martiu St. Gamaica Road Bermondsey London
○久保德美　c/o mr. G. Koizumi 83 Ebury St. London S. N. I.
○矢島美雄
41 Morton R'a Mid dlesfrongh
○湯本矯夫　c o Mitui & Ltd' #31 33Lime St. London E. C.

○其の他各國在住會員

○中島臨男英領香港灣仔海傍東街四十三號山口平三郎方
○市村恒治　c o Asahi & Co. 12 Faras Rood Bonbay No. 8 India
○山本芳壽　B Japanisch Batschaft Berlin Germang
○畑良太郎　The Japanise Legation slockholm Sweden.

大正十四年度事業計畫及事業ノ內容

一、海外發展ノ宣傳

1 縣內各郡市十九支部及東京支部ニ於テ年內二回ノ支部總會ヲ開キ會員ハ勿論一般公衆ノタメニ海外事情ノ講演會ヲ開催ス

2 講習會開催

イ 海外發展ノ一般的講習

縣內數ケ所ニ於テ農閑ノ季節ヲ利用シ海外事情研究ノタメニ講習會ヲ開催ス

ロ 海外渡航者ノタメニ特種的講習ヲ開催ス

南米ブラジル共和國サンポーロ州アラサツーバ郡內信濃海外協會移住地信濃村ヘ入植セントスル者ヲ集メテ海外發展ノ理想海外渡航法入植心得移住地衞生開墾法等ニ付キ特別指導ノ講習會ヲ開催ス

ハ 指導員養成講習

海外發展ノ宣傳及渡航者指導海外協會幹部養成講習等ヲ開催ス

二、雜誌發刊ノ內容改善ト部數ノ增加

本會ガ海外發展ヲ目的トシタル機關雜誌海ノ外ハ現會員及既ニ海外渡航者ノ會員ニ每月四十頁ニ近キモノ二千六百部ヲ刊行シテ縣內及ビ縣外ハ勿論廣ク世界各國ノ會員並ニ講讀者ニ配付シテソノ功果著シキモノアリ本年ハ更ニソノ內容ヲ改善シ部數モ亦三千部ヲ刊行セントス

三、縣外發展地事情調査並ニ視察

1 栃木縣那須ケ原福島縣西白河郡樺太北海道朝鮮等ニ於テ縣外移住地ノ視察調査ヲナス

2 本會幹事ヲ海外ニ派遣シテ南洋南北米滿蒙等各方面ノ海外事情ノ調査ヲナス

目下宮下幹事ハ南洋南北米ヲ視察中ナリ

輪湖幹事ハ南米ブラジル國サンポーロ州ニアリテ調査研究中ナリ

3 各郡支部ニ於テモ亦視察員ヲ海外ニ派遣シ世界各地ノ海外事情ノ調査ヲナス

4 世界一週產業視察團ノ旅行

世界產業視察ノ目的ニテ約半ケ年經費凡四千圓十名乃至十五名ノ團員ヲ得テ廣ク世界各國ノ產業狀況ノ視察ヲナサントス目下本會主催志望者募集中ナリ

四、海外支部增設

現在本會支部ハ縣內十九縣外一北米三南米二合計二十五ヲ有スルモ本年度ハ更ニメキシコ中米、南洋フイリツピン滿洲、中支那ノ六支部ヲ增設シ本會ノ目的ノ普及徹底ヲ計リ組織的ノ海外發展ノ實績ヲ擧ゲントス

五、標本ノ陳列展覽

廣ク海外諸國ノ特產品ヲ陳列展覽シテ一般公衆ノ觀覽ニ供セシガタメニ其蒐集ニツキ力ヲ注ギヤガテ海外發展參考博物館ノ基礎タラシメントス

六、南米ブラジル國サンパウロ州アラサツーバ郡內ヘ移住地建設

（ありあんさ移住地……信濃村）

七、將來計畫セル事業

1 第二、第三のありあんさ移住地ノ建設

目下我ガ協會經營ノ南米ブラジルありあんさ移住地ハ數年ナラズシテ完成スベク本會ハ更ニ第二、第三ノ移住地建設ヲナサントス、カクシテ縣內各十九支部ニ於テカクノ如キ經營ヲナサンコトヲ期シ追ツテ我ガ國ニ於テ移住組合法案ノ決定セラル、頃ハ縣內ノ有力ナル各村ノ產業組合郡聯合青年會聯合農會等ニ於テ此種移住地ノ建設セラレンコトヲ期畫ス

2 郡市各支部ノ海外移住地並ニ各種海外事情調査組合ノ設置奬勵

各郡市內ニ海外視察、調査、事業經營等ノ小組合ノ設立ノ奬勵

3 縣立諸學校實業學校等ニ植民科ヲ加設

（但シ法令ノ範圍內ニ於テス）

4 移住者ノタメニソノ人格ノ修練品性ノ陶治ヲ主トシコレニ海外移住ニ必要ナル智識技能ヲ授ケ世界的公民タル敎育ヲ施スタメノ植民中等學校ノ設立同練習地ノ設置

5 海外發展ノ眞ノ指導者養成ノタメ植民敎員養成所設立

6 男女師範學校ニ植民科ヲ加設シ倘專攻科設置（男女共）

7 產業組合法ニ準ジテ植民信用組合ノ設立

各郡市聯合ノモノ及各郡市ニ設立スル機關トヲ要ス

8 海外發展ヲ目的トスル公民自由大學ノ設立

夏季大學、農民大學ノ如キモノニ植民講座ヲ設ク

9 婦人ホームノ設立

10 海外發展ヲ目的トスル子女敎育指導ノタメ縣內數ケ所ニ婦人ホームヲ設立

11 海外移住ヲ目的トスル產姿、看護婦、醫師ノ養成所設立

12 在外子弟ノ敎育者ノ養成機關ノ設立

13 海外發展ノ博物館ノ設立

13 拓植省設置

拓植局、拓植課、拓植植民係等ノ設置ノ運動。國ニ省、縣ニ課、村ニ係等ノ機關ノ設置

八、會員數（大正十四年十二月現在）

南佐久	二五	北佐久	八
小縣	一七九	諏訪	二〇
上伊那	七二	下伊那	七五
西筑摩	四八	東筑摩	七九
南安曇	二一四	北安曇	四八
更級	二一	埴科	二三
上高井	八六	下高井	一五
上水內	一〇一	下水內	一〇六
長野市	一七	松本市	三
上田市	四	東京市	二五二
米國西北部	一六三	北米ロスアンゼルス	六〇
米國北加	五五	レジストロ	一二〇
アリアンサ	三〇	其の他北米合衆國	一三〇
布哇	二八	加奈太	一六〇
キエーバ	八	メキシコ	一九
ペール	九	チリー	二
ブラジル	九七	アルゼンチン	一三
シンガポール	一二	南洋	二七
フイリツピン	九四	其の他	一二

なんぢ死に至るまで忠信なれ。然らば我生命の冕を汝に與へん。

編輯後記

△今年も餘す所數日となりました。皆々樣各位の御努力と御援助によりまして海の外も健實の歩を致してゐます。協會一同も無事新年の迎へを待つてゐます會員諸兄にも內外相共に益々御健在にて御活動の事を御喜び申上げます。

△顧みる過去一年は協會としては可成の惡戰苦鬪を敢行致しました。常任幹事藤森氏の辭職から現在西澤幹事を迎える迄。其の間永田幹事の南米歸朝と土地購入の報告。各郡市支部の會合と信濃村建設資金募集着手。信濃村入植者の募集及び斡旋會員會費の整理等。何れも、今年の記錄に特筆に値すべき事柄であります。幸ひに總裁其の他の役員の活動によりまして、資金募集には相當の成績を收め、無事第二回の土地拂込みも濟みて完全に信濃村地權の讓り受けをなしました。それに入植者からの喜びの訪づれが參り、益々信濃村の眞相が社會の耳目を集めて、今や入植志望者は四百余名になんなんとしてゐます。會費整理も各支部役員の活動により、可成り好成績を收めてゐます。協會としての總決算は昨春四月でありますが此處大正十四年の今年は非常の發展と進歩を致してゐます。これは偏に役員各位の努力と會員諸兄其の他關係各位の賜と深く感謝致してゐます。

△「今年こそは」と年頭に念じて奮鬪した諸兄には如何なる結果をもたらしたかは存じませんが、過去の努力は打ち捨てゝ、更らに迎える新年にも其の「意氣」と「腕」とを續けて人生の行路に進みませう。

△今月號四十三號は會員名簿を作製致し會員各位の參考資と致しました。四十四號は新年號ですから何か協會の記念的記錄でもお目にかけたいと存じます。

△迎へる大正十五年に當り益々諸兄の御壯健を祝し無事御年越の程を祈り申上げます

謹賀新年

一月元旦

信濃海外協會

海の外

定價

	內地	外國
一部	廿錢	廿仙
半ケ年	一圓十錢	一弗十仙
一ケ年	二圓廿錢	二弗廿仙

海外郵稅二錢

注意

▲御注文は凡て前金に申受く
▲廣告料は御照會次第詳細通知致します
▲御拂込は振替に依らるゝが最も便利とす

大正十四年十二月二十五日

編輯人 永田稠

發行兼印刷人 西澤太一郎

長野市南縣町

印刷所 信濃每日新聞社

長野市長野縣廳內

發行所 海の外社

振替口座長野二一四〇番 信濃海外協會

信濃海外協會
海の外社發行

一九二六（大正一五）年　海の外　第四四号〜第五三号

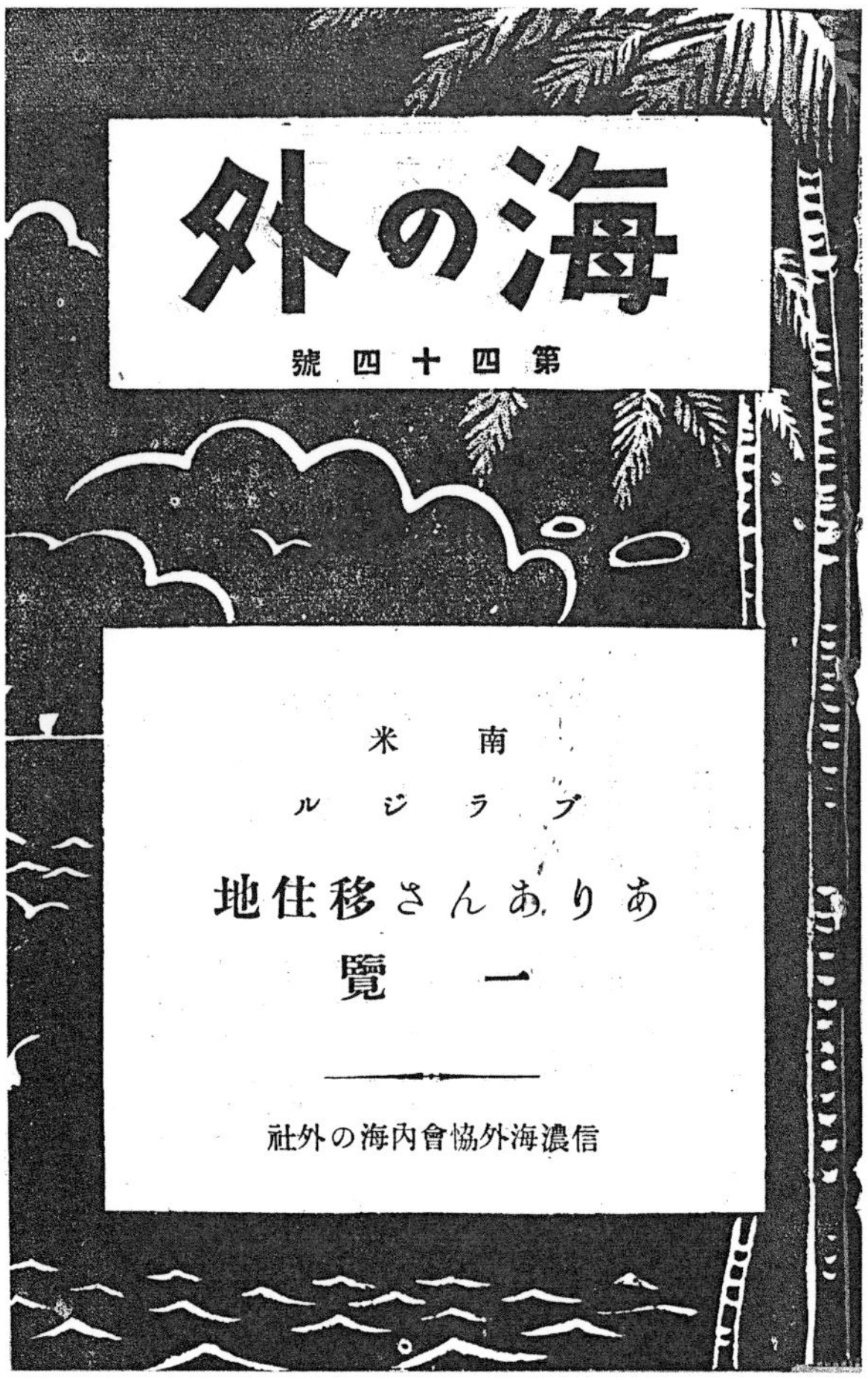

（上右）相談役牛島省三氏　（上左）幹事石口龜一氏　（下左）相談役萬富次郎氏　（下右）幹事西澤太一郎氏

信濃海外協會歴代の總裁

（右）第一代總裁岡田忠彦氏
（中）第二代總裁本間利雄氏
（左）現時の總裁梅谷光貞氏

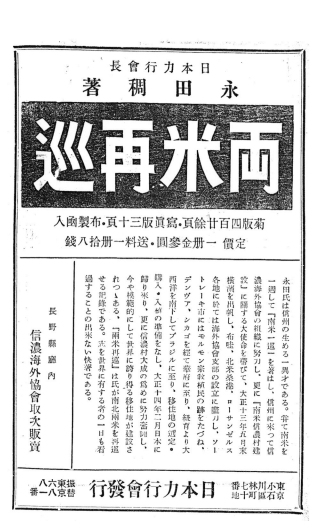

（右）多羅間領事　（中）移住地理事北原地價造氏　（左）全輪湖俊午郎氏

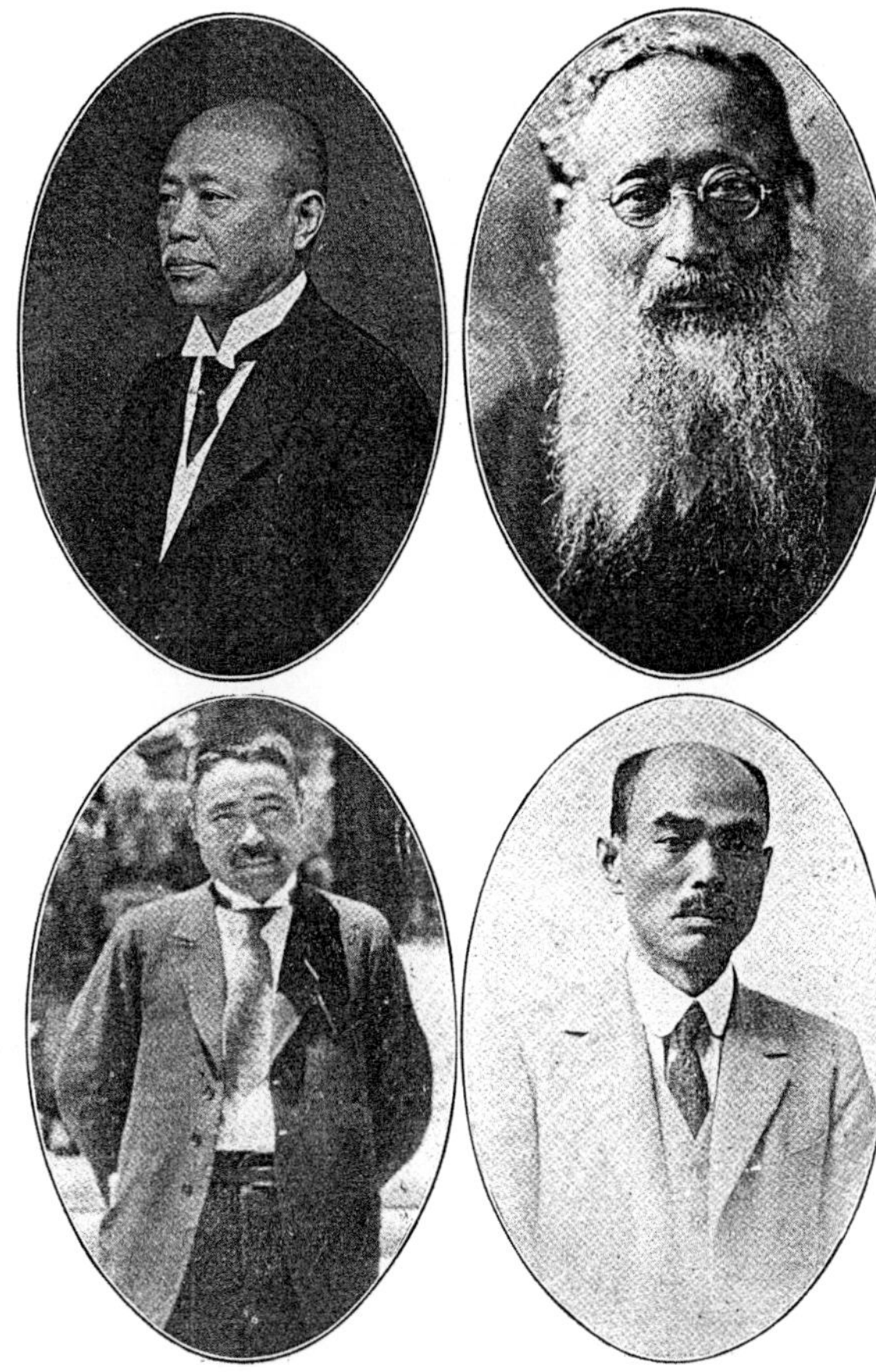

（右上）顧問今井五介氏　（左上）顧問小川平吉　（右下）幹事宮下琢磨氏　（左下）幹事永田稠氏

目次

南米ブラジル「ありあんさ」移住地一覽發行に就いて

我が日本帝國を泰山の安きに置き、我國民の幸福和平を計り、兼ねて世界の開發と文化に貢獻する爲めには、我國民が世界の各地に移住し、世界を家として居住し活動するの必要なるは、万人の等しく是認する處である。而して、我國民海外發展の過去と現在とを考察すれば

一、國民海外發展の事業を政府が直接に經營する事は最善の方法ではあるが、今日の世界では直ちに物議を起す恐れがある

二、さればとて、海外に發展する國民を營利の目的とする移民會社に一任するが如きは、甚だしき時代錯誤である

三、而かも從來我國民の海外移住者間には、何等の組織も統一も聯絡もなく、蜘蛛の子を散らすが如く四分五裂の狀態である

四、且、徒手空拳の勞働者が多く、資本を携行する者は殆んど絕無の狀態で

五、其上に、土着永住に關する準備と決心とに欠けて居る

かくの如き狀態では、日本民族の鞏固なる地步を世界に築いて行く事は出來ない。

我信濃海外協會は玆に見る處あり、これ等の欠陥を補ひ得る理想的の移住地を建設し、國福民利を計

ると共に各方面に範を示し、兼ねて世界の文化に貢獻するの一助となさんとし、萬難を排して、南米ブラジル共和國アラサツーバ郡內に、五千五百町步の土地と、重要なる三個所の附屬地とを購入し、「アリアンサ」移住地と命名して、其經營の步を進めて來た。

一、信州關係資本家の了解

二、政府の援助

三、當局者の熱心なる努力

四、計劃の周到なること

五、移住地の好適

六、時期の適當なりしこと

等の諸因に依つて、今や此移住地は着々と發達して來た。此移住地完成に至る迄には、猶數年の日子を要し、其間に予期せざる困難に遭遇することは或はあるかも知れないが、兎に角、此事業が我國民の海外發展史上に於て劃時代的のものであることを否定することは出來ない。

かくの如きは世界に日本民族の地步を占むる最良なる方法であり、農村問題の積極的解決と、兼ねて社會政策の根本的解決の最良法である。國民海外發展の具體的事實として、「アリアンサ」移住地の經營は、極めて有意義である事を信じ、大方有志の參考に供せんとして、此册子を刋行する所以である。猶、旣に本協會より發行せる

「南米ブラジルありあんさ移住地の建設」
「南米ブラジルありあんさ移住地通信」

等を併せて一讀せらるれば、一層了解を助くることと思ふのである。

大正十五年二月

信濃海外協會總裁　梅谷光貞

一、信濃海外協會の梗概

南米「アリアンサ」移地經營の主體たる信濃海外協會の梗概を記せば左の通りである。

イ、略史。 大正十一年一月二十九日、時の縣知事岡田忠彦、衆議院議員小川平吉、貴族院議員今井五介縣會議長笠原忠造、信濃教育會長佐藤寅太郎主唱者となり、四百餘名の賛成者を得て創立し、大正十二年五月には時の總裁本間利雄南米移住地建設の宣言をなし、大正十三年六月梅谷知事第三代の總裁となり爾來今日に至る。

ロ、本部支部。 本部を長野縣廳内に置き、三市十六縣と東京、北米シアトル、桑港、ローサンゼルス、南米ブラジルに支部がある。

ハ、役員。 總裁は梅谷知事、副總裁は前縣會議長笠原忠造、佐藤信濃教育會長、相談役及び代議員は縣廳及び民間の有力者、支部長は市郡長及び其他の有力者、幹事五名。

ニ、經費。 年額五千圓。縣費一千圓、内務省より一千圓の補助金を下附されてゐる。

ホ、事業。 海外發展の講演會、幻燈會、活動寫眞會、移住者講習會、月刊雜誌「海の外」の發行、移住者の教育補導、在外縣人の調査及び聯絡等の外、南米ブラジルに於て「アリアンサ」移住地の經營をしてゐる。

ヘ、聯絡。 海外協會中央會を通じて、各縣にある拾一個の海外協會又は拓殖協會と聯絡して居る。

二、南米ブラジル移住地建設の宣言

大正十二年五月十三日、信濃海外協會臨時代議員及支部長會に於て時の總裁長野縣知事本間利雄の、移住地建設に關する宣言は次の通りである

『本日特に信濃海外協會代議員並に支部長諸君の會合を煩はしたる動機と經過に就きて一言述べやうと思ふ。

我が信濃海外協會は創立以來玆に一年有半、此の間專ら海外發展思想の普及宣傳に努力し、其間若干渡航者に對して、便宜を計り來りたる程度の事業に過ぎなかつたのである。

併しながら熟々世界の大勢を觀望し、移民の實狀に鑑みれば大いに考慮を要すべきものがある、自分は新任早々宮下、永田兩君の話に依りて、信濃海外協會なるものゝ存在を知り、本年の初頭に於て總裁としての引繼ぎを受けたのであるが、爾來當協會の趣旨目的、長所短所に就きて考慮を廻らしたのである。

歐州戰爭後諸外國は内政の整理に忙殺せられ、從前の如く國民を海外に送る事は困難である、財政の方面よりも、又屈强の壯年即ち勞働者の數の減じたる事よりしても、移民植民の事業は當分停止の狀態にあるのである。

然るに我日本は大戰亂中幸に人命を失ふ事も無く、經濟上には莫大なる利益を占め得たので、之等の利用を考ふれば、海外に膨脹發展せしむる事が最も機宜に適したものである。此の機會に、成べく多くの人を海外に送り、國運發展の基礎を確立して置くが急務であると信ずる。

扨それならば何處へ人を送るべきか、亞弗利加大陸は土地廣く、人口稀薄に、文化の程度も低く、開發の餘地は相當にあるが、早く既に歐州諸國の繩張の中に置かれてある、獨逸も此處に廣き土地を持つて居たが、英國や佛國に分割されて、彼の大陸は全く我國に向つて閉鎖されてしまつた。

支那は行きて日本人に競爭の出來る土地では無い、支那人の生活程度は甚だ低く、粗衣粗食に甘んじて勞働を惜まざる國民であるから、彼等の中に立ち交つて行く事は不可能である。又西比利亞、滿州等は彼が如き事情であるから、是又安全に移り住む事は出來ない。北米合衆國に於ては、在留の我が邦人に對して迫害を加へ、リンチと同樣なる取扱も仕兼ねまじき狀態である。斯くして今や邦人の行き得るは南米の一つあるのみとなつた。

南米は土地廣く、地味肥え、氣候適順、よく邦人の健康に適する上に邦人の移り住む事を歡迎して居る。殊にブラジルは、世界の寶庫とも稱せられ、アマゾン流域を始め、無邊の沃野が空しく放置せられ人の來り拓くを待つと云ふ狀態である。此の時此の際、邦人の行くべき處はブラジルを措て他には無いと云ひ得るのである、宜しく我々は此の地に向つて邦人發展の基礎を作り、國家百年の長計を樹立せねばならぬのである。

其處で人を此の南米へ送るとして、今迄の樣な行き方では甚だ面白くない。無計劃に行く事を勸めることは頗る考へものである。又彼の地の事情の宣傳や、海外思想普及などゝ云ふことは、寧ろ既に無用である。

自分の考ふる處に依れば、移住の必要條件としては、目的地に渡航したる後も、鄕里にあると同樣なる恩惠に浴すべき施設をする事である。鄕里に居れば、如何に窮すればとて、生命の維持は出來る、故に鄕里を離れ難いと云ふのは人情の常である。然れば移住者とし萬里の波濤を越えて行くとも其處に安全なる境地のある事を確認せしめねばならぬ。

英國人が世界の各地に發展し、到る處に於て成功する所以のものは、背景に大なる資本と國家の勢力との後援があつて、何等の脅威を感ぜずに、恰も雛が親雞の翼の下に抱擁せられて居るが如く、安全に且あらゆる便宜を與へられ、母國に於けると同樣の恩澤に浴し得るからであつて、決して冒險談に唆かさるるとか、好寄心に基いて出て行くといふ樣な事ではない、英國では諺に「國旗の飜る處に商權が伸る」と言ふが、彼等は何處に於ても樂天地を造り、其生產品を以て母國を富ましつつあるのである。

自分は歐羅巴より米國に渡り、其途次往々に耳にした事があるが、從來外國に行つた所の大多數の日本人は何時とはなしに退步して終ふた。餘りに色が黑いので、土人だと思ひ、話をして見たら日本語を使つたので、日本人なる事が解つたといふ滑稽談もある位で、今迄の者は概ね慘めな境涯に置か

れてある様だが、それは理の當然である。移民を送るには夜の船で港につけ、夜の汽車で田舎へ送りなるべく都會を見せない様にする、所謂奴隷扱ひである、其結果彼等は當初の予想は裏切られ、意氣阻喪し、病氣になるとか、自暴自棄に陷るといふ事になる。かくて自已の生命の安定さへも保證せられぬのだから、勿論子弟の教育など考へて居る暇が無い。されば當人一代は兎に角、二代三代目になればかなり退化するのは必然である、斯の如くんば移民は國力發展に非ずして、國辱の暴露かも知れない、是れ實に資本と祖國の援助との利便を失ひたる結果に外ならない。

日本は南米に向つて完全なる移住地を建設する事に於て、世界各國に先んじねばならぬ。移住者をして安全に確實に定着し、何等の脅威を感ぜしめず、且彼地に於て本國に居りては望むべからざる程の地主たらしめ、本國に居ると同樣の幸福を得せしめねばならぬ、それには移住の方法を根底より變へてかゝる必要がある。

移民は決して徒手空拳にて行かしめてはならない。資本の後援が有り、確實なる計劃の下に送るでなければ、成功する者は稀である。然らざれば志や誠に壯なりと雖も成功者は數百人中一二に止まるのである。

以上は自分の意見であり、十數年來の持論であつたのである。信濃海外協會も、苟も何等か爲す有らんとするならば、宜しく奮勵一番帝國の政策に迄影響を及ぼす程度にやらねばならぬ。

此の見地に基きて、我輩の立案せるものが別紙の計劃である。諸君は熟覽の上、共鳴し盡力せられん事を希望する。此事業たるや實行には稍々困難を感ずべきも、既に十分に曙光を認めて居る、事業の性質上之に向て醵金する事は、實に有意義であるのだから我々に確乎たる信念を以て、之に當らふと思ふのである。」

三、移住地經營の一般計劃

前項本間總裁の宣言に附隨せる移住地經營の一般計劃の骨子は左の如きものであつた。

一、資金。貳拾萬圓を一口一千圓宛とし本縣に關係を有する有志の醵出に待つ

二、土地。約一萬町歩としブラジル國サンポーロ州内にて珈琲栽培可能地を購入す

三、土地利用

イ、五千町歩　出資者に分配提供す

ロ、一千町歩　信濃海外協會直營地

ハ、一千町歩　長野縣よりの新渡航者に賣却す

ニ、一千町歩　在伯長野縣人に賣却す

ホ、二千町歩　土地組合に賣却す

四、移住地施設

イ、交通設備　金一萬圓支出

ロ、産業組合　金二萬圓貸附

ハ、教育保健　金一萬圓支出

ニ、土地管理　年額五千圓を計上

五、移住者。一人につき二百圓を補給す

以上は其當時に於ける大體の計劃であつたが、各方面の狀況から、愈々實行する場合に於ては、當初の計劃とは餘程異つたものになつて來た。

四、移住地經營資金

移住地經營資金を貳拾万圓と概算したが、海外協會が公益團體であるから、營利事業は出來ない、從つて出資に對して利益配當をする事が出來ない。玆に於てか出資は寄附金とならねばならぬ。乃ち一口一千圓の寄附をして貰ふことに決定した。但し一般の寄附金とは其精神を異にするから、寄附金の半額に相當する丈けの土地を移住地に於て寄附者に提供することにした。乃ち一千圓の寄附に對し其半額五百圓大正十四年度の土地價格は一反歩五圓であるから拾町歩の土地を提供したのである、而して各郡市に割當たる標準は左の通りである。

八,〇〇〇圓	南佐久郡	二〇,〇〇〇圓	下伊那郡
一,〇〇〇圓	西筑摩郡	一〇,〇〇〇圓	東筑摩郡、
三,〇〇〇圓	南安曇郡	五,〇〇〇圓	上水内郡
三,〇〇〇圓	北安曇郡	二,〇〇〇圓	下水内郡
二,〇〇〇圓	埴科郡	一〇,〇〇〇圓	上高井郡
三,〇〇〇圓	下高井郡	一五,〇〇〇圓	更級郡
一五,〇〇〇圓	北佐久郡	一〇,〇〇〇圓	長野市
一三,〇〇〇圓	小縣郡	五,〇〇〇圓	松本市
一〇〇,〇〇〇圓	諏訪郡	七,〇〇〇圓	上田市
一五,〇〇〇圓	上伊那郡		

合計貳拾四萬七千圓で二割餘のダメージを見込まうと云ふ次第であつた。

五　信濃・南米兩土地組合

信濃海外協會の移住地經營と協力して、産業組合の理想を日本民族の海外移住に應用したい考慮を以て「有限責任信濃土地購買利用信用組合」を組織し

一、組合員又ハ組合員ト同一ノ家ニ在ル者ノ貯金ヲ取扱フコト

二、組合員ニ對シ移住其他經濟ニ必要ナル資金ヲ貸付スルコト
三、組合員ノ移住ニ必要ナル物件ヲ買入レ之レヲ組合員ニ賣却スルコト
四、組合員ノ移住ニ必要ナル土地ヲ買入レ之レヲ組合員ニ賣却シ又ハ利用セシムルコト
五、加入豫約者、公共團體又ハ營利ヲ目的トセザル法人若ハ團體ノ貯金ヲ取扱フコト

を目的として事業を進捗さる都合であつたが、愈々定款を作成して出願して見ると農商務省では、現行の産業組合法では、組合の區域(一府縣以內)外の土地を買入れることを承知しないので、信用事業の外は仕事が出來ない事になつたが、折角始めた仕事であるし、將來産業組合法を改正して貰へばよいと云ふので、兎に角、此の組合を組織する事になり、大正十三年五月下旬迄に一口五十圓の持分を約一千口丈け申込を得るに至つた。

然るに農商務省の意見は益々硬化して、此種の組合は今後は認可せざることに方針を一決したので、聯合會を組織して産業組合中央金庫の低利資金を借り入るゝ事も不可能になつたので、大正十四年九月に至つて、此組合を解散する事に決定した。乃ち持分の拂戻しを希望する者に對しては之れを拂戻し、其持分を信濃海外協會から分讓して貰ふ土地代に振り替へたき者には、同協會より土地を分讓することにし、組合で組合員に與ふべかりし各種の便宜は海外協會に於て取計らうことにした換言すれば土地組合の權利義務を協會で繼承した次第である。

併しながら、國民の海外又は內地移住に對し、産業組合の理想を應用することは、極めて緊要なる事

項であるから、現行産業組合法で移住の事が取扱へないなれば、移住組合法を單行法として制定するがよかろうと云ふことになり第五十議會に於ては其建議案が通過し、第五十一議會には移住組合法案が提出さるる筈である。(附錄移住組合法案の項を參照せられたし)

信濃海外協會の移住地經營を、長野縣下のみに限定することなく、廣く日本各地の海外移住者に及ぼし、兼ねてこれ等の府縣に於て此種の移住地經營の場合に必要なる人材敎養の一助ともなすべき目的を以て南米土地組合を組織し、信濃海外協會と協力するの方法を採つた。乃ち

一、組合員ノ移住ニ必要ナル物件ヲ買入レ之ヲ組合員ニ賣却スルコト
二、組合員ノ移住ニ必要ナル土地ヲ買入レ之ヲ組合員ニ賣却シ又ハ利用セシムルコト

を目的とし、海外協會中央會の役員を以て此組合の役員とし、民法の組合法に準據して組織をしたのである。日本內地に於ては一口五十圓の持分二百口程加入者を得たに過ぎなかつたが、北米合衆國加州ローサンゼルス附近からは、約八百口の申込を得て今日に及んで居る。

乃ちアリアンサ移住地の經營には、既に伯國に渡航して其國の事情に通じたる者と、排日問題其他を通して日本民族が、世界の各民族と觸接し、最も多くの試練を經たる在米同胞中の有志と、祖國より新に海外に移住せんとする者とを、打つて一丸となし、各其長所を發輝して行きたいと思ふのである

六、移住候補地の選定

大正十二年七月、移住候補地選定に就き依頼狀をブラジル國バウル駐在帝國領事多羅間鐵輔氏に送つた。

一、資金貳拾萬ヲ以テ經營セラル可キ土地
二、面積一萬町步以內
三、サンパウロ州內
四、珈琲ノ耕作ニ適スル土地
五、停車塲ヨリ五十粁以內

に適當なる土地の選定を願ひたいと云ふのである。

多羅間領事は非常なる厚意を以て此事業を援助せられた。乃ち本協會組織の當初其事務に參與して居た輪湖俊午郞、上伊那農學校出身の北原地價造に依託して多大の日子とかなりの經費とを以て、廣く聖州の各地に亘つて適當なる移住候補地の選定に苦心され、遂に仝州アラサツーバ郡內、ルツサンビラ驛附近に適當なものを發見してくれたのである。

七、關東震災の前後

偖、各郡市に割當てたる移住地資金の募集は、其當初に於ては、海外協會の支部長たる郡市長の努力に依つて出來るものと思ふて居た。何分、始めての仕事であるから、赤十字社や愛國婦人會の仕事の樣に、郡市の努力に依つて出來ると高をくゝつて居たのに無理はないが、偖、實際問題になると、郡市支部の當局者は勿論、一般の縣民に海外思想が徹底して居ないのであるから、話す者も話される者も、雲をつかむ樣な次第で、各郡市共成績は更に擧らないと云ふ有樣で、殆んど四ケ月を經過してしまうた縣下の經濟事情が九月頃からよくなるので、愈々着手しようとして居ると、關東の大震災に直面し、ブラジル移住地の寄附金などを問題にして居ることが出來なくて、空しく大正十二年は暮れて行つたのである。

明くれば大正十三年一月、震災の騷ぎが一段落になつて、國民はやゝ落付いて來た。冷靜に考慮すれば國民海外發展の事業は益々急を要するので、震災の爲めに一頓挫をして居た南米移住地建設の事業も、萬難を排して遂行するの必要に迫られて來た。時の總裁本間利雄、幹事蜂須賀善亮、永田稠、宮下琢磨、藤森克等は熱心に活動を始めた。片倉兼太郞氏の寄附金五万圓、東筑摩郡の九千圓、諏訪郡の一萬六千圓、西筑摩の二千圓、上高井の八千圓等漸次申込を得て、仝年三月には其申込金額十万圓に達するに至つた。玆に於て本間總裁は事業に着手するの決心をなし、幹事永田稠を南米に派遣すること

とに決定したのである。

八、移住地の決定・購入

総裁の命を受けて永田幹事は大正十三年五月下旬横濱を出帆し、布哇を經て北米に至り、海外協會支部の組織に努力し、モルモン宗徒の植民地、猶太人移住協會等必要なる事情を研究調査して、八月上旬ブラジルに達し、多羅間領事、輪湖、北原の諸氏と共に既に選定せられたる移住候補地に至り、地形、地質、氣候、風土病の有無、交通、地權其他必要なる事項を調査研究すること約二ケ月、長文の電報を以て協會と協議して遂に移住地の決定をなし、引續き購入の手續を了したのは、大正十三年十月一日である。其土地購入契約の譯文は次の通りである。

左記契約書の土地の外に、ルツサンピラ、コトベロ、兩驛に各拾二町五段歩と、郡役所の所在地アラサツーバ市に約四百坪の合計三個所の附屬地は別に購入した。

土地賣買契約書（寫）

讓渡人　上院議員 ロドロフオ・ノゲーラ・ダ・ローシヤ・ミランダ

讓受人　永田稠

契約價格　五百五十コントス（約十八萬圓）

契約期日　千九百二十四年十月一日

契約記入帳簿　第百十一巻五十四頁

公證人役場　サンパウロ市第四公證人役場

千九百廿四年十月一日サンパウロ市當公證人役場ニ於テ契約兩者出頭ノ上契約ス、即チ讓渡人サンパウロ市居住上院議員ロドルフオ・ノゲーラ・ダ・ローシヤ・ミランダ、讓受人永田稠並ニコレガ同意者フランジスコ・シミツテ大佐遺産整理人代表者タル嗣子ギレルメ・シミツテ立會ヒノ上、上院議員ロドルフオ・ノゲーラ・ダ・ローシヤ・ミランダガ千九百廿二年一月廿八日故フランシスコ・シミツテ大佐ト協定セル土地賣却委任契約ニ基キ讓受人永田稠ト左記條件ノ許ニ地權交附ヲ契約セルコト實證也

一、賣却地ハサンパウロ州アラサツーバ郡サン・ジョアキム耕地内ニ存在シフランシスコ・シミツテ大佐ノ相續人ノ所有ニ屬シ賣却地面積二千二百アルケールス（區域ハ添附セル地圖ノ如シ、一アルケールハ二萬四千二百平方米突（約五千五百町歩）ニシテ一アルケールノ賣價金二百五十ミルレース即チ全面積五百五十コントス也

右二千二百アルケールスノ一地區ハ當サン・ジョアキム耕地内第二十六號地區トス

而シテ同第廿六號地區ノ周圍境界ハ左ノ如シ、伯國西北鐵道ノ起點バウル驛ヨリ三百八十五基四百三十八米突ノ地點タル現存ルツサンピラ驛ヨリ始メラル、ルツサンピラアラサツーバ自働車

道ニ於ケル三十三キロノ標抗ヲ起點トス。

此起點ハルツサンピラ驛ヨリ東南四度四十分ノ方向ニテ直線距離二十九基二百六十米突ノ地點ニ同ジ。此起點ヨリ東北四十三度四十五分ノ方向ヲ保チサン・ジョアキム耕地ト境シツ、千百八十米突ニ至リ、第二ノ標杭ニ會ス。ソレヨリコトベロ川ニ沿ヒ下向シマレモト溪流ト合スル地點ニ於テ標杭第三ニ至リ。更ニマレモト溪流ヲ溯リ同溪流ノ發源地ニ於テ標杭第四ニ會ス。ソレヨリ東南五十四度四十分ノ方角ヲ以テサンジョアキム耕地ト境シツ、二千七百三十米突進ンデ標杭第五ニ達ス。此ノ標杭ハインテルベンソン溪流ノ發源地ニアリ、ソレヨリ同溪流ヲ下向シコトベロ驛ヨリロドルフオミランダ市街豫定地ニ至ル計劃車道ト合スル地點ニ標杭第六アリ。ソレヨリ西南五十三度二千百七十米突ニテ標杭第七ニ至リ。更ニ西南二十九度二十分、依然サンジョアキム耕地ト境シツ、六千六百五十米突ヲ走ツテ標杭第八ニ至ル。夫レヨリ西南八十四度二十分、ガブリエル・デ・アゼベト・ジュンケーラ氏ノ土地ト境シツ、三千五百米突ニシテ標杭第九ニ達ス。此ノ標杭ハルツサンピラー、アラサツーバ自働車道ニアリ、ソレヨリ此ノ道ニ沿ヒ三十米突ノ上方ニテ標杭第十トナリ。更ニ西北八十八度三十分、九百四十米突ニシテマカジーニヨ溪流發源地ニ至リ標杭第十一ト會ス。ソレヨリ同溪流ヲ下向シトラベツサクランデ川ト合スル地點ニ標杭第十二アリ。而シテトラベツサグランデ川ヲ更ニ下流ニ向ヒ標杭第十三ニ達シ。（同川右側ニ此標杭アリ）夫レヨリ東北八十三度五十分サンジョアキム耕地ト境シツ、三千七百四十米突ニシテ前述自働車道ニ於ケル三十四基米突ノ地點ニ於テ標杭第十四ニ達ス。ソレヨリ同自働車道ニ沿ヒ後戻リシ出發起點タル三十三基米突ニ至リテ止ム。此ノ土地ハ面積五千三百二十四エクタール即チサンパウロ州ノ二千二百アルケールスヲ有ス。

二、前記二千二百アルケールスノ賣却價格ハ五百五十コントスニシテ共内百八十四コントスハ既ニ賣却者ヘ拂込濟ナリ。殘額三百六十六コントスハ百八十三コントス宛二ケ年賦拂トシ更ニ殘額ニ對シテハ年一割ノ利子ヲ附ス事。支拂期日ハ千九百二十五年十月一日及ビ千九百二十六年十月一日トス但シ此ノ期日以前ニテモ拂込ム事ヲ得、此ノ場合ハ支拂當日迄ノ利子ヲ添附スルモノトス。

三、賣却者ハ購入者ヘ第二回ノ地代支拂ト同時ニ地權ヲ交附スルモノトス、但シ拂込金ノ殘額ニ對シテハ此ノ土地ヲ擔保トナス事。

四、購入者ノ希望ニヨリテハ一旦地權ヲミランダ氏ニ移シ然ル後購入者ニ交附スルモノトス。此ノ場合登記料ハ購入者ノ負擔トス。

五、二千二百アルケールスノ賣却地ガ測量ノ過失ヨリ或ハ多ク又ハ少ナキ時ハ二ケ年以内ニ賣却者ニ對シ申シ出ヅルコトヲ得。

六、前記二ケ年以内ニ於テ同土地ガ二千二百アルケールスヨリ少ナキ場合ハ其ノ差ヲ一アルケール二百五十ミルノ割ニテ賣却者ハ購入者ヘ、又萬一コレニ過グル時ハ同ジク其差額ヲ購入者ハ賣

却者ヘ對シテ支拂フモノトス。

七、賣却者ハ現存ルサンビーラーアラサツーバ自働車道中驛ヨリ三十三基米突ニ至ル間其使用交通ノ保證ヲ購入者及其繼承者ヘ與ヘ且同地帶賣却ノ場合モ同様其保證ヲ條件タラシムルコト。

八、三十三基米突ヨリ四十三基米突ニ至ル間ノ自働車道ノ修理保存ハ千九百二十五年四月末日迄賣却者ニ於テ其責ニ任ジ其レ以後ハ購入者ノ負擔トス。

九、賣却者ハ現存前記ルサンビーラーアラサツーバ自働者道ノ中、同驛ヨリ三十三基米突ノ地點ニ至ル間、土地ノ賣却セラレザル部分ニ對シ共通過區域ノ修理ヲナスモノトス。

十、購入地二千二百アルケールノ中ニ現存セル凡テノ動産例ヘバ三十六基米突附近ナル道路修理人ノ爲メニ造ラレタル住宅、井戸、畑地農作物其他ハ無條件ニテ購入者ノ所有タルコト。

十一、賣却者及其相續人ハ將來此土地ニ對シ問題ノ惹起セル場合ハ其責ニ任ジ之レニ要スル一切ノ費用ヲ支辨シ購入者ノ權利ヲ飽ク迄保證スルコト。

十二、賣却者及購入者ガ此契約書ニ於ケル條項ヲ履行セザル場合ハ其罰金ヲ五百コントスト定ム尚賣却者ガ今ヨリ一ケ年以内ニ購入者ヘ地權ヲ交附セザル場合及ビ其他此契約條項中違反ノ箇所アル時ハ右五百コントスノ外ニ第二項ニ記セル既ニ第一回地代トシテ拂込メル百八十四コントスヲ返金スルモノトス。更ニ購入者ガ購入セル土地ニ動産施設ノ際ハ其金額ヲモ要求スルコトヲ得。

十三、地權交附ニ際シテニ登記ニ要スル諸費ハ購入者ニ於テ負擔スルモノトス。

十四、購入者ハ此契約ト同時ニ前記二千二百アルケールノ土地ヲ自由ニ使用シ得。

十五、購入者ハ賣却者ノ承諾ナシニ此ノ契約ヲ第三者ニ移轉スルコトヲ得ズ。

十六、此ノ契約ハ其ノ各項ニ至ル迄兩契約者ノミナラス其ノ繼承者モ又コレガ履行ノ義務ヲ有スルモノトス。

十七、購入者ハ隣地區ノ購入人ニ對シ既成自働車道並ニ車道ノ交通ヲ許スベキモノトス。

十八、賣却者ハ千九百二十五年四月末日迄ニコトベロ驛ヨリ購入地ノ境界ヲ走リアゼベート・ジュンケーラ氏所有ノ土地ニ至ル車道ノ開設竣成ヲナスコト。

十九、賣却者ハフランシスコ・ナポリタノ及ジョ・アキン・メンデス・ブラガ氏ニ依ル一切ノ要求ヨリ何等購入者ニ迷惑ヲカケサル事ヲ保證ス。

二十、賣却者ハ此土地ニ入植スル植民ニ對シルツサンビーラ驛ヨリノ移轉輸送ヲ無代ニテ最初ノ二十家族分丈ナスコト。

故フランシスコ・シミツテ大佐ノ遺産整理人タル嗣子ギレルメ・シュミツテ氏ハ前記契約ニ同意シ購入者モ又此契約ヲ承諾セル事實證也

千九百二十四年十月一日

ロドルフオ・ノケーラ・ダ・ローシャ・ミランダ

永田稠

ギレルメ・シミツテ

證人

ジョアン・バチスク・ペレーラ

フランシスコ・ロドリゲス・ゴディ

公證人

アルレド・フイルモデ・ペレーラ

九、移住地開設準備

既に移住地の決定と購入を終りたるを以て、永田幹事は臨機の處置を以て、輪湖俊午郎、北原地價造の兩人を移住地理事に任じ、移住地の名稱を「アリアンサ」と決定し、開設の準備に着手した。

一、北原理事は測量機械、農具、種子、藥品等を準備し、座光寺大工を從えて十月二十一日第一に入植した。

二、森林を伐採して之れを燒却し堀立小屋を建て井を堀つた。

三、十二月十日には約七町五段歩の土地に玉蜀黍と陸稻の播種をした。

四、四十坪の移住者收容所の建築をした。

五、荷物自働車を購入した。

六、測量をして入植者の地區を區劃した。

かくて大正十四年五月には入植者の爲めに一切の準備が出來上つた。猶、決定したる「入植規定」は左の如きものである。

「ありあんさ」移住地入植規定

第一條　本移住地ニ入植スル者ハ土地ヲ所有スル者ト借地スル者ト勞働スル者トヲ問ハズ此ノ規定ニ服從スルコトヲ要ス

第二條　本移住地ニ自治機關トシテ區制ヲ設グ其細則ハ理事之ヲ定ム

第三條　本移住地ニ於テ分譲スル地區ハ左ノ三種トス

一、十アルケールス

二、十五アルケールズ

三、二十アルケールス

但シ出資者ニ提供スル土地ハ此ノ限リニアラズ

第四條　本移住地ノ地區ハ二人以上共同シテ所有スルコトヲ得ルモ區分シテ賣却又ハ譲渡スルコトヲ得ズ

但シ理事ノ承認ヲ得タルモノハ此限ニアラズ
第四條　本移住地ヨリ分讓スル土地ノ價格ヲ甲乙二種トシ其地價ハ每年度每ニ理事之ヲ定ム
大正十四年度ニ於ケル一アルケールノ地價ハ甲種四百五十ミルレイス乙種四百ミルレイストス
第六條　本移住地ヨリ土地ノ分讓ヲ受クルモノハ信濃海外協會員有限責任信濃土地購買利用信用組合員又ハ其ノ家族及ビ南米土地組合員ニ限ル
第七條　本移住地ニ於テ道路ノ布設及ビ保存ニ要スル經費ハ本移住地ニ土地ヲ所有スル者ノ負擔トシ負擔ノ方法ハ理事之レヲ定ム
第八條　本移住地ニ於テ提供又ハ分讓スル土地ノ決定ハ本人又ハ代理人ガ開拓ノ準備ヲナシテ到着シタル順序ニ依リ理事之ヲ定ム
但シ理事ニ於テ必要ト認メタル場合ハ此ノ限リニアラス
第九條　本移住地ニ土地ヲ所有スル者ハ理事ガ必要ト認メテ布設スル道路ノ用地ヲ無償提供スルノ義務ヲ有ス
但シ理事必要ト認ムル時ハ相當ノ代價ヲ支拂フコトヲ得
第十條　入植者ノ家屋ノ位置及ビ建築ニツキテハ豫メ理事ノ承認ヲ經ルヲ要ス
入植者ガ理事ノ承認ヲ經ズシテ家屋ヲ建築シタル場合ハ理事ハ必要ニ應ジ家屋ノ位置及ビ建築ヲ變更セシムルコトヲ得

第十一條　理事ハ入植者ノ衛生ニ付キ命令ヲ發スルコトヲ得
第十二條　入植者ハマレータ、フエリーダプラボ其他ノ風土病又ハ流行性ノ病人ヲ發見シタル時ハ直チニ理事ニ申告スルノ義務ヲ有ス
第十三條　移住地ノ教育、衛生、青年會、婦人會、研究　[illegible]業ノ經營ハ理事之ニ任ス
其經營ニ要スル經費ハ本移住地ニ住居スル者ノ負擔トス但シ教育及ビ衛生ニ關スル事項ニシテ理事必要ト認メタル場合ハ土地所有者ニ所要ノ金額ヲ賦課スルコトアルベシ
第十四條　本移住地ニ於ケル各種作物ノ耕作面積ニ付キ耕作者ハ豫メ理事ノ承認ヲ經ルヲ要ス
第十五條　本移住地ノ生產物加工ハ本移住地ニ於テ之レヲナス入植者ハ理事ノ承認ヲ經ルニアラザレバ移住地ノ經營ト同種類ノ加工ヲナスコトヲ得ズ
第十六條　本移住地ニ於ケル生產物販賣ハ一括シテ移住地理事之ニ任ズ
耕作者ハ理事ノ承認ヲ經ズシテ其生產物ヲ賣却スルコトヲ得ズ
第十七條　本移住地ニ居住スル者ノ必要ナル物資ハ本移住地ニ於テ經營スル消費組合ヨリ購入スルヲ要ス
理事ノ承認ヲ經タルモノハ此限リニアラズ
第十八條　入植者ハ本移住地ノ風紀治安ヲ害スル行爲アルベカラズ
第十九條　本移住地ニ土地ヲ有スル者ノ爲メ理事ハ其希望ニ依リ土地ノ利用管理ノ方法ヲ講ズ、其

細則ハ理事之ヲ作製ス
第廿條　本移住地ノ規定ヲ遵奉セザル者ニ對シ理事ハ退去罰金損害賠償其他必要ト認ムル所罰ヲナスコトヲ得
第廿一條　本移住地ノ理事ハ信濃海外協會之ヲ任命ス
第廿二條　伐木山燒霜害病虫害驅除豫防其他共同勞作ヲ必要トスル事項ニ對シテハ理事ノ命令ニ從ヒ共同提携シテ行フベシ
第廿三條　本規定ハ信濃海外協會ノ承認ヲ經テ理事之ヲ改癈スルコトヲ得
第廿四條　入植者ハ日曜祭日ヲ休業トシ其ノ他ノ日ハ止ムヲ得ザル事故アルニアラザレバ他人ヲ訪問スルコトヲ得ズ

●入植規定細則

一、第十三條ニ於ケル教育衛生ニ關スル經費ノ賦課ハ大正十四年度分ヲ左ノ通リ決定ス
イ、教育費トシテ
授業料　生徒一人一ケ月三ミルレース宛
戶數割　一家族一ケ月一ミルレース宛
地區割　一アルケールニツキ年額一ミルレース宛
ロ、衛生費トシテ

共濟費　一ケ月一家族三ミルレース宛
　單獨者ハ一ケ月一ミルレース宛
二、第十九條ノ土地利用管費ハ甲乙二種トス
甲種ハ土地所有者ヨリ必要ナル經費丈ケヲ送リテ依托スルモノニシテ利用管理費ヲ年額五百ミルレーストス
乙種ハ土地所有者ガ必要ナル經費ト小作人トヲ送ルモノニシテ利用管理費ハ年額三百ミルレーストス

●區制細則

一、區劃ハ地理的關係其他ノ事項ヲ參酌シ十家族內外ヲ以ツテ理事之ヲ定ム
二、區員ハ隣保相助ケ親睦ヲ旨トシ冠婚葬祭災害ノ救助等ヲ行フモノトス
三、冠婚葬祭其他總テ特殊ノ關係アルモノ、外ハ區內ニ於テ行フモノトス
四、冠婚葬祭ノ程度ヲ左ノ通リ定ム
イ、出產ニ對スル祝儀ハ金一ミルトシ誕生祝ノ經費モ來客一人分金一ミルヲ越エザルコト
ロ、結婚ノ祝儀ハ金一ミルトシ結婚祝ノ經費ハ一人分二ミルヲ越エザルコト
ハ、死亡者ニ對スル香料ハ大人ニハ三ミル小人ニハ一ミルトシ區員ハ穴堀リ其他ノ手傳ヲナスモノトス

二、疾病其他ノ災害ニ對シテハ其程度ニ從ヒ區員援助シ其程度甚ダシキ時ハ理事ニ申出テ理事適宜コレヲ處理ス

一〇、資金の補給

永田幹事は病を犯して大正十四年二月上旬日本に歸着した。之れより先き本間總裁は山梨縣に轉じ梅谷總裁が新たに就任され、藤森幹事は辭任して專務幹事欠員の有様であつた。之れ等の事情の爲め永田幹事出發以後繼續せらるる筈であつた資金募集が一時放棄されて居る爲め、土地代第一回拂と第十三年度ブラジルに要する經營費合計約七萬圓の內金二萬圓は臨時に借入金を以て充當してあるので、其二萬圓の返濟の外、第二年度に要する土地代及び經營費約八九萬圓の募集をせねばならなかつた。

幹事農商課長蜂須賀善亮山梨縣に轉任し、幹事農商課長石口亀一新たに任命され、西澤太一郎專任幹事に就任し、梅谷總裁は各支部長と協力し熱心に資金の募集に着手して活發にして周到なる運動を繼續した結果、小縣郡に於て約一萬三千圓、北佐久郡に於て約一萬圓更級に於て約五千圓、南佐久に於て約八千圓、南安曇の三千圓、其他の募金が着々と步を進めた。

東京に於ては信濃土地組合員の土地代を集め、更に北米に於ける南米土地組合員の持分を集め、此外新たに土地を分讓するなどに依り、又、一時借入れをなし、大正十四年九月末日迄には前年度の借入金貳万圓を支拂ひたる外に約七萬圓の調達をすることが出來た。而して第二回の拂込みを終り、第三回分は殘餘の各郡市の出資金及び土地分讓代金を以て、十分に支拂ひ得るの成算を得る迄に進捗したのである。

一一、政府の了解ご補助

梅谷總裁、石口、永田、宮下、西澤の諸幹事は機會ある每に政府當局に對し了解と補助を求めた。其結果

內務省では

一、アリアンサ移住地に渡航する家族移住者に對しては一人につき金二百圓を補助することを條件として一萬圓

二、海外協會の通常會計の補助金を倍加すること

三、大正十五年度に於て渡航者補助四萬圓を計上すること

を承諾され

外務省では

一、協會の証明に依り入植者に旅劵を下附すること

二、大正十五年度に於て小學校建築費を補給し倉庫精米所其他に對し二割五分の補助をなすこと

三、其他應分の補助をなすこと

を承諾さるるに至つたのである。

かくして呼寄に依るか、移民會社の手に依るにあらざれば頗る困難とされた旅劵下附手續に對しても一紀元が開かるる事になつた。但し各府縣の旅劵係が未だ此事を熟知せず、往々從前の如き舊式のことを云ふて渡航者を困らせる塲合もないではないが不日徹底する事と思ふ。

一二、移住者の募集・渡航・入植

アリアンサ移住地に入植するには、土地を購入して自ら渡航し自ら開拓する者と、地主の土地を小作する者と、獨身者との三種ある。

一、二三人の家族で七八百圓あれば、移住して二十五町步を小作し、四ケ年後に五六千圓の金を殘すことが出來る。

二、二三人の家族で二千圓あれば、移住して二十五町步の地主となり、四ケ年後には一万五千圓以資產を作り、其後は年收二三千圓を得らるる樣になる。

三、日本に居て土地を買ふた方には海外協會で土地の管理や小作人の世話をする。

四、二十五町步土地を買ふて、六年契約の小作人をやれば、七年目には二万圓の資產となり、爾後年收二三千圓を得らるる。

五、土地代を合せて四ケ年間に五六千圓投資すれば、二十五町步の珈琲園が出來て二萬圓の資產となり、以後年收二三千圓を得らるる。

六、一万圓ある三人家族ならば、百二十五町步の土地を買ひ小作人を四家族連れて行つて開拓し四ケ年後には拾萬圓の資產と爾後一萬圓以上の年收を得らるる。

七、獨身者は主として協會の直營地に月給で働いて居る。

移住者募集の爲めには、「南米ブラジルありあんさ移住地の建設」と云ふ小冊子約八千部を配布し新聞雜誌の利用と、各地に講演會を開いた。現下移住を希望する者の經濟狀態では、一家族で現金二千圓を得て獨立自主の植民となる事の出來る者は少ないし、猶ブラジル事情に通じない爲めとブラジルから種々なる事情で歸鄉したる者の悲觀的宣傳がかなり邪魔になつて小作に應募する者も餘り多くない。然し此間に毅然として起つて移住せんとする者は、多くは中產階級者で資金も相當にあり教育をも相當に受けて居る者で、新たなる一村を建設せんとするには極めて適當のものであるこれ等の移住者の外に海外から一度日本に歸つて來て、再び出發せんとする者もあり、海外各地から

アリアンサに行く者もある。外務省の布望もあり、當局者も當初からアリアンサには長野縣人以外の人をも容れる豫定であるので北海道、秋田、福島、茨城、千葉、靜岡、愛知、兵庫、山口、長崎の諸地方からの入植者がある。

これ等應募して來る移住者の旅劵下附、渡航準備等一切の世話は海外協會でやり、サントス港に到着以後のことは凡て移住地理事が忠實に世話をして居るので、今日迄一言半句でも不平を云ふ者は一人もない。此點に於ても移住者取扱ひに一新紀元を開いた次第である。

一三、移住地の現狀

大正十四年十月卅一日附移住地理事輪湖俊午郎の報告を基礎として移住地の現狀を記せば左の通りである。

イ、職員。 理事輪湖俊午郎、仝北原地價造、助手北原夫人

ロ、建物。 假小屋第一號、仝第二號。移住者收容所、仝納屋、仝附屬炊事場、仝便所。小作人宿舍二軒。仝二軒續一棟。便所其他。

ハ、備品。 荷物自働車一臺。農具器具、圖書、藥品。

ニ、商店。 入植者に日用品食料品農具類を供給するもの一。

ホ、協會直營農場。 開墾面積七拾七町七段步

內譯	コーヒー栽培地	四拾七町步	
	牧場	二町五段	
	小作人宿舍敷地	二町五段	
	收容所及運動場	一町七段	
	道路修理人へ貸付	四町五段	
	雜作地	拾九町五段	

ヘ、入植者と開拓面積

氏名	地區	珈琲植付	宅地雜作地	合計	備考
瀨下登	一	一一町七五步		一一町七五步	北米より
竹村安定	二	五、〇〇	二町步	七〇〇	岩波小作
上條信	三	二、五〇	一、〇	三五〇	佐和太氏小作
座光寺與市	四	三、七五	一、五	五二五	伯國ヨリ
篠原秋次	五	二、五〇	一、〇	三五〇	自作
小川林	六	三、七五	一、五	五二五	仝
遠藤於莵	七	二、五〇	一、〇	三五〇	鈴木小作
伊藤長善	八	五、〇〇	三、五	八二五	伯國ヨリ
合計		三六町七五	十一町五〇	四八町	

其他を合せて十四家族。獨身者十名。

一四、移住地經營收支概算

大正十四年十二月下旬に於けるアリアンサ移住地に關する總括的の概算を示せば左の通り

イ、出資者に就いて

出資豫定額	二〇〇、〇〇〇圓	既拂金額	一〇八、六五〇圓
出資申込額	一二五、五〇〇圓	未拂金額	一六、八五〇圓

註。北末拂金額を整理し新たに約三萬圓の出資を得る希望は十分にある。

ロ、土地分讓申込について

取扱所	申込金額	既拂金額	未拂金額
長野	八、六二五圓	六、四二五圓	二、二〇〇圓
東京	五八、五〇〇圓	二八、二二二圓	三〇、二七八圓
北米	四八、〇〇〇圓	一三、〇〇〇圓	三五、〇〇〇圓
合計	一一五、一二五圓	四七、六四七圓	六七、四七八圓

註。之れに伯國の分を加ふれば、これ又六萬餘圓を集め得る望はある。

ハ、提拱及分讓地の面積

出資者に對し提供せる面積	一、〇五五町步
分讓地日本の分	一、三〇五町步
南米土地組合に分讓の分	九五〇町步
合計	三、三一〇町步

註。總面積五千五百町步より三千三百町步を控除するも猶二千二百町步あり、之れを大正十五年の時價一段步七圓の計算にすれば猶十五萬四千圓の資產となるのである。大正十五年度に新たに分讓して得べき豫算の五萬圓は其三分の一にて足る計算である。

ニ、總收支について

總收入		一八一、二九七圓
內譯	出資金	一〇八、六五〇圓
	土地代(長野扱)	六、四二五圓
	(東京扱)	二八、二二二圓
	(北米扱)	一三、〇〇〇圓
	借入金	二五、〇〇〇圓
總支出		一六六、七六三圓
內譯	土地購入費第一回土地代及經營費	七〇、〇〇〇圓
	出張旅費及手當	八、〇〇〇圓
	經營費	三、五〇〇圓
	土地代(第二回)	七〇、〇〇〇圓
	東京支部支出	四、五七二圓
	長野本部支出	一〇、六九一圓
差引		一四、五三四圓

圓

ホ、移住地に於ける收支

◎收　入

永田幹事ヨリ受入	六九、六八九、三〇〇
銀行利子	五〇、〇〇〇
日本ヨリノ送金	一二、〇七四、四〇〇
土地賣却代	七、五〇〇、〇〇〇
臨時借入金	二六、四八八、〇〇〇
農作物	二、五〇〇、〇〇〇
總計	一一八、七五一、七〇〇

◎支　出

土地代……………………	二二、三四六、〇〇〇
內譯	
アラサツーバの分	二〇、〇〇〇、〇〇〇
登記料	三四六、〇〇〇
建物材料其他……………	一九、二九五、四〇〇
內譯	
トタン百廿五枚	九三七、〇〇〇
瓦一萬一千枚	四、二七〇、〇〇〇
板其他木材	八、九七六、五〇〇
釘	二四一、六〇〇
金具類	一四三、二〇〇
大工賃	四、一六〇、一〇〇
井戸一個	一五八、五〇〇
諸運賃	三八三、五〇〇
雜費	二五、〇〇〇
農具器具……………………	一一、四〇一、四〇〇
內譯	
農具	一、〇一三、五〇〇
大工道具	一七八、九〇〇
測量用器具	二、二五一、〇〇〇

事務所用客用具	八六五、五〇〇
仝机其他	三六〇、〇〇〇
荷物自働車及合羽	六、四七〇、〇〇〇
雜費	二六二、五〇〇
圖書………………	四九九、八〇〇
醫藥………………	三六九、五〇〇
農場………………	四二、七九七、〇〇〇
內譯	
種子類	二、三三五、八〇〇
藥材	二八〇、〇〇〇
山伐代(四四アルケール半)	二三、五三五、〇〇〇
勞働賃	一一、九一五、五〇〇
ガソリン油	一、六五〇、九〇〇
自働車附屬品修理	三七〇、九〇〇
雜品	八七四、六〇〇
道路修理費	七九〇、〇〇〇
家畜諸費	四二四、六〇〇
諸運賃及雜費	六一九、七〇〇

註。山伐代は非常に騰貴し、一アルケール五百乃至六百三十ミルを要せり。山伐代金十一コントス六百五十五ミルは入植者より回收すべきものである。

營業費………………	二三、〇九八、五〇〇
內譯	
給料二人	一二、〇〇〇、〇〇〇
其他給料	一、一〇〇、〇〇〇
事務所費家賃	一、一七一、八〇〇
旅費實費	三、八九二、三〇〇
通信費	四五四、一〇〇
文房具費	三九五、九〇〇
廣告及印刷代	四三七、〇〇〇
消耗品	一〇七、一〇〇
諸手當及接待費	二六四、三〇〇
雜費	二七六、〇〇〇
鈴木增長へ地代拂戾	三、〇〇〇、〇〇〇

運賃………………………	二八六、〇〇〇
立替金(中央會圖書費)	五四二、二〇〇
商店費………………	一五、六一五、〇〇〇
內譯商店備品	一三五、〇〇〇
仕入品	一五、四八〇、二〇〇
總計	一一七、一五一、六〇〇

註。移住地に於ける收支計算は、土地購入以來大正十四年九月卅日に至る迄の報告を基礎としたものである。從つて仝年十月日本金七萬圓日本よりの送金を受入せることと、第二回の土地代を支拂ひたることは記入してない。

一五、大正十五年度移住地經營收支概算豫算表

◎支　出　予　算

土地代……………………	二九〇、八六七、五〇〇
內譯	
第二年度殘金	八三、〇〇〇、〇〇〇
右利子半年分	四、一五〇、〇〇〇
大正十五年分	二〇一、七一二、五〇〇
アラサツーバ分	二、〇〇〇、〇〇〇
建物……………………	三八、〇〇〇、〇〇〇
內譯	
植民住宅	一二、〇〇〇、〇〇〇
小學校	一〇、〇〇〇、〇〇〇
病院	一〇、〇〇〇、〇〇〇
井戸十個	六、〇〇〇、〇〇〇
農具器具…………………	一、〇〇〇、〇〇〇
藥品………………………	一、〇〇〇、〇〇〇
農場………………………	二七、五〇〇、〇〇〇
內譯	
山伐代	二〇、〇〇〇、〇〇〇
牧場費	一、五〇〇、〇〇〇
運搬其他	五、〇〇〇、〇〇〇
勞働賃金	一、五〇〇、〇〇〇

道路修理	二、〇〇〇、〇〇〇
種子	二、〇〇〇、〇〇〇
營業費…………………	四二、〇〇〇、〇〇〇
內譯	
給料	二二〇、〇〇〇
旅費	三、〇〇〇、〇〇〇
雜費	二、〇〇〇、〇〇〇
商店部資金	一五、〇〇〇、〇〇〇
合計	三九九、八六七、五〇〇
一圓を三ミル換算日本金	一三三、二八九圓
借入金の支拂を要する分	二五、〇〇〇圓
資金募集土地分譲諸費	一〇、〇〇〇圓
總計	一六八、二八九圓

◎收　入　予　算

出資金…………………………	四〇、〇〇〇圓

註。出資未納金約一萬六千八百圓を整理する外新たに募集する分約二萬三四千圓を得らるる見込み

東京支部扱土地代	三〇、〇〇〇圓

註。未納金額三萬餘圓の拂込みを了する豫定

南米土地組合持分	三五、〇〇〇圓

註。北米其他南米土地組合關係の持分(即ち土地分讓代として拂込むべき分)の拂込みを受くること

新たに分讓する土地代	五五、〇〇〇圓

殘存する約二千町歩の土地の一部分を日本及び伯國に於て分讓する見込

補助金	一〇、〇〇〇圓

政府より小學校、病院等の建築費として補助を受くる見込

總計概算	一七〇、〇〇〇圓

一六、結　論

アリアンサ移住地の結論を述ぶるに當り、項を分ちて記述すれば

イ、土地代金（五千五百町歩に對し）

購入當時の價格は約金十八萬圓

大正十四年度の評價約金貮拾七萬五千圓

大正十五年度の評價約金參拾八萬五千圓

註。ブラジルに於ける土地代は種々なる理由に依り自然に騰貴す。大正十四――大正十五年度には約四割の騰貴を見たり

ロ、出資者

一口一千圓の出資をなし、十町歩の土地の提供を受けたる出資者は

大正十四年度の地價金五百圓

大正十五年度の地價金七百圓

大正十六年度の地價金九百圓

大正十七年度の地價金一千二百圓

と見積ることを得べし。

ハ、四ケ年契約者（十アルケール）

地主。四ケ年間に土地代及開拓費合計約五千三百圓を支出すれば、四ケ年の終りに於て約二萬圓の資產となり、爾後毎年二千圓以上の純益を得らるる。

小作。二三人の家族にて七八百圓の資產を有する者は、四年契約の小作をなし、約五千圓の貯蓄をなすことを得。（渡航費一人二百圓の補助がある）

ニ、六ケ年契約者（十アルケール）

地主。土地代金大正十四年度は一千三百圓、十五年度は一千七百圓を支出す。六ケ年後には二萬圓以上の產資となり、爾後毎年最低限二千圓の純益を得。

小作。二三人の家族にて約一千一二百圓の資金を有する者は、六年契約の小作をなし、六年後に於て約一萬圓の貯金をなすことを得。（渡航費一人二百圓の補助金がある）

ホ、自作植民

二三人の家族で約二千圓の資金のある者は、二十五町歩の土地を買ひ、移住して自作をなすことを得、四ケ年後珈琲が普通の生長をすれば、二萬圓の資產となり、純益毎年二千圓以上を得らるる。（一人二百圓の渡航補助金がある）

ヘ、海外協會

信濃海外協會は約五百町歩の直營地を取得します、これに約八萬圓を投じ、二十家族の小作農を入

れて珈琲園の經營を致します。四五ケ年以後には、其資產は四拾萬圓に達し、毎年の純益は四五萬圓を得らるる望である。

ト、移住地全體

大正十五年度には日本より約五十家族、伯國其他より約三十家族を入植せしむる見込み、大正十六年度には日本及び其他の諸地方より約百家族の入植を見るであらう。かくて五六年後に至りアリアンサ移住地が戶數二百、人口一千人に達した時には、地價は約五百萬圓に達し、珈琲丈けで一ケ年の純益五十萬圓以上に達します。

チ、利用の範圍

千三百圓乃至五千圓の資金と四ケ年乃至六ケ年の年月をかければ、二萬圓以上の資產となり、毎年の純益二千圓以上に達すると云ふ確實なる計算に立脚する此移住地は利用の範圍が極めて廣い

二三男女の分家法として

子弟教育の基本的財產として

中等學校殊に農學校の同窓會の事業として

青年團、處女會、產業組合等の事業として

養老の基本財產として極めて好適である。

リ、各府縣各郡市に一組合

信濃海外協會では二十萬圓の資金を目標にしてやつたが、此「一覽」の示す通り、二十萬圓全額はいらない。十五萬圓以下、上手なやり方をすれば十万圓の資金で、東西二里、南北二里、面積約六千町步一戶平均約二十五町步を有する、二百家族の一村が創設さるる事は、空想にあらずして今や事實として諸君の眼前に提示されてゐるのである。

先づ第一に一府縣に一團體をやつて見るがよい。吾人の理想は一郡市に一團體を組織することである。一郡を二十個村と見、一村を五區と見れば、一區から二家族、一村から十家族、一郡で二百家族の一團體が組織される。而して各家族は平均二千圓の資金、團體では十万乃至十五萬圓の準備があればよいのである。

ヌ、海外投資者の爲めに

事情前述の如くであつて、私共の理想は公益團體として此種の移住地が經營せらるることであるが、事實は營利事業として明確に成り立つ事の實証となつて居るから、中流資本家の海外投資に一道の光明を與ふるものである。

又、一擧して數千萬の海外投資をすることは頗る危險である、寧ろ此種の小さい組合を組織し、之れを相手にして投資する方が、大資本の海外投資に對して萬全の策と云はねばならぬ。吾人の公益

を目的としたる此事業が、偶然にも海外投資家の好資料となつた次第である。移植民事業は國家で經營すべき事業で、民間の事業としては利益の伴はないものであるとの議論は根底から破壞された譯で、若し移植民事業に着手して、失敗して居る者がありとすれば、それは經營の方法に欠陷があるか、適當なる經營者を得て居ないからであつて、移植民事業其物が非營利的のものではないのである。

由來信州は海に接せざる山國であつて、海外に移住して居る縣人も其數は僅少であるから、信濃海外協會が二十萬圓の金を集めて、地球の向ひ側なるブラジルに、移住地の建設をすると云ふ計劃を發表するや、或者は「無謀の擧」と罵り、或者は「成立不可能」と悲觀し、或者は「途中挫折」として敬遠した。然るに今日は既にアリアンサ移住地建設の事業は、着々と進捗し大成疑なきに至つた次第である。

長野縣にして既に然りとすれば、海波茫眇たる海に接し、多數の縣民が既に海外に在留し、又既に早き以前より海外協會又は拓植協會の如き組織を有する諸縣に於て、此の如き事業をなさんとすれば、事は比較的容易であるべき筈である。宜しく舊套を脫して新時代に適應せる施設をなすべきではなからうか。

附錄、移住組合法

信濃海外協會に於て試みたる此移住地經營に於て最も苦心したのは、資金の募集である、意外の時間と勞力と經費とを要して居る。産業組合法を改正して此種の事業に、中央金庫の低利資金を融通するの方法が出來ないならば、移住組合法を單行法として制定するより仕方がない。吾人が立法府に向つて制定の運動をして居る移住組合法案は大要左の如きものである。

移住組合法案

第一條　本法ニ於テ移住組合トハ組合員又ハ其ノ家族ノ移住ヲ助成スル爲メ左ノ目的ヲ以テ設立スル社團法人ヲ謂フ

一、組合員又ハ其ノ家族ノ移住ニ必要ナル資金ヲ組合員ニ貸付スルコト

二、組合員又ハ其ノ家族ノ移住ニ必要ナル資金貯蓄ノ便宜ヲ得セシムルコト

三、組合員又ハ其ノ家族ノ移住ニ必要ナル土地ヲ取得シ又ハ借受ケテ之ヲ加工シ若ハ加工セズシテ組合員ニ賣却シ又ハ利用セシムルコト

四、組合員又ハ其ノ家族ノ移住ニ必要ナル建物其ノ他ノ物件ヲ購買シ之ニ加工シ若ハ加工セスシテ又ハ之ヲ生産シ若ハ造成シテ組合員ニ賣却シ又ハ利用セシムルコト

前項ノ家族ノ範圍ニ付テハ命令ヲ以テ之ヲ定ム

移住組合ハ前項各號ノ目的ノ外定款ノ定ムル所ニヨリ組合員又ハ其ノ家族ノ移住地渡航ノ周旋ヲ爲スコトヲ得

移住組合ハ其ノ取得シ又ハ借受ケタル土地ヲ組合員ニ賣却シ又ハ利用セシムルニ至ラザル期間臨時其ノ用法ニ從ヒテ其ノ土地ノ經營ヲ爲スコトヲ得

第二條　本法ニ於テ移住組合聯合會トハ左ノ目的ヲ以テ設立シタル社團法人ヲ言フ

一、所屬組合ニ必要ナル移住資金ヲ貸付シ及移住資金貯蓄ノ便宜ヲ得セシムルコト

二、所屬組合カ其ノ組合員ニ賣却シ又ハ利用セシムベキ移住地ヲ取得シ若クハ借受ケテ之ヲ加工シ又ハ加工セスシテ所屬組合ニ賣却シ若クハ利用セシムルコト

三、所屬組合カ其ノ組合員ニ賣却シ又ハ利用セムベキ建物其ノ他ノ物ヲ購買シテ之ニ加工シ又ハ加工セスシテ若クハ之ヲ生産シ又ハ造成シテ所屬組合ニ賣却シ若ハ利用セシムルコト

移住組合聯合會ハ前項各號ノ目的ノ外定款ノ定ムル所ニ依リ所屬組合ノ組合員又ハ其ノ家族ノ移住地渡航ノ周旋ヲ爲スコトヲ得

第一條第四項ノ規定ハ移住組合聯合會ニ付キ之レヲ準用ス

移住組合聯合會ハ移住組合若ハ移住組合聯合會又ハ移住組合及移住組合聯合會ヲ以テ之ヲ組織ス

第三條　移住組合及移住組合聯合會ハ有限責任トス

第四條　移住組合ノ區域内ニ居住スル組合員ハ組合員總數ノ五分ノ一以上タルコトヲ要ス

第五條　移住組合ノ組合員ハ定款ニ別段ノ定アル場合ヲ除クノ外出資ノ全額ヲ拂込ミタル後ニ非サレハ組合ノ區域外ニ移住スルコトヲ得ス

第六條　移住組合ノ組合員ハ組合ニ會合ニ關スル一切ノ行爲ヲ代理スヘキ者ヲ定メタル後ニ非サレハ本法施行區域外ノ土地ニ移住スルコトヲ得ス

前項ノ代理ヲ爲スヘキ者ハ當該組合ノ區域内ニ居住スル者タルコトヲ要ス

移住組合ノ總會ノ招集又ハ總代ノ選擧ハ第一項ノ代理人ニ通知スルヲ以テ足ル第一項ノ代理人ハ移住組合ノ總會又ハ總代ノ選擧ニ於テ當該組合員ニ代リテ其權利ヲ行フコトヲ得但シ總代タルコトヲ得ス

第七條　本法ニ別段ノ規定アル者ヲ除クノ外産業組合法中産業組合ニ關スル規定ハ移住組合ニ産業組合聯合會ニ付之レヲ準用ス

住宅組合法第十一條乃至第十三條ノ規定ハ移住組合ニ付之レヲ準用ス

第八條　本法施行區域外ニ於テ行フ移住組合ノ事業監督ニ關スル事項ハ別ニ勅令ヲ以テ之ヲ定ム

附則　本法施行ノ期日ハ勅令ヲ以テ之ヲ定ム

長野縣廳内

信濃海外協會

電話長野二〇〇番

振替長野二一四〇番

東京市麴町區丸の内丸ビル四五四

海外協會中央會內

信濃海外協會東京支部

電話牛込六二三一番

南米ブラジル國サンポーロ州

アラサツーバ郡內

信濃海外協會アリアンサ移住地

Fazenda Alliança. Caixa postal 55

Araçatuba. L. Noroeste.

Est. de São Paulo. Brasil.

編輯雜記

◇

我國運の發展は國民の海外發展にある事は最早識者をまたずして遍く知る處である。故に今や論議の時代は過ぎて實行の時代である。而して斯事業の日々に具體化されて行く事は洵に愉快な事である。我協會經營の『南米ありあんさ移住地』の建設は內外の注目する處となり、內務省は社會政策上、外務省は國民の移植民政策上、エポツクメーキングなものとして範を之れに求めんとして居る。

◇

鹿兒島、山口、廣島、熊本等の海外協會も今やスタートを切つて、各縣民の理想的移住地を建設せんとして居る又個人の有志も奮起されて居る由、實に愉快だ。

◇

此の時に當つて本冊子「海の外」の「南米ありあんさ移住地一覽」の刊行は誠に有意義なものであると確信するものである。同志諸君の御參考となれば幸甚至極である。

◇

在外諸君に對しても、本協會が國民の發展上常に如何なる地位に立つて幾多の困難と窮乏の間に奮闘し努力しつゝあるか御察し下さる事と思ふ。而して北米合衆國等に居る獨身黨の諸君など、何れの地にか再移住をせずには居られないと思ふが故に、之れ亦それ等の諸君のよき御參考の資料である事を信ずるものである。

◇

本冊子は汎く江湖の諸彥に頒布すべく、數千部を印刷して有る故に、御入要の諸兄には無料にて差上ぐ可きに付き御申込下され度し。

（赤イキ生）

海の外

定價

	內地	外國
一部	廿錢	廿仙
半ケ年	一圓十錢	一弗十仙
一ケ年	二圓廿錢	二弗廿仙

海外郵税四錢

注意

◇御注文は凡て前金に申受く

◇廣告料は御照會次第詳細通知致します

◇御拂込は振替に依らるゝを最も便利とす

大正十五年一月二十五日發行

編輯人　永田稠

發行兼印刷人　西澤太一郎

印刷所　長野市南縣町　信濃每日新聞社

發行所　長野縣廳內　海の外社

振替口座長野二一四〇番

信濃海外協會

大正十五年一月廿五日（每月一回）發行

（定價金貳拾錢）

信濃海外協會

海の外社發行

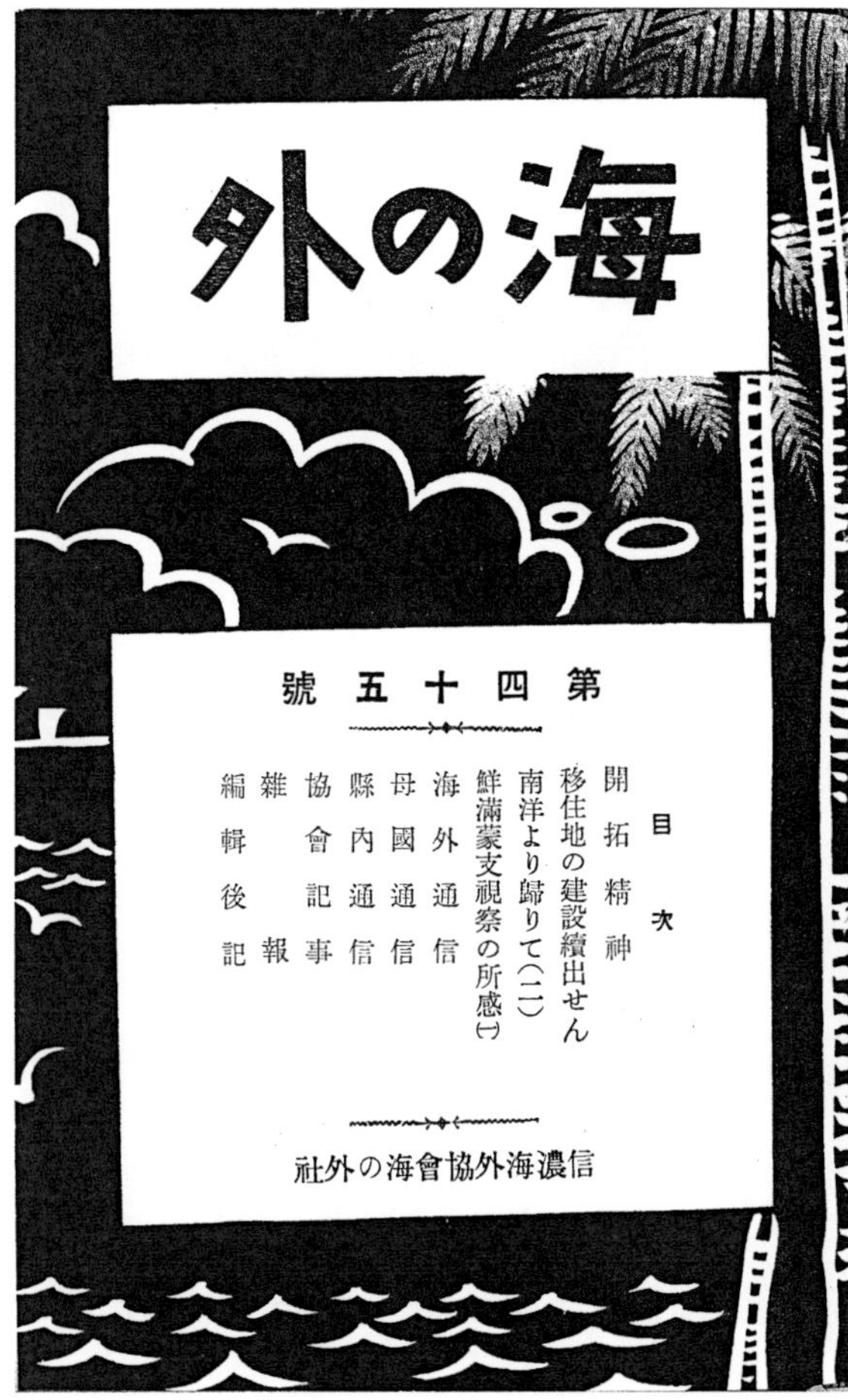

目次

本會評議員　原田梓次郎氏

學務課長　細川護方氏

本會相談役　竹下豐次氏

本會囑託　白石喜太郎氏

保安課長　池田長吉氏

本會囑託　清水襄直氏

本會囑託　畔上日讓氏

アリアンサ移住地への途中

△日曜の一日△

イタプーラの瀑（十五頁記事參照）

原始林の伐採！（アリアンサ移住地）

△

千古斧鉞の入らざる大森林は斯くして我同胞の手によつて文化的に開墾されつゝあります。

開墾面積は既に二百餘町歩。

入植人員は十六家族　六十三人。

△

アリアンサ青年野球團

海の外

第四十五號

大正十五年

二月號

開拓精神（パイオニヤスピリット）

海外移住者は開拓精神の所有者でなければならない。萬里の波濤を越へて異郷の地に奮鬪する士がもし此の精神に燃へて居ないならば海外發展の目的は少しも意味をなさない、のみならず海外移住者個人にとつても最初の目的、理想の遂行は到底不可能の事である。

もとより開拓精神は吾人の積極的活動の根本なれば常に有形無形の活動發輝を示せねばならぬが、殊に移住地の社會的發達の上には常に此の開拓精神の根本に歸らねばならぬと信ずるのである。

「建國の昔に歸れ」と紀元の佳節に擧行した國民運動の「建國祭」も實に開拓精神の振興であり、國民の開拓精神を一層作興せしたる外はないのであつた。

開拓精神は實に吾人の生活上第一義である事を知らねばならぬ。

移住地の建設續出せん

幹事　永田稠

アリアンサ移住地

信濃海外協會の一事業であります「アリアンサ」移住地建設の過程に就きましては、本誌の前月號乃ち「海の外」第四十四號に於て大体の御報告を申上げて置きましたから、忠實なる讀者各位は既によく御了解下さつたことと存じます。

由來、長野縣下に於て、日本の各地に先んじて海外に移住地の建設を致しますることは、常識的に申しますと、かなり無理なことでありました。縣下から海外への移住者も少數でありますし、従つて縣民が海外の事情にも餘り通じて居る譯でもありませんし、紐育土地會社等の前例もありますので、愈實行は困難であつた次第であります。幸にして歴代の海外協會の總裁が、賢明であり熱心でありましたのと、當局者の眞面目でありましたのと、有産階級の各位がよく思ひ切つて出資して戴きましたので、今日の良好なる結果を見ることが出來た次第であらうと存じます。

明治以來の我日本國の移住的海外發展史中には、アリアンサ移住地の如く、高遠なる理想と、統一ある組織と、周到なる計劃とを以て遂行された建設はありません。經つて、其規模から云へば小さなものでありますが、其結果は實に大なるものであります。公共團体が公益を目的として遂行したる事業として立派な成績であると同時に、又、營利事業として立派に採算の出來ることを證明し得たる點に於て、一般的に海外發展の運動に効果を及ぼすことが甚大であります。

私は一月中旬關西各地を旅行して、海外發展の氣運の如何にも旺盛であるのを見て、誠に愉快に感じた次第であります。今回は論文に代へて實際の見聞する所を錄したいと思ひます。

鹿兒島縣海外協會

鹿兒島縣には大正九年頃から協會が組織されて居りましたが、今回、始めて内務省から補助金の下附がありましたので、此機會に百尺竿頭更に一歩を進めたいと云ふのでお招きにあづかり、一月十四日東京を出發し十六日の午前に同地に着しました。「日本青年の南米生活」の著者、田中誠之助君其他に向へられ縣廳の自動車で、一ト先旅館に參りました。それから商業會議所に堀書記長を訪問しました、同氏は鹿兒島の海外協會を造り上げて來た中心的の熱心家であります。それから縣廳に行つて長官縣忍氏にお目にかゝりました。同氏は警察部長として長野に御在任になりましたので、長野のことはよく御承知でありました。

午後五時縣の有力者が約百名鶴鳴館に參集致しました。縣知事の熱心なる御挨拶があつて夕食をすまし、私は常例を破つて食後約一時間半に亘つて、アリアンサ移住地の建設に就いて演述致しました。熱心なる鹿兒島縣下の有力者方は一言をも聞きもらさぬ様な顔をして聞いてくれました。四五の質問の後別室で更に熱心家諸氏と懇談を致しました。濱田直介氏の如きは、移住地建設の運動費は一人で出すと云ひ出しました。それで議會の終了次第、津崎尚武氏や東郷實氏等の御出張を願ふて、兎に角、移住地の建設の實行に取りかかろうと云ふことになりました。

かくて私は十七日午前の汽車で、田中氏や森さんに送られて鹿兒島を出發致しました。

熊本海外協會

十七日の午後三時熊本縣に下車すると海外協會の阿部野理事がお迎に來てくれました。市の公會堂に行つて見ると最早海外協會の役員諸君が全部集つて居ります。私が急に行くと申上げたので、大急ぎで役員會を開いて下さつたとのことでありました。玆でも私はアリアンサのお話を致しました。ブラジルには熊本縣人が澤山居るし、特に上塚君だの農田君の如き成功者も居りますし、北米では熊本海外協會の支部が非常に活動して居るし、縣民も海外事情には通じて居

るし、縣の富力から云ふてもかなりあるし、協會からは留學生を二人もブラジルに派遣して居る位であるから、熱心に運動さへすれば一擧して廿万や卅万圓の移住地建設は出來さうに見えますので、そんなことも附け加へて申述べました。會の後で夕食の御馳走になつて一泊し、十八日の朝、阿部野理事に送られて出發しました。後日阿部野理事のお話を伺ひますと、大分氣運が動き出して、縣廳とも相談して、移住地建設の實行に取りかかる御決心だとのことであります。一兩年中には必ず實現すると思はれます。

長崎縣海外協會

十八日の夕方市役所の川井主事や商業會議所の方々のお迎を受けて長崎に入りました。十九日の朝は商業會議所や錦織市長をお訪ねしました。午前十時から市立商業學校で約一時間、午後一時から商業會議所で一般の聽衆に對し約一時間半、午後四時から長崎市農會で約一時間の講演を致しました。長崎では急に移住地の建設と云ふ處迄は行かないと思ひますが、錦織市長始め非常に熱心家がありますから、着々と順調に發達して行くと思ひます。十九日の夜は市長主催の晩餐に御招待を受けて一泊し、廿日の朝川井さんに送られて山口に向け出發。

防長海外協會

午後九時湯田驛に下車すると、防長海外協會の主事草刈君と岩本時佛兩君が寒風の内に御迎へ下され湯田の溫泉にひたりながら海外のお話に花をさかせました。廿一日の朝は縣廳の自動車に迎へられて、縣廳内の海外協會の事務所に行き、縣廳の有力者にお目にかゝりました。坪井内務部長は、私が横濱に海外渡航者講習所を始めた時、保安課長をして居られた關係がありました。御饗を戴きながら縣の有力者諸氏と御懇談をなし、小郡の農業學校で午後約二時間の講演を致しました。

協會の草刈主事は、縣の課長や郡長として約廿年間山口縣治の爲めに盡力し、其後半生を山口縣海外發展の爲めに献

げて居る有志であります。今回愈移住地建設の實行に着手するの大決心をなされました。山口縣からは嘗に政治界の有力者のみならず、財界の巨頭が出て居りますし、縣民の海外にある者も頗る多く特にブラジルには田付大使や多羅間領事等此縣出身者もあるので、ブラジルに本縣の移住地建設をするのは、今を措いてはこれ以上の機會があろうとも思はれないので、多分本年内に土地購入位迄は歩度を進め得らるるであらうと思はるるのであります。措しき別れを告げて袖を小郡驛に別ち汽車は長驅して午後十時廣島縣に着く、同地海外協會の諸君に迎へられて旅舍に入りました。

廣島縣海外協會

此海外協會は日本で一番始めに組織されたものであります。縣民の海外に在留する者約六万人、其一ヶ年の送金額一千万圓と稱せらるるのであります。故に日本では一番よく活動の出來る筈であり、又して來たのでありますが、前の主任者の多少の手違ひから多少の借金が出來て居ると云ふことで、其理事者達は心配して居りました。其所に前拓殖局長官濱田恒之助氏が海外發展の大抱負を以て縣知事として赴負されました。それで縣の方でも海外發展に就いて着々と計劃を進めて來ました。

廿二日の午前は師範學校で「在外子弟の敎育」を中心とした海外發展の講演をし、午後は海外協會の理事諸氏と懇談會を致し夕食の御馳走になりました。

廿三日には縣廳に行つて小牧社會課長新庄内務部長にお目にかかつて、縣廳の海外發展の御計劃と海外協會の事業とを打つて一丸となし官民共力して廣島縣の海外發展に御盡力下さる樣懇談を致しました其夜幸に濱田長官にお目にかかることが出來まして其雄大なる御抱負の程を拜聽することが出來、又、海外協會と御協力下さることもはつきりわかりましたので一ト安心して旅舍に安眠致しました。

廿四日朝八時の汽車で神戸に向ひ、車中長文の手紙を廣島縣海外協會に書き送りました。東京でそれに對する御返事に接し極めて滿足を致して居りますが。廣島縣では本年内に直ちに移住地の建設に御着手になるや否は知れませんが、

海外發展の氣運は既に至り、日本一の移民縣へ拓殖局長官の濱田さんが知事として雄大なる抱負を以て赴任せられ、而かも官民一致して此事業に當れる樣になつたのであるから、天の時と、地の利と、人の和と共に來たのであるから、廣島縣が日本一の移住地建設を決行するのは當然のことである。濱田長官は

『僕をして三年玆に居らしめば……』

『廿万圓程度の小さいものでなく……』

『後日自らも樂しみとし他人にもうらやまれる樣な……』

と云ふて居らるる誠に愉快なことである。

私は廿四日の夕方神戸について、同地で乘船する移住者の狀態を視察し、廿五日には多羅間領事とアリアンサ行きの二家族を乘せて出帆する船を見送つて同夜の夜行で東京に歸りました。

鳥取縣

白上鳥取縣知事が中央會に御來訪下され、同縣民の海外發展につき御相談がありました。其後知事が御歸縣になり除野內務部長さんが御上京下され、同縣民の海外移住に關し具体的の御計劃をなさつて居ります。或は諸他の府縣に先んじ突如として鳥取縣の計劃が實現する樣になりはせぬかとも思はれますが、計劃の內容は未だ發表する譯に參りません。

岡山、和歌山、香川、三重、石川、繩沖

の諸縣へ出張するの機會が與へられましたならば、これ等の諸縣に於ける移住地建設の促進も出來ることと存じますが、私の身体が何分にも忙がしい爲め足が廻り兼ねて居るのは殘念でありますが天災地變のない限りは、各縣に於ける移住地建設の事業は先づ以て續出するものと見ねばなりませぬ。又、續出せしめねばなりませぬ。

（二月十四日）

南洋より歸りて（二）

——日本に對する感想——

矢島要

△あちらにも豊葦原穂瑞國がある

此頃或老人があなたの行つてゐる南洋では常食は何ですかと問ふから米ですと答へると、老人驚いてあちらでも米が穫れるですかと云ふから私は稻の原産地はもと熱帶地方だと云へば、老人はそうですかなあ豊葦原の瑞穂の國はあつちにもありますかなあ！　と嘆息を洩らしてゐたが、老人などは餘程この豊葦原瑞穂の國がいゝ所と思ひ込んでゐるらしい、そうかと思へば『豊葦原の瑞穂の國に生れ來て、米が喰へぬとはうそのよな話』など、ひにくつた歌人もある、全く米が實つても〳〵米の喰へない豊葦原の瑞穂の國になつて了つた、よそにも豊葦原瑞穂の國があるのだからそう悲觀した事もないが、それが國民一般には未だわからないのだから困つて了ふ。よし米が喰へないたつて悲觀してまゐつて了ふ事はない米を喰はないたつて、パンを喰つたつて肉を喰つたつて生きてゐられるので。

日本人はあまりに米に執着があり過ぎる國民だ。人間は合理的に生き樣と云ふ事を唯一の目的と考へれば、もつと米と云ふものから遠ざかつて生活が出來得る筈である。小さい豊葦原瑞穂の國を金科玉條と思ひ込まないで、至る所に豊葦原の瑞穂の國がある事がわかる筈である。

△農村を離れる青年の多い事は寧ろ喜ぶべき現象

農村の青年が離村する者が多いとて嘆く人もある。然し現下の農村の狀態を見れば常然過ぎる程常然の現象である。臭い便所にぐづぐづと居殘るより、さつさと離れて行く青年の考の方が正しいと思ふ。農村は老人と相續人で充分である。未だ少し位は間引をせねば、經濟的に引

き合ふ經營は出來ない。百姓は菜、大根の間引をせねば大きくならぬ仕事、蠶の餘りにあつ飼ひの感心しない位の事は誰よりもよく知つてゐる筈である。人間のあつ飼も同じ事である。どし〳〵と間引をして、他へ移轉するなり都會へ出るなり、田舍ももつと工業化して、他から養分をとるなりしなくてはならぬ道理である。農村疲弊の原因に有爲の青年が離村して勞働能率のあがらない老人が居殘るからだなんて云ふのはちとお間違ひである。大槪で見切りをつけて離村する青年の多い事は寧ろ喜ぶべき現象である。

△純朴な農村も今は修羅の巷

純朴であるべき農村の生活が今度日本へ歸つて見て都會よりも何處よりも一番せち辛くなつてゐる。如何して儲けるかそんなことをしたつて一文にもならぬと云つた樣な會話のみで持ち切つてゐる狀態だ。そうかと云つて經濟的の知識のない爲めに一文の儲はするけれど經濟的に引き合ふ樣な大きな生產は出來ないでゐるのだ。新聞雜誌すを讀む時間の餘裕すら持たないでこせ〳〵と働き續けて汗水流して作つた米は他人に食つて貰つて、自分達は食ふものもろくに食はない樣な生活をしてゐる、着る物はもつと極端である、寢る目寢ないで働いて蠶を飼つて人の着る着物を造つて、自分達は木綿の着物を漸く買求めて着てゐる始末、隨分と割の惡い仕事である。それでも農民自身は少しも疑問も生じなければ不平もなく、涼しい顏をして生活してゐる。この位迄にして未だ食へないと云ふのだから悲慘なものである。今の農民は生活に行きつまつたではなく。生存に行きつまつて了つてゐるではあるまいか？　既に便所の蓋も出來なくなつてゐるではあるまいか？　思想善導だの農村振興だのと云ふ臭い物には蓋主義では間に合はぬ時代は來てゐるではあるまいか？　根本的の改革、改造の力を待まねばならぬ時期ではあるまいか

△軍國主義のたゝり

自分が未だあちらにゐた時分、和蘭の官吏（日本の縣知事郡長と云ふ樣なもの）がエステートを訪問して、座談をしてゐるうち應接間の世界地圖を指し日本はこゝを欲しいだろうと蘭領東印度諸島を指して云ふたが、外國人は日本を非常に軍國主義、侵略主義の國だと思ひ込んでゐる。日本人は非常に喧嘩好きの戰爭好きの國民だとしてゐる。全く戰爭好きの感はないでもない。そして戰爭に勝つ丈は勝つがうまい所は皆他の國にすはれて了つて粟つぶの樣な嶋を貰ふ樣な事も上手である。結局に於いて敗になる樣な仕事が好きな國である。軍國主義のたゝりは海外發展と云ふ一事丈でも非常な損害を蒙つてゐる。移住民の最適地たる北米、濠州の排日、同文同種の支那に於てすら排斥せられてゐると云ふものは皆この軍國的浸略主義のたゝりである。

鮮滿豪支視察上の所感（一）

長野縣更級農學校長　矢田鶴之助

昨秋十月全國農學校長會議の滿鐵沿線公主嶺に開かるゝや、本縣二十七の農學校中十五學校長の出席を見る、參加學校の總數は全國を通し七十に過ぎざるに本縣はその五分の一以上の出席を見たるは、頗る優勢にして、また、一に本縣官民の他府縣に勝りて、如何によく農業敎育を理解しあるかを察知すべきなり。小生また參加者の一人として、朝鮮に一週を、滿蒙に二週を、支那に一週を費し、之に往路の九州巡りと歸路の中國視察との日數をも加へなば、出發の九月十六日より歸校の十月二十九日まで、正に四十四日を經過せり。一々報道せんことは、あまりに管々しければ、こゝには往復の九中視察の狀況を省略して、鮮滿豪支に於ける視察の梗槪を記することとすべし。

一、朝鮮の視察と其の所感

釜山に着せるは、大正十四年九月二十三日午前八時にして、前夜十一時下關の解纜より時を要せしこと九時、この間の海路百二十二浬なれば、一時間の速力約十三浬五なるを知る、釜山に着するや、そこに小縣郡出身の道視學阿部吉助氏が出迎へられて、鐵道ホテルに全く西洋式の寢食をとる身となり、同夜一泊、翌二十四日、一行と共に市街の中央に聳ゆる龍頭山公園の展望を恣にし、牧

島（絕影島）に渡りて水產試驗場を視察し、松島遊園地に立寄り、こゝに諏訪出身の道內務部長矢嶋晉次氏の朝鮮大觀談を聽き、灣內一周、小西行長城址を探り、陸にては商品陳列館を始め。商業取引の狀況をも視察せり、全人口約八万にして、內地人三万五千を算す、米・大豆・魚類・綿花・鑛石・生牛等を輸移出し、米・粟・小麥粉・豆粕砂糖・鐵・木材等を輸移入す、其の總額二億圓に近し、氣候の溫和なること名古屋地方と相似たり、朝鮮人の往來と部落住宅の陋隘とを異樣とすれども、其の他は內地化して文化的施設の充實せるに驚きぬ、同夜八時出發、

翌二十五日午前六時水原に着し、朝鮮總督府勸業模範場水原高等農林學校を視察し、西湖の景を賞し、季聖儀氏の邸を訪ね、書堂（日本の寺小屋）の手習を視察し、午後五時水原を發し、京城に近く漢江沿岸一帶の水害跡を車中より眺め、破壞されたる慘狀の如何にも劇甚なるに同情の念や一層加はりぬ。午後七時京城に着し、天眞樓に宿り、翌二十六日午前七時旅館を出て、南山公園上に新建の朝鮮神宮（工費百七十万圓）を參拜し、總督府に朝鮮教育の狀況及び朝鮮殖產の政策を聽き、昌德宮に昌慶苑秘苑を參觀し、壽松普通學校に歡迎會や開かれしが、嘗つて長野中學校長たりし舊知小寺甲子二氏の開會の辞に、懷舊の情切なるものありき、午後は慶福宮に李朝五百年の全盛を偲び、朝鮮博物館に古代文化の跡を思ひ、朝鮮教育會の招待にかゝる鐘路街內明月館に朝鮮料理の饗應を受け、宴後は活動寫眞によりて朝鮮の教育產業を紹介せられぬ、明けて

二十七日午前は朝鮮中流家庭の訪問をなし、午後零時四十分京城發仁川に向ひ、午後二時仁川着小林商業學校長の案內により仁川神社參拜、こゝに長野縣出身の今井八郎氏の日露海戰談を聽き、船渠（仁川港獨特の閘門式船渠パナマ運河のものと相似たり）の構造船舶出入の實狀を視察し、各國公園頂上の西洋館（館は諏訪小口組の所有）に休憩して、五時發車京城到着、夜十一時五十分玄視學官其の他の人々に送られて、京城驛を出發しぬ。（京城人口約三十万）

內地人八万翌二十八日午前五時十五分平壤に着し、同地農業學校長井上改平氏の案內により、先づ瑞氣山に平壤府並に郊外の展望をなし、次に平安南道物產陳列所を參觀し、箕子廟を拜し、乙密台に登つて日淸戰爭當得の彈痕に勇士の忠烈を偲び、玄武門に上つては、原田重吉の

驕名に血潮湧くの思あらしめ、折柄、飛行聯隊第六中隊の一飛行機が、頭上に飛翔し來つて、一行のものに思はず萬歲を連呼せしめぬ、牡丹台より山麓の永明寺に詣でお牧の茶屋・浮碧樓を經て、轉錦門前に記念の撮影をなし、更に練光亭・大同門を見て、大同江の對岸にある大日本製糖會社の農場及工場を視察し、午後二時三十五分奉天に向つて出發しぬ。

汽車の新義州に着するや、一壯漢の訪ね來れるに會す。この壯漢は、多年、朝鮮農業學校長たりしを、不二農場の招聘に、今は公職を退き、專心一意、不二農場支配人として、努力健鬪を無上の至樂として、感謝生活に入れる天草福太郎氏その人なり。氏は今や鴨綠江下流に築堤法を以て、三千町步の水田をつくり上げ、更に之を倍加せんがために、努力を續けつゝあり、車中に入るや干拓造成の地圖をひらき、設計案を供へ來つて、干拓工事の要領を語り、かつ無肥料よく稻の多收穫を得ること決して內地に劣らざるを說く、若し一日の餘裕あらば、この干拓地を視察して、信州人の發展に資せんものを、國際旅行の拘束に恨を呑んで、惜しき別をなしたることにてありき。

朝鮮視察として見聞せることの多き中にも、二十六日、壽松公立普通學校に於ける招待會の席上、十七年振に久濶を語ひたる元長野中學校長小寺氏の感深く、物語られたる熱血男子の一人、

（一）田口今朝男氏

氏は、更級郡青木島村の生れにて、小寺校長時代長野中學校に學びしが、同校長朝鮮に轉ずるや、遙かに慕ひ來つて、京城に始めは學校教員をなせるも、これ其の素志にあらざるを以て、職を辭して漢江沿岸の農耕地を求め、ここに果樹栽培の業術を研究すること多年、大に成功せしが、過夏の大洪水に折角の良園殆んど水泡に歸しぬ、されど田口氏之がために屈することなく、これ天の豫備試驗に過ぎずと一段の勇猛心を加へて、復舊の業に身心を碎く、偶々、齋藤總督來つて、田口氏の强意志に感激し、手を執つて妻縣まで連れ歸りき蓋し田口氏をして他の有望なる天地に强意志の功德を發揮せんとの意なりしならんも、田口氏にとりては、難局を切り拔くこそ人生の至樂なれと固辭して前の經營地に歸り、盛に流汗鍛錬を續けつゝありと感ずべきかな。

こゝにまた感ずべきは、同じく更級郡川柳村の出身にて大池（元姓村松）嘉重氏の京城に近く漢口地帶に大洪水の後をうけて、田口氏同樣の境遇を勇邁心を以て、突破せんと努力しつゝあることなり。

（二）大池嘉重氏

大池嘉重氏は、明治四十三年の更級農學校卒業生として、余自ら之を語るを欲せざれど、田口氏とよく似たるものあれば、薄志弱

行者を戒むる一助にもと思ひ、二十六日京城に面會の折、交換せる二三の言葉を紹介すべし。

氏曰く、此度はしつかりやられました。何を。

それは、養父と共に十數年奮鬪に奮鬪を重ね、やつと作り上げた漢口沿岸の田畑二百町步に近い大面積の沃地が、過夏の洪水で失つたことです。

それは、何と御氣の毒これから先はどうする積りか。この時の答は簡單です、………

曰く、重ねて奮鬪するのみのことです。………私は決して悲觀は致しませぬ、一層元氣を加へました。………

たゞ心配なのは、老父の心を痛めてはならぬといふことなんです。併し、澤山に山林の經營をして居ます、植ゑてから十五年以上にもなつて居ますから、林相も立派に、この富あれば、決して困りませぬ、これが老父に對する唯一の慰安で、老父も今は元氣づきましたから安心して下さい。………………なんと壯烈。……この元氣を。………

今一人、水原に相會せる卒業生の一人につきて、語らまほしきは、同じく更級郡御厨村出身なる寺島邦五郎氏に關することなり

（三）寺島邦五郎氏

寺島邦五郎氏の父は、現に御厨村の村長として、精勵の譽高き人なるが、父の教育よろしきを得たるものか、今や氏は水原府にある富國園にて、南信野溝傳一郎氏の經營になれる朝鮮第一の種苗園に、支配人として一切を總括しあることと是なり、富國園の事業は、朝鮮全土に及びて、朝鮮農業の根元をなせることは、いよいよ氏の自重心を高め、恪勤精勵の點は、特に推奬すべきものなりといふ。

以上三氏とも、本縣更級郡の出身なるが故に、之を更級郡の三人男として、朝鮮開拓の前途を祝福せんと欲するものなり、余の知れるものに於て既に然り、知らざるものを更級郡のみに集むるも、其の數多かるべく、若し夫れ信州全縣に涉りて朝鮮活動の人を求めなば、幾倍加に達せんことを疑はざるなり。

飜つて考ふるに、我國人口の密度は、耕地百町步に對し全國的には七百十人に當り、本土のみとせば九百六十九人に相當せり、歐洲文明國の平均は三百九十四人にして伊太利の如きは三百〇五人に過ぎず、世界中人口密度最高國たる我が國民の友喰的とならざるやう、人口の平均調和を圖らざるべからず。從つて、移住的に植民的に、邦人の發展活動を策せざるべからず。

內地の耕地は、六百万町一戶當九反步餘を算するに過ぎず、然るに、朝鮮は四百三十万町、一戶平均一町八反に

相當し、土地賣買價の如きも、一反三十圓を普通とし、都會地すら一反百圓前後に過ぎざるが故に、內地の農民三十万餘を移し得る餘裕ありといふ。群山地方すら五百町步の未墾地を有し、咸鏡道の如きも溫度比較的高く、會寧の如き吉林への要路に當り、山林に富み鑛物の產出また豐かに、內地人の活動すべき天地なほ綽々たりといふ。幸にも、鮮人勞働賃銀の低廉なるを應用すべく、殖產技術と資力とを有する開拓者の移出せんには、富源の開發期すべく、帝國前途のため最も有望なるべしと信ず、從つて活動人士の彼地に發展せんことを堯願に堪へざるものなり。

——續——

海外通信

小川林君の通信（二）

二十三日。

午前二時に起床。三時に珈琲にパンを惠まれ、いよいよスタートを切つて出ました。

星が！　希望の星が！　初春の冷氣を漂はせて移民收容所の庭に集り、點呼をして伊太民とパウリスタ線の起點プラザ驛に荷物をかついだり、提げたりして行きました。日本からの移民はソロカバナ線で出發することになつてゐるが我等と別れを惜んで叮寧に挨拶をして吳れた。

汽車は五時に出發した。セグンダクラスであるが日本の汽車に比較して別におとつても居ない。外人と脛を交へて旅行は始めであります。郊外に出てから未だはつきり

夜は明けなかつたが、カンボー（田舎）の小さな家には赤い灯が見へる、野には牛や馬が草を食べて居る、朝露繁き野はしめやかな冷氣を送る、丘の彼方より平和な煙が昇る、牧場には平和に生存競爭を知らぬ家畜が遊んで居る、珈琲園も時々に現れて來る、家の周圍に果樹を植へて植民者が綏かな邸宅を構へて居る、赤いラランジヤ（蜜柑）がよく實つて食欲を誘つて居る。イチラピーナ驛にて乘換へてから坦々たる平原は珈琲が丘、廣々として草原にカバロ（馬）やポルコ（豚）やバアカ（牛）が幸福なる生を享けて居る。我等の通る汽車をおそれもせず靜かに頭を上げて迎へたり送つたりする平和そのものである。午後六時にバウルに着く。驛前の日本館の暗い部屋に一日の汽車の旅を憩ふ。領事館へ輪湖さんと行く、古關さんの弟さんは（北農大出）私共と一緒に來た人であり、河合さんは會長樣の紹介で村上さんの處へ行くことになつて居る青年で何れも船中の友達であつた。今日は日曜日で前のバプテスト敎會で牧師の說敎や讃美歌のコーラスが我等に靜粛な心を起させる。プブリノコ（公園）には大きなオーケストラの一團がさかんにやつて、男女が手を組み合つて行つたり來たりして居る。未だ新しい植民地の町で二階建の家などはなく、舊敎はやつぱりその外形を堂々と飾つて居る。この町で道の惡いのには感心しなかつた。旅館へ歸つたら松田君が「ヤア林チヤン」と云つて挨拶した、思ひがけぬ所で會員の居ることをうれしく思つた。

廿四日。六時に起きて急いだので驛に行つて乘る。六時半にはサンボーロ市からの夜行が來るので混雜する故に座席が取れぬ位であるから急いだのである。七時に發車松田君、河合君、古關君等が見送つて吳れた。ノロエステ線は革命後一日一回、夜行なし。會長が常に話して吳れたホコリと火の子の洗禮を受けるのです。薪を焚くのだから汽車はおそいと思つたのに日本の急行車より早いのにおどろいた。服は誰れも着換へました、第一に私の毛布から火を出しました、上條さんの奧樣は二ケ所も着て居る服から火を出しました、搖れ方もひどかつたが船でなれた操は平氣になりました、赤土のホコリと暑さに息苦しくしてやりきれませんでした、どの停車場にも日本人が見へましたし、列車の中でも長野縣人で聖市に治療に行つたと云ふ人に逢ひ色々話しました、みんな呑氣な人生觀を以つて居ります。プロミツソン、リンス、こ

んな停車場の名を聞けば友達の處へ走つて行きたい樣な氣がする。壯觀は珈琲園の限りもない眺めである、原始林や焼きあとを輪湖さんは指して「お前等の行く處は町でもなければ好い處でもない斯ふ云ふ處だ」と云ふ、そんな事は覺悟の上だ、人の糞をヒツタあとへはヒラないと云ふ勇氣が少なくては仕事は出來ない。これから神武天皇の時代にかへるのだ新しきは古きに還るにある、創作は此の原始林の中にあるのだ、自分の力は始めてこゝで發揮されるのだこんなことを篠原君と話した、窓は火の子やホコリが入るので〆め勝である。

アラサツバに夕方の五時につく、汽車も暗くなるからこゝで泊るのである。郊外の輪湖さんの借居に行つて冷水を浴びた心地は何とも云へぬ、家人の歡待に滿腹、夜主人は寢臺を我等に提供して家人は土間に休まれる、これに勝れる眞心なし、この人にしてこの事業は托される人格者ならん、我も又精神をつくしてつかへん。（續く）

イタプラの瀑を見るの記

在アリアンサ　大山幸平

朝六時頃跳起き腹を作るべく、箸を手にしたが、カミニヨン（自動車）がブウー　急ぎ立てるので、バタを搬ぶ手も、味ふ舌も、咽喉も中樞神經の命令に服さない。バターに未練を殘して晴衣のボルソ（ボツケツト）の中につかみこんで車中の人となる。天候は晴朗の兆！　朝のスガ〳〵した氣、胸に滿ち、和風颯々車上の人々の氣を勵まし景氣をつける、それが詩吟となり歌となり足を踏み、手を叩いて子供の如し樂隊のまねして三十六キロを一時間半で走らしたのは痛快であつた。ルツサンビラー驛で汽車を待つこと一時間餘り、CとM、TとA、NとI、OとS、若者が夫婦きどりで、再び車中の人となる。沿線の無趣味、室內の暑苦しさ、立ち上る土塵には閉口する。只だチヨイ〳〵見へるパオダーヨが他の木々を壓して滴るばかりの綠りとイーブが葉

のない肌に眞赤な衣をつけて居る樣子が吾をして車窓に眼をむけ感歎の聲を發せしめる。イリ、セーカの驛を經てイタプーラに着いたのは十二時過ぎであつた。アルモーソを用意させるべくルツサンビーラの驛長に電報を打たせた筈のが着かないとの事、氣立の良い驛長のことだがハイ〳〵だけの返事で忘れて終ふた事でせう――先客の食べる飯の匂いが口より喉、喉より胃の腑と苦しめる。待つこと四〇分漸やく空腹をみたし、食後のカフエーを食み洋子を加へて前のベランダに少憩すればゴーゴーの瀑音は滿腹の睡氣をさまし、三々五々用意の魚釣をさげて五百米突瀑音ます〳〵轟き、先きがけの功名と他に奪はれまいと驅けだす一曲する、俄かに展開すると滾碧のチエテの流れが狂へる如く奔流し懸りて水の壯、水の奇、水の白沫　自然の巧味はたゞ偉大なる壯觀を感じせしめた。朽ちた根太の根際に腰をかけて汗を拭き〳〵眺を恣にした。寫眞班はW氏とM君、人生懸命に撮影に努力してゐる。魚釣の人々も岸へ下り出す、餌を付けて釣を流せど更につれずあせればあせる程何んの手ごたいもない。こんどこそはと遠く投げる、他人の樣子を見る糸の樣子を窺ふ。引き上る今度こそはと唾をかけてなげる。N君は海に生れ海で育つたと常に大きなホラを吹いたが今日はシオレタ顏付き「明日は十一時の汽車でかへらねばならぬ」からと魚釣を捨てゝ、曾つてドン、ペドルガパラガイ國の軍隊を狙擊せんとした要塞見學に出かけた。要塞としてはこれと見るべきものがないが、草木の間に殘れるレンガの背と寺院、等は當時の賑盛を語つてゐる。四時頃餘り暑いので再び水を浴びて瀑流に出づドーと落ちる流れは白簾の如く瀑壺の岩にあたりてくだけ、高々上る水煙は日光に輝りはあへて一條の虹となる。岩燕は沫の中に現はれてはかくれ、かくれては現れその飛び方の巧さ！

瀑のドーと悠久なる音律、眼を掠き耳を聾し人をして自然神秘の國に通はしむ。

「オイ……馬鹿に暑いな」と氣の早いC、M、O、S、Aは奇麗に澄んだ水中に飛び込む「外人が居らぬから眞裸で浴びよう」と。七年も水浴をしない連中、喜々として縱橫に、蛙游ぎ、平游ぎ、拔手などの巧妙なる腕前を示した早速Wよりカツパの水浴の光景をカメラに收めて貰ふ。

夜は岸邊に篝火を炊いて心行くまで魚釣りをした。十七夜の月が輝々として照る。七里が濱の歌を唄ふて宿に歸る日中の暑さと戰ひ山に、水に活動した

一行はメーガーの上に旅枕をしたが、夢をも見ずに熟睡した。早朝起き出でたMは七キロ半のパク（魚名）を棒にさしてワイショーとさげて來る。Mの嬉び！　一行の嬉び！　土產が出來たと、一同相をくづして喜び、無事に歸路についた。

―終―

久保田安雄氏の通信

久保田君の鄕里は更級郡小島田村。同夫人は榮村御幣川の出身、大正六年六月渡伯。苦節八ケ年の奮鬪は左の通信の樣な結晶を結んだ此の通信は鄕里の實家に宛てしもの。

拜啓久しく御無音を極め幾重とも御赦の程願上候。各位樣益々御壯榮の御事とは存候も御尋ね申上候。小生等家內四人共幸に健康を維持し子供等の成長も極て良好とて愉快に日々消光致居候間何卒御放念下され度候。實は斯迄發信の延引せるは自分ながら意外に候。是も本年は種々隣接土地買入の爲數個月に亘り外人所有物の爲地劵確否測量其他にて案外なる日月を費し漸く最近登記濟に相成一段落を遂げ申候。買入面積貳百六拾町步餘時價伯貨拾九コントス（日貨約五千圓）日本人隣接者四人共同にて買入仕り候。支拂は參ケ年賦にて土地內には立派なる家屋一棟旣成牧場道路等も有之候。一人割當分六十町步餘以前所有地區五十町步を合計小生分百十町步の地主と相成申候。益々馬力を加へ有利に此土地を利用し一奮發致度心得に御座候。

回顧すれば早や鄕里を別れて八星霜夢の間に經過仕り今後數年後には是非各位樣に親く御面會致度存居候。今や伯國の將來に就ては確實に有望を認め申候へ共遺憾なるは人口の不足なる事に御座候。農業は勿論商業又日本以上に未開地の爲面白きものに御座候。少々經驗あるものにて本年商業にて數千圓以上利益を得しもの多々有之候。身体壯健なる者農商如何なる方面にても希望者有之候はゞ御世話下され度候氣候の良好と生活に極て容易なる事は充分小生の責任を以て保證致す處に御座候最近勞働賃銀も騰貴して殊に取扱も最も丁寧にして獨身者にても日貨一年に壹貳千圓收入致す者有之候。換算良好なれば一層良好に御座候。現今伯貨も

大分良好に向ひつゝ有之候。此分にては來年頃は舊の大戰前の換算に戻るかと存候。母國の現狀は如何に候や。若し伯國渡航御希望の人有之候はば現在が最も吾々として眞相を御照會する事の可能の事と存候。蝸牛角上の爭は中止して平和なる生活容易にして然も氣候良き當國に御渡航を御勸め申上候。要するに當伯國は昔吾々が一時出稼一獲千金を夢見た北米等と趣を異にして所謂參等國丈に政府の財力も貧弱なる爲金貨本位に非ず遺憾ながら伯貨は價値少きものに御座候。然し伯國の開發と共に將來大輸出國となり政府の財源向上次第國富一變し北米を凌駕する可能性あるものと存候。故に吾々の將來子孫繁榮の土地を求めば實に此伯國に比する好適地は他に少き事と存ぜられ候。理想鄕は當國の如き所にして始て建設さるゝものと存候。當レヂストロ植民地も刻一刻に發展されつゝ有之候學校教會青年會館等種々の娯樂慰安の機關も設立され申候。河には魚族多く山間森林中には鳥類其他狩獵すべきもの多々有之候得共遺憾ながら人手少きため獵する時間の乏しきに閉口致居候。思出づるまゝにごた／＼筆を走らせ御赦しを願上候何れ餘は後便にて何卒母國の近狀御伺申度存居り候。次便にて最近の吾々の寫眞御送附申度存居候。

以上。

一九二四、八、一八

レジストロにて

同貞江夫人より

いつも乍ら御ぶさたは何卒御許し下さいませ。其後皆々樣は御變りはありませんか御伺ひ申上ます。

常夏の國の秋もいつしか過ぎ日本の春と夏をまぜ合せた樣な氣候になつて來ました。つやのいゝみどりの濃い葉をもつた珈琲の木にもいつしか白い可愛いゝ花が咲きはじめました。そしてたへず優しい香を放つて蜂の來るのを待つて居ます。黄い菜の花にも白い大根の花にもいつもやさしい胡蝶の音づれるのを見ては、そゞろ母國がしのばれて、なつかしさにたへません。………かはらぬものは月と星ばかり時の流はいつとはなく進んで渡伯したのも早八年の昔になりました。思へば夢の樣です。私も今は日本に居つた時の桃われの娘ではありません。愛の內に自己を

献げて子供の爲に一家の爲に一心になる母性なのです。子供は隨分大きくなりました、行雄は此頃土人が持つて來てくれた弓を引いて小鳥を射るまねをしたり、馬のりの稽古をしたりして遊んで居ます。來年からは學校へ出したいと思つて居ます。秀雄はよくまる／＼肥へてクル／＼した目をしてラツパを吹いたり兄樣のいたづらの手つだい等をして時には泣かされたりしてよく私の所へ言つて來ます。そしてママイ／＼といつて一日中私のあとをついてあるいて居ます。時には行雄はママイ大きくなつたらジャポンへつれて行つてくれる！ などと聞きますから、エ、大きくなつたら、つれて行つて上げますよ、ジャポンにはおまへのおじい樣もおばさんもおぢさんも、たくさんいらつしやるの、そして雪といつて綿の樣なつめたいものが空から降つてくる所なのですと云つてきかせますと目をまるくして聞いて居ますから思はず吹き出してしまひます。子供はほんとうに天使の樣なものです。これから仕事もだん／＼いそがしくなつて來ます。今は珈琲の植付です毎日土人が二三人づつ働いて居ます。亂筆御許し下さい御閑があつたら御便りを願ひます。

さようなら。

愚妻安着仕り候

在比律賓ダバオ　長橋辰三郎

謹啓貴協會益ゝ御清榮の段奉賀候。

陳者愚妻渡航については一方ならぬ御配慮に預り誠に有難く奉深謝候。幸ひ長谷川氏夫妻同伴にて何等故障なく九月六日ダバオ着仕り候事乍他事御安心被下度候

小生今後は何如なる不況に逢ふも失望せざる自信有之候、それ不況は好況の前況にての事實を体驗致し故に候然るに目前の利に走り易き邦人の常として好況時代にはドシ／＼渡航致し來り候ども一度不況になるや忽ち失望して他に轉航又は事業を替へ、或は得る處なく歸國する者の多きは實に遺憾に存じ候。ましてや當麻栽培の如きは開墾よ

り收獲まで約二十數ケ月を要し候へば少くとも數年の計畫を立てゝ事に當らずんば僥倖を得ぬ限り失敗の當然の事にて候。最近當地に來たる邦人の話に目下當地は月收百ペソ以上百ペソ以上二百ペソも得らるるとの移民募集の廣告なるに事實は三十四ペソ（主人食料持）のみなりと愚知申し居り候荷しくも海外に發展せんとする者が、已が技倆をも顧みず給料云々申す等は一攫千金を夢見る輩にて一日も早く歸國する方安全と思ひ候、斯る人の多くはホームシツクになり、勞働過激となり病魔に侵され易く、哀れ異國の土に敢果なく終り申し候。

幸ひに、本縣は貴協會の眞面目なる海外事情の宣傳と海外發展の覺醒に努力被下候は吾々異國の地に心強く感じ居候。尙海外植民地の發展には人格的崇敬思慕し得る諸者の渡航にて、植民の指導する者にあらざれば到低不可能と愚考致し候　事實此等の人格者なき植民部落は自然惰落致し居る樣見受けられ候。

幸に當耕地は澁谷氏の如き人格者吾等を指導なし實に欣快に存じ候(中略)甚だ僅少に候へども金子御笑納被下度先づは御禮旁々貴協會の發展を祈り奉り候　敬具

未開墾地は健全なる腕と鋤を待ち

在比律賓ダバオ　井上靜雄

拜啓貴社、創立以來ます／＼御繁榮の由、奉大賀存じ上げます。

每月發行被成る海の外を初號より御送附被下れし段、何重にも御禮を申し上げます。斯樣なる、文明に遠ざかり居る新天地に於て、何如に吾等に有益になるかと云ふ事はとても言語にては申し上げる事は出來ません。

世界至るところの移民國の情況又我が帝國の日々進化しつゝ有る有樣更らに故國の信州の變化致す情況等一眼にして知る事が出來ます。

此の如く有益であると云ふ事を知りつゝ今日に至る迄で御禮の手紙も差し上げず且つ又、送金も致さず實に其の罪

かるからず何卒御許し被下度願ひ上げます、次に、當常夏の國も絕間無き凉風とたま／＼降り來る時雨の爲めに想像外に凉しく、心地良く暮る事が出來ます。

一時は或る感情の行き違いから殺人事件も多少有りましたが、併し之れはほんの少の間、現在は其の陰も無く、同色人の以所か非常に邦人にしたしみ易く又結婚して、子供を多く持ち居る者多くあります。在邦人三千人近くのところへ、二校の小學校を設立致し、教育致して居ります、生徒數五十名近くでありますが。年と共に非常なる勢を以て、增加して行きまと、實に國家の爲に悅ぶ可き事であります。當地が上景氣なる故か內地が生活難に苦しみ居るのか各自が國家の爲め自覺致したる以所か一ケ月間に百名以上もダバオに渡航して來ます、廣大なる未開地は何如に入國し來るとも生活難の聲の出ずる樣なる事は近き將來に於てわ決してありません、のみならず肥沃なる未開地は健全なる諸氏の一日も早く又一人も多く渡航して開墾致されん事を持て居ります。次に降りて、同縣の諸氏及小生も皆な無事に業務に勉めて居ります故他事ながら御休心を願ます。

一金拾比也　上伊那郡伊那村出身　中村貫一

同　同　富縣村　井上靜雄

此の手紙と送金致しました。會費の一部に御加へ被下るれば幸甚の至りと存じます。

先づは御禮かた／＼皆樣の御健康を祈ります。　敬具

十二月十五日

母國通信

日本文化を紹介 米國獨立百五十年紀念博覽會は來る六月一日より十二月一日迄六ケ月間ヒラデルヒヤ市に於て開催せらる模樣である。これに就き日本政府へもその出品を依賴し來つたので政府にありては日本產業文化の進步を紹介しこれが出品をなすことゝなつたが尙日本現在の敎育美術の狀態をも紹介する必要があるので文部省當局は協議の結果左の計畫によりて出品をなすことに決定した。

（一）日本帝國高等敎育分布鳥瞰圖を貼付け、下部に圖表及寫眞額等により日本敎育の沿革及現狀を知らしむるの陳列をなす。

（二）四隅三角形に硝子戶を以て圍み各學校生徒の狀況を示す。

第一隅春の景色小學校の男女兒兄弟が百花爛熳の間を通學する情態を背景と實物大人形とによりて示しその上部に代表的小學校の敎室內寫眞大額を揭ぐ。

第二隅夏の景色女學校の生徒が裁縫室にてミシン機械により夏服を仕立つゝある處を配しその上端中學校敎室の大寫眞額を揭ぐ。

第三隅秋の景色專門學校の學生がホッケーを遊びつゝある光景を示し其上部に專門學校實驗室內の狀況の大寫眞額を揭ぐ。

第四隅冬の景色大學々生が臨海實驗場にて研究せる光景を示し其上部に大學の適當なる敎室內の大寫眞額を揭ぐ。

聖上陛下の御容態 聖上陛下の其の後の御容體は去る一月十六日發表されたと大體御變りなく每日入江侍醫頭は拜診して居るが御食氣御氣色は追々良好に向はせられつゝあるも侍醫の言上に依り未だ御床拂あらせられず從つて沼津御用邸への御避寒は全く未定である右に付き宮內當局は謹んで語る御容體は追々御良好に向はせられつゝあるも侍醫の言上に依り尙當分御床拂あらせられず御靜養遊ばされるはずで沼津御用邸避寒期日も今の所定まつて居ない沼津御用邸は空氣も良く閑靜であるから玉體が御旅行に差支なくなれば一日も早く御轉地遊ばされる事と拜承す。

海外からも詠進 一月十八日午前十時宮中鳳凰の間に於て大正十五年歌御會始めの御式を行はせらるゝに就き十六日豫選會を開き二万六千餘首の詠進歌より約十首の豫選歌を決定したが本年は在外者の詠進歌非常に多く米國を始め諸外國各殖民地等續々として枚擧に遑なき程で中にも松平駐米大使信子夫人は早くも詠進送附して來たが其の他最も多いのは加洲、濠洲、ホンコン、シンガポール、ジヤバ其他在外の同胞から數十首に上つて居ると。

加藤首相薨去 內閣總理大臣子爵加藤高明子は病を得て引籠り時めく政界を外に靜かにその全快に努めてゐたが、一月廿八日午前十時病俄に革り心臟痲痺にて薨去せられた。若槻首相代理は內閣今後の處置につき臨時閣議を開いたが取敢へず若槻首相代理は臨時首相となり政務を見る事に決し東宮御所に參內奏上した。尙故加藤首相は生前の勳功によりて伯爵に昇爵大勳位に叙し菊花章を授けらる。

內閣總辭職と後繼內閣 若槻臨時首相は直ちに閣僚の辭表を取り纏めて東宮御所に伺候攝政宮殿下に奏上したが同日午後四時五〇分若槻臨時首相に內閣組織の大命降下された現內閣はそのまゝ現職にゐる事になつた。尙今回の政變については加藤首相の逝去による當然の結果であつて政策上に於て目下の所何等行き詰りを見ず又議會に於ける勢力からも第一黨で後任內閣は寧ろ若槻內相に大命降下するのが現時の政界上穩當の處地であるものゝ如く觀測されてゐたのであつた。

憲政會總裁 憲政會總裁加藤高明伯薨去の爲後任總裁は一月廿九日午後三時本部に召集されたる大會に代るべき貴衆兩院議員協議員聯合協議會に於て決定するが若槻禮次郎氏が總裁に推戴せらるゝ事に內定した。

建國祭 紀元の佳節をトし右傾を戒め、左傾を制し正々堂々建國の精神に歸へれと云ふモットーの下に建國祭の壯擧は帝都に於ては當日の會場に當てられた芝公園廣場九段靖國神社境內上野竹の台の三ケ所は大國旗を交叉し紅白の幔幕が美しく張られて國民的運動に相應しい情景を呈して、各青年團体や在鄉軍人團、國粹會等が天地もゆるげと許り國歌を合唱し終つて兩陛下の萬歲と帝國の萬歲を三唱し音樂隊の行進曲に足並を揃へて建國歌を合唱しながら宮城前に進み更らに萬歲を三唱し解散したが當日は夜遲くまでラヂオ放送や建國劇等で賑はした。尙縣下に於ても旗行列等を催して、當日を祝した。

民族會議 東京全アジヤ協會では豫て全アジヤ民族會議開催の計畫中であつたが愈北京アジヤ民族大同盟と連名主催で今夏七月十五日より同卅一日まで準備委員會を八月一日本會議を日本長崎市に開催と決定兩國同盟の名に於て印度アンナン其他加盟團關係者通達した尙開催地を長崎市になしたのは日本印度と安南方面の希望に依つたものである全アジア協會專務理事今里準太郎氏は之の准備の爲昨冬動亂中北京に向ひ協議を遂て去る十九日歸京した

三浦悟樓子逝去 一月二十六日突然尿毒症を起し危篤の狀態を續けつゝあつた三浦悟樓子は廿八日午前八時に至り全々絕望となり主治醫は脈を取りつゝ近親者の出揃を待ちつゝあつたが同二十分に至り脈は全く絕へ終に逝去した同邸では同四十分親戚一同の出揃ふを待つて喪を發した逝去の報一度傳はるやや犬養毅氏を初め多數の弔問客踵を連ねて同邸は大混雜を極めて居る尙葬儀日取は未だ發表されて居ないが鄉里で行はないで東京で執行するはずであると

臺鮮內地米の生產費 帝國農會が內地米、朝鮮米、臺灣米の三種に付き生產費を調査したるが其結果は左の如くである

內地米（反當）玄米

種子代	一圓〇五
肥料代	一六、九九
農具費	二、三八
諸材料	一、四三
勞賃（人）	三一、七四
勞賃（家畜）	四、六六
農舍費	二、六四
租稅公課	一〇、六六
土地資本利子	二五、二六
（年四分）	
合計	九六、八一

朝鮮米（反當）籾

土地利子（年八）朱	八、二四
公課	一、七一
水利費	七六
農舍費	六四
農具費	七三
種子代	四八
肥料代	一〇、〇八
勞賃	一七、三九
合計	四〇、〇三

臺灣內地種（甲當）

一甲は九反七畝廿四步

勞力	二一五、〇〇
家畜費	二七、五〇
種子代	一九、五〇
肥料代	二〇六、〇〇
農具代	五、〇〇
諸材料	二、〇〇
農舍資	八、〇〇
租稅公課	三九、二二
土地資本（年五分）	一〇〇、〇〇

合計	六二一、四二
（一期作二期作合計）	

右の如くにして之を一石當りの生產費にすれば內地米は四十圓五十五錢となり朝鮮米は籾一石當り十二圓十五錢（玄米にして二十七圓三十一錢）となり臺灣の內地種は籾で八圓三十八錢（玄米で三十一圓三十三錢）であつて內地米の生產費が如何にも高く、朝鮮米の生產費が如何にも安いことが窺知される。

天理敎の迷信 秋田縣山本郡常盤村字熊堂佐藤與惣吉長女リエ（三）の死體に就いて不審の點取調の結果迷信よりリエ殺人事件が曝露したリエは精神に異狀を呈し親族の天理敎信者に相談し神の御告げを聞いてもらつた所エリは神靈のたゝりだからとて父の與惣吉妻ワニの兩名は一月廿五日深更リエを裸にしてはりに吊るし上げいぶり殺したものであると。

縣內通信

縣廳分合增員 本縣に於ける郡役所廢止に伴ふ對策に就ては縣當局も亦連日研究を續けて漸次具體化に努めてゐる更に梅谷知事牛島內務部長萬地方課長參集して百七十名の增員を如何に各課に配置するか又は縣廳內部の組織を如何に分合するか等に關して最後の決定を行つて內務大臣に報告するはずである。尙學務課に視學八名社會課に主事補一名雇三十一名（各課に配屬）給仕小使各五名宛巡視一名等で、而して會計課は其まゝ存續して新に屬十三名を置くが之れは各郡に一名宛特置員として派出して徵稅事務、縣稅滯納處分、町村出納監查等を主として司どるものであるが、小さい交通機關の完備した地方卽ち更埴下高井下水內南北安の各郡には便宜上二郡に一名宛を配置して徵稅事務の圓滑を期する。

北佐壯丁減少 北佐久郡內本年度壯丁者は八百八十五名である昨年に比すること百三十六名の減員であるこれは明治三十七年戰役に原因してゐるであらうと係は語つた。

下伊青年會研究大會 下伊那郡青年會は七日午前十時より飯田町若松座に研究大會を開會縣聯合青年研究大會に提出すべき議

題の選定を行ひ終つて　一、神青年會は合同体たるべきか聯合体たるべきか　一、一般青少年軍事教育の可否　等自主的青年團の實質使命等につき協議するが當日は急進派は新常任委員小平保氏の不信任案を提出すべく波瀾を惹起するものと見られてゐる。

小縣青年氣分　小縣郡聯合青年團の代表員會は愈々七日郡役所樓上に開會役員の總改選を行ふはずであるが目下の形勢では現役員は大部分退任して三十歳以下の眞の青年が之に代るべき氣分が極めて濃厚であると。

優良青年婦人團　縣下於ける幾多の青年會婦人團體中比較的各種の方面から見て優良團體として推奬し得るものは左の如くである。

諏訪　冨士見青年團若宮支部
同　金澤村青年團
同　湖南村青年團
小縣　和村青年會
同　神川村青年會
同　浦里村青年會
同　中塩田村青年會
上伊　赤穗村青年會
同　伊那富青年會
同　中澤村青年會
同　東春近村青年會
同　手良村青年會
南安　南穗高村青年會
下高　往郷村青年會
下水　水内村青年會
小縣　塩尻村双葉會
上伊　中津村女子青年會
同　東春近村女子青年會
南安　南穗高村婦人會

擬國會　北信青年議會は十一日午前十時より上田市公會堂に於て開き北信青年會選出議員四百五十名與黨野黨及び中立との三黨に分れて議席につき勝俣首相の施政方針演說あつて日程に入り各種議案を討議しなが與黨議員横關君の失言から議場大混亂を呈し野黨與黨の面々議長席に突撃して六川議長を面喰らはせて激しき紛爭となつたので直に議長は已を得ず休憩を宣し午後三時再開横關君の失言を取消した野黨側の建議案たる公娼制度廢止案に移り建議案につき尾崎君の說明あつて討議に入つたが贊否兩論に分れ決定を得ず午後四時散會したが傍聽人は實に二千五百名の多きに達したわけても人目をひいたのは小縣郡塩尻双葉處女會員二十數名の處女達の傍聽であつた。

恐ろしい寒さ！　如何ら大寒だからと云つて二十五日の寒じは此處數年來のレコードを破つた長野地方最高が一度一分で最底にいたつては零下實に十五度一分と云ふ怖ろしい寒じ方であつた。

この日の寒さに就て長野測候所では長野測候所のレコードとしては去る

大正八年二月に十六度二分と云ふのがレコードだと云つてゐるのでそれより僅か一度一分しか違はない昨日の寒は確に近來にない寒さであつた。これが爲水道の破裂したものは長野市の八十餘ケ所の多きに達し凍結したものは三百餘ケ所の多きに達したと云ふ事であるが猶驚される事は善光寺の鳩が可哀想にも山門附近で二羽も凍死してゐたと云ふ事である。

鹿の大群　此のごろ南佐久郡南相木村の山深い所へ十二三頭の鹿の大群が現れたので同地方獵師連中我こそお手柄をせんと其大群を發見し射止んと毎日四方八方と尋ね廻つてゐるが二十八日同村の田村富重氏外二名にて二頭を射止め凱歌を擧げて歸つたが一頭は二十六貫一頭十五貫のものであると

松本青年事業　松本聯合青年會は十四日幹事會を開き本年度の新事業計畫に就て種々協議した結果青年會は松本高等學校部講演と聯合し即ち學生と青年等とが互に氣脈を通じて壓學術大演說會を開催しやうとの議が旺に唱へられたので近く具體的決定を見るはずである。

移住者も同じ村民　地方地方には古くから土着の者が移住者に對して差別をつける氣風があつて「來り者」の侮蔑的言葉で移住者を差別し區有財產等に對する權利も與へないと云ふので先ごろから一種の水平運動が起り岡谷の寄留民が大會を開いて一般民との差別を徹底して欲しいと決議したのに付いて永明村でも寄留民同盟を組織して同樣決議をし村當局に陳情したが下諏訪町寄留民有志も五日同町公會堂に有志大會を開いて山野及び溫泉に對する權利を一般町民と同樣認めて欲しいと決議し實行委員を擧げて村當局に陳情する事となり尙は近く同町寄留民三百戶を叫合して寄留民同盟を組織する事となつたがかゝる運動は他地方には見られ無い傾向である。

縣下ラヂオ　縣下ラヂオ聽取器取付數は

伊那	六ケ所	赤穗	四ケ所
岡谷	二〇	富士見	二
大町	三	丸子	八
小諸	七	須坂	二
飯山	二	長野	一三
計	六七		

以上は各警察署管內について調べたもので松本、上諏訪その他判明しないものがあるから夫等が全部判ればまだ廿ケ所位は多くなる見込みである、右の內東京又は名古屋放送局の區域內にあるのは上田と南信地方で隨つて一定の料金を拂つて居るが長野、須坂地方はどこの放送區域內にも加入して居ないから料金は拂つて居ない、然し縣は常に嚴重に取締をして居るそれは架空線がその附近の高壓線又はその他の工作物に觸れると場合に依つては大きな事故を生むからである

自由大學　更級農學校を中心として農村教育を主体とする農村自由大學の創設に關する計畫は着々委員の手で進行して居たが農學校に於いて創立協議會を開いて具体的決定公民科、實業科、殖民科、文藝科の四科を設け第一回開講は三月中旬より初めると。

協會便り

新會員

北安曇郡廣津村字栗本　小山千秋
更級郡八幡村　宮坂康孝
東筑摩郡中川村　金子伊造
東筑摩郡中川村　中村泰治
群馬縣新田郡木崎町赤堀　石塚吟衞
下高井郡中野町(渡印中)　高橋豐茂
南佐久郡臼田町井澤勇太郎方　赤羽茂
諏訪郡上諏訪町一番地　藤森豊實
東筑摩郡中川村　春原安治
長野市大字西尾張部　平出次郎
南佐久郡野澤町小池森太郎方　長縄辰治
新潟縣中魚沼郡水澤村　富井喜孝
小縣郡神科村伊勢山　清水三郎助
靜岡縣沼津市高島町　永澤俊治
大分縣速見郡中山香村　江藤烈義
上水內郡朝陽村　金丸壽一
上水內郡信濃尻村　藤本多市
上水內郡鬼無里村　原山芳保
岡山縣都窪郡倉敷町　江本隆夫
新潟市旭町二番地　木村貫一郎
東筑摩郡廣兵村　永原勘吾
西筑摩郡吾妻村　橋本菊雄
下伊那郡鼎村　(購)松島紋次郎

金錢納入　(自大正十四年十二月十六日 至十五年二月十五日)

一金拾圓也　大正十四年度維持會員費　武拾啓治殿
一金拾圓也　同上　池內直次殿
一金拾圓也　同上　田中市治殿
一金拾圓也　同上　堀內万藏殿
一金二圓也　大正十四年度普通會員費　坂口兼作殿
一金二圓也　同上　牧內進一郎殿
一金二圓也　同上　寺澤智義殿
一金二圓也　同上　井出常次郎殿

一金二圓也　同上　井上武喜殿
一金二圓也　同上　沓掛喜殿
一金二圓也　同上　小林繁太郎殿
一金二圓也　同上　清水喜左衞門殿
一金二圓也　同上　中島忠次殿
一金二圓也　同上　丸山芳郎殿
一金二圓也　同上　山岸半三郎殿
一金二圓也　同上　白井安次郎殿
一金二圓也　同上　山岸政吉殿
一金二圓也　同上　翠川國平殿
一金二圓也　同上　井出伊兵清殿
一金二圓也　同上　清水作平殿
一金二圓也　同上　小林元一郎殿
一金二圓也　同上　小林雅雄殿
一金二圓也　同上　清水安治殿
一金二圓也　同上　宮島畢殿
一金二圓也　同上　小山菊太郎殿
一金二圓也　同上　増田宗一郎殿
一金二圓也　同上　上原直一郎殿
一金二圓也　同上　志摩金治殿
一金二圓也　同上　赤羽春雄殿
一金二圓也　同上　清水了殿
一金二圓也　同上　清水恒吉殿
一金二圓也　同上　白鳥修一殿
一金二圓也　同上　古平佐平清殿
一金二圓也　郎上　遠藤用治郎殿
一金二圓也　同上　小泉亮三殿
一金二圓也　同上　甲田英勝殿
一金二圓也　同上　水野袈裟治殿
一金二圓也　同上　高野安殿
一金二圓也　同上　平塚雄殿
一金二圓也　同上　宮澤𢌞憲殿
一金二圓　同上　前島定義殿
一金二圓也　同上　矢幡利一殿
一金二圓　同上　和田半吉殿
一金二圓也　同上　柳澤藤一郎殿
一金二圓也　同上　遠山遠吉殿
一金二圓也　同上　瀧澤市郎殿
一金二圓也　同上　横山政太郎殿
一金二圓也　同上　松山原造殿
一金二圓也　同上　瀧澤寛治殿
一金五拾錢也　赤羽八雄殿
一金九拾錢也　飯塚直次殿
一金壹圓拾錢也　有賀秀殿
一金六拾錢也　石塚吟衞殿
一金拾二圓八錢也(在比律賓)　長橋辰三郎殿
一金四拾錢也　木村勇夫殿
一金參拾錢也　家久從郎殿
一金參拾錢也　木下五一殿
一金四圓也　大正十二、三年度會費　新津榮殿
一金二拾錢也　山浦正衞殿
一金四拾錢也　大塲吉五郎殿
一金二圓也　大正十五年度會費　城倉角雄殿
一金二圓也　同上　長縄辰吉殿
一金二圓也　同上　清水一郎殿
一金壹圓二拾錢也　富井喜孝殿
一金二圓也　大正十四年度會費　藤本多市殿
一金二圓也　同上　清水三郎助殿
一金二圓也　同上　平出次郎殿
一金二圓也　同上　高橋豊茂殿

一金二圓也 同上 春原安治殿
一金二圓也 同上 藤森豐實殿
一金二圓也 同上 赤羽　茂殿
一金二圓也 同上 丸山實治殿
一金二圓也 同上 鈴木本右衛門殿
一金二圓也 同上 小湊三藏殿
一金二圓也 同上 堀田庄之助殿
一金二圓也 同上 武田眞由美殿
一金二圓也 同上 北澤量平殿
一金二圓也 同上 清水豊作殿
一金二圓也 同上 今清水清之助殿
一金二圓也 同上 島田松造殿
一金二圓 同上 足立實藏殿
一金二圓也 同上 栗岩壽作殿
一金二圓也 同上 阿部安之輔殿
一金二圓也 同上 町田政治殿
一金二圓也 同上 木田戸平殿
一金二圓也 同上 山崎三彌治殿
一金二圓也 同上 兼子　茂殿
一金二圓也 同上 今清水森作殿

一金二圓也 同上 小林淺五郎殿
一金二圓也 同上 榊原恒之助殿
一金二圓也 同上 野口　茂殿
一金二圓也 同上 古谷長司殿
一金二圓也 同上 高橋忠次殿
一金拾圓也 同上 島津雄三郎殿
一金二圓也 同上 三石賢太郎殿
一金二圓也 同上 三石忠亮殿
一金二圓也 同上 三石圓治殿
一金二圓也 同上 佐藤幸藏殿
一金二圓也 同上 鈴木豊藏殿
一金二圓也 同上 望月義十郎殿
一金二圓也 同上 小野傳彌殿
一金二圓也 同上 狄上仁哉殿
一金二圓也 同上 小松曾右衛門殿
一金拾圓也 同上 倉科多策殿
一金二圓也 大正十三年度會費 森　豊馬殿
一金二圓也 同上 上條龍彌殿
一金二圓也 同上 青柳八郎殿
一金四圓也 大正十二、三年度會費 久保山連殿

一金四圓也 同上 市川市作殿
一金四圓也 同上 轟彌十郎殿
一金四圓也 同上 倉下堉平殿
一金四圓也 同上 宮澤久衛殿
一金四圓也 同上 倉下清治殿
一金四圓也 同上 塚原唯五郎殿
一金四圓也 同上 降幡耕一殿
一金四圓也 大正十三、四年度會費 北村志津男殿
一金二拾圓也 同上 中村畯作殿
一金四金也 同上 倉田兼一殿
一金四圓也 同上 長澤晃策殿
一金四圓也 大正十一、二年度會費 山岸勝太郎殿
一金六圓也 大正十二、三、四年度會費 望月傳市殿
一金六圓也 同上 神戸八郎殿
一金五圓 鳥羽信炳殿
一金拾圓（寄附金） 原山芳保殿
一金拾壹圓三拾九錢（在比律賓） 井上裕雄殿
一金拾壹圓三拾九錢（在比律賓） 中村貫一殿

―續―

百聞不如一見

於リオデジャネイロ　宮下琢磨

小生事去る七月廿三日神戸出帆以來航行五十三日本日（九月十三日）無事リオ・デ・ジャネーロに着仕候今回の航路は海路平穏且つ氣候の推移も極めて順調にて盛夏に向ふの候母國を辞し候事とて香港サイゴシの暑さも苦にならず、赤道通過の頃よりは漸次冷涼氣を加へ阿フリカの南端ケープタウンにては日中華氏五十八度冬の外套重きも覺えず、太西洋に出でては幾分北に向ひ日に溫々を加へ陽春三月夢暖にして曉を覺えず極めて快適の航行に候船の經驗は皆無と申して宜敷程故如何と存居候處船暈に惱まされ候も之れなく、又南米航路の趣味多き女子小兒老人にても何等の懸念無之事を船會社に代つた譯ではなけれど御吹聽申上候。左に小生の幼穉なる所感申上候

△船の事　船はマニラ丸。長さ八十間巾二十間、船底より甲板迄七間噸數壹万噸汽車ならば二千台の貨物を積載し得るものにて特に此の船は三等船客に注意し家族室とも可申二人部屋五人部屋等洗面鏡の裝置あり、五百重なす印度洋の波も去したる動搖感せずと存候寄港地上は容易にて何等手數なしに上陸出來候。

△船路多趣味　瀨戸内海の航行は始めてなるが海波の瀲灔たるうす霞みたる遠山、黛の如く白帆の去來、夕陽の波に映ずるは一幅の繪卷物を展開するが如し、且つ歴史的感興に於て汽車の旅より趣深し、續いて玄海灘は長崎、香港に、サイゴンにシンガポールにとり〲趣多し、わけてサイゴンは是れより北二百里のファイフールには元和元年頃日本商船集まれる時は百七十餘艘に上る彼等は僅か長さ二十間長巾九間定員三百九十七人今ならは四、五百噸の船は蚊帳、扇子、屛風、合羽、刀劍類を滿載し港々と貿易したる盛時を追懷すれば眞に背鳴るの感あり。セイロンは北七十二哩にキヤンディを訪へば舊王城のある所釋尊の齒を奉安する所菩提樹の茂れる名も知らぬ熱帶の紅花、色黑き眼光り首に珠玉、手首に金環をまける女子、頭部前半に布をまける僧侶佛画其まゝを見るが如し。

船進みて南アフリカのダーバシに至れば車夫はズールの土人、冠れるものは羽毛にて飾れる五月幟の風車に似たるものに一尺余りの水牛の角を前立とし、念の入れるは四尺に近き孔雀の羽根を押し立つ、身には五彩鮮たる衣を着け躍り上り車を挽曳き行く、女は尻の大なる盆を載せ幼兒を尻の上にて立たしむ。ケープタウンにてはセシルローズの風貌意氣を追想するに良し（略）。航行は單に

地上の異風を送迎するに止まらず、天上界に於てもなじみ多き星を送り新らしき星を迎ふ。北斗七星は地に低く赤道を超ゆれば、乙女座塲の星座は頭上に迫り北十字星は幽にして南十字星現はる。南洋の椰子の葉蔭の滿月も風趣あり。印度洋の天界は日本の冬の空の如く明徹無比。水や空、空や水なる青海原、眺めては壓きあきするだらうと思ふされど去に非ず、支那海にてはジャンクを珍らしく安南にては異形の漁船目新らしく、雲烟の間に嶋かげほのかに見ゆれば、船しりぞいて見る。フカの泳ぐトビ魚の飛ぶ、鯨の壚を吹く、とり〲に珍らし殊に朝日の輝く時、夕日の映ずる時、大洋ならでは此の壯觀は觀難し。

△百聞如一見　ダーバン、ケープタウンは排亞細亞の本家、ホテルは宿めず理髮は剪まずコーヒー店も立ち寄せられぬと聞く。實際は去程に非ず、道を聞きトウマスタツクを尋ねれば半町位の處は連れて行く、コーヒー店も商店もセイロンなどよりは親切だと思ふた。總て百聞は一見にしかずとすら〲感じた。

△餘興及講演會。乘客船員の運動會、演藝會擊劍、角力の各種模様し、赤道祭の假裝行列。浪花節、安來節琉球踊、ロシヤダンス等の屢開催。苦心の作は伯國語にてハセンダに行く道を尋ねて仕事の話をきゝ、勞働に從事し、ドラが鳴つて休憩迄の全部五卷女子供も交る、船中にては始めて稽古したる語學としては大出來。小生も講演會にて半日駄辯を振ふ。

△小生の事　一等船客としては日本人は小生一人シンガポールにて英人一名ブラジル女子二人セーロンにも英人一名　漸やく外國氣分、ポンデヤ組、モーニング組運動に語學に時間を定め努め候小生當分はリオ大使館にて居り候間御用命の節は大使館宛に願上候。匇々終りに謹んで御健康を祈り申し候。

◎白浪の高き荒海も安らけく一万二千理今ぞつきける。
◎あこがれのブラジル國ようるはしのリオの都よ今こゝに觀る。
◎あはたゞしく母國を立ちし其の頃ゆかへり見すれば只夢の如し。

◎海外に關係ある諸團体

一、海外協會中央會　東京市丸ノ内丸ビル四五四
一、日本力行會　東京市小石川區林町七〇
一、神奈川縣海外渡航者講習所　橫濱市櫻木町
一、兵庫縣海外渡航講習所　兵庫縣々廳内
一、日本植民通信社　東京市京橋區常盤町一

一、海外植民教育會　東京府下世田ケ谷村下北津六五
一、日本羅甸亞米利加協會　東京市麴町區内山下町一ノ一
一、日本移民協會　東京市麴町區内幸町一ノ六
一、日米協會　東京市麴町區帝國ホテル
一、日華學會　東京市神田區中猿町一五
一、同仁會　東京市神田區一ツ橋通り二一
一、滿蒙文化協會　大連市紀伊町九一
一、東方調査團本部　東京府下巢鴨町一八八
一、東亞同文會　東京市麴町區有樂町二ノ一
一、東洋協會　東京市麴町區内幸町二ノ二
一、日露協會　東京市麴町區幸町一ノ三
一、南洋協會　東京市麴町區八重州町一ノ一
一、日印協會　東京市京橋區築地三ノ一六
一、日佛協會　東京市麴町區山下町一ノ一
一、國際聯盟協會　東京市芝區芝公園協調會館内

海外にある邦字新聞社と海外發展に關する團体

一、南米協會　米國ニユーヨーク市
一、ブラジル研究會　米國、カリホルニヤ州、ハリウツド市
一、羅府墨國研究會　米國、カリホルニヤ州、ロサンゼルス市
一、日米（新聞）　米國、サンフランシスコ市
一、日米時報社　米國、ニユーヨーク市
一、紐育新報　米國、ニユーヨーク市
一、北米時事　米國、シヤトル市
一、新世界（新聞）　米國、サンフランシスコ市
一、大陸日報　加奈陀、バンクーバ市
一、加奈陀日日新聞　加奈陀、バンクーバ市
一、布哇新報　布哇、ホールル市
一、布哇毎日（新聞）　布哇、ヒロ市
一、日布時事　布哇、ホールル市
一、日布報知　布哇、ホノルル市
一、日伯新聞　伯國、サンポーロ市
一、伯剌西爾時報　伯國、サンポーロ市
一、南米評論　伯國、サンポーロ市
一、亞爾然丁時報　亞國、ペノスアイレス市
一、アンデス時報　ペルー國、リマ市
一、大南米　ペルー、リマ市
一、日秘新報　ペルー國、リマ市
一、爪哇日報　ジヤパ、バタビヤ市

編輯雜記

△

前號の『南米ありあんさ移住地一覽』は信濃村の近況を探ぐるに良參考になると各方面からの評判である。冊子自らも斯く任じてゐるが、未だ多數印刷してあれば大方の諸子に差上ぐるにつき、友人知人の信濃村入植志望者に知らせて下さい。

△

十二月號『四十三號』は海外協會關係者の名簿を作製したが、住所、姓名に誤植が多いから御氣付の注意を煩したい。殊に海外在住諸君の現住所等は充分間違つてゐる故、同鄉知人の記載洩れと合して御通信願ひたい。

△

墨西哥各地に協會支部が續出仕樣としてゐる。最近タンピコには岩垂貞吉外數氏の在住縣人によつて『信州人懇親會』なるものが設立された。尙チワワ州にも近く支部發會の機運が近いてゐる。在外の同胞が互に各自の融和と向上に努める事は移住地の社會發達上必要の事である。尙各地にも此の種の文化的運動が欲しいものである。

△

大正十四年度の終りも近づいて參りました。會員諸子の會費も整理致さねばなりません、それで縣下の各支部にては支部役員の盡力を仰ぐ事とし、在外諸君には是非共此の際、郵便爲替或いは銀行爲替にて送金を願ひたい。

△

次號には塚田久米治君の『アポー登山記』を紹介致します。

—雜　記—

海の外

定價	内地	外國
一部	廿錢	廿仙
半ヶ年	一圓十錢	一弗十仙
一ヶ年	二圓廿錢	二弗廿仙

海外郵税二錢

注意

▲御註文は凡て前金に申受く
▲廣告料は御照會次第詳細通知致します
▲御拂込は振替に依らるゝが最も便利さす

大正十五年二月二十五日

編輯人　永田稠

發行兼印刷人　西澤太一郎

長野市南縣町
印刷所　信濃毎日新聞社

長野市長野縣廳内
發行所　海の外社

振替口座長野二二一四〇番　信濃海外協會

目次

本縣官房主事 山崎喜智家氏

南佐久郡支部長 但丸留藏氏

北佐久郡支部長 市川多萬吉氏

小縣郡支部長 阿蘇溫藏氏

諏訪郡支部長 石原快三氏

上伊那郡支部長 杉原定壽氏

西筑摩郡支部長 羽生秀三郎氏

埴科郡支部長 長坂治助氏

下高井郡支部長 中山惣十氏

上水内郡支部長 田口泰藏氏

下水内郡支部長 竹中三吉氏

松本市支部長 小里賴永氏

海の外

第四十六號
大正十五年
三月號

◇——「日米」の衝突——◇

謂ふところの日米問題は今日幾多の變遷をしてゐるが、事實は兩國の「力」の衝突である。

彼等は「米國の排日運動は人種問題でない純然たる經濟問題だ」など と云ふが、私は兩國の「力」の衝突だと信ずる。領土的、經濟的に明敏なる米國人が日本人の未だ意識し自覺せざる前に、日本の膨脹發展に注意し目醒めて來たのである。日本人が自國の人口問題を意に介せざる先きに米國人は日本の人口問題に心配しその過剰人口の流入を恐れた、日本人が其の農村問題に注意しない前に、米國人は日本の農園が其人口を養ひ得ざるを見て、其の移住者が米國に殺倒することを恐れた。

日米間の貿易關係に於ては、日本の利は米國の利であり、米國の損は日本の損であつた。然るに移民問題に至つては、日本の利は米國の不利だ、茲に於て西漸する米國の力と、無意識の間に東漸せる日本の力とが、大平洋岸に於て移民問題となつて爆發したのである。今後の國際的競爭場裡に於て移民問題が斯くの如く屢々兩國間の衝突を招くであらう。

アリアンサ移住地の土地分讓終了・開拓促進

着々進捗せんとす

信濃海外協會幹事　永田稠

協心努力

私は昨年南米から歸つて來た時から思ひ起す。縣の社會課が離散されて協會は農商課に移轉した、一昨年の十二月專任幹事の藤森君が辭任したので、畔上君が當面の事務を見て居てくれた丈けで、其他の仕事は其處に放任さるるの止むを得ざる事情であつた。借金の二萬も仕拂ねばならず、土地代も六七萬圓を要するし、移住地の經營費も少くとも一、二萬圓を要する。この莫大なる金を集めることが非常な困難である外に、移住者の募集もせねばならず、政府當局への運動もせねばならぬ。果して此大仕事がやれるかどうかが問題でありました。

此場合に於て梅谷總裁が堅忍不拔の大決心を以て此事業に向はれたことは、此上もない仕合せでありました。若し總裁に少しでも此事業に對して、疑問を持たれたり百折不撓の覺悟がなければ、トテも此仕事は出來上るべきものでありませんでした。

當時の農商課長蜂須賀善亮氏が、北海道其他の新開地に居られた關係から、移住地建設の事業に非常な理解と同情を持つて居られた事が、又、此仕事を遂行して行く上に極めて好都合でありました。蜂須賀幹事が、山梨へ榮轉された後を現在の農商課長石口龜一氏が幹事をして御盡力をして戴くことになりましたが、又、非常なる熱心家で其熱誠と明敏なる頭腦と、其練磨された人格とが、ドノ位此仕事の大成を助けたかは計り知ることが出來ません。

同時に現任の西澤幹事が、諏訪の小學校から來つて專任に事務を見てくれることになり、其熱心なる犧牲的活動は、事實に於て此大事業の中心人物であり大黑柱でありました。小縣郡の運動丈けに、靴が二足きれたと云ふ一事が、同幹事の熱誠を物語つて居ります。宮本助手が月二十圓の薄給に甘んじて、朝の七時から晩の七時八時迄人に知れない苦心をしてくれた事も忘るることの出來ない一事である。

此年度に於て特に成績の優良であつたのは、小縣郡でありまず、當時の白石支部長及び其他の支部員各位、沓掛縣會議員、柏原吉重郎氏等の御盡力も大變なものであります。北佐久郡支部の諸君の御盡力も奇蹟的の成功をなし、更級郡支部も亦立派な成績を示し、南北安曇や上伊那諏訪等もよい成績でありました。

東京では中央會の藤森、眞中兩幹事が非常な努力をして約八萬圓の土地を賣つてくれたし、北米ではローサンゼルスのブラジル研究會の中木清秀、森田三樹、森喜代一の諸君の努力に依り、約七萬圓の土地が賣れました。

アリアンサ移住地に於ては、輪湖、北原兩幹事が、非常の努力をしてくれました。豫期した通りの金が行かず、ミルの相場が高くなつたり、種々なる困難の間にアレ丈けの成果を納めたことは、此上もない感謝であります。

世界的に分れて居る諸機關の間で、事務は圓滑に進み、何等の障害を來たさず、着々として事業を進め得たことは、當局者の協心努力の結果であります、天の時は地の理に如かず、地の理は人の和に如かず、關係者一同の和衷協同の精神が、偉大なる仕事を遂行する源動力となつたと存じます。

又、片倉組の各位の陰に陽に此事業を後援して下さつたことを、私は茲に書き落すことが出來ません。

移住地の土地分讓完了

アリアンサ移住地は、五千五百町歩の農園地と、三個の附屬地から成り立ちますが、此三個の附屬地は永久に協會の所有すべき筈のものでありますが、五千五百町歩の土地は出來る丈け早く處理をせねばならぬ筈のものであります。此土地の處理が早く出來るか出來ないかが、移住地經營の成績に關係する重大な要件でありました。此五千五百町歩は、大正十五年三月五日でスツカリ處理が終りました、乃ち

一、出資者へ提供すべき土地　一千五百町歩
一、協會の直營地　五百町歩
一、舊信濃土地組合へ分譲地　五百町歩
一、南米土地組合へ分譲地　一千五百町歩
一、其他の希望者への分譲地　一千五百町歩

其後になつて分譲申込は續々ありますが、殘念ながら之れに應ずることが出來ません。

募集約拾貳萬

昨年二月には借金が二萬圓ありましたが、それは立派に支拂ひました。南米へ送金した金額が七萬五千圓あります。今、協會に現金二萬圓殘つて居ります。諸經費に約一萬圓を要して居りますから、協會で一ヶ年間に集めた金がざつと十二萬圓を突破したと見てよかろうと思ひます。

一口一千圓と云ふ莫大なるお金を、出資者各位もよくお出し下さいました。又、見ず知らずの土地をよくお買ひ下さいました。其當初に於てアレ程不安に思はれた移住地經營の仕事が、今日は信州でも、信州以外の土地でも、誰一人として不安に思ふて居る者はありません。啻に不安を感ぜざるのみならず、前號の本誌で申上げました通り、鳥取、廣島山口、熊本、鹿兒島の諸縣に於ては、アリアンサ移住地を模範として、各自移住地の建設を遂行せらるる樣になりました。事實に於てアリアンサ移住地の建設は、我日本帝國の海外發展史上に於て、エポツクメーキングであります。嘗ては「教育」に於て、現在は「製絲」に於て、日本の先驅者であつた信州は、「海外發展」に於ても、實に日本の先驅者でありました。誠に快心のことであります。

開拓促進

既に土地分譲を終つて私共は、移住地の開拓へ驀進致します。五千五百町歩の內に、御自身で移住なさらない方々の土地が、約二千町歩あります。これを放任して原始林の儘で存置することは、移住地大成上一つの支障であります。此二千町歩は小作者の手に渡さねばなりません。四ケ年契約の小作をさせるとすれば、小作人は二、三人の一家族で七八百圓の準備金があれば、四ケ年後には五千圓位の貯金が出來ますが、地主は廿五町歩に對し四ケ年に約五千三百圓の投資を要しますので、よしそれが四年後に二萬圓の資產になるにしても、多少の無理があります。六年契約の小作をやれば、地主は土地を提供して六年待つて居ればよいのでありますが、よしそれが小作者には六年後に一萬圓の貯蓄が出來るにしても、當初に約一千二百圓位の準備金を要しますので、此位の金の出來る者は、中々ブラジルには參りません。

それで協會では、一案を立てました。協會と地主とで、更に若干の出資をして、之れを小作人に貸附し、アリアンサの開拓を促進しようと云ふ計劃であります。其骨子たる條項を列記すれば左の通りであります。

一、協會より金一萬圓を出資す
一、地主側で一町歩から十五圓、二千町歩で三萬圓を出資す
一、合計四萬圓を以て八十家族の小作者を移住せしむ
一、一家族に平均五百圓を貸附す
イ、返濟期限は二年乃至三年
ロ、利子は年八分
一、三人家族とすれば政府の補助が五百圓あるから、此資金を五百圓借りると、自分では二百圓の準備をすればよい。

一、地主は土地の管理經營を協會に一任する
一、協會は一、若しくは數個の農場として設計する
一、小作者は六ヶ年後に約一萬圓の貯金が出來る
一、十町歩を所有する地主は土地代の外に百八十圓の出資で六年後約八千圓の資產となり、爾後每年一千二百圓の純益を得らるる計算である。

猶詳細のことは、特別の印刷物を作つて申上げたいと思ふて居る。地主諸氏も大部分は勿論御贊成下さると思ふし、小作者も續々と申込みがあると思ふ。かくてアリアンサの經營は今、明年で大体片がつき、玆に理想的移住地の大成を見らるることになると信ずる次第である。（完）

鮮滿蒙支視察上の所感（二）

長野縣更級農學校長　矢田鶴之助

前號には朝鮮視察に關する所感の一部を述べたりしが、本號には、主として滿蒙視察の梗概に屬する一端を述ぶることゝすべし。

安東に於ける長野縣人會の歡迎

新義州より、有名の鴨綠江架橋を渡りて、安東に着せるは、午後九時なりしが、こゝに、滿洲時間に改むべく各自の時計を、一時間後らして八時とせるは奇異の感ありしかど、東經百三十五度を標準時とせる日本と東經百二十度を標準時とせる滿洲との間に其の差あるは當然のことなりとす。こゝに、始めて、外國氣分を起さしめたる一刹那、たま〳〵見る、プラツトホームに夜中ながらも、電燈の光に燦たる長野縣人會と記されたる大旗の下に、整列されたる歡迎團隊の夫妻相伍相交りて、協調美の發揮實に掬すべきの感に打たれたることにてありき。

吾等縣人十五名並に他縣奉職の同縣人は、ひとしく下車して名刺を交換し、縣人會長の挨拶に對して、神戸下高井農學校長の答辭あり、少時懇談の餘裕ありて、同縣人會より各自に記念の繪葉書を惠まる、好意實に感激の至りに堪へず、他縣の校長連、私語して曰く「感ずべきかな長野縣の協調美もまた學ぶべきかな」と生等一同は、大に面目を施しぬ。

奉天に於ける十觀

奉天に着せるは、九月二十九日の早朝にして、先づ異樣に感じたるは、汽車の赤帽夫が、赤地絆纒に黑字の模樣つけたるを見て一驚を喫し、改札口を出づれば、支那馬車の輻湊して、喧々さも罵り合ふが如き擾々しさに驚きぬ、驛より數町の瀋陽館に朝食を喫し、奉天神社に參拜して、玉串を捧け、醫科大學の屋上に展望を恣にして地勢を察し、之より納骨堂を拜し、忠魂碑に敬意を捧げ、深く當時を追懷せしことにてありき。更に製糖會社・製麻會社を視察し、城內に入り滿鐵公所にて中食を喫し、宮殿を案內されて清朝開基（二八二年前）大宗皇帝當年の盛時を偲び、城內最も繁盛と稱せらるゝ四平街を視察し、同善堂と稱する社會事業の施設につき、孤兒院・養老院・職業授產所・藝妓救濟所・醫學校・產婆學校をもかねたる愛の天地に感を深くし、これより城外約一里の北陵（今より二七七年前太宗文皇帝の靈柩を葬る）に詣でしが、途中朝鮮人によりて經營せらるゝ水田を視察し、また支那人によりて栽培せらるゝ菜園をも視察して、大に得るところありき。

撫順八觀

奉天に一泊して、翌九月三十日朝、全長二十七哩九分の撫順支線に時を費すこと一時四十分、撫順に着くや、電車を利用し、先づ第一小學校に休憩し、炭礦概況を聽き、高等女學校を視察して、內地と一致せる体操法に、教育ほど統一に力强きものなかるべしとの感に打たれ、露天堀を參觀して、豊富なる炭量實に現市街の地表にまでも充滿せるに驚き、更に上層を被へる油質頁岩は、重油の原料として、今やまた利用の計劃中にありとのことに驚き、しかも、また、撫順市街の地層悉く石炭たるがため、漸次市街の大移轉を見んとするに至つては、一層の驚きに打たれぬ。これより、大山坑に至り、エレベターー運炭・選礦の狀況を視察せしが、この坑は東鄉坑と稱する他の坑と共に撫順双璧の良坑といはれ、千餘尺に達

する竪坑を有し、之と露天堀の採掘高とを合するときは、一日約一万六千噸とせられ、純益一日三十五万圓に及ぶ、全部の採掘まで少くも三十年を要すといふに至つては、眞に帝國の寶庫といふべきなり。第二發電所低溫乾餾工場にては、硫酸アムモニヤ其の他副産物と農業の關係を調査し、第三發電所につきては、コークスの利用等大に學ぶところあり、東鄉苗圃につきては、係技師より手入其の他氣候との關係を聽き第二小學校にては、其の設備間然するところなき充實さに、滿鐵の威力如何に大なるかを思はしむ。この地にある長野縣人は、百五十人の上に出て、其の成績頗る良好なりといふ、こゝに、また、縣人會多數の送迎ありて、石炭並に副産物にかゝる標本及び綿葉書類の記念品を受けぬ。

蒙古の旅

撫順より奉天に歸着せるは、同日午後八時過なりしが、同夜十一時二十分奉天發、翌十月一日午前六時十二分、四平街に着く、こゝに滿鐵列車を離れて、支那鐵道に屬する四洮線に乘替へ、蒙古地内通遼に向つて出發しぬ。この四洮鐵道線は、大正二年十月締結の滿蒙五鐵道の一として企劃され、翌年三月、四鄭鐵路局を創設し、四年十二月、對橫濱正金銀行との間の借欵契約により、六年起工、同年十一月、四平街鄭家屯間の鐵道竣成し、大正八年會社との借疑契約成立と共に、從前の借欵をも之に移し、名稱を四洮鐵路局と改稱して、鄭家氏より通遼(白音大來)に到る鄭通支線の起工となり、十年十一月鄭家氏より洮南に達する鄭洮線の竣成となれり、現在その營業總哩は、四洮間三一二、三粁鄭通間一一三、七粁計四二六粁(二七二、四哩)を算す、この沿線は、蒙古科爾沁部各旗の遊牧地に屬し、鄭通支線の白市・大罕間約四十粁と大林・餞家店間約十粁とを除き、他は漢人に對する開放地とせられ、東三省の行政の行はるゝ處とせらる。この開放地に、舊開放地と新開放地との區別ありて、舊開放地は、元來流民によりて餘儀なくせられたるところをいひ、新開放地とは、露西亞の南下によりて新しく開放を餘儀なくせられたるところをいふ、而して開放とは、漢人に適用せる勝手の語にして、漢人移住の地帶を意味するものと知るべし。さて、少しく其の沿革を述べんに、滿洲が興つて清國を建てし當初の蒙古は、この清國に臣從せしが、淸が今の奉天より北京に遷都せるため、淸は蒙古の各酋長に領地を與へ、其の領地内に各部族民

を放牧せしめ、この領地を「旗」と稱すること我が國の舊幕時代に於ける藩と相似たり。蒙古保護のためには、漢人の移住を絕對に禁ぜしも、其の效なく、この禁令は先づ長春地方と昌圖地方とよりして破れ、昌圖・梨樹・懷德・康平・彰武・法庫の一部、遼源(鄭家屯)等は、漢人の移住地として支那行政の伸展する天地となれり。また、新開放地は、永年黑龍江に堰かれて、虎視眈々たりし露西亞が、日淸戰爭の虛に乘じて、俄に南下することゝなりしため、當時の淸朝は、之を防止する目的を以て、蒙古の土地封禁令を撤廢し、漢人の移住を奬勵しつゝ、邊疆の充實を圖ることゝなり、開放と同時に、其の土地の行政は、旗長の手より離れて、支那地方行政官の下に移ることゝなれり、新開放地に屬するは、奉天省に洮南を中心とせる地方、其の他六縣、双山、通遼(白音太來)及遼源の一部を有し、吉林省に長嶺の一部を有し、黑龍江省に於ける開放地は、全部これにして現在十縣を有す、熱河蒙古の開魯・古城・林西、また新開放地に屬す。また、別に未開放地と稱する大部の地帶ありて、純然たる蒙古人の游牧に任する地方なり、この未開放地は、各旗旗長の統治下にありて、旗民は游牧的に生活するを見る、此の領地内には、土地所有の權利設定せられざるも、開放地に接近せる地方に、先占權の慣習を見る。卽ち、甲の耕作せし土地は、たとひ放棄せられあるも、乙は甲に斷ることなく、耕作の自由を有せざる慣習あるものゝ如し。されど、未だ有償讓渡の目的物とはならざるなり。以上は、內蒙古卽ち東蒙古につきていへるものにして、外蒙古は今や全く露國勞農政府の手に收められ、日本人にして足一たび外蒙の天地に入らんか、軍事探偵と見誤られて、不歸の客となるが如き、昨夏も滿鐵調査隊の外蒙に近く入せりとの嫌疑を以て、約半歲調査員すべてが、囹圄にひとしき苦境に陷りし事蹟に見るも、赤露の勢力が如何に强大なるかを察すべし。こゝに車窓の蒙古を紹介せんに、先づ四平街より發車して三江口に着き、これより遼河を渡り、鄭家氏に至るの途中に於て、傳家店と三江口との中間に砂丘あるを見る、此の地方は、漢人の手に入らざる未開放地なれど、其の他は始んど舊開放地に屬し、八面城も三江口も鄭家氏も、皆漢人の手によりて築かれたる都會なり。鄭家氏は、人口六萬を算し、四平街より八七、四公里を距て、通遼まで一一三、七公里を離る。通遼は、また白音太來

とも稱し、人口約三萬五千を算す、汽車の通遼驛に着するや、滿鐵公所派出所長の案內によりて、馬車に分乘せしが、紅塵濛々殆んど咫尺を辨せざる程にて、一行の苦痛殆んど堪へ難かりしも、支那馭者の平然たる態度は、如何にも無神經に感ぜられぬ。行くこと半里にして、茂林廟に達せしが、こゝは阿旺圖巴冊と稱する活佛の別莊に充てられたる所、視察の際は、留守居番人の廟裏に生活せるを見舞ひしが、人懷しく親切なりしに快感を覺えぬ、されど、寺門を出でゝ、馬車に乘らんとする一刹那、滿鐵學務係として案內の役に當れる西村氏の膝掛が失れしにはいたく不愉快を覺えぬ、支那馬丁の盜癖ある事はこゝに實証せられぬ。歸途滿鐵公所派出所に立寄りて蒙古開發に關する調査を所長より承はり、再び通遼驛に出でて、歸途につくことゝなりぬ。この通遼を中心とする蒙古一帶は、特に肥沃と稱せられ、漢人の農作に勵むを見る、されど土地廣漠にして、農業は一般に粗放なるこというまでもなし。大倉喜八郎翁の經營する水田三千餘町步もこの通遼に近く、大本敎王仁三郎馬賊盧占魁と結托して事をなさんとせし地も、また此地に遠からずときく。こゝに、最も感じたるは、昨春大倉翁は八十九歲の老体をも意とせず、通遼の奧深く入つて、蒙古開發の急先鋒たらんと焦心頗る努力せる一事は、懦夫をして起たしむるものといふべきなり。これに刺擊せられしものか、栃木縣の一青年が、通遼視察として來れるに會せしことなり。この外、通遼にて出遇ひたるは、日本夫婦の街路に步行せるを車上より瞥見せしことなり。また、蒙古人と支那人との別は、蒙古人の牧羊に比して、漢人の養豚に專なる事なり。而して、蒙古の天地は如何に廣漠たるかは、同行者の戲作に、

鄭家屯北白音太　千里草原接碧空

土屋土墻家點々　時看羊牛爲群叢

他の一人は、その戲作に勝る歌ありとて、

鄭家屯　西に向へば　パインタラ　牛や羊が群れ遊ぶ

活野千里の　草の原　今は開けて　汽車の旅

聲高々と歌ふを遮りて、余の創作聽けと、

鄭家屯　西に進めば　パインタラ　一望際なき草野原

日東男子の意氣あらば　開け又田畑や牧場を

自惚れ合ふ間に、日は暮れて、午後八時鄭家屯に着しぬ。

（以下次號）

植民政策と移住者の根本精神

三月十日より更級農學校に開催された信濃農村自由大學に於て農學博士東鄉實氏の「植民政策」講座を拜聽し右の題目のもとに博士の意見を讀者諸子に發表したい。博士は現に衆議院議員として活動中なり。

植民と移民

植民と移民との解釋について我が國では未だ一定の定義を示されてゐない此れを學問的には非常に面倒であるが私は、我が國領土内に移住するを植民と云ひ、本國領土以外の地に移住するを移民と云ひたい故に現今叫ばれてゐる移植民とは此の植民と移民とを總稱した事である。私は此の意味に於て今日は此の問題について少しく諸君と共に研究して見たい。

歷史は人類移動の歷史である

現在我が國では移植民問題について種々論ぜられてゐるが凡そ世界の歷史は人類移動の歷史であつて同時に植民の歷史である。古代のフイニシヤ、カルセージ、ローマ、中古のピザ、フロレンス、ゼノア、ヴヱニス、近代のポルチユカル、スペイン、ホルランド、フランス、エングランド等は皆植民帝國にして顯著なる發達を遂げ今日の歷史に一異彩を放つてゐる、此等植民帝國の興亡について研究する事は我が國の移植民事業に對し大切な事柄である。今や世界の各國は此の移植民政策について深甚の注意と努力を拂ひつゝあるが列國はこれがため常に國際的衝突を來たしてゐる最近に於ての彼の歐洲の大戰亂も實に列國の移植民政策の衝突に外ならない。吾人は戰爭の何處に悲慘な人間社會の情握を無視せるものであるかを現實に凝視した。

吾人は常に平和を希ふものであるそして平和を目標と

して總ての施設をしたいのである。然し人間の社會には常に鬪爭の絶へざる事を否定する事が出來ない。彼の平和會議に於ける軍備制限から見ても、各國は決して軍備全廢を要求しなかつた。吾人の生活戰は永久にあるものにしてたゞ程度のものであるを知らねばならない列國の經濟關係が益々激烈を極める時我國の將來に對しても經濟的充實を計るには是非共移植民政策の遂行を遺憾なく發揮せねばならぬと思ふのである。

大日本主義

我が國の歷史も又植民歷史であつた。神代の歷史は明らかに植民發達の歷史であつて祖先の植民的能力の如何に優秀であつたかは歷史を繙ひて驚くのである。大日本主義は神代からの國是であつて實に建國の國是でなければならない。すべての資源に乏しい日本には所謂「大日本主義」の國是が國策に現はれなければならぬ此の國策は常に植民政策の遂行にあらねばならぬ。吾人は常にこの國是を精神とし「日本の文化」を四方に宣傳普及し亞細亞八億の民衆を救濟統合して、平和幸福の伸展に努力しなくてはならぬ。然るに一般國民も識者も此の重大なる問題を忘れて、姑息の策ばかり勞してゐる事は國家のために損失である。

我邦は植民帝國として僅かに三十年の星霜を經たに過ぎない。我等は今にして植民政策の確立を見ねば轍を先きの植民帝國滅亡の上に踏まねばならぬのである。

× × ×

『最も多くの植民地を領有する國家は世界最强の國家である今日然らずとも明日は然らん』とは佛國の碩學ルロア、ボリユー氏の主張するところであるが、乍然、單に宏大なる植民地を領有するのみを以て直ちにその國家が永遠に强大國の地位を保ち得るものとは速斷することは出來ない。嘗て宏大無比を以て誇とした、ローマ帝國滅亡の最大原因が植民政策の缺陷に在つたことを思ふ時吾人眞に三省せざるを得ない。更らに近世の初めに當り他に率先して、世界到る處に宏大なる植民地を獲得經營した、西班牙、葡萄牙兩國が夙にその植民地を失ひ、遂に國力の衰頽を見るに至つたのも同じく植民政策が其の宜しきを得なかつた必然の結果なるに反し現今列强の一に數へらる北米合衆國の基礎をなした英吉利人の植民及び加奈太に移住せる英吉利人、佛國人の植民地が良く繁榮を保ち、又各地に於ける獨乙植民地の繁榮を見て、自づから兩者の間に、非常の差異あるを發見するのである。これは各民族の民族性、移住地の地理的關係及び時代によりてその結果に差違あるも私は植民政策の缺陷と移住者の根本精神を誤まれる結果と信ずるのである。

聖書と鍬との建國

十三世紀より十四世紀の始めの頃、歐洲は暗黑時代より覺めて順次發達し、從つて印度及び東洋の物資の需要が盛んになつた、十五世紀の中葉よりは西、葡の海外雄飛熱に一大革進を及ぼし、兩國民は競ふて新領土の發見に努め、その意氣は實に當時の興國の基礎をなした。彼等の探險區域の廣大なるは何れの時代にも此の比を見ず故にローマ法王は彼が神權の下に於て世界を二分して未だ發見せられざる陸の二分一を西班牙に與へる程であつた。斯くの如く全盛を極めた兩國は和蘭及び英佛兩國民の隆盛と共に衰微の悲運に陷つた。彼等は奪掠と殺戮と、黃金と寶石を求めつゝ新世界に乘り出した、始めより彼等は怠惰と自尊とに生き勤勞に依る繁榮は賤む可きものと看なした。故に徒らに植民地の疲弊と土人の反感を買ふのみであつて一言にして云へば彼等は掠奪的植民であつた。今日彼等の植民的發達の痕跡は少しも認められないのみならずその本國は既に英國の保護國の有樣である。彼等の植民的武器は劍と鶴嘴であつた斯くして此等植民帝國の末路は實に悲慘な物語りを吾人に示してゐるのである。

此れに反し英吉利國民の植民政策と移住者の精神は常に新社會建設で其の武器は聖書と鍬とにあつた彼の北米合衆國建設の基礎たるピリブリムスの一行は實に此の好模範と云ふべく、彼等は信仰の自由を渴仰し自己の健全なる人格に依賴し萬難を排し、且つ他人の行くを欲せざる土地に移住して其の國旗に對して忠義を續け得べしと稱した。實に彼の經驗、智識及信仰と相合せば當るべからざるもので其の精神の存する儘に彼等は神を禮拜せり。同時に彼等は家族を伴つてゐた、實に植民地の成敗は此の「農業」と「家族」とを伴ふと否とにあるは吾人の深く味ふべき事である。又現在各地に於ける獨乙植民地の發達が農業に基礎をおき科學的植民地經營に努力するを見ても、吾人は前二者の植民的發達の結果を比較して正に我國移植民事業の遂行に非常に益する所がある。

人格の敎養

往昔我が國の海外發展も西、葡兩國民と同じく掠奪的海外發展であつた彼の支那、南西洋方面に一時現勢を張つた和冦、八幡船の如きはそれである。然し一度鎖國主義をとるや此等の勢力は全く影をひそめて現在その影跡を止むべき價値ある者を發見する事は出來ないのである。

此處に於てか吾人は國家將來のため移植民事業の遂行には最善の努力を果し、各自運命の開拓に到達せねばならぬ時に會してゐる。植民政策は國家保全の最大なものである、政治、經濟、敎育も又此處より出發せねばならぬと信ずるのである。而して植民政策は此の農業政策遂行の內輪をなし更らに東洋政策の外輪となして國際外交の進捗に當らねばならぬ。

然して此等政策遂行上最も大切なものは敎育である卽ち人格の敎養である。犧牲的精神の人物養成である、六千萬同胞の人格修養にある。此の人格的人物者が日本の政治と經濟と敎育に參與する時でなければ圓滿なる發達は遂げられないのである。

幸ひに青年諸子の大部分は農業に從事する國防の第一線に立つてゐるが常に遠大なる理想を以て國家將來のために、此の植民事業遂行の第一線に立つを欲すのである。(文責記者)

——終——

△二百トンの毒ガスがあれば東京市を全滅させることが出來る。之はアメリカに於て一日に作り得る分量である。然しその原料たる砒素は日本が最も豐富にして米國は日本より輸入してゐる。
△種子の中で最も壽命の長いものは埃及の百合で九十五年後でも發芽する。胡瓜は四十年蕪は八年乃至十年。
△世界で一番雜沓する所はロンドンの株式取引所英蘭銀行契官舍のある。僅か一エーカーの街路で一日に其處を通過する人數が六十萬人。車輛數六萬。

海外通信

小川林君の通信(三)

廿五日。五時に起きて停車場に行く、暗い汽車の中で蠟燭などをつけて發車を待つ。ノロエテの汽車の客もバウル迄とてアラサツーバ迄とそれ以西マツトグロツーへの客は三種に別けられるので、段々お客の服裝も人相も變つて來る。ピストルやフアー(小刀)を帶びて居る猛者許りである、その中に混つて日本婦人が小供をつれて馴れ〳〵しく土人と話して居るのを見受けた、彼等の隱れたる努力をきゝたかつた。アラサツーバからは珈琲園は殆んどなく、牧場位である。朝の內はホコリもたゝず、車窓の眺めは奪い捨て難いものである、讃美歌を歌ひながらマツタビルチ(處女林)の上に昇る太陽に朝露は光る、イフペイやペローバポーカーの鮮かな紫と黃は綠に調和してその美をます、チエテの河がその陰影に明滅する、コトベロ驛についた時「この處は協會の土地だ」と巨樹のある地を輪湖さんは指した、何となく親しさを感ずる。次ぎがルツサンビラ驛だ。玆につく迄馴れざる言葉を以て土人と話せば別れる時握手を求められた、豚が五六匹停車場の構內で遊んで居る程呑氣なものである、會員守屋君が運轉手で北原さんと二人でカミニヨン(貨物自動車)を以て迎へに來て吳れた。一行が乘れば疾風の如く鬱蒼たる處女林の中を一直線に六里を行つたのであります。守屋君は時々おりて水を注ぎつゝ波狀形の道を上つたり下つたりして二時間にして九里の道を驅ける。途中にミランダ氏の事務所の家があり、人には道路工夫の親子の外逢はなかつた。處女林を拔ければアリアンサ事務所と切り拂つた地が展望された。「Fazen da Allianca」と入口にしるした處を左に曲れば、我等の依るべきかたき城である。新來の我等を迎へて山でのありつたけの馳走を與へられる、芋も大根も肉も米もみんなこゝの收獲物であつた、こゝには北原さん座光寺さんの家があつた。晝食を終つてから二キロ米突隔つた所の我々に與へらるべきロッテを案內された。三十七キロ半の道の曲り角に收容所が立派に建てられてあつた、その下に北澤さんに北山さんの家が建てられてあり、收容所には伊藤さんが居り、北澤さんは今日お產をしたと云はれて居りました、輪湖さんの留守に伊藤さんも出產したり、座光寺さんも妊娠したと云ふので人々も中々繁殖して行く、皆んなイグアペから來た眞面目の人々である。

我々の土地も協會の土地と合せて百三十町歩程伐り倒してありました、これも皆んな今年の內に靑くせなければならぬと云ふのだ、巨木がごろ／＼して居り枝が交差して一寸も踏み入れない。私のも四町歩だけ伐つて呉れたからこれを珈琲の植付けと間作をやるのである。希望のある苦痛は苦しくはあるまい。土人の伐木隊が未だ丁々と斧を入れて居た、夕方ジャンターを馳走になつて居ると一人の青年芦部君（力行會員）が牛の角の笛を吹けば、眞黑になつた猛者がマッシャードやホイセをかついで歸つて來る、雄々しい開拓者の姿、我はスプーンを置いて歸り來る諸君を迎へた。顏も手も足も灰とほこりで眞黑である、この青年によつてこの新しい地が開かれて行くのか、又我々も其の一員に加へられるのである、親の脛をかぢりながら口角泡を飛ばしても其處に何の權威があるのだ、雄々しきパイオニヤスピリツト、罪なきこの處女林は我々の心がけに依つてどうにもなつて行くのだ開びやく以來足一歩踏み入れざる處女地は我等の來るのを待つて居たのだ。又故國の諸君の來ることを待つて居る。罪をつくる我等であり、住みよき地になすも我々である。夕陽が森の中に赤く沈む時聲を靜めて感謝した第一回の開拓者として入るにフランス瓦の屋根と板がこひの家に入ることはあまりに苦しみがない。日本を出るからこゝに至るにテクシーをすることなく、この地に入るには餘りに試練が少なかつた。然し今日迄親によりかゝつて來た我等がマッシャードに柄を入れるにも鎌の柄を入れるにも自らの力でなければならぬ。第一夜も疲れの內にぐつすりと朝迄一睡し通した。

廿六日。婦人連の炊事により我等は二三町下の井戸から水を汲みあげ、カマドを据へ薪を取りて焚いたのである。今は燒拂の時期であるから空も煙におゝはれて居

る、夜などは虫の聲と名も知らぬ鳥の聲の外には何んにも聞こゑぬ靜かさだ今日は手紙を書いたり久し振りで休息をなす、こゝには蚊は居ないが蜜蜂や小さい虫が耳や目のまはりに來てうるさくてならぬ、晝は相當に暑いが朝晩は氣持ちがよい。

北原さんと輪湖さんがこの地に入植するに就いて色々の注意を與へられおしへられたが、我等の考へと異つたことがなく、理想に對して一致點を見ることが出來たのをうれしく思つた。九日の月が黑くねむれる大森林の上に懸る。月を見ても烟を仰いでも忘れざる祈禱は念頭を去らぬのであつた。大自然の中に今日から讃美歌の聲を湧き起すのである。この原始林も聽ては作物の緣におゝはれて文化村の樣な白に赤に紫に色々の家が起てられるのである。

今日はインコンメンダも着き、ホイセ、マッシャードエンシヤトシエンシヤタ等を買ひ、柄を入れました明日からボツ／＼働き出ます。一ヶ月後には小屋も出來ますから各々分れます。篠原君はエスポーザを迎へる迄私と一緒に居る事にしました。一ヶ月位は皆んなして共同生活を致します。（終）

「北加信濃海外協會」より通信

北加信濃海外協會も生まれて二年であります。來るべき總會には、規約の主旨たる、相互の親睦を厚ふし益々向上發展に關する具体的方法を目下幹部會で講究して居る、今度の總會には全部の會員の御出席を願ひたい、實際本會の區域は廣く、北加は勿論ユタ、コロラド、アイダホと云ふ風に各州に渉つて居るので、遠隔の方々の御出席は實に容易でないことをお察ししますが、出來る丈務めて頂きたいのでありまする。

幹　事

酒井氏の協會員招待　酒井喜太郎氏は一月六日、桑港を中心として附近の信濃協會員を招待して、新年宴會を開いた、多士濟々の集りて卓上の御馳走と共に、會場は忽ち和氣靄々の氣に滿ちて終つた、數番肩の凝らない上品

のお話があつて、お終ひには良い咽も聞へた、信州訛り宜しくあつて、其昔清い谷川で石を拾つて遊んだ記憶などヒシ／＼と蘇つて來る同鄕人の集りと云ふものはよいものである。

眞談奇談

米國內の信州出身者中にも、大部故參株が增へて來た、先づ古い所で明治八年渡來の故赤羽忠衞門氏、現在活動して居る內には、オークランド市の吉池寛氏、青木實治氏ワツソンビルの松田午三郎氏、アイダホ州の寺澤六之助氏、二木三一氏、ユタ州の飯田四郎氏コロラド州の藤森重德氏、サンノゼの瀧澤武衞門氏、マテナスの鳥山平藏氏桑港の酒井喜太市氏、龍野鉦次郎氏等其地方／＼で何れも重きを爲して居る、少し若手になつて來ると、中々多い、是は宜しく歴史を蒐めて編纂し、本人を表彰すると共に、後輩を鞭韃すべしだとは、先日幹部會に於て一役員の提言であつた。

在米同胞間に年と共に急迫を告げて來る二つの問題がある、一つは妻もなく子もなく、卽後繼者がなくて老いて行く人々の救濟と、一つは段々成長して行く第二世の行先きと教育問題である、第一は一般的機關に任かするとして第二は今より南米信濃村に基礎を造り子供は米國に於て最高教育を授け、やがて信濃村へ送つて文化的の生活を營ましむべしと之も良法の一つ。

今回プリンストン大學生によりて、自發的に人種的偏見撲滅運動が起こされた、其目的は現代世界の戰爭勃發の最大原因となる、人種的偏見を撲滅し各國學生間の理解と親善を增進せんとするにあり、先づ之が實現を期する爲め、差當て米國內の各大學生と聯絡をとり、行く／＼一大聯盟を組織せんとす、一面黑人學生とも提携協調を實現する爲め、ハワード大學黑人女學生ハラウエノ孃が其實行委員の一人に選擧せられた、之が如何なる程度に强力のものとなり、幾何の成功を納め得るやは、別問題として將來米國民の幹根となるべき大學生間に、此種の運動を起こされしことは最も喜ぶべきことである。

歐洲移民の捌口

米國移民制限法のため歐州移民は捌け口をふさがれた爲め近來米國以外の諸國へ續々渡航する傾向である。然し米國は未だ歐州移民の御得意先にて昨年中米國に渡航せるものは四十八萬七千五十七人にのぼつた。次は南米アルゼンチンに十九萬五千六十三人、カナダ十一萬七千十三人、濠洲九萬二千八百

五十九人、ブラジル八萬四千六百三十二人、玖馬七萬五千四百六十三人、南アフリカ一萬二千二十七人、パレスチナ七千百四十九人等の順であつた。南米への渡航者は今後益々激增の見込みであると、

四十八人の女と結婚した男

活動寫眞の脚色家だと自稱する墺太利生れのシグマンド、エンジエル事ジョンワイドミアは有名な女たらしで、四十八名の婦人と結婚し、百万弗近くの財產を捲上げ、今尚僞名で各地に出沒し金持ちらしい後家と狙つてることが、犧牲者である妻君の一人によりてシカゴで暴露された。

豪勢の子寶

米國アリゾナ州に豪勢の子福者が居る夫は五十一才妻君は卅八才で最近二四人目の子を擧げた、妻君が始めの子を生んだのは十四の年で、以來廿四年間自子を生み續けた勘定だ。

「信州懇親會」を設立して

在墨　タムピコ　岩重貞吉

貴會益々御隆盛の段慶賀の至りで御座います其の節御送付の書類確かに受取りました早速當市在住の同縣人諸兄に計りし所、快諾を得て別記の通小人數の事でありますから支部の設立等は當分見合はせて、せめてお互の接近に依り日常生活の向上に幾分かでも資すられ得ばと「タムピコ信州懇親會」と名附け同時に貴協會の趣意に參じました樣な次第です。別に橫濱正金銀行爲替にて貴協會宛に米貨十四弗御送附致しました。右は普通會員九名分と思ひまして御送附致しました然るべく御取扱ひ下さい。（略）

我々は建設の第一歩に踏み入れた迄であつて未だ何等足るべきものとてありません總て微々たるものです然し奉公の精神は決して人後に落ちざるものに努力してゐます近き將來はより大いなる物質的援助を出得べくと活動してゐます。當地も立法に依て制定せられたる石油法等のためか諸外國の資本家の一時的投資警戒に依て一般不景氣で同胞社會は殊に不振な狀態です先づは

貴會の御繁盛を祈りつゝ。一月廿五日

會員と出身地

矢島璋三　上伊那郡伊那富村
矢島義勝　同上
中原長衛　同上
藤澤善十　上伊那郡東箕輪村
高田芳輝　東筑摩郡新村
宮本芳郎　更級郡塩崎村
濱龜作　諏訪郡岡谷仲町
竹内喜久治　上水内郡朝陽村
安藤勇　上高井郡綿内村
岩重貞吉　上伊那郡朝日村

今後益々御指導賜りたく、尚矢嶋璋三氏は當市日本人會長として再選され、何れ氏も貴會特別會員としてでも入會する樣申し居りました。

墨都にて內地の若き人々へ

西筑田立村出身　長淵生

此の頃歸朝せる一友人より左の如き通信に接し申し候、「東京氣分も決して惡るくないが、メキシコ氣分を持つてゐる者には可成り氣難い處がある何となく自分の前途が狹くなつた樣になり外國ではとても、見られない日本人同志の猛烈な競爭がある。威張つた巡査が居る。道ときてはお話にならない。付けても世智辛い大部分の日本人が生きるに苦んでゐる樣子が路上に漲つてゐる。よくマア〇〇が起らない事だ、生きるに疲れて其んな元氣も出ないのかも知れぬ」云々、之れは餘り皮層の觀察なるか或は彼我が變化の急激なるに依るも、さりながら此の通信はさておき、內地の生活難は想像に難からずと存じ候、故國の新聞に依つて見るに就職難の樣子には全く驚き申し候限りある土地に限りなき人間を入れんとするは素より不可能に候へば、遠大なる希望の所有者は奮つて海外に來らん事を切望致し候へども今頃の青年は何を考へてゐるか實に存外の事にあきれ申し候。愚生渡墨後既に七年を過ぎ未だ一商店の支配人にすぎず候へども志はたへず遠大の理想に進め常に努力を惜しまず候、もとより海外には衣食住は道路に落ちては居らず候共外國人を相手に競爭するは實に痛快に候、小生は既に南

洋新領土に足跡を殘し今亦墨國の天地に身をおけど、たま〳〵內地訪問と父母慰問に歸國致し度き考へなれどせめて吾が敬愛する信州男兒に、是等が自已開拓のために、積極的に我が大和民族の發展のために、此の「海外發展」は急務には候はずや。一友人の便りに接し、胸に躍る赤心を我が信州男兒のために一筆申上候

在墨メキシコ市にて、

在秘露リマ市　荒井金太

一、若し今後の國際問題が、國際會議又は其他の平和的合議方法によりて、解決せらるゝ樣になるならば羅典亞米利加二十個國の投票と發言は、決して輕視すべからざるものではあるまいか。

二、今後十五年か二十年の間に、日本より何倍も大きい國が、二つも三つも現はれようとして居る羅典亞米利加を、單に移民上りの國とのみして、國際政治的に之を重要視しないならば、夫れは果して、時勢に適合したる遣方であらうか。

三、西米戰爭に於て、西班牙が米國に對して戰爭を敢てし、而かもミジメな敗北をなしたる主原因は、西國民が、彼の日進月歩の勢で進んで居る米國を、不相變移民上りの國とのみ馬鹿にして居つたにありと稱せられてゐる。

四、若し夫れ、法制の統一等を主眼とする汎米主義が實現せられたならば、在羅典亞米利加諸國の日本人の立場はどうなるであらうか、日本の本國はどうなるであらうか。

汎米の雲あしはやみひんがしの
大和島根に浪立ちにけり
「アンデス」の山吹きめぐる汎米の
あらしの前の大和民草

母國通信

昨年の移植民成績　目下わが移植民の渡航してゐる各方面はフイリツピンを除いた各方面とも餘り景氣はよくない、しかし我國の生活と比較すると、各地とも安價であり、渡航後失業するの憂れひがないので人爲的あるひは經濟的に渡航奬勵策が講ぜられなくても、それ〳〵渡航を見てゐるのである、いま十三、十四兩年度の各地移民を示すと左の通りである

渡航先	十四年	十三年
ブラジル	五、四三八	三、七〇五
フイリツピン	一、二七一	四六一
ペルー	三〇四	三三五
木曜島	一六三	七六
キユバ	一四三	一六八
西濠洲	四八	一
メキシコ	—	二三
合計	七、三六七	四、七六八

以上の如く本年中海外各地へ移植民として渡航した總人員を十三年にくらべると實に二千六百名の增加であつて數年來見ざる新記録である、しかしてこれん增加原因は前述した通りの人爲的または經濟的關係であるが兩原因とも目下のところ變化を來たさぬ事情であるから十五年も引續き渡航者は現在二千六百餘名に上り、十五年一月から三月までにこの人員を輸送する事になつてゐる、一方わが移植民事業關係者は十四年春以來シベリア、北滿、南洋方面について新渡航先の開拓を目論見調査中であつたがこの程それ〳〵終了を告げ目下各地當局とも交渉を開いてゐる向もあるので、若しいづれの方面にても彼我の間に諒解が成立したら早速これ等の方面へわが移植民を渡航せしむる事が出來るから、十五年のわが移植民事業はます〳〵盛況を呈するものと見て差支へない。

切符一枚で倫敦へ　來る四月十日から愈東京からロランド、ベルリン等への連絡鐵道ロンドン、パリーローマ、ストツ切符が發賣される事になつた、日クホルム、モスクワ、レーニング露連絡會議の決裂で通し切符の發賣もオジヤンになつたと思はれたがこれは形式を變へサヴエート政府唯一の鐵道切符一手販賣代表者であるデルトラ運輸會社と日本代表種田運輸局長が理事であるツーリスト、ビユーロー

の二つの旅客案內所が契約を取かはして相互に連絡切符を發賣する下相談が出來上つたので準備を急いでゐたが正式にやる見込がついたので實施される事になつたのである。今までシベリア經由で歐州へ行く旅客は長春、ハルピン滿州里、チタ、モスクワと五ケ所でうね〳〵と行列を作つて長時間待たされてやつと切符を買ひかへて旅を續けるのであつたがこの歐亞連絡切符の發賣によつて四月からはこれ等の不便は一掃され一度モスクワで歐州行の切符引換券と實際の切符とをデルラ支社で引換へるだけですむわけである、なほ代金は一等で東京からモスクワまで四百十圓、ベルリン五百三十圓、パリー六百二十五圓、ロンドン六百三十圓である。

長閥覆滅運動　憲政會側の態度豹變によつて政界に於ける田中問題は漸く緩和されたものと見るべきも軍部に於いてはます〳〵形勢險惡となりつゝあり即ち石光中將の如きは全生命を賭してもこの問題について突進せんとの決意をなし居るもの如く殊に豫後備役將官の大集團たる恢弘會員の大多數は此際一擧に多年横暴を逞しうした長州閥を覆滅すべしとの氣勢を擧げてゐるしかも某元師の如きも恢弘會員多數の意見に深く同情を寄せてゐるとのことなるを以て或はこの問題が現役方面に波及するやもはかり難きものある有樣であるがため陸軍當局に於ても政界方面に於ける緩和のみを以て安んぜず內々對策に腐心しつゝあり斯くて宇垣陸相の立場はます〳〵困難に陥りつゝあるやうである

海の中に列車が見える　三年前の震災當日熱海根府川驛で百六十名の乘客を收容した一列車が海中に顚落し其の儘行衛不明となつてゐたところ其の列車の一部が最近發見されたので鐵道省にも報告し係員が出張調査中であるが根府川停車場脇の線路下の浪打際に水に洗ひ出された二等車の半面が見えて來たので當時機關車に三等車二輛二等車一輛貨車一輛四輛連結の列車が果してそこに埋められてゐるかどうかも調査してゐるが發掘するとすれば現在の鐵道線路を變更するの必要あり頗る難工事であるが多數の死靈が其の中に埋められてゐるらしく遺族達は鐵道側の決定を鶴首して待つてゐる

何處からでも飛べる　科學の驚くべき威力は空を征服して飛行機が小さな中學校や小學校のコートのやうな處からでも自由に發着が出來る驚くべき機体が完成された。此の偉大なる發明者は霞ケ浦航空隊の兵學校長兼海軍大學教官松永少佐である之に用ゐる飛行機

はセリコプタ式を應用したもので絶對に墜落の虞なく完全なものであるとのことである其のセリコプタ應用の設計完成迄に第一期として發表せられた報告によると八枚の長翼と同じく八枚の短翼とが廻轉柱について居て最初發動機の力によつて其の飛行機の長さだけ滑走の後次第に離陸し翼の廻轉に依り上昇する而して或高度に達すると廻轉柱にある二箇の方向舵の運用に依り適宜の方向に行かれるといふ仕組である大体以上のやうなものであるが松永少佐は此研究を完成する迄それには涙ぐましい努力を費して居る之れが實際應用の曉は今迄のやうな廣い飛行場を設ける必要もなく小學校の庭でも普通民家の庭でも自由に離陸着陸することが出來る其上此飛行機が墜落の時は直に多數の翼が廻轉して支へる爲め絶對に安全だといふ

內地總人口 本年施行の國勢調査の結果に依れば去る十月一日內地に現在したる人口總數は五千九百七十三萬六千七百〇四人であつて前回調査の人口五千五百九十六万三千五十三人に對し三百七十七万三千六百五十一人卽ち六分七厘を增加したされば過去五年間は平均して毎年七十五万人宛增加した割合である又內地の人口密度は一方里に付き二千四百二十五人（一キロメートルに付き百五十七人）にして之を大正九年の一方里二千二百七十二人に比すれば一方里に付き百五十三人を增加した。

總人口五千九百七十三万六千七百〇四人中男三千一万二千八百二十人女二千九百七十二万三千八百八十四人である男の女に超過すること二十八万八千九百三十六人にして女一〇〇に付き男一〇一に當り前回調査の女一〇〇に付き男一〇〇、四に比し男の割合が少しく增加した。長野縣は總人口一、六二九、二一八名で男七九三、八七一名女八三五、三四七名であつた。

國家總動員の調査委員會 新しい新施設として國家總動員機關が國防上から見て緊急を要するものであるとして豫てから研究を重ねて居るが此の機關は陸軍としては必要であるは勿論であるが國家の大局から見ても有用缺く可からざるものであるとして陸軍は之に關し密接なる關係がある遞信內務海軍商工の各省もと參加させ內閣直屬の一大機關設置を宇垣陸相から時の總理大臣加藤高明子に對し建策し總理も贊成の意を表したので其後此問題は順調に步を進めて居たが豫算の關係上今遽に實現する事は困難となつたので陸軍としては先づ省內に於て其事務を新年度代りから開始する事になつたが內閣

直屬の機關に就ては若槻首相も無論贊意を表して居るので議會に於て襲に聲明した行がかり上來る四月には國家總動員の機關設置調査委員會を設置し先づ官制を作製する事になつて居る

海外駐剳外交官の意見を聽く 政府は我が國に於ける產業の發達を期する爲に各般の施設を行ひつゝあるが其一部は具體化されて議會に提出されて居るが今後海外の事情をも聽收して適當なる方策を建つる必要あり先般來客關係大臣の手許で種々調査されて居たが愈々是が第一次施設として海外駐剳外交官の意見を聽收する事になつた模樣である而して產業問題に付て海外の駐剳外交官に對して意見を聽收する事は先例のない事であるから政府も是を斷行せんとするものである其の範圍はアジヤ兩地及トルコ邊迄總領事に對してなすもので出來るならば東京に召集して政府の產業方針を說明し諒解を求めるとともに海外の事情を聽取する方針であるから該問題は議會後に於て正式に閣議の問題として決定する模樣である

歐洲で芝居 獨逸畫家で日本通として知られたフリッツ、ルンプ氏は日本の歌舞伎を歐州に紹介する目的で市村羽左衛門を招待すべく日本に着くと云ふ說が傳へられたルンプ氏は十數年前日本に居たことがあり非常に日本の芝居が好きで殊に默阿彌物に通じ羽左衛門とは特に別懇の間柄である歸國後も日本の芝居が忘れられず一度歐洲の舞臺で出演させたいと劇場主を說き廻り歐洲劇壇協會でも六万圓を出して話が纏まつたと云ふのである右に就き大阪中座に出演中の羽左衛門は

『そんな話は歐洲戰爭前に座談的にありましたが其の後ルンプ氏から何とも云つて來ません歐洲へ歌舞伎をやりに行くのは大變の仕事で仲々實現は出ません』

とてんで乘氣になつて居ない

人に惑はさるゝ事勿れ、汝等信仰を堅くして之を禦げ（聖書）

我が愛する者は我につき我は彼につく（雅歌二章十六節）

信州記事

三千餘万石不足 我國に於ける人口の增加率は千人に付一ヶ年十二人の增加であるから大正十四年には八千四百万人の人口を抱擁することゝなる、而して一人一ヶ年平均の米消費量は一石一斗二升であるから九千四百万石の米を必要とするのである併しパン食も盛んに行はれ出したから之丈けの數量をば或は必要としないかも知れないが酒造其他に消費されるものも增大するから一人當の數量はパン食が行はれても大なる增減はないものゝ如く思はれるから矢張り九千四百万石として本年の收穫高五千九百万石から見れば三千五百万石の米不足を招來する譯である、將來田と爲し得べき見込面積は二百六萬町步あるとするとしても實際田となり得る可能性あるものは內地五十三萬町步北海道二十三萬町步合計七十五萬町步である、しかし一方都市の膨脹、道路、鐵道の擴張其他で廢田となるものが一ヶ年三千町步平均あるによつて差引田造成可能地は六十六万町步で內地二石二斗北海道二石の反當り收穫とすれば一千四百万石の增收となる尤も政府でも開墾に力を入れては居るが、現在の未開墾地は工事困難なるものゝみ取殘され乃至は開墾に莫大なる資金を要する關係で着手されないものがあるから今後の開墾が何の程度迄行はれるが豫測することが出來ない、假りに前記の增收が行はれたとして九千四百万石の所要額には二千百萬石の不足である、此二千百萬石は栽培の改良によるか、貿易の促進に待たねばならぬ

收繭量は增した 縣下の春夏秋を通じた本年の收穫總量は約百五萬石で此の價格約一億一千万圓の巨額に達し大體の內譯を見ると

▲春繭總收量四百廿四萬三千二百四十二貫（前年より一割二分の增收）

▲夏秋蠶同五百七十九萬一千六百貫（前年より一割の增收）

而して春繭の平均價格は十一圓五十錢夏秋繭は十一圓で約十五萬戶の養蠶家一戶平均の收入額は約八百圓に當る今之を空前の大收入と云はれた大正八年に較べると養蠶戶數約一萬戶を減少して居るが價格に於ては約一千七百萬圓の激增で同時に新記錄を作つたわけである養蠶戶數の減少に反して收繭量の

增加は云ふ迄もなく蠶品種の統一優良蠶種の普及繭質の向上と多收更に桑園の改良養蠶家の經濟的自覺等に據るものである。

雄辯大會 上水內郡津和村青年會が主催で三月七日同村小學校に於て上水內西山部八ヶ村更級西山部五ヶ村より同村三十歲未滿の青年を三名以內選出し雄辯大會を開催午前十時太田津和青年會長の開辭に次で日原の賢正清君を皮切りに三十三名の若き血に燃ゆる純眞な農村青年の叫びあつたが三十番の南小川村西澤一成君の頃にはもう電燈が光つてゐた各村一名及新聞記者よりなる審査委員が演說內容、體度、音聲抑揚感動等に依り審査の結果を發表し審査委員長牧鄕村太田氏報告に併せて講評をなし太田會長より賞品授與があつて六時閉會したが聽衆二千餘名頗る盛會であつた

新人を選ぶ 會員一萬二千といふ全國分會中で最多數の會員を有して居る下伊那聯合軍人分會では目下各町村分會に於て分會長其他の役員改選を行て居るが其結果より見ると最近各分會が思想的方面に活動すべく新人物を選出して居ることは大に注目されて居る從つて聯合分會長大平谿郎氏の如き明年三月改選期を待たずして近き將來に辭任し新進氣鋭の人物をして之に代らしめるだらうと見られて居る聯合分會は昨年軍事教育問題を中心として青年會と全然反對の立場に立ち更に背後に青年會の切り崩しを行つた爲め郡青年會と甚だしく反目するに至つたが青年を過らしめた結果となつた斯くの如きは未だ時代思想に暗く徒らに軍人精神耳を振り翳して居る結果であるから今後思想的に目覺めた青年と提携して行かねばならぬとの說が少壯派の間に最近大いに擡頭して來た

組合の發達 下高井郡小布施村は從來產業組合としては只山王島區に信用購買販賣組合一つあつて極めて小規模の物であつたが全村民の自覺と眞の必要に感ぜしか今回これを全村的の產業組合として組織を變更し商工業者を全部合せて庶民組合となさんと計畫されたが去る七日之れが愈々具體化し同村小學校に組織變更委員會を開き代表者百五十名程にて種々協議せし結果一口二十圓として總出資十萬程を以て爲さんとし取敢ず事務所も同村中央部たる小布施驛附近に置く事に決した

長野野球場 屢報長野体育協會主催にて城山へ新設中の敷地六千坪の大野球場は近來春めいて來た關係でその工事は著るしく進捗し地均し工事はほゞ完成したのでいよ〳〵來る十六日より本壘背後の球受臺をはじめこの兩翼に

あたる一壘側及び三壘側へ高さ六間總延長五十間に亙る觀覽席を設け夫れから外柵工事に移る筈で請負人山崎組は三月一杯を以て全工事の竣成をしたいと大車輪でこれに努めて居る

木曾谷の讀書力　西筑摩郡の關郡視學は各町村小學校兒童に依賴して各町村の新聞雜誌購讀數を調査中であつたがその統計に就いて見ると戸數一萬百十二戸に對して新聞の購讀數は四千八百三十三部と云ふ數となつてゐるが此の統計の中には一戸で數葉の新聞を見てゐるものもふくまれて居る戸數五百戸以上を有する村落で漸く六十部の購讀者すらない村が數ケ村ある尙雜誌類に至つては殆んど全部が興味本位のもので頭の量となるやうな物は讀まれてゐないキング一七一部主婦の友一二八部少年クラブ一二二部講報類三五〇部學藝類二三〇部婦人に關するもの一九六部で其の他を合して二千二百三十七部である之れには多少の調査もれもあるが人口六萬人を有する郡全体から見るときは農村の人達の讀書力は少ない。

畑八村に劇場　南佐久郡畑八村に於いては同村の繁榮策として株式組織の下に一大演劇場の建築を計劃し資本金參萬圓の株式會社となすべく株式募集中の處既に滿株に達せりと

御柱祭　諏訪明神の御柱祭が迫つた昨今いつもの祭りにくらべて諏訪人の祭に對する意氣込みが薄いと云はれて居る

□

永い間濃いお祭氣分にひたつて來た老人連は怪しからん事として躍起となつて世話をやいても若い衆は氣乘がせず財界の打續く不況に農村も疲弊困難の極にある關係もあるが一般に單調な原始的祭りにあきたらず諏訪明神に對する尊崇の念を高める事はよいが徒に熱狂して氣狂ひ地味た行動に出づる事は出來ないと云つて居る

□

萬一忌まはしい事件が惹起しても青年はまき添の中に入る事をさける申合せをする事になつた宮川青年會では祭り毎に行つた青年が長餅をかついで煉歩くのを今年から止める事になつた

團參　長い冬枯れを通りぬけて鐵道旅客は昨今非常に增加して來た殊に春の彼岸をあてに各地から集まる善光寺參詣客は著るしく長野驛へは毎日のやうに團体が殺倒する有樣である來る廿一日に長運管內に入る團体旅客は大小併せて十八團体に達するが是は全部彼岸中日をあてに善光寺參詣の爲め長野驛に集中するといふ素晴らしい狀況である右に就いて旅客掛りは『春になると

ぢつとしてゐられないので獨りでに乘客がふえて來ます殊に長運管內は彼岸中非常に忙しくなります三月中は團体賃金割引期間なので團体が餘計動く譯です』

角間溫泉道路　下高井郡穗波村角間溫泉は昨今浴客の增加の連れ旅客と物資輸送の自動車運轉も必要となり加ふるに主要特產たる林産物電柱等の重大物件の搬出も困難なる所から幅員狹隘なると勾配急にして且屈曲甚だしき個所を三百六十間の延長を改修する工費に對し五割五分の寄附をなすべく村會の決議を經て本縣に申請した

會染組合慰安　北安會染村信用販賣利用組合製糸場では組合員の家族慰安會を去る記念日を組合內で開催した來會者三百餘名佐原主事補の講演あり工女の就業振りに付き實地を見聞して餘興の浪花節、福引等に滿足を與へ盛會裡に午後五時散會した

西箕輪校改築　上伊那郡西箕輪小學校復築問題は去る十四日午後一時より再度の協議會を開き郡よりは中山郡視學臨席し討議の結果本校舍は二階建二十二教室及十間に十六間の雨中体操場其他附屬建物等を經費七萬圓起債し完成せしめる事に決定した

死產率　東筑摩郡に於ける十四年度中の出產總數は四千九百三十人中死產二百五十六人なるが同年中に於ける死亡者總數は二千九百七十八人で中乳兒幼兒の死亡一千百卅三人卽ち死亡者百人中に付乳兒幼兒が必ず卅八人迄死んで居るといふ譯で

今これを全國平均の三十五人に比較すると三人多い都會地なれば別として同郡の如き田舍に於て斯の如き現象を示して居るのは全く驚くべきことである而も十三年中には死亡者百人に對し僅か廿五人の割合であつたのが、十四年度に於ては一躍卅八人卽ち百人の頭で十三人といふ甚だしい乳兒幼兒の死亡率增加に郡當局は全く目を廻し其原因が果して何れにあるのかと甚だ憂慮されて居る

人口三萬を目標に諏訪の水道進む　上諏訪町營水道は本年度に於て之が起工を行ふ豫定で種々調査を進めて居るが諏訪郡萩倉大鹿地籍の水量約二箇を有する淸冽な谷川を堰止めて貯水し之を約一里鐵管を用ゐて引水するものである猶同計劃は現在人口一萬七千餘人であるが近く二萬人を豫想され猶問題になつた中央線敷設實現の曉には當然著るしき發展を遂げ三萬人位は當然豫想して置かねばならぬといふので人口三萬を目標に設計する由であるが曾て八王寺市に於て水道計劃をし種々の事情で今回中止となつた同市の水

道會社技師鈴木富太郎氏に依囑し一切完成を急ぐ筈である。

諏訪の人口　十四萬四千餘人　諏訪郡の大正十四年十二月末日現在人口は十四萬四千八百八十八人戸數二萬六千八百二十三戸である

青年會社會奉仕　松本市各區青年團は最近社會奉仕的事業に着手し出した綠町青年會員二十五名は毎月一日十五日の兩日暇通り四柱神社境內の大掃除をやり第一在鄉軍人分會では毎月一回宛總出動で西町福島大將屋敷跡の掃除及び整頓を爲し更に最近滅切亂暴者の爲め荒れ果てゝしまつた城山公園の保護取締を爲し地元の宮淵青年會が盡力することになつた

春

一少女

春が來た野も山も一面に喜こばしき惠まれた春が來た人々はこの樂しき望みある春に活動戰のスタートを切らうとしてゐる。小鳥は木々を飛び廻り草木は大雪に埋れた木枯し吹く寒風の冬を打ち忘れて東風暖氣の一陣に新綠の笑みを浮べてゐる。常盤木の森は益々綠りの葉を茂らせてゐる櫻杏の滿花は此處二旬の間と迫つた百花滿開の如實は小人の小躍酒醉に誘ふが蜂や蝶の密をあさるに見れば又醉然の情を現すのみであらう。殊に谷間に咲く花、岸邊に咲くは春の景色を一層美しく、山に川にその風景は又語らざるに如くはなし。

遠く海洋を隔て、奮闘する我が信州人諸兄等の動靜について、常に協會に接してゐる私は兄等の着々成功の域にすゝみつゝあるを密かに喜んでゐるが、此の懷かしい兄等が鄕里、信州の風景は四季その趣きを異して兄等の思ふがまゝに變遷してゐる兄等が成功の曉、鄕土訪問の信州の自然はやはり今と同じであろう。土に強く腕に鋤を握れる兄等の成功を祈つて止みません私の心は遠く洋々海の彼方を越へて兄等の心持を汲んで小さい胸を躍らしてゐる。—終—

アポー登山記

比島ダバオ　塚田久米治

一、アポー火山

吾々のやうに信州の山國に育つた者が、當地のやうな殖民地に來て何となく物足りなく感ずる一つは、年中平地にばかり働いて居て、高山に登つて眼下に一眸の平地を見下し浩然の氣を養ふことの出來ないことです。殊に吾々の居るダバオは御承知の通りマニラ麻の本場の事とて見渡す限り平地も丘も殆ど麻葉に覆はれて、隣家の屋根さへも見へない程眺望の悪い處ですから、一年中其麻山の中に齷齪稼いでばかり居ることは吾々信州から來た青年達には特に堪へられないことです。そこで曾て富士や淺間や御嶽の絶頂に立つた頃の神秘と剛健と愉快との氣分を忘れ兼ねて、今回渡航以來七ケ年餘の平地の生活から抜け出し比律賓群島第一の高山たるアポー火山に登つて數年來の望を充しました。

此アポー火山はミンダナオ島を南北に走る中央山脈中の最高峯で、海拔一万尺に近く、群島中の最高峯として、また活火山として當地ではなかく有名な山で、ダバオ市の西南凡そ二十里位の處にあります。晴れた時には其雄姿は遠く私共の食堂から朝夕眺められますが、其硫氣を浴びて禿げた峯は朝陽に照らされて雪が降つたかと思はるる程眞白く見へます。

吾々が渡航した大正七年頃迄は誰も此アポー火山へ登らうなぞと考へもしなかつたものです。土人等は峯からは悪氣が噴いて居て近寄ることも出來ないとか、又途中の森林中には大蛇毒蛇が澤山居るとか、他種族とさえ見れば直に毒矢で射殺するところの蕃人が居つて麓へさへも寄りつけないなぞ言ひ觸らして居りましたが、其頃數人のアメリカ人が土人を連れて秘密に探険に登りました。然し彼等は大した寳も見付けなかつたのです。其後日本人の中にも山腹の溫泉附近までは行つた人があつたやうですがまだ一般の人には最近までアポーの峯は不可侵の

境地と思はれて居りました。處が昨年の六月日本人數人より成る一探險隊が絶頂まで登り、次で八月に他の一隊と本年の一月に更に他の一隊が各々頂上まで登り、澤山の寫眞を撮つて來て此等の邦人探險隊により一般者間に此アポー火山が餘程まで紹介されました。

吾々はすでに前三回もの探險隊の話を聞いて居たので色々と都合よく準備をして行くことも出來、寫眞も前回の二倍位撮つて峯や噴火口の樣子なぞも餘程精しく探險することが出來ました。前記の土人の言觸らしたやうな危險は全くありません、蕃人でない吾々には煙の中の亞硫酸瓦斯も正体が知れて居るので無論恐るゝに足らず、大蛇や毒蛇は一匹も見當らず、麓の蕃人は生じつか文明の風に觸れて彼等を蕃人呼ばはりをする處の人々よりもずつと〳〵純朴善良なものです。比律賓人は吾々に向つて何のためにアンナ處へ登るのだ、と云つて彼等は吾々が色々の危險を冒して無駄骨を折つて嬉んで居ると思つて居ます、そして彼等は更に登山の趣味なぞ知らぬと見へて決して登山しやうなぞとは考へて居ません。でも日本人はなか〳〵勇敢だと云つて感心して居ります。近い將來には此アポーの山腹は吾々日本人の手によつて立派な避暑地、溫泉場に造り上げらるゝことゝ思はれます。

二、出發（登山口バルカタン迄）

吾々一行八名の登山隊は十月七日の朝私共の店に集合し此處より平坦なる州道を西南に自動車を走らすること十二粁程、其處にて車より下り各自に用意の毛布、水筒、其他の荷物を脊負ふて爪先上りの大きなコゴン原（茅原）を横切ること二時間にしてバルカタンと云ふ部落に着きました。もう此茅原の終りの處まで上つて來ると海岸一帶の椰子林や林山は眼下に展開し、數十頭の牛の群が大きな波狀をなして長く續く向ふの丘に駈けて行く樣も見へて實にのんびりとした何とも云へぬ美しさ、丁度立派な一枚の繪を見るやうです。一行は其處の日本人の店で食糧品を買ひ調へ、道案內兼强力の土人を見付けて貰つて、其處より更に二三粁位上つてシブランと云ふ此方面の最も奥の部落に着き、其處のミツシヨンスクールの校舍の隅を借用して泊りました。吾々の居る海岸地方は年中蚊帳を吊らねば寢られぬのに此處まで上つただけでも早や蚊帳無くとも一匹の蚊にも攻められず、氣溫も大部低いので日本へ歸つたやうな氣持で眠りました。

此バルカタン地方には天然の竹林が非常に多く、吾々の泊つた學校の如きも竹の柱に竹の屋根、竹の床に竹の壁で、階段まで竹で造つてありました。畑へ野豚の侵入するのを防ぐにも、家豚の小舍を圍ふにも悉く竹ばかりでやつて居ます。此等の竹は日本のものとは大部異つて、丁度稻の藁から數十本の莖が立つて居るやうに一つの株から百本餘りもギツシリ叢生して、一つの竹籔を成して居ます。比律賓の竹にも數種ありますが此等は大抵直經十五糎位あつて丈は十五米位あります、そして根元の方には澤山の刺が生へて居るので伐るのにはなか〳〵厄介です。筍は太い旨そうなのがいくらでも生へて居るが此邊の人達は誰も見向きもしません。

三、溫泉場まで

翌朝は早く學校を立つて、米三十立を案內の土人に負はせ、天幕、パン、餅、鑵詰其他の荷物は各自に少しづつ分けて脊負ひ、其處からは信州の深い山の中にも容易に見られまいと思はるゝやうな嶮しい深い深い谷を目の下に見て下り、下りきるとまた直ぐ今下りて來たと同じ程度に急で高い峯迄登り、物の十五分も峯つづきの緩かな坂道を進むと、また千尺もある深い谷に下り、『箱根の山は天下の嶮』と云はれたが箱根以上の深い谷を眞直ぐに谷底に向つて下り、また眞直に上を見て登るのですから其苦しさは御話になりません。日本人なら少しは遠廻りになつてももつと別に樂な道をつけるのですが此邊の土人は坂がどんなに急であらうが谷がいくつあらうがそんなことにはお搆ひなしに、たゞ一直線に道をつけて置くのです。こんな谷を四つも越して皆の者が弱り込んで、ハー〳〵息の切れそうになつた頃やうやくアポー山麓より流れて來るシブランの急流に出ました。

其處で一同卷脚胖やパンツを脫いで脊中の荷と一緒に負ひ、金剛杖一本を握つて此河を溯りました。兩岸は見上るやうな絶壁で、其まだ上は千尺餘りもある殆ど直立に近い斷崖で蛇木が處々に美しい恰好をして低い草籔の中に立つて居ます。或る處では兩岸に突立つた百尺以上もある岩壁が川底の幅よりも狹く兩方から頭上に突き出し其岩からは幾筋ともなく水が噴き出して、其下を通る時は丁度夕立の中を進むやうで、狹い河谷は此しぶきのためと日の射し方が少いので深い朝霧に鎖されたやうです澄み切つた激流は此等の濕つた苔に被はれた兩岸の岩石

を嚙み、河中の巨石奇岩を搏ち、泡沫を飛ばして白い瀧のやうな勢で流れて居ます。此河谷を右岸の石の上を五十米も渡つて絶壁の處に出ると腰を沒する程の急流を横切つて左岸の幾分緩かな崖に出て、僅かの足がかりを見付けては横這ひに進み、かく此河を右に左に横切ること十數回、溯ること一時間餘にして此川一つぱいに跨つて居るスバラシク大きな石の上に來ました。丁度正午になつたので其洗つたやうに奇麗な大石の上に荷物を下し用意のパンを嚙り冷い水を十分飲んで一と休みし、其處から左岸の崖に上りそれこそ火の見の梯子へ登るやうな急坂を岩角につかまり、木の根に縋つて登ること約三十分にしてやうやく河の頂上に立ち振り返つて河谷を足下に見下すことが出來ました。

其處からまた暫く登つてトダヤと云ふバコボの部落に出で、其處の酋長の家に休んで畑から取つて來たばかりの

八合目下り谷間晝食

白瓜を貰つてムシヤ〳〵やりながら其家の中にある珍奇な原始的な樂器、織機、甘蔗を搾る台等見ました。數百年前スペイン人と此處のモロ族との戰爭に用ひられたと云はるゝ青銅の火繩式の大砲もありました。口經は二糎も無い位ですが青錆がして數代家の寶として傳へて來たものらしいです。丸竹を器用に用ひて、鞴を造り鎗や刀を鍛へて居る鍛冶工が一人奥山の蕃人の家に居たのには皆感心しました。其酋長の家からまた三十分程進んで此一番奥の部落のそして最後のバコボの家に着き其處で一息休みました。時はすでに午後參時を過ぎ、深い霧が行手の坂の上から非常な速力ですぐ頭の上まで降りて來て、ブル〳〵する位寒くなつて來ました。其家の主人を案內に賴んだけれど霧に恐れてしまつて、もう今日は遲くてとても登れないから今晩は此處へ泊つて、明朝早く登つた方がよいと云つてなか〳〵出掛けやうともしませんでしたが、

吾々はどうしても今日中に溫泉まで行く豫定だからと無理に賴んで日給を一ペリ增しやうやく承知させ、彼を先に立て其處から直ぐ霧の中の急阪へ突進しました。濃霧の中て上も下も眺めることは出來ないが此急坂の兩側の草籔の中には熱帶地では見ることの出來ない蕨や蔓苺が澤山あつて五月頃の故鄕の山へ歸つたやうな氣分になりました。其急坂を登り切ると道は緩かになつて草原はいつか木立と變つて來ました。其處の樹木はどんな細い枝までも全部深い苔に包まれ、地面は落葉や枯枝が積つてジメ〳〵と濕つぽく、山蛭の澤山居て何となく吾々が想像して居るシベリヤの奥へでも行つたやうです。此苔蒸す山腹も相當に長く、空は次第に暗くなり空腹は感ずる脊の荷は重くなる、そして身体が疲れ足がヒヨロ〳〵するので荷物や卷脚胖がピホコと呼ばるゝ刺の一つぱい生へて居る籐に引つかかつて幾度も倒れやうとしました。そういふ蔓や籔や倒れた枯木の間を縫ふて進むこと約三時間、日は暮れる疲れては來る、一同默々としてたゞ先に立つ案內者に後れじと走るやうに步いて足許の見へなくなる頃やうやく濁泉の涌き出る谷に着きました。一同甦つたやうに喊聲を揚げて歡喜し、直に荷物を卸して草を刈つて天幕を張る用意をする者飯炊きを始むる者、湯壺の準備をする者と手分けをして大急ぎで働いたので一時間後にはスツカリ寢る場所も出來、御飯も出來たので一同ゆつくり湯に入つて休みました。

四、溫泉場の一日

昨夜は寒くなると十二時でも一時でも起きては熱い湯に入り、湯で溫まればまた天幕に入つて毛布にくるまつて二時間位眠り、朝までに二三篇もそれを繰り返した。夜の明けるを待つてまた湯に浸り朝食をすませて、皆で小屋掛けを始めました。溫泉を直ぐ前に見下して少し傾斜した丘の腹に土を掘つて三米に六米位の場所を地均し、木や竹を伐つて來て柱や垂木を造り、籐を割き茅を刈つて來て屋根を葺き、生木を倒して、夏蠶の枝桑を伐るやうに其枝葉を伐り落してそれを小屋の中に敷き詰め其上に各自持參の花莚を一枚づつ敷き並べ、午前十時頃全く小屋掛けが終つて一同また溫泉に浸つたり、汚れた衣類を洗濯したり、土産に持つて歸る湯花を取つて天日に干したり、溫泉の近くにある鐘亂洞を覗いたりして小供のやうな氣分になつて遊びました。小屋に歸つて茶を沸し

て飲んだり、入湯に飽きれば涼しい小屋の中に生業の香を嗅ぎつゝ晝寢をして休み、近來是程呑氣な氣分になつたことは他にありません。

溫泉は小さい溪流を挾んで小屋の向ふ側にある小丘一面に幾處からも涌き出し其丘の中程の處に一筋の澤をなしてチョロ／＼流れ下つて居ます。其一部分を川邊の地中に掘つた直徑八尺の丸い穴に導いて其れに入るのですが、永い間常に此湯壺の中の湯が流れ込んで居つたので其內側はカルシウムが沈澱して岩のやうに堅くなつて居ます。湯の熱さはコップに受けて吹きながら飲むと丁度飲み加減ですが、手足を入れると、とても我慢が出來ません。だから湯壺に流し込んでも暫く湯の入口を斷つて其冷へるを待つか、又は別に樋で河の冷水を引き込んで加へねばなか／＼入られません。湯は十二分の鐵とカルシウム及び可成の硫黃分とを含んで居ることは吾々素人にもすぐ判りますが其他にどんなものを含んで居るかは玄人に分析して貰はねば判りません。

頂上り岩石

吾々日本人間にも此溫泉をいかにもして溫泉場らしいものにしたいと考へて居るものがありますが（主に信州人）唯今の處餘りに交通の便が惡い所とて、何處かの海岸から根本的に立派な道を作るまではどうすることも出來ません。病氣のために入湯を望む人達や、避暑や遊山に行かうと云ふやうな人々は餘りに道中が險岨です。唯今の狀態では吾々のやうに溫泉には別に用の無い處の頑丈なものばかりしか行くことが出來ないのは誠に惜いことです。然し此處數年には大いに開かれることゝ思はれます。

溫泉場の唯今（十月初旬）の氣候は朝海岸地方で七十六度位であるのに五十六度、正午に海岸の九十二度位に對して七十六度で海岸地方のウント涼しい朝の氣溫と同じです。午後八時には六十八度で平地より十度以上低くあります。此處迄自動車が來るやうになつたら確に立派な避暑地、溫泉場となつてマニラの奧のバギオや日本の箱根に負けない望が十分あります。

（續）

海外發展問答

問　御協會では信濃村以外に移住する者を取り扱つて呉れませんか。（更級生）

答　外國何れの地に渡航する者でも相談に應じます遠慮なく質問して下さい。

問　「旅行劵下附願」に向ふ何ケ月間と在留期間を定めるのは何う云ふ理由ですか若し彼地に永住するとしたらどうでせう（更級生）

答　これは在留期間を定めても必ず其の期限には歸國せねばならぬと云ふのではありませんたゞ種々の事情からその期間を定めるので普通は「十ケ年」として書きます。

問　小學校卒業で伯國渡航し農業に從事したいと思いますが、不可能ですか（更級生）

答　伯國は現在單獨渡航者は滿二十一歲以上でなければなりません、ですから小學校卒業で行き度いならば唯かの家族の一員として行くか、「呼寄證明」で行かれるが良いと思ひます。

問　未成者ですか伯國渡航は出來ませんか（未成者）

答　現在伯國は未成年者の渡航は家族同伴か呼寄せでなければ渡伯出來ません日本力行會の農業練習所では未成年者でも呼寄せの方法がありますからドシ／＼申込みなさい。

問　私は北米を通過して墨國に行きたいので其の手續き法は（渡墨生）

答　これは是非共在駐北米の領事館から「通過査證」をして貰ふのですから領事館に出頭すれば良いのです。

問　最近海外發展熱が旺盛になりましたが、旅劵下附で種々面倒の樣ですが何處で下附願したら容易いでせう（渡航生）

答　旅劵下附願の關係書類は長野縣等は面倒であります東京、廣島、兵庫の諸縣は比較的容易です、然し警察等では親切に敎へて呉れる筈ですから、警察に遠慮なく御問ひして下さい。

新會員

上伊那郡飯島村　井口吉三郎
諏訪郡泉野村　朝倉茂重
東筑摩郡宗賀村　佐原益夫
西筑摩郡福島町四二　河西吉郎
諏訪郡平野村小口組製糸場　小木曾香侚

金費領收

自大正十五年二月十六日
至大正十五年三月十五日

一金二圓也　大正十四年度會費　松山定治殿
一金二圓也　同上　江藤烈義殿
一金二圓也　同上　永澤俊吾殿
一金二圓也　同上　金丸壽一殿
一金二圓也　同上　赤羽茂殿
一金拾圓也　同上　木村貫一郎殿
一金二圓也　同上　永原勘吾殿
一金二圓也　同上　江本陸夫殿
一金二圓也　同上　佐原益夫殿
一金二圓也　同上　朝倉茂里殿
一金二圓也　同上　平島安久殿
一金二圓也　同上　濱重雄殿
一金二圓也　同上　笠原義忠殿
一金二圓也　同上　大島昇殿
一金二圓也　同上　五味久治殿
一金二圓也　同上　小林國一殿
一金一圓也　同上　小池金作殿
一金二圓也　大正十五年度會費　井口吉三郎殿
一金二圓也　同上　小山千秋殿
一金二圓也　同上　橋本菊雄殿
一金二圓廿錢也　購讀料　鎌田茂昌殿
一金二圓廿錢也　購讀料　河西吉郎殿
一金一圓拾銳也　同上　高橋壽平殿
一金一圓拾錢也　同上　大森知英殿
一金一圓也　額田次郎殿
一金拾壹圓五十七錢（玖瑪）　瀬在藤治殿

現在の海外協會

沖繩縣海外協會　沖繩縣廳內
鹿兒島縣海外協會　鹿兒島市商業會議所
熊本縣海外協會　熊本市南千反畑三三
長崎縣海外協會　長崎縣廳內
防長海外協會　山口縣廳內
廣島縣海外協會　廣島市水主町一二六
岡山縣海外協會　岡山縣廳內
香川縣拓殖協會　香川縣廳內
和歌山縣海外協會　和歌山縣廳內
三重縣海外協會　三重縣廳內
石川縣海外協會　石川縣廳內
信濃海外協會　長野縣廳內

編輯雜記

△

最近信州の海外發展熱が再燃して來ました殊に小學校、中等學校等に於ける教師の間に此の種の運動が漸次盛んなる事は非常に嬉ばしい事であります。やはり教育の衝に當る者の當然到着せねばならぬ當面の問題でせうか。

△

十二月號「四十三號」について忠實なる會員諸子の御注意を感謝して居ります。何卒海外發展のために一致協力の御力を御願ひ致したいものです。

△

信濃村の建設が着々進捗してゐます最近の通信は宮下幹事の「アリアンサ訪問記」として信濃每日新聞に三月十七日から連載されてあります會員諸子の內にも既に熟覽された事と存じます。

△

北米合衆國西北部支部からの會報が一寸遲れましたので今月號に間に合いませんでした。四月號には會員諸子に報告致し度いと思ひます。各支部の活動は旺盛になり各地の縣人在住諸君が漸次團結糾合して各自の發展に資する事は實に喜ばしい事です

——雜　記——

海の外

定價

	內地	外國
一部	廿錢	廿仙
半ケ年	一圓十錢	一弗十仙
一ケ年	二圓廿錢	二弗廿仙

海外郵稅二錢

注意

▲御註文は凡て前金に申受く
▲廣告料は御照會次第詳細通知致します
▲御拂込は振替に依らるゝが最も便利さす

大正十五年三月二十五日

編輯人　永田稠
發行兼印刷人　西澤太一郎
長野市南縣町
印刷所　信濃每日新聞社
長野市長野縣廳內
發行所　海の外社
振替口座長野二一四〇番　信濃海外協會

大正十五年三月二十五日發行(毎月一回發行)

南米信濃村移住者募集

一、南米信濃村は一切の準備が出來ました。

二、二、三人の家族で二千圓あれば二十五町歩の地主となり四ケ年後には二万圓の資產を得爾後毎年三千圓の年収が得られます。

三、二、三人の家族で六百圓あれば二十五町歩のコーヒー請負耕作が出來、四ケ年後には約五千圓の蓄金をなすことが出來ます。

四、移住者には政府で渡航費一人分二百圓宛を補助してくれます。旅券は本會の證明があれば外務省から容易に下附されます。

五、詳細のことは「南米ありあんさ移住地の建設」と云ふ冊子にあります。此冊子は申込み次第無料で差上げます。

長野縣廳內
信濃海外協會

信濃海外協會
海の外社發行

第47号、第48号は収録することが出来なかった。

目次

海の外

第四十九號

大正十五年

六月號

成功の希望

我國民は三千年の永い歴史を誇にしてゐたが、此小嶋國に三千年間民族が生活したのだから其の富源と云ふ富源は盡く開發し盡されてたゞ居住的にも經濟的にも固定に固定してゐる。稀には空手空拳から所謂成功した者もあらうが數へて見給へ。會員の一村から幾人の所謂成功者を出してゐるか、三千年踞座して僅かに五反百姓に滿足する者が多いではないか。然るに一度北米に南米の新天地に行く、一村の戸主　今日では少くとも二十町多きは數百町歩を所有し出づるに自動車あり乘るに馬車あり日本の大臣も成し得ざる所であるが彼等は數十年前迄は一介の勞働者である空手空拳の徒であつたのである。

斯く看じ來れば成功の希望は日本に少なくて海外に多いと斷定しても餘り我田引水では無いだろう。青年が成功の希望に燃へて海外に渡航せんと企つるは無理もない事であると云はねばならぬ。故に我々は海外に發展せんとする希望者の將來に一層の鼓舞激勵を與へてやる事が大切で希望者は十分の研究と信念とを以て初志の貫徹に努力せねばならぬのである。そこに成功の希望が芽してゐる。

——終——

墨國低加州エンセナダを中心として日本人の將來

信濃海外協會南加部長
墨國公認日墨物産株式會社長　藤本安三郎

三十年前から日本人が米國に渡つたのは、日本よりも米國の方が勞働賃銀が重かつたからで、其の一面に米國の天惠と大資本を伺ふ事が出來るのであつた。

其の南隣りの墨西哥は歴史から天惠から決して米國に劣つては居ないのだが、米國か隆々たる國威を世界に耀す近年まで、革命的内亂を繰り返して居た、然るに二代の民選大統領は、流石時代が生んだ人材丈けに、内政外交に一大革新を施して國際間に認承せしめ、また國民の覺醒も之れに伴ふ様だから、今後十年も立つと素晴しい一國となるであらう。

凡そ一國が國力の充實を計るには其の天惠を利用する事にある、墨國の天惠は實に世界各國の垂誕に價するもので、彼の際涯なき農耕地、無限の海産物、想像も及ばざる礦産物の多種多様、世界初りて以來の大森林等であるが、之れ等を産業化する事に於て第一着に必用なのは智識と資本である、然るに墨國人は不幸にして以上の二つを具備して居ない、是の路缺を狙つて割り込まんとするのが英米の資本と智識である、彼れ等は先づ自國と墨國とは親善ならざる可らざる理由から説いて懸るが、墨人側からすると、侵略的過去の英國、または百年前までは墨國領であつた、テキサス州カルホニヤの如きを奪ひ取つた米國の態度が頭に浮んで、何んだか彼等の親善には針が含まれて居る様で、心持が宜くない此の點は臺灣や朝鮮を併呑し、滿州の地上權にまで手を延す日本人の口から出る日支親善を容易に支那人が信用せねのと同一である。

然るに日本と墨國とは過去に於て少しも私害關係がない、從つて日本の腹の底を見すかされる様な事もないから、日

本人の口にする日墨親善は懸け引きのないものとして其のまゝを受け入れる、世上に流布する墨人の親日氣分の原因を勇敢なる國民、進取の氣象に富む民族、溯れば日墨同人種等に歸するのは淺薄である、斯様な事は考へ様で何れにでも價値の變るものだが、日墨間に感情を害する過去の關係がないのが最も大なる親日氣分の原因である、從つて弱者の常として力便りになるものを求めた結果、日本！と定めて居るのである、だから現在の日本が此の傾向を看取し、英米に代つて墨國開發の任に當る事が出來たら、墨國は恐らく條約を超越して開放するであらう、が惜しい事には、日本には英米ほどの資本がない、あつても英米の繩張りを犯す事が國際紛擾の元であるから、痛し痒しの日墨關係と云はねばならぬ。

であるから、個人にしろ團体にしろ、墨國に着眼する事は甚だ有望な企であるが、夫れは事業家としての有望であつて、裸一貫では到底發展の見込みはない、從つて大なり小なりの資本金は必ず用意すべき移住でなければならず、また墨土を墓とする決心も極めて必要である。

在米の同胞は一介の勞働者として入米した、夫れは勞働者を入用とする事業が起つて居たから凌がれたのであつた、其の後種々な國際上の錯節を經た後、現在では其の半數は小なりと雖も資本家となり得たのである、然し在米各人を通じて、此れ以上米國に留る事が有望でありや否やに考へ及ぶと恐らく何人も「もう駄目だ」と云ふ事に歸する、是れが三十代なれば其の内にはどうにかなる」主義も惡くはないが、最早在米同胞の平均年齢も四十三であり、其の上に家族を引き連れて居る以上、雲を掴む様な事は云つて居られない、此の調子で行くと一生地主に威赫され、一生借家主に氣兼ねをして過さねばならぬ文字通りの放浪生活で終るのではあるまいか「人は食ふものなり。同時に住むものなり」と云ふ原則を實現する上に、一生一度は身分の地上に自分の家屋を建てゝ横行したい慾望の起る年齢に達して居るのは事實である其の慾求の全部を受け入れる國土が、加州の最も手近な所にあると云ふ事は「人生猶ほ知己あり」を叫ばずには居られない。

△　△　△

墨國は日本人に對して殆んど自國民に等しい權能を互惠條約上で認めて居る、歸化は出來る、結婚も出來る土地の所有も外國人のまゝでも出來る、凡ての商行爲は勿論の事である、此の點からすると米國よりも文明國であると思はす

る、此の人道的文明國に入るには屢々云つた如く、無資本では困る、が然し現在の在米同胞の資力を移しさへすれば、必ずも六ヶ敷い發展ではない、然うして日本からの無産階級を誘導したなれば幾分人口の調節にもなるだらう。

在米同胞の資本を墨國に移すに當つて最も考慮を要するのは如何なる事業に之れを活用するかである、是れを誤ると墨西哥丈けに失收は米國より深酷である、在米同胞の過半數までは米國で農業に多少の經驗を有して居る、幸にして墨國は土地の所有を公認して居るから、在米中の經驗を其のまゝ移す事が成功不成功は第二として、馴れた職業丈けに安心が出來る丈けでも成功の端緒である、墨國を通じて農産物の缺乏を告げて居る事だから、作物の需用方面を研究し、農場と市場の交通等まで注意して取り懸れば、最も安全に營業し得る筈である、其の他礦山業または製材業も勿論有望であるが、在米同胞の大部分が無經驗であるのと、比較的大資本を要すると云ふ缺點がある丈け、容易に試みられるものではない。

墨國で農業の有望なる事、現在の在米同胞は其の可能性を有する事は認められて居る、だから是れ迄墨國内の農用土地は賣り出されては居るが、調査が不充分な爲め農用水が得られなかつたり、南加州との距離が餘りにあり過ぎたり、文明を吸收するのに不便であつたり、氣候が恐ろしく暑かつたり種々な缺點が纒絡して移住を憶劫がらして居るが、本社の根據地たる低加州のエンセナダは羅府から南方二百十二哩で、朝の七時に自動車で立つたら夕方には着く近距離である、海上からすればサンピートル港より十六時間、サンデーゴーより六時間で往ける、エンセナダは勿論立派な都市ではないが、小さいながら都會としての設備は全市出來て居り、前にトッサント灣の可成廣い展望を控へた墨西哥らしい街である、其の南方八哩にして三万幾英加の耕地を有するマニヤデロバーレーがある、其の中で最も云ひ分のない地は三千英加内外で、其の中の一千英加は。本社陸上の發展第一計畫として、重役を筆頭に賣り渡されてある、農水は六七十尺深度の井戸に出るので、五本の井戸は悉く百インチ以上の水を畑に供給して居る、夏季の最高溫度が七十五度内外で、冬季が五十度、晝夜の溫差が十度であるから收獲の早い事等の農業上の特質が完全に具備されて居るから、得がたい農耕的樂土であると斷言出來る、現在の土地は各人が歸化に由つて所有を確認されるまで、墨國内で土地會社を組織し、合法的に所有されて居り、且つ半ば以上は耕作濟となり、本年十月には全部を植ゑつけるまで進んで居る。

△　△　△

以上は主として農業方面の事であるが、在米同胞には今一つ獨特の職業を有して居る、夫れは漁業で、米國側が受け入れるかどうかは知らぬが、農業と相並んで米國の産業界に貢献して居る、然し是れは農業ほど多數人に經驗されては居ないが、一種の勢力には相違ない、現にサンピートル、サンデーゴーの兩港を通じて三千以上の同胞漁夫が居り、米國を根據として季節に由つては墨西哥沖まで出漁するのである、墨國沖まで出懸けて漁づた魚類、然かも高い勞銀と、高い輸出税を墨國政府に支拂つた魚を使用し、文化程度の相違する米國で加工鑵詰となして相當に引き合ふ事業である以上、一層の事是れを墨國内で營業すると、より以上引き合はねばならぬ道理である。

墨國人は機械工業の智識と資本に缺いて居るから、何年立つても自國海上無盡藏と稱せられる海産物が其のまゝになつて居る此の産業上の路缺を補ふ爲めに墨國政府は海産製造業者には漁業利權を發行して保護と奬勵をして居る。

本社の有する漁業利權は、低加州大平洋沿岸八百哩間、凡ての海産物の採收を向ふ十五ヶ年間許されて居るのである

墨國政府は先づ保護方法として、海産製造事業に必用な一切の材料、例へば機械、ブリキ、空鑵、箱、建築材料、燃料等を米國から輸入するに際し全部の關税を免除し、且つ生魚のまゝ外國輸出に際しては、殆んど半額に近く減税し、其の他土地の無償使用をも許して居る。

凡て製造工業に具備すべき第一の條件は、原料に富む事である、是れは繰り返す迄もなく殆んどの魚具、海藻を有し次は製造費の低廉なる事だが、墨國の勞銀は米國の三分の二で充分である、其の次は販路の廣い事であるが、墨國沖の魚類を使用して米國に於て相當販路のある鑵詰業である以上、品質が同様なる限り賣れ行かない心配は絶對にないのである。

彼の弱屬を原料とする魚肥料（フイツシユミール）の如きは、一昨年日本へ丈けでも米國大平洋沿岸から六千七百噸が輸出されて居るし、且つ米國で無限の需用のあるものである、其の次は資本金であるが、事業其のものゝ性質さへ宜ければ十万や二十万の資本は、在米同胞者からでも募集し得るし、且つ日本の資本を導く事も困難な事業ではない。

斯上の鑵詰工場の設備を一層有効に使用する事に於て、農産物の鑵詰をも併せ營む計畫を有して居る、農産物は兎角保存し難いものである丈け、往々價格維持をなす事が出來ぬ、本社は農場の氣候及び霜害の皆無を基本として、早收穫を期する事が出來る、此の場合桑港または羅府等の市場に出荷して引き合ふ迄は之れを行ひ、殘餘は悉く鑵詰として一

つも殘さない方針である、然して米墨に魚類鑵詰と共に販路を求めるのだから、此の種の加工業の盛大にない丈け有望と云はねばならぬ。

之れを要するに、本社の事業は過去の在米同胞の經驗し來りたる職業卽ち農業と魚業を完全に墨國に移し、之れを出來得る丈有効に活用して第二の新發展を試みんとするのである、是れは米國大平洋沿岸の在米同胞の境遇を將來に及ぼして、當然斯くあらざる可らざる運命に座する事を確信するが故に、卒先事に當る樣な次第である。で、米國を見切つて日本へ歸ると云ふ人々は別問題であるが。歸つてまた敗れて來る人々の多い點からすると、此の人々は第二の新發展を遂げて置いてからの歸朝が今一層安全で有意議ではあるまいか、勿論在米同胞の資力に由るのではあるが、墨國には自由に日本から呼び寄せ得る國際上の特權を利用して、一人でも多く導いてこれに當らしたい、第二の發展としては南米も大に宜い、けれ共南米も墨西哥同樣多少の資本を要する、が在米同胞が墨國を選ぶとすれば、同胞の大部分は墨西哥人の氣風にも通じて居り、中には西語に巧みなものすらある、また多年住み馴れた土地にも近く、風土習慣等も殆んど全部を繰り返し得る便利があるから

第二の發展地は必至の決論として墨國に求めねばならぬ。また墨國も出來得る丈け近い、例へば低加州の人口より初むべきものたる事は明かである。（完）

オカナガン及ケローナー地方の農事狀態

在晩香坡市　小川幸太郎

同氏は本縣諏訪郡富士見村出身で明治二十年栃木縣那須野原に父と共に移住し開拓に奮鬪してゐたが遂に那須野村を創設さるや公私幾多の活動をして大正三年五月村營製糖研究農事視察員として加奈太に渡航し爾來種々地方視察研究しつゝあり左記は同氏の視察報告の一部である。

× ×

私がオカナガン地方に參りしは四月中旬で同地の小林傳

兵衛氏（長野縣人）の厚意により種々便宜を得たが此の地方における農場は壹万餘英加で大農は八百英加で目下アツプルが開花期にあるので仲々見事のものである。トメートは五十英加位の栽培面積を有する所あり、邦人にても八名の地主經營者あり外に五十八名餘の邦人は各農場に精勵してゐる。內に小林傳兵衛氏は目下三十餘英加の經營に從事してゐる。同氏は明治四十年當地に白人の會社に働き常に永住の目的を以て努力し大正元年に四英加にオーチヤードを栽培し母國より妻を迎へて愈獨立の經營に移り更に十英加を增加し六年頃よりは年收純益二百弗餘に至り昨年は白人より十七英加を買收してオーチヤード栽培に從事し（オーチヤード一本よりアツプル貳拾箱以上）地質は當地第一にて昨年の收益は六千弗なれば本年より一万弗を越ゆる事と同氏は元氣よく語り尚一層斯業に努力しつゝある。又同氏は此の村の日本人統一機關たる交友會の重任にあり地方よりは模範村と賞贊せられてゐる。

× ×

ケローナー地方には昨年當國政府は英本國の要求により煙草試作をし其の成績の良好なるに鑑み本年は四十五英加の試作面積を提供してこれを日白人に獎勵してゐるが未だこれが栽培に着手せぬので小生が白人と打合せて日下着手に急いでゐる。

同市には長野縣人で吉村孫次郎氏がグリーンハウスを經營してゐる。同氏は大正六年巾二十四尺長さ八十尺の一棟を設けトメートの苗を養生して賣り出したるが幸に好成績を得たので現在は五棟の大グリーンハウスを經營してゐる　私が訪れしは四月中旬であつたが最早トメートは三尺位に伸び一節目には一錢銅貨位の果實が十個位着き二節目は花を開く狀態にて其の苦心は仲々に容易でなく、昨年の十一月末に播種して火力を用ひてこれが育成に努力し三月下旬に移植せしものと云ふ。

又三尺のトメートーの畦間には四寸位のトメートが五十萬本植付られて地方の農業者に賣捌れるのである。同氏はこれに五千弗の資本を下し現在は純益二千弗に達すと云ふ事である。尙同地に於ける農業の主なるものは、

一、アツプルオーチヤード面積　二千餘英加
二、トメート耕作面積　一千五百英加
三、アニオン耕作面積　八百英加

外に種々ビヂラブルを合すれば數千英加で內日本人の個人經營地主は八名で吉村氏は其の一人である、其他白人の土地小作者は一千六十名にして世帶家族は六十五家で年々增加すると云ふ事である。

尙同地は煙草栽培として有望なるべく英本國は多大の補助を與るとしたならば同地の日本人には實に有利なるべく又同地は最近日本語學校も新設すると云ふ邦人の永住發展地である。（四月二十四日）

珈琲の實の成らんことを望むな。むしろ人の實の成らんことを望め

南支那海に於いて　園長生

吾等を乘せたるラブラタ丸は遠大なる希望を帆に含んで七十八名の自由渡航者を乘せて男子を表徵する鯉幟の五月六日午前八時故國橫濱港を鹿島立をしたのである。風波穩にして吾等の聞ける數回の報告に於ける如く船暈するが如きは更になかりき。六日には各部屋定まり荷物の整理に忙殺され、明朝神戸に着すと云ふので食堂を始め各部屋は第一信を發すべくペーパーにペンを走らす者多し、第一夜なれども皆好く安眠し氣分頗る快なり、明れば七日午前十一時淡路の嶋を過ぐれば船は直ちに神戸にと入りぬ。

すべて準備は整いたれば吾等中央部の自由渡航者のアリアンサ中堅組のキリスト信徒中澤潤二、石戸義一、藤崎豊治氏等は第一番に明朝より每朝每夕食堂に於いて精神的訓練のためにキリスト敎の集會を語る事と決定したり船は神戸へ着し、各自上陸して母國の最后の別をなしぬ、明くれば九日朝拜は中澤氏司會して祈禱をなし、午前九時に至れば所謂海興移民の連中續々として入り來りぬ中央部へはアリアンサ國行きも來れり然どアリアンサ組は其中堅にして九十餘名あり、中澤潤二氏は嘗て、北米加州の排日の眞ツ只中にありて多年活動し本年は七十四才の高齡なるも白髮童顏壯者を凌ぐの元氣にて、一方の事を司らる、石戸義一氏は同じく多年ロシヤにありて奮鬪し熱心なる信者にして家族七名すべてを成し居らるゝ藤崎氏は臺灣銀行の用度課長をなしたる人にして家族數名と共にアリアンサに手づから開拓せらるゝ、高橋喜導氏は盛岡高等農林を卒業し久しく中學校の敎鞭を取り居たる家族一同熱心なる信者たり、其他詳細に明記すべからざる程の人員多數ありて、神戸出船當時は會長の「アリアン

サ」にてはコヒーも、米も玉蜀黍も出來ざるとも眞の日本人の成らんことこそ吾の希望なり」と。物質的成功も吾等は望まぬにはあらねども、物のみの生活は一時的のものなり、目前のものにして永遠のものにあらず、物のみを目標とする者は已のことのみを考へ自己の利慾に窮々として他を顧みざるにあり、卽ち金が目的なれば道德的には何等向上も何等の進步もなし物のみの移住は北米に移住せし日本人の如くに出稼ぎ移民にして金さへたまれば、「旅の耻はかき捨て」「故鄕に錦を飾る」の例である。スペインのコルテスの秘露を武力を以つて征服せる、或はピザロのパナマ地狹から天降以來平和を謳き來れる亦帝國を滅亡せる悲慘事を見よ、彼等は手に金銀を山に成したであろう、然し乍ら其結果たる今日の南米の野蠻なると北米の文明開化して世界の指導者をもて自任せるを比較する時吾等はうたた感慨無量「前車の轍へるは後者の戒め」なるを思はしむるのである。

吾等は物の生活のみちはつけない、それよりも我等は心の生活を考へねばならない、若し物なくして常に喜々として生活し他人にも共に喜せる人があるとしたらどうだ。然り事實あるのである。靈の生活、それは要するに物に重きを置かずして心に重きを置く、卽ち宗敎生活である。この生活は永遠のものであり、質のことでありますから自分のことを思はず人のことを思ひ自分一人喜ばず萬人を喜ばせるの生活であるこの生活は非常に外面的は悲慘ではあるが然し心の中は何時も平安であり結局物をも澤山貯蓄するの遠因となる。例の北米に移住したるピユリタンを見る時は彼等の最初移住せる時の悲慘事は倒底筆紙につくし難く、幾多の艱難迫害を忍んだに由つて今日の北米の文明は生れたのだ、考へて見よ南米の現在、我等の開拓せんとするの伯國の世狀を吾等は如何なる考の許にすゝむべきであるか。あゝ吾らぶらた丸の移住者等よ汝等よ汝等は一人々々がもつ生命を、靈の事に目醒めて一大革命を心の中に起さうではないか。

船中生活一般

宮本君、今は船は遠洲沖を走つて居る、代表的名物富士山を北に見つゝはるか波雲の間に〳〵心にをさめつゝ吾船は其の一万二千の大軀をば吾等移住者を送るべく處女航海をつづけてゐる。

船宿については下附は何の心配もない貴會の證明で萬事はつきてゐると云つていゝ。

舷縮については、出來る丈け早く申込んで置くこと、東京の以外の方は十日程前より宿泊すること、一日二圓、

其間に、六角指定病院の種痘料一人前五圓、其處で身体檢査をもするつゞいて伯國領事館の査證裏書がある。

横文字の書けない人は、おとなしく萬事下から出ればよろしい、私は別にチツプもやらなかつた、萬事を領事館員に一任していただいた、其時に警察の證明(一人一名)を英譯して貰ふたり、指文を左右十二本採つたりする、葡和辞典を買はせられるすべてヘイ〳〵してゐることが肝要怒つては仕方がない。皆書いてもらつて代金八圓九十錢だつた。(寫眞二葉必要)そしてすぐ又移民講習所で再び身体檢査がある十二指腸を調べるため便を檢査する且又右手に種痘とする。出發前日には午前、午后の二度

海外渡航について注意がある。

荷物は前日に全部宿で積み込んでくれる。でそれまでに全部を送ること船中必要のものは、寢台の下へ、ブラジルまでが必要のものは倉庫へ入るゝ様になること、ゴタ〳〵するから餘程注意が肝要。

水上警察は何でもない。只、姓名、生年月日、目的地、目的、職業位のもの、これは三時頃、すぐ船に乗船、船室はもう番號で定まつてゐて云々出來ない、夫婦者、女子は、七人とか十四人とか云ふ別室のよい部屋へ、男子のソルテーロは五十人、六十人のハリ台の部屋へ入れられるので不平もあるが、氣分は大して惡くはない。

海興の契約移民船の前后に乗船す合計五百人余名

自由渡航者、中央部ありあんさ、九十余名、單獨、アルヘシチナ、呼寄移住者七拾名合計百六十名、

起床は隨時なるも、五時—七時迄洗面時間、其間に洗面すること、田舍出の人にて水の出入を未知なる人あり、洗ひし後を掃除せぬ人あり。

朝食二回、第一の組、第二の組を序順を定め一週間の度に交代すること午前八時、午前十二時、午后五時、田舍で食事するよりも上等にして副食物の用意菓子類の買込みなどの余分の金は書籍を買ふこと、食ふと胃を惡くする、只お茶道具を少し用意するのみにて可なり。

便所、これも田舍者にて出し放し、後の人が臭くてたまらず、水をおとすことすら未だ知らない、すべてに教育の要がある。

洗濯、洗濯板、バケツ、石鹼必要、出來る丈け清潔にすること、婦人は殊更に洗濯に注意のこと。

風呂場、二ケ所に男女、都合四風呂あり、入浴順を定めて、入浴さす三日に一回なり海水なれど氣分よろし。

部屋、中央部は特別三等にて七人十四人の部屋にて狹くもなく氣分も惡くなく、非常に氣持がいゝ、ボーイは常

に掃除するし。御飯風呂の時は常に呼ぶので心配することはないが海興の連中は少々熱くるしいらしいく百人二百人を通し抜げだし、食事も別に下でやつてゐるのも中々くるしい。

ボーイの心付けは一人三圓としてシンガポール迄一圓ダーバン迄一圓サントス迄一圓(注意迄に)運動非常に運動不足に成り勝ち、盛に縄飛び、鬼ごつこなどをして子供の様に成ることが肝要。

床屋もあるから少しの心配もない

醫者も看護婦もゐるから之亦心配はないが仁丹ハツカ水などは用意すべき必要がある。

酒保にては日用品を飲食物から、煙草、書簡箋、シヤツなど賣つてはゐるけれ共、用意を日本でしないと高い。

着物について、女が日本着を何時迄も着てゐることは少なくとも僕は贊成し難い、外國へ行く者は心と共に衣服をも代ふべきではないかと思ふ故日本に於いて簡單に造つて船中に於いて賣ることを僕は希望する、外國人に女の一衣帶にして赤い腰卷でも見られて見給へ、排日は目前だよ。

教育について。次回に來る人は此の點大いに考へて頂き度い、今度は、日曜學校は僕と家内とすることにした。毎朝十時に集めて歌や遊戯をし、日曜にはイエスの話をすることにした。

兒童教育は多年小學校長として働いてゐた、谷垣さんと云ふ兵庫縣の人にやつて頂くことゝした。

葡語は海興の監督瀧治仁三郎氏にやつて貰ひました。時間は午前午后組を分担してやつて頂くことゝし、

毎週一回、「らぷらた誌」を出すことゝ決定した。

海興でも家長會議に依つて組長を十名互選し各室の分担を定め、中央部に於いても委員をあげ、專任委員として「ありあんさ」の中澤氏を委員長に、藤崎、高橋、高野、石戸、細川を專任委員に擧げてすべての會議を議決することゝ決定せり。

在外諸子の寄稿を望む

移住の訓練を經驗し異國に異民族こ接觸して奮闘されつゝある諸賢の尊き實驗談につき原稿を募集致します

内容は

一、海外移住に對する動機
二、今日迄何如にして奮闘してきたか
三、今日迄の奮闘した過去を顧みて將來に何如なる希望を持つてゐるか
四、今後の海外發展者の心得べき諸賢の經驗談

原稿には出身地及渡航年月を記して二千字以内にする事。

海外通信

無事著了致しました

在アリアンサ移住地　藤本顯正

長い事御無沙汰致し貴殿等には益々御健在にて御活動の事と存じます、五十余日の航海を續けて無事豫定より一日後れて三月十八日サントスに入港致しました。航海中は二名の出產があり皆々壯健で上陸致しました。いつもなら入港直ちに特別列車でサンパウロ市の移民收容所に行くのですが歐州移民が三千も居ると云ふので一時船を收容所として二日ばかり碇泊してゐました。十九日は關税の調べがあつて皆無税で通過した。此處は要領一ツで税關役人にはハミガキの一袋が非常の効能を現します。其の夕方には停車場には手荷物を信濃村宛に發送致しました。移民の荷物は貨物として無賃で運送して呉れるが一二ケ月も遲れるので、手まわりの品物を自分達で持ち殘りは手荷物としたので九十余貫で百拾圓で取られました。非常に運賃が高いので後進者は殊に注意を要します(約一貫匁一圓見當)廿日の午後二時列車に乗り普通二時間かゝる所を八時間も費して午後十時移民收容所に着き十時半には夕食(米に油と鹽を混ぜたもの)が出ました。肉の切りとウドンにて味を付けて呉れました。

第一夜は收容所に印象を殘して翌朝午前二時半起床五時の列車にてパウルに向ひました。朝風に顏をなでられながら海拔四百米の高原を走るのは何とも言えぬ痛快で牛や馬の野原に遊ぶあり鷄の群ありどこと見てもブラジル式で見渡す限り野原で山等は少しも見當りませんパウル驛着は八時頃汽事は此處で終點にて私共は日本人旅館に宿泊しました。翌日は七時十分の列車に乗るべく五時起床して乘車し、此處よりは日本人經營のコーヒー園ばかりが目につくので一丈二—三尺の樹に枝も折れんばかりに實つてゐます。赤色を呈して收穫時に近付づいてゐるのです。皆無肥耕でかく大きくなるのです。

汽車は實に呑氣で薪を炊くので、途中二回の故障を起したとの事で七時に着く豫定のが後れて午後十一時アラサツーバ驛(輸湖幹事の住所)に着き旅館は滿員なので三家族七人にて輸湖幹事のお宅に厄介に成り翌日(卅三日)午前十時にはアラサツーバ驛よりお迎への貨物自動車に乘つて午後二時にはアリアンサ移民收容所に到着一同は

ホツト安心致しました。此の山中に瓦屋根の家、開拓一年たらずして此の開け方は自分等の眼を驚かしました。到着後一週間余りに成るが未だ手荷物が來ぬので閉口します、それでも先に參られた人々が種々世話して呉れるので心から嬉しくあります。今日は自動車が驛へ行くので夕方は荷物が來ると思ひます。昨日は自分の耕地へ行つて見て來ました、收容所から一里半ばかり有るので毎日通ふのには大變ですから小屋を建てゝ「山切りを」始め様と思ひます。

昨年來られた諸君は瓦ふきの大きな家を建て三アルケール(七町五反)も開拓致して陸稻は五、六尺に伸び、何でも蒔けば出來ないものはありません。只第一年度は土地が肥え過ぎて莖や葉が大きく成りすぎる樣に思ひますそれでも稻の穗等は日本の倍位大きくあります。やり方は誠に粗雜なものでありまして話に聞いた通りで耕地の到る處には大きな木の燒け殘があつて一寸見ただけではこんな所で仕事が出來るかと思ふ位です。私の土地には大きな木ばかりでどうしてやつたらよいかと思ふ位です一人で一アルケール(二町五反)を廿五—二十八日で伐採すれば宜しい方だそうで、家の廻りは自分でやり後は外人に請負はせる積りです。

今年度は經營費が二千圓位かゝると思ひます山切代二アルケール一コント・家が一コント五百ミル、井戸一コント位で、一年の生活費一コント五百ミルです。今年は多少協會から借金に成るや知れませんが生活に不自由なれど皆間に合ひます。物價が高いので綴くばかりにて食器類も何でも有りますが皆斯うして高くあります。

當分の內不自由を忍びつゝ活動する所に自分としての希望があるのです、病氣は當地に無い山で健康地として言はれて昨年參られた諸君で一度も病氣になつた人は無いと言つてゐます。何卒安心して下さい。氣候は御地は春から夏になるのに當方はこれから秋になるので日本の九月頃の氣候であります。夜は涼しくて寒い位。虫類が澤山あるので閉口です馴れゝば何んでもないと先入者は申されてゐますが日本の蚊張などは用をなさない程です六十ミル位でサラサ地で作らねばなりません。御親類や知己の方には一々便り致すべきも同じ樣な事ばかりであるからこれを回覽被下る樣御願ひ致します。

本日智利、アルゼンチンを視察されて來た齋藤と云ふ人が視察に來て今迄見て來た所で一番宜い所だと申てゐました(略)

何卒皆樣によろしく御身大切の程異國の天地にて御祈り申上げます

三月三十日

故國青年男女の自覺を望む

在ベイラコスチナ　森泉菊三郎

信濃海外協會御中

長い間御送り下されて居る貴會發行の海の外各月いたゞき有がたく拜見して居ります。

それにかゝはらず。一寸の便りもせず厚かましく御無沙汰は何より面目ありません、兎に角皆元氣でやつて居りますから御安心下さい。

第一に御知らせ申し度いことは當耕地には私と他二家族丈居ります、眞島爲一、若月智亮、森泉菊三郎今後は前記三名分を御送付を御願い申します。

ペンの錆でも少しも御參考になれば幸ひと走るに任せて。私は日本を出發してから凡六年になります。此耕地で初めて鍬を持ち未だ人々の好かぬ耕地勤めを繰返して居ります然も同じ耕地で。だから當ブラジルの事は暗いこと許りです。

内地の青年の男女に一言を呈したいと思います。

一本立の出來るといふ青年　その若い精力はどこへ何して費やされて居るでせうか？私も日本で二四才迄生活したのですから多少樣子も覺いて居ります。農村の青年は如何？

私は何時もこんな自問自答をして居ります。

青年等は眞に自分の將來及國家の計を考へて居るでせうか？

考へて有る有爲の若者はその尊い實行に移り進んで居るでせうか

私の小さい頭へは悲しいことに實行者の實に乏しいのを發見して失望しかけるのです。私は信じます日本の現在は私の居た時より非常に海外發展に目覺めて居ると。

伯國の太陽や月さては雲の去來の自然現象は日本と何で變りませう進んで人情、人間はどこの人でも人間には變りは有りません

人間の居る所へは誰が生活出來ぬことが有りませうか、毛唐とか異人とかの頭をヒネル樣では仕事は出來ぬでせう。

生活苦の益々多くなる日本に何故足を留める必要が有りませうか。皆さんの方が良く御承知と思いますが、日本の人口增加は年々七〇万人とか。今海外に居る者を皆、合せても日本の一年に增へる人口に相當するとか、こんな有樣でつい日本の食糧問題も移殖民政策解決がつきませうか。誰かの話しでしたが日本に居る者は兩親と同じ數の子供が居れば充分で其他の者はドシドシ外へ出る此の位の調子で無かつたら世界に日の丸が張り切れる樣に

ならんでせう。

青年男女の自覺實行が總てを片付ける鍵では無いでせうか。そうしてあの自惚の米國を見かへしてやりたいものです。

各青年一人一人が皆日本を背負つて居る氣で全身の活動を續けたいものです。世界は廣いからいくら米國や濠州の樣に白人系の奴原が排斥しても日本男女の歩む道は國外に多いことゝ思います、當ブラジルなぞ今のところどの位勞働者が不足か分りません。

今の中に永住の決心で青年男女がウント來て他國人の何とも出來ぬだけの地盤を築かなかつたら當國も近き將來に門戸を鎖す樣になるでせう。現在の日本人の有樣は情けないものです外人と對抗出來る樣な確な人々は不動產を金に換へ故國へと旗を卷く。殘された者は借金に苦しむ連中歸國の空名譽に目がくらみ日人排斥の種を播くを何とも思はぬ人々に依り大多數を占められるんです、勿論少數の人々には永住の決心で徐々に眞面目に進んで行つて居る者も見逃せません。

當ブラジルは日本の反對の方に有ります今は初秋です日本では春ですね桑葉の霜害に養蠶家の頭痛の頃ですね日本の夜はこゝの晝と反對のことがなかなか多いのです

それだけ離れて居るのです暑い國信州は寒國　そんなにこゝが暑いでせうか信濃に生れた私は正月頃の寒さは覺へて居りますが當地の暑さは着伯當時から少しも氣になりません。

勇ましい實行者には少しの心配は有りません殊に若者に於て遠いとか暑いとか、兩親や親類の反對金不足何々際限が無い實行者の過去は夢の如です不實行者の前途は山程の心配です、物事にアクソクせずどんどん行ふことです日本に比べて當地は愈々實行者の勝ちです結果が惡かつたら直ぐやり直すことです　若い者は時の惠を充分受けて居る筈でせう、これからの世界は若者の自由です良きに惡きに彼等若者の手に依り變ることでせう

どうか私の尊敬する若き人々よ前途を良く考へて下さいそうして身体の健康の人々は奮鬪兒の活動に適して居る常夏の國へ差して日の丸の國旗を輝やかせに來て下さい。

先は亂筆のまゝ貴會の益々隆盛を祈りつゝ

「ブラジルやジヤポン飛込み斧の響」

イグアペ生

拜啓　御協會の御發展を祈りて此處に相變らずの呑氣屋を發揮致す次第にて、其の昔芭蕉は「古池や蛙飛び込む水の音」と吟じて過去幾百年、彼の俳諧芭蕉翁により天地開け、萬象展然して千波萬濤も一時に起り靈妙な深遠なる敎訓を傳へてゐるが名句と云ふものは何時の時代になつても新しい意味となつて我等の生活に一大指針となるのだが、僕も一つ芭蕉翁に眞似て「ブラジルやジヤポン飛び込む斧の響き」と出鱈目を讀みます。季題は斧のひびき、卽ち伯國の山伐時八、九月の頃内地の畑打ちの春の時節。ブラジルにてシヤパンと云ふ假名が入つた丈けでも新しい名句が生れた譯で、南米の寶庫と見出された伯國に欝蒼たる大原始林それは億々萬劫の昔より莊嚴たる大森林に「海外發展」と云ふ素敵な奮鬪心を以て私はイグアペ植民地に木の根で作つた一枚板の古札に「ブラジルや」と吟じ出したので若し私が無かつたら恐らく未だに此の名句が發表せられないのであつたろう。

當伯國も歐州戰亂前迄は唯一の常食たる米を輸入してゐたが一度日本人が渡伯開拓事業に着手するや作るは〳〵忽ちにして高地沼地到る所に林を倒して米を作る現在は却つて輸出の盛況を呈して政府の物價調節にもよろうが白米一俵が五十粁レースと下落し何處の倉庫にも積んでゐる狀態である。此の地も砂糖、珈琲ピンガを養ふて果樹野菜を作る等漸次日本人の手によつて產出せられるのである當レジストロ植民地も漸次發達して斧の響きより蒸氣機械や自動車のエンジンの音に移りつゝあります。

アリアンサも一日も早く皆樣の御出を待つてゐます。

故國の諸君青年よ、我心身を修養し宛然として古池（ブラジル）に渡り腕を斧の響に一大活躍を試み樣ではありませんか

一九二六、三、二六

目的を果して

アリアンサ　新井庸十郎

前略小生事貴會の懇切なる御指導を賜り海外發展を企圖致せしものにて貴會の發展地アリアンサ移住地に曾つて入植せる友人宮林正時君（海外植民學校卒業）よりの再三の往信により移住地の優秀なるを知り去る一月廿三日橫濱出帆マニラ丸にて乘船仕り三月十八日サントス入港

致し候。貴協會移住幹事輪湖俊午郎氏の出迎を受け多大なる御盡力により二十三日アリアンサへ到着致し候。

將せる哉、小生が內地に居たる當時の想像以上、否、友人よりの通信以上に諸設備萬端遺憾なく完備し既に收容所アルマゼン等我等新移住者をして何一つ不自由もなく只管感謝致し候。小生も玆を目的地と定め早速土地を求め獨立農業者たらんと計劃中に御座候。既に土地の位置決定目下伐採致し居り前途有望な所は既に疑ひ無之候。小生等も追々一門一族を呼寄せ飽くまでも貴協會の御指導を仰ぎ國家のため一大奮鬪を決せん心算に御座候。附而甚だ御迷惑には御座候へども左記親戚、實家等へアリアンサ移住地の富源の事實なるを御披露旁々專ら御進め被下度小生等一族にても資金糾合の上一大計劃を企圖する心底に有之候左記宛名へ御協會發行の冊子御惠送願上申し候。

群馬縣新田郡籔披本町二一六〇　新井平八郎
群馬縣山田郡毛里村東今泉　柳田金平
東京市外大森驛新井宿山王二六五九　山口敏行
栃木縣足利郡二丁目　北澤正作

四月二十一日

× × ×

海外發展、新天地の開拓！　地位と金力と智力とない青年、世に若くして敗殘者中に一個の希望と信仰と以て人類の未だ足跡を入れざる自然の天地、猛虎の咆哮する大森林に放浪して美名を轟すにありと。

友人は中學校の門をくゞり制服制帽を身に纏ふに我は泥まみれの山支度朝に霜を踏み、夕に星を戴くの辛苦をなして且つは年貢、租稅村費と負擔されて餘す所は漸やく其の日の生活の糊口を潤すのみである。すべからく青年は裸一貫腕一本で世界を股にかけて大活躍をして巨利の財產を造るにありとして此等の輩は何れも太平洋、印度洋の波濤を越えて彼岸の地に行くのである。如何に壯擧と言ふではないか！

然し乍ら彼等は果して此の大理想を實現せしむるであろうか、否々、其の十中八九は失望落膽して最初の大理想は爪の垢程も達せられず遂には放浪の身となり、移住地の社會に惡化をもたらして轉々と住所を替へて野原の屍となるのである。私等は飽く迄も自由の天地に所信の社會建設にあるのである。地位も權力も全力も飽へて望まない。徒に富のために我が身を犧牲にして如何に努力してもそれは五六十年の間にすぎない、五六十年にして已れの希望が達ぜらるばそれにこした事はないが人間の慾望は決してそれで滿足は出來るものでない、胸に手を當てゝ人生の本意に立ち歸る時眞の希望が湧いてくるそれは前述の理想の新社會建設である私等はこの建設のためには已の身を犧牲にしおしまないのである。ありあんさ移住地の建設も又此處にある。

母國通信

仙石鐵相辭表 内閣改造に伴ひ仙石鐵相は愈々辭表を提出した而かも鐵相辭任の理由は病氣とあり鐵相年來の主張たる病氣の理由を以つて陛下の親任に依り拜命して居る國務大臣の職を辭する以上貴族院議員として政界に働く事も他人はいざ知らず自分としてはどうしても出來ないから此の際貴族院議員を辭するは勿論黨籍をも離脱して政界を全然隱退し專ら身體の養生に努める事に決意し大臣の辭表と共に議員の辭表をも提出した次第であると

改造内閣の親任式 若槻首相は三日午前九時四十五分赤坂東宮假御所に伺候攝政宮殿下に拜謁仰付けられ今回の内閣改造の經過を詳細言上新任並に轉任四大臣の内奏をなし又仙石鐵相の辭表を捧呈し御裁可をあふぎ親任式を奏請し退出したが其の結果殿下には宮中御參内より御歸還の午後四時赤坂東宮假御所表謁見所に於て首相侍立の上親任式を行はれ左の如く官記を親授された同時に左の如く辭職を裁可された

大藏大臣正三位勳二等 濱口雄幸
任内務大臣

農林大臣正四位勳二等 早速整爾
任大藏大臣

正五位勳三等 町田忠次
任農林大臣

海軍政務次官
從三位勳三等 子爵 井上匡四郎
任鐵道大臣

内閣總理大臣兼内務大臣 若槻禮次郎
依願免兼官

鐵道大臣 仙石貢
依願免本官

メキシコカラ二青年を日本に呼ぶ かつてメキシコに遊んだ前代議士鈴木梅四郎氏は日墨親善に盡すため今度一切の費用を自ら負擔してメキシコの二青年を日本に留學させる事になつた、この話の起りは先年同氏がメキシコへ行つた時進んで申出て置いたところ今度は同國農務勸業省で學生二人を東京の水産講習所に入學させたい希望を前代理公使伊藤敬一氏に依頼し、同氏より鈴木氏に通じて來たからでメキシコでは早速サムエル、ソリース、イ、サンチエス、(二三)ホセー、ガルシヤマルチネス(二三)の兩君を選拔し近々日本船で出發させる事になつてゐる、これには現メキシコ在代理公使越

田佐一郎氏も大いに力こぶをいれ一方メキシコ政府からも、日本留學生二人を引受ける事を前記伊藤氏を通じて申込んで來てゐる。右につき當の鈴木氏は語る。

「留學にくるサムエル氏は山林監督局に一年奉職し、ホセー氏は水産監督局に二年奉職してゐた農林學校出身の官吏で七月中旬頃着くことゝ思ふ、日本に來たら自分の子供の樣にして世話して見たいと思つてゐる、何しろメキシコでは米國とも漁業條納が成立したので米國にも留學生をだすことになり自然競爭の形なので日本でも大いに努力して成績をあげたいと思つてゐる」

さつきを獻上 御靜養中の聖上殿下を御慰め申上げんとの赤誠から十四日午前十一時埼玉縣下の素封家安行村長の中山吉良氏が宮内省出頭三百年來培養し漸く完成したと云ふ美事なさつきの獻上を願出たので手續を經て御嘉納あらせられた右さつきは紫宸殿と號し葉のしたゝれか直徑三尺位で薄桃色の花であるが今は丁度六七分開きを見せ根本は恰も牛の寢たかの如き格好を呈して居ると

落合大使突如逝去す 歸國を急ぐ鹿島丸の船中の中で突如逝去した駐伊太使落合謙太郎氏は明治三年二月滋賀縣に生れ明治二十八年帝大法科卒業間もなく外交官領事官試驗に合格し領事となり其の後オランダ、デンマークの公使を經て駐伊太使となり去る十一年五月ローザンスに於ける近東平和會議に全權委員として參列し大いに我が國代表として氣をはいた人で氏の原因は電文簡にして未だ判明しないが多分胃潰傷ならん

研究會を脱會 勅選議員研究會所屬赤池濃氏は十一日研究會脱會を決意し青木信光子を訪ふたが同氏不在の爲脱會屆のみを常務委員に宛て手交し引上げた右赤池氏の脱會は今回の内閣改造に關する幹部の處置に對する不滿を抱ける所へ研究會勅選議員團奮起せるに拘はらず最早幹部の懷柔策で軟化したと云ふのが癪にさはり此擧に出たものと見られて居る

清々した難波一家 大逆事件に關し難波正太郎氏夫妻は豫て德山區裁判所へ難波家の廢家を申請してゐたが十二日午前に決定した正太郎夫妻は京都の故難波作之進の弟黑川家に親族として入籍するとし妹安喜子を他家へ嫁がせヤヨ子は養子緣組し除籍する事になつた尚正太郎氏は某事業會社に就職する事に大森知事が斡旋してゐたが會社重役が青島に出張中なので歸り次第決定する事となつた

六十三時間で飛ぶ ドアジーの少佐ブレゲー機は十一日パリー出發以來寸時も休まないで十八日ペキン南苑の飛行場に安着したパリー出發後六十三時間で飛んで來たのであるペキンから所

澤迄一氣に飛ぶらしいが目下日本は梅雨期であるし朝鮮海狹の横斷もある事とて天候を氣遣つて居るが今日迄の元氣に委せて多分十九日ペキンを出發平壤岡山に着陸しガソリンの補給をなしペキン所澤間二千七百キロを突破して飛來する事であらうペキンを早朝出發すれば所澤へは夕方着く豫定であ

新政策もまだ要領を得ない 憲政會も來議會はてつきり解散せねばならぬと見越してか解散準備の地方遊説をするとのことだがなかなか若手連が言ふことを聞かぬといふではないか、さうだ如何にむち打たれても少壯連中も五十一議會の報告と整理緊縮の古い旗標をかついでは地方廻りもいやになつて來るだらうよ若手にして見ればなにか派手な旗標を押し立てゝ我黨内閣の手腕はからだといつて歩きたいだらう、顧問連中だつて新政策についてはいろ〳〵頭を惱ましてゐるやうだ、尤も内閣の命脈をつゞけて行く上には新しく人氣を呼ぶといふ事が肝心だからな。そんな處から度々顧問連中が斯政策の樹立について進言するやうだが若槻は一體其の進言を容れるのだかそれ共他によい政策でもあるといふのか薩張りにえきらぬ、新政策をたてるつもりならもうとつくに案を出すであらうが其のこともないつい二三日前にも加藤(政之助)が人口問題、食糧政策はどうしたと若槻に催促したとのことだがまだ要領を得ないことをいつて居たとのことだそんな具合だから黨員も困り切つてゐるやうだが何時までも因循姑息なことをやつては若槻も國民から離れられるばかりでなく、黨員からも嫌はれて來る、さうなればもう駄目なんだが若槻ももう長いことはないなあれも性分なんだから仕方がない、上手に切つて廻すやうだがたゞ餘り上手にやらうとばかり思つて居るから却てへまなことをやる勿論そんな譯だから保守的で新しいことはやれない(上院議員談)

世界巡りの大學船 米國大學生四百五十名は教授連約百名と共に大學船を仕立てゝ今秋九月サンフランシスコを出發することになつたと云ふ先づハワイを經て日本を訪問した上世界一週の途に上る筈で之れは今度米國各大學聯合協會主催の海上大學の最初の試みであつて汽船が直ちに教室であることは勿論行く先々の各國の民情歷史海洋學其の他の實際に就き見學し實物研究をして廻るのだと云ふ

▼……………▲

航海期間は八ケ月の豫定で詰り大學の一ケ年間の課程を此の船を教室として勉强して行くのである今年當番に當るニユヨーク大學の主催で各大學生が之れに加はりウエスタンセザーフ大學學長が此の海上大學の學長となり船は二萬二千噸のレナダク號で横濱に着くのは十一月五日で滯在一週間餘りで同月十三日門司で石炭を積んで支那に向ふ筈である

信州記事

學生避暑地 諏訪郡富士見高原は別莊地として適當であるのみならず未開な閑靜の地として學生連は非常に歡迎し昨年の夏期の如きは東京帝大を始め全國各地の官公私立大學生百五十名が入り込んで七八九の三ケ月間熱心に研究して居たが本年度は既に東北大學生を始め十餘名來富し農家または旅館等の一室を借り切つて勉學にいそしんでゐるなほ富士見分署に對して此の種の照會が續々あり其の斡旋方に忙殺されてゐるが普通民家に宿泊のもので一ケ月賄料五六十圓見當であると學生連はひとしく炎熱の都會などに比較して閑靜そのもので白樺をもれる高原の涼風にひたりながら勉强出來ることを喜んで年々增加すると

七ケ師團に相當する
全縣下青年の總動員

陸軍、文部兩省が肝煎りとなつて居る青年訓練所は愈々來る七月一日から開かれ教練を實施する筈であるが本縣では此の日を期し十六歳より二十歳迄の青年全部に對し(但し中等學校生徒は含まぬ訓練所に入所すると否とを問はず兎も角最初の一日だけは一齊に小學校庭に集め市町村長並に訓練所の主事となるべき小學校長から、青年訓練所設置の大精神に就てその趣旨を傳達する事となつた中等學校生徒(七千名)を除き訓練を受くべき青年は約七箇師團の未教育兵に對し農繁期ではあるが最初の七月一日だけは總動員の形で大宣傳をなすべく十七日本縣から三百八十四の市町村長に對し通知を出した

輕井澤開發計畫 避暑季節が接近したので例の南輕井澤開發問題が又復だい頭して來た之は梅谷知事が大きな力瘤を容れて居る一事業の一つで昨年は數回に亘つて實地調査をやるやら計畫案をこさえるやら、一生懸命であつたが肝心要の金につかへてそのまゝになつて居た知事は此の開發費を現在輕井澤に別莊も地面を有する富豪の寄附に俟つ計畫で先般の地方長官會議で上京の際東京の某ホテルに於て輕井澤の地主根津嘉一郎、渡邊千冬その他の數氏と會見の豫定であつたが遂都合が悪くて會見出來なかつたので十六日前記の二氏並に野澤源次郎、近藤友太郎、神田雷藏、箱根土地株式會社の諸氏に對して

何時頃輕井澤へ來られるかの紹介狀を發した勿論以上の諸氏が輕井澤へ來揃つたら知事が出掛けて行つて例の開發寄附につき懇談せんとするものである事は言ふ迄もない而して知

事は之等地主に依つて先づ卅万圓位の資金を得やうとするものである

鈴蘭採りに

上田市の北方に聳へたつ太郎山は禿山であまりにたいした林がないが雜草などは却々に茂つていゐ殊に近來鈴蘭がすばらしく繁殖したので今日此頃の花盛りに此れを採りに山登りをする男女學生がいちじるしく增して來たがことに日曜日などは鈴蘭の花よりか採取する人の方が多いとのことである

埴科町村電話 埴科郡内町村役場に現在電話を架設してあるは中之條、坂城戸倉、埴生、屋代、松代、東條の七箇町村だけだが杭瀨下森、雨宮、縣の三箇村は十五年度で架設するに決し何れも之が設備費の寄附金を豫算に計上し豊榮村は追加豫算で其施設をなすへく內定してゐる又南條五加兩村は既に局への呼出しで用辨してゐるので全く電話の便を缺いてるは倉科、清野、西條寺尾の四箇村である

北安の小學校增築 北安平村では校舍增築の必要起つてゐるので此際他に移轉改築の計劃で設計を急いでゐるが總ての豫算は六萬圓を要する見込であると猶大町でも同樣增築の必要を感ずるに至つたので移轉改增築の議があつて已に調査費の計上を見るに至つたが今回同設置の運動場附近に候補地を求めて校地の擴張と共に增改築を計劃する方針らしい

泰阜村增築認可 下伊那郡泰阜村では小學校增築のため四萬圓の起債認可を申請中であつたが縣では審査の結果一千圓を減じ三万九千圓と更正して認可

新築ぞくぞく 松本市外淺間溫泉は最近素晴らしい勢ひで普通民家が建てられ松本市内の各名士連が別莊を構へるやら居宅を建てるやらで益々繁華を極めやうとして居るので目下進捗しつゝある水道工事と共に二十七箇の消火栓を同地一帶に敷設する事に決した

伊那電爭議 去月二十四日突發せる伊那電勞働爭議は縣下未曾有の紛爭を極め上下伊那兩郡下町村長その他有力者の調停も遂に効を奏さず、一方罷業團は日本勞働總同盟と連絡をとり益々猛威を逞ふし何時圓滿解決を見るやも圖られざる形勢を現出し、戰全く持久戰に入れる觀を呈するに至つたので本月七日兩郡町村長及有力者を代表して平野、高田、下嶋、三澤の四縣議及福澤赤穗村長の五氏は出縣して梅谷知事を訪ひ本調停を知事に依頼し、爾來知事は竹下警察部長對しこれが計畫を委囑警察部長又田中特高課長に此れが實際運動の劃策及其の術にあたるべく命ずる所ありその結果十日會社代表者を縣廳に招いてその意見を聽取し稍調停の曙光を認むるに至るや十二日罷業團代表を招致して此れ又その意見を聽き爾來極力調停に努めた結果十三日夜深更に至り全く兩者の妥協成立し十四日二十二日目を以つてさしも紛爭を極めた

爭議も玆に目出度く大團圓を告げた

伊那電爭議經過 伊那電爭議は五月二十日勃發以來十四日に至るまで日數を費す事二十有二日に亘つたが其經過の大要を摘記すれば左の如し

△五月二十二日赤穗町舞鶴跡に從業員大會を開き同所を本部と定め會社に對する要求條項八ケ條を決定す參加人員三百餘名勞働總同盟本部より鈴木儔岡氏等れつ席して謀議に與へた

要求條項

一、賃金改正の件
二、賃金二割を引上げ俸給を增す事
三、定期召集を二回行ふ事
四、年功加俸を制定する事
五、公務上負傷疾病に對しては相當救濟の途を講ずる事
六、三名の馘首者は直ちに復職せしめ鐵道沿線に使用する事
七、今回の問題に就ては更に犧牲者を出さゞる事
八、以上に對する回答を二十四時間以内になす事

△同二十四日　交涉遂に決裂し午後三時從業員は罷業を宣言し赤穗町を振出しに飯田伊那伊那富中箕輪等に於て演說會を開き宣傳ビラを撒布し示威行れつをして猛運動を開始した

△五月二十五日　形勢惡化し午前十一時四十二分岡谷發四〇三號電車より運轉中止さる調停の爲め國粹會員動き始む

△同三十一日　下伊那郡役所に於て町村長會開催さる

△六月二日　上下伊那町村長會委員會成立し左記の希望的警告書を會社並びに爭議團へ致改するに決定す

警告書

今回の爭議が上下伊那兩郡の交通經濟上に影響する所甚大なるに依り一日も速かにこれが根本的解決をなさゞるべからず前項の意味に於て双文に對し自覺的解決を促す事

同夜爭議開始以來十二日振りにて勞資代表者赤穗村役場に會合し兩郡調停委員より互讓を勸告す

△同三日　勞議團より調停委員に對し回答を發す國粹會手を引く

△同四日　爭議團惡化し十數名宛二隊に分れ伊那福岡宮田澤渡辰野等の各驛を襲撃し毆打脅迫線路妨害器物毀損等の暴行をなし遂に流血の慘を見るに至り十數名の檢束者を出す

△同六日　會社側より第二回の回答あり調停委員遂に手を引く

△同七日　高田茂平野桑四郎下島平治三澤喜芳福澤泰江諸氏出縣し知事に調ていを依願す

△同八日　爭議地より田中特高課長歸廳し知事警察部長に經過報告を爲し調てい準備に着手し伊那電專務伊原五郎兵衛氏の出廳を促す

△九日　戰機正に熟し知事調ていに出馬の肚を決し調てい案作成に着手す

△同十日　午前十時會社側伊原專務山田大平池上諸氏出縣し梅谷知事竹下牛島兩部長田中特高課長と密議二時間に亘る

△十二日　田中特高課長より爭議團側に代表者の出縣促し同日午後七時鈴木儔岡氏外三名來長し當局との接衝に入り解決の曙光見えたる乎の感あり

△同十三日　縣當局と勞資双方との折蛾白熱化し相互に協議に努めたるも緊張の極に達す

△同十四日　前夜引續き協議の結果午前一時十五分漸く勞資兩者等に意見の一致を見るに至り田中課長より調てい案を兩者にして田中課長より調てい案を兩者に示して共同意を求めた知事警察部長の承認を經たる後午前十一時を期して解決の手打ちをなす事に決す同午後三時半別項の通り圓滿解決を告ぐ

移植民を中心に女商教育の研究 松本商業學校米澤武平氏は六月十六日松本を出發東京を經て二十四日神戸の熱田丸で歐米各國教育視察に出發することになつたので十三日は市公會堂で同校同窓會が壯行會を擧行翌十四日夜は同じく公會堂で松本市が主催となり市内各官衙長有力者等で壯行會を開催して其の門出を祝すが視察は約一箇年半の豫定である同氏は語る

○

今の所未だ豐富な感想を持ち合せないが目下我國として緊急問題であるところの人口增加問題を解決する目的で南米ブラジルやメキシコ等に最も多く滯在して植民地の事情を詳細に調査して移民が有望だとすれば歸朝後全國に移民勸誘の遊説を試みる心算であるが尙其他の各國に於ても移民の可能性のある土地を發見したいものである

○

我國が今後產業立國で行くよりも商工業立國として進まなければ發展は得られないと云ふ意味に於て歐米各國の商工業狀態も研究したいが殊に現在の松商校が新築され舊校を利用して女子商業學校を新設する事になつてゐる爲此の方面に力を注ぎたい心算である其他一般の教育視察だが特に研究したい種々の問題は目下考究中である

縣へ移管の職員は百二名 郡廢に伴ひ縣へ移管される職員費は合計十二萬八千九百四十五圓結局判任官以上の縣廳いり百〇二名で人員その豫算額は左の如し

屬六十七名三七、九八九圓△縣視學八名九、七二〇圓、△農林技師（農蠶各一）一、八〇〇圓△產業組合主事一名九〇〇圓△農林技手（林務課八名、農商課一名蠶糸課一名）七、六五〇圓△產業組合主事補六名四、一五八圓△統計主事補四名二、二六八圓△社會教育主事補一名七六五圓△土木書記四名一、六二〇圓△雇三十名八、一〇〇圓

尙六十七名の縣屬各課別配屬數左の如し

官房五△地方課三十三名（內譯郡駐在十九、本課十一、統計三）△社會課一△學務十一△農商課三△蠶糸課一△合計十三

佐久に又復大降へう 北佐久郡中佐都三岡兩村地方は六月十一日午後三時頃から約一時間にわたり雷鳴と共に大降へうあり約三寸積つたがそのため桑果樹は全滅の有樣となり南佐久郡北牧村字豊里にも同時刻降へうあり桑、そばの被害多く岩村田蠶業支所で取調中であるが右現場を視察したところによれば中佐都、高瀨兩村が激しく三岡は一部分で地上に三寸乃至四寸積り窪地は六、七寸におよび桑畑や果樹は新芽を打ち折られ地面は草葉を敷きつめたやうな慘狀を呈し中佐都小學校の西側のガラス窓は全部破壞され同村奴樂寺裏の田ぼは六寸餘積つたへうが解けだし沼のやうになつて居る一方養蠶家は桑の被害を恐れ一眠起蠶兒を捨てる者あり、尙南佐久郡岸野村下縣、穗尾、竹田、下平地方も同時刻頃約二十分程降へうがあり二三寸も積り農作物菓樹は大被害を受け桑も相當の被害で養蠶は減ずる模樣である

河西新博士はスワ中學出身 十五日付藥學博士の學位を授與された河西嘉一氏は諏訪中學を明治四十年卒業後第一高等學校を經て東大醫學部を卒業直に藥科學專攻のため大學院に入り十一年ベルリン高架大學に入り二箇年留學し十三年八月歸朝目下三井鑛山に居るのである

スワ地方蠶況 諏訪地方の春蠶は目下大低二眠前後だがはき立當時案ぜられた氣候も恢復し桑葉の發育も順調となつたので目下の處は案ずるものはないが殊に繭價は悲觀豫想を裏切つて八十掛以下に下るやうな事は目下の環境からして考へられないので養蠶家は氣を多きくしてゐる

松筑地方蠶況 松本東筑摩地方の蠶兒ははき立も好況であつて昨今は暖氣のため意外に進み目下外國種早ロ五齡二三日大並三齡中又日本種は早ロ四齡二三日並三齡中位であるが一般のはき立は平年よりすこし控目にされたとか糸況の不振に伴ふ蠶種の賣行を氣遣はれた爲に外ならず又桑の發芽は氣候恢復と共に良好となつた

更埴地方蠶況 更埴地方蠶況は更級南部の早場は五齡二三日に達し大並は四眠前後おそ口も追々四眠に及ぶ成績良好に桑葉の繁茂も速進し不足なき見込み又埴科は更級より一期早く埴南地方の早場は五齡四五日に達し大並五齡期に入らんとしてゐる蠶桑共に順調にすゝみ桑は過不足なき見込みで相場は一だん六圓から七圓見當で先安を見越されてゐる

上高井の蠶況 上高井郡の蠶況は夏原蠶早口上簇大並が五齡五六日一化性が大並五齡二三日で何れも良好である更に桑況はこれ又發育良好なるも最近天氣續きで雨量の少いため桑葉多少硬化の氣味となつた實量が少いため昨今までは百貫目に付き大桑が三十圓前後の相場であつたが俄に暴騰して四十圓締桑が六十圓が七十圓を唱へこの上天氣が續くと豫想外の高値を現すだらうとそい

布團むし 上伊那郡飯嶋村字田切堀内淳一妻もと（二九）は十八日午前四時頃長男賢一（三ツ）を自宅寢室六疊の間に橫臥させて炊事を見て居たところ母ちゑ（五〇）は子供が寢て居るのを知らず其の上に布團を積み重ねたので賢一は其の儘窒息死亡した

松本新繭到着 松本驛へは四日夜始めて東海道三島驛から生繭が到着したがその行先は松本市太田製糸場へ六十五本山善製糸場へ十一本であつて本年の生繭到着は昨年に比べると十二日間お

綠裝した野尻湖 初夏の野尻湖畔は綠の新裝も淸淸しく今や避暑季節を待つて居る調へられたのは野尻自動車商會が五台に增設すべく既に三台は運轉してをり賃金も三十錢に引さげられた同社では湖畔に艇庫を三隻のモーターボートを設備し湖上遊覽に供すべき手配を進めて居る、湖畔の別荘も今年は新たに外人村が五戸ほら人村三戸は建築の豫定で昨今では各方面からの修學旅行が多く日曜などには一般の來遊者もかなり多く賑はつて居る

田に龜裂を生ず 上水内郡神鄕村では最近田植ををほつたばかりだのに水不足の爲め折角植付けた田に龜裂を生じた處十五町步に達し早くも水騷ぎが始まらうとしてゐる同村の水田は鳥居川の水を灌漑する事になつてゐた處近來信濃電氣會社等で發電所を設けたため盆水不足に陷つたので神鄕耕地整理組合を立て約二萬圓の工費を以て百三十町步の水田に對し耕地整理をなし千曲川から電力で揚水する計劃を立てたが縣の方の認可が手間取れ本年の灌漑に間に合ひさうもないので闘組合代表は二十四日出縣農商課を訪問して促進方を陳情した

長物吐口

伊藤徳象

大平洋會議でもセネーヴ會議でもヘイグ會議でも、ウヰ、ルソンもレイニンもガンジイも世界平和と人類愛の理想とに努力したには相異ない。だが土地に寒暑豊瘠あり、人口に濃薄あり、天産に惠否あり、人間に優劣あり、理想に差違あり總てに均一たらざるところに自由平等は望まれなく平和も愛も理想たりて又理想のみである。

覇者英米の軍縮論たるや又實に奇たり　現狀誰持の平和論こそ英米の位置保留策で彼等の既に最大の好都合たるも後進弱國には最大矛盾であり又最大抑壓である　若し日本をして今日の英米たらしむれば世界平和の寢言位は何十ペンでも朝食前だそして崇拜者を造つたであらう。

我等は生の第一步が爭鬪である。見よ優者のスマートな目の光と巧なる言葉とを、そしてその行動をや。オ寺。教會堂、神樣の御利益こそ參拜者にあらずして、該當配持者にあるを參拜者は御利益を思慮し祈願し感謝するのみで献納物と時間とはその反面である。

金殿玉樓に榮える者と河邊に塵を拾ひ求食る者と。終始一貫勤勉なる者と不勤勉なる者と天女の樣な黒い瞳子の持主とタ、ニ、シ、の樣な御面相と。一概念で百般を推理し得る者と百般の共通點をも一概念に纏まらぬ人と。英國の一人平均七千八百圓米國の七千圓の富と日本の七百圓なると幾人の日本人がウヰルソンを崇拜し革府會議を眞の人道愛と考へる大馬鹿なるや、若し世界平和と人類愛の理想を解くなれば最善策は國境撤回であり世界機會均等の速行である　然らざる限りウヰルソンもクーリツジも革府會議聯盟も地球の上を吹いて通つた暴風である。

我等は御利益を要求する盲想の愚衆であり。ピストンや牛馬を代用する自動インジンであり。タニシの親族であり。始終一貫勤勉するも生活の安定の確證を得かねる階級である、然し今後太陽熱の利用。海水谷川の利用。空氣の利用や下水人糞を利用出來るとせば今後の日本は實に豊富である。だがそれ等の研究こそ時日に當はない一部專門家の未知數の宿題である。

我等は大資本家と大資本國との二重威嚇を受けている現狀誰持こそ威赫の連續であり消極の連續である。

發憤か橫死か！　橫死への忽從＝自父否定それは到底出來まい自己を否定したなれば地球の存在をも否定したいやはり發憤だ創造への發憤だ日本をして英米の水平線に進まんとする發憤である。自己を新人として強く生きんとする衝動の發憤である、名譽と地位と財産と生命を投げ出した發憤である。犧牲は發憤の最大生命である。

我等は國内に於ての社會運動と同時に世界に社會運動をもつと強く起したい。世界の分配があまりに不均等だからだ。

余は日本が何れの方法をするも今日の輸入超過と國民經濟の安定は速行出來ぬと思ふ。

海外に財源を植するまでは駄目じや微温的な現狀の延長では到底駄目じや。

明治始年を知る老人連は今日を絶大の發展と思つているかも知らんが青年から覩ればまだまだ前途遼遠である世界に誇るは增加する同胞の玉子のみでこの玉子が國富である。その國富を御心配下さつたのはバッスコントロールのサンガーで御丁寧に訪問してくれた嬉び迎へた馬鹿者もある。我等は世界に食ひ込む事に於てのみ生命の肯定ができる。空漠たる英米の地盤に又未開の地に共存權を要求するは人間本然の動的生命である。

日東の海國男兒や世界に分配均等の要求出來るまでは架空的な平和理論が口實ばかりの人類愛の肯定にまやかされず生存の強い要求に努力しやうではないか農業に商業に工業に又海運に軍備に文藝に英米の水平線に到るまでは膨張の續行をしやう。

本國に於ての無用の長物は廣漠たる南米へでも安定の生存所と墓を作りに行かうと思ふ

牧場とコーヒー園の中心に丸太小屋でも建てる。處女地を開墾する。總てが創造だ。隣近所の五月蠅さや不快や遠慮やの爲め重い神經を消耗する樣な愚はない。最愛の嚊と新しい生活樣式の創造を實行をする。バナ、と、野兎と、川魚と、野鳥。野芋と取つて食ふ。

一日の汗も一丁のシャベルも丸太殿堂建立と日本の一角建設の創造の表現たるべきである母國よさらば俺れ等無用の長物は南の國へその吐口を發見した。日東日本建立の膨張の一細胞とならう。長物の吐口や南十字星の輝く國へ。

一事一項

△米國の女辯護士シルレイ、ムーア孃は男そこのけに一億五千弗の訴訟事件を引受けた。

△大勳位菊花大綬章の製造實費金は千圓也。

△元早大野球名投手竹内君は、今度滿鐵に入社して滿洲俱樂部の正投手を承ることになつた。

△丸ノ内への通勤人、男五万七千九百四十、女一万二千七百八十合計七万七百二十九

△東京市電一日の平均乘客百三十万その從業員一万六百八十四人。

△朝日新聞社主催の訪歐飛行の總費用は六十三万六千百九十四圓五錢五厘

△藤山雷太氏第二世愛一郎君は結城豊太氏郎氏の令孃雪子さんと結婚した。

△三井銀行では創立五十週記念賞與に七百万圓をバラまくそうだが、噂だけでも大ッかいもの。

△一日の中に人間の爪は三毛宛のびる。

△武藤山治氏曰く「金儲けの定石は困難に堪えること、貯蓄すること、モー一つはチャンスを捉へることだ」

△我國が海外へ投じた金は十八億であるが、その半分は貸倒れの形だ。

△上山滿之進氏の說によると歐洲での林業成績はドイツとオーストラリヤが百點でイタリーは僅か五點ださうだ。

△日本アルプスの燕岳では、今年から頂上にレストランが出來て甘い洋食を食はすさうだ。

△米國大藏卿メロン氏は、その愛娘エルザ孃を祝つて二十万圓の頸飾りを贈つた。

△蠅の足一本に六十万の黴菌がついてゐる。

△内閣が改造されて十一人の閣僚内六人までが養子揃ひになつた

△前獨帝は月に五万マルク共和政府から貰つて生活してゐる

△米國大統領收入は年俸が七万五千弗交際費が二万五千弗合せて十万弗邦貨で二十万圓だ。

△長野縣から海外へ約三千人で信州代表の信每新聞を購讀する者二〇人百五十分の一とは教育國とては心細い

△此の頃痴情關係の醜事件が俄かに激增した。これは婦人の教養が足りないと男の人格者が云ふたが男子の教養も足りないではないか

編輯後記

五月八日神戸出帆のラプラタ丸は既に四十八日間の航海を續けて本日廿四日サントス入港の豫定であります五月廿一日はシンガポールに寄港して同地からの通信は六月十四日參りました。同船には六十八名の信濃村渡泊者があり同船は全く信濃村渡泊者によつて指揮され指導されてゐると聞かされてゐる（六月十四日）

△六月十日のサントス丸にては八家族二十七名單獨者九名を加へて合計三十六名の信濃村乘船者を見た。此の船は五月八日のラプラタ丸より約一ケ月後れてサントス港に着く。航海中一同の無事平安を祈る。（六月十日）

△七月一日からの郡廢に伴ふ當協會への打撃も大なるべく各郡支部の事務の引繼ぎから整理、會員との聯絡等は直接本部との聯絡を必要とし今後の縣下會員間との活動に好機關を約束されたが現在の本部としては余り手廣くなり過ぎるので目下其の具体案につき研究をしてゐる。

△初夏のお訪れ！信州でも北信では春蠶の上族期螢の出る頃から田植の終る頃までは短い夜もソコ〳〵に寢まれず農民の最大活躍舞台でこれが終るとホツと一息手を胸に春蠶の收支計算から麥の收穫量、上半期の家計費等が主人公を初めとし一家の上に持ち出されて種々愼議されるそれで暑夏の候三伏の時が一寸農家の手休み時でアチラコチラと慰安と暑さを忘れるためにいろ〳〵な催しが初まる

△初夏のお訪れ！所がこれを都會に持つてゆく。初夏のある日の午後青葉茂る小路を赤子ちやんと女中さんを連て若い奥樣のご散歩とか、柳の緑に彩られたお濠端を二人の可愛らしい幼稚園の生徒の歸宅の途中とか團扇片手のゆかた姿でアカ〳〵と照る電燈の下に打水に露を含んだ夜店の植木店等を見て歩くことは誰しも忘れ難い夏の情趣の一つでとかく夏のお訪れにも世相の場面々々で一樣でない。（六月十九日）

海の外

定價	内地	外國
一部	廿錢	廿仙
半ケ年	一圓十錢	一弗十仙
一ケ年	二圓廿錢	二弗廿仙

海外郵税二錢

注意
▲御註文は凡て前金に申受く
▲廣告料は御照會次第詳細通知致します
▲御拂込は振替に依らるゝが最も便利さす

大正十五年六月二十五日

編輯人　永田稠
發行兼印刷人　長野市南縣町　西澤太一郎
印刷所　信濃毎日新聞社
發行所　長野市長野縣廳内　海の外社
振替口座長野二二一四〇番　信濃海外協會

南米信濃村移住者募集

一、南米信濃村は一切の準備が出來ました。

二、二、三人の家族で二千圓あれば二十五町歩の地主こなり四ケ年後には二万圓の資産を得爾後毎年三千圓の年収が得られます。

三、二、三人の家族で六百圓あれば二十五町歩のコーヒー請負耕作が出來、四ケ年後には約五千圓の蓄金をなすこごが出來ます。

四、移住者には政府で渡航費一人分二百圓宛を補助してくれます。旅券は本會の證明があれば外務省から容易に下附されます。

五、詳細のここは「南米ありあんさ移住地の一覽」こ云ふ册子にあります。此册子は申込み次第差上げます。

長野縣廳內

信濃海外協會

大正十五年六月二十五日發行（每月一回發行）
大正十一年四月廿六日第三種郵便物認可

定價金貳拾錢

信濃海外協會
海の外社發行

第50号、第51号は収録することが出来なかった。

目次

海の外

第五十二號

大正十五年
九月號

海外渡航の警察事務簡捷

我が國の國家問題として人口、食糧の問題が朝野の間に論議せられ、政府當局では「人口、食糧問題解決調査會」を設置して限りなく增加する帝國人口の將來と增加人口に對する食糧供給の問題について根本の解決策を計ると云ふ事である。外務當局では「南洋貿易會議」が開催せられて官民合同の一大會議を催して南洋貿易將來に對する善後策につき各般の意見を開陳した。

潮じの如く殺倒する海外渡航の激增に對しこれまで此等希望者のために適切の途を講じてその滿足せしむるだけの施設と機關のないのは甚だ遺憾であるが「現行移民保護法」改正について地方官廳並に關係團体について意見を求めたる等は或ひは政府當局が今後の海外渡航者に對して便宜を與ふるものと考へて差支へない。

本縣では此の理、海外志望者の續出について取扱事務の簡捷を期し海外發展の途に資するため從來の取扱方法を改善する事にした。即ち、海外志望者の旅券出願書類の簡約と統一、各地警察署旅券係の海外發展に對する理解とその取扱事務に對する便宜のため、警察部では各部警察署に對して「海外渡航に關する事務取扱指示」を發した。從來の海外旅券出願に對する取扱は明治三十年以來の外務省からの指示に基きその間統一された取扱が一定されてゐらず、非常に混沌としてゐたが希望者の要求に鑑みて斯く改善されて行く事は今後の海外發展に一新紀元が開かれるのである。

私共は全國の警察が此の精神に生き、斯く實行されて行く事を懇望すると共に、眞面目な渡航希望者の續出を望むのである、これにつき旅券係の清水警部補は語る

『今後は旅券出願には出願者の便宜を計つてなるべく出願書類を少くして「書類が面倒だから折角の雄飛の志を中止する」と云ふ樣な弊害を除き有爲な渡航者を出來る丈け早く渡航せしめたいので縣下の警察署にも海外渡航に關する詳細な取扱方法を通諜して警察にさへ行けば立ち所に海外渡航の事が一目瞭然と明かになつてゐる』

墨國低加州の現勢

信濃海外協會北米支部長
日墨物産株式會社長　藤本安三郎

墨國低加州は米國加州南部の都市サンデーゴーの南、十哩の地方から東方へ百四十哩、米國アリゾナ州のユマ市に至る一線が、コロラード河岸に達して米墨國境をなし、之れを基線に南方へ八百哩、象の鼻の様に突出し、西に濛したる太平洋、東に大カリホルニヤ灣を隔てゝ墨國本土に對し、全海岸線一千六百四十哩の大半島であります。

低加州の全面積は四万八千七十九平方哩で、日本の本州に等しく之れを南緯二十八度を以つて南北低加州に區分し、半島最南端のラハズは南部の行政に任じ、北はチハナ、エンセナダ（本社所在地）に由りて管轄され、テリトリー（一州として獨立能力なきものは中央政府直轄となす意）としての首廳はメキシカリ市にあります。

米墨國境に沿ふてメキシカリ、チハナ、エンセナダの三市があり、低加州二万五千の人口の半は、この三市に密集して居ります。人口比例は驚くべき稀薄さで、一平方哩内に半人と云ふ割合であります、その他の都市として見るべきものは殆どなく、只、サンタトマス、サンテルモ、サンタドミンゴ、サンクキンテン、エルロザリオの部落的都市が太平洋沿岸に散在するのみで、反對のカリホルニヤ灣岸には先づないと云つて宜しい。

斯くの如き人口の稀薄は、一面に産業の起つて居ない事を物語るので、凡ての豐富な天惠が地球始つて以來、そのまゝに打ち棄てゝあると云つて宜しい位であります。一方、低加州の脊骨をなす連山が北より南に縱走し、其の山脈は幾億の鑛物を藏し、彼の樫屬を主とする大森林は到る處に見え、且つその間に數万英加の農耕地は吾人の來り耕すを待つて居ります。礦産物の主なるものは、金、砂金、銅、鐵、磁鐵、陶土、セメント、食鹽岩、瑪瑙、大理石の如きを包藏

し、是れまで採掘は部分的に行はれたが大体に於て手がつけないと云つて宜しい。

一方低加州の海岸線は割合に眞直ぐ、無限の海藻や、貝殼類は繁殖するまゝに放棄してあり、就中世界の市場に新らしく要求されつゝある寒天の原料たる天草、または絹布業者の重用視する布糊材料たる海藻、または日本で毎年缺乏を告げつゝある海苔海藻などは大産地として最も有名であります。低加州海より特産として知られて居るものは魚屬で、殆んどあらゆるものを包有して居ると云つて宜しい、その主なるものは

△鰯（イワシ）是れは鑵詰用として墨西哥は云ふに及ばす、南米諸國比律賓群島に多く消費されます、また肥料界の大王として鰯を原料とするフイシユシールは之世界的に市場を有し居ります。

△鮪（マグロ）此の種類の內には、鰤（ブリ）、シイバス、びんなが（アルバコ）を含み、就中びんながは米國市場に大なる需用を有し、且つ鮮魚のまゝで太平洋沿岸にて消費されるだけでも年額八千万弗と云ふ事であります。

△梭魚（かます）在來の蒲鉾原料として太平洋沿岸の同胞及び布哇などに相當の需用もあり、鮮魚のまゝでも賞用され、加工的に工風すれば種々な新方面を開拓する事が出來る多産の肴であります。

△その他米人向きの食用としては鰈（かれい）海鱒（ツラウト）鯖の類で鮮魚のまゝまたは鹽漬、乾燥等で處置されて居ります。

△またエンセナダを中心としてその海灣は伊勢海外の本場であり、烏賊（いが）雜魚（さこ）、或は製皮業者の注目する鱶（ふか）海象、鯨、鼈甲、海龜（タートル）の如きも多く産出します。

△貝魚類では鮑魚（あわび）最も多く直徑一尺以上のものも珍らしくはない、生肉のまゝまたは鑵詰用、乾燥用として之東洋各地に莫大な市場を有して居り、其の産額も無盡藏と稱せられます。

△一方カリホルニヤ灣の頂上には米國南部の大河、コルラード河が流入し、その河海相合する方りには、海老の産出計り知る可らざるものあり鑵詰、粉末等に加工して賣れ行きも相當に廣く、大形の蛤（はまぐり）、牡蠣（かき）の大なるものは直徑五寸以上のものもあつて、自然の繁殖に任せてあります、是れより南方半島の頂上に達する長い海岸線內に

は眞珠貝の産地として有名であり、現にラパズを中心として可成の年額を海外に出して居ります。

△就中最も驚異に價するものは、低加州南市諸島の一大寶庫であります、是れは幾千年來、海鳥の巢であるが爲め、同島悉く鳥糞で大きく云へば『鳥糞島を蔽ふて島形改まる』とも云ひ得る位、天然の大肥料を包藏して居ります、墨西哥政府も此の價値を認め、民間の資本に別の利權を發給する事を聲明して居ります。

以上は今日まで稍々明瞭となつて居る天産物でありますが、實際に於て一種の事業眼を有し、相當の資力を以つて、此の天然を利用すべき寶庫を發見するだらうと信ずる。然うして最も異樣に感ずるのは開發到らざる處なき米國加州の足元然かも二三百哩の南に、斯くの如き大天然を有しながら打ち棄てゝ顧みられざる國土の存する一事であります。是れは果して將來何人によつて開拓される性質のものでしようか、日本人獨特の技倆たる農業の如きも無限の沃野と、一年を通じて比較的變化のな溫和な氣候とは、あらゆる農作物に適して居る以上、ある程度までは日本人の開發に俟つべき天然ではないでしようか。若し此の大天惠に最初の一鍬を揮ふ人ありとすれば、そは全市の先取權者であるでしよう。

吾人は海外に留まる事二十餘年、此の一大寶庫を故國に紹介するのは當然の義務である事を信ずるものであります此の意味に於て、忌憚なき報告を近き將來に於てなし得る機會を得たいと思つて居ります。（完）

鮮滿蒙支視察の所感（六）

長野縣更級農學校長　矢田鶴之助

○碧山荘

これ、無自覺・不攝生なるものゝ多數によりて、都市生活者に恐るべき流行病を傳播し、唾棄すべき行爲により て常に公衆を不安に導ぐ虞あるが故に之を組織的に、かつ秩序的に、一廓內へ收容したるものなり。煉瓦建の平屋並に二階建の宿舍は、整然として數多く連なり、平屋一棟には九十名、二階屋には百八十名を收容し、各棟には頭長ありて之を取締る。生活必需品は、構內の賣店に於てし、一般市價に比して低廉なり。槪して、苦力は、勤勉にして貯蓄心に富み、一人一日の生活費は、貳拾錢にて足るといふ。苦力の强力なるは、驚くべく、大豆粕四枚の負擔を普通とし、その强力なるは、よく八枚（六十貫）を背負ひて平然たりといふ。

經濟學の教ふるところによれば人力は機械力に比して常に高値なるとせらる。然るに支那苦力は全く之に反す。

こゝに碧山荘を辭して、日淸製油會社の油房を見る。

○油房

油房とは、滿洲大豆より豆油と豆粕とを製出する工場にして、滿鐵沿線にある油房の數は、三百に近く、大連には約其の三分の一を占む。油房の事業實に盛なりといふ

○大連埠頭、旅順の戰跡

大連港は東洋第一として、また世界的のものなり。之を係員に聽くに、自耳義のアントワーフ、獨逸のハンブルグに比するも、遜色なしといふ。その繫船岸壁・船舶待合所等につきて見るも、規模の偉大なること實に驚くの外なかりき。同夜は、泰華樓上に於ける農業關係者合同歡迎に招待せられ、こゝにまた主客歡をつくして、懇談時を移したりき。

吾等は、本日を以て、こゝに滿鮮視察の終局たる旅順を視察することゝなりぬ。旅順の戰跡としては、先づ東鷄冠山北砲壘に對し我軍の突擊、功を奏し、遂に露の驍將なるコントラテンコ少將をして、戰死するに至らしめたる大爆破の跡を吊ひ、階行社に休憩して、關東廳の人々と中食を共にし。白玉山上に登つては、表忠碑に參じ、納骨祠に英靈を吊ひ、山を下りて新市街に入り、二〇三高地として、名高き爾靈山に兩軍の死傷一万五千に及べる我苦戰の跡をたづねて覺えず感激の淚に咽びぬ。頂上の大碑には、乃木大將の詩や、刻せられて、山上の土石また悉く勇士の血に染められたるの感ありき。その詩に曰く

爾靈山陰豈難攀　男子功名期克艱
鐵血覆山山形改　萬人齊仰爾靈山

この戰に於て、乃木大將は、次子保典氏を失はれ、曩には、南山の役に於て、長子勝典氏を失はれしにも係らず平然自若『よくこそ國家のために死んだ』の一語を殘して、攻擊を續けられきとの美談、聽くも薫ばしく感じぬ歸途は、博物館に立寄りて、大谷光瑞伯の寄附にかゝる新疆省發掘の完全なるミイラを其他を視察して、大に和見を開きぬ。

○歸路と解散

夕刻、大連に歸着し、同夜十時出發、翌朝九時、奉天着同驛待合室に解散式をあげ、こゝに、內地に歸還する部隊と分れて、十五名より成れる北支那視察團を組織し、余もまたその一行に加はりぬ。長野縣人にて參加せるは外に櫻井諏訪養糸校長・江幡赤穗公民校長・丹羽上水內西部農校長之に岡谷製糸業者小口次郎氏とを加へて、頗る優勢なりき。

○奉天より北京へ

午前十時十五分、奉天驛發の京奉線によりて、南下せるが、こゝに最も不便を感せるは、邦貨の用をなさゞることにて、また最も不快に感じたるは、二等車の極めて不潔に、支那人より列車內へ吐き棄てらるゝ唾と臭氣(香辛類を食するため)とには、嘔吐を催さんばかりなりしことにて、便所もまた不潔に、到底堪へ難きの感ありし上にも、時を選ばず、列車附憲兵或は普通兵士の列車內を往來する煩累にも、また堪へざるものありき。たゞこゝに慰められたるは、列車の錦州に停車せし時、蒙古

細羊公司筑紫昌門氏が、若き日風を裝へる婦人と旅順公學堂卒業の內地人とを伴ひ同乘車せられ、こゝに種々と支那問題殊に羊毛に關する話をなせる中にも、

本年の羊毛は其の暴騰殊に甚しく、例年に比するときは其の價三倍に達し殆んど手を下し能はざるの窮境にあり。これ、畢竟米國の外交政策に胚胎し、米國商人の買占めに遭遇せる結果なり。我國にして今後油斷大敵に陷らば滿蒙との接觸は、愈々困難となるべし云々との警語は、痛く一行を刺擊せしことにてありき。列車の山海關に着くや、我が北支守備の數名が、停車中一行を見舞ひ來りしことにて、いひ知れぬ心强きを感じたりき。夜明けて、天津に着くや、こゝにまた北京なる滿鉄公所より係員の出迎ありて、地獄に佛の感喜に充たされつゝ午前十時十五分、北京の正陽門驛に着しぬ。下車するや直に稅關より荷物の檢査を受けたる後、自動車によつて日本旅館なる扶桑館へと着しぬ。

○北京の視察

到着の日即第一日の午後は、北京城內、東華門を經て、宮殿に入り、清朝當時の隆昌を偲びしこと、一宮殿の實物すら、時價實に四億圓と評せるゝに至つては、たゞ驚嘆の外なかりき。宮殿の拜觀を了るや、西華門より中央公園に出で、社稷壇の跡を視察し、更に北海公園の景をきはめ、同園內喇嘛の白塔に上り、歸途は、東安市場を一瞥して、その大仕掛なるに驚きぬ。

第二日は、北京城外約四里の玉泉山並に万壽山を視察し特に万壽山につきて、其の贅をつくし、華麗殆んど辭を知らざる乾隆帝の昔と、西太后の海軍擴張費を流用して修築を徹底的に行ひしと傳へらる驕奢の當時とを偲び、亡朝の今日感慨實に無量なるものありき。

歸途は、精華學校を參觀して、米國式の教育氣分が如何に橫溢しあるかに驚き、中央農事試驗場を參觀して、たゞ七尺四寸の大男たる番人に一驚を喫せし外、何等得るところなく、失望せしことにてありき。恰も當日舊歷八月二十七日(孔子祭日)なりしため、文廟卽孔子廟を拜し、その隣れる國子監に立寄りこゝに元代より明代にかけて俊子教育をなせる跡を訪ね、更にまた雍和宮(喇嘛廟)に立寄れるが殿堂・佛像とも蒙古式につくられ、東側の別殿に安置(むしろ秘藏)せる陰陽佛の如きは、醜陋その極に達し、之の見科また三百の喇嘛僧を供養する一部の資

たるを察し、宗教の墮落もこゝに至つて不快實に言語に絕しぬ。

その翌日は、早朝西直門車龍(驛)に馳て、八達嶺驛まで乘車し、この山嶺を連ぬる万里の長城を視察し、同夜は金崎北京日報主筆よりして、支那政局に關する有益の講演を聽きぬ。

第三日は、觀象台に行きしも、朝早かりしため、門內に入るを許されず。引き返して、天壇(明の永樂年間に建築せる垣墻十里の廣濶なる地內に、天を象れる圓形の壇上に於て冬至の早朝歷代の天子親祭せりといふ神苑)を參觀してその偉觀に驚き、更に先農壇を視察して、同じく天子親祭の跡を訪ね、琉璃廠とて往昔琉璃瓦窑の所在地たりしところに支那歷代の文化を集むる書畫骨董書籍の商店を視察して、文學工藝の淵叢たる支那大觀を修養する機會を與へられぬ。同夜は、また早稻田大學出身の賀嗣章氏の訪問ありて、日支親善に關する所感を話されその後滿鐵係員何修漢氏の案內によりて、夜の北京なるものを視察したりき。第四日は、また賀氏の案內によりて、當時の段執政府に教育總長(文部大臣)たりし章士釗氏を訪ねて、農業教育上の意見を叩き、滿鐵公所邸を訪問して、竹中所長より同氏の支那觀なるものを聽き、ロックフェラーの病院を視察しては、その大規模なるに驚き、我が公使館を訪ねて、芳澤公使の人格美に浴し、郊外なる北京農科大學を視察しては、同大學の內容充實上一層の努力を以てすべきことを感じ、歸途夜に入りて白雲觀を參觀しぬ。白雲觀は、元朝以來全眞人派道教の總本山にて、誰かいふ

支那は佛教衰へ儒教頽れたゞ道教あるのみ。

と讃せられし如く、白雲觀にある三百の道士によりて、支那の風教は餘程まで維持せらる。かゝる神秘の教義を視察したる生等は大に感じ是ある哉々々々の讃辭を以て、深く賀氏の案內せる勞を謝した。

○天津視察

午前八時二十五分、北京の正陽門驛を出發せる一行は、午前十一時天津に着し、天津同文書院を視察し、李鴻章の墓に訪で、陳列館を縱覽し、市街を一巡せる後、日・英・佛等の專管租界なるものを視察し、租界公園をも遊歷せるが、英國租界公園に支那人入るべからずとあるに驚き、我國の租界公園に天津神社の辱さを謝し、同夜は

大和ホテルに一泊して、休養し翌日は天津總領事館を訪ねて、總領事の所感を聽き、午後一時出發、濟南に向ふことゝなりぬ。

○德州よりて引返して歸途につく

天津を發せる國際列車は、夕刻德州に着し、今將に山東省內へ入らんとし、夜の九時迄には必ずや濟南へ着して翌日には、泰山を上り、その次は、孔子の墓地たる曲阜に訪でゝ、再び濟南經由、青島よりの海路を選ぶべく、期待せしに、何ぞ圖らん、一行の乘りし列車が、國際列車なりしため、列車附憲兵よりの報告は『南軍今將さに山東に入らんとす、途中の鐵橋は、敵のために破壞せられんとの危きに迫れり南下すべからず』との命令を受けぬ。從つてこれより、この列車を天津經由、北京に引返さんとすと、一行の驚愕と失望とは、たとへんやうもなく、この戰事狀態に制せられてやむなくも、サンチライトに列車の周圍を警戒しつゝ、夜一時天津逆戻の身となり、天津に一日の視察を重ぬる事として、翌朝十一時過天津發その翌夜(夕刻)奉天に着し、一泊して翌日は午前中奉天を視察し、午后三時過の列車にて、朝鮮經由、翌夜行釜山の連絡船によりて、その翌朝馬關に着し、この地にて解散したるが、余は同僚數人と別隊をつくりて中國に於ける農業教育を視察し、豫定通りに歸校して、懷しき職員生徒と久濶を語ふ。こゝに往復を加へて、四十四日を費したるこの行の無事に終了せるを天地神明に謝しぬ。

結論

朝鮮開拓の根本義　としては、山の教育、川の訓練と相俟つて、農業土木の整備に力を致さゞるべからず。之が爲には爲政者・教育者・宗教家・事業家等、ひとしく結束相立つの慨なくんばあらず。要之、朝鮮國土に於ける廣義の環境整理をなすことによりて、鮮人に至善大我の人格者たるやう、眞劍努力の習性遂に神通達成の理想に徹底せしめ、こゝに鮮人の安住氣分と、職業に對する趣味信念を根培するやう、實業教育の使命を人格化せざるべからず。

滿蒙と食糧問題　我國の人口增加は、大正二年より十二に至る十一年間に於て、流感死亡率の多かりし大正七八年の二ケ年を除き、殘る九ケ年の平均は、一年七十五

万人に相當す。この人口増加に對して、食糧増加の程度果して如何。之を大正九年より十三年に至る五ケ年間の平均生産に就て見るに、米に於て其の額五千九百餘万石となり、その間、消費の平均額は六千四百五十万石となるが故に、その差額は年々約六百万石の不足を示すことゝなるべし。この不足を充實する根本解決としては、内治行政上幾多の集約的施設ありとするも、大局として之を見るときは、むしろ之を海の外に求むべく、即ち滿蒙發展策に南米・南洋の信濃村建設と相俟つて、人口分布上より見るも、食料作物増殖上より察するも、大に攻究して、實行化するに至らしめざるべからず。

滿蒙と衣服原料問題　我國民の衣服原料は、主ら棉と毛とによりて供給せらる。然るに、此等は、外國より殆んど大部分の輸入を見る、遺憾のことなりといふべし。即ち棉花の輸入は、四億圓乃至六億圓を往來し、羊毛の輸入額は、五六千万圓より漸次一億圓を突破するに至らんとす。滿鐵會社こゝに鑑み、今後二十個年を期し、三百万頭に近き緬羊の改良を企て、年々の產額四五百万斤に過ぎざるものを、少くとも三倍に向上せんとの計劃すでに成り、その勢力は、支那全土に及ぼし、支那の產毛四千万斤を質的にも量的にも改良を加へ、羊毛の亞細亞モンロー主義は、日支親善の意味に於て、之が遂行を見んとするに至れり。棉作に於ても、朝鮮の増産と相俟つて、滿蒙は勿論、支那全土に向つて、之が進展を見んとす、喜ぶべきの現象といふべし。

滿蒙と農業植民地　嘗て、滿鐵會社は鐵道守備隊の除隊兵に對して、農業經營の方法を授け、十二町乃至二十町の畑地を各別に貸附け、料金一段歩平均六拾錢として、固定資本其の他必要資本は、三百圓以内を限り、年八朱の利子を以て貸付け、三年据置き、十ケ年償還の方法をも具して、之が經營に從事せしめぬ。然るに、大陸農業として、はた、乾燥農事としての研究、不十分なりしためか、之を支那人の同一經營者に比して、その成績の劣れるを示しぬと。かくの如きは、蓋し邦人の勞働能率低くして、生産力薄き割合に、消費力の却つて高きに原因すべしと雖も、前述粟屋農場の實蹟に考ふる時は、これ畢竟研究の不足にして、之が缺陷補充上にも、何等反省を須いざるがためにもあらんか。要之、支那人の長所については、大に學び、之と同時に、我の長所は大に發揮して、誠實の人格美と堪能の手練美を統合せしむるやう、

之を教育の根本的改善に求めざるべからず。

支那人の長所と短所　これ數日視察の管見によりて、斷案の下し得べきにあらず。況んや、北支一部の瞥見なるに於ておや。左に記するは、たゞ一時の直感を、無遠慮に摘出せるに過ぎず、當否固より保證するところにあらざるなり。

支那人の長所は、体身の强健にして負擔力格別にも强く、粗食粗衣粗往に安んじ堅忍力行飽くまで大國民の雅量を發揮し、約束を重んじ、金錢を節約し、家庭生活圓滑に社交も巧妙に、發展的國民として世界的に活躍せることなり。然れとも、短所またなきにあらず、即ち大言壯語的にして、不潔無作法を敢てし、殘忍無關心にして、宗教心薄弱に、教育は偏頗に、しかも一夫多妻の蠻風行はれ拜金万能の下劣免れ難きものあるが上に、利己心强く、產業も因襲これ事とし、團結力薄く、すべてが個人的に殆んど國家的背景に乏しきの憾あることなり。

なほ、國家的に遺憾なるは、貨幣制度の銀本位なるがため、物價に變動を來たし易くして、人心は經濟的に不安なるを免れず。從つて、投機的に射利心の養はれあるがため、精神的にも影響して、人格の下劣を誘致するの失あり。更に、また、貧富の隔絕甚しくして、社會組織は殆んど第一階級と第三階級とに分れ、第二階級の乏しきこととなり。之がため、支那の內治行政は、權力爭の衝となり、教育として見るも、第一階級に厚く、第三階級には無學文盲者の多きこととなり。されど、今や、支那の覺醒運動は、國民教育の上に注がれて、千字教育の普及を第三階級すべてに及ぼしつゝありといふに至つては、こゝに必ずや、恐るべき優良國たるべき時の到來を期待すべきか。この時こそ、眞に亞細亞モンロー主義の實現する黃金時代ならんか。吾人は、支那のために、はやくこの時到りて、我が國と共に、世界大美の上に貢献せんことを望んでやまざるものなり。（完）

松かげに寢て喰ふ六十余州哉　（一茶）
名月やごらんのとほり、くづ屋なり　（一茶）
雁よ雁いくつのとしから旅をした　（一茶）
信濃なる一茶が里は秋ちかり、鎌打つ音のさへて聞こゆる　（御風）
信濃なる千曲の河の岸にして、靜かに聞きし秋風の音　（御風）

海外視察組合ニ就イテ

海外視察組合設立趣意書

本會ハ左ノ趣意ニヨリ海外視察組合ヲ設立ス

一、海外發展ノ思想ヲ鼓吹シ協力一致シテ國民的大運動タラシムルコト。
二、各地方ノ繁閑、思想ノ傾向、氣候、風土ノ狀況等ヲ考慮シ其ノ地方ニ適切ナ海外發展ノ施設ヲナスコト。
三、海外發展ノ講演會、講習會、指導員幹部養成等ノ基礎機關ノ設立ヲナスコト。
四、普ク海外各地ノ觀察調査ヲナシテ以テ世界ヲ舞臺トスル公民ノ養成ヲナスコト。
五、海外視察ノ旅費調達並ニ勤儉貯蓄ノ實際的具体的施設ヲナス。海外視察ノ爲ニハ最モ簡便ナル無擔保低利ノ月賦返濟ノ旅費調達機關トナリ觀察見學ノ機會ヲ得ザリシ者ノ爲ニハ最モ有利ニシテ確實ナル貯蓄機關トナル而シテ海外視察ノ希望ト抱負トヲ實現スルニ最モ機宜ニ適シタル施設ナリ。
六、海外視察ニ行カザル者ノ海外發展ノ修養ニ資スルコト。海外視察旅行ヲナス能ハザルモノモ視察者ノ報告組合ノ各種ノ海外發展ノ修養會等ニ依リ海外發展ニ關スル修養ヲナスコトヲ得。
七、海外發展ノ基礎的根本的ノ施設トナス
（イ）植民ノ社會教育ノ機關トモナル。
（ロ）植民學校設立ノ基礎トモナル。
（ハ）植民ノ金融關係トモナル。
（ニ）移住組合法決定後ハ移住地建設其ノ他移住民事業ノ金融方面ノ實行機關トモナル。
八、豫定ノ計劃
（イ）（1）各町村ニ少クトモ一組合以上設立
（2）一郡内ニ二〇組合設立（十六郡）
（3）一市内ニ一〇組合設立（三市）（縣廳内五組合）
（4）其他五組合設立（工場其ノ他）
累計三六〇組合設立
（ロ）組合員三、六〇〇人
維持會員三、六〇人
普通會員三、二四〇人
（ハ）組合總貯金額設立ヨリ三ケ年間
一組合貯金額　壹八貳八圓
三六〇組合貯金額六五萬〇〇〇〇圓
（ニ）海外視察員組合設立ヨリ三ケ年間內
一組合　二人內外
三六〇組合　七二〇人內外
（ホ）海の外發送冊數組合設立ヨリ三ケ年
組合員三六〇〇人　一二九、六〇〇冊

海外視察組合規約

第一章　名稱及目的

第一條　本組合ハ海外視察組合ト稱ス
第二條　本組合ハ海外事情ノ研究視察ヲナシ海外發展ニ資スルヲ以テ目的トス

第二章　組織及役員

第三條　本組合ハ十名以上ノ信濃海外協會員ヲ以テ組織シ第一種組合員一名、第二種組合員二名、第三種組合員七名ヲ以テ一組合トス但シ特別ノ場合ハ十名以下ニテモ組合ヲ組織スルコトヲ得、
第四條　組合ニ左ノ役員ヲ置ク
組合長　一人
理事　一人
第五條　役員ハ信濃海外協會ニ於テ之ヲ定ム
第六條　役員ノ任務左ノ如シ
組合長ハ組合ヲ統理ス
理事ハ組合長ヲ補佐シ會計其ノ他組合ニ關スル一切ノ庶務ヲ掌ル
理事ハ組合長事故アルトキ其ノ職務ヲ代理ス
第七條　組合長又ハ理事其ノ職ヲ辭セムトスルトキハ信濃海外協會ニ之ヲ屆出ヅヘシ
第八條　組合ノ監督ハ信濃海外協會之ニ當ル
第九條　組合員止ムヲ得ザル事故又ハ死亡等ノ爲退會セムトスルトキハ其ノ家族又ハ親戚知人等ノ中ヨリ自己ニ代ルベキ適當ノ組合員ヲ選定シ其ノ權利義務ノ繼承ヲナシ連署ヲ以テ組合長ニ屆出ヅヘシ

第十條　組合員ニハ信濃海外協會ノ發行雜誌「海の外」ヲ毎月贈呈ス

第十一條　組合ハ之ヲ聯合シテ聯合會ヲ設クルコトヲ得
聯合會ノ規約ハ信濃海外協會ニ於テ別ニ之ヲ定ム

第十二條　組合ハ事務打合セノ爲毎年春秋二回組合會ヲ開クモノトス但シ必要ニ依リ臨時ニ之ヲ開クコトヲ得
組合長又ハ理事ハ組合會ヲ開キタルトキハ組合ノ事務及會計ノ狀況ヲ報告スルモノトス
組合會ヲ開キタルトキハ組合長ハ會議ノ事項及其ノ狀況並結果ヲ信濃外海協會ニ報告スヘシ

第三章　事　業

第十三條　組合員ハ第二條ノ目的ニ充ツル爲左記ノ種別ニ依リ三ケ年間一定額ノ定期貯金ヲ爲スモノトス
(一)第一種組合員(信濃海外協會特別又ハ維持會員)
毎月金九圓宛カ又ハ六月、九月、十二月ノ三回ニ毎回金參拾六圓宛ノ定期積金ヲナスコト
(二)第二種組合員(信濃海外協會普通會員)毎月金六圓宛カ又ハ六月、九月、十二月ノ三回ニ毎回金貳拾四圓宛ノ定期積金ヲナスコト
(三)第三種組合員(信濃海外協會普通會員)毎月金參圓宛カ又ハ六月、九月、十二月ノ三回ニ毎回金拾貳圓宛ノ定期積金ヲナスコト

第十四條　組合員ノ貯金ハ組合設立ノ際其ノ第一回ノ拂込ミヲナシ爾後滿三年間第十三條ニ依ル貯金ヲナシ其ノ期間中ハ天災地變又ハ止ムヲ得サル場合ノ外拂戻シヲ爲サヽルモノトス

第十五條　組合員ノ貯金ハ信濃海外協會ノ指定スル銀行又ハ信用組合ニ預金スルモノトス

第十六條　組合員ノ貯金ニ付テハ其ノ貯金ヲ預入スル銀行又ハ信用組合ニ於テ附スル利子ノ外信濃海外協會ニ於テ其ノ銀行又ハ信用組合ノ利子計算期毎ニ三年間年利二歩ニ相當スル奬勵金ヲ交付ス

第十七條　組合員ハ信濃海外協會員トシテノ會費ヲ毎年四月中ニ納入スルモノトス

第十八條　組合員並其ノ家族ニ於テ特別ノ災厄ニ罹リ貯金ノ拂戻シヲ爲サムトスルトキハ組合長並信濃海外協會ノ承認ヲ得テ其ノ一部又ハ全部ノ拂戻シヲ爲スコトヲ得

第十九條　組合員ハ海外事情ノ研究ニ志シ不斷ニ其ノ修養ヲ爲スモノトス
組合ハ三箇年間ニ於テ少クモ二人以上ヲ海外ニ派遣シ其ノ事情ノ視察研究ヲ爲スモノトス但シ臺灣、樺太、北海道、朝鮮、滿洲ハ此ノ視察派遣ノ範圍トス

第二十條　組合員ノ貯金ニ付テハ指定銀行又ハ指定信用組合ニ於テ各組合員毎ニ所定ノ通帳ヲ作成シ貯金ノ都度之ニ記入スルモノトス
組合員ノ貯金通帳ハ其ノ貯金ノ取扱ヲ爲ス銀行又ハ信用組合ニ於テ之ヲ保管ス

第二十一條　組合長ハ組合員ノ貯金ノ實行ニ付キ督勵ヲ爲シ毎月又ハ六月、九月、十二月ニ於テ三回其ノ通帳ヲ檢閲シ檢印ヲ押捺スルモノトス

第二十二條　組合員ハ組合創立ノ日ヨリ三年間ノ中ニ於テ一回海外視察研究ノ目的ヲ以テ信濃海外協會ノ指定銀行又ハ指定信用組合中其ノ定期積金預入ヲ爲ス銀行又ハ信用組合ヨリ隨時左記ノ金額借入レヲ爲スコトヲ得

第一種組合員(一時金)
　第一年目ノ者金參百參拾貳圓以内
　第二年目ノ者金參百參拾六圓以内
　第三年目ノ者金參百四拾七圓以内

第二種組合員(一時金)
　第一年目ノ者金貳百貳拾圓以内
　第二年目ノ者金貳百貳拾四圓以内
　第三年目ノ者金貳百參拾圓以内

第三種組合員(一時金)
　第一年目ノ者金壹百拾圓以内
　第二年目ノ者金壹百拾貳圓以内
　第三年目ノ者金壹百拾五圓以内

第二十三條　組合員前條ニ依リ借入金ヲ爲サムトスルトキハ組合員中組合滿期迄借入金ヲ爲サヽル者ノ連帶保證借用金證書ヲ作リ組合長ヲ經テ第二十二條ノ銀行又ハ信用組合ニ差出スベシ
借用金連帶保證人ハ組合長ノ承認ヲ經タル場合ハ組合員以外ノ者ヲ以テ充ツルコトヲ得但シ此ノ保證人ニシテ債務ヲ果サヽルトキハ組合長之ヲ辨濟スルモノトス此ノ組合長ハ其ノ承認ヲ與ヘタル當時ノ組合長ヲ云フ

第二十四條　借入金ヲ爲シタル組合員ハ償還ニ充ツル爲其ノ借入ヲ爲シタル月ヨリ左ノ種別ニ依ル積立金ヲ爲スモノトス

第一種組合員

第一年目中借入レノ場合

	毎月積立者	年三回積立者
第一年目	月額一一圓二五	四五圓
第二年目	同　一〇、五〇	四二
第三年目	同　九、七五	三九

第二年目中借入ノ場合

	毎月積立者	年三回積立者
第一年目	月額　九圓〇〇	三六圓
第二年目	同　一〇、五〇	四二
第三年目	同　九、七五	三九

第三年目中借入ノ場合

	毎月積立者	年三回積立者
第一年目	月額　九圓〇〇	三六圓
第二年目	同　九、〇〇	三六
第三年目	同　九、七五	三九

第二種組合員

第一年目中借入ノ場合

	毎月積立者	年三回積立者
第一年目	月額　七圓五〇	三〇圓
第二年目	月額　七、〇〇	二八
第三年目	同　六、五〇	二六

第二年目中借入ノ場合

	毎月積立者	年三回積立者
第一年目	月額　六圓〇〇	二四圓
第二年目	同　七、〇〇	二八
第三年目	同　六、五〇	二六

第三年目中借用ノ場合

	毎月積立者	年三回積立者
第一年目	月額　六圓〇〇	二四圓
第二年目	同　六、〇〇	二四
第三年目	同　六、五〇	二六

第三種組合員

第一年目中借用ノ場合

	毎月積立者	年三回積立者
第一年目	月額　三圓七五	一五圓
第二年目	同　三、五〇	一四
第三年目	同　三、二五	一三

第二年目中借用ノ場合

	毎月積立者	年三回積立者
第一年目	月額　三圓〇〇	一二圓
第二年目	同　三、五〇	一四
第三年目	同　三、二五	一三

第三年目中借入ノ場合

	毎月積立者	年三回積立者
第一年目	月額　三圓〇〇	一二圓
第二年目	同　三、〇〇	一二
第三年目	同　三、二五	一三

(以上區分中第一年目第二年目第三年目等ハ創立ノ月ヨリ十二箇月ヲ以テ算スルモノトス)

第二十五條　借入レノ金額第二十二條ノ最高限度以下ナル場合ハ前條ノ積立金ハ借入金額ニ比例シテ減スルモノトス

第二十六條　組合員ノ積立金總額ハ創立ヨリ滿三年後ノ各人名義ノ貯金通帳ニ記載ノ金額トス

第二十七條　組合ノ爲メニ要スル費用ハ之ヲ負擔スルノ義務アルモノトス但シ此ノ費用ハ組合存續期間中各人ノ積立貯金中ヨリ支出スルコトヲ得ス

第二十八條　組合員ハ創立ノ際定メタル種別ノ積立金額ヲ增減スルコトヲ得ス但シ第二十二條ノ借入金ヲ爲シタル者ハ此ノ限ニ在ラス

第二十九條　組合員ニシテ第二十二條ニ定メタル最高限度ノ借入金ヲ爲シタル者ハ組合解散ノ場合其ノ者ノ所有ノ貯金通帳記載ノ金額ハ其ノ儘借入銀行又ハ信用組合ヘ返濟金トナル其ノ積立金ニシテ第二十四條ノ積立金總額ヨリモ少額

ナルモノハ其ノ不足額ヲ借入銀行又ハ信用組合ヘ支拂辨濟スルノ義務アルモノトス若シ債務者タル組合員其ノ義務ヲ履行セザルトキハ其ノ連帶責任アル組合員又ハ別ノ保證人之ヲ辨濟スルモノトス

第三十條　組合員ニシテ借入金ノ額第二十二條ニ定メタル最高限度以下ナル者ハ借入金最高限度ヲ爲シタル場合トノ比例ニ依リ算出シ前條ヲ準用ス但シ返濟シテ殘餘金ヲ生シタルトキハ其ノ殘餘金ハ其ノ組合員ノ所得トナルトス

第三十一條　組合ハ其ノ事業トシテ毎年一回以上總會ヲ開キ海外發展ニ關スル研究會又ハ講演會講習會ヲ開催スルモノトス

本條ノ爲要スル費用ハ組合ノ負擔トス但シ信濃海外協會ヨリ相當補助スルコトアルベシ

第三十二條　組合員海外視察ノ場合ハ信濃海外協會ハ視察費ノ補助、人物ノ紹介支部トノ聯絡等ニ依リ便宜ヲ計ルモノトス

第三十三條　組合ニ於テ海外視察員ヲ派遣シタルトキハ其ノ氏名、視察目的、日數、視察地名等ヲ、歸朝シタルトキハ其ノ視察概況ヲ組合長ヨリ信濃海外協會ニ報告スルモノトス

第三十四條　前各條ノ義務ヲ履行セザル組合員並組合ハ其ノ特種ノ權利及特點等ヲ失フコトアルベシ

第四章　組合ノ解散

第三十五條　組合ハ創立第一回ノ貯金ノ月ヨリ三年ヲ以テ存續期限トシ期限滿了後三月以內ニ會計及事業ノ整理ヲ完了シ第三十九條ノ承認ヲ經タル上解散スルモノトス

第三十六條　組合ノ整理完了後各人ノ貯金通帳ニ記載シアル積立金ハ各其ノ組合員ノ所得トス

第三十七條　組合員中借入金ヲ爲シタル者ハ其ノ返濟ニ關シ第二十九條及第三十條ノ義務ノ履行ヲ爲スコトヲ要ス若シ之ヲ履行セザル者アルトキハ其ノ組合ハ解散スルコトヲ得ス此ノ場合其ノ組合員全部ハ其ノ返濟ニ關シ連帶債務ノ責任義務アルモノトス

第三十八條　組合員中信濃海外協會ノ會費ヲ完納セザル者アルトキハ其ノ組合ヲ解散スルコトヲ得ス此ノ場合其ノ組合員全部ハ其ノ會員會費ノ未納總額ニ對シ納入完了ノ連帶責任義務アルモノトス

第三十九條　組合ノ解散ハ組合長信濃海外協會及同會ノ指定シタル銀行又ハ信用組合代表者協議シテ之ヲ承認スルモノトス

第四十條　組合員ハ組合ノ解散承認ヲ得タル後ニアラザレバ自己通帳ノ貯金ヲ拂戾スコトヲ得ス

第四十一條　組合ノ解散ヲ承認セラレタルニアラザレバ組合員ノ貯金ニ付テハ指定銀行又ハ指定信用組合ハ其ノ拂戾シヲ爲サヾルモノトス

第四十二條　組合ハ解散スルモ組合員ハ依然信濃海外協會員タルモノトス

第四十三條　組合ハ存續年限滿了スルモ解散セスシテ更ニ三年間之ヲ新ニ繼續スルコトヲ得但シ特別ノ事情アルモノニ限ル

第四十四條　解散ニ關シ特別ノ事情アルトキハ信濃海外協會並同會指定ノ銀行又ハ信用組合其ノ衝ニ當ルモノトス

第五章　信濃海外協會指定ノ銀行及信用組合

第四十五條　信濃海外協會ハ海外視察組合員ノ定期積金預入トシテ左記銀行及信用組合ヲ指定ス(例)

株式會社何々銀行本店
同　支店
同　代理店
何郡何町村　何々責任信用何々組合
何市　何々責任何々庶民信用組合

第六章　組合ノ經營並指導

第四十六條　組合ノ經營並指導者左ノ如シ(例)

1、組合全般ニ關シ信濃海外協會
2、組合員ノ定期積金並貸付金一切株式會社何々銀行本支店及ビ代理店
　何郡何町村何々責任信用組合、何市何々庶民信用組合

第四十七條　組合長並理事ノ手當報酬ハ組合員ノ負擔トシ其ノ額ハ組合ニ於テ之ヲ定ム

第四十八條　組合員ハ所定ノ積立金ヲ所ノ期限內ニ組合ニ納入シ組合長ハ所定ノ銀行又ハ信用組合ニ預入シ各組合員名義ノ貯金通帳ニ記載ヲ受クルモノトス

組合ヲ經スシテ所定ノ銀行又ハ信用組合ニ貯金シタルトキハ其ノ旨組合長又ハ理事ニ屆出承認ヲ受クベシ

第四十九條　組合員所定ノ積立金額ヲ所定ノ期間內ニ貯金シタルトキハ其ノ都度毎月積立ノ者ニハ貳拾錢三回積立ノ者ニハ八拾錢ノ奬勵金ヲ交付ス

第五十條　組合ハ組合員中所定ノ積立金額ヲ所定ノ期間ニ貯金セザル者ヨリ其ノ都度毎月積立ノ者ヨリハ貳拾錢年三回積立ノ者ヨリハ八拾錢ノ過怠金ヲ徵收ス

第五十一條　組合員ハ組合設立ノトキヨリ毎年其ノ初メノ月ニ於テ貯金奬勵資金トシテ金貳圓四拾錢ヲ組合ニ納入スルモノトス

第五十二條　組合員ハ組合長及理事ノ手當資金トシテ毎月所定ノ積立金額ノ外金貳拾錢ヲ組合ニ納入スルモノトス但シ理事ノミニ手當ヲ給スル場合ハ毎月金拾錢ヲ納入スルモノトス

年三回ニ積立金ヲナス者ハ所定ノ積立金額ノ外前項ノ月額四ケ月分ヲ其ノ都度組合ニ納入スルモノトス

組合ハ組合員中右期間ニ納入ヲ怠ル者アルトキハ過怠金トシテ金五拾錢ヲ徵收ス

第五十三條　組合ノ存續期間滿了シ淸算ノ上殘餘金ヲ生シタルトキハ組合員ノ協議ニ依リ適宜之ヲ處分スルコトヲ得

第五十四條　組合ノ事務所ニハ左ノ標札ヲ揭クベシ

信濃海外協會
何町村何々 } 海外視察組合事務所

第五十五條　組合事務所ニハ左ノ帳簿ヲ備ヘ常時之ヲ整理シ置クベシ

(一、)會員名簿(信濃海外協會員)
　其ノ組合所在市町村內ノ信濃海外協會員ノ名簿

(二、)組合員名簿
　組合員ノ住所、氏名、生年月日、組合員トナリタル年月日、組合員ノ種別、貯金通帳番號、通帳檢閱年月日、異動等ヲ明カニ記載シ置クコト

(三、)會計簿
　組合ノ收支一切ヲ記載シ明カニシ置クコト

(四、)組合日誌
　組合トシテ重要ナル事項ヲ記載シ他日ノ參考トナスコト

(五、)役員名簿
　組合長理事ノ氏名就退職年月日ヲ明記シ置クコト

附　則

第五十六條　本規約ノ改正ヲ爲サムトスルトキハ豫メ信濃海外協會ノ承認ヲ受クベシ

第五十七條　本規約ハ大正十五年　月　日ヨリ之ヲ施行ス

一　備　考

市町村ノ事情ニ依リ本規約中第四十九條第五十條及第五十一條ハ之ヲ設ケザルコトヲ得

海外視察組合組合員貯金收支關係及其ノ利益

一、組合員ノ貯金關係

1、海外視察ヲ爲ス組合員ノ部

第一種組合員（毎月金九圓宛カ又ハ一回金參拾六圓宛年三回三年間積立ヲナスモノ）

借入年	借入レシ得ベキ金額	積立金
第一年目	三三二圓〇〇	三七八圓〇〇
第二年目	三三六、〇〇	三五一、〇〇
第三年目	三四七、〇〇	三三三、〇〇

第二種組合員（毎月金六圓宛カ又ハ一回金貳拾四圓宛年三回三年間積立ヲナスモノ）

借入年	借入レシ得ベキ金額	積金立
第一年目	二二〇圓〇〇	二五二圓〇〇
第二年目	二二四、〇〇	二三四、〇〇
第三年目	二三〇、〇〇	二三三、〇〇

第三種組合員（毎月金參圓宛カ又ハ一回金拾貳圓宛年三回三年間積立ヲナスモノ）

借入年	借入レシ得ベキ金額	積立金
第一年目	一一〇、〇〇	一二六、〇〇
第二年目	一一三、〇〇	一一七、〇〇
第三年目	一一五、〇〇	一一一、〇〇

2、海外視察ヲ爲ス機會ヲ得ザル組合員

組合員種別	積立金總額	組合滿期ノ際受領金額
第一種組合員	三二四圓〇〇	三六九圓六三
第二種組合員	二一六、〇〇	二四六、四二
第三種組合員	一〇八、〇〇	一二三、二一

二、組合員ノ受クル利益

1、金利ニ付テ

郵便貯金（普通、年四分八厘／定期、年五分四毛）
銀行貯金（普通、年五分四毛前後／定期、年七分前後）
簡易保險（郵便貯金以下）
有價證券（年五分前後）
有利ノ株券（年一割前後）
無　盡（相互相殺）
保　險（低利相互共濟）

組合員ノ貯金ハ確實ニシテ有利

（一）、預入レノ銀行又ハ信用組合ニ於テ附スル利子ノ外信濃海外協會ニ於テ年利二分ニ相當スル奬勵金ヲ交付スルヲ以テ利廻リ年九分以上ニ當ル（三年間）

（二）、通帳各人名義

三年据置規約貯金

2、雜誌「海の外」配布
三年間ニ三十六册　代金七圓貳拾錢（一册貳拾錢）ノモノ配布ヲ受ク

3、海外視察談ノ聽講
樺太、臺灣、朝鮮、滿洲、南洋、比律賓、布哇、支那等ノ組合員ノ視察談又ハ名士ノ海外發展ニ關スル講演等ヲ聽クコトヲ得
其ノ他世界各地ノ海外發展者ノ海外事情談等ヲ便宜聽クコトヲ得

4、隨時無抵當ニテ低利ノ月賦返濟法ニ依リ海外視察研究費ヲ借リ入ルコトヲ得

5、勤儉貯蓄ノ美風ヲ養成スルコトヲ得希望抱負ニ充テル樂シキ勤儉貯蓄ヲ爲スコトヲ得

海外通信

故國の若人の奮起を促がしたく候

在フヒリツピン　田中壽治

拜啓　貴會益御隆盛の趣奉賀候　毎月御發行の「海の外」御送付に預り厚く御禮申上候　協會の發展と變り行く故國の模樣を知る嬉しさは在外者ならでは味はれぬ所と存じ候。

忘れ難き故鄕を離れて場所は變れど同じ心待で奮鬪する在外各地の諸君の通信、記事も共鳴せられ限りなき慰藉を覺え申し候。

小生も當地に渡航してより最早十ケ年近き年數を迎へ候へ共未だ微々たるものにて漸やく生活の安定を得たるに過ぎず候　然し渡航當時の決心と覺悟とは今尚腦裡に深く常に努力を惜まざる者にて候

熱帶地とは言へ當地の凌ぎ易き氣候には渡航者の誰もが感ずる所にて朝夕は手足の冷やかに感ずる程の時も有之候

開墾は別として麻園、椰子園の勞働は內地農業勞働に比較して誠に樂にて涼風、葉影を透す時の爽快は實に言難き所に候。人口過剩、生活難、農村疲弊等の問題に騷ぐ故國を思ふて此の沃野に伸々と活動する小生等の身の幸福を感ずると共に故國に苦しみつゝある若人の奮起を促がしたく思はれ申し候。

幸ひに貴協會益々海外發展の奬勵に御盡力被下「アリアンサ」移住地建設の如きは機宜に適したる國家的事業にして異鄕にある我々も共に歡喜と致す次第に候

邦人の奮鬪と努力に依て開發せられし當タバオも一時不況のため（歐洲大戰後）沈滯せし事も有之候しが近年に至り又開墾に生產に諸般の進展實に著しき有樣にて本縣人も麻、椰子の事業は勿論會社に商店に追々發展致し居り候

本年三月より日本郵船の濠州行船舶も寄港せらるゝに至り再渡航者の數は增し殊に同伴者又は呼寄せの女性も多く確實なる發展と永住的基礎を成しつゝある事も窺はれ申し候

末筆ながら貴會の尙一層の御繁榮を祈り候。本日山口久行君と兩人にて二十比送金仕り候間御受取被下度候

（八月一日）

福島海外協會設立を望んで

在北米　森代喜一

海外移民運動に就いて貴兄の熱心なる御盡力を感謝すると共に着々其の効果の現はれつゝある事を喜び居り候　就て我が鄕里福島縣に於て海外協會を起し尙植民地の建設を圖らんと同志の者を募り多くの希望者をも出し居る次第にて其ため過日は同鄕の先輩國府田敬三郎氏の歸國に際して海外協會設立の運動を依托したる次第に候小生の一生は海外に於けて同胞移民のために献げる覺悟に候へば植民地建設のためには其の小使たるを辭さぬ決心に候それにしても鄕里の方面に運動を開始し北米に於いても縣に於ても相當の同志者を得て居る事とて縣を動かして「もの」にしたき考に候　小生は都合により明春は南米に旅行致し度く存じ候

當地にもサクラメント、スタクトン、フレスー、ハンホートの各地を廻り同胞の狀態を觀察し縣人にも會ひ寄り／＼各地より相當の讃成者も有之候

私共の加州に於ける南米發展運動は靑年の間より次第に起し資產ある者へ移り行く感致し候

北米の第二世は第一世の人々と融合せず此の儘に米化して行けば第三代目には全く米國人と化して大和民族として感化などは殆んど土地を拂ふに至らんかと思はれ候　今日の第二世の現狀を見ては子孫の將來に憂慮に堪えず候

北米に於ける我が痛手を癒すため南米への地に拔くべからざる根底を今より築す事は必要に存じ候尙小生等は海外協會設立及び植民地建設のために種々の運動を實行致し度く候につき今後共御教示に預り度く御依賴申上候

あの日本人達は植民でなく旅行者

在伯　香山六郎

啓、益御淸鬪賀上ます。

先月中旬揮旗農學士より弊社用の活字を僅かばかし買入に老兄を煩はしましたが該註文書はさだめし御落掌被下た事と遙察、玆に改めて小生よりも御便宜御はかりを賜はり度御願申出でます實は小生よりも早速御挨拶仕るべき處揮旗氏の返書（註文發送の）が途中紛失致した爲め斯く延引致しました惡からず御思召下さい。

四日ばかり前、ラプラタ丸でのアリアンサ植民九拾餘名の方々が當芭市を通過されました、輪湖君に伴はれて芭驛の就業員等が、それを噂し合つてゐた處をきけば

「あの日本人達は植民でなく旅行者だらうと」彼等が、そう想つた程今度のアリアンサ行の方々は奇麗でした、服裝も、眼光も日本植民が創まつて以來最初の智識階級の團体的移住であつたろうと、私共も肩身が擴いような、心強いような氣になりました。

海興は商賈の上からも服裝のよくない人々のみをわざとにも送りました、そうして彼等は植民の腦髓組織を忘れていました。

老兄等の御盡力によつて、在伯。植民の將來の腦髓組織が分子になる人々を斯うして送つていたゞけばほんとに私共は力強くなると嬉しう御座いました。

一行はバウルを午后一時の汽車でリンス迄出發しました、客軍の不足からワゴンの中に這入つた方もありました、屹度其夜はリンス宿りであつたでしよふ。

アリアンサには一人も未だマレツタ病人が出ませぬ他の植民地には存外本年はマレツタ患者が多かつたのですが、天祐だと輪湖君と噂し合つてます。

八拾五万圓問題で當地では皆緊張味を見せて賑やかで御座います。

ノロ線の植民借款中央團が成立不能に陥り貸附はパウル領事館直接衝にあたる事になりました、其問題で昨日多羅間氏はリオから歸りました、同伴したノロ線の代表上塚山根間崎の三君はまだ歸りませぬ。

上塚氏は「背の髓までお酒がしゆんで」の生活で舊知は案じて居ります。星名翁は老いて益旺んです「俺は獏を伴れた老子の樣な男の思想になつてから漂然妻子に會いに行くだろう」と漏らされてます。

聖市海興派の横暴時代の凋落ボツボツと襲つて來ます。

今後の政治は赤松總領事を中心にして振動が起るでしよふ。

瀧澤仁三郎氏常盤ホテルに陣どれど旋風は何うも起りそうに見えません。

今日は本年に入つて始めての寒さらしい朝をカフエーに迎えました、拂曉四時半十度半でした。カフエーに害する霜でもありませんが、田舍の方は薄霜だつたようです。

棉の値アローバ七ミル、籾値俵十五ミル、籾をとらぬソロカパナ線の棉作者の大部はノロ線へと沒落しかけました食糧に窮して。何處も同じ秋の暮にアリアンサの輪湖君丈けはビンボ籤をはづれて、昨年から大あたり歲だと、友達間の羨望になつて居ります。

終りに「兩米再巡」の貴著の御贈送に對しおくれはせながら厚く御禮申述べます。

一九二六年七月五日

母國通信

早速藏相逝去 早速大藏大臣は八月十三日午後五時死去した早速氏は明治元年生れの廣島縣の出身で早稻田大學卒業後縣會議長、市會議長等にあげられ衆議院議員には前後八回當選して大隈內閣時代には副議長となり財政經濟には殊に精通して大正十三年護權內閣の成立と同時に鐵道大藏政務次官となり農林大臣から大藏大臣に轉じて今日に至つたもので家庭には賢婦人に大正四年に死去されてからやもめ暮しの至つて惠まれてゐない境遇だつた。

內閣一部改造 藏相早速整爾氏の死去と共に若槻首相は憲政會筆頭總務藤澤幾之輔氏の入閣を決定して左記の如く一部內閣の改造補充をした

商工大臣 正四位勳二等 片岡直溫
任大藏大臣
任商工大臣 正五位勳三等 藤澤幾之輔

人口食糧問題解決策

政府は人口食糧問題の解決を圖る爲めに內閣直接の大調查機關設置の方針であるが此我が國將來の根本問題たる人口食糧問題の解決策としては每議會に於いて論議せられて居るが單に農村の疲弊困憊を救濟する事を眼目として居る併し今回設立される調查機關に於いては其の根本方針を確立する意向であるが人口食糧問題の解決は移民の奬勵農村の開發助長其の他種々の事項が含まれ移民、奬勵には海外移民國內移住の二途で海外移民の行き詰つて居る我が國に於ては此の方面の局面打開をなす事が急務であるけれ共最近獨逸を始め歐州諸國では國內移住に全力を注いで居る狀勢である我が國に於ても其の點に留意され北海道拓殖計劃を始め適當の施設をなされて居るが尙ほ非常に多數の未開墾地があるので之れが開墾に努力する爲めに獨逸其の他の諸國が人口食糧問題解決の爲めに强制土地收用法を制定し五十町步以上の土地を有する者は强制的に適當の價格で收用し之れを二十五ケ年賦で償還する條件で移住者に分割貸與する方策を講じて居る之等に鑑み我が國も之に傚ひ之等强制法を適用せんとする意向が政府部內にある隨つて調查機關の設置を此强制土地收用法が審議立案される模樣で此强制土地收用法の制定は人口食糧問題解決策の根幹とされるものと期待されて居る

南洋貿易會議

外務省主催の南洋貿易會議は十三日午前九時より衆議院豫算委員室に於て開會することに決定し議題は

第一回南洋貿易會議議題

第一、南洋及印度方面に於ける企業及び投資

一、將來有望なる事業如何
二、企業及び投資に關する調查及び情報につき考慮を要する事項如何
三、企業及び投資の助成方法殊に左記の條項に關し考慮す可き點如何
(イ)最も有効なる企業組織
(ロ)小企業の保護
(ハ)在外本邦從業者の誘掖保護
(ニ)資源開發上の利便
(ホ)國家に於て試驗なし又は保護を要する事業如何
(ヘ)運動の關係の改善如何
(ト)通信施設の改善如何
(チ)企業及投資に關し金融上考慮す可き事項如何

第二、南洋及び印度方面に於ける貿易及び海運

一、將來有望なる輸出入品如何
二、本邦商品の品質其の他に關し改善を要する事項如何
三、本邦輸出業者の取引方法中改善を要する事項如何
四、本邦輸入業者の取引方法中改善を要する事項如何
五、本邦品廣告紹介に關し考慮を要する事項如何
六、貿易に關する調查及び情報に就き考慮を要する事項如何
七、貿易に關する金融及爲替取引方法に關し改善を要する事項如何
八、貿易速進上通信及び運輸並に倉庫に關し改善を要する事項如何
九、東邦定期航路の改善及び新設に關し考慮を要する事項如何
十、貿易速進上保險に關し考慮を要する事項如何

第三、關稅及び通商條約

一、南洋及び印度方面に於ける企業及び投資の助成並に貿易（仲繼貿易を含む）速進上內外品の關稅率及び稅關設備手續きその他に關し考慮を要す可き事項如何
二、南洋及び印度方面に於ける企業及び投資助成並に貿易速進上通商條約及び內外の法規につき考慮すべき事項如何尙ほ部會は左の如し

一、企業及び投資
二、輸　入
三、輸　出
四、通信及び運輸
五、調查及び情報
六、金　融
七、法　規

昨年度の人口增加八十七萬人

かねて調查中であつた大正十四年度帝國人口統計はこの程完了、その概要は九月一日の官報で公布したが內地における婚姻、離婚、出生、死產、死亡及人口自然增加の概要は左の通りである

一、婚姻件數　五十二萬千四百三十八件（昨年より八千三百八件增加）
二、離婚件數　五萬一千六百八十七件（昨年より八十三件減）
三、出生總數　二百八萬六千九十一人
四、死產總數　十二萬四千四百三人（前年より千四百三十六人減）
五、死亡總數　百二十一萬七百六人（前年より四萬四千二百四十人減）
六、人口自然增加　死亡に對する出生の超過は八十七萬五千三百八十五人で從來の最高であつた前年の七十四萬三千五百七十四人より多きこと、なほ十三萬餘人、歐洲諸國の最近の自然增加率に比するとオランダが我國より高いのと、イタリーがやゝ我國に近いのを除いてはるかに高い、以上朝鮮、臺灣、樺太、南洋群島、關東州及び外國などにおける內地人の婚姻、離婚、出生、死亡を加へた帝國人口動態統計の總數は左の通りである

婚　姻　五二五、一八一
離　婚　五二、〇六一
出　生　二、一二七、四三九
死　產　一二四、四〇六
死　亡　一、二二九、二二二

十萬以上の日本全國の都市

內地にある人口十萬以上の都市は次のとほりです

大　阪　二百十一万四千八百四人
東　京　百九十九万五千五百六十七人
名古屋　七十六万八千五百五十八人
京　都　六十七万九千九百六十三人
神　戶　六十四万四千二百十二人
橫　濱　四十万五千八百八十八人
廣　嶋　十万五千七百三十一人
長　崎　十八万九千七十一人
函　館　十六万三千九百七十二人
金　澤　十四万七千四百二十人
熊　本　十四万七千百七十四人
福　岡　十四万六千五人
札　幌　十四万五千六十五人
仙　臺　十四万二千八百九十四人
吳　　　十三万八千八百六十三人
小　樽　十三万四千四百六十九人
鹿兒島　十二万四千七百三十四人
岡　山　十二万四千五百二十一人
八　幡　十一万八千三百七十六人
新　潟　十万八千九百四十一人
堺　　　十万五千九人

官民共異議ない領事館設置

貿易會議の調查及び情報部會は開會各議題を一括審議したが各委員より意見に對し齋藤通商局長より一々その意向を說明したがその要項左の如し

(一)領事館設置及商務官增派は殆んど各委員と同意見でそれぞれ實行方法を講じてゐる

(二)南洋、インド領事官の終身官制度論に對してはこれが實行を困難とする事情あるも頻繁なる更迭なきやうこの上とも考慮する

(三)在外公館と內地當業者との直接通信問題は現に幾分實行せられをるも充分とは云ひ難きを以つて追つて關係官廳とも協議の上希望にそふやう努力する

(四)領事館に商務專門の副領事をおくとも全然同意見で委員の希望を實現するやう努める事を宣明する

(五)調查情報の不完全については、外務省にても特に心づける點であるからこれが改善につき今後とも忠言を與へられたい

(六)領事館に農務官、工務官を設置する件は治外法權を有せざる南洋諸國において直ちに實行を困難とする事情あるも外交上支障なき方法により希望にそふやうにする

(七)通商行政機關の統一については主義として異存なし但しこれが實行については考慮と關係各省間の協議を要するを以て今直ちに意見を表示し難きを遺憾とす

信州記事

本縣の入營兵約三千人

松本聯隊區管內卽ち本縣から大正十五年度兵として松本聯隊を始め各隊への入營者は約三千人の多きに達しそのうち十二月一日に入營するのは松本聯隊其他各隊への一年志願兵約二百名舞鶴橫須賀の海軍兵全部輜重隊への第一期輸卒等であるが其他の各隊への入營者は全部明年一月十日に入隊するものでその內朝鮮へは步兵七十三、七十五聯隊並に騎兵二十七野砲兵二十五兩聯隊へ行くもので約四百人だが野砲二十五聯隊へは本年始めて信州兵が入營する而して現役證書は松本聯隊區司令部から本月十四日全部本縣へ發送濟となつたのでそれから市町村の手を經て本人へ渡るのは本月下旬か來月上旬であらう尙輜重輸卒の現役證書のみは十月中旬に遲れて本人へ渡る事になつてゐる

大賑ひの松本平

松本平地方の名物、神道祭は十月一

日から三日間盛大に行はれる何しろ一市七郡聯合の大祭であるだけ市內の有志は出來る限り賑やかにしやうと早くも境內の飾りつけその他の協議を進めてゐるが

これに先だち松本市には九月廿二日から五日間店頭裝飾競技會が開かれ神道祭と同じ十月一日から四日間は工業試驗場に染色競技會や圖案の展覽會あり更に同月三日から八日までは牛馬品評會や家畜市場が南新町に開かれ、續いて九日からは縣主催の招魂祭縣營運動場開きに併せて縣下靑年競技大會、九日から五日間は全國菓子共進會等ひつきりなしにお祭騷ぎあり

縣下はおろか全國から多數の人々がいり込むので、今秋松本の雜踏は今から豫想され、市內の商人は一年暮らしを一ぺんでとつてしまはうと大賣だしその他に手ぐすねひいて待つてゐる

上諏訪町會で志賀氏を推薦

上諏訪町會は四日午後三時より開會增澤町長の辭職を承認した後後任選擧に移り詮衡委員長より志賀市藏氏推薦顚末報告に對し滿場一致同氏推薦に決し同三時半散會したが波瀾を豫想された後任問題も案外あつさりかたづいた尙同町では新舊町長の送迎會を計畫中である

伊那電新線

伊那電氣鐵道の新線飯田、伊那、八幡間三マイル六分は十二月十五日より營業開始のことに決定同區間三等旅客賃銀十六錢にて辰野、伊那、八幡間全線四十四マイル九分賃銀二圓二錢となり驛名停留所左の如し

切石、鼎、下山、伊那、八幡

收繭減少か

北信地方殊に善光寺一帶の初秋蠶は違蠶續出して悲慘な狀態を呈ししかも其の後降雨のために桑葉の伸長回復せるために養蠶家は追掃々々と多數掃立を行ふものあつたが何れも二齡乃至三齡期に至つて空頭蠶及び軟化病等に罹り滿足に上簇せるものなど一村に二軒か三軒であらうと云はれてゐる。

これが收繭は總額に於て二百八十五萬六千三十三貫で前年に比較して一割一分六厘の減收にとゞまる見込であつたが其後最近に至つて前記の如く北信地方に違蠶續出しその作柄は

小縣上田	五分作
更級	六分五厘作
埴科	七分作
上高井	六分作
下高井	七分作
上水內	七分作
下水內	八分五厘作

と云ふ狀態となつた結果收繭豫想は二百六十萬二千九百六十三貫で九月一日

現在の豫想よりも一層減收が見込まれるにいたつたが實際は右蠶絲課の調査以上の減收とみられてゐる

明年度の警察豫算

縣警察部の明年度豫算事業計畫はいよ〳〵全部取りまとめたが豫算總額百卅七萬四千圓でこれを十五年度に比して八萬圓の增加を示した內主なる事業として岐阜縣境櫓川地先まで架設する縣外警察電話延長廿二里の敷設費四萬六千圓及び縣內の架設費一萬圓巡査十九名の增員その他縣會議員選擧取締費の二萬一千圓等でその他伊那、飯山、小諸警察署の改築計畫は警察署復活問題と密接なる關係があり高橋知事の態度が決定した上適當の按配をする意向である

縣屬十名增員

本縣では町村事務の增加に伴つて來年度に更に縣屬十名の增員を行ふとに決し七千五百六十圓の豫算を計上したがこの配置は學務地方蠶糸土木各課に一名乃至二名づゝその他の各課一名宛である

筑北地方へこられたる

東筑摩郡北部地方は昨今秋繭の出盛り中であるが相場は安相場の夏蠶より尙安いと云ふ譯で養蠶家は收繭を見る度每に元氣が落ちると云ふ悲慘な場面を見せてゐる元來筑北地方の養蠶家は夏或は春の一作で春蠶資金の大部分を支拂ひ秋蠶は少くも其の年の儲けとして居たものが今年は春夏の收繭では其の支拂ひが出來ず養蠶資金の支拂ひを秋蠶迄持ち越したと云ふ譯で可成苦痛である處へ繭價は安く而も早口物には意外の違蠶もあり旁收入に多大の減少を見た早口の收穫不足は晩秋蠶で埋め樣として居るので其の最終の結果は如何か尙判明しないが本年の養蠶經營の大法は先づ以て大体形が付き兎に角不況な年に遇つたものと云ふのにある

數十戶を破壞

九月十五日午前零時廿分頃突如下高井郡平野村高丘村中野町を中心にして附近一帶に西北の暴風に加へて鷄卵大の雹を交へた猛烈なる雷雨あり電燈は消え人畜人家農作樹木等に多大の損害を及ぼして約廿分の後平隱に歸した

伊那地方

伊那地方は十五日朝五時頃より雷鳴しきりにとどろきて雨ふり朝夕立があつた

十五日午前一時頃上水內郡三水村赤塩地方降雹のため桑葉並に蕎麥に全滅の大被害を受た被害反別損害金額等目下調査中であるが雹は大豆大のもので桑葉は全部叩き落されて樹枝は丸坊主となり蕎麥も莖を折られた有樣で午前五時頃畑に部分的ではあるが雹が二寸も

積つて居た

涼 氣 襲 來

松本地方＝ は十七日朝から秋雨降りしきり午後二時の溫度六十六度單衣物では寒い位で前日迄九十度近い殘暑が續いて來た矢先とて人々は此のふいの寒さに面喰つた

飯田地方＝ は十七日未明よりしと〳〵と小雨降りしきり爲めに氣溫は俄に下り滅切り涼しくなつたので地方の人々は單衣物から袷に衣替した程ですつかり秋らしくなつた

南佐久地方＝ は十七日の降雨で急に滅切り冷氣を催し華氏六十二度となつた

伊那電運休

十五日拂曉の雷雨にて伊那電は又復全線に亘りて約三十分間停電となり午前七時二十分頃上り八列車が小町谷附近に於てモーターが燃燒の爲め運轉不能に陷り辛うじて宮田驛に至り同驛にて一〇四列車の應援を得て五十分延發

埴科豚の移出

埴科郡農會は農家副業として奬勵中の養豚共同販賣を斡旋することになり先頃來之が取纏めに努めた結果戶倉以南の一町三箇村で二車だけ移出し十五日以前に於て坂城驛から東京販買斡旋所に向け積み出す手筈で準備中だが値段は二十七錢以上に賣込み得る見込み尙郡農會から一車につき十五圓宛の補助金を交附することになつてゐる

埴科の孵化蠶種

埴科郡の夏秋蠶用人工孵化蠶種は年々種額を增加し同業組合の手で加工したものゝみでも昨年の二万七千枚に對し本年は五万六千枚といふ倍加以上の好況を示し殊に同組合の加工によものは非常の好成績を擧げ各地に歡迎されてゐる

北宅の茸豊富

北安郡內の各山野には昨今種々雜多の茸類續出し每朝茸狩の登山姿を見られるが初茸が最も多い樣で松茸はまだロク〳〵顏を見せて居ない

「我と來て遊べや親のない雀」

親のない子はどこでも知れる、爪をくはへて門に立つ

一茶の幼兒の心持ちは自分が三歲にして母親に死に別れ獨りぼつちの淋しさと、一種の虐げから同情は小雀の身にまで及んでその感想が美しい閟へとなつて現れた、血と淚で溫釀された心持ちの發露が實に右の閟へである

◎

俳聖一茶逝いて今年百年、その法要會はいよ〳〵廿三日から三日間一茶の鄕里上水內郡柏原村で營まれる當日は全國からこの信濃が生んだ俳壇の偉人、一茶の靈をとむらふため相馬御風、臼田亞浪、荻原井泉水氏等の俳人をはじめ二千餘名の會員が參列して心行くばかりに「信濃國乞食首領一茶」と自稱したかれを追憶するとであらう

◎

一茶の人と成りについてはすでに世間の人のあまねく知る處で十四歲の時江戶に出て學び廿九歲の夏父を心配のあまり歸省し

門の木もまづ

つつがなし夕涼み

と喜び旅にのぼつて遂に六十五歲を最後に文政十年十一月十九日沒したこの間妻を迎へると三回現在一茶のひと孫が同樣小林彌太郎を襲名し柏原村に豆腐商を營んで淋しく住つてゐるがその家の裏に、いまだに一茶の住つた二間半に三間の土藏がチヨンボリと殘つて當時の一茶をしのばしめてゐる

仲秋の無月

仲秋の明月で月見客を吸收せんとした姨捨山や長谷寺その他の數多い月の名所も廿一日はあいにく朝來曇天で冷氣甚だしく夕刻からは多少の雨さへ降らして結局仲秋の無月に終り月見場所は近來にない閑散を告げた

東海北陸連路飛行の不時着陸場

松本の笹部飛行場は將來都市計畫上空防禦地帶とすべき委員部の意向であるが更に飛行機の發達と共に信州高原は東海北陸の連絡飛行中繼地點で而かも四面重疊たる山岳繞らされて居る點は空防上頗る天惠的の地帶として注目されて陸軍航空局では長谷川飛行士に命じ信州高原に於ける不時着陸上及其の他航空關係に必要な調査を行はしめてゐるが目下不時着陸として相當可能性あるものは笹部飛行場及長野丹波島附近で兩所は名古屋直江津方面の經路として最も必要と認められ尙岐阜各務ケ原方面と連絡のためには一万尺の高峰乘鞍の惡氣流に備へるため番町附近を更に松本から富山方面への捷路としては八千尺の高峯五色ケ原を又東京方面との交通には美ケ原を指顧され尙冬期氷結期間は諏訪湖、木崎湖、松原湖等が適處と認められてゐる而して右は笹部丹波島を除く外は何れも交通不便殊に番所五色ケ原等はガソリンの運搬及機體破損時に於て解体輸送が不可能なので僅かに墜落を免るための救護場に外ならないがアルプスの惡氣流を突破する上に於て相當重要視され近く長谷川飛行士の報告と共に陸軍航空局では航空圖作製のため重要視するであらうと

植民ニユース

◇大阪市產業部では大阪商品のはけ口を南洋に求めるため天津に貿易調査所を設けて南洋貿易の足場にする事となつた

◇ジヤワ糖の本年の糖產額豫想は二千九百八十万八千ピコルであつたところ十二万一千ピコルの減收であると

◇臺灣新竹州下の油田の出油狀態は空前の好成績で尙これは海軍省直管となるだらうと

◇內蒙古の緬羊改善について英國食糧品會社が先手をつけ二倍半の增收を擧ぐ將來ハイラルがこの中心となるだらうと

◇奉票暴落の對策につき奉天省では投機を取締貨幣の鑄造數を增すことを申し合す

◇東三省當局蒙古開發の大計畫を立て四十五万天地の土地割讓を蒙古王申込勞農裏面に反對

◇外務省での計畫として目下南洋東印度諸島のボルネオに五千町歩の土地を購入してゴム栽培のため近く移民を移住せしむる筈

◇商工省では明年度豫算に二百五十万圓の貿易振興費を計上して、近東方面に於ける日本商品の販路開拓に力を入れる方針である

◇大谷光瑞氏は此の程トルコのスミルナ地方マダナに數万町歩の土地を購入して綿花の栽培を計畫中

◇英國では現在女が男よりも百九十四万人多いうち年頃の娘六十万人、英國當局はこの八月これ等の結婚難婦人をニユージーランド、カナダへ第一回移住民として送ると

◇張作霖は京奉鐵路局に對してこの程洮南索倫間の二百マイルの實地測量を命じたので近く技師十七名同地へ出發させる筈

◇北海道鐵道札幌線（室蘭本線沼の端驛と根室本線苗穗驛間三十八哩九分）はこの程開通瞻振、日高地方から札幌地方に到るに鐵道省より二十五マイル約二時間を短縮し得ること

◇最近米國はマレー半島プレアンケル州に八千バウの土地租借權を獲德した外に佛領印度支那に莫大なる土地を得てゴム園コーヒー園の經營計畫を進む

◇此の程在米の邦人を以て組識された南米協會（在ニユーヨーク）では、ブラジルのパラ州アマゾン河畔に二千五百万町歩の土地を買收して日本植民地を建設することとなつた

◇農林省では今年度の陸上漁場及び蟹工船に對し總計三十四万五千五百函の蟹罐詰製造許可を與へたが而も今年度の全產額は三十七八万函に達する見込

◇樺太の新場から留多加へ分岐する南樺鐵道工事は豫定以上に進み九月十五日から開通豫定

◇北海道樺太間の連絡船について新たに三千万圓の豫定で三千噸の最新汽船の建造に着手する筈。尙これには碎氷裝置を施し氷の附着によつて航行不能の場合はボタン一つで船底から熱湯を噴出させ一瞬間に溶解させる設計

◇明年四月營業二十周年を記念するため滿鐵では東京に滿蒙記念館をつくると、工費百五十万圓

青年投稿

海の彼方に奮闘を希む

勇氣ある青年よ、海の彼方に奮へ、而して積極的神精を發揮せよ、世界到る處我住家なりとの大氣慨を奮ひ以開拓せよ、無限の寶庫を開け。

心ある青年よ母國に何時迄も甘んじてゐてはならぬ「可愛いゝ子には旅させ」よ云ふ通り實際に廣き世界を相手を旅行させねば到底理解は不可能である、されば井の中の蛙大海を知らずにひとしいのである卽大局に眼を注がざれば盲目の類にあらずや、宜しく大局に眼を注ぎ見よ、世は既に文明になり、科學應用、科學は日に月に進みつゝあり、各國競ひて產業を興し能率の增進を計り又發明發見せられ、到るところの未開地は開發され、今や實に平和の戰は展開されつゝある、斯の如く極めて小なる例にても時々刻々油斷なく歩みつゝある世界の大勢に伴ふて否寧ろ先んじて積極的精神を發揮せざればならぬ。顧みて我國現狀を見よ年々我國民思想惡化し種々の醜き堪忍はざる事日々に繁く以社會の安寧秩序を乱すは何故なりや、一方には政治の隋落、曰何々疑獄事件、曰何々此等は國家に對する不誠意の倫理觀念の乏しき爲と信ず。又地方にては不景氣だ、不景氣だと口說くのは何事なりや、解決方法は物質的景氣直しより精神的の景氣を求めよ、生活難、就職難と歎聲を聞く之要するに大觀せば一に人口問題食糧問題等に大關係を有する事なり。

見よ我國は歐米文化の輸入多く科學遅れ、產する所の開發心乏しいのは、事更あへて論ずるに足らぬのである。須らく自覺せねばならぬ、人口は年々殖へ就職なく生活難たるに甘せず彼地に奮へ「義を見てせざるは勇なきなり」をよく呑込みて必ず成遂ぐ可き決斷力を持ちて我等は宏遠の理想を抱き彼地に必ず共に全力を傾注し眞に熱血的奮闘努力執着心強く堅忍不拔萬難を排して誠心誠意、其業に服して以飽迄終始一貫「刀折れ、矢盡き倒れて後止む」の精神を念慮し眞面目に國家報恩に盡すべき我等の負ふべき責任義務は又大なるべし。

願はくば國際的に各國互に親善を計り他の長を取り以短を補ひ相互國利民福を增進すると共に我國の憂ふ可き狀態にかんがみて眞に國を憂ふる眞面目にして夜作りの事でなく又空想にあらずして眞に斷行する、國家永遠の將來に叫ぶ男子、須く新天地の開拓につくすべし。

七、一二　西　牧　巖

協會記事

アリアンサ移住者旅券查證問題

八月二十八日神戶港出發モンビデオ號のアリアンサ入植者は前號揭載の如く四十四名であつたが內神戶港の乘船者は四家族二十四名であつた。所が神戶港乘船に際して神戶駐在ブラジル領事より「今後信濃海外協會の移民は、海外興業株式會社取扱の移民によるか又は呼寄せによる移民に依らざる限り査證を中止する」と云ふ事になり一同は非常に狼狽したが兵庫縣旅券係、大阪商船、指定旅館に於て種々「アリアンサ」移住地の性質につき了解を願つたが、其の後當協會では今後の渡航者のみならず、各府縣海外協會に於いて繼續されんとする折柄、かゝる問題は重大の事で甚大の影響を我が移民界に及ぼすので、直ちに外務者に報告して善後策につき御盡力方を依賴した

外務者でも事の以外のに驚き、ブラジル大使館野田一等書記官をして神戶に出張せしめて、ブラジル領事館を訪問して非公式に懇談を續けたる結果同領事は信濃海外協會の事業の性質や移住地建設の精神を了解し從前通査證する事に決定した。尙永田幹事も野田書記官と共に神戶に赴き同領事の了解後兵庫縣廳の旅券係、大阪商船、指定旅館等を訪問して其の結果を報告したのである。

又外務省通商局第三課長　石射猪太郞氏ブラジル大使館一等書記官　野田良治氏に禮狀を發し、各府縣旅券係及各海外協會へは左記の通牒を發せり。

アリアンサ移住者旅行證の件

右ノ件ニ關シ過般兵庫縣廳海外旅券係ヨリアリアンサ入植者ニ對シテハ神戶駐在伯國領事ガ旅行券ノ査證ヲナサザル旨御通知申上ゲタル由ニ有之候處、其後外務省ノ御盡力ニ依リ伯國領事國ニ於イテハ信濃海外協會ノ事業アリアンサ移住地ノ性質ヲヨリヨク了解セラレ從前通リ査證セラルルコトニ相成候間今後アリアンサ入植者ハ何等ノ支障ナク査證ヲ得ラル、次第故右所承知ノ上何分ノ御援助願上候　敬　具

相談役推薦

藤岡長和氏　前警察部長竹下豊治氏の後任として石川縣から赴任した藤岡長和氏を相談役として推薦した。

縣下各町村の事務囑託

當協會は既報の如く郡廢による事務聯絡と前記「海外視察組合」發達を期し本縣に於ける海外發展を益々徹底的にするため縣下三八四ケ町村の町、村長助役、收入役の各位に對し本協會の事務を囑託した。

會費領收

（八月十六日ヨリ九月十五日マデ）

一金六圓也　大正十三、四、五年度會分　高木源吾殿
一金貳圓也　本年度分　清水友次郞殿
一金貳圓也　同上　中川順平殿
一金貳圓也　大正十四年度分　上條武志殿
一金壹圓也　本年度分　田中正實殿
一金壹圓也　同上　小林國一殿
一金貳圓也　同上　福嶋文之助殿
一金貳圓也　同上　樫木喜一殿
一金貳圓也　同上　鈴木暢幸殿
一金貳圓也　同上　竹波謙藏殿
一金貳圓也　同上　石川榮次殿
一金貳圓也　同上　佐々木六太郞殿
一金貳圓也　同上　小池卷太郞殿
一金貳圓也　同上　柳澤壽滿殿

（在外者ヨリ）

一金貳拾圓六拾壹錢也（在比島）　山口久行殿
　　　　　　　　　　　　　　　　田中壽次殿
一金拾圓也（在比島）　高橋榮位殿
一金六圓二十一錢也（在紐育）　荒井貞雄殿
一金拾五圓（在紐育）　長田武夫殿
一金貳拾圓八拾錢也（在紐育）　田野口　英殿
一金貳拾圓七拾貳錢也（在桑港）　五味重吉殿
一金拾圓也（在紐育）　長田武夫殿
一金貳拾貳圓五拾六錢也（在シヤートル）五人分　小池代治郞殿

（廣告料の部）

一金貳拾圓也　五十一、二號ノ分　高谷旅館殿
一金貳拾圓也　同　上　長野屋旅館殿
一金拾圓也　五十號ノ分　今泉旅館殿

熊本海外協會
移住計畫捗る

熊本海外協會が資本二十萬圓を以てブラジル國アリアンサに移住地購入計畫中なることは屢報の如くであるが、該計畫は大いに進捗し土地分譲申込者既に五十名に達し出資總額は六萬餘圓に上つた、近く八萬圓に達すると共に第一期として六千町歩の土地購入交涉を開始し、十月中に契約締結の豫定であると

編輯後記

暑い夏が逝り過ぎて昨今の朝夕には外套を欲する様になりました。縣下の景氣は秋蠶の全滅と繭價の低落とで彌が上にも不景氣であります。稻作は先づ例年と大差ないから今年の冬季は何うして凌ごうと云ふのが一般農家の内輪經濟の下相談であります蠶糸國の信州は斯くて不景氣に次ぐ不景氣の間に明春の暖かさを待たねばなりません。

△

上高井郡井上村の上野袈裟実君は奮然と志を立てゝ、渡比された。村の青年に海外發展の急務を説いたが一向に聞き入れないので彼は憤慨して「それならば僕が先き行くから」と云ふて九月十五日神戸出帆の丹後丸に飛び乘つた。彼の健在と御成功を祈る

△

伯國觀察者からこんな通信が來た。「ブラジルは何んもなく良き處に候氣候も申分なし、殖民も「十年」落ちつけばコチヤの如く戸數八十戸にて自動車など三十台を有し四十コントス煉瓦家を建て初め申し候 着々進めば成功は早いものに候小生も歸りて方策を定めブラジルにて晩年を送り度く」云々。何んと心ざわりの良い便りではありませんか。

△

下水内郡外様村出身の丸山袈治氏は去る六月初め伯國ソペロンプレート市郊外で馳走し來たりし外人自動車のために轢殺されて異國に黄泉の客となつた。天涯萬里の地に英靈は空しく高き理想を抱いて眠つてゐる誰か外様の天地から彼の志を次いで英靈を慰める熱血兒なきや。

△

米國西北部支部から「通信」が參つてゐるが編輯後のため「五十三號」に掲載する事にした、「移民保護法改正私案」は差程重要なるものでなく、又直接關係するものでもないので略する事にした。

△

在外者各位に御依頼して「在外者數の調査」は其の後各位から返事が來るので面白い數字が現はれやうとしてゐる。尚これにつき是非共各位の御通信を得たいと希ふてゐる。

海の外

定價

	一部	半ヶ年	一ヶ年
内地	廿錢	一圓十錢	二圓廿錢
外國	廿仙	一弗十仙	二弗廿仙

海外郵税二錢

注意

▲御註文は凡て前金に申受く
▲廣告料は御照會次第詳細通知致します
▲御拂込は振替に依らるゝが最も便利とす

大正十五年九月二十五日

編輯人　永田稠

發行兼印刷人　西澤太一郎

長野市南縣町
印刷所　信濃毎日新聞社

長野市長野縣廳内
發行所　海の外社

振替口座長野二一四〇番　信濃海外協會

各縣海外協會
日本力行會　指定旅館

（高）

海外渡航乘船
領事館手續
貨物通關取扱

高谷旅館本店

本店　神戸市榮町六丁目
神戸市郵便局私書函八四〇番
電話元町　八五四番、一七三七番

支店　神戸市宇治川楠橋東詰
電話元町　六六六番

海外渡航取扱所

●東洋一の理想的設備を有する神戸港へ！
●旅館は誠實にして信用のある神戸館へ！

各縣海外協會
日本力行會　指定旅館

神戸市榮町六丁目廿一番邸

神戸館本店

電話元町八六一番
振替口座大阪一四二三八番

支店（神戸市海岸通四丁目（中税關前）電話三ノ宮二一三六番）
別館（神戸市海岸通三丁目十四番邸　電話三ノ宮二一三七番）

◇本店へハ神戸驛、支店、別館へハ三ノ宮驛下車御便利

各汽船會社專屬元扱
日本郵船會社
大阪商船會社
ダラー汽船會社
加奈陀汽船會社
アドミラル汽船會社
南洋郵船會社

信濃海外協會指定

日本力行會、廣島、和歌山、福岡、熊本、沖縄　各縣海外協會　指定旅館

海外渡航乘客荷物取扱所

今泉旅館

本店　神戸市海岸通　六丁目　三番邸
支店　神戸市榮町通五丁目六八番邸
電話　元町　三二一番
振替大阪　三五四一〇番

日本力行會長
永田稠著

海外立志傳

四六判、四百二十頁
定價金二圓（送料金十八錢）

私は年少の頃、英雄豪傑や、知名の成功者の傳記を讀んだ後で「俺はトテモ此人の樣には成れない」と失望するのであつた。ナポレオンや豊臣秀吉や西郷南洲等の傳記が私に與へた一種の悲哀は皆さうであつた。それで私は「若し私が立志傳を書く時が來たら、讀者に悲觀されない樣な傳記を書き度い」と希ふて居た。今や其の希ふた時が來たのである。本書中の人々は、皆、私共と殆んど同じ境遇に生れ、略同じ程度の教育を受けた者で「此位の事なら僕にも出來やう」と讀者は必ず感ずるに相違ないと思ふ。私は此傳記の内に記されたる人々が、他日ナポレオンであり、秀吉であり、南洲である事を希ふては居るが、よしんば、現在の其儘で終つたとするも後進の讀者の爲に多大の感激を與ふる筈であると考ふる者である。（序文の一節より）

兩米再巡

菊版四百廿四頁、寫眞版三十頁
布製函入
定價金三圓（送料一冊拾八錢）

永田氏は信州の生める一異才である。嘗て南米を一週して『南米一巡』を著はし、信州に來つて信濃海外協會の組織に努力し、更に『南米信濃村建設』に關する大使命を帶びて、大正十三年五月末横濱を出帆し、布哇、北米桑港、ローサンゼルス各地に於ては海外協會支部の設立に盡力しソートレーキ市にはモルモン宗教植民の跡をたづね、デンヴア、シカゴを經て華府に至り紐育より大西洋を南下してブラジルに至り、移往地の選定・購入・入植の準備をなし、大正十四年二月日本に歸り來り、更に信濃村大成の爲めに努力奮闘し、今や模範的にして世界に誇り得る移住地が建設されつゝある、『兩米再巡』は氏が南北兩米を再巡せる記録である志を世界に有する者の一日も看過することの出來ない快著である。

長野縣廳內　信濃海外協會　（取次）振替長野二一四〇番

一、南米信濃村は本年十月を以て一切の準備が出來ました。
二、小作志望の二三人の家族で九百圓あれば二十五町歩の請負耕作が出來六ケ年後には約一万圓の蓄貯が出來ます。
三、小作志望の二三人の家族で五百圓あれば二十五町歩の請負耕作が出來四ケ年後には約五千圓の蓄貯が出來ます。
四、本年十二月迄に小作移住者五十家族を募集す。

南米信濃村小作移住者募集

五、旅券下附、渡航準備、出帆等の一切の世話は當協會で指導す。
六、移住者には政府で一人分二百圓宛の補助がある。
七、志望者は當協會の會員として三ケ月以上の者。
八、詳細のことは「南米ありあんさ移住地の一覽」と云ふ册子にあり、志望者に差し上げる。

長野縣廳

信濃海外協會

信濃海外協會
海の外社發行

大正十五年九月二十五日發行（毎月一回發行）
大正十一年四月廿六日第三種郵便物認可

定價金貳拾錢

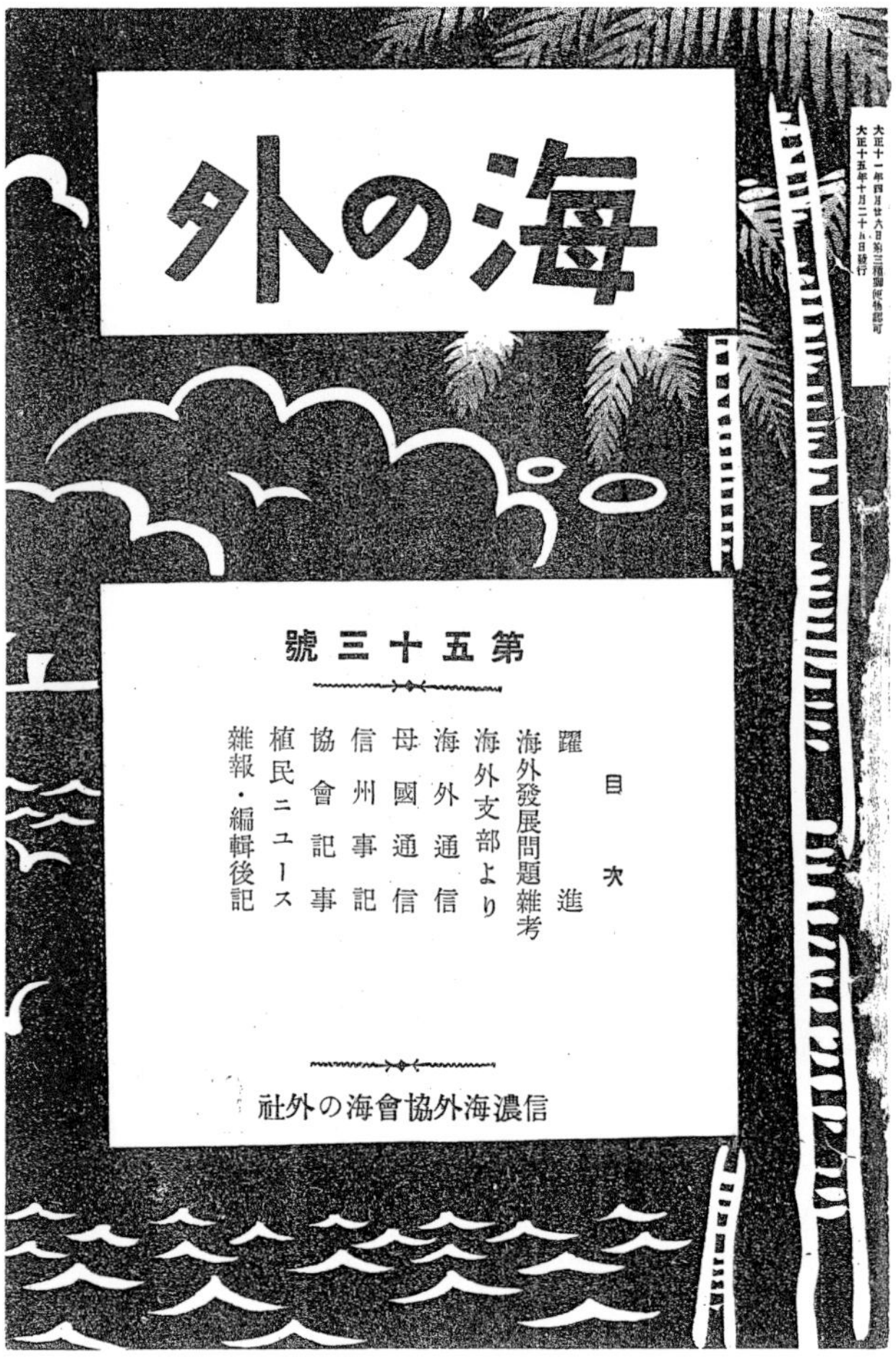

目次

海の外

第五十三號

大正十五年

十月號

躍進

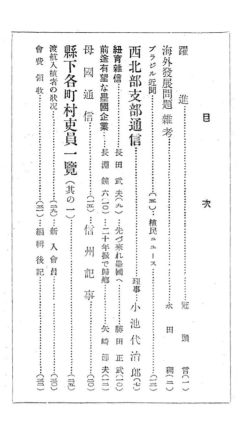

今春四月上京の時、母の同伴を要した少年は六ケ月の後一躍南米に單身渡航せんとしてゐる。

十六歳の中曾根春雄君は更級郡力石村の出身で在京日本力行會の生活は少年の心中に斯くの如く一大進歩を見せたものであつた。

十六歳の少年が信州から海外に單身渡航はおそらく最初であらう、少年の兩親は「餘り小さいので心配します」と云ふのに少年は遠大なる理想を抱いて極めて落ち付いた態度に一同は感服してゐる。

大正の日本少年が此の少年の心持と態度に心掛けるならば新日本の將來は實に喜ぶべきである。信州の少年達も又此の少年に傚ふべきではないか。

此の少年は此の二十八日横濱解纜のラプラタ丸に飛び乘つて一萬二千浬の彼方に躍進せんとしてゐる。

少年よ、幸あれ！　健在なれ！

（一〇、二〇）

海外發展問題雜考

幹事 永田稠

△過剰な人口は日本唯一の富源

人口問題がやかましく議論される樣になりました。他人の議論は暫らく措き、私は日本の過剰人口は日本一の富源だと思ひます。日本は農業國だと云ふが、米作でも養蠶でも營利事業としては殆んど成り立ちません。一體、一反歩に肥料を十圓をやらねば作物の出來ない國を『土地肥沃』などゝ教へるが間違ひではないでせうか？礦物だつてロクなものはありません、銅と石炭が少しあるばかりで、石油も鐵もダイヤモンドも數ふるに足りません。此間に處して獨り人口のみは年々七十五萬人宛増加すると云ふのだから、これが日本第一の富源でなくて何でせう。

過剰人口は日本第一の富源には相違ないが、廐肥の如き富源であります。廐肥は家の中や屋敷に置くとくさくてやりきれません。過剰人口も國内に放置すると、社會問題の原菌となります。但し廐肥は一度屋敷以外の田畑に撒布すれば驚くべき收穫を齎らします。過剰人口も之れを海外に撒布すれば國家の爲めには驚くべき收穫となります。

之れを和歌山縣人の在外者に見ると、老若男女平均一人の故郷へ送金する金額が、三百九十八圓とあります。即ち和歌山縣人の在外者が郷里へ送る純益が約四百圓あると云ふのです。

之れを廣島縣人の在外者に見ると、五萬五千人の人々が毎年約一千一百萬圓の送金とあります。廣嶋縣下の諸事業の内、一千一百萬圓の純益を年々擧げ得るものはないと申します。

廣嶋の如く、若し日本の四十八府縣が五萬五千人宛海外に送り出しますと、日本全國の年收は五億二千八百萬圓となります。これは空論ではありません。伊太利は財政の危機を海外移住者の送金に依つて切りぬけました。

海外移民で人口問題の解決は出來ないと云ふ議論があります。今日の樣に國家も國民も、海外移住の問題を困却して居る時代には、勿論不可能のことでありますが、國家と國民が一生懸命にかゝれば必ずしも不可能の問題ではないと思ひます。伊太利の貧弱を以てして尙よく一ヶ年に七十五萬の國民を海外に移住させて居ります。アイルランドの飢饉の年に、英國は國費を投じて約百二十萬人のアイリツシユを北米に移住させたことがあります。我日本が年々増加する七十五萬人の處分がやる氣になつて出來ない道理はありません出來るか出來ないかの問題ではない、やるかやらぬかの問題である。

△學生生徒間に海外發展熱勃興

專門學校學生の學資が四五十圓大學になると五六十圓乃至七八十圓を要する。それで卒業生が就職難で、運よく就職した者が學士四五十圓得業士三四十圓、これでは『教育は最惡の投資なり』である。かくて、私立大學生の間に海外發展熱が少しづゝ起つて來た。私とこんな會話をする者がよくある。

『南米で牧畜をやりたい』
『資金と經驗はありますか？』
『ありません』
『旅費はありますか？』
『旅費もありません』

一寸考へるとまるきり無鐵砲でありますが、私は此種の學生の夢を尊重し之れが實現の爲めに出來る丈け援助を與へます。

法學士内藤眞君はブラジルで千町歩の地主になつた。農學士松本圭一君、服部君、山崎君、江越君等も南米で活躍してゐる農學博士伊藤清藏氏はアルヘンチナで成功の途上にある。金竹大尉。原大尉、兒玉少佐、石井大佐等の軍人連もブラジルで成功の途上にあり、小松騎兵大尉はアルヘンチナで大農場の經營をして居る。法學士上塚君は日本人植民地の開祖として衆人公知する所。

私は八百名の中學生徒を調査したことがある。專門學校に行く資金と腦力がある者が二百名、卒業後は家業に從事する者が二百名中學を卒業した後はどうしてよいか、自分にも解らず、教師にもわからず、父兄にも策のない者が四百名あつた。彼等は卒業後小學校の代用教員、郵便局の雇、町村役場の書記と云つた樣なものになるが、皆不滿足である。此種の青年達は宜しく海外に行くがよい。第一日本の高い米を食はない丈けでもよい。第二彼等は足一度海外に行けば成功の希望を直に見つける。一度希望を發見したが最期、一身不亂の猛進する。そして國の爲めにも有用な活動者となり開拓者となるのである。

愛知縣の某中學校を半途で退學して來た山田粲彌君は、南米のコロンビア國に行つた。此國には二三人の日本人が居る丈で、其内情などはよく知れて居ない。山田君は柔術で金をかせいでコロンビアの研究調査をして居る。雜誌力行世界は二回に亘つて山田君の通信をコロンビア號として發刊した程である。外務省では大正十六年度コロンビアに公使館か領事館を置きたいと云ふて居る。中學校半途退學者の山田君は、其先驅者であり開道者である。學生生徒の海外發展も亦甚だ有意義ではないでせうか。

△良く強くなる村を出る刹那

植民學者のヘンリー・モーリスと云ふ人が『移住することは人を強くし且善良にする』と申して居ります。私は靜かに、多くの人々が、生れて育つた舊知の村から、何等かの目的を以て他郷に出る時のことを考へて見たいと思ふ。玆に「村境」といふのは必ずしも町村の政治的境界と云ふ意味ではありません。自分の村と他の村との境を流れて居る川でもよし、自分の郡から他の郡に至る間の峠の嶺でもよし、自分の港を出帆する所でもよし、乃至汽車の停車場でもよい、何れにしても自分の郷里を去る時、一番記憶さるゝ場所でよいのである。

又、村境を出づる場合は如何なる境遇の者でもよい、或は徵兵に合格して入營する場合、或は上級の學校に入學する場合、或は丁稚小僧にやられる場合、或は夜逃げをして行く場合、或は罪を犯して監獄に入れられる場合、其何れでもよいが、私は特に志を海外發展に持ち、天涯萬里の異境に活動せんとして郷里を出發する場合を考へて見たいと思ふのである。

郷里出發は多くの場合は朝である、未明の間に鷄鳴を聞きつゝ立つこともあれば、時に朝日の山の端に出づる頃になる場合もある。例外の場合を除いて、數名乃至數十名の親族知友が見送りに來てくれます。汽車の場合などには『萬歳』の三唱もありますが、村境の橋のたもとにしめやかに別れることもあり、峠の嶺に十分か十五分の休憩をなしそれを機會に別れることもあるが、送りに來た人々と別れて、愈一人ぼつちとなつた時に、私共は種々のことを考へさせられます。

第一に私共は自分の過去を考へて見ます。盛んであつた自家の家運の衰へたこと、自分の家が村中の者から馬鹿にされて居たこと自分の家は一村の名家であることなどから、今までは考へなかつた父母兄弟親族朋友の一人一人について樣々の思ひを致します。

第二は自分の現在の境遇であります。今、志を立てゝ天涯萬里の地に向つて第一歩を進み出した時の氣分は、又誠に感慨無量であるべき筈であります。

第三者は將來に對する決心であります。『人生到所青山有、學非成死不歸』『風蕭々易水寒、男子一度去又不歸』と云ふた氣持ちになるのであります。

村境を去る時に、移住者達は、此決心に依り先づ強くなります、これと同樣の意味に於て善良になります。罪を犯して監獄に送らるゝものでも、村境を去る時には『善人になつて歸つて來る』ことを熱望しない者はないのであります。

ブラジル近聞

移民政策の變更

ブラジルに對する日本政府の移民方針は、從來は單に筋肉勞働移民を送るに過ぎなかつたが、その後アリアンサ村の如く、地方府縣團體を基礎とする集團移民地を樹立する政策に變更した。最近に至り更にかゝる集團移民を植つける傍ら、内地の資本家をして彼の地に資本を投下せしめ、大規模の農工業を起さしめ、之によつて國内人口増加の數量的調節をなさんとする政策を樹て、之が實現に着々進みつゝあるのは注目に値する、即ち對ブラジル移民政策をば、從來の如き筋肉勞働移民に限つて居たことは、結局ブラジル方面にも移民排斥の風潮を増すばかりである從つて地方團體を基本とする集團移民政策は此の缺陷を救ふために企てられたものであるが、之とても資本の限定その他の事情から移民の目的達成を期待するのは困難である。こゝに於いて政府當局は此の集團移民政策の不充分を補ふ意味で、邦人資本家をして直接彼の地に大規模なる農事企業を起さしめ、右事業の着手並に之が發達に伴なつて、漸次多數勞働者をかゝる事業に仕向けんとする政策となつたもので、この政策の實現は唯に人口調節の目的を達成するの一助となるに止まらず更にこの地方に對する、日本製品の輸出を增加し又日本内地に於て要求する重要なる原料品を此の地方から輸入するの便宜を生じ日本は一擧兩得の利益を得る結果となるのである、鐘ケ淵紡績會社がアマゾン河流域に大規模の棉花栽培事業を起す計畫を樹て、目下、農工の實地調査を進めつゝあるのも、かゝる政府の政策に促された結果で、鐘紡の外、名古屋方面の某大紡績會社、大阪の野村合資會社及南米企業組合等續々アマゾン流域地方を調査中であるが、何れも調査の結果、頗る好望である故、近き將來にブラジル政府と之等諸企業團體との間に借地に關する契約締結の段取りとなるべく觀測される。

鐘紡の綿花栽培

邦人に有望なブラジル

田付ブラジル大使は十月一日午後三時横濱着の大阪商船ラプラタ丸で賜暇歸朝した、船中往訪の記者を引見して氏は左の如く語つた

目下ブラジルに在る邦人はその數五萬を越え居りて、之が指導誘掖の必要あるは言ふまでもない、現在移民關係の會社としては海外興業會社があるばかりであるから在留移民が團結して特殊の機關を設けるか、あるひは外務省が適當の機關を設置するかして、その發展を期さなければならぬ。

△　△

ブラジルは旣に奴隷廢止を行つて居るから黑人の入國を喜ばない、勢ひ東洋人を歡迎する傾向がある、こゝに日本人發展の餘地が充分ある、然しながら移民自身も從來の如き愼重味を欠ける態度を一變しなければ、アメリカの惡宣傳に乘ぜられて排日の風調を釀成せぬとも限らぬ

△　△

自分が赴任した當時、農業を目的としてきた移民が盛んに都會に出る事を希望した爲め多數の浮浪者を出した、自分はサンポーロ州政府と交渉して漸く之に生活の安定を與へたから現在では、移民の浮浪者もなくなつた次第であるが此の狀態はどこまでも續けて行かねばならない

△　△

ブラジルに於て最良の地方はアマゾナ、パラ二州である土地は肥沃で氣候は想像される程惡しくはない、日本の九倍の面積を有し人口は極めて稀薄である自分がサンポーロの州政府と協議した結果、パラ州に七十五萬町步の棉花栽培地を鐘紡に與へることを約束した、そこで鐘紡の福原八郎氏は醫師十名を從へて旣に森林にわけ入り調査を開始して居る。

△　△

此の地方は始め英國人が集團移民をやつて居たが、氣候に耐へず現在では姿を消したが政府では貸與した資本の回收が出來ないで困却して居る、そんなわけで鐘紡が栽培事業を始めるとしても州政府から物的援助は得られないが土地を無償に得ると云ふ言葉を得て居るし、又土地から伐採される木材を資本に繰入れてもよいと云ふ承認を得て居るから、出來るだけ此の事業を完全させたいものである。

△　△

ブラジルに對する我が移植民、企業政策は從來と同樣その根本に於ては毫も變更を來すやうなことはない、歸朝した上は直接政府と移民の指導方法金融の改善について協議する積りである。

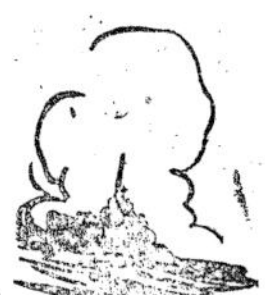

海外支部より

西北部支部通信

信濃海外協會米國西北部支部　理事　小池代治郎

恒例新年會

當支部にては恒例に依つて一月三日會員互禮を兼ねたる新年會を當市支那料亭に開催致し候。伊藤總務第一式を司會致し「會員諸君には親密の上にも各自一層互讓協調的精神に燃へ本會の圓滿發達を希望す」と云ふ熱心な挨拶あり、平林、宮田、原諸氏の祝辭を述べ、第二式に於いて春原總務司會し會員各自の隱藝續出し和氣靄々たる會合有之候ひき、出席者二百余名に及び此の種の集合としては稀に見る盛會に有之候。

役員及代議員の改選

當支部の會則としては每年一月定期總會を開催して代議員役員の改選が行はるゝ筈なるが本年は延期されて二月下旬執行され左記の如く夫れぞれ決定相成り申し候。

總務委員　(三名)　伊藤豐作。原春樹、倉田圓吉

理事　(二名)　小池代治郎、中曾根武平

會計　(二名)　望月五六、依田武左衛門

議長　川船和夫、副議長　瀧澤百二、

公選代議員　(六名)　宮田主計、伊藤豐作、中曾根武平、春原侫、依田武左衛門、原春樹

各區代議員

第一區 (四名) 田中正作 (主任) 木村憲司、山口良之助　小林慶太郎

第二區 (八名) 尾澤永吉 (主任) 山浦與十郎　川船和夫　神津作一　香山直溫　田中豐造　宮澤鹿之助　小池代治郎

第三區 (四名) 渡邊熙誠 (主任) 尾羽澤義胤　依田謹一、渡邊勘助

第四區 (四名) 原　渡 (主任) 保刈陽夫　名取三重溝口浪三郎

第五區 (八名) 横山重義 (主任) 瀧澤百二　藤原正富　望月五六　平林破魔雄　平林基室　太田留吉　片瀨與市

第六區 (四名) 鬮島　堅 (主任) 池上榮七　倉田圓吉　中村學一

帝國特務艦の來港

四月上旬より下旬にかけて帝國の特務艦鶴見、石郎、神歲、襟裳、知床の五艦相前後して當シヤトルに入港し殊に神歲には九名の長野縣人乘組致し居り候事とて尙支部にては會より各艦に慰問袋を寄贈し又有志の主催にて歡迎會を催し或は會員所有の自動車にて軍人諸君を市內の觀光に供する等誠心をこめたる歡待を致し申し候。我々海外に在る者が遇々帝國軍艦の勇姿や多數の軍人に接する時の氣分は實に特別のものにて、それは恰も久しくして慈母にでも接せし時の如き誠に嬉しきものに有之候　今回シヤトル市同胞を擧げての歡迎は至れり盡せりのものにて宛然戰時に於ける動員中の如き騷ぎを致し申し候。

野外淸遊會

これも當支部にては例年催さるゝ事に相成居り本年は六月廿日シヤトル市郊外メープルウードと云ふ場所にて催され申候。當支部の淸遊會は其設備に於て誠に大仕掛のものにて丁度鄕里に於ける夏祭の如きと申すべきか開催の一ケ月位前より委員長、副委員長、會場、運輸、接待、賞品、新聞、救護等の各班に分けて委員の決定を見、それより着々と準備に取掛かり申し候。

會場は某白人私有地にて此日ばかりは排日などと云ふ感じはすつかり忘れ申候　當支部が斯くの如き大仕掛の野外淸遊會を催すには一、二の理由有之其の一は年中家事に追はれて、外出の機會少なき婦人のためにそれが例へ一日なりとも廣々した大自然の中に出で伸々とした氣分になつて貰いたいとの男子連の心情、其二は斯々する事に依つて同鄕人が一つの集團となり得る好機會が作られ相互の意志の疎通が圓滿に運ばれる事に候

會場メープル、ウードは沙市を去る十哩位の地にある二三エーカーの平原には靑草萠へ其周圍に大小の楓樹竝し傍を靜かに流れる千曲川の如き河あり小山の眺め等山水明媚の地に有之懷しき故山の風光なども偲ばれ申候

當日の全委員長は總務原春樹氏にて開會の辭あり軈がて會員、婦人連、小供の遊戲二、三十番あり樹陰に三々、五々團をなして携帶せる辨當に愉快の談話を交換して會員の相互の交情を溫めるには申分なき淸遊會の目的を達し得られ候。此日會衆無慮五百名、それに使用せる會員の自動車五、六十臺に及び申し候。　(八月三十日)

海外通信

紐育雜信

在紐育　長田武夫 (諏訪郡玉川村)

八月中は降雨續きで每日ビシヨ〳〵してこんな年は珍しいので不景氣と云ふてゐてもニウヨーク市の此處では大建築物がドシ〳〵建築されてゐる。十五年前には三、四五十楷と云ふ建物で皆オフヒースビルデングであつたが近年は此等のものはホテルやアパートメントが建る樣になつた、今後二十年もしたら紐育此のマンハツタンは皆十五階以上になるだらう。

自動車は年々殖へるばかりでネコもシヤクシも皆所有すると云ふ有樣でウツカリ道路を橫切らうものなら大變の事である。每年米國で自動軍の犧牲者は歐洲大戰中戰死した米國軍人よりも多いと云ふ事である。フエーチユーアプランを見ると將來は人道を高架人道にしてザブウエーは地下へ二、三、四層と幾層も鐵道を布設するとの事である。四十二階のアパートメントなどに年中住居するとしたら全く閉口のものだ。紐育は家が高い故空中電氣が盛んに活動すると見へ雨の日など耳が破れる樣な雷鳴がする。

去る七月十二日には當市より南方五十哩の處で海軍の十二、四、六インチの彈藥庫が雷雨のために一億万弗程を煙にしたそうである。如何に金持の米國でも日本金二億万圓の金を煙りにしたとは少々へコタレルだらう。東京の參謀本部では少しは胸がスキ〳〵した事であらう。先月八月ルドルフ、バレンチンと云ふ伊太利活動役者が病死したら紐育の新聞は一週間程全ページを提供してゐた。三日間死者を拜むもの十萬人も出たと。四、五年前は名も知られぬ役者であつたがフオーホスマンを上映してから俄かに名を擧げた好男子で、惡く云へば大根役者で一寸ダンスが上手であると云ふ位。尙先日は僕等の近所の肉屋の娘ガーウルード、エルダー (獨乙系) 十九歲で英國海峽を泳ぎ越して十日前歸國して六百萬の紐育市民を擧げて歡迎せしめた。

小生は在米十九ケ年の生活に於いて現在では一年に一度

も日本字の手紙を書いたり書かなかつたりする位で面倒の樣な氣がする。ムービンピクチユーアやボードビルをショーに行つたりブロードウエーのタイムス、スコヤあたりを毎夜ぶらつく時間はあつても仲々書く時間はないものです。渡米の六、七年間は故國へ手紙ばかり書いてゐましたが今日では故國の事等頭に浮ばぬので自然と日本から遠ざかつて來ます。然し「日本人」と云ふ觀念は一刻も忘れません。日本にゐる諸君よりは僕等の方が餘程國家觀念については强いのであります。ニユーヨークでは日本人をチヤイナーマンと呼んで進歩した一等國民で歐洲人に似てゐる國民だと思ふてゐるらしいのです。同封の金額會費として受け取り下さい。(九月八日)

先づ來たれ、墨國へ！

在墨マンサニヨ　勝田正武
(諏訪郡上諏訪町)

毎月御發行の「海の外」毎度御送付被下有難く感謝仕り候會費御送付可申上の處種々と取紛れ延引仕り早速別紙の通り同封致し候間御受納被下度候
御協會の「アリアンサ移住地」建設は益々御發展の由陰ながら喜び居り候　内地との聯絡あり海外に於けて理想的目的と同じうする輩の協力的活動こそ海外に於ける日本人の發展の立場より見て最も心强きものあると感じ申し候。何如に理想あり希望あり共單純の空手空拳の海外發展にては共の根底に於いて到底おぼつかなきものに候當墨國に於ける日本人發展狀態を見るに日本内地との聯絡あり協同的組織のものは未だ見ず申さず　國情、事情等を異にする點に於て或ひは然らしむる事と存じ候。然れども二十年以來の移住者にて奮闘の結果根底ある發展を申し來たり候故に今後の墨渡希望者には何等心配なく各自の目的に向つて活動するに便宜に候
農業に物畜に漁業に商業に凡て餘裕綽々として有望なる事業は日本人諸君の渡墨を待ち居り候　何れ委しく後便にて墨國の事狀等御通知致すべく右取敢へず御通信まづ、終りに故國諸兄の御健在と御奮闘を祈り申上候
(八月二十六日)

前途有望の墨國企業

在メキシコ市　長淵鐘六
(西筑摩郡田立村)

八月より當墨國内は新宗教法令施行の結果、教會は閉鎖され居りカトリウク教徒は經濟ボイコツトを初め候ため一般商業界は不振を來たし居り候。
右はカトリツク教の間接的の政府攻擊にて吾々商人に取つては打擊甚しく候。然し政府當局はこれに樂觀して應待しおれば早晩カトリツク教徒は服從するものと一般の觀測に候。前號に於いて須藤正夫氏の記載せる如き當國は產業移民卽ち資本を有する者の渡航は極めて有望にして假に五万圓程度のものにて絹糸の企業を致さば實に有利と存ぜられ候
右は絹糸と反物との稅金の差非常に甚しく候へば單なる一種類の染め物にても見込有之候　養蠶も製糸を兼ね經營すれば有望なるべく、これは大規模の資金必要は勿論に候
在墨同胞は目下着々に經濟的方面に非常の活動を示し申し來たり候
同封左記氏名は當地方の本縣人にて參考の爲報告申上候

小野清長　上伊那郡高遠町
大矚武雄　上諏訪郡中澤村
森下哲　上伊那郡富縣村
唐木延治　上伊那郡西春近村
北原昌計　上伊那郡西春近村
蛭上實　下伊那郡河野村
須藤正夫　更級郡川柳村（目下歸鄕）
小林三津四郎　更級郡共和村
宮下六平　更級郡上山田村
石原兼八郎　北佐久郡讀島村
寺島勝平　北佐久郡横島村
金井猪助　上水内郡古里村
安達政信　上水内郡安茂里村
小松準　北佐久郡布施村
田中久　小縣郡和村
堀内金一　小縣郡中鹽田村
太田菊治郎　北佐久郡陸鄕村
高野忠惠　北安曇郡北城村
岸良次　埴科郡松代町
酒井淺治　埴科郡森村
長淵鐘六　西筑摩郡田立村
藤澤寅雄　東筑摩郡生坂村
瀧澤　上高井郡綿内村
片井　南佐久郡大日向村

最近ベネズエラ、コロンビヤより歸墨せる外國人の話では同地方は中南米切つての好景氣の中に候、右は英米の資本が同國の鑛業、石油鐵道の諸事業に投資せるに依るものに御座候。

二十年振りで歸鄕

在伯國アニウマス　矢崎節夫
(諏訪郡四賀村)

貴會愈々御發展、御計劃のアリアンサ移住地も益々好成績を擧げられつゝあるは御同慶の至に存じ候
最近故國よりの情報によれば故國の人心は一般海外に活路を求めつゝあり殊に南米方面へは殊に注目する樣になりたる由、此の傾向は人々の過剩により必要迫られたる結果もあるも、日本民族が世界的活動期に入りたるものとして邦家發展のため誠に目出度極みと存じ候。
信濃海外協會が率先して伯國に移住地を定め山國の民がブラジルの大森林を開拓するは實に欣快の處に候　協會の任務は單にアリアンサ移住地の事業に止まらずして是非共海外發展の必要なる機關として種々の方面に活動を望み申し候。
「海の外」は毎月御送付下され難有拜見致しおり候、小生は來年三月頃兩親を慰め度く歸鄕致す心組にて何れその際は種々と御話致すべく候　小生の歸鄕は二十年振りにて懷かしき故鄕の山川に接するは非常なる期待を以て待ち居り候

左記當地方縣人御通知申上候
武井龍市　東筑　八山邊村　(五人)
小松豐作　諏訪　四賀村　(七人)
百瀨松子代　南安　梓村　(三人)
青木篤哉　諏訪　下諏訪町　(七人)
宮部・福松　諏訪　四賀村　(七人)
伊藤茂吉　諏訪　上諏訪町　(五人)
宮原桑男　上伊　伊那富村　(六人)
大井浩　小縣　依田村　(三人)
矢崎節夫　諏訪　四賀村　(四人)
北原勇　上伊　飯島村
草間宏三　東筑　壽村
矢崎秀夫　諏訪　四賀村
小平佐次郎　諏訪　豐平村　(六人)
高橋一敵　上伊　(六人)
(九月八日)

在外歸朝者訪問

九月十四日　諸田鼎氏（上伊那美篶村）北米桑港　北加信濃海外協會理事
九月廿日　半田積善氏（小縣傍陽村）ジヤバ、バタビヤ
十月九日　荒井貞雄氏（埴科坂城町）北米デンバー

植民ニユース

△
朝鮮山林會總會は十月四日から京坂で開かれ十四日安東縣で千餘名の參列會が解散式を行ふと。
△
南支、南洋發展のため企圖された臺南高等商業學校は、九月二十七日開校式を擧げた。
△
北海道の甜菜糖は現在、作付面積は七千百八十七町歩で前年より二百九十三町歩を減じたが、收獲豫想高は三千三百五十五万六千六十五貫で去年より二十九万八千四百九貫を增加する豫想である。
△
最近日伯協會(神戶)へ、毎日二十名宛ブラジル渡航希望者が來る、そのうちには、大江さかへ、橋本辰子と云ふ若い女性を始め婦人の希望者が多い。
△
福岡縣では昨年百三十八家族八百餘名のブラジル渡航者があつたが、本年は更に百六十家族が渡航を出願したので縣では之れが斡旋中。
△
この二十日大連ロシア町に滿蒙物資參考館開設、滿蒙の寶庫を紹介することゝなつた。
△
南米ブラジルで、アマゾンの流域七十五萬餘町歩を、無償で邦人に提供は有難い
猫額大の天地に寸餘の草木を植えて、お庭が……などと興がるケチな根性をサラリと捨てゝ君、南米へ行かうぢや無いか。
△
全國小學校長會議は九月五日滿洲奉天で開催に決定し總出席校長は百八十六名
△
北滿豐饒の中心地長春ペトナ間九十五マイルの間に鐵道計畫起り支那側軍部、實業家、有志等奔走中
△
カリホルニア州在住の邦人數箇團體はメキシコ移住地計畫をたて、目下資本金五百万圓の移民會社をつくらうとする。
△
同じくカリホルニア州の邦人都留競、皆川芳造の兩氏は

メキシコに六千町歩と三万町歩の土地を購入して砂糖、米バナ、等の栽培を計畫中

△

海外興業會社で、本年の一月から七月末までの間に取扱つた移民數は六千三百四十七人で、昨年に比べて著しく增加してゐる、これは內地の不況と政府の移民獎勵宣傳がきいた爲めだと。

△

滿州四平街の吉田氏の發起により日、滿、蒙三民族の親善を圖る活万字社創立さる。

△

ハルビンの市會に對して吉林材政廳は、一般移民の活動資本金に二プロセントを增稅することを提議した、即ち五十万圓の資本に一万圓の課稅となるわけだと。

△

久原鑛業では臺灣に油田事業を起すためこの程新竹州に二千万坪の廣大なる鑛區設定を出願した。

△

北海道稚內音威子府間の鐵道工事は急速に進涉を見廿五日から運輸營業を開始した。

△

洮昂線の先江が增水をつゞけ遂に氾濫し線路を浸し、列車交通も杜絕した、このまゝ結氷すれば多期の汽車運轉は中止か……。

△

在東京の滿蒙關係者二千餘名によつてこの程東京に滿蒙協會を設立し、日華兩國人の和睦親善を圖るのが目的。

△

二十日キューバ島を襲つた熱帶暴風は新甘蔗に甚しき被害を與へた而して全嶋に於ける生產額は二割五分減と豫想せられゐる。尙全島の損害は五千万弗、死者一千人に及ぶと。

△

米國では伯國奧地探險に飛行機を使用すべく既に一行は七ケ月の豫定で隊長デイオット飛行少佐に指揮されて奧地に向け出發した由である。一行の通信は最新式の無線電信によつてリオデジヤネイロ及び紐育に日々の出來事報告する由である。

△

十二日社會局に開かれた學務部長會議で移植民保議獎勵の問題では先づ第一に地理教科書と教師の改善第二は海外の事情の紹介であつたそうだ。即ち海外事情に對する紹介と理解とを小學兒童から植へ込むうと云ふのが大体の意見。

母國通信

正貨現送

政府は十六日橫濱出帆の太洋丸にて金四百万圓の正貨を米國に向け現送することゝなつた

內地正貨の現送は本年二月一時之を中止したが右は當時正貨現送を以て金解禁の前提又は準備なりと誤解し爲めに不自然なる相場の變動を釀し投機心を助長せしむる處ありたるに依るも今や爲替相場は著るしき高位にあり且つ相場も先般來比較的安定したので正貨現送を行つても大体に於て上述の如き虞なかるべし。

滿洲棉花會社

創立準備中の滿洲棉花會社は關東廳よりの援助を期待してゐるが二十二日兒玉長官は次ぎの要領の特典及援助を與ふる內示があつた。

一、棉花取締規則は近く廳令として發布施行の筈

二、州域內生產棉花の一年買取を新會社に特許す、特許期間は十五ケ年

三、會社創立後三ケ年間配當が拂込資本額の六分に達するまで補給をなす

四、會社、工場、沙河口の前農事試驗場敷地二万五千坪及び附屬建物を貸與す

滿洲棉花創立

滿洲綿花會社（資本金百萬圓四分の一拂込）は工業倶樂部に創立總會開催左の役員を選任した

社長樺山資英、事務取締役齋藤茂一郎、取締役門野重九郎、井阪孝、朝倉傳二郎、高木陸郎、小倉常吉、監杳役河喜田久太夫、栃內壬午郎、相談役根津嘉一郎、喜多又藏、大藏公望

岡山孤兒院解散

我國に於ける孤兒院の大本山として其の名も知られた社團法人岡山孤兒院は愈解散を斷行することになり三日之れを發表した同院は故石井重治氏が明治二十年岡山醫學校卒業間際に創立したもので宮內省御下賜金內務省の助成金岡山富豪大原孫四郎氏等の後援で行つて來たものであるが解散の理由は時代の變遷に伴ひ過去四十年の院兒教養の成績に鑑み此の種の集合的教養方法は院兒の將來にも好結果を齎さないと云ふにある

ブラジル大使御暇乞參內

駐日ブラジル特命全權大使リマイシルバー氏は現メキシコ公使フエイトーザ氏と更迭し、愈よ來る二十一日橫濱出帆の汽船で新任地へ赴任することになつたので、夫人同伴十四日正午宮中に參內、攝政殿下並に皇后陛下に謁見御暇乞を言上した攝政殿下には零時半から豐明殿で同大使御送別午餐會を開かせられた、なほ長き邊りでは特に今回同大使に對して左の如く敍勳の御沙汰があつた

特命全權大使　リマイ・シルバー

敍勳一等旭日章を贈與

伯國大使歸國

本邦駐在伯國大使シルヴア氏は九月二十一日朝東京出發同日橫濱解纜のプレシデンド、チエーヤー號で夫人同伴歸國の途に上つた

尙ほ後任大使たるべき現駐墨公使フエイトーザ氏着任までは一等書記官カストロ氏臨時代理大使として館務を處辨すると。

貿易會議
目出度く幕を閉づ

南洋貿易會議第二回總會は二十三日午後三時より開會、齋藤通商局長の開會の辭に次いで、幣原外相拍手に送られて登壇、別項の如き挨拶を述べ、日印協會副嶋八十六氏の動議に依り、最年長者の故を以て名古屋商業會議所上遠野富之助氏謝辭を述ぶる所ありて午後三時四十五分閉會、尙列席委員は午後四時より霞ケ關外相官邸に於ける幣原外相招待の茶會に臨んだ

躊躇なく實行　（外相の挨拶）

△……南洋印度地方に關する貿易會議は、本日を以て終了することとなりました、凡そ關際通商問題を共同審議せむが爲、第一に內地の各關係官廳、第二に在外公館、第三に直接の利害關係を有する當業者及諸國體、此の三方面の參加せる會合は今回が最初の企てでありまして、政府の施設上有益且必要なる資料を供給せられたことを伺ひまして寔に國家の爲に欣快の至りに堪へませぬ

△……諸君等の本會議に於て開陳せられたる御意見は永く記錄に存し、其の中直に實行し得らるべき適切の事項は躊躇なく實行する積りであります、又現行法令、豫算、財政等諸般の關係上、別に考慮を要するものは篤と緩急を計り、時宜に應じて實行の步を進むることゝしたい考へであります

△……本會議は斯の如き具體的效果を得たる外に官民の各方面が一同に相會し重要なる國際通商問題に關して誠心誠意互に胸襟を披きたる無形の効果に至つては頗る貴重なるものがあることを信じまして無限の滿足を感ずる次第であります、我々は御互に絕えず此の精神を以て對外通商の發展を圖りたいと考へます

貿易會議の收穫

期待を裏切る

貿易會議の開催は大體時宜に適したる企てとして財界のみならず一般の視聽を惹き、またその主旨に於て我が財界に尠からぬ衝動を與へた事は爭はれぬが、會議の效果に付いては甚だ疑はしいものとされて居る、第一に主催の外務當局に對する大藏、商工兩當局の反感の如き、また本會議に於て討究された各項に付いて何等の決議を齎らさず實行力の伴はざるが如き、殊には會議の中心となれる金融、企業及び投資部會に於ける民間委員の切なる希望として、金融機關の特設を主張せるに對し當の金融業者は之を肯せず、金融機關の特設は企業に隨伴するものとして其の施設の尙早を說いて兩者意見の相違を暴露したるが如き、本問題が最も重要性を帶ふるだけ一般財界では會議の效果に付いて期待を裏切られたかの觀を持つに至つた

今後の政策に效果多し

武內大藏次官談

今度の南洋貿易會議に就ては相當意義があり、有益な成果を得たと思ふ、大體從來の南洋に對する方策に明確な基準がなかつた事は明かで、今度の會議に依り直接その衝に當つてゐる官吏や民門の當業者の忌憚なき意見を聽き、更に南洋の實狀をも知ることを得たから、今後の對南洋貿易乃至對南洋政策に大いに參考とならう、又會議の議に上つた事項に就ては凡て今後研究に待つ可き問題で、個々に就て大藏省の意見を述ぶる可き場合ではないが、何れ外務省が之に就て調査研究をすることになれば大藏省としてもその態度を決定する必要が生ずる譯であるどの道特殊金融機關の設置の預金部の融資などは到底問題になるまいと思ふ云々」

神樣に願を掛けたやうな

三井物産　安川常務談

今回の貿易會議の結果當業者は相互ひに腹藏なき意見の交換をなしたので、政府當局も民間當業者も、共に何物か得る處があつたことは疑ひない、たゞ問題には今回の會議に於ける當業者の要求なり希望を政府當局が奈邊まで容るゝかで、勿論決議機關と云ふ譯ではないのだから、此の實力と云ふ點に至つては全く微力なるものである、然し若し政府にして當業者の輿論を無視するやうなことになると將來の貿易會議なるものは餘り重きをなさなくなると云ふことだけは豫想するに難くあるま

い、素より豫算とか又は法律の制定等種々の機關を經ねばならぬ關係もあるから、俄かに實行を期するは無理であるが、兎に角政府の施設如何は注目すべきものがある、まア今回の會議は神樣に願を掛けたやうなもので、果して御利益があるか何うかと云ふ事である

資金融通は政府の腰次第

某銀行當局談

輸出業者からは資金融通に就いて種々の希望やら意見も出來たが要するに問題は政府當局の施設の如何に俟たねばならない、假令ば持殊銀行の設立にしても亦長期の低利貸付にしても政府が或る程度腰を入れねば資金融通の改善を期することは不可能である、我等銀行業者としても危險を冒してまで此の方面に沒頭すると云ふことは事實不可能のことであるから、南洋方面に對する資金融通の制度を改善するためには政府當局一段の配慮を望む切なるものがある

實行出來る具體案

貿易會議の結果として主催者たる外務當局今後の對策としては同會議に提出せられた文書及意見は至急に之を整理して、各關係部門に分ち、その關係する所のものを綜合して玆に一の具體案を作成し、改めて公表の手續きを執る筈であるが尚又他省に關係するものは夫々當局と打合せた上、出來るだけ實行の可能性ある具體案を作成すべく、此の爲めに特に官廳方面の委員會等は設くることゝせず、只次官會議その他の機會に於て協議することになつて居る。

秘露政府移民優遇

南米秘露政府では日本移民歡迎の爲特に移民法を改正する事となり在橫濱同國領事をして十一日左記五項目の優遇條件を發表せしめた

一、日本移民は秘露國内の港に着いてから八日間政府は食料を給與する
二、農夫の移民には十ペクトリヤの土地を無料給與す
三、農具及種子は無料給與す
四、入國より當初の六個月間食料を補給し且每日日本貨幣金五十錢を給與す
五、移民が秘露國内の港に着し目的地までの旅費を給與す

遭難列車の死者卅八名

二十三日午前三時、山陽線安藝中野、海田市間で俄然顚覆し、時ならぬ地獄の大慘事を演出した一二等特急車の死傷者は豫想以上に多く、夕刊所報後も死體は續々發見されつゝあるが、現場は粉碎列車引下しの作業が進捗すると共にその下は泥沼のやうになつて居り地底に埋沒されてゐる死體も少くない

模樣である、全部の發見までには尚數時間を要する見込みで夜を徹して活動中である、一方急を聞いて馳せ付ける家族、知己、關係者等も時と共に增し泣き呼び呼び交はす聲、深夜にに至るも現場はあたかも戰場のやうな混亂を續けてゐる、廿三日午後十時までに鐵道省宛に報告した正確な遭難者數は左の如くで、死者合計卅八名そのうち氏名判明せるもの廿九名、重傷者の判明せるもの卅四名其の他輕傷者も多數である

軍醫救護に從事

列車慘事につき廣島衞戍病院より軍醫以下二十名、擔架六十廣島工兵第五大隊より將校以下二十名を派し救護に從事してゐる、その他、青年團、消防夫等徹夜の活動は勿論である

今井五介氏表彰

日本産業協會は廿日午後四時半より帝國ホテルに於て協議會を開き引續き同五時半より我國産業貿易の發展に盡粹し功勞者四十二名を銓衡し其表彰式を擧行したが當日は伏見總裁宮殿下特に臺臨あり優渥なる令旨を給る

▲表彰者(生糸)　今井五介

長慶天皇奉列あらせらる

謹みて案ずるに長慶天皇御登極のことは多くの史家の論證する處なるが而も之れに對し有力なる學者にして全然反對の意見を發表せるものあり故を以て同天皇の御在位を確定するに至らず以て今日に及べり然るに近來新史料の發見せらるゝと共に考證又益精緻を加へ近來の史上に對する見解自から一致せるものあり現に故八代博士の如き恰博なる研究を發表せるものあるを以て先づ之れを臨時御歷代史實考査委員會に諮問せるに同會は愼重精査審議し適確なる立證の下に其の御在位を明らかにせり即ち樞密院に御諮詢あらせられ長慶天皇を大統中後村上天皇の次に例し給ふことに御治定あらせられ今日詔書を以て宣示せらるゝに至りしものなり

謹みて惟みるに從來長慶天皇は御歷代外の故を以て追遠奉祀上遺憾の點少からざりしに今般愈大統中の御一代と仰ぎ奉るを得るに至りしは吾々臣民の等しく歡喜措く能はざる所にして畏くも天皇在天の神靈も亦御滿足に思ひ給ふ所ならんと拜察し奉る次第なり。

ブース大將東宮に拜謁

來朝中の救世軍萬國總督ブース大將は同社會部長カンェアカム少將及令息バーナス、ブース氏と今十八日午前九時四十分赤坂東宮假御所に伺候し同十時攝政殿下には雁の間に出御親しく

右三氏に謁見仰せ付けられ其日本訪問を喜ぶ旨の有りがたき御言葉あり大將は御禮を言上して十時十五分退出した

伊澤市長辭職

伊澤東京市長は病氣のため、市長の任に堪へ難き故を以て本月十九日若槻首相の諒解を得て小嶋議長に辭表を提出した。伊澤氏は去る七月中旬市長に就任したばかりなので各方面と共皆留任を勸告したが健康勝れず劇職に堪へ難きと固辭したのである。尚丸山、山口松本三助役も辭職願ひをしたが丸山助役は暫時市長代理として在職する。而して後任市長は丸山助役の呼び聲が高い樣である。

ニューヨークで四十九ドル實現

日本政府の正貨現送再開はやがて來るべき金解禁の思惑を誘致し連日昂騰歩調をたどつてゐた當地對日爲替は對米四十九弗の新高値を出現したこれは勿論前記金解禁の思惑によるといへども之れは取りもなほさず日本財界の恢復と對外信用が增進した爲めであつて前日引値に比し八分一方の昂騰を示し四十九弗の高値を出現した事に就ては一般に驚異の眼を以て見られてゐる

信州記事

一茶翁記念碑

一茶の百年祭は先程鄕里村柏原町に於て盛大に擧げられたが一茶翁百年祭記年會では更にこの機會に於て一茶翁の碑を建てる事となり過般來その場所樣式等に就て研究中であつたが愈建設場所は長野市城山東記念公園の入口なる梅林中と定め北佐久郡に於て適當な石を發見し目下刻つゝある碑の表面は一茶の句である

我がくには
　草もさくらを
　　咲きにけり

の一句をきざみ裏面には一茶翁百年祭記念會建立と記した簡單なものである碑の大きさは高さ七尺幅四尺で近く北佐久郡より運搬し來り建設工事に取いそぎ十一月十九日同所において除幕式を擧げる豫定である

尚一茶百年祭記念集は目下長野市田中印刷所に於て製本中であるが來月

初旬には配本の運びとなるべくそれには翁の逸事、句、俳諧名家の一茶評並に追善句等を網羅した

須坂町の水道竣工式

工費卅七萬圓を投じ二ケ年の繼續事業で起工した須賀町上水道は全く竣成を告げ十五日午前十時半よりその淨水場において竣工式を擧行閉式後直ちに記念運動場において祝賀會を擧行した

天龍峽の秋

天下の名勝天龍狹の秋は次第に深みゆき蜿々たる青漂を湛へて押し迫れる兩岸の斷崖絕壁を縫ふ紅葉は昨朝今朝の霜にぽつ〳〵色づき初めたので從來、天龍下りの探勝船は定期日に龍丘村時又港より發船してゐたが、この航路はさらに擴張され今回上流の松尾村地籍辨天から每日午前十一時を期して船を出すことになつた、これは十一月末まで繼續される筈である

縣下所得稅調査委員選擧當選者

北、南佐久郡
井出今朝平、柳澤禎三、雨澤得三、小山重右衞門、森泉三代太、土屋熊治、相澤三郎、土屋源一郎、黑澤剛

北安曇郡
太田與平、薄井貞一郎、內山正治、清水鎭雄、福島元治、

下高井郡
小林萬次郎、宮崎與平、畦上古壽、

上高井郡
田中邦治、坂本重雄、宮津貞助

埴科郡
新村寅次郎、伴勇三郎、春日六郎、

小縣郡
兒玉衞一、寺西文三郎、工藤房治、遠藤要次郎、中村五郎、紫崎新一、

上伊那郡
仁科一郎、樋代準平、小野三雄、宮澤要次郎、織田一郎、伊藤吉十郎、大槻文雄

東筑摩郡
中村畯作、瀧澤久馬雄、堀內貫一郎、波多腰傳

西筑摩郡
川合勘助、湯川富雄、佐藤正太、大島傳八

長野市
橫田文五郎、楠本正憲、塩澤龜太郎、松澤久左衞門、新井昇、土田二太平、小笠原平作

松本市
細萱茂一郎、平林壯治、池上富三郎、石井龍助、池田六衞、吉澤正雄

上田市
田中惣次郎、飯島新三郎、嶋田甲子郎、成澤伍一郎、瀧澤一郎、伊藤傳兵衞

南安曇郡
降旗太耕、望月昇、佐々木重雄、水谷幸作、小口伊藏

諏訪郡
宮坂作衞、小口修一、原晴雄、永田五七、林七六、小飼宇左衞門

下水内郡
牧野長藏、松山庄五郎、木内一郎
下伊那郡
野原文四郎、市瀬泰一、島岡三藏、原田大一、代田市郎、濱嶋諒、澤津賢宗
上水更級
宮崎萬平、高津米治、岩間淸治、増田要松、小出五十二、山崎暢夫、内山善助

縣參事會員當選

本縣臨時縣會は本月十六日名譽職參事會員選擧の結果左記人名當選した。
川上硯一郎(政)　松原彦右衞門(政)
山田織太郎(政)　平林秀吾(政)
田中彌助(政)　北原源三郎(憲)
小澤正人(憲)　山崎暢夫(憲)
原治助(憲)　沓掛正一(憲)

北信一帶小作組合聯合會

去る十六日擧行された埴科郡雨宮縣村の小作組合組織促進講演會を第一線として組合組織運動は雨宮縣村は勿論の事其餘波は遠く更級郡西寺尾村に至り同村小作組合の組職を見るに至つた斯くて組合運動は一時減免要求より永久的の小作料の合理化耕作權の確立及町村自治体の政治的進出の傾向を辿るべく刺戟され近村にも其餘波か非常に及ぶやうである併しながら個々を以てしては到底小作人として完全なる要求を貫徹されざる事を知つた組合組職の結果も更にそれを大同するもの丶必要を痛感するに至り南條小作組合が主体となつて北信に於ける既成小作組合の十團体及雨宮、西寺尾村等を合せて北信小作組合聯合會を組織し爭議問題に付いても連絡を取るべく計劃されつゝある

禰津小諸間

乘合自動車開始

小縣郡禰津村より小諸町にいたる定期乘合自動車を東信自動車株式會社で來る六日から運轉を開業した

松本下諏訪間自動車運轉

筑摩自動車會社では松本下諏訪間の自動車運轉の許可願ひを十三日提出したが同會社では廿人乘りの自動車四台を購入して運轉する計畫であるしかしてその運轉時間は松本下諏訪間を約一時間卅分で運轉する由

諏訪の寒心太

バタミヤ領事の報告……◆

諏訪重要産の一つたる寒心太が近時歐米を初め南洋方面迄其販路を擴張し行く有樣で諏訪水産組合では積極的に生産品の增加を圖る爲め本年より製造期間を五十日に延長する事となつたが最近バタビヤ領事より茅野一寒心太業者の許に南洋方面の寒心太實情調査の狀況を報告して來た處によると熱帶地方なるが故に四季食料品として愛用されるが故に四季食料品として愛用され賣行き飛ぶが如くにて小賣値段は一等

百本五ギルタ二十セント（百ギルタば日貨百二十月）二等品四ギルタ九十五見當で將來非常に有望視せられて居るとの事で又支那ホンコン方面にも歡迎され一等百七十五トル、二等百六十ドル、三等百五十ドル（百ドル日貨百二十圓）等にして一ケ年二千餘以上の輸入あり産地との取引を希望して居る向が多く諏訪寒天の新販路益有望視せられて居ると

東海北陸連路飛行の不時着陸場

松本の笹部飛行場は將來都市計畫上對空防禦地帶とすべき委員部の意向である

更に飛行機の發達と共に信州高原は東海北陸の連絡飛行中繼地點で而かも四面重疊なる山岳繞らされて居る點は空防上頗る天惠的の地帶として注目され

陸軍航空局では長谷川飛行士に命じ信州高原に於ける不時着陸上及其の他航空關係に必要な調査を行はしめてゐるが目下不時着陸場として相當可能性あるものは笹部飛行場及長野丹波嶋附近で兩所は名古屋直江津方面の經路として最も必要と認められ尚岐阜各務ケ原方面と連絡のためには一万尺の高峯乘鞍の惡氣流に備へるため番町附近を更に松本から富山方面への捷路としては八千尺の高峯五色ケ原を又東京方面との交通には美ケ原を指顧され尚冬期永結期間は諏訪湖、木崎湖、松原湖等が適處と認められてゐる而して右は笹部丹波島を除く外は何れも交通不便殊に番所五色ケ原等はガソリンの運搬及機體破損時に於て解体輸送か不可能なので僅に墜落を免るための救護場に外ならないがアルプスの惡氣流を突破する上に於て相當重要視され近く長谷川飛行士の報告と共に陸軍航空局では航空圖作製のため重要視するであらう

甦つて信州足袋

一年百万圓近くも産出した信州足袋が移足袋に壓倒されて其の前途を頗る悲觀されて居たが當業者の自覺に依つて從來大半を家庭副業として細民の内職に任せたものを品種の統一、體裁の優美等を實現するため副業製品を廢して製作の工場化に努力した結果最近の製品は移入足袋に遜色なきまでの成功を納めて居るが一方工賃を低廉ならしむるために各營業者はきそふて工場を建築十數人の職工を使用して分業制度とし極力信州足袋の聲價維特に苦心して居るが時代の趨勢と共に往年全盛を見た信州足袋の代表的石底木綿たびは最早沒落して其の影を市場に見受けぬ有樣だが之に代つてうんさい底の繻子表かメキ〳〵と販途を開拓し信州たびの前途は決して悲觀すべきものではなく

信州たびの今後市場に活躍する上に於て最も好都合なのは往年の石底たび時代に密接な關係の取引店が至る處に存在して居る點であらうと云はれて居る

木曾のもみぢ

木曾谷の紅葉は愈々山の麓迄廣がつて來た本年は好天氣の爲めに光澤が非常に良い關西方面よりの團体申込みは二十三日名古屋鐵道局運輸課運轉課の職員家族三百六十名同事務所募集の六百名大阪運輸事務所募集の三百五十名が眞先で其他續いて照會が來て居りこれ等は何れも夜行で來て夕刻歸るのであるが本年は更に御嶽山麓王瀧村方面へは自動車の便利がよくなつたから紅葉と小鳥を兼ねて來る人の足は餘程增加する見込みで當分の間は賑さが續くであらう

初霜

長野地方十四日朝氣溫俄かに下降し午前六時實に攝氏氷點下二度を示し初霜さへあつた昨年同日の氣溫は攝氏十五度四でまた降霜は昨年より一週間早い松本地方十三日夜來寒氣俄かに加り日本アルプス連峯は降雪ありきた松本平は一般に雪かと思ふ程の大降霜ありこれがために農作物の被害多くそばの如きは實に慘憺たる被害でまた晩秋蠶の如きも相當の打擊を受けた

北佐久郡岩村田地方には十四日朝初霜があつた昨年より一週間早い

縣營運動

縣營運動場の工事は完成したが總工費は合計二十六萬八千九百三十圓で此中縣負擔が三万六千九百九十圓で松本市の負擔は十三萬七千三百九十圓本鄕村の負擔は九万四千五百五十圓で其外に筑摩電鐵會社の負擔に係はるものあるが運動場の槪要を示せば左の通りである

規模

▲トラックフイルド施設

「トラック」面積	一、七〇〇坪
「フイールド」面積	二、九八〇坪
「トラック」外廓面積	一、〇五〇坪
スタンド觀覽席面積	三、六五〇坪
廣場敷地面積	一六、七七〇坪

收容人員約三万二千人

▲野球場施設

野球場面積	四、八〇〇坪
スタンド觀覽席面積	五、一〇〇坪
廣場敷地面積	一〇、一〇二坪

（收容人員四万五千人）

岩村田の收容者保釋さる

長野騷擾事件に關し北佐久郡岩村田町より長野刑務所に收容中であつた四十一名は十七日保釋された四名を以て全部保釋又は釋放となつたので岩村田町民も此處に漸く九十餘日にして安心するに至つたが尚一層警察署の復活を期

して運動を持續する一方景氣直しと一般町民並に收監者慰安のため何等かの方法で大祝賀を開催したいとの意向が一般町民各方面から提唱されてゐるので近く實現を見るであらう

篠ノ井線中の新驛設置

鐵道省が發表した新驛設置廿五候補地中篠の井線塩尻村井間と西條麻績間の二ケ所が含まれてをる右のうち村井塩尻間は廣丘村地籍の三州街道、西條麻績間は本城村地籍の三淸路に何れも停車場を新設すべく多年地元よりその筋に請願して來たもので本城村の請願に對しては西條村が繁榮を奪はれる恐れありとて設置反對運動を起したと等もあり鐵道當局も附近村落物資の集散人口の密度等より打算し候補地に採擇したものらしいしかし右二ケ所に新たに設置を見るとしても現在の狀況より見て當分は極めて簡易な中間驛に止まるだらうと長野運輸事務所の意向である

須坂の夷比壽講

須坂町の惠比壽講は十九日夜から二十日夜にかけ盛大に實施同町商業會では全町に渉り裝飾を行ひ來訪者の歡迎に全力を拂つて居る殊に今年は各方面ともに不景氣の聲でみちて居るので斯樣なる場合に挽回せねばならぬと煙火は二十日早朝から二尺玉四發を始め數百發を打ち大揚げ福引劵數萬本の發行を試み氣勢を添へる由又二十日は各製糸工場が約六千名の男工女衆を開放するのと來訪者等全町は人の波を打つだらう長野電鐵會社では各列車共に增發を行ひ乘客に滿足を與へる筈

縣下各町村吏員一覽（其ノ一）

（大正十六年十月現在）

南佐久郡（三町二十ケ村）

町村名	町村長	助役	收入役
臼田町	小林亥吉	井出眞太郎	井出胤次
野澤町	並木齢輔	伴野宗二	瀬下忠
中込町	柳澤林藏	嶋田菊助	小林滿治
川上	吉澤喜和三	小原森太郎	篠原武重
南牧	吉澤彌一郎	菊地雅二	井出喜久司
北牧	油井彌一郎	篠原彌次右衞門	篠原貞太郎

小海	武井鋭	井出増水	新井權水
南相木	猿谷歡助	中田榮	兒玉光夫
北相木	井出壽一	井出恒平	高見澤淳
穗積	黒澤陸之助	井出(直助	青柳保三
海瀨	佐塚清助	友野鼎三	加藤丑治郎
大日向	小須田久吾	淺川辰平	畠山允助
畑八	佐々木虎治	高橋小右衛門	山浦袈裟治
榮	高見澤勝太郎	岡部豊	高見澤元吉
青沼	日向治之助	横森喜助	日向淳
切原	瀨下衞平	鷹野環	篠原定藏
大澤	木内泰助	吉岡德重	市川廣
田口	高橋大吉	井出粂太郎	小林忠次郎
平賀	大井爲助	赤岡卯吉	柳澤新之助
内山	竹花康五郎	松崎壽一郎	安藤濱之助
櫻井	淺沼信太郎	臼田哲彌太	小林寬次
前山	仁科嘉太郎	箕輪融	袖部茂司
岸野	岩下幸平	木内政藏	藤卷貞一

北佐久郡 (三町二十五ヶ村)

町村名	町村長	助役	收入役、
輕井澤町	佐藤直吉	甲田良吉、土屋量	石田潤吉郎
岩村田町	市川市助	中澤重之	臼井來助
小諸町	隈部親信	掛川周三	高橋芳三
西長倉	土屋孫作	佐藤鶴松	小宮山重雄
伍賀	大井政治	市村清三	荻原熊太郎
平根	柳澤金太郎	遠藤竹治郎	柳澤敏雄
三井	小平福松	中澤藤太郎	原源之助
志賀	並木美信	三井彌太郎	工藤憲吾
高瀨	依田義朗	淺沼英	依田長三郎
中佐都	上原作次郎	大塚幸助	青木仙之助
中津	佐藤貞五郎	鈴木梅太郎	久員
三岡	丸山助二郎	塩川治三郎	中村賢
南大井	小林信吉	田中千義、有賀英一郎	塩川廣作
御代田	安川孝平	久員	小林伊助
小沼	高山鄕三	中澤喜惣太	久員
北大井	小林恒三	佐藤佐一	大久保正雄
大里	土屋伊勢次	土屋傳之助	富岡保雄
川邊	清水直之助	柳澤傳之助	依田捨一郎
五郎兵衞新田	金箱壽重郎	松川政次	中澤雄一
南御牧	依田太郎兵衛	竹内清右衛門	小松佐左衛門
布施	山崎虎次郎	荻原佐久一郎	箕輪貫

春日	櫻井周助	竹佐喜一郎	市川二祐
協和	比田井盛太	吉澤義雄	柳澤太一郎
本牧	大澤市郎右衛門	大森仁作	大草守平
芦田	河合勘次	柳澤清太郎	荻原嘉之助
横鳥	片桐勝平	手塚吉之助	高橋清四郎
三都和	小林團藏	佐藤彦山、宮下信太郎	久員
北御牧	渡邊重平	渡邊正	畑田一雄

小縣郡 (三町三十ヶ村)

町村名	町村長	助役	收入役
丸子町	工藤助市	遠藤肇	柴田四郎
長窪古町	須藤金次郎	兒平壽太、笹澤豐	小林準一
長久保新町	大澤八太郎	武重昌次	武重昌次
滋野	若林藤太	楢川正雄	大村忠男
縣	柳澤操	久員	高木喜一郎
彌津	宮澤才吉	北澤猪三郎	佐藤忠知
和	大塚猛三	田中新太郎	竹内鐵
神川	池田庶之助	坂田千之	西澤荒雄
豊里	細田貞次郎	滿木政治	石坂達雄
殿城	柴崎新一	田中次郎	金子萬壽
本原	丸山保夫	古市義信	若林光情
長	柳澤彦太郎	久保藤一	松尾林吉
傍陽	三井繁作	西澤睦次	半田昌
神科	川上潔	山崎赳	塚原秀一
塩尻	清水喜左衞門	中曾根管太郎	中嶋忠次
長瀨	池内直次	山岸半三郎	臼井安次郎
塩川	横山良平	田中武八	横山貞雄
依田	吉池幹	吉池森太郎	小山伊勢吉
西内	齋藤寛吾	瀧澤浩	小林登
東内	山本莊一郎	大野勝平	中村靜
武石	池内寛治	伏見儁平	北澤常一
大門	小林元一郎	山浦源之助	小林雅雄
和田	長井忠吾	田中昇藏	龍野麟一
川邊	山浦善右衛門	丸山甚作	櫻井孫次郎
泉田	小林榮太郎	宮崎巳代吉	西川勇夫
室賀	古平佐兵衛	白鳥清一郎	南波吉左衛門
浦里	山下喜平次	宮下周	西澤金次郎
青木	小林直次郎	若林幸一郎	堀内與市
別所	山極孝平	中澤義高	鹽澤安太郎
西塩田	竹下繁松	黒坂眞市郎	樋口寄位
中塩田	遠藤用治郎	北村卯市	水野袈裟治

東塩田	坂田六平	辰野壽二郎	丸山袈裟重
富士山	西川増藏	工藤文太	淺川龜一

諏訪郡 (一町二十二ヶ村)

町村名	町村長	助役	收入役
下諏訪町	大和仁平	小林廣志	岩本市藏
上諏訪町	志賀市藏	清水祐甫、伊藤勝太郎	河西秀戸
川岸	片倉勝衞	宮澤源勇、林信平	宮澤兼治郎
平野	清水惣助	増澤靜明、今井吾樓	今井德藏
長地	小口勘彌	小松喜三治	牛山洋二郎
四賀	三村箇治	矢崎竹藏	小松政治
永明	河合久平	小川和作	小川孝三郎
米澤	矢嶋作之助	小野喜右衛門	帶川泰雄
北山	柳澤平四郎	守矢仁作	久員
湖東	小平勘七	牛山鮎之丞	湯田坂賢義
豊平	柳平百三郎	飯田莊衞	牛山正司
玉川	上田晴雄	牛山定藏	伊藤賢平
泉野	有賀喜衛門	朝倉義祐	有賀半兵衛
原	高橋睦示	堀内初雄	小松良金
本鄕	今井治作	久員	小池泰治
境	小林美福	内藤茂樹	小林清平
落合	名取厚次郎	植松寅治	名取伯正
富士見	小川修平	前島久長	久保田源一
金澤	原田喜久雄	伊東文吉	小林伊重
宮川	今井佐市	五味建藏	池上繁藏、五味與喜治
中洲	岩波喜代太郎	後町德重	伊東一
湖南	藤森竹藏	原平藏	藤森虎三郎
豊田	小松義太郎	笠原愛太	田中滿
湊	有賀今朝吉	濱善治	味澤勘美

上伊那郡 (二町二十九ヶ村)

町村名	町村長	助役	收入役
伊那町	清木米三郎	中村勝衞	武田光治郎
高遠町	野口傳兵衞	廣瀨常雄	小松元太郎
小野	宇治光治	小野幸治郎	原勘十郎
川島	一ノ瀨與市	一ノ瀨澄人	小澤今朝治
伊那富	長田晋一郎	野澤貞治	小松米治
中箕輪	中坪納治	小原眞一郎	栗原文雄
西箕輪	伊藤茂	泉澤安衞	原安雄
南箕輪	日戸傳章	倉田準	倉田孝一郎
西春近	飯島藤一	春日源一郎	酒井仁

宮田	新谷孫八郎	伊藤源一郎	橋倉歌吉
赤穗	福澤泰江	池上新七	下村長喜
飯島	林讓	高坂松三	大澤傳一郎
七久保	高坂宗司	片桐以直	宮下伊都美
上片桐	岡本喜代太郎	森下二郎	片桐濱治
片桐	大場茂雄	松村儀助	北村英吉
南向	塩澤貞雄	寺平幾次郎	鹿養入藏
中澤	坂井迎夫	坂井近太	竹村善次郎
伊那	福澤倉治郎	馬場信	福澤傳雄
東春近	酒井秀治郎	下平繁一郎	田中金幸
富縣	橋爪初太郎	櫻井鐵十	池上利直
河南	塩原藤三郎	眞壁喜代介	田中元藏
美和	高見兼松	伊藤繁三郎	北原繁太郎
伊那里	小松友金	馬場豊太郎	大澤金一
藤澤	秋山馬太郎	守屋又吉	田中退作
長藤	北原幾太郎	池上勇太郎	北原正治
三義	北原作一郎	宮澤繁藏	北原友愛
美篶	北野増藏	赤羽英男	竹内貴一郎
手良	北原澤次郎	海野倭吉	三澤久男
箕輪	毛利善一	那須三五藏	小池純一
東箕輪	清水常重	久保嘉重	藤澤英雄
朝日	三澤龜治郎	小松今朝治郎	有賀好

協會記事

渡航入植者の状況

アリアンサ移住地へ本國より渡航せる第一回は昨年六月十三日であるがそれより回を追ふ事十五回本月二十八日解纜のラプラタ丸まで總數三百十二名の移住者を送つてゐる。内二十數名は單獨或ひは補助金の交附資格なき者で入植者状況は左記の如くである。

回數	出帆年月日	船名	家族	人數
第一回	大正十四年六月十三日	志かご丸	三	七
第二回	七月二十日	まにら丸	二	七
第三回	十月一日	はわい丸	一	二
第四回	十二月廿四日	阿波丸	一	一
第五回	十二月二十四日	サントス丸	一	三

第六回	大正十五年一月廿三日	まにら丸	二	四
第七回	三月三十日	はわい丸	一三	五五
第八回	四月二十日	神奈川丸	一	三
第九回	五月六日	らぷらた丸	二〇	八四
第十回	六月十日	サントス丸	八	三二
第十一回	六月三十日	河内丸	二	七
第十二回	七月十五日	まにら丸	一六	五八
第十三回	八月二十八日	もんでびでお丸	七	四四
第十四回	九月廿八日	はわい丸	一	九
第十五回	十月廿八日	らぷらた丸	一	三
計			九七	三一二

新入會員　六月ヨリ(其ノ一)

縣内ノ部

諏訪郡上スワ町　小松又右衛門
松本市西町四八〇　丸山龜之助
上水内郡大豆嶋村　小林正雄
諏訪郡長地村　飯野傳一郎
長野市上西之門町二　中澤しげる
下高井郡豊郷村　白川精一
上高井郡仁禮村　竹内市藏
東筑摩郡中川手村　内川可也
上伊那郡川嶋村　一ノ瀬喜佐松
諏訪郡上諏訪町　小松伊平
松本市天白町六九三　清水友次郎
下水内郡岡山村　市村忠司
下水内郡常盤村　高橋松次郎
下水内郡永田村　藤澤小藏
下水内郡柳原村　宇田小惣
同　郡同　村　中嶋鹿治
下水内郡太田村　武田嶋治
東筑摩郡片丘村　田中正實
小縣郡東塩田村　有賀信義
南佐久郡野澤本新町　井出治兵衛
小縣郡室賀村　白鳥清一郎
北佐久郡横鳥村　小池卷太郎
東筑摩郡片丘村　中澤政隆

縣外ノ部

臺北市入船町四ノ四三　後藤麟太郎
大阪市北區芝田町(渡伯)　赤井健治

秋田歩兵第十七聯隊第五中隊　鈴木辰次郎
京都市上京區鹿ケ谷法然院四四　往田堅猛
佐賀縣杵嶋郡山口村　田中時次郎
新潟縣中頸城郡直江津　小池豊一郎
東京市芝區三田四ノ三四中澤豊方　宮田藤秋
奈良縣生駒郡北倭村　奥田喜一
大連市山縣通一五五久保田組　佐野匡作
神戸市居留地西町四二フタバ商會　横山廣三
京都下京區高辻通中島住宅內　伊丹金藏
北海道釧路市　砂田作造
釧路市眞砂町　高野清見
岡山縣英田郡豊田村　武地誠一
臺北市新富町五三五　長沼良治
北海道常呂郡野付牛町鐵道官舍　降旗邦治
岡山縣眞庭郡美川村(渡伯)　吉田榮
茨城縣稻敷郡大宮村　塚本卯四郎
東京日本橋新材木町一杉村方　上原忠成
神戸濱添通三ノ二五　沖晴郎
福嶋縣浮羽郡大石村石井方　水口徳水
京都市仁王門通川端東入大菊町(渡伯)　細川岩村
新潟縣北蒲原郡笹岡村(渡伯)　佐藤謙一郎
同　縣同　郡同　村(渡伯)　推野源之助
福島縣三瀦郡荒木村(渡伯)　淺見新藏
樺太本手郡本手町遠節澤　中上熊太
福岡縣粕屋郡立若村　闘重三
三重縣阿山郡三田村　南藤太郎
新潟市礎町五ノ一安田屋方　坂井條太郎
京都市新京極六角東入　梶田要

會費領收　八月十七日ヨリ九月十五日迄

一金貳圓也大正十四年分　小島忠吉殿
一金貳圓也同上　竹　忠康殿
一金貳圓也同上　竹內忠雄殿
一金貳圓也大正十五年分　二木卯太郎殿
一金貳圓也同上　中澤政隆殿
一金貳圓也同上　石川政治殿
一金四圓也大正十三、四年度分　山室彌太郎殿
一金貳圓也大正十四年分　市川圓次郎殿
一金貳圓也同上　松瀬茂里殿
一金拾圓也大正十五年分　武捨啓治殿
一金貳圓也同上　三井庄次郎殿
一金貳圓也同上　小林芳太郎殿
一金貳圓也同上　佐藤喜次郎殿
一金貳圓也同上　內海定治殿
一金貳圓也同上　坂口七五三作殿
一金貳圓也同上　坂口兼作殿
一金貳圓也同上　牧內進一郎殿
一金貳圓也同上　寺澤智義殿

在外者より

一金貳弗也在墨マンサニヨ　勝田正武殿
一金拾五圓參拾錢也在北米羅府　森喜代一殿
一金五圓也在ボルネオ　柿崎しげ殿

編輯後記

本號は不完全ながらも、五十三號を自任して立ちました。最近「海の外」が機關雜誌として組識立ち統一化されて來たことは到る所での定評であります。內外人の調和聯絡を計るため本誌は全く重大な責務と自信とを以て毎月世界の各地に活躍するのです。「世界の到る所で本誌を見ざる事なし」とは屢々聞く歸朝者の談である

△

本號には在外者のために縣下各町村吏員の名簿を載せました。在外諸君が曾って在鄉の「我が村」について種々考へたと同樣に現在の在外生活にはより以上に幾多の追想や想像が浮ばれると存じます。殊に「我が村の現在や將來」はと考へて來る時、せめては海外万里の地がらいろ〳〵の音信を「村」に宛てたくなります。幸ひ本號には代表者の氏名がありますので此等通信には非常の便宜と思ひます

△

前號の「海外視察組合」は縣下各地の反響を與えてゐます。信州の海外發展網に此の種の組合組織がなければならぬとは存外です。信州の過去と現在を海外發展方面から見るならば、現在は正に組織に於いて日本唯一の機關があれど、各自の海外發展熱は全く他に落ちて昔日の俤もないのであります。再び此の種の運動を盛んならしむるには組織ある機關の活動に待つと同時に各自の奮起も又必要であります。

△

アリアンサ移住地は滿二週年を迎へました旭日昇天の勢にある移住地は更に鳥取縣に飛火して第二アリアンサが生れました。又邦人企業團が伯國の各地に事業を開始仕樣とするのも確かに我が移住地からの飛火です、斯くて生れんとする移住地はいづれも益々確實なる地歩を進みつゝあります。鳥取では本年中に十家族の先發隊を送ることは既報の通り。

(終)

海の外

定價

	一部	半ヶ年	一ヶ年
內地	廿錢	一圓十錢	二圓廿錢
外國	廿仙	一弗十仙	二弗廿仙

海外郵税二錢

注意

▲御註文は凡て前金に申受く
▲廣告料は御照會次第詳細通知致します
▲御拂込は振替に依らるゝが最も便利とす

大正十五年十月二十五日

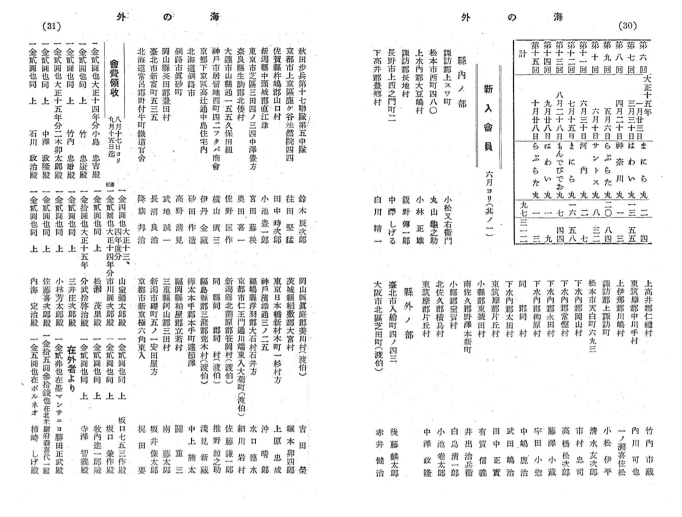

編輯人　永田稠
發行兼印刷人　西澤太一郎
印刷所　長野市南縣町　信濃毎日新聞社
發行所　長野市長野縣廳內　海の外社
振替口座長野二一四〇番　信濃海外協會

信濃海外協會指定

各汽船會社專屬元扱

日本郵船會社
大阪商船會社
ダラー汽船會社
加奈陀汽船會社
アドミラル汽船會社
南洋郵船會社

日本力行會、廣島、和歌山、福岡、熊本、沖繩 各縣海外協會 指定旅館

海外渡航乘客荷物取扱所

今泉旅館

本店 神戸市海岸通六丁目三番邸
支店 神戸市榮町通五丁目六八番邸
電話 元町 三二一番
振替大阪 三五四一〇番

各縣海外協會
日本力行會 指定旅館

(高)

海外渡航乘船
領事館手續
貨物通關取扱

高谷旅館本店

本店 神戸市榮町六丁目
神戸市郵便局私書函八四〇番
電話元町 八五四番、一七三七番

支店 神戸市宇治川楠橋東詰
電話 元町 六六六番

海外渡航取扱所

●東洋一の理想的設備を有する神戸港へ！
●旅館は誠實にして信用のある神戸館へ！

各縣海外協會
日本力行會 指定旅館

神戸館本店

神戸市榮町六丁目廿一番邸
電話元町 八六一番
振替口座大阪一四二三八番

支店（神戸市海岸通四丁目（中税關前）電話 三ノ宮 二一三六番）
別館（神戸市海岸通三丁目十四番邸 電話 三ノ宮 二一三七番）

◇本店ヘハ神戸驛、支店、別館ヘハ三ノ宮驛下車御便利

信濃海外協會指定

各汽船會社取次店

日本郵船會社
大阪商船會社
加奈陀大平洋汽船會社
アドミラル東洋航路汽船會社
ダラー汽船會社

營業案內

外國行旅券出願下附手續及
各國領事査證手續無料取扱
各汽船會社發着表及航路案
內書御一報次第贈呈仕可候

横濱海外渡航案內所
日本力行會指定

ヨ 津久井屋ホテル

横濱市本町六丁目（正金銀行トナリ）
電話 本局 二三六番

福井旅館御客樣に謹告

福井旅館事務所は弊居に設け有之候御渡航御歸朝一切の事務は弊店に於て御取扱及可申上候間不相變御引立の程奉願上候 再拜

大正十五年十月廿九日發行（毎日一回發行）
大正十一年四月廿六日第三種郵便物認可

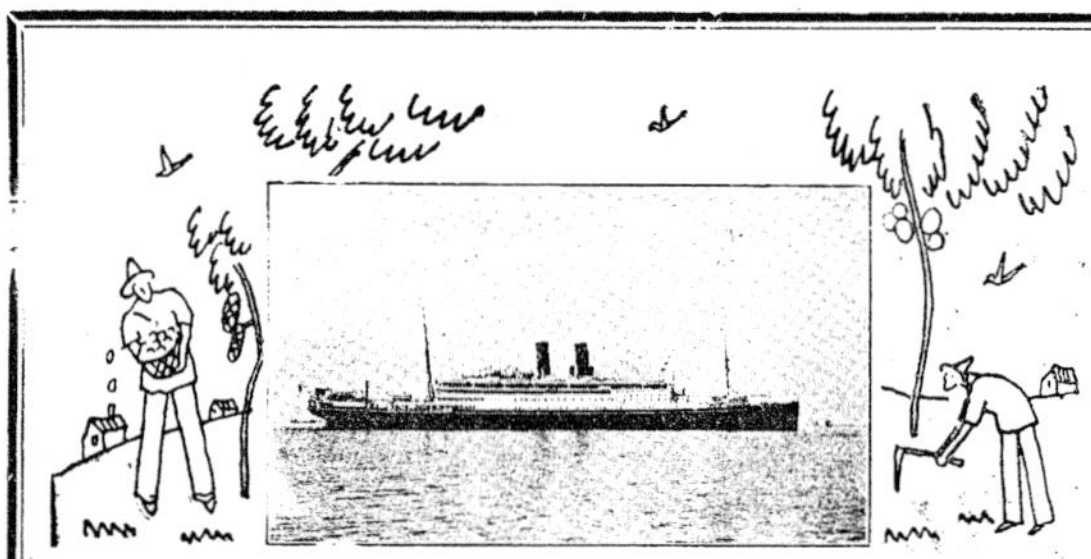

定價金貳拾錢

信濃海外協會
海の外社發行

第54号は収録することが出来なかった。

復刻版
海(うみ)の外(そと)　第2巻
第1回配本（全2巻）

2024年10月25日　第1刷発行

揃定価66、000円
（揃本体価格60、000円＋税10％）

編　集　森武麿
発行者　船橋竜祐
発行所　不二出版
東京都文京区水道2-10-10
TEL 03(5981)6704
印刷所　栄　光
製本所　青木製本
乱丁・落丁はお取り替えいたします。

第2巻　ISBN978-4-8350-8836-5
第1回配本（全2巻 分売不可 セットISBN978-4-8350-8834-1）